Italia

Italy | Italien | Italie | Itália
Włochy | Italië | Itálie | Olaszország

CW00404923

(I) Indice

Autostrade e strade di grande comunicazione	II–III
Informazioni	IV
Quadro d'unione con confini amministrativi regionali	V
Segni convenzionali 1 : 300 000	VI–VIII
Carte 1 : 300 000	1–113
Traghetti	67
Piante dei centri urbani	114–128
Elenco dei nomi di località e codici postali	129–168
Carte Europa 1 : 4 500 000	1–16

(GB) Contents

Motorways and truck roads	II–III
Information	IV
Key map and administrative units	V
Legend 1 : 300 000	VI–VIII
Maps 1 : 300 000	1–113
Ferry lines	67
City maps	114–128
Index of place names with postal codes	129–168
Maps of Europe 1 : 4 500 000	1–16

(D) Inhaltsverzeichnis

Autobahnen und Fernstraßen	II–III
Informationen	IV
Kartenübersicht und Verwaltungsgliederung	V
Zeichenerklärung 1 : 300 000	VI–VIII
Kartografie 1 : 300 000	1–113
Fährverbindungen	67
Citypläne	114–128
Ortsnamenverzeichnis mit Postleitzahlen	129–168
Europakarte 1 : 4 500 000	1–16

(F) Sommaire

Autoroutes et routes de grand liaison	II–III
Informations	IV
Carte d'assemblage et circonscription administrative	V
Légende 1 : 300 000	VI–VIII
Cartes 1 : 300 000	1–113
Liaisons par ferries	67
Plans des centres-villes	114–128
Index des localités avec codes postaux	129–168
Cartes d'Europe 1 : 4 500 000	1–16

(E) Índice

Autopistas y rutas de larga distancia	II–III
Informaciónes	IV
Mapa índice y unidades administrativas	V
Signos convencionales 1 : 300 000	VI–VIII
Mapas 1 : 300 000	1–113
Transbordadores	67
Planos del centro de las ciudades	114–128
Índice de topónimos con códigos postales	129–168
Mapas Europa 1 : 4 500 000	1–16

(P) Índice

Auto-estradas e estradas de longa distância	II–III
Informações	IV
Corte dos mapas e unidades administrativas	V
Sinais convencionais 1 : 300 000	VI–VIII
Mapas 1 : 300 000	1–113
Ferry-boats	67
Planos de cidades	114–128
Índice dos topónimos com códigos postales	129–168
Mapas Europa 1 : 4 500 000	1–16

(PL) Spis treści

Autostrady i drogi dalekiego zasięgu	II–III
Informacje	IV
Skorowidz arkuszy i podział administracyjny	V
Objaśnienia znaków 1 : 300 000	VI–VIII
Mapy 1 : 300 000	1–113
Połączenia promowe	67
Plany centrów miast	114–128
Skorowidz miejscowości z kodami pocztowymi	129–168
Mapy Europa 1 : 4 500 000	1–16

(NL) Inhoud

Autosnelwegen en belangrijke verbindingswegen	II–III
Informatie	IV
Overzichtskaart en administrative indeling	V
Legenda 1 : 300 000	VI–VIII
Kaarten 1 : 300 000	1–113
Veerdiensten	67
Stadcentrumkaarten	114–128
Register van plaatsnamen met postcodes	129–168
Kaarten van Europa 1 : 4 500 000	1–16

(CZ) Obsah

Dálnice a hlavní dálkové silnice	II–III
Informace	IV
Klad mapových listů a administrační rozdělení	V
Vysvětlivky 1 : 300 000	VI–VIII
Mapy 1 : 300 000	1–113
Trajektové spoje	67
Plány středů měst	114–128
Rejstřík sídel s poštovními směrovacími čísly	129–168
Mapy Evropa 1 : 4 500 000	1–16

(H) Tartalomjegyzék

Autópálya és távolsági forgami utak	II–III
Információ	IV
Áttekintő terpék és közigazgatási egységek	V
Jelmagyarázat 1 : 300 000	VI–VIII
Térképek 1 : 300 000	1–113
Kompősszekőttetések	67
Citytérképek	114–128
Helységnévjegyzék iranyitoszámal	129–168
Térképek Európa 1 : 4 500 000	1–16

(DK) Inholdsfortegnelse

Motorveje og hovedveje	II–III
Informationer	IV
Oversigtskort og forvaltningsindelling	V
Tegnforklaring 1 : 300 000	VI–VIII
Kort 1 : 300 000	1–113
Færgeforbindelser	67
Byplaner	114–128
Stednavnsfortegnelse met postnumrene	129–168
Kort Europa 1 : 4 500 000	1–16

(S) Innehållsförteckning

Motorvägar och genomfartsleder	II–III
Informationer	IV
Kartöversikt och förvaltningsindelning	V
Teckenförklaring 1 : 300 000	VI–VIII
Kartor 1 : 300 000	1–113
Färjeförbindelse	67
Stadskartor	114–128
Ortsnamnsförteckning met postnumren	129–168
Kartor Europa 1 : 4 500 000	1–16

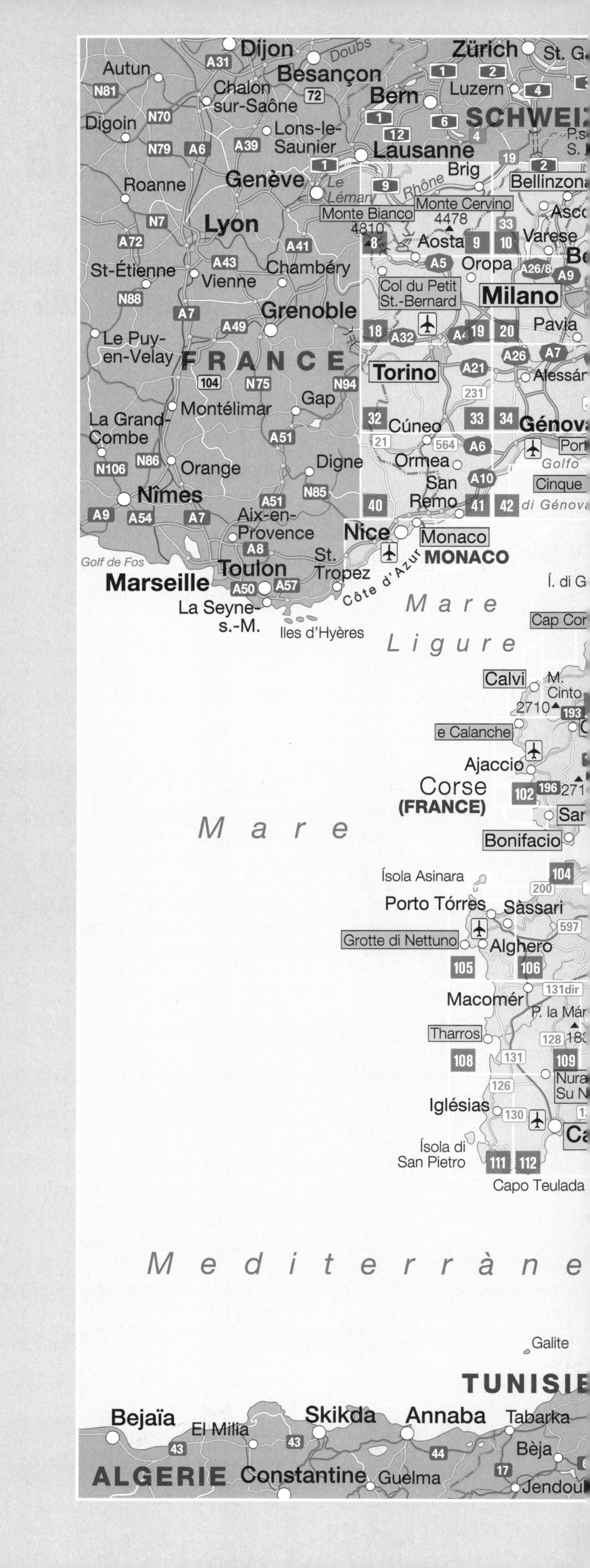

Dijon
Besançon
Doubs
Zürich
Autun
A31
N81
Chalon-sur-Saône
72
Bern
Luzern
1
2
4
Digoin
N70
Lons-le-Saunier
6
12
Lausanne
N79
A6
A39
19
Brig
Roanne
Genève
Le Léman
Rhône
9
Monte Cervino
4478
Monte Bianco
4810
N7
Lyon
A72
A41
Aosta
10
33
Varese
A43
A5
Oropa
St-Étienne
Vienne
Chambéry
A9
Col du Petit St.-Bernard
Milano
N88
A7
Grenoble
A49
18
A32
20
Pavia
Le Puy-en-Velay
FRANCE
A26
A21
Torino
104
N75
N94
231
Gap
Montélimar
La Grand-Combe
32
33
34
Cúneo
A51
21
564
A6
Ormea
N106
N86
Orange
Digne
Golfo
Cinque
San Remo
A10
Nîmes
N85
40
41
42
A9
A54
A51
Aix-en-Provence
Nice
di Génova
Monaco
A8
MONACO
Golf de Fos
Toulon
St. Tropez
Côte d'Azur
Marseille
A50
A57
La Seyne-s.-M.
Iles d'Hyères
Mare
Ligure
Calvi
M. Cinto
2710
193
e Calanche
Ajaccio
Corse
(FRANCE)
102
196
Mare
Bonifacio
104
Ísola Asinara
200
Porto Tórres
Sàssari
597
Grotte di Nettuno
Alghero
105
106
131dir
Macomér
Tharros
128
108
131
109
126
Iglésias
130
Ísola di San Pietro
111
112
Capo Teulada
Mediterràne
Galite
Bejaïa
El Milia
Skikda
Annaba
Tabarka
43
43
44
Bèja
ALGERIE
Constantine
Guelma
17

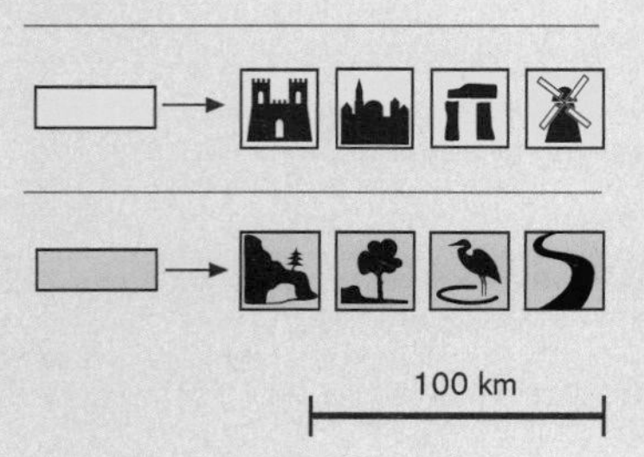

100 km

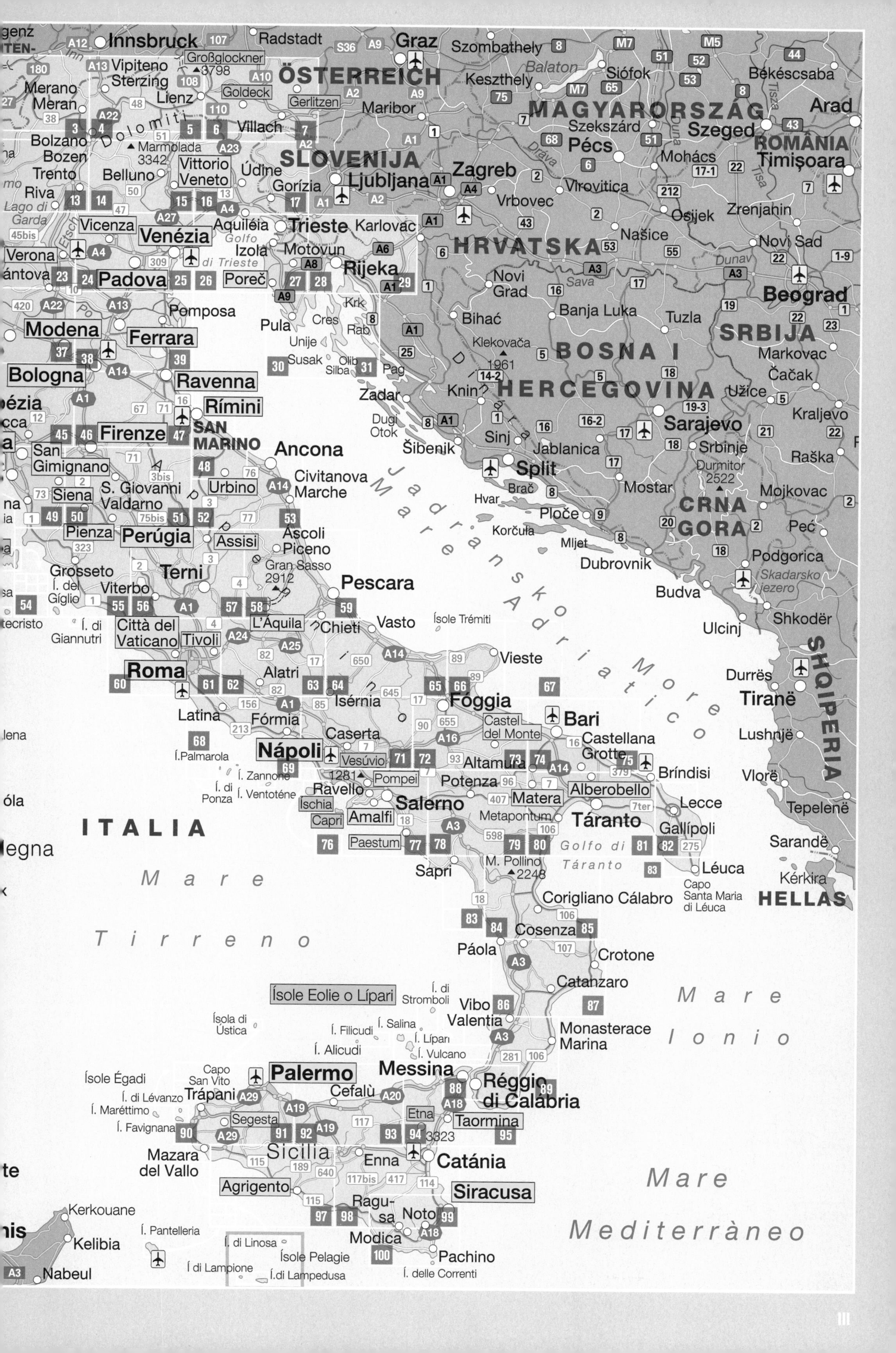
Innsbruck
Radstadt
Graz
Szombathely
Vipiteno
Sterzing
Großglockner
3798
ÖSTERREICH
Balaton
Siófok
Békéscsaba
Keszthely
Merano
Meran
Lienz
Goldeck
Gerlitzen
Maribor
MAGYARORSZÁG
Arad
Dolomiti
Villach
Szekszárd
Szeged
Bolzano
Bozen
Marmolada
3342
SLOVENIJA
Pécs
ROMÂNIA
Timişoara
Trento
Belluno
Vittorio
Veneto
Údine
Zagreb
Mohács
Riva
Gorízia
Ljubljana
Virovitica
Lago di
Garda
Vrbovec
Zrenjanin
Osijek
Vicenza
Venézia
Aquiléia
Trieste
Karlovac
Našice
Golfo
di Trieste
Novi Sad
Verona
Izola
Motovun
HRVATSKA
Rijeka
Dunav
Padova
Poreč
Novi
Grad
Sava
Beograd
Krk
Pomposa
Cres
Bihać
Banja Luka
Tuzla
Pula
Unije
Rab
SRBIJA
Modena
Ferrara
Klekovača
1961
BOSNA I
Susak
Olib
Silba
Pag
Markovac
Bologna
Ravenna
Čačak
Zadar
Knin
HERCEGOVINA
Užice
Rímini
Dugi
Otok
Sinj
Sarajevo
Kraljevo
SAN
MARINO
Šibenik
Jablanica
Srbinje
Firenze
Ancona
Split
Raška
San
Gimignano
Civitanova
Marche
Brač
Mostar
Durmitor
2522
Siena
S. Giovanni
Valdarno
Hvar
Mojkovac
Urbino
Ploče
CRNA
GORA
Jadransko More
Pienza
Perúgia
Assisi
Áscoli
Piceno
Korčula
Mljet
Peć
Grosseto
Terni
Gran Sasso
2912
Dubrovnik
Podgorica
Skadarsko
jezero
Í. del
Gíglio
Viterbo
Pescara
Budva
Mare Adriatico
Shkodër
L'Áquila
Chieti
Vasto
Ísole Trémiti
Ulcinj
Città del
Vaticano
Tivoli
Vieste
Roma
Alatri
Durrës
Tiranë
Fóggia
SHQIPERIA
Isérnia
Bari
Latina
Fórmia
Castel
del Monte
Castellana
Grotte
Lushnjë
Caserta
Nápoli
Vesúvio
Altamura
Bríndisi
Í. Palmarola
Í. Zannone
1281
Pompei
Potenza
Vlorë
Í. di
Ponza
Í. Ventoténe
Ravello
Matera
Alberobello
Lecce
Íschia
Salerno
Metapontum
Táranto
Tepelenë
ITALIA
Capri
Amalfi
Gallípoli
Paestum
Golfo di
Táranto
Sarandë
Sapri
M. Pollino
2248
Léuca
Mare
Kérkira
Capo
Santa Maria
di Léuca
Tirreno
Corigliano Cálabro
HELLAS
Cosenza
Páola
Crotone
Catanzaro
Ísole Eolie o Lípari
Í. di
Stromboli
Vibo
Valentia
Mare
Ionio
Ísola di
Ústica
Í. Salina
Í. Filicudi
Í. Lípari
Monasterace
Marina
Í. Alicudi
Í. Vulcano
Ísole Égadi
Capo
San Vito
Palermo
Messina
Réggio
di Calabria
Í. di Lévanzo
Trápani
Cefalù
Í. Maréttimo
Etna
Taormina
Í. Favignana
Segesta
3323
Sicilia
Mazara
del Vallo
Enna
Catánia
Agrigento
Siracusa
Mare
Mediterràneo
Kerkouane
Ragusa
Noto
Í. Pantelleria
Í. di Linosa
Modica
Kelibia
Ísole Pelagie
Pachino
Í. di Lampione
Í. di Lampedusa
Í. delle Correnti
Nabeul

	I	**RSM**	**SCV**
Info	Ente Nazionale Italiano per il Turismo www.enit.it	Ufficio di Stato per il Turismo San Marino 0549/882 914 www.visitsanmarino.com	Ufficio Informazioni Pellegrini e Turisti Governatorato 06/69 884 896 www.vatican.va
Tel.	+39	+378	+39
Valuta	1 Euro (€) = 100 Cent	1 Euro (€) = 100 Cent	1 Euro (€) = 100 Cent
Polizia	112	112	112
Emergenza	118	118	118
Soccorso	112	112	112
Gilet	✓	✓	✓
Soccorso stradale	803 116 ACI Automobile Club d'Italia	803 116 ACI Automobile Club d'Italia	803 116 ACI Automobile Club d'Italia
Alcol	0,5 ‰	0,5 ‰	0,5 ‰
Luci	✓	✓	✓
Seggiolino	✓	✓	✓
Pedaggio	✓	✗	✗

km/h	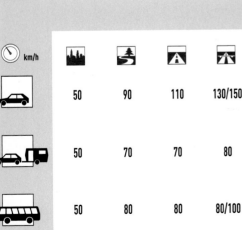				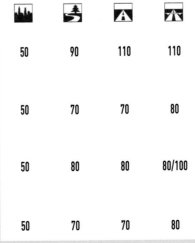				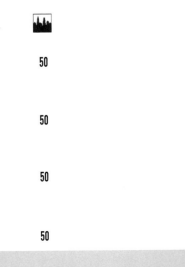
🚗	50	90	110	130/150	50	90	110	110	50
🚗🚐	50	70	70	80	50	70	70	80	50
🚌	50	80	80	80/100	50	80	80	80/100	50
🚚	50	70	70	80	50	70	70	80	50

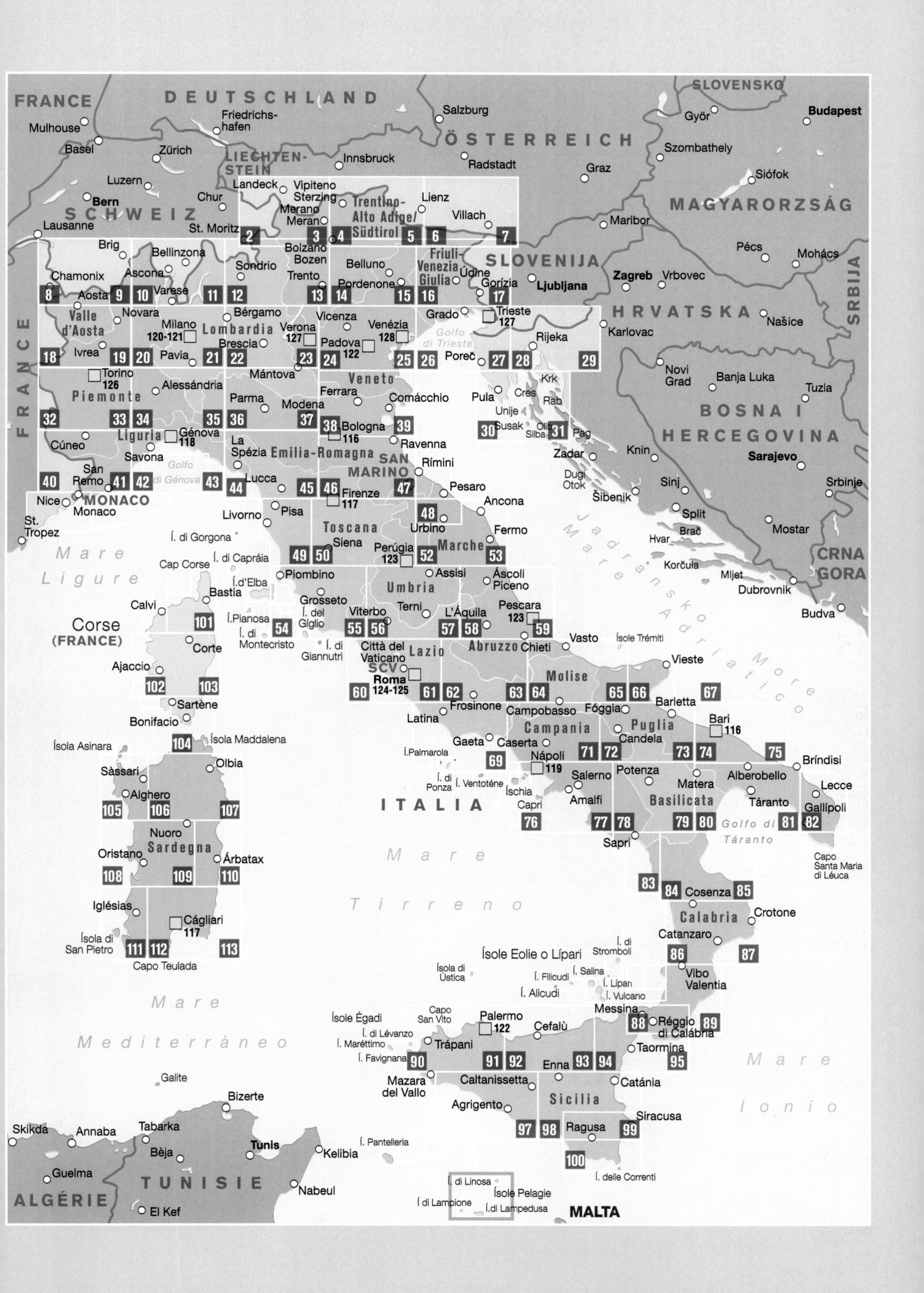
FRANCE
DEUTSCHLAND
ÖSTERREICH
SLOVENSKO
MAGYARORSZÁG
SCHWEIZ
LIECHTENSTEIN
SLOVENIJA
HRVATSKA
SRBIJA
BOSNA I HERCEGOVINA
CRNA GORA
MONACO
SAN MARINO
SCV
ITALIA
Corse (FRANCE)
TUNISIE
ALGÉRIE
MALTA
Trentino-Alto Adige/Südtirol
Friuli-Venezia Giulia
Valle d'Aosta
Lombardia
Piemonte
Liguria
Veneto
Emilia-Romagna
Toscana
Marche
Umbria
Lazio
Abruzzo
Molise
Campania
Puglia
Basilicata
Calabria
Sardegna
Sicilia
Mare Ligure
Golfo di Génova
Golfo di Trieste
Mare Adriatico
Jadransko More
Mare Tirreno
Mare Mediterràneo
Mare Ionio
Golfo di Táranto
Budapest
Zagreb
Ljubljana
Sarajevo
Bern
Roma 124-125
Tunis
Milano 120-121
Torino 126
Génova 118
Bologna 116
Firenze 117
Verona 127
Venézia 128
Padova 122
Trieste 127
Perúgia 123
Pescara 123
Nápoli 119
Bari 116
Palermo 122
Cágliari 117
Ísole Eolie o Lípari
Ísole Égadi
Ísole Pelagie
Ísole Trémiti
Capo Santa Maria di Léuca
Capo Teulada
Capo San Vito
Cap Corse
V

Legenda | Legend | Zeichenerklärung | Légende
1 : 300.000

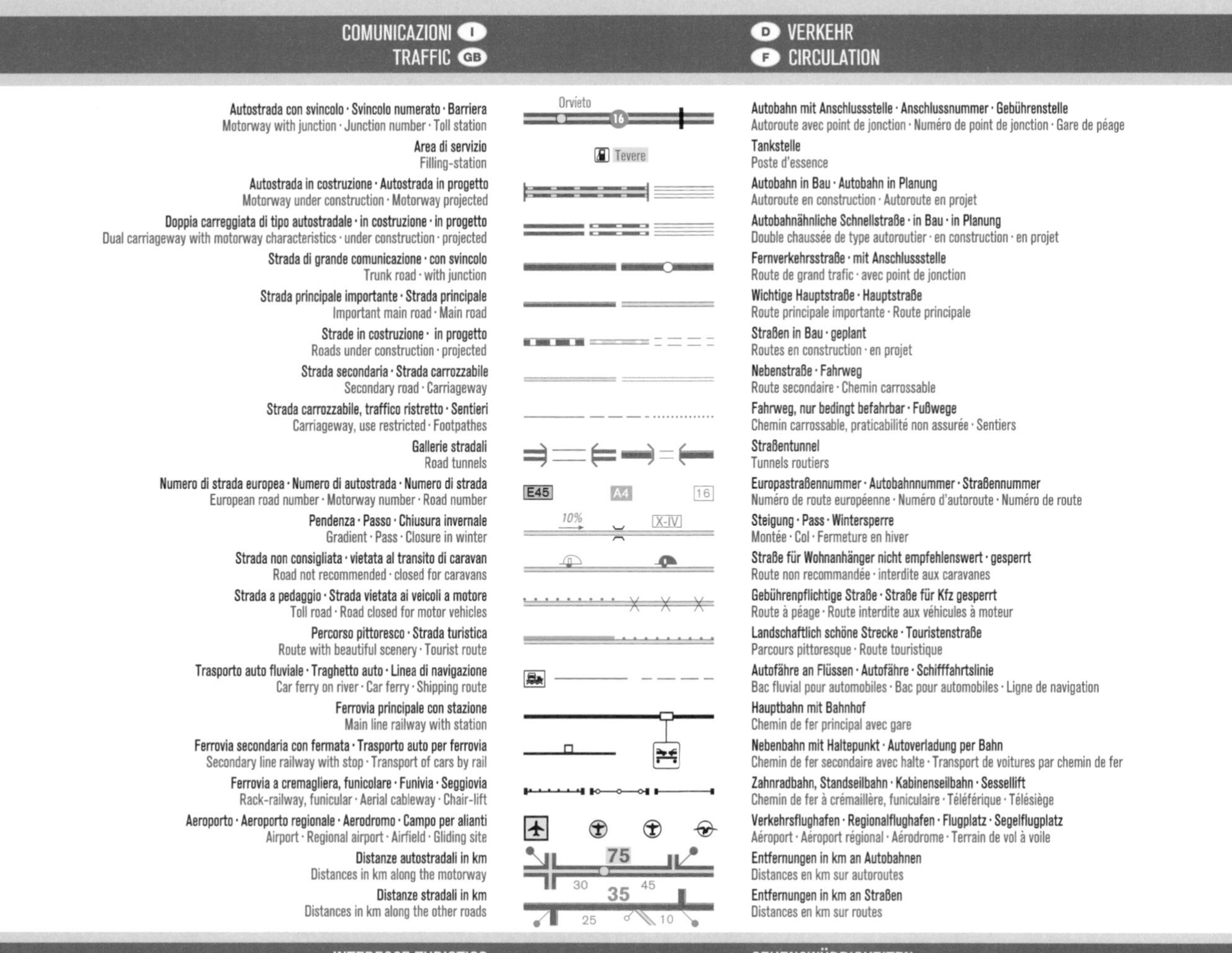

COMUNICAZIONI **I** / TRAFFIC **GB**	**D** VERKEHR / **F** CIRCULATION
Autostrada con svincolo · Svincolo numerato · Barriera Motorway with junction · Junction number · Toll station	Autobahn mit Anschlussstelle · Anschlussnummer · Gebührenstelle Autoroute avec point de jonction · Numéro de point de jonction · Gare de péage
Area di servizio Filling-station	Tankstelle Poste d'essence
Autostrada in costruzione · Autostrada in progetto Motorway under construction · Motorway projected	Autobahn in Bau · Autobahn in Planung Autoroute en construction · Autoroute en projet
Doppia carreggiata di tipo autostradale · in costruzione · in progetto Dual carriageway with motorway characteristics · under construction · projected	Autobahnähnliche Schnellstraße · in Bau · in Planung Double chaussée de type autoroutier · en construction · en projet
Strada di grande comunicazione · con svincolo Trunk road · with junction	Fernverkehrsstraße · mit Anschlussstelle Route de grand trafic · avec point de jonction
Strada principale importante · Strada principale Important main road · Main road	Wichtige Hauptstraße · Hauptstraße Route principale importante · Route principale
Strade in costruzione · in progetto Roads under construction · projected	Straßen in Bau · geplant Routes en construction · en projet
Strada secondaria · Strada carrozzabile Secondary road · Carriageway	Nebenstraße · Fahrweg Route secondaire · Chemin carrossable
Strada carrozzabile, traffico ristretto · Sentieri Carriageway, use restricted · Footpathes	Fahrweg, nur bedingt befahrbar · Fußwege Chemin carrossable, praticabilité non assurée · Sentiers
Gallerie stradali Road tunnels	Straßentunnel Tunnels routiers
Numero di strada europea · Numero di autostrada · Numero di strada European road number · Motorway number · Road number	Europastraßennummer · Autobahnnummer · Straßennummer Numéro de route européenne · Numéro d'autoroute · Numéro de route
Pendenza · Passo · Chiusura invernale Gradient · Pass · Closure in winter	Steigung · Pass · Wintersperre Montée · Col · Fermeture en hiver
Strada non consigliata · vietata al transito di caravan Road not recommended · closed for caravans	Straße für Wohnanhänger nicht empfehlenswert · gesperrt Route non recommandée · interdite aux caravanes
Strada a pedaggio · Strada vietata ai veicoli a motore Toll road · Road closed for motor vehicles	Gebührenpflichtige Straße · Straße für Kfz gesperrt Route à péage · Route interdite aux véhicules à moteur
Percorso pittoresco · Strada turistica Route with beautiful scenery · Tourist route	Landschaftlich schöne Strecke · Touristenstraße Parcours pittoresque · Route touristique
Trasporto auto fluviale · Traghetto auto · Linea di navigazione Car ferry on river · Car ferry · Shipping route	Autofähre an Flüssen · Autofähre · Schifffahrtslinie Bac fluvial pour automobiles · Bac pour automobiles · Ligne de navigation
Ferrovia principale con stazione Main line railway with station	Hauptbahn mit Bahnhof Chemin de fer principal avec gare
Ferrovia secondaria con fermata · Trasporto auto per ferrovia Secondary line railway with stop · Transport of cars by rail	Nebenbahn mit Haltepunkt · Autoverladung per Bahn Chemin de fer secondaire avec halte · Transport de voitures par chemin de fer
Ferrovia a cremagliera, funicolare · Funivia · Seggiovia Rack-railway, funicular · Aerial cableway · Chair-lift	Zahnradbahn, Standseilbahn · Kabinenseilbahn · Sessellift Chemin de fer à crémaillère, funiculaire · Téléférique · Télésiège
Aeroporto · Aeroporto regionale · Aerodromo · Campo per alianti Airport · Regional airport · Airfield · Gliding site	Verkehrsflughafen · Regionalflughafen · Flugplatz · Segelflugplatz Aéroport · Aéroport régional · Aérodrome · Terrain de vol à voile
Distanze autostradali in km Distances in km along the motorway	Entfernungen in km an Autobahnen Distances en km sur autoroutes
Distanze stradali in km Distances in km along the other roads	Entfernungen in km an Straßen Distances en km sur routes

INTERESSE TURISTICO / PLACES OF INTEREST	SEHENSWÜRDIGKEITEN / CURIOSITÉS
Località molto interessante Place of particular interest	Besonders sehenswerter Ort Localité très intéressante
Località interessante Place of interest	Sehenswerter Ort Localité intéressante
Edificio molto interessante · Edificio interessante Building of particular interest · Building of interest	Besonders sehenswertes Bauwerk · Sehenswertes Bauwerk Bâtiment très intéressant · Bâtiment intéressant
Curiosità naturale interessante · Curiosità naturale Natural object of particular interest · of interest	Besondere Natursehenswürdigkeit · Natursehenswürdigkeit Curiosité naturelle intéressante · Curiosité naturelle
Altre curiosità Other objects of interest	Sonstige Sehenswürdigkeiten Autres curiosités
Giardino botanico, parco interessante · Giardino zoologico Botanical gardens, interesting park · Zoological gardens	Botanischer Garten, sehenswerter Park · Zoologischer Garten Jardin botanique, parc intéressant · Jardin zoologique
Parco nazionale, parco naturale · Punto panoramico National park, nature park · Scenic view	Nationalpark, Naturpark · Aussichtspunkt Parc national, parc naturel · Point de vue
Chiesa · Cappella · Rovine di chiesa · Monastero · Rovine di monastero Church · Chapel · Church ruin · Monastery · Monastery ruin	Kirche · Kapelle · Kirchenruine · Kloster · Klosterruine Église · Chapelle · Église en ruines · Monastère · Monastère en ruines
Castello, fortezza · Rovine di fortezza · Monumento · Mulino a vento · Grotta Palace, castle · Castle ruin · Monument · Windmill · Cave	Schloss, Burg · Burgruine · Denkmal · Windmühle · Höhle Château, château fort · Château fort en ruines · Monument · Moulin à vent · Grotte

ALTRI SEGNI / OTHER INFORMATION	SONSTIGES / AUTRES INDICATIONS
Campeggio · Ostello della gioventù · Campo da golf · Porto turistico Camping site · Youth hostel · Golf-course · Marina	Campingplatz · Jugendherberge · Golfplatz · Jachthafen Terrain de camping · Auberge de jeunesse · Terrain de golf · Marina
Hotel, motel, albergo · Rifugio · Villaggio turistico · Terme Hotel, motel, inn · Refuge · Tourist colony · Spa	Hotel, Motel, Gasthaus · Berghütte · Feriendorf · Heilbad Hôtel, motel, auberge · Refuge · Village touristique · Station balnéaire
Piscina · Stabilimento balneare · Spiaggia raccomandabile Swimming pool · Bathing beach · Recommended beach	Schwimmbad · Strandbad · Empfehlenswerter Badestrand Piscine · Baignade · Plage recommandée
Torre · Torre radio o televisiva · Faro · Edificio isolato Tower · Radio or TV tower · Lighthouse · Isolated building	Turm · Funk-, Fernsehturm · Leuchtturm · Einzelgebäude Tour · Tour radio, tour de télévision · Phare · Bâtiment isolé
Moschea · Antica moschea · Chiesa ortodossa russa · Forte Mosque · Former mosque · Russian orthodox church · Fort	Moschee · Ehemalige Moschee · Russisch-orthodoxe Kirche · Fort Mosquée · Ancienne mosquée · Église russe orthodoxe · Fort
Confine di Stato · Punto di controllo internazionale · Punto di controllo con restrizioni National boundary · International check-point · Check-point with restrictions	Staatsgrenze · Internationale Grenzkontrollstelle · Grenzkontrollstelle mit Beschränkung Frontière d'État · Point de contrôle international · Point de contrôle avec restrictions
Confine di regione · Confine di provincia Boundary of region · Boundary of province	Regionsgrenze · Provinzgrenze Limite de région · Limite de province
Zona vietata Prohibited area	Sperrgebiet Zone interdite
Foresta · Landa Forest · Heath	Wald · Heide Forêt · Lande
Sabbia e dune · Barena Sand and dunes · Tidal flat	Sand und Dünen · Wattenmeer Sable et dunes · Mer recouvrant les hauts-fonds

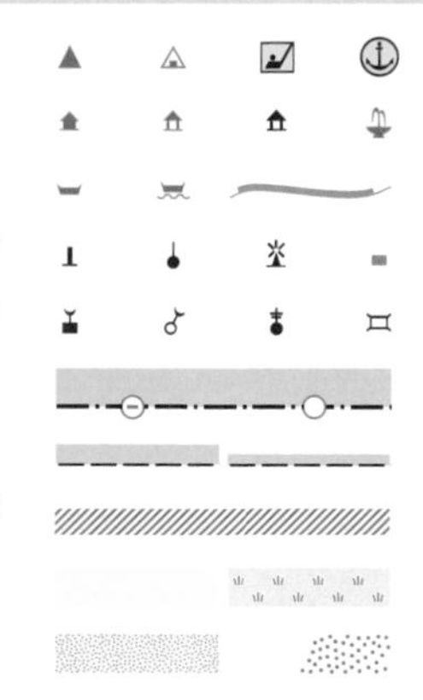

Signos convencionales | Sinais convencionais | Objaśnienia znaków | Legenda

1 : 300.000

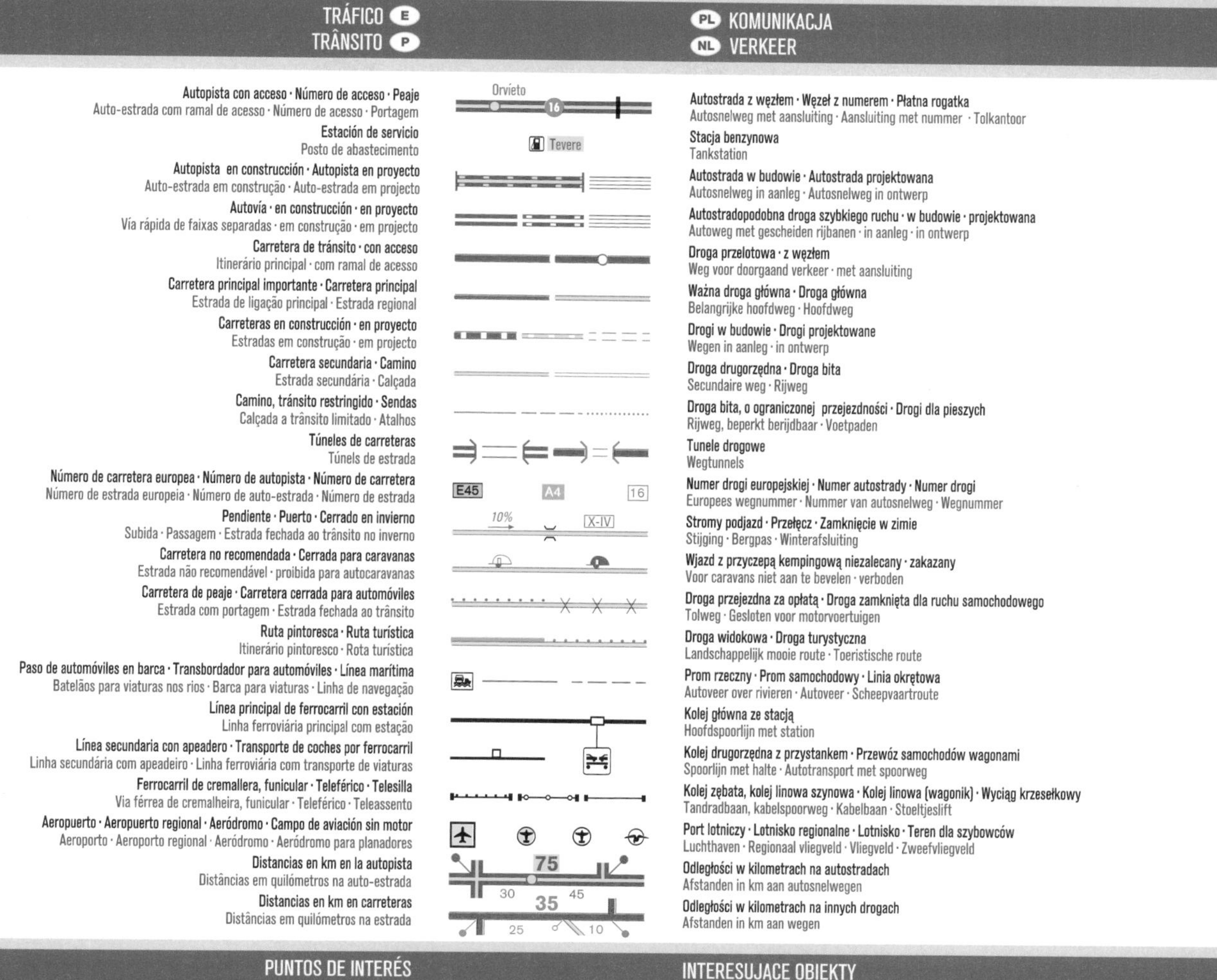

TRÁFICO (E) TRÂNSITO (P)	(PL) KOMUNIKACJA (NL) VERKEER
Autopista con acceso · Número de acceso · Peaje Auto-estrada com ramal de acesso · Número de acesso · Portagem	Autostrada z węzłem · Węzeł z numerem · Płatna rogatka Autosnelweg met aansluiting · Aansluiting met nummer · Tolkantoor
Estación de servicio Posto de abastecimento	Stacja benzynowa Tankstation
Autopista en construcción · Autopista en proyecto Auto-estrada em construção · Auto-estrada em projecto	Autostrada w budowie · Autostrada projektowana Autosnelweg in aanleg · Autosnelweg in ontwerp
Autovía · en construcción · en proyecto Vía rápida de faixas separadas · em construção · em projecto	Autostradopodobna droga szybkiego ruchu · w budowie · projektowana Autoweg met gescheiden rijbanen · in aanleg · in ontwerp
Carretera de tránsito · con acceso Itinerário principal · com ramal de acesso	Droga przelotowa · z węzłem Weg voor doorgaand verkeer · met aansluiting
Carretera principal importante · Carretera principal Estrada de ligação principal · Estrada regional	Ważna droga główna · Droga główna Belangrijke hoofdweg · Hoofdweg
Carreteras en construcción · en proyecto Estradas em construção · em projecto	Drogi w budowie · Drogi projektowane Wegen in aanleg · in ontwerp
Carretera secundaria · Camino Estrada secundária · Calçada	Droga drugorzędna · Droga bita Secundaire weg · Rijweg
Camino, tránsito restringido · Sendas Calçada a trânsito limitado · Atalhos	Droga bita, o ograniczonej przejezdności · Drogi dla pieszych Rijweg, beperkt berijdbaar · Voetpaden
Túneles de carreteras Túnels de estrada	Tunele drogowe Wegtunnels
Número de carretera europea · Número de autopista · Número de carretera Número de estrada europeia · Número de auto-estrada · Número de estrada	Numer drogi europejskiej · Numer autostrady · Numer drogi Europees wegnummer · Nummer van autosnelweg · Wegnummer
Pendiente · Puerto · Cerrado en invierno Subida · Passagem · Estrada fechada ao trânsito no inverno	Stromy podjazd · Przełęcz · Zamknięcie w zimie Stijging · Bergpas · Winterafsluiting
Carretera no recomendada · Cerrada para caravanas Estrada não recomendável · proibida para autocaravanas	Wjazd z przyczepą kempingową niezalecany · zakazany Voor caravans niet aan te bevelen · verboden
Carretera de peaje · Carretera cerrada para automóviles Estrada com portagem · Estrada fechada ao trânsito	Droga przejezdna za opłatą · Droga zamknięta dla ruchu samochodowego Tolweg · Gesloten voor motorvoertuigen
Ruta pintoresca · Ruta turística Itinerário pintoresco · Rota turística	Droga widokowa · Droga turystyczna Landschappelijk mooie route · Toeristische route
Paso de automóviles en barca · Transbordador para automóviles · Línea marítima Bateláos para viaturas nos rios · Barca para viaturas · Linha de navegação	Prom rzeczny · Prom samochodowy · Linia okrętowa Autoveer over rivieren · Autoveer · Scheepvaartroute
Línea principal de ferrocarril con estación Linha ferroviária principal com estação	Kolej główna ze stacją Hoofdspoorlijn met station
Línea secundaria con apeadero · Transporte de coches por ferrocarril Linha secundária com apeadeiro · Linha ferroviária com transporte de viaturas	Kolej drugorzędna z przystankiem · Przewóz samochodów wagonami Spoorlijn met halte · Autotransport met spoorweg
Ferrocarril de cremallera, funicular · Teleférico · Telesilla Via férrea de cremalheira, funicular · Teleférico · Teleassento	Kolej zębata, kolej linowa szynowa · Kolej linowa (wagonik) · Wyciąg krzesełkowy Tandradbaan, kabelspoorweg · Kabelbaan · Stoeltjeslift
Aeropuerto · Aeropuerto regional · Aeródromo · Campo de aviación sin motor Aeroporto · Aeroporto regional · Aeródromo · Aeródromo para planadores	Port lotniczy · Lotnisko regionalne · Lotnisko · Teren dla szybowców Luchthaven · Regionaal vliegveld · Vliegveld · Zweefvliegveld
Distancias en km en la autopista Distâncias em quilómetros na auto-estrada	Odległości w kilometrach na autostradach Afstanden in km aan autosnelwegen
Distancias en km en carreteras Distâncias em quilómetros na estrada	Odległości w kilometrach na innych drogach Afstanden in km aan wegen

PUNTOS DE INTERÉS PONTOS DE INTERESSE	INTERESUJĄCE OBIEKTY BEZIENSWAARDIGHEDEN

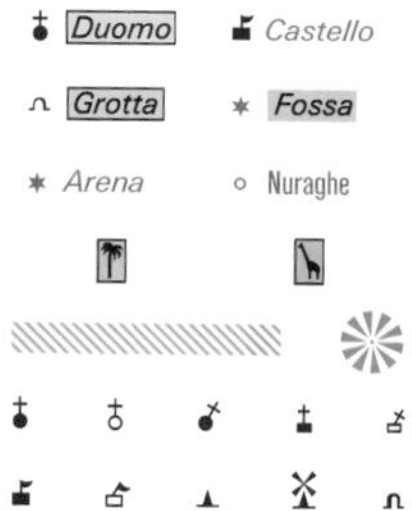

Población de interés especial Pavoação de interesse especial	Miejscowość szczególnie interesująca Zeer bezienswaardige plaats
Población de interés Pavoação interessante	Miejscowość interesująca Bezienswaardige plaats
Edificio de interés especial · Edificio de interés Edifício de interesse especial · Edifício interessante	Budowla szczególnie interesująca · Budowla interesująca Zeer bezienswaardig gebouw · Bezienswaardig gebouw
Curiosidad natural de interés · Curiosidad natural Curiosidade natural interessante · Curiosidade natural	Szczególnie interesujący obiekt naturalny · Interesujący obiekt naturalny Zeer bezienswaardig natuurschoon · Bezienswaardig natuurschoon
Otras curiosidades Outros pontos de interesse	Inne interesujące obiekty Overige bezienswaardigheden
Jardín botánico, parque de interés · Jardín zoológico Jardim botânico, parque interessante · Jardim zoológico	Ogród botaniczny, interesujący park · Ogród zoologiczny Botanische tuin, bezienswaardig park · Dierentuin
Parque nacional, parque natural · Vista pintoresca Parque nacional, parque natural · Vista panorâmica	Park narodowy, park krajobrazowy · Punkt widokowy Nationaal park, natuurpark · Mooi uitzicht
Iglesia · Ermita · Iglesia en ruinas · Monasterio · Ruina de monasterio Igreja · Capela · Ruína de igreja · Mosteiro · Ruína de mosteiro	Kościół · Kaplica · Ruiny kościoła · Klasztor · Ruiny klasztoru Kerk · Kapel · Kerkruïne · Klooster · Kloosterruïne
Palacio, castillo · Ruina de castillo · Monumento · Molino de viento · Cueva Palácio, castelo · Ruínas castelo · Monumento · Moinho de vento · Gruta	Pałac, zamek · Ruiny zamku · Pomnik · Wiatrak · Jaskinia Kasteel, burcht · Burchtruïne · Monument · Windmolen · Grot

OTROS DATOS DIVERSOS	INNE INFORMACJE OVERIGE INFORMATIE
Camping · Albergue juvenil · Campo de golf · Puerto deportivo Parque de campismo · Pousada da juventude · Área de golfe · Porto de abrigo	Kemping · Schronisko młodzieżowe · Pole golfowe · Port jachtowy Kampeerterrein · Jeugdherberg · Golfterrein · Jachthaven
Hotel, motel, restaurante · Refugio · Aldea de vacaciones · Baño medicinal Hotel, motel, restaurante · Abrigo de montanha · Aldeia turística · Termas	Hotel, motel, gospoda · Schronisko górskie · Wieś letniskowa · Uzdrowisko Hotel, motel, restaurant · Berghut · Vakantiekolonie · Badplaats
Piscina · Playa (baños) · Playa recomendable Piscina · Praia com balneários · Praia recomendável	Pływalnia · Kąpielisko · Plaża zalecona Zwembad · Strandbad · Mooi badstrand
Torre · Torre de radio o televisión · Faro · Edificio aislado Torre · Torre de telecomunicação · Farol · Edifício isolado	Wieża · Wieża stacji radiowej, telewizyjna · Latarnia morska · Budynek odosobniony Toren · Radio of T.V. mast · Vuurtoren · Geïsoleerd gebouw
Mezquita · Antigua mezquita · Iglesia rusa-ortodoxa · Fuerte Mesquita · Mesquita antiga · Igreja russa ortodoxa · Forte	Meczet · Były meczet · Cerkiew prawosławna · Forteca Moskee · Voormalig moskee · Russisch orthodox kerk · Fort
Frontera nacional · Control internacional · Control con restricciones Fronteira nacional · Ponto de controlo internacional · Ponto de controlo com restrição	Granica państwa · Przejście graniczne międzynarodowe · z ograniczeniami Rijksgrens · Internationaal grenspost · Grenspost met restrictie
Límite de región · Límite de provincia Límite de região · Límite de provincia	Granica regionu · Granica prowincji Gewestgrens · Provinciegrens
Zona prohibida Área proibida	Obszar zamknięty Afgesloten gebied
Bosque · Landa Floresta · Charneca	Las · Wrzosowisko Bos · Heide
Arena y dunas · Aguas bajas Areia e dunas · Baixio	Piasek i wydmy · Watty Zand en duinen · Bij eb droogvallende gronden

Vysvětlivky | Jelmagyarázat | Tegnforklaring | Teckenförklaring
1 : 300.000

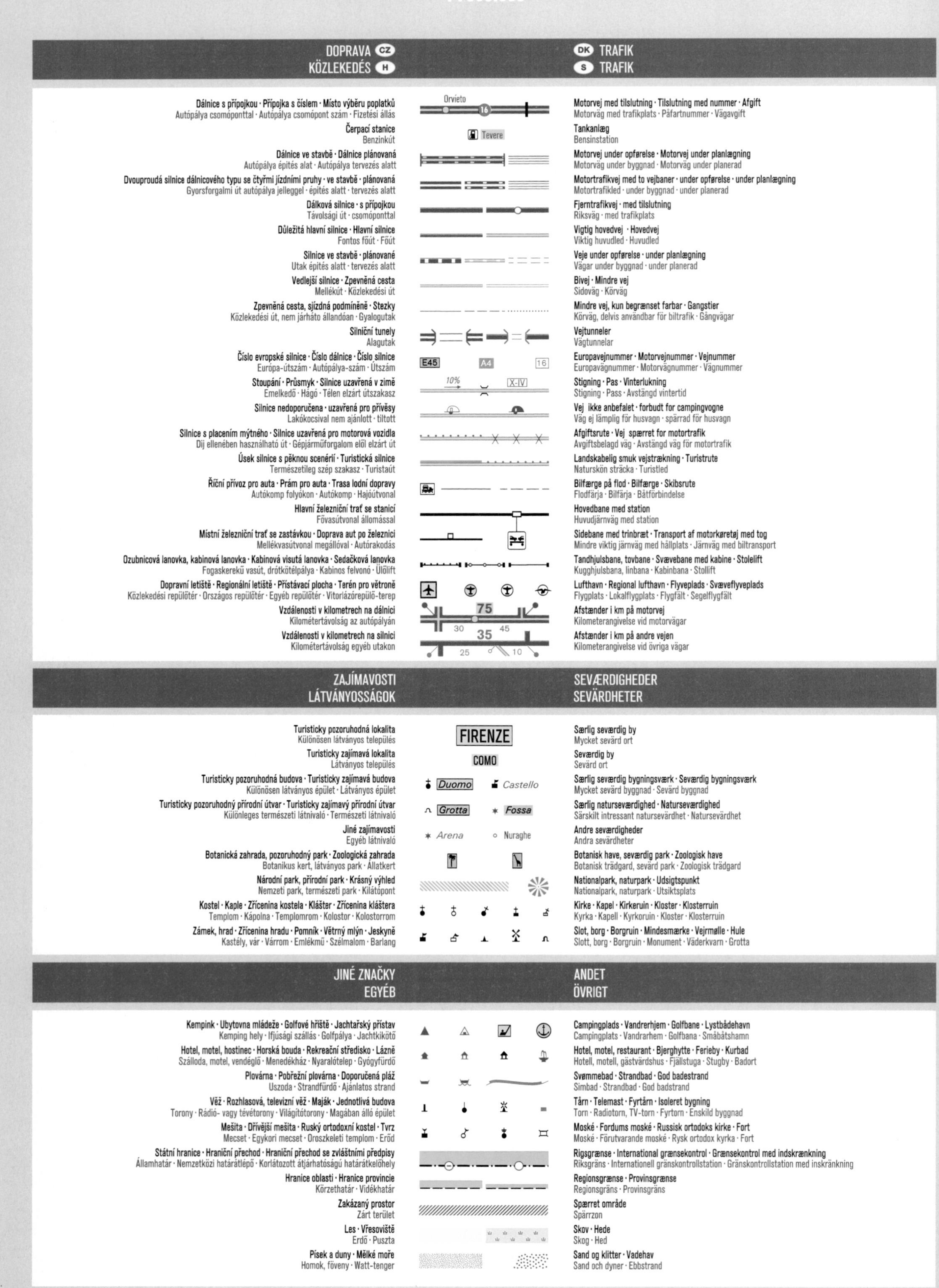

DOPRAVA CZ / KÖZLEKEDÉS H   DK TRAFIK / S TRAFIK

Dálnice s připojkou · Přípojka s číslem · Místo výběru poplatků
Autópálya csomóponttal · Autópálya csomópont szám · Fizetési állás
Orvieto · 16
Motorvej med tilslutning · Tilslutning med nummer · Afgift
Motorväg med trafikplats · Påfartnummer · Vägavgift

Čerpací stanice
Benzinkút
Tevere
Tankanlæg
Bensinstation

Dálnice ve stavbě · Dálnice plánovaná
Autópálya épités alat · Autópálya tervezés alatt
Motorvej under opførelse · Motorvej under planlægning
Motorväg under byggnad · Motorväg under planerad

Dvouproudá silnice dálnicového typu se čtyřmi jízdními pruhy · ve stavbě · plánovaná
Gyorsforgalmi út autópálya jelleggel · épités alatt · tervezés alatt
Motortrafikvej med to vejbaner · under opførelse · under planlægning
Motortrafikled · under byggnad · under planerad

Dálková silnice · s přípojkou
Távolsági út · csomóponttal
Fjerntrafikvej · med tilslutning
Riksväg · med trafikplats

Důležitá hlavní silnice · Hlavní silnice
Fontos főút · Főút
Vigtig hovedvej · Hovedvej
Viktig huvudled · Huvudled

Silnice ve stavbě · plánované
Utak épités alatt · tervezés alatt
Veje under opførelse · under planlægning
Vägar under byggnad · under planerad

Vedlejší silnice · Zpevněná cesta
Mellékút · Közlekedési út
Bivej · Mindre vej
Sidoväg · Körväg

Zpevněná cesta, sjízdná podmíněné · Stezky
Közlekedési út, nem járható állandóan · Gyalogutak
Mindre vej, kun begrænset farbar · Gangstier
Körväg, delvis användbar för biltrafik · Gångvägar

Silniční tunely
Alagutak
Vejtunneler
Vägtunnelar

Číslo evropské silnice · Číslo dálnice · Číslo silnice
Európa-útszám · Autópálya-szám · Útszám
E45 · A4 · 16
Europavejnummer · Motorvejnummer · Vejnummer
Europavägnummer · Motorvägnummer · Vägnummer

Stoupání · Průsmyk · Silnice uzavřená v zimě
Emelkedő · Hágó · Télen elzárt útszakasz
10% · X-IV
Stigning · Pas · Vinterlukning
Stigning · Pass · Avstängd vintertid

Silnice nedoporučena · uzavřená pro přívěsy
Lakókocsival nem ajánlott · tiltott
Vej ikke anbefalet · forbudt for campingvogne
Väg ej lämplig för husvagn · spärrad för husvagn

Silnice s placením mýtného · Silnice uzavřená pro motorová vozidla
Díj ellenében használható út · Gépjárműforgalom elől elzárt út
Afgiftsrute · Vej spærret for motortrafik
Avgiftsbelagd väg · Avstängd väg för motortrafik

Úsek silnice s pěknou scenérií · Turistická silnice
Természetileg szép szakasz · Turistaút
Landskabelig smuk vejstrækning · Turistrute
Naturskön sträcka · Turistled

Říční přívoz pro auta · Prám pro auta · Trasa lodní dopravy
Autókomp folyokon · Autókomp · Hajóútvonal
Bilfærge på flod · Bilfærge · Skibsrute
Flodfärja · Bilfärja · Båtförbindelse

Hlavní železniční trať se stanicí
Fővasútvonal állomással
Hovedbane med station
Huvudjärnväg med station

Místní železniční trať se zastávkou · Doprava aut po železnici
Mellékvasútvonal megállóval · Autórakodás
Sidebane med trinbræt · Transport af motorkøretøj med tog
Mindre viktig järnväg med hållplats · Järnväg med biltransport

Ozubnicová lanovka, kabinová lanovka · Kabinová visutá lanovka · Sedačková lanovka
Fogaskerekű vasút, drótkötélpálya · Kabinos felvonó · Ülőlift
Tandhjulsbane, tovbane · Svævebane med kabine · Stolelift
Kugghjulsbana, linbana · Kabinbana · Stollift

Dopravní letiště · Regionální letiště · Přistávací plocha · Terén pro větroně
Közlekedési repülőtér · Országos repülőtér · Egyéb repülőtér · Vitorlázórepülő-terep
Lufthavn · Regional lufthavn · Flyveplads · Svæveflyveplads
Flygplats · Lokalflygplats · Flygfält · Segelflygfält

Vzdálenosti v kilometrech na dálnici
Kilométertávolság az autópályán
75
Afstænder i km på motorvej
Kilometerangivelse vid motorvägar

Vzdálenosti v kilometrech na silnici
Kilométertávolság egyéb utakon
30 · 45 · 35 · 25 · 10
Afstænder i km på andre vejen
Kilometerangivelse vid övriga vägar

ZAJÍMAVOSTI / LÁTVÁNYOSSÁGOK   SEVÆRDIGHEDER / SEVÄRDHETER

Turisticky pozoruhodná lokalita
Különösen látványos település
FIRENZE
Særlig seværdig by
Mycket sevärd ort

Turisticky zajímavá lokalita
Látványos település
COMO
Seværdig by
Sevärd ort

Turisticky pozoruhodná budova · Turisticky zajímavá budova
Különösen látványos épület · Látványos épület
Duomo · Castello
Særlig seværdig bygningsværk · Seværdig bygningsværk
Mycket sevärd byggnad · Sevärd byggnad

Turisticky pozoruhodný přírodní útvar · Turisticky zajímavý přírodní útvar
Különleges természeti látnivaló · Természeti látnivaló
Grotta · Fossa
Særlig naturseværdighed · Naturseværdighed
Särskilt intressant natursevärdhet · Natursevärdhet

Jiné zajímavosti
Egyéb látnivaló
Arena · Nuraghe
Andre seværdigheder
Andra sevärdheter

Botanická zahrada, pozoruhodný park · Zoologická zahrada
Botanikus kert, látványos park · Állatkert
Botanisk have, seværdig park · Zoologisk have
Botanisk trädgard, sevärd park · Zoologisk trädgard

Národní park, přírodní park · Krásný výhled
Nemzeti park, természeti park · Kilátópont
Nationalpark, naturpark · Udsigtspunkt
Nationalpark, naturpark · Utsiktsplats

Kostel · Kaple · Zřícenina kostela · Klášter · Zřícenina kláštera
Templom · Kápolna · Templomrom · Kolostor · Kolostorrom
Kirke · Kapel · Kirkeruin · Kloster · Klosterruin
Kyrka · Kapell · Kyrkoruin · Kloster · Klosterruin

Zámek, hrad · Zřícenina hradu · Pomník · Větrný mlýn · Jeskyně
Kastély, vár · Várrom · Emlékmű · Szélmalom · Barlang
Slot, borg · Borgruin · Mindesmærke · Vejrmølle · Hule
Slott, borg · Borgruin · Monument · Väderkvarn · Grotta

JINÉ ZNAČKY / EGYÉB   ANDET / ÖVRIGT

Kempink · Ubytovna mládeže · Golfové hřiště · Jachtařský přístav
Kemping hely · Ifjúsági szállás · Golfpálya · Jachtkikötő
Campingplads · Vandrerhjem · Golfbane · Lystbådehavn
Campingplats · Vandrarhem · Golfbana · Småbåtshamn

Hotel, motel, hostinec · Horská bouda · Rekreační středisko · Lázně
Szálloda, motel, vendéglő · Menedékház · Nyaralótelep · Gyógyfürdő
Hotel, motel, restaurant · Bjerghytte · Ferieby · Kurbad
Hotell, motell, gästvärdshus · Fjällstuga · Stugby · Badort

Plovárna · Pobřežní plovárna · Doporučená pláž
Uszoda · Strandfürdő · Ajánlatos strand
Svømmebad · Strandbad · God badestrand
Simbad · Strandbad · God badestrand

Věž · Rozhlasová, televizní věž · Maják · Jednotlivá budova
Torony · Rádió- vagy tévétorony · Világítótorony · Magában álló épület
Tårn · Telemast · Fyrtårn · Isoleret bygning
Torn · Radiotorn, TV-torn · Fyrtorn · Enskild byggnad

Mešita · Dřevější mešita · Ruský ortodoxní kostel · Tvrz
Mecset · Egykori mecset · Oroszkeleti templom · Erőd
Moské · Fordums moské · Russisk ortodoks kirke · Fort
Moské · Förutvarande moské · Rysk ortodox kyrka · Fort

Státní hranice · Hraniční přechod · Hraniční přechod se zvláštními předpisy
Államhatár · Nemzetközi határátlépő · Korlátozott átjárhatóságú határátkelőhely
Rigsgrænse · International grænsekontrol · Grænsekontrol med indskrænkning
Riksgräns · Internationell gränskontrollstation · Gränskontrollstation med inskränkning

Hranice oblasti · Hranice provincie
Körzethatár · Vidékhatár
Regionsgrænse · Provinsgrænse
Regionsgräns · Provinsgräns

Zakázaný prostor
Zárt terület
Spærret område
Spärrzon

Les · Vřesoviště
Erdő · Puszta
Skov · Hede
Skog · Hed

Písek a duny · Mělké moře
Homok, föveny · Watt-tenger
Sand og klitter · Vadehav
Sand och dyner · Ebbstrand

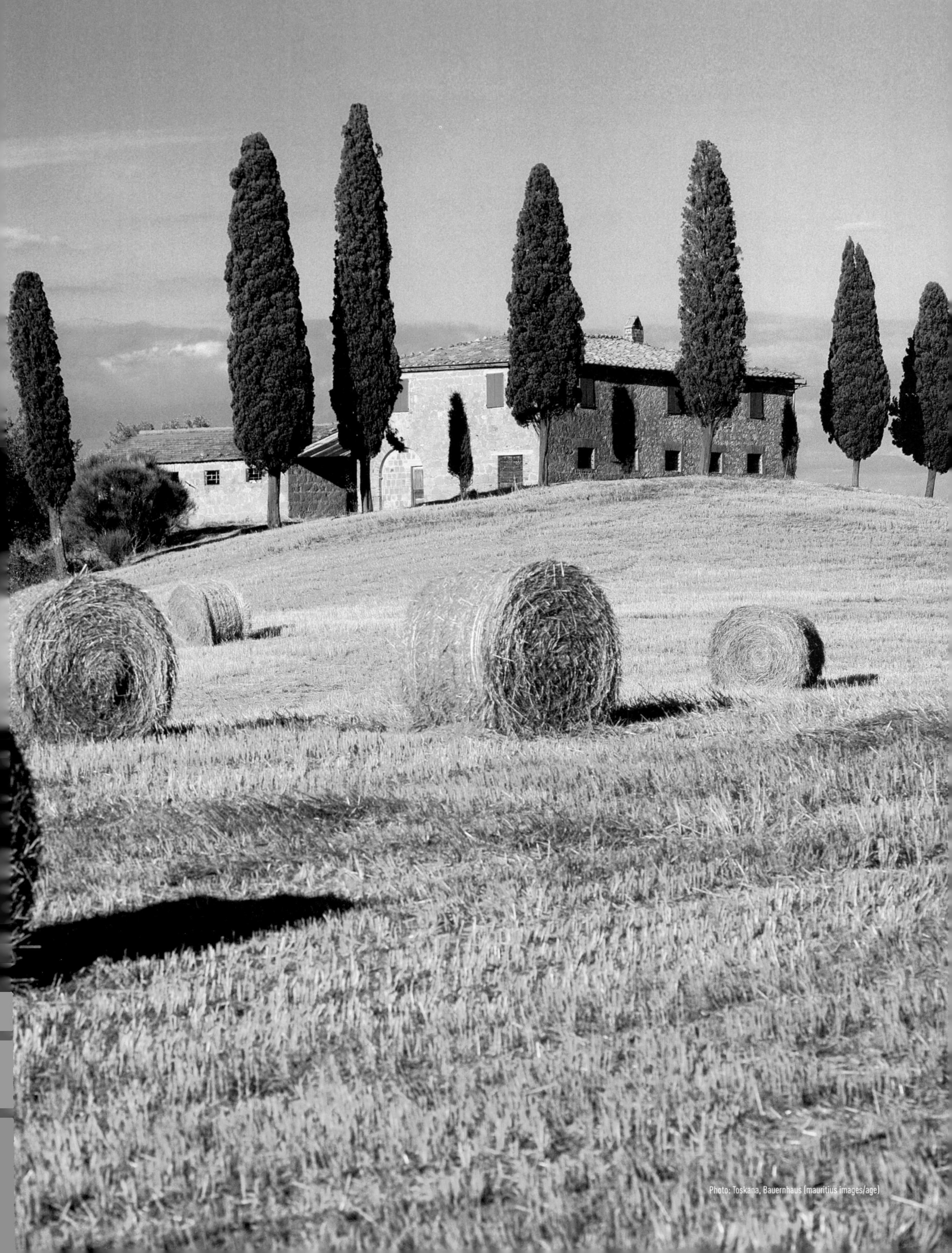

1:300 000 / 1cm = 3km

Photo: Toskana, Bauernhaus (mauritius images/age)

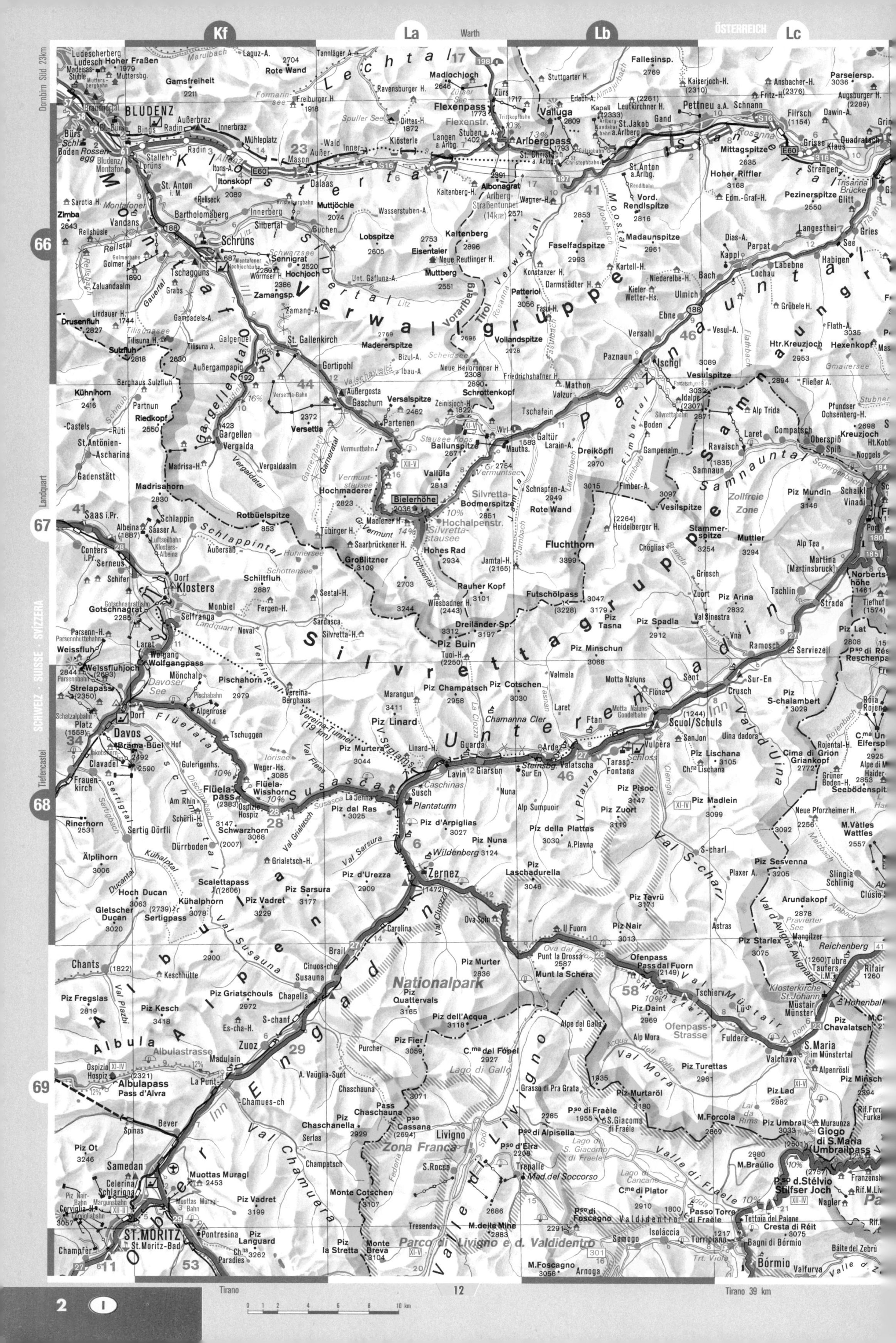

Kf
La
Warth
Lb
ÖSTERREICH
Lc
Dornbirn Süd 23km
Ludescherberg
Ludesch
Hoher Fraßen
1979
Muttersbg.
Laguz-A.
2704
Rote Wand
Tannläger A.
Lechtal
Madlochjoch
2646
Zürs
1717
Fallesinsp.
2769
Stuttgarter H.
Kaiserjoch-H.
(2310)
Ansbacher-H.
Parseierspitze
3036
Gamsfreiheit
2211
Freiburger H.
1918
Ravensburger H.
Flexenpass
1773
Flexenstr.
Valluga
2809
Kapall
(2333)
Leutkirchner H.
Pettneu a.A.
Schnann
Fritz-H.
(2376)
Augsburger H.
(2289)
BLUDENZ
Außerbraz
Innerbraz
Spuller See
Dittes-H.
1872
Langen a. Arlbg.
Stuben a. A.
1402
Arlbergpass
1793
St.Jakob a.Arlberg
Gand
Flirsch
(1154)
Dawin-A.
Bürs
Mühleplatz
Klösterle
St. Christoph a. Arlbg.
Grisse
Klaus
Quadratsch
Radin
Außer-
Inner-
Mittagspitze
2635
Stallehr
Lorüns
Mason
Albonagrat
Arlberg-Straßentunnel
(14km)
2571
St.Anton a.Arlbg.
Strengen
Itons-A.
Itonskopf
2089
Dalaas
Kaltenberg-H.
Wagner-H.
Vord. Rendlspitze
2816
Hoher Riffler
3168
Edm.-Graf-H.
Pezinerspitze
2550
Trisanna Brücke
Glitt
St. Anton i. M.
Rellseck
Kristbergbahn
Muttjöchle
2074
Wasserstuben-A.
2853
Sarotla H.
Zimba
2643
Vandans
Bartholomäberg
Innerberg
Silbertal
Buchen
Kaltenberg
2896
Madaunspitze
2961
Dias-A.
Langesthei
Gries
Rellshüsle
Rellstal
Schruns
Lobspitze
2605
2753
Eisentaler
Neue Reutlinger H.
Faselfadspitze
2993
Kappl
Perpat
See
Golmer H.
1890
Tschagguns
Sennigrat
2520
Wormser H.
2289
Hochjoch
Muttberg
2551
Konstanzer H.
Kartell-H.
Labebne
Habigen
Zaluandaalm
Grabs
2386
Zamangsp.
Unt. Gafluna-A.
Darmstädter H.
Niederelbe-H.
Bach
Lochau
Lindauer H.
1744
Drusenfluh
2827
Zamang-A.
Silbertal
Verwallgruppe
Vorarlberg
Tirol
Verwalltal
Patteriol
3056
Fasul-H.
Kieler Wetter-Hs.
Ulmich
Grübele H.
Tilisuna-H.
Sulzfluh
2818
Tilisuna A.
2630
Gampadels-A.
Galgenuel
St. Gallenkirch
2769
Madererspitze
Bizul-A.
2696
Vollandspitze
2928
Ebne
Versahl
Vesul-A.
Flath-A.
3035
Htr.Kreuzjoch
Hexenkopf
2953
Gargellental
Außergampapig
Gortipohl
Ibau-A.
Neue Heilbronner H.
2308
Friedrichshafner H.
Paznaun
Ischgl
3089
Vesulspitze
2894
Fließer A.
Kühnihorn
2416
Berghaus Sulzfluh
Partnun
Riedkopf
2550
Außergosta
Gaschurn
Versalspitze
2462
Zeinisjoch-H.
1822
2890
Schrottenkopf
Mathon
Valzur
Idalpe
(2307)
2671
Alp Trida
Pfundser Ochsenberg-H.
-Castels
-Rüti
St.Antönien-Ascharina
Gargellen
Vergalda
2372
Versettia
Partenen
Ballunspitze
2671
Tschafein
Galtür
Larain-A.
Boden
Laret
Compatsch
Kreuzjoch
Gadenstätt
Madrisa-H.
Vergaldaalm
Vermuntbahn
Wirl
Mauths.
Dreiköpfl
2970
Gampenalm
Ravaisch
(1835)
Samnaun
Oberspiß
Spiß
Noggels
Landquart
Madrisahorn
2830
Vermunt-stausee
Hochmaderer
2823
Vallüla
2813
Gr. 2754
Vermuntsee
Silvretta-Bodmerspitze
2851
Schnapfen-A.
2949
3015
Fimber-A.
3097
Vesilspitze
Samnaun
Zollfreie Zone
Piz Mundin
3146
Schalkl
Vinadi
Saas i.Pr.
Schlappin
Rotbüelspitze
2853
Bielerhöhe
2036
Madlener H.
Hochalpenstr.
Rote Wand
(2264)
Heidelberger H.
Albeina
(1887)
Saaser A.
Tübinger H.
Silvretta-stausee
Stammer-spitze
3254
Muttler
3294
Alp Tea
Schlappintal
Saarbrückener H.
Hohes Rad
2934
Jamtal-H.
(2165)
Fluchthorn
3399
Choglias
Martina
(Martinsbruck)
Conters i.Pr.
Serneus
Außersäß
Großlitzner
3109
Norbertshöhe
1461
Schifer
Dorf
Klosters
Schiltfluh
2887
2703
Rauher Kopf
3101
Futschölpass
(3228)
3047
Griosch
Zuort
Tschlin
Tiefhof
(1574)
Gotschnagrat
2285
Monbiel
Fergen-H.
Seetal-H.
Wiesbadner H.
(2443)
3244
3179
Piz Arina
2832
Strada
Selfranga
Sardasca
Dreiländer-Sp.
3197
Piz Tasna
Piz Spadla
2912
Val Sinestra
Parsenn-H.
Landquart
Novai
Silvretta-H.
3312
Piz Buin
Vnà
Piz Lat
2808
Weissfluh
Laret
Wolfgang
Wolfgangpass
Tuoi-H.
(2250)
Piz Minschun
3068
Ramosch
Serviezell
P.so di Resia
Reschenpass
Weissfluhjoch
(2693)
2844
Silvrettagruppe
Valmela
Sent
Sur-En
Strelapass
(2350)
Mönchalp
Davoser See
Pischahorn
2979
Vereina-Berghaus
Piz Champatsch
2958
Piz Cotschen
3030
Motta Naluns
Flöna
Crusch
Piz S-chalambert
3029
Schatzalpbahn
Platz
(1558)
Alpenrose
Marangun
3411
Chamanna Cler
Laret
Motta Naluns Gondelbahn
Scuol/Schuls
(1244)
Dorf
Davos
Flüelatal
Tschuggen
Vereina-Tunnel
(19 km)
Piz Linard
V. Sagliains
La Clozza
Ftan
Uina dadora
SanJon
Val d'Uina
Brämä-Büel
Hof
Guarda
Ardez
Vulpera
Rojental-H.
Cima di Grion
Griankopf
2772
2492
Piz Murtera
3044
Linard-H.
Unterengadin
Piz Lischana
3105
Clavadel
2590
Guleriegenhs.
Weger-Hs.
3085
Lavin
Giarsun
Steinsbg.
Valatscha
Sur En
Tarasp-Fontana
Chna Lischana
Frauenkirch
Flüela-Wisshorn
Flüelapass
(2383)
Susasca
La Jenna
Susch
Caschinas
Nuna
Piz Pisoc
3147
Grüner Boden-H.
2853
Seebödenspitze
Sertigtal
Am Rhin
Ospizio Hospiz
Piz dal Ras
3025
Plantaturm
Alp Sumpuoir
Piz Zuort
3119
Piz Madlein
3099
Rinerhorn
2531
Sertig Dörfli
Schürli-H.
3147
Schwarzhorn
3068
Val Grialetsch
Piz d'Arpiglias
3027
Piz della Plattas
3030
A.Plavna
Neue Pforzheimer H.
2256
M.Vàtles
Wattles
2557
Dürrboden
(2007)
Val Sarsura
Piz Nuna
3124
Wildenberg
S-charl
3092
Älplihorn
3006
Kühalptal
Grialetsch-H.
Zernez
Piz Laschadurella
3046
Piz Sesvenna
3205
Plaxer A.
Slingia
Schlinig
Ducantal
Hoch Ducan
3063
Scalettapass
(2606)
Piz d'Urezza
2909
(1472)
Piz Tavrü
3171
Arundakopf
2878
Gletscher Ducan
3020
Kühalphorn
3078
Sertigpass
(2739)
Piz Vadret
3229
Piz Sarsura
3177
Ova Spin
Astras
Val Clüozza
Carolina
Il Fuorn
Piz Nair
3013
Piz Starlex
3075
Mangitzer
Reichenberg
Val Susauna
2900
Brail
Punt la Drossa
Ova dal Fuorn
2587
Munt la Schera
Ofenpass
Pass dal Fuorn
(2149)
Tubre
Taufers
(1260)
Rifair
1260
Chants
(1822)
Keschhütte
Cinuos-chel
Susauna
Piz Murter
2836
Nationalpark
Val Müstair
Tschierv
Klosterkirche St.Johann
Hohenbalken
Piz Fregslas
2819
Piz Kesch
3418
Piz Griatschouls
2972
Chapella
Piz Quattervals
3165
Piz Daint
2969
Müstair Münster
S-chanf
Es-cha-H.
Piz dell'Acqua
3118
Alpe del Gallo
Ofenpass-Strasse
Fuldera
Piz Chavalatsch
Albula
Albulastrasse
Zuoz
Purcher
Piz Fier
3059
C.ma del Fopel
2927
Lago di Gallo
Alp Mora
Val Mora
S.Maria im Münstertal
Valchava
Alpenrösli
Ospizio
Hospiz
(2321)
Albulapass
Pass d'Alvra
Madulain
La Punt-
A. Vaüglia-Suot
Livigno
1935
Piz Turettas
2961
Piz Minschun
2394
Piz Lad
2882
Chamues-ch
Chaschauna
3071
Grasso di Pra Grata
Piz Murtaröl
3180
Rif.Forcola
Pass Chaschauna
Pso Cassana
(2694)
Piz Chaschanella
2929
2285
Pso di Fraèle
1955
S.Giacomo di Fraèle
M.Forcola
2869
Piz Umbrail
3033
Muraunza
Giogo di S.Maria
(Umbrailpass)
(2501)
Bever
Spinas
Serlas
Livigno
Pso di Alpisella
Zona Franca
Piz Ot
3246
Champatsch
Pso d'Eira
2208
Lago di S. Giacomo di Fraele
Valle di Fraele
2980
M.Braùlio
Samedan
Muottas Muragl
2453
S.Rocco
Trepalle
Mad.del Soccorso
Valle di Livigno
Celerina/Schlarigna
Monte Cotschen
3107
Lago di Cancano
Cme di Plator
2910
Pso d.Stèlvio
Stilfser Joch
(2757)
Franzensh.
Piz Nair
Marguns
Corviglia
3057
Muottas Muragl-Bahn
Piz Vadret
3199
2686
1800
Passo Torre di Fraéle
Rif.M.Livrio
Nagler
Tresenda
M.delle Mine
2883
2291
Pso di Foscagno
Valdidentro
Tettoia del Palone
Cresta di Réit
3075
Pontresina
Piz Languard
3262
Chna
Piz la Stretta
Monte Breva
3104
Parco di Livigno e d. Valdidentro
Semogo
Isolàccia
Turripiano
1217
Bagni di Bórmio
Bàite del Zebrù
ST.MORITZ
St.Moritz-Bad
Champfèr
Paradies
M.Foscagno
3058
Arnoga
Trt. Viola
Bórmio
Valfurva
Valle d. Zebrù
SCHWEIZ · SUISSE · SVIZZERA
Tiefencastel
66
67
68
69
Tirano
12
Tirano 39 km
0 1 2 4 6 8 10 km

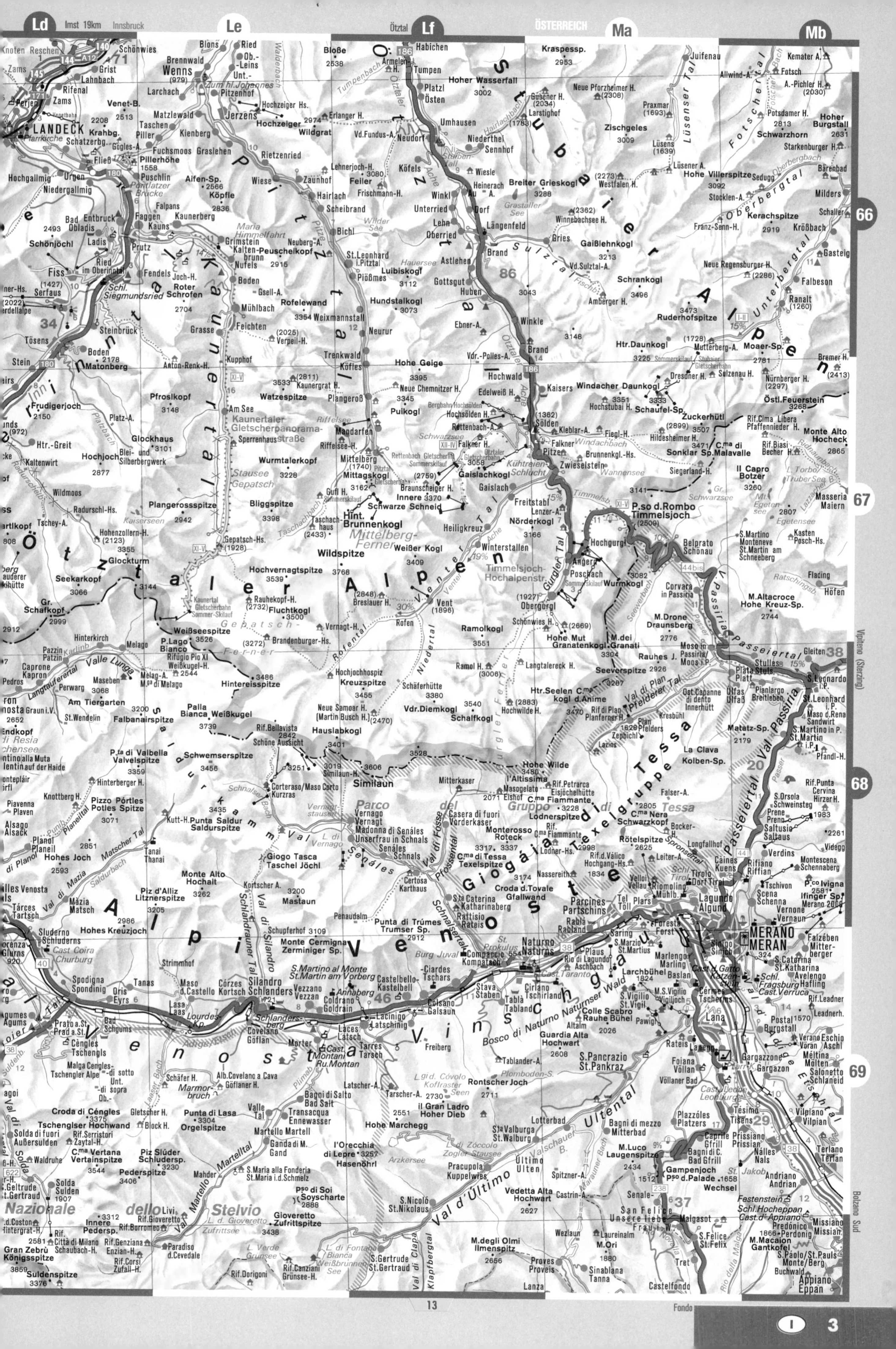

LANDECK
Zams
Schönwies
Wenns
Jerzens
Habichen
Tumpen
Ötztal
Umhausen
Längenfeld
Sölden
Zwieselstein
Obergurgl
Hochgurgl
Vent
Timmelsjoch
P.so d.Rombo
Stubaier Alpen
Ötztaler Alpen
Pitztal
Kaunertal
St.Leonhard i.Pitztal
Mandarfen
Mittelberg
Wildspitze
Weißkugel
Similaun
Schnalstal
Fiss
Serfaus
Ried im Oberinntal
Prutz
Pfunds
Nauders
Hochgallmig
Kaunerberg
Feichten
Kaunertaler Gletscherpanoramastraße
Gepatsch-Hs.
Glockturm
Zuckerhütl
Windacher Daunkogl
Hochstubai H.
Schaufel-Sp.
Gleiten
Vipiteno (Sterzing)
Passeier Tal
Val Passiria
St.Leonhard i.P.
Moso in Passiria
Rabland
Partschins
Naturns
Tirolo Dorf Tirol
Lagundo Algund
MERANO MERAN
Lana
Postal Burgstall
Gargazzone
Vinschgau
Val Venosta
Alpi Venoste
Silandro Schlanders
Laces Latsch
Castelbello Kastelbell
Ultental
Val d'Ultimo
St.Pankraz
Tesimo Tisens
Nalles Nals
Andriano Andrian
Terlano Terlan
Appiano Eppan
Stelvio
Solda Sulden
Parco Nazionale dello Stelvio
Suldenspitze
Gruppo di Tessa
Texelgruppe
Ortler
Val Martello
Martelltal
Cevedale
Lasa Laas
Prato a.St. Prad a.St.
Sluderno Schluderns
Glurns
Val Müstair
Mals
Vernagt
Madonna di Senales
Certosa Karthaus
Naturno
S.Felice St.Felix
Castelfondo
Bolzano Sud
Fondo
66
67
68
69

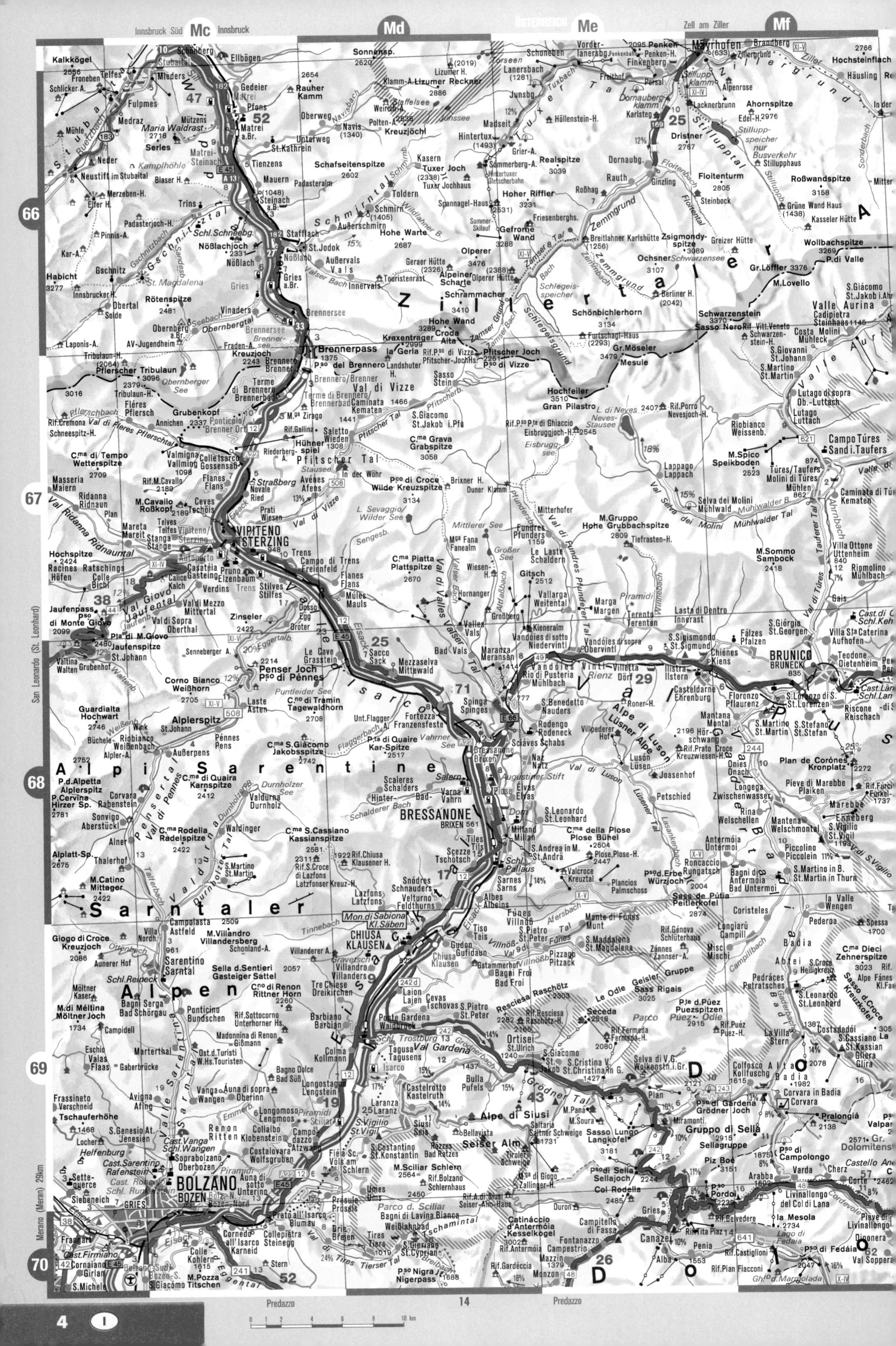
Innsbruck Süd
Mc
Innsbruck
Md
ÖSTERREICH
Me
Zell am Ziller
Mf
66
67
68
69
70
San Leonardo (St. Leonhard)
Merano (Meran) 29km
Predazzo
14
Predazzo
Kalkkögel
Schönberg
Ellbögen
Stubaital
Fulpmes
Mieders
Gedeier
Matrei
Pfons
Maria Waldrast
Serles
Neustift im Stubaital
Tienzens
Mauern
Steinach a.Br.
Trins
Gschnitz
Habicht
Stafflach
St.Jodok
Nößlachjoch
Nößlach
Gries a.Br.
Obernberg a.Br.
Brennersee
Brennerpass
Pso del Brennero
Brenner
Brennero
Pflerscher Tribulaun
Fléres Pflersch
Grubenkopf
Colle Isarco Gossensaß
Sonnensp.
Lizumer Reckner
Rauher Kamm
Kreuzjöchl
Navis
St.Kathrein
Schafseitenspitze
Schmirn
Toldern
Kasern
Tuxer Joch
Hintertux
Madseit
Lanersbach
Vorder-lanersbg
Penken
Mayrhofen
Finkenberg
Tuxer Tal
Zillergrund
Hochsteinflach
Häusling
Ahornspitze
Edel-H.
Dristner
Dornaubg.
Ginzling
Stilluptal
Floitenturm
Roßwandspitze
Realspitze
Hoher Riffler
Olperer
Gefrorne Wand
Schrammacher
Hohe Wand
Kraxentrager
Pfitscher Joch
Pso di Vizze
Hochfeiler
Gran Pilastro
Zemmgrund
Zsigmondy-spitze
Ochsner
Schwarzenstein
Sasso Nero
Gr.Möseler
Mesule
Gr.Löffler
Wollbachspitze
P.di Valle
M.Lovello
Valle Aurina
Zillertaler A
Val di Vizze
Pfitscher Tal
Cma Grava Grabspitze
Hühnerspiel
Pso di Croce
Wilde Kreuzspitze
Vipiteno Sterzing
Racines Ratschings
Val Ridanna Ridnauntal
Jaufenpass Pso di Monte Giovo
Val Giovo Jaufental
Campo di Trens Freienfeld
Cma Piatta Plattspitze
Val di Vals Valser Tal
Fundres Pfunders
M.Gruppo Hohe Grubbachspitze
Selva dei Molini Mühlwald
Campo Túres Sand i.Taufers
M.Spico Speikboden
Lappago Lappach
Riobianco Weissenb.
Lutago Luttach
Mules Mauls
Penser Joch Pso di Pénnes
Corno Bianco Weißhorn
Alplerspitz
Cno di Tramin Tagewaldhorn
Fortezza Franzensfeste
Spinga Spinges
Vandoies Vintl
Rio di Pusteria Mühlbach
Chiénes Kiens
Brunico Bruneck
S.Lorenzo di S. St.Lorenzen
Rodengo Rodeneck
Alpe di Luson Lüsner Alpe
Luson Lüsen
Plan de Corónes Kronplatz
Alpi Sarentine
Sarntaler Alpen
Bressanone Brixen
Cma S.Giacomo Jakobsspitze
Cma della Plose Plose Bühel
Cma S.Cassiano Kassianspitze
Cma Rodella Radelspitze
Pso d.Erbe Würzjoch
Sass de Pútia Peitlerkofel
Val Badia
Funes Villnöß
Chiusa Klausen
Mon.di Sabiona Kl.Säben
Sarentino Sarntal
Seceda
Sass Rigais
Le Odle Geisler Gruppe
Ortisei St.Ulrich
Val Gardena
Selva di V.G. Wolkenstn.i.Gr.
Corvara in Badia
Alpe di Siusi
Seiser Alm
Sasso Lungo Langkofel
Gruppo di Sella
Pso di Sella Sellajoch
Pso Pordoi
Piz Boè
Canazei
Campitello di Fassa
Catinaccio d'Antermóia Kesselkogel
Pso di Campolongo
Arabba
Livinallongo del Col di Lana
Pso di Fedáia
Marmolada
Pso Nigra Nigerpass
Tiers
Castelrotto Kastelruth
Siusi Seis
Ponte Gardena Waidbruck
Bolzano Bozen
Gries
Dolomiten
Dolomiti
A22
E45

0 1 2 4 6 8 10 km

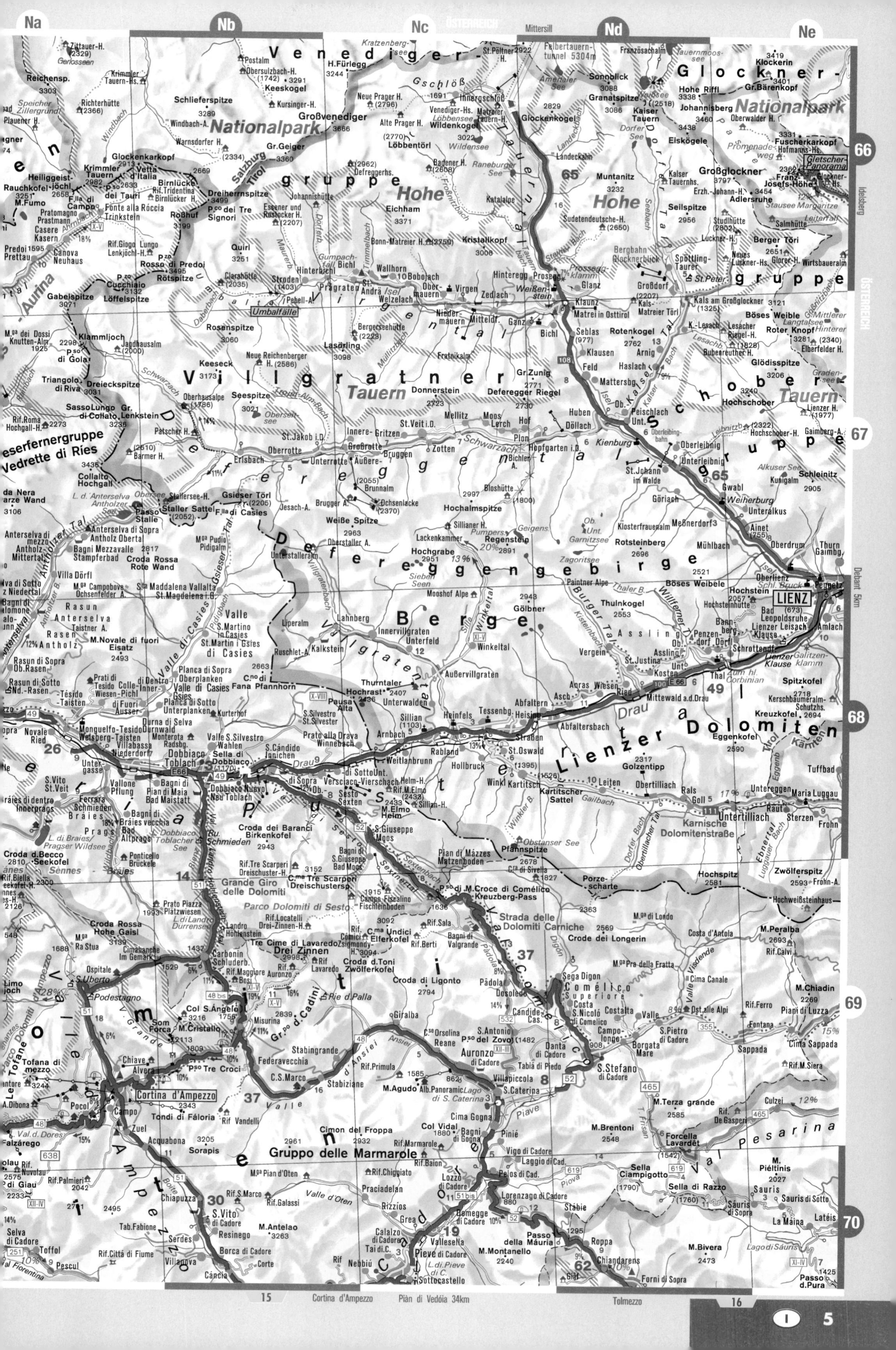
Na
Nb
Nc
Nd
Ne
ÖSTERREICH
Mittersill
Venediger-gruppe
Glockner-gruppe
Nationalpark
Hohe Tauern
Großvenediger
3666
Felbertauern-tunnel 5304m
Franzosachalm
Sonnblick
3088
Granatspitze
3086
Kaiser Tauern
Johannisberg
3460
Oberwalder H.
Gr.Bärenkopf
Hohe Riffl
3338
Klockerin
3419
Eiskögele
Fuscherkarkopf
3331
Hofmanns-Hs.
Gletscher-Panorama
Franz-Josefs-Höhe
Großglockner
3797
Erzh.-Johann-H.
3454
Adlersruhe
Stausee Margaritze
Salmhütte
Studlhütte
2802
Lucknerhs.
Luckner-H.
Berger Törl
Glorer-H.
Wirtsbaueralm
Gschlöß
Innergschlöß
Matreier Tauern-H.
Venediger-Hs.
Wildenkogel
3022
Löbbentörl
Neue Prager H.
2796
Alte Prager H.
Kürsinger-H.
Keeskogel
3291
Obersulzbach-H.
1742
Postalm
H.Fürlegg
3244
Kratzenberg-see
St.Pöltner H.
2922
Amertaler See
Glocknerkogel
2829
Landeckalm
Muntanitz
3232
Sudetendeutsche-H.
2650
Kalser Tauernhs.
Sellspitze
2956
Bergbahn Glocknerblick
Spöttling-Taurer
St.Peter
Großdorf
Kals am Großglockner
1325
3121
Böses Weible
Mittlerer Langtalsee
Roter Knopf
3281
2340
Elberfelder H.
Hinterer
Lesach
Lesacher Riegel-H.
1828
Bubenreuther H.
K.-Lesach
Glödisspitze
3206
Schober-gruppe
Gradensee
Hochschober
3240
Lienzer H.
1977
Gaimberg-A.
Hochschober-H.
2322
Leibnitzb.
Oberleibnig
Unterleibnig
Alkuser See
Schleinitz
Kunigalm
2905
Gwabl
Weiherburg
Unteralkus
Göriach
Klosterfrauenalm
Meßnerdorf
Ainet
755
Oberdrum
Thurn
Gaimbg.
Mühlbach
Rotsteinberg
2696
2521
Oberlienz
Schl. Bruck
Peggetz
Hochstein
2057
Hochsteinhütte
LIENZ
673
Bad Leopoldsruhe
Lienzer Leisach
Amlach
Klause
Thulnkogel
2553
Böses Weibele
Willfernerbach
Assling
Penzendorf
Dörfl
Schrottendf.
Lienzer Klause
Galitzenklamm
Thal
Zum hl. Corbinian
Spitzkofel
2718
Kerschbaumeralm-Schutzhs.
Kreuzkofel
2694
Eggenkofel
2590
Tirol
Kärnten
Tuffbad
Lienzer Dolomiten
Golzentipp
2317
Obertilliach
Rals
Goll
Untereggen
Maria Luggau
Raut
Untertilliach
Sterzen
Frohn
Karnische Dolomitenstraße
Hochspitz
2581
Zwölferspitz
2593
Hochweißsteinhaus
Mga di Londo
Costa d'Antola
M.Peralba
2693
Rif.Calvi
Cima Canale
M.Chiadin
2269
Rif.Ferro
Piani di Luzza
Cima Sappada
Sappada
Rif.M.Siera
Fontana
Culzei
M.Terza grande
2585
Rif. De Gasperi
M.Brentoni
2548
Forcella Lavardet
Val Pesarina
Sella Ciampigotto
1790
Sella di Razzo
1760
Sauris
Sauris di Sotto
Sauris di Sopra
M. Piéltinis
2027
Latéis
La Maina
M.Bivera
2473
Lago di Sauris
Passo d.Pura
1425
Forni di Sopra
Virgental
Matrei in Osttirol
Klaunz
Kals-Matreier Törl
Bichl
Ganz
Seblas
977
Rotenkogel
2762
Arnig
Klausen
Feld
Haslach
Mattersbg.
Ob. Kalserbach
Peischlach
Unt.
Huben
Döllach
Oberleibing-bahn
Kienburg
St.Johann im Walde
Iseltal
Prosegg-klamm
Glanz
Weißenstein
Hinteregg
Prosegg
Zedlach
Virgen
Obermauern
Niedermauern
Mitteldf.
Welzelach
St. Andrä
Prägraten
Bobojach
Wallhorn
Hinterbichl
Bichl
Umbalfälle
Ströden
1403
Pebell-A.
Bergerseehütte
2223
Lasörling
3098
Fratnikalm
Gr.Zunig
2771
Defregger Riegel
2730
Donnerstein
2723
Mellitz
Moos
Lerch
Hof
Plon
Hopfgarten i.D.
Bichler A.
St.Veit i.D.
Innere-Gritzen
Großrotte
Zotten
Bruggen
Schwarzach
St.Jakob i.D.
Oberrotte
Unterrotte
Äußere-
Erlsbach
Brunnalm
2055
Ochsenlacke
2370
Bloshütte
Hochalmspitze
2997
Sillianer H.
Pumpersee
Regenstein
2891
Geigens.
Lackenkammer
Hochgrabe
2951
Siebensee
Mooshof Alpe
Garnitzsee
Zagoritsee
Paintner Alpe
Thaler B.
Burger Tal
Kisteinbach
Gölbner
2943
Defereggengebirge
Villgratner Berge
Villgratental
Weiße Spitze
2963
Oberstaller A.
Brugger A.
Jesach-A.
Unterstalleralm
Liperalm
Lahnberg
Innervillgraten
Unterfeld
Kalkstein
Ruschlet-A.
Winkeltal
Außervillgraten
Thurntaler
2407
Hochrast
2436
Unterwalden
Peusa Alta
Sillian
1103
Heinfels
Tessenbg.
Heising
Abfaltern
Ried
Ascb
Anras
Wiesen
Mittewald a.d.Drau
Abfaltersbach
Drau
Straßen
St.Oswald
Rabland
Arnbach
Hollbruck
Winkl
Kartitsch
Leiten
Kartitscher Sattel
Gailbach
Winkler B.
Obstanser See
Pfannspitze
2678
Cra di Sivella
1827
Porze-scharte
Vergein
St.Justina
Kosten
Villgratner Tauern
Neue Reichenberger H.
2586
Keeseck
3173
Rosenspitze
3060
Jagdhausalm
2000
Clarahütte
2035
Rötspitze
Seespitze
3021
Obersee
Oberhausalpe
1786
Patscher H.
Defereggental
Staller Sattel
2052
Stallersee-H.
Gsieser Törl
2205
Passo Stalle
Obersee
Antholzer See
Anterselva di Sopra
Antholz Oberta
Bagni Mezzavalle
Stampfterbad
Croda Rossa
Rote Wand
2817
Mga Pudio
Pidigalm
Sta Maddalena Vallalta
St.Magdalena i.G.
Valle S.Martino
St.Martin i.Gsies
Valle di Casies
Gsieser Tal
Pidigbach
Planca di Sopra
Oberplanken
Valle di Casies
Planca di Sotto
Unterplanken
Durna di Selva
Cno di Fana
Pfannhorn
2663
Prati di Tesido
Wiesen-Pichl
Tesido
Taisten
Monguelfo-Tesido
Welsberg-Taisten
Villabassa
Niederdorf
Dobbiaco
Toblach
Sella di Dobbiaco
S.Cándido
Innichen
Prato alla Drava
Winnebach
Weitlanbrunn
di Sotto
Versciaco-Vierschach
Helm-H.
Rif.M.Elmo
2433
Sillian-H.
Sesto
Sexten
M.Elmo
Helm
S.Giuseppe
Moos
Croda dei Baranci
Birkenkofel
2943
Bagni di S.Giuseppe
Bad Moos
Rif.Tre Scarperi
Dreischuster-H.
Cme Tre Scarperi
Dreischusterspitze
Rif.Locatelli
Drei-Zinnen-H.
Camp Fiscalino
Fischleinboden
Pso di M.Croce di Comélico
Kreuzberg-Pass
Strada delle Dolomiti Carniche
Crode dei Longerin
2569
Val Comélico
Sega Digon
Comélico Superiore
Costa
S.Nicolò di Comelico
Costalta
Valle
Campolongo
Borgata Mare
S.Pietro di Cadore
S.Stefano di Cadore
Candide
Cas.
Dosoledo
Pádola
Danta di Cadore
Mga Pra della Fratta
Ost.alle Alpi
Valle Visdende
Rif.Sala
Bagni di Valgrande
Rif.Berti
Cma Undici
Elferkofel
3092
Comici
Zsigmondy-H.
3094
Croda d.Toni
Zwölferkofel
Croda di Ligonto
2794
Tre Cime di Lavaredo
Drei Zinnen
2998
Rif. Auronzo
Rif. Lavaredo
Pie d'Palla
Gr.Po d.Cadini
2839
Misurina
Giralba
Cse Orsolina
Reane
Pso del Zovo
1482
S.Antonio
Auronzo di Cadore
Tabià di Piedo
Villapiccola
S.Caterina
Lago di S. Caterina
Alb.Panoramic
M.Agudo
1585
Rif.Primula
Stabiziane
C.S.Marco
Federavecchia
Stabingrande
Valle d'Ansiei
Cima Gogna
Col Vidal
1880
Bagni di Gogna
Piave
Piniè
Vigo di Cadore
Laggio di Cad.
Pelos di Cad.
Lorenzago di Cadore
Stàbie
Lozzo di Cadore
Domegge di Cadore
Vallesella
Pieve di Cadore
L.di Pieve di C.
Sottocastello
Calalzo di Cadore
Tai di C.
Nebbiù
Passo della Màuria
1295
M.Montanello
2240
Roppa
Chiandarens
Gruppo delle Marmarole
Cimon del Froppa
2932
Rif.Marmarole
Rif.Baion
Rif.Chiggiato
Praciadelan
Rizzios
Valle d'Oten
Mga Pian d'Oten
Rif.Galassi
Rif.S.Marco
M.Antelao
3263
S.Vito di Cadore
Resinego
Borca di Cadore
Corte
Villanova
Cància
Serdes
Tab.Fabione
Rif.Città di Fiume
Chiapuzza
Valle d'Ampezzo
Sorapis
3205
Acquabona
Zuel
Rif Vandelli
Tondi di Fáloria
2343
Cortina d'Ampezzo
Campo
Pocol
Chiave
Alverá
Pso Tre Croci
1809
Som Forca
M.Cristallo
3216
Col S.Angelo
Carbonin
Schluderb.
Rif.Maggiore
Landro
Höhlenstein
Cimabanche
Im Gemärk
Ospitale
S.Uberto
Podestagno
Tofana di mezzo
3244
A.Dibona
Val.d. Dores
Falzárego
Rif. Nuvolau
Rif.Palmieri
2042
Passo di Giau
2233
2575
Selva di Cadore
Toffol
Pescul
Val Fiorentina
Croda Rossa
Hohe Gaisl
3139
Mga Ra Stua
Croda d.Becco
Seekofel
2810
Sennes
Braies
Rif.Biella
Seekofel-H.
Prato Piazza
Plätzwiesen
L.di Landro
Dürrensee
Parco Dolomiti di Sesto
Grande Giro delle Dolomiti
Bagni di Bráies vecchia
Bad Altprags
Prags
Dobbiaco
Toblacher See
Ru Schmieden
Ponticello
Brückele
L.di Braies
Pragser Wildsee
Ferrara
Schmieden
Bráies
Vallone
Pflung
Bagni di Pian di Maia
Bad Maistatt
Dobbiaco Nuovo
Neu Toblach
Unter-gasse
S.Vito
St.Veit
Bráies di dentro
Innerprags
Novale
Ried
Rasun di Sotto
Nd.-Rasen
Rasun di Sopra
Ob.Rasen
Rasun
Anterselva
Taistner A.
Rasen
Antholz
M.Novale di fuori
Eisatz
2493
Villa Dörfl
Mga Campobove
Ochsenfelder A.
Anterselva di mezzo
Antholz-Mittertal
Antholzer Tal
L. d. Anterselva
Antholzer See
Rieserfernergruppe
Vedrette di Ries
Collalto
Hochgall
3436
Barmer H.
2610
Rif.Roma
Hochgall-H.
2273
SassoLungo
Gr.di Collato
Lenkstein
3236
Triangolo di Riva
Dreieckspitze
3031
Klammljoch
Pso di Gola
Mga dei Dossi
Knutten-Alm
1925
2298
Gabelspitze
3071
Pzo Cucchiaio
Löffelspitze
Rotspitze
Pzo Rosso di Predoi
Rif.Giogo Lungo
Lenkjöchl-H.
Quirl
3251
Predoi
Prettau
Canova
Neuhaus
Casere
Kasern
Ahrntal
Pratomagno
Prastmann
Rif. Tridentina
Birnlücker H.
Birnlücke
Pso dei Tauri
Vetta d'Italia
2913
Glockenkarkopf
Krimmler Tauern
2982
Fonte alla Róccia
Trinkstein
Dreiherrnspitze
3499
Pso dei Tre Signori
Roßhuf
3199
Essener und Rostocker H.
2207
Johannishütte
Heiliggeist-jöchl
Rauchkofel
3251
M.Fumo
Fila di Campo
Zittauer-H.
2329
Gerlossee
Reichensp.
3303
Speicher Zillergründl
Plauener H.
Richterhütte
2366
Krimmler Tauern-Hs.
Schlieferspitze
3289
Windbach-A.
Warnsdorfer H.
2334
Gr.Geiger
3360
Salzburg
Tirol
Defreggerhs.
2962
Eichham
3371
Bonn-Matreier H.
2750
Kristallkopf
3008
Badener H.
2608
Katalalpe
Raneburger See
Frosnitzbach
Gumpachtal
Dorferb.
Maurerb.
Timmelbach
Umbaltal
Daberbach
Aurina
Schwarzach
Rasen
Valle di Casies
66
67
68
69
70
65
37
49
26
14
30
19
62
37
15
16
Idelsberg
Debant 5km
Cortina d'Ampezzo
Piàn di Vedóia 34km
Tolmezzo

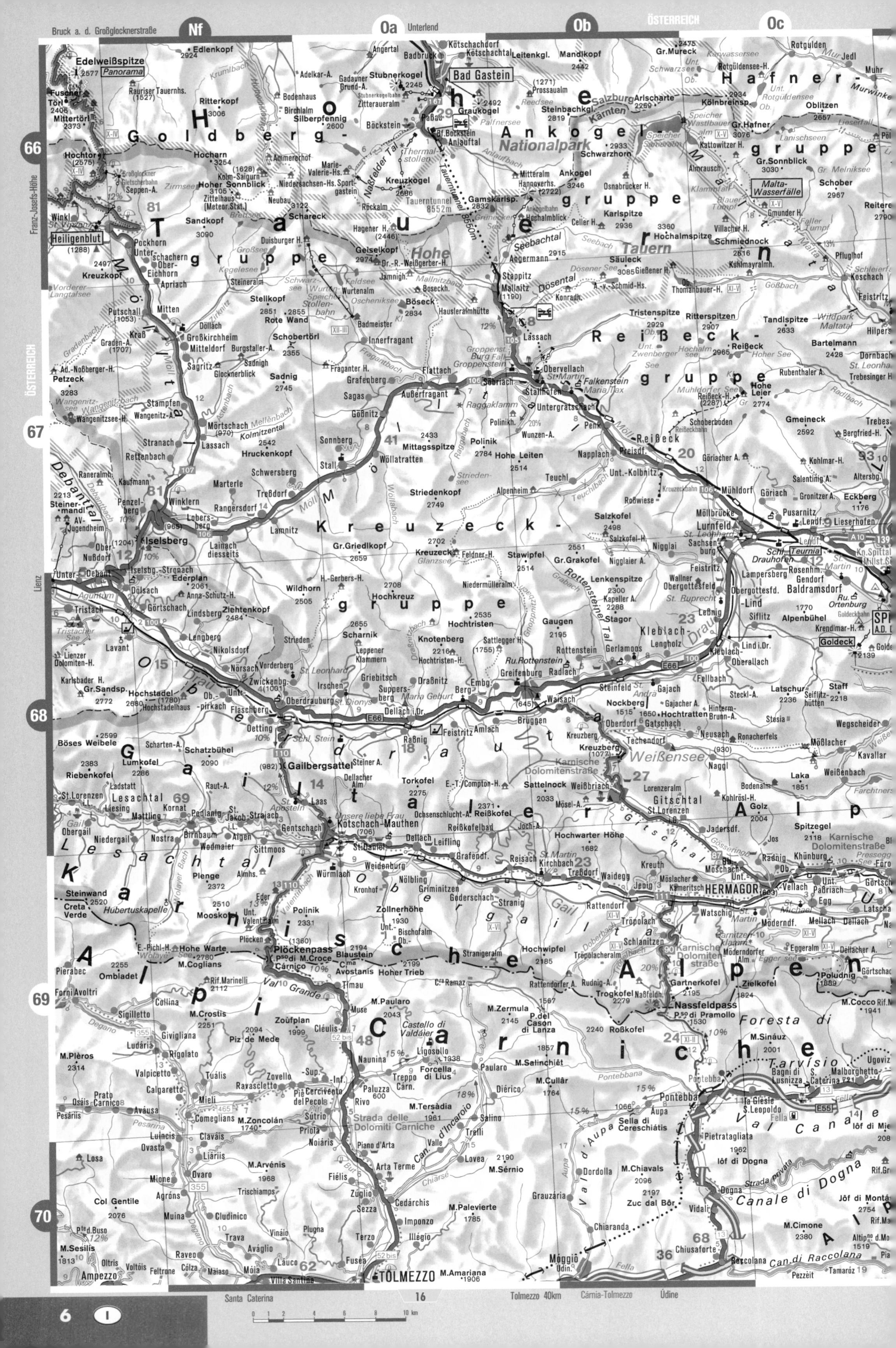
Bruck a. d. Großglocknerstraße
Nf
Oa
Unterlend
Ob
ÖSTERREICH
Oc
66
67
68
69
70
Franz-Josefs-Höhe
Lienz
Edelweißspitze
Panorama
Fuscher Törl
Mittertörl
Hochtor
Heiligenblut
Edlenkopf
Rauriser Tauernhs.
Ritterkopf
Hocharn
Hoher Sonnblick
Zittelhaus (Meteor.Stat.)
Sandkopf
Schareck
Duisburger H.
Hohe Tauern
Goldberg-gruppe
Ankogel-gruppe
Hafner-gruppe
Nationalpark
Bad Gastein
Böckstein
Graukogel
Stubnerkogel
Kreuzkogel
Tauerntunnel 8552m
Gamskarlspitze
Mallnitz
Hochalmspitze
Schwarzhorn
Ankogel
Malta-Wasserfälle
Gmünd
Kölnbreinsp.
Arlscharte
Salzburg
Kärnten
Gr.Sonnblick
Schober
Reißeck-gruppe
Reißeck
Tristenspitze
Obervellach
Flattach
Mölltal
Winklern
Großkirchheim
Döllach
Mörtschach
Stall
Sagritz
Iselsberg
Kreuzeck-gruppe
Kreuzeck
Hochkreuz
Gr.Griedlkopf
Salzkofel
Stawipfel
Lurnfeld
Sachsenburg
Möllbrücke
Spittal
Teurnia
Baldramsdorf
Goldeck
Steinfeld
Greifenburg
Kleblach-Lind
Oberdrauburg
Dellach i.Dr.
Dölsach
Tristach
Lavant
Nikolsdorf
Hochstadel
Gailtaler Alpen
Weißensee
Techendorf
Gailbergsattel
Kötschach-Mauthen
Reißkofel
Gitschtal
Hermagor
Jenig
Tröpolach
Gailtal
Nassfeldpass
Lesachtal
Karnische Alpen
Plöckenpass
Alpi Carniche
Hohe Warte
Kellerwand
Forni Avoltri
Paluzza
Arta Terme
Tolmezzo
Ampezzo
Villa Santina
Pontebba
Tarvisio
Val Canale
Canale di Dogna
Chiusaforte
Moggio Udinese
Foresta di Tarvisio
Sella di Cereschiatis
M.Zoncolán
M.Arvénis
Sutrio
Rivo
Strada delle Dolomiti Carniche
Comeglians
Rigolato
Prato Carnico
Ovaro
Raveo
Santa Caterina
16
Tolmezzo 40km
Cárnia-Tolmezzo
Údine
0 1 2 4 6 8 10 km

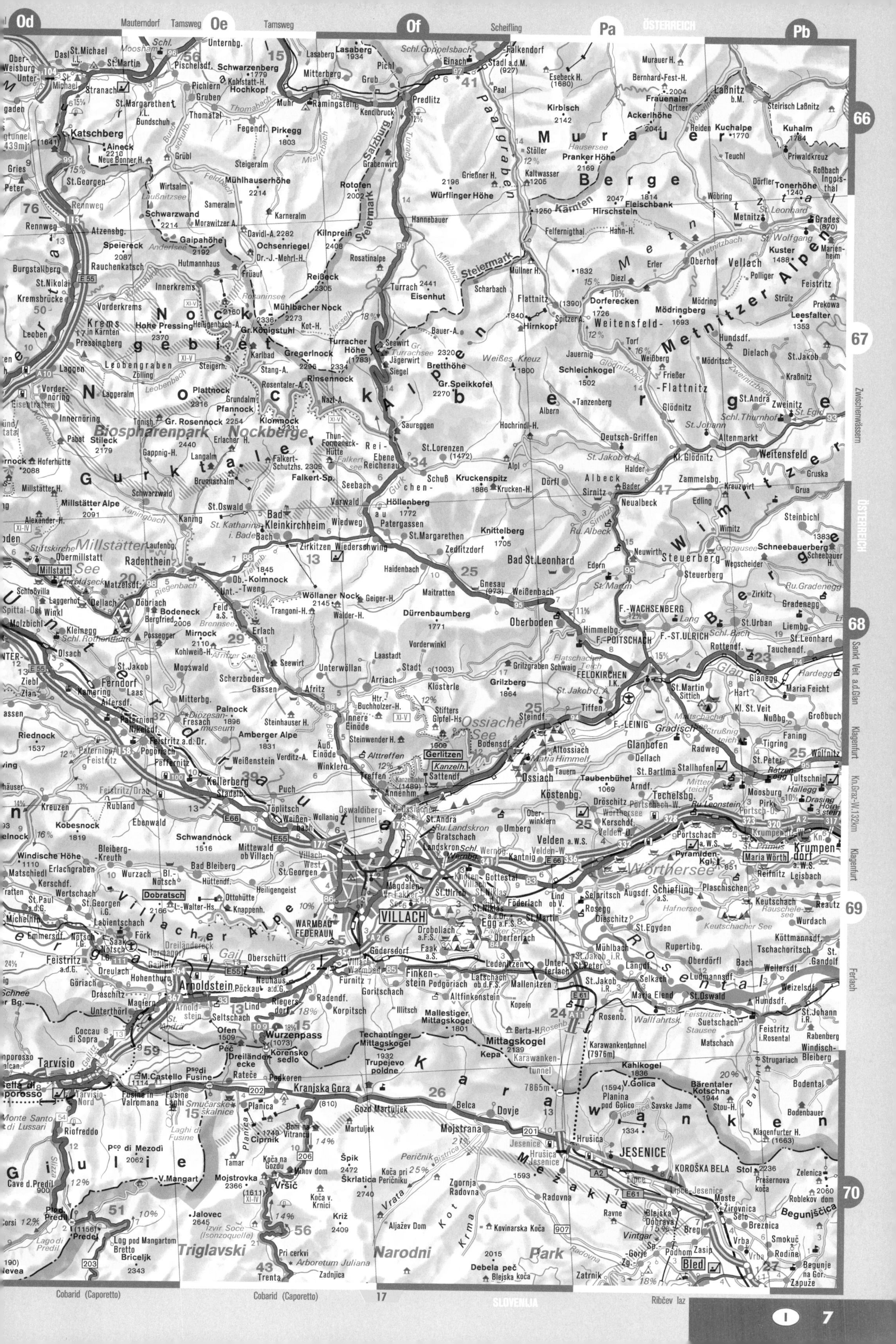

Od
Oe
Of
Pa
Pb
ÖSTERREICH
Mauterndorf
Tamsweg
Scheifling
66
67
68
69
70
Unternbg.
St.Michael i.L.
St.Martin
Schwarzenberg
Hochkopf
Pichlern
Gruben
Thomatal
Predlitz
Einach
Stadl a.d.M.
Falkendorf
Lasaberg
Mitterberg
Grub
Pichl
Ramingstein
Kendlbruck
Katschberg
Aineck
St.Margarethen i.L.
Bundschuh
Fegendf.
Pirkegg
Mühlhauserhöhe
Rotofen
Würflinger Höhe
Paalgraben
Murauer Berge
Kirbisch
Frauenalm
Ackerlhöhe
Laßnitz
Kuchalpe
Kuhalm
Stöller
Pranker Höhe
Kaltwasser
Teuchl
Priwaldkreuz
Roßbach
Tonerhöhe
Ingolsthal
Gries
St.Georgen
Rennweg
Wirtsalm
Schwarzwand
Gaipahöhe
Ochsenriegel
Karneralm
Kilnprein
Hannebauer
Fleischbank
Hirschstein
Metnitz
Grades
Atzensbg.
Speiereck
Rauchenkatsch
Hutmannhaus
Innerkrems
Rosatinalpe
Reißeck
Turrach
Eisenhut
Scharbach
Steiermark
Kärnten
Salzburg
Müllner H.
Felfernigthal
Oberhof
Vellach
Kuster
Metnitzer Alpen
Feistritz
Burgstallberg
St.Nikolai
Kremsbrücke
Vorderkrems
Krems in Kärnten
Pressingberg
Nockgebiet
Hohe Pressing
Gr.Königstuhl
Mühlbacher Nock
Turracher Höhe
Bauer-A.
Flattnitz
Dorferecken
Mödringberg
Hirnkopf
Weitensfeld-Flattnitz
Prekowa
Leesfalter
Leoben
Leobengraben
Laggen
Gregerlnock
Rinsennock
Bretthöhe
Seewirt
Jägerwirt
Siegel
Weißes Kreuz
Schleichkogel
Jauernig
Torf
Weißberg
Frießer
Hundsdf.
Dielach
St.Jakob
Kraßnitz
Nockalpen
Gr.Speikkofel
Plattnock
Pfannock
Grundalm
Zöllling
Tanzenberg
Albern
Glödnitz
St.Andrä
Zweinitz
St.Egid
Schl.Thurnhof
Biosphärenpark Nockberge
Gr.Rosennock
Klomnock
Erlacher H.
Stileck
Pabst
Innernöring
Sauregge n
Hochrindl-H.
Deutsch-Griffen
St.Johann
Altenmarkt
Zwischenwässern
Gurktaler Alpen
Falkert-Schutzhs.
Falkert-Sp.
Reichenau
Ebene
St.Lorenzen
Alpl
Kl.Glödnitz
Weitensfeld
Halder
Albeck
Sirnitz
Bader
Zammelsbg.
Gruska
Millstätter H.
Millstätter Alpe
Schwarzwald
Brunnachalm
Seebach
Schuß
Kruckenspitz
Krucken-H.
Dörfl
Neualbeck
Kreuzwirt
Grua
Edling
Alexander-H.
St.Oswald
Bad Kleinkirchheim
Vorwald
Wiedweg
Höllenberg
Patergassen
St.Margarethen
Knittelberg
Wimitz
Steinbichl
Millstätter See
Obermillstatt
Millstatt
Radenthein
Laufenbg.
Kaning
St.Katharina i. Bad
Zirkitzen
Wiederschwing
Zedlitzdorf
Bad St.Leonhard
Edern
Neuwirth
Steuerberg
Schneebauerberg
Scheebauer H.
Wegscheider
Matzelsdf.
Döbriach
Dellach
Ob.-Kolmnock
Unt.-Tweng
Haidenbach
Gnesau
Weißenbach
St.Marin
Zirkitz
Gradenegg
Spittal-Ost
Molzbichl
Kleinegg
Bodeneck
Feld a.S.
Wöllaner Nock
Geiger-H.
Trangoni-H.
Walder-H.
Maitratten
Dürrenbaumberg
Oberboden
F.-WACHSENBERG
Lang
St.Urban
Liembg.
St.Leonhard
Himmelbg.
F.-POITSCHACH
F.-ST.ULRICH
Rottendf.
Tauchendf.
Olsach
Possegger
Mirnock
Kohlweiß-H.
Erlach
Vorderwinkl
Seewirt
Unterwöllan
Laastadt
Stadt
Grilzgraben
Schwaig
FELDKIRCHEN i.K.
Glanegg
Maria Feicht
Hart
St.Martin
Sittich
St.Jakob
Ferndorf
Ziebl
Laas
Mooswald
Scherzboden
Gassen
Afritz
Arriach
Klösterle
Grilzberg
Tiffen
Kl. St. Veit
Nußbg.
Großbuch
Sankt Veit a.d.Glan
Aifersdf.
Mitterbg.
Palnock
Diözesan-Fresach museum
Steinhauser H.
Htr.-Buchholzer-H.
Innere Einöde
Stifters Gipfel-Hs
Ossiacher See
Steindf.
F.-LEINIG
Gradisch
Glanhofen
Faning
Tigring
Wölfnitz
Riednock
Paternion
Nikelsdf.
Feistritz a.d.Dr.
Pogöriach
Amberger Alpe
Steinwender H.
Äuß. Einöde
Bodensdf.
Altossiach
Maria Himmelf.
Tauern
Dellach
Radweg
St.Peter
Klagenfurt
Pfefferntz
Weißenstein
Verditz-A.
Winklern
Alttreffen
Treffen
Gerlitzen
Kanzelh.
Sattendf.
Ossiach
Taubenbühel
St. Bartlmä
Stallhofen
Pörtschach
Tultschnig
Kellerberg
Stadelbach
Puch
Annenhm.
Köstenbg.
Arndf.
Techelsbg.
Moosburg
Pirk
Hallegg
Drasing
Kreuzen
Rubland
Ebenwald
Töplitsch
Weißenbach
Wollanig
Oswaldiberg-tunnel
St.Andrä
Ru. Landskron
Umberg
Ober-winklern
Dröschitz
Wörthersee
Kerschdf.
Velden-O.
Kobesnock
Schwandnock
Bleiberg-Kreuth
Mittewald ob Villach
Villach-West
St.Georgen
Landskron
Gratschach
Wernbg.
Kantnig
Velden a.W.S.
Velden-W
Pyramiden-Kgl.
Maria Wörth
Krumpendorf
Windische Höhe
Matschiedl
Erlachgraben
Wurzach
Bad Bleiberg
Bl.-Nötsch
Hüttendf.
Magdalen
St. Ulrich
Gottestal
St.Niklas
Reifnitz
Leisbach
Dobratsch
Ottohütte
Heiligengeist
L.-Walter-Hs.
Knappenh.
VILLACH
Föderlach
Lind ob V.
Selpritsch
Augsdf.
Schiefling
Plaschischen
Rosegg
Dieschitz
Keutschach
Reautz
Wurdach
Hafnersee
Keutschacher See
Wertschach
St.Paul a.d.G.
Labientschach
Villacher Alpe
WARMBAD FEDERAUN
Drobollach
Egg a.F.S.
St.Martin
Oberferlach
St.Egyden
Rupertibg.
Köttmannsdf.
Tschachoritsch
Emmersdf.
Nötsch i.G.
Saak
Förk
Hermagor
Dreiländereck
Gail
Oberschütt
Gödersdorf
Faak a.S.
Mühlbach
Ledenitzen
Unterferlach
St.Jakob i.R.
St.Peter
Oberdörfl
Bach
St.Gandolf
Wellersdf.
Weizelsdf.
Feistritz a.d.G.
Dreulach
Göriach
Hohenthurn
Arnoldstein
Pöckau
Neuhaus a.d.G.
Fürnitz
Goritschach
Finkenstein
Podgöriach
Latschach ob d.F.S.
Mallenitzen
Langdf.
Selkach
Ludmannsdf.
Rosental
Draschitz
Maglern
Riegersdorf
Radendf.
Altfinkenstein
Kopein
Maria Elend
St.Oswald
Hundsdf.
Unterthörl
Seltschach
Korpitsch
Illitsch
Mallestiger Mittagskogel
Rosenb.
Wallfahrtsk.
Feistritzer Stausee
Suetschach
Feistritz i.Rosental
St.Johann i.R.
Rabenberg
Windisch-Bleiberg
Coccau di Sopra
Ofen
Wurzenpass
Techantinger Mittagskogel
Berta-H.
Mittagskogel
Kepa
Karawankentunnel
Matschach
Tarvisio
Peč
Dreiländerecke
Korensko sedlo
Trupejevo poldne
Karawanken
Strugariach
Kahlkogel
Bärentaler Kotschna
Bodental
M.Castello
P.so di Fusine
Rateče
Podkoren
Kranjska Gora
Belca
Dovje
V.Golica
Planina pod Golico
Savske Jame
Stou-H.
Bodenbauer
Sella di Cave del Predil
Tarvisio-Nord
Fusine in Valromana
Fusine Laghi
Smučarske skalnice
Planica
Gozd Martuljek
Mojstrana
Monte Santo di Lussari
Riofreddo
Ciprnik
Dom na Vitrancu
Martuljek
Jesenice
Hrušica
JESENICE
Klagenfurter H.
P.co di Mezodi
Laghi di Fusine
Tamar
Koča na Gozdu
Špik
Koča pri Peričniku
Peričnik
Mežakla
KOROŠKA BELA
Stol
Zelenica
Giulie
Cave d.Predil
V.Mangart
Mojstrovka
Vršič
Mihov dom
Škrlatica
Zgornja Radovna
Radovna
Lipce
Lipce-Jesenice
Moste
Žirovnica
Selo
Prešernova koča
Roblekov dom
Begunjščica
Breznica
Predil
Predel
Jalovec
Izvir Soče (Isonzoquelle)
Koča v. Krnici
Kriz
Aljažev Dom
Vrata
Kot
Krma
Kovinarska Koča
Ravne
Blejska Dobrava
Vintgar
Breg
Vrba
Smokuč
Rodine
Lago di Predil
Log pod Mangartom
Bretto
Briceljk
Triglavski Narodni Park
Pri cerkvi
Arboretum Juliana
Zadnjica
Trenta
Debela peč
Blejska koča
Zatrnik
Gorje
Podhom
Zasip
Bled
Begunje na Gor.
Zapuže
Cobarid (Caporetto)
Ribčev laz
SLOVENIJA
Ferlach
Kn.Graz-W.132km
17
I
7

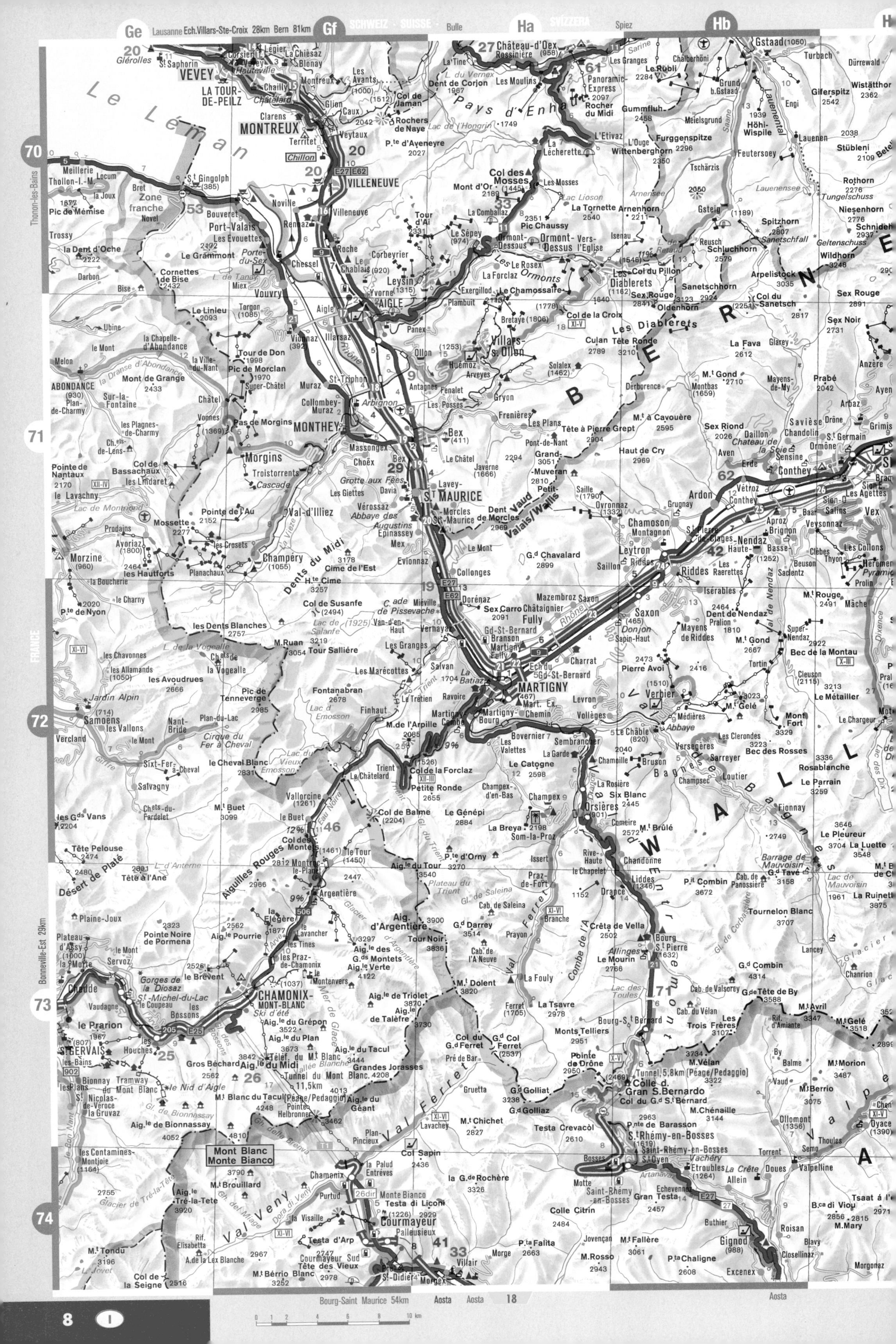

Ge
Lausanne Ech.Villars-Ste-Croix 28km Bern 81km
Gf
SCHWEIZ · SUISSE ·
Bulle
Ha
SVIZZERA
Spiez
Hb
Le Léman
VEVEY
LA TOUR-DE-PEILZ
MONTREUX
Clarens
Territet
Chillon
VILLENEUVE
Glion
Caux
Rochers de Naye
P.te d'Ayeneyre
Château-d'Oex
Rossinière
Pays d'Enhaut
Les Moulins
Dent de Corjon
Col de Jaman
Les Avants
Blonay
St Saphorin
Glérolles
Chailly
Gstaad
Turbach
Lauenen
Saanen
Gsteig
Wispile
Col du Pillon
Diablerets
Les Diablerets
Sanetschhorn
Col du Sanetsch
Wildhorn
Arpelistock
Oldenhorn
Sex Rouge
Col des Mosses
Les Mosses
La Lécherette
L'Etivaz
Mont d'Or
Tour d'Aï
Le Sépey
Ormont-Dessous
Ormont-Dessus
Vers-l'Eglise
Pic Chaussy
La Tornette
Leysin
Corbeyrier
Le Chablais
Yvorne
AIGLE
Roche
Noville
Rennaz
Port-Valais
Bouveret
St Gingolph
Meillerie
Thollon-l.-M.
Pic de Mémise
Le Grammont
Les Evouettes
Cornettes de Bise
Chessel
Vouvry
Vionnaz
Illarsaz
Torgon
Tour de Don
Pic de Morclan
Super-Châtel
Châtel
Abondance
Mont de Grange
la Chapelle-d'Abondance
Muraz
Collombey-Muraz
St-Triphon
Ollon
Villars-s.-Ollon
Huémoz
Arveyes
Chesières
Gryon
Col de la Croix
Bretaye
Solalex
Culan
Tête Ronde
Derborence
MONTHEY
Morgins
Pas de Morgins
Troistorrents
Val-d'Illiez
Champéry
Dents du Midi
Cime de l'Est
Massongex
Choëx
Bex
Lavey
Les Plans
Frenières
Grand-Muveran
Petit-Muveran
Dent de Morcles
Javerne
Tête à Pierre Grept
Mt à Cavouère
Haut de Cry
Pont-de-Nant
ST MAURICE
Morcles
Vérossaz
Epinassey
Mex
Evionnaz
Collonges
Le Mont
Vaud
Valais/Wallis
G.d Chavalard
Ovronnaz
Saillon
Leytron
Chamoson
Riddes
Saxon
Isérables
Nendaz
Haute-Nendaz
Sion
Conthey
Ardon
Vétroz
Savièse
Grimisuat
St Germain
Sex Rouge
Sex Noir
La Fava
Mt Gond
Montbas
Anzère
Mayens-de-My
Prabé
Arbaz
Ayent
Sex Riond
Daillon
Chandolin
BERNE
Morzine
Avoriaz
Mossette
Pointe de l'Au
Les Crosets
Planachaux
Les Hautforts
la Boucherie
P.te de Nyon
le Charny
les Dents Blanches
Col de Susanne
H.te Cime
Lac de Salanfe
Van-d'en-Haut
Tour Sallière
M.Ruan
C.ade de Pissevache
Vernayaz
Miéville
Doréna
Sex Carro
Châtaignier
Fully
Gd-St-Bernard
Branson
Charrat
MARTIGNY
Mart. Croix
Martigny-Bourg
La Bâtiaz
Salvan
Les Marécottes
Les Granges
Le Trétien
Fontanabran
Finhaut
Lac d'Emosson
Ravoire
Martigny Combe
M.de l'Arpille
Le Châtelard
Trient
Col de la Forclaz
Petite Ronde
Vallorcine
Col de Balme
Le Génépi
La Breya
Champex
Champex-d'en-Bas
La Catogne
Bovernier
Les Valettes
Sembrancher
Vollèges
Levron
Le Châble
Verbier
Médières
Mont Fort
Mt Gelé
Bec des Rosses
Rosablanche
Le Parrain
Fionnay
Bagnes
Versegères
Bruson
Sarreyer
Champsec
Lourtier
Orsières
La Rosière
Six Blanc
Mt Brûlé
Comeire
Liddes
Chandonne
Rive-Haute
le Chapelet
Praz-de-Fort
Issert
Som-la-Proz
Dranse
Val Ferret
Combe de l'A
La Fouly
Ferret
Prayon
Branche
Cab. de Saleina
Aig.le d'Argentière
Tour Noir
G.d Darrey
Cab. de l'A Neuve
Mt Dolent
Crête de Vella
Bourg St Pierre
Allinges
Le Mourin
Lac des Toules
Bourg-St Bernard
Monts Telliers
Pointe de Drône
Tunnel, 5,8km (Péage/Pedaggio)
Colle d. Gran S.Bernardo
Col du G.d S.t Bernard
M.Vélan
Cab. du Vélan
Trois Frères
G.d Combin
Tournelon Blanc
Lancey
Chanrion
G.de Tête de By
Mt Avril
Mt Gelé
Mt Morion
M.Berrio
M.Chénaille
Ollomont
Oyace
Valpelline
Doues
Allein
Etroubles
Vachéry
La Crête
Torrent
Semo
Thoules
Sarine
Arnensee
Lauenensee
Les Granges
Le Rubli
Panoramic-Express
Rocher du Midi
Gummfluh
Meielsgrund
Furggenspitze
Wittenberghorn
Tschärzis
Feutersoey
Arnenhorn
Isenau
Reusch
Schluchhorn
Spitzhorn
Niesenhorn
Rothorn
Tungelschuss
Stübleni
Gifferspitz
Wistätthor
Dürrewald
Höhi-Wispile
Glacier de Tsanfleuron
Plan-de-Charmy
Sur-la-Fontaine
Les Plagnes-de-Charmy
Ch.elets de-Lens
Pointe de Nantaux
Col de Bassachaux
Lac de Montriond
le Lavachny
Prodains
Les Chavonnes
les Allamands
Chalets de la Vogealle
les Avoudrues
Pointe de Tenneverge
Jardin Alpin
Samoëns
les Vallons
Nant-Bride
Cirque du Fer à Cheval
Sixt-Fer-à-Cheval
Salvagny
le Cheval Blanc
Lac du Vieux Emosson
Mt Buet
Chalets-du-Fardelet
les G.ds Vans
Tête Pelouse
Tête à l'Ane
Désert de Platé
Plaine-Joux
Plateau d'Assy
Pointe Noire de Pormena
Aig.le Pourrie
le Brévent
Servoz
Chedde
Vaudagne
le Prarion
Gorges de la Diosaz
St-Michel-du-Lac
Le Coupeau
Les Bossons
CHAMONIX-MONT-BLANC
Aiguilles Rouges
Col des Montets
Montroc-le-Planet
Argentière
la Flégère
Lavancher
les Tines
les Praz-de-Chamonix
Aig.le des G.ds Montets
Aig.le Verte
Mer de Glace
Aig.le de Triolet
Aig.le de Talèfre
Aig.le du Grépon
Aig.le du Plan
Aig.le du Tacul
Mt Blanc
Grandes Jorasses
Aig.le du Midi
Gros Béchard
Tunnel du Mont Blanc, 11,5km (Péage/Pedaggio)
Mt Blanc du Tacul
Aig.le du Géant
Pointe Helbronner
Aig.le de Bionnassay
Le Nid d'Aigle
Tramway du Mont Blanc
Bionnassay
St Nicolas-de-Véroce
la Gruvaz
ST GERVAIS
les-Bains
les Houches
Mont Blanc
Monte Bianco
les Contamines-Montjoie
Aig.le Tré-la-Tete
Mt Brouillard
Glacier de Tré-la-Tête
Val Veny
Chamonix
Purtud
Monte Bianco
Testa di Liconi
La Visaille
Testa d'Arp
Courmayeur
Palleusieux
Courmayeur Sud
Tête des Vieux
Mt Bério Blanc
Rif. Elisabetta
A.de la Lex Blanche
Mt Tondu
Col de la Seigne
Val Ferret
Col Ferret
Col du G.d Ferret
G.d Golliat
G.d Golliaz
Mt Chichet
Lavachey
Plan-Pincieux
Col Sapin
La Palud
Entrèves
la G.de Rochère
Testa Crevacòl
P.nte de Barasson
S.t Rhémy-en-Bosses
Saint-Rhémy-en-Bosses
St Oyen
Bosses
Motte
Gran Testa
Colle Citrin
Echevennoz
Jovençan
Mt Fallère
M.Rosso
P.ta Falita
P.ta Chaligne
Buthier
Gignod
Excenex
Closellinaz
Roisan
Blavy
M.Mary
Tsaat á l'Etsena
B.ca di Viou
Morgonaz
Vallée d'Aoste
Pré-St-Didier
Morgex
Villair
Bourg-Saint Maurice 54km
Aosta
FRANCE
Thonon-les-Bains
Bonneville-Est 29km
70
71
72
73
74
0 1 2 4 6 8 10 km

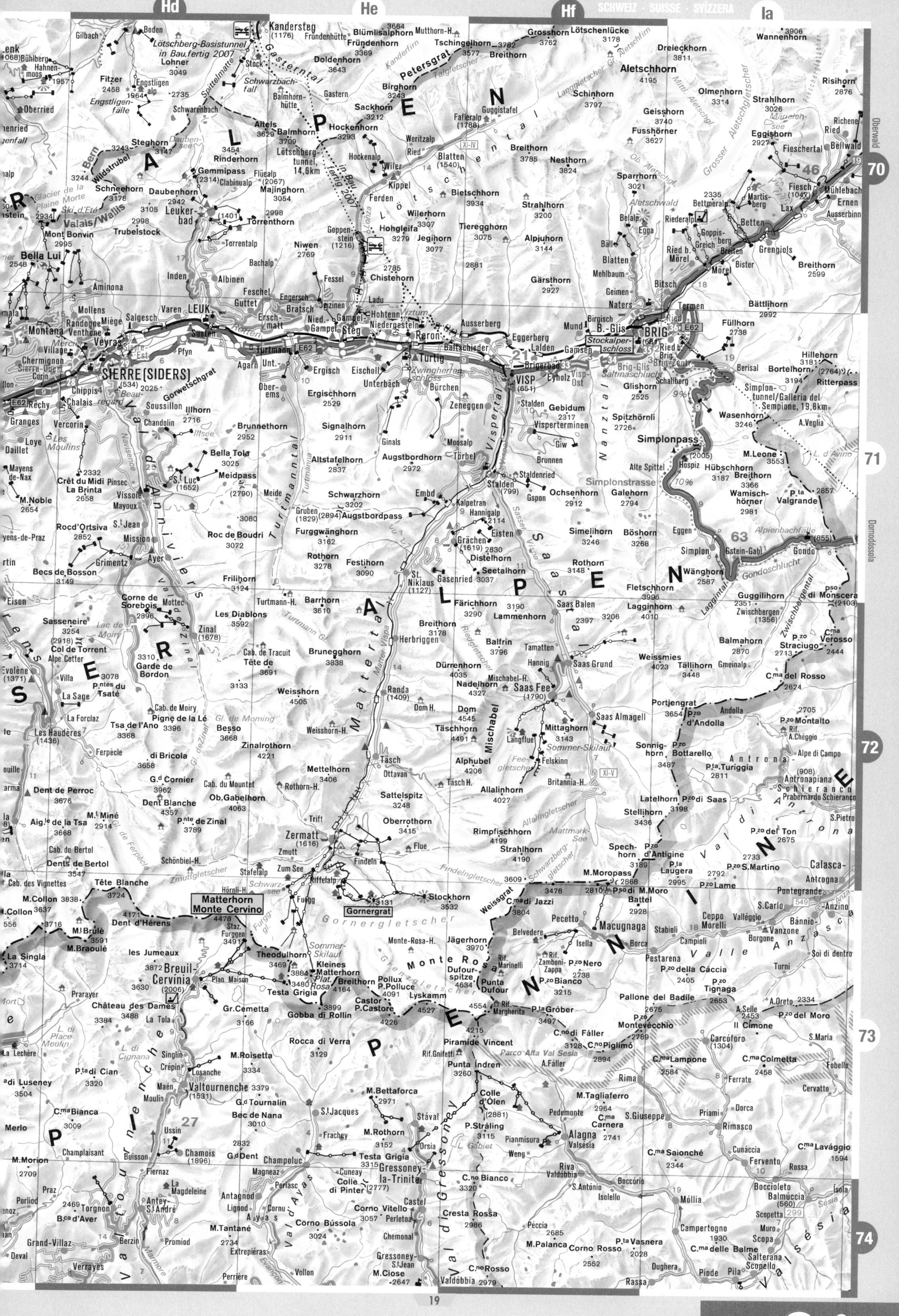
Hd
He
Hf
Ia
Kandersteg
(1176)
Blümlisalphorn 3664
Fründenhorn
Doldenhorn
3643
Lötschberg-Basistunnel in Bau,fertig 2007
Lohner
3049
Fitzer
2458
Engstligen-fälle
Oberried
Gilbach
Boden
Gasterntal
Schwarzbach-fall
Balmhorn-hütte
Gastern
Petersgrat
Tschingelhorn
Breithorn
Grosshorn
3762
Lötschenlücke
3178
Aletschhorn
4195
Dreieckhorn
3811
Wannenhorn
3906
Birghorn
3243
Sackhorn
3212
Hockenhorn
3293
Guggistafel
Fafleralp
(1788)
Schinhorn
3797
Olmenhorn
3314
Strahlhorn
3026
Risihorn
2876
Geisshorn
3740
Fusshörner
3627
Eggishorn
2927
Fieschertal
Bellwald
Richene
Ried
Oberwald
Altels
3629
Balmhorn
3709
Lötschberg-tunnel, 14,6km
Steghorn
3147
Rinderhorn
3454
Wildstrubel
3243
Gemmipass
(2314)
Clabinualp
Flüealp
(2067)
Majinghorn
3054
Hockenalp
Weritzalp
Ried
Blatten
(1540)
Wiler
Kippel
Ferden
Lötschental
Breithorn
3785
Nesthorn
3824
Bietschhorn
3934
Strahlhorn
3200
Sparrhorn
3021
Fiesch
(1049)
Mühlebach
Ernen
Lax
Ausserbinn
70
46
Schneehorn
3178
Daubenhorn
2942
Leukerbad
(1401)
Torrenthorn
2998
Wilerhorn
3307
Hohgleifa
Jegihorn
3077
Goppenstein
(1216)
Tieregghorn
3075
Alpjuhorn
3144
Aletschwald
Bettmeralp
Riederalp
Belalp
Egga
Betten
Goppisberg
Greich
Breiten
Grengiols
Breithorn
2599
Glacier de la Plaine Morte
Ski d'Été
Valais/Wallis
Bern
3105
2998
Trubelstock
Mont Bonvin
2995
Bella Lui
2548
Torrentalp
Niwen
2769
Bachalp
Albinen
Inden
Fessel
Chistehorn
2785
2881
Gärsthorn
2927
Blatten
Bäll
Mehlbaum
Geimen
Naters
Ried b. Mörel
Mörel
Bister
Bitsch
Bättlihorn
2992
Aminona
Mollens
Randogne
Miège
Salgesch
Varen
LEUK
Feschel
Guttet
Erschmatt
Engersch
Bratsch
Jeizinen
Hohtenn
Gampel
Steg
Niedergesteln
Raron
Ausserberg
Baltschieder
Eggerberg
Lalden
Mund
Birgisch
B.-Glis
BRIG
Termen
Ried
Füllhorn
2738
Montana
Venthône
Veyras
Sierre Est
Chermignon
Sierre Ouest
Corin
Susten
Pfyn
Turtmann
E62
Agarn
Unt.-Ems
Ergisch
Eischoll
Unterbäch
Bürchen
Zwingherrenschloss
Turtig
Brigerbad
Gamsen
Stockalperschloss
VISP
(651)
Eyholz
Visp-Ost
Brig-Glis Saltinaschlucht
Schallberg
Hillehorn
3181
Bortelhorn
3194
Berisal
Ritterpass
(2764)
SIERRE (SIDERS)
(534)
Chippis
Chalais
Réchy
Granges
Gorwetschgrat
Beau-regard
2025
Soussillon
Illhorn
2716
Chandolin
Illsee
Ober-ems
Ergischhorn
2529
Zeneggen
Vispertal
Stalden
Gebidum
2317
Visperterminen
Nanztal
Glishorn
2525
Spitzhörnli
2726
Simplon-tunnel/Galleria del Sempione, 19,8km
Wasenhorn
3246
A.Veglia
Vercorin
Les Moulins
Loye
Daillet
Brunnethorn
2952
Signalhorn
2911
Ginals
Moosalp
Augstbordhorn
2972
Törbel
Giw
Brunnen
Simplonpass
(2005)
Hospiz
M.Leone
3553
Hübschhorn
3187
Breithorn
3366
71
L. d'Avino
Bella Tola
3025
Meidpass
(2790)
Altstafelhorn
2837
Alte Spittel
Simplonstrasse
Wamisch-hörner
2981
Pta Valgrande
2857
Mayens de-Nax
M.Noble
2654
Crêt du Midi
La Brinta
2658
Pinsec
Vissoie
Mayoux
St. Luc
(1652)
Meide
Turtmanntal
Schwarzhorn
3202
Embd
Kalpetran
Hannigalp
2114
Staldenried
Stalden
(799)
Gspon
Ochsenhorn
2912
Galehorn
2794
Gruben
(1829)
(2894)
Augstbordpass
3080
Roc'd'Ortsiva
2852
St. Jean
Mission
Grimentz
Ayer
Roc de Boudri
3072
Furggwänghorn
3162
Grächen
(1619)
2830
Distelhorn
Eisten
Simelihorn
3246
Böshorn
3268
Eggen
Simplon
Gstein-Gabi
Alpienbachfälle
(855)
Gondo
Gondoschlucht
Domodóssola
Becs de Bosson
3149
Frilihorn
3124
Rothorn
3278
Festihorn
3090
St. Niklaus
(1127)
Gasenried
3037
Seetalhorn
Rothorn
3148
Wänghorn
2587
Fletschhorn
3996
Laggintal
Guggilihorn
2351
Zwischbergen
(1356)
Pso di Monscera
(2103)
Zwischbergental
Eison
Corne de Sorebois
2896
Mottec
Val de Zinal
Turtmann-H.
Barrhorn
3610
Les Diablons
3592
Färichhorn
3290
Lammenhorn
3190
Saas Balen
3206
2397
Lagginhorn
4010
Sasseneire
3254
(2918)
Col de Torrent
Alpe Cotter
Lac de Moiry
Zinal
(1678)
Cab. de Tracuit
Tête de Milon
Breithorn
3178
Herbriggen
Riedgletscher
Balfrin
3796
Tamatten
Saas Grund
Hannig
Weissmies
4023
Tällihorn
3448
Gmeinalp
Balmahorn
2870
Pzo Straciugo
2713
Cma Verosso
2444
Evolène
(1371)
Villa
Garde de Bordon
3310
3691
Bruneghorn
3838
Dürrenhorn
4035
Nadelhorn
4327
Mischabel-H.
Saas Fee
(1790)
Cma del Rosso
2624
La Sage
Pntes du Tsaté
3078
3133
Weisshorn
4505
Randa
(1409)
Dom H.
Dom
4545
Mischabel
Täschhorn
4491
Saas Almagell
Portjengrat
3654
Pzo d'Andolla
Andolla
2705
Pzo Montalto
Rif. A.Cheggio
La Forclaz
Les Haudères
(1436)
Cab. de Moiry
Pigne de la Lé
Tsa de l'Ano
3368
3396
Besso
3668
Gl. de Moming
Weisshorn-H.
Mattertal
Langfluel
Mittaghorn
3143
Sommer-Skilauf
Felskinn
Sonnighorn
3487
Pzo Bottarello
Pta Turiggia
2811
Antrona
Alpe di Campo
Ferpècle
di Bricola
3658
Zinalrothorn
4221
Täsch
Ottavan
Mettelhorn
3406
Alphubel
4206
Fee-gletscher
Britannia-H.
(908)
Antronapiana
Schieranco
Prabernardo
Gd Cornier
3962
Cab. du Mountet
Rothorn-H.
Täsch H.
Allalinhorn
4027
Dent de Perroc
3676
Dent Blanche
4357
Ob.Gabelhorn
4063
Sattelspitz
3248
Latelhorn
3198
Pzo di Saas
Stellihorn
3436
S.Pietro
Aig.le de la Tsa
3668
M.t Miné
2914
Pnte de Zinal
3789
Trift
Oberrothorn
3415
Allalingletscher
Rimpfischhorn
4199
Mattmark-See
Pzo del Ton
2675
Zermatt
(1616)
Zmutt
Flue
Strahlhorn
4190
Spechhorn
3189
Pzo d'Antigine
Pta Laugera
2995
Pzo S.Martino
2733
2792
Calasca-Antrogna
Cab. de Bertol
Dents de Bertol
3547
Schönbiel-H.
Zmuttgletscher
Stafelalp
Zum See
Findeln
Findelngletscher
Schwarzberg-gletscher
M.Moropass
2868
Pso di M.Moro
Pzo Lame
Cab. des Vignettes
Tête Blanche
3724
Hörnli-H.
Riffelalp
Stockhorn
3532
3609
Weissgrat
3478
2810
Battel
2928
Pontegrande
M.Collon
3838
Matterhorn Monte Cervino
4478
Schwarzsee
Furgg
Gornergrat
3131
Cma di Jazzi
3804
Pecetto
Macugnaga
S.Carlo
549
Anzino
Valléggio
Bánnio
Dent d'Hérens
4171
3716
Mt Brûlé
3591
M.Braoulé
Staz. Furggen
3491
Furggletscher
Gornergletscher
Monte-Rosa-H.
Jägerhorn
3970
Belvedere
Isella
Borca
Staboli
Ceppo Morelli
Campioli
Vanzone
Borgone
La Singla
3714
les Jumeaux
Theodulhorn
3469
Sommer-Skilauf
Monte Rosa
Rif. Zamboni-Zappa
Pzo Nero
2738
Pestarena
Valle Anzasca
Soi di dentro
3872
Breuil-Cervinia
(2006)
Plan Maison
Kleines Matterhorn
3884
3480
Plat. Rosa
Breithorn
4164
Pollux
P.Polluce
4091
Rif. Marinelli
Dufourspitze
4634
Punta Dufour
Pzo Bianco
3215
Pzo della Cáccia
2405
Pzo Tignaga
2653
Turni
3630
Praraye
Château des Dames
3488
3384
La Tola
Testa Grigia
3899
Gobba di Rollin
Lyskamm
4527
Castor P.Castore
4226
4554
Rif. Margherita
Pta Gróber
3497
Pallone del Badile
2675
Pzo Montevecchio
2789
A.Oreto
2334
A.Selle
2453
Pzo del Moro
Il Cimone
Gr.Cemetta
3166
4215
Piramide Vincent
Cno di Fáller
3128
Cno Piglimó
2894
Carcóforo
(1304)
S.Maria
73
La Lechère
L. di Place Moulin
L. di Cignana
Singlin
Crépin
M.Roisetta
3334
Rocca di Verra
3129
Rif.Gnifetti
Parco Alta Val Sesia
A.Fäller
Punta Indren
3260
Cma Lampone
2584
Cma Colmetta
2458
Fobello
Pta di Cian
3320
Losanche
Rima
Ferrate
di Luseney
3504
Maën
Moulin
Valtournenche
3379
(1531)
Gd Tournalin
Bec de Nana
3010
M.Bettaforca
2971
Colle d'Ólen
(2881)
M.Tagliaferro
2964
Pedemonte
Cma Carnera
2741
S.Giuseppe
Priami
Dorca
Cervatto
Cma Bianca
3009
Merlo
Ussin
27
St.Jacques
Frachey
Stával
P.Stráling
3115
Pianmisura
L. Gabiet
Weng
Alagna Valsésia
Rimasco
Champlaisant
Buisson
Chamois
(1896)
2832
Gd Dent
M.Rothorn
3152
Orsia
Testa Grigia
3315
Champoluc
Cuneay
Gressoney-la-Trinité
Cma Saionché
2344
Cunáccia
Fervento
Cma Lavággio
1594
Rossa
M.Morion
2709
Fiernaz
La Magdeleine
Magneaz
Periasc
Colle di Pinter
(2777)
Cno Bianco
3320
Riva Valdobbia
Boccório
S.António
Isolello
Bocciolето
Balmúccia
(560)
Ísola
Praz
Porliod
2469
Torgnon
Bca d'Aver
Antey-St.André
Antagnod
Lignod
Ayas
Cornu
Castel
Corno Vitello
3057
Perletoa
Cresta Rossa
2986
Móllia
Scopetta
299
Muro
Sésia
Grand-Villaz
Berzin
Promiod
M.Tantané
2734
Extrepiéras
Val d'Ayas
Corno Bússola
3024
Chemonal
Péccia
2685
M.Palanca
Corno Rosso
2552
Pta Vasnera
2028
Campertogno
Scopa
C.ma delle Balme
Salterana
Scopello
74
Deval
Verrayes
Valtournenche
Marmore
Évançon
Perrière
Vollon
Gressoney-St.Jean
M.Ciose
2647
Val di Gressoney
Cno Rosso
Valdóbbia
2979
Dughera
Piode
Pila
Rassa
Val Sésia
PENNINE
ALPEN
ALPI
72
63
19
21
34
36
E62
9
XI-IV
XI-V

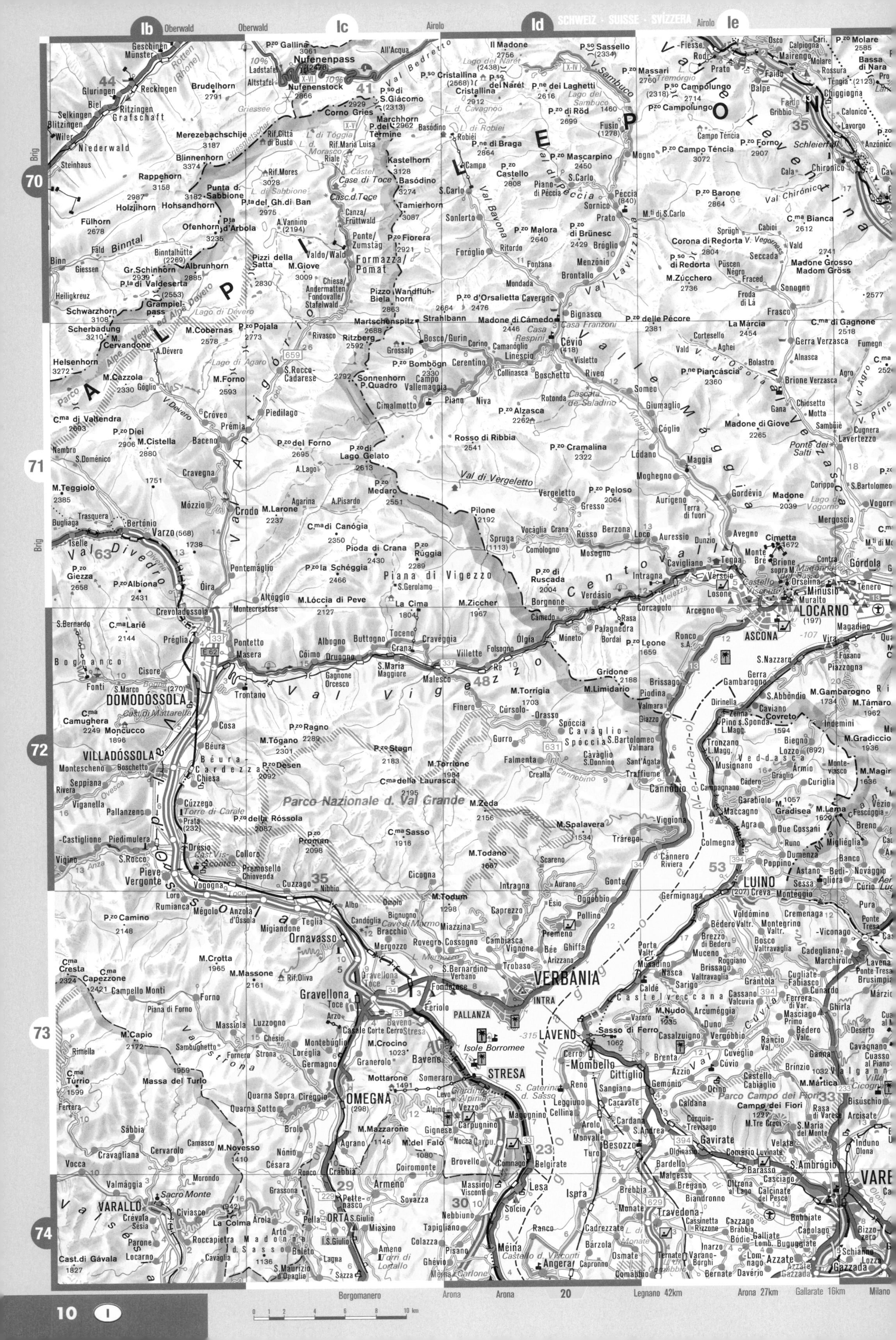

Ib
Ic
Id
Ie
SCHWEIZ · SUISSE · SVIZZERA
Oberwald
Airolo
Brig
70
71
72
73
74
Nufenenpass
Münster
Reckingen
Grafschaft
Niederwald
Binntal
Binn
Val Bedretto
Formazza/Pomat
Basódino
Cristallina
Campo Téncia
Val Bavona
Val Lavizzara
Péccia
Sonogno
Cevio
Bignasco
Valle Maggia
Valle Antigorio
Alpe Veglia ed Alpe Devero
Baceno
Crodo
Varzo
Val Divedro
Centovalli
Piana di Vigezzo
Val Vigezzo
Santa Maria Maggiore
Malesco
Re
Camedo
Intragna
Losone
Ascona
LOCARNO
Minusio
Muralto
Tenero
Górdola
Val Verzasca
Vogorno
Brissago
Cannóbio
Valle Cannobina
Parco Nazionale d. Val Grande
DOMODOSSOLA
VILLADÓSSOLA
Masera
Crevoladossola
Cardezza
Vogogna
Premosello Chiovenda
Ornavasso
Mergozzo
Gravellona Toce
VERBANIA
PALLANZA
INTRA
Isole Borromee
Baveno
STRESA
Lago Maggiore
LAVENO
Mombello
Cittiglio
LUINO
Maccagno
OMEGNA
ORTA S.Giulio
Lago d'Orta
Armeno
Belgirate
Lesa
Méina
Angera
Ispra
Besozzo
Gavirate
Parco Campo dei Fiori
VARALLO
Sacro Monte
Val Sesia
Massa del Turlo
Valstrona
Borgomanero
Arona
Legnano 42km
Arona 27km
Gallarate 16km
Milano
20

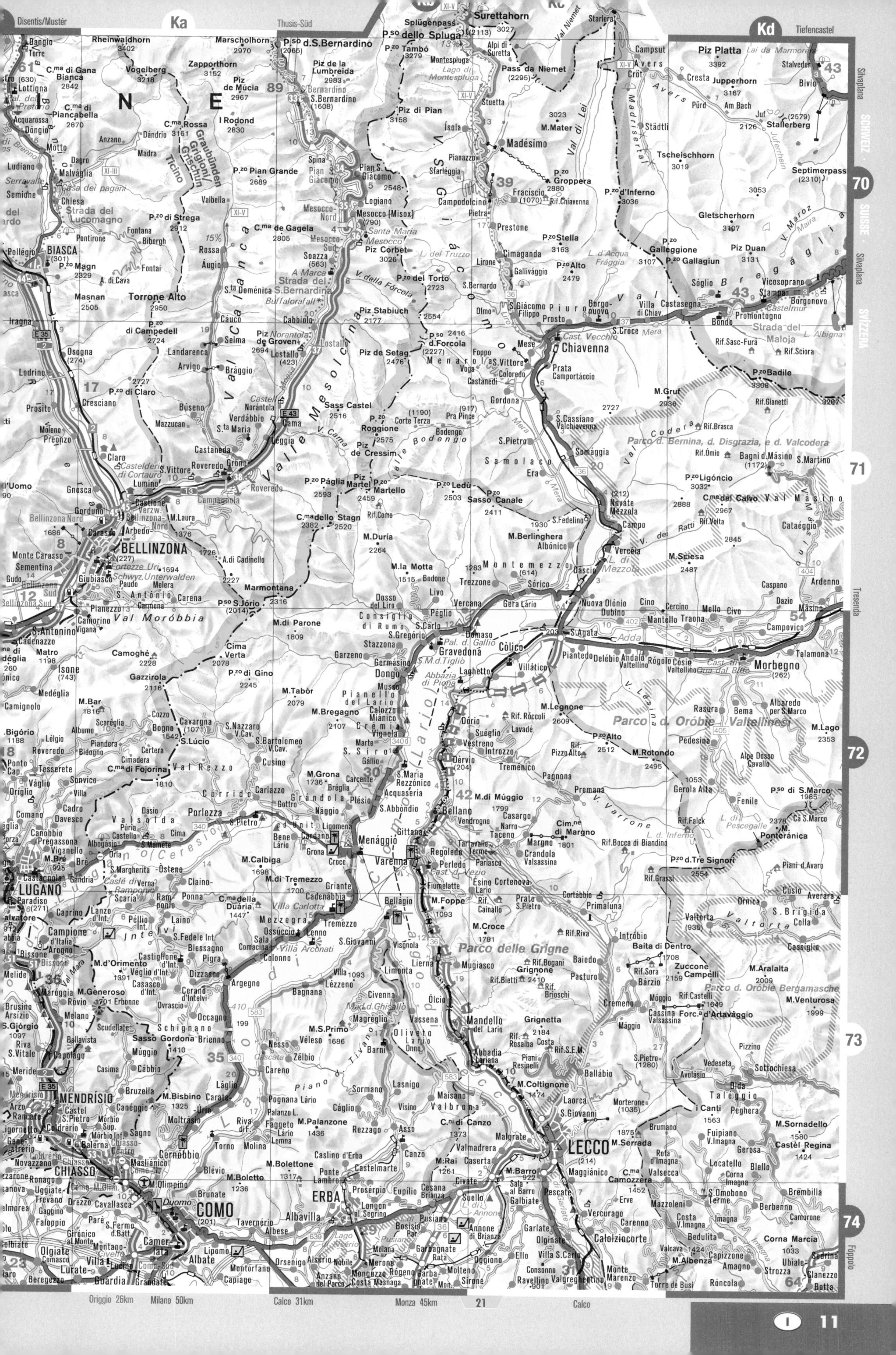

Ka
Kd
Disentis/Mustér
Thusis-Süd
Tiefencastel
Splügenpass
Surettahorn
P.so dello Spluga
P.so d.S.Bernardino
Rheinwaldhorn
Marscholhorn
Zapporthorn
Vogelberg
Piz de la Lumbreida
S.Bernardino
Montespluga
Pass da Niemet
Campsut
Avers
Piz Platta
Jupperhorn
Cresta
Stallerberg
Bivio
Madésimo
Ísola
Piz di Pian
Pian S.Giácomo
Mesocco (Misox)
Graubünden Grigioni Grischun
Ticino
Tscheischhorn
Septimerpass
Pizzo d'Inferno
Groppera
Campodolcino
Gletscherhorn
Piz Stella
Cimaganda
P.zo Galleggione
Piz Duan
Val Bregaglia
Vicosoprano
Stampa
Castasegna
Borgonovo
Promontogno
Maloja
Piz Badile
Chiavenna
Val San Giácomo
BIASCA
Malvaglia
Torrone Alto
Valle Mesolcina
Val Calanca
Sass Castel
Roveredo
Grono
Cama
Lostallo
Soazza
BELLINZONA
Giubiasco
Arbedo
S.Antonino
Val Moróbbia
P.so S.Jório
Gordona
Samolaco
Sorico
Gera Lario
Dongo
Gravedona
Còlico
Morbegno
Piantedo
Delébio
Cino
Traona
Parco d. Bernina, d. Disgrazia, e d. Valcodera
Parco d. Oróbie Valtellinesi
Ardenno
M.Legnone
Bellano
Varenna
Menággio
Porlezza
Lago di Lugano
LUGANO
Campione d'Italia
MENDRÍSIO
CHIASSO
COMO
Cernóbbio
ERBA
LECCO
Calolziocorte
Mandello del Lario
Parco delle Grigne
Grignetta
Introbio
Primaluna
Valtorta
M.Aralalta
S.Pellegrino
Taleggio
Lago di Como
Bellágio
Cadenábbia
Tremezzo
Argegno
Canzo
Asso
M.Generoso
Oggiono
Olginate
Valmadrera
Brembilla
S.Omobono Terme
Ponteránica
Albaredo per S.Marco
Tresenda
Silvaplana
SCHWEIZ · SUISSE · SVIZZERA
70
71
72
73
74
Origgio 26km
Milano 50km
Calco 31km
Monza 45km
Calco
Fóppolo

21

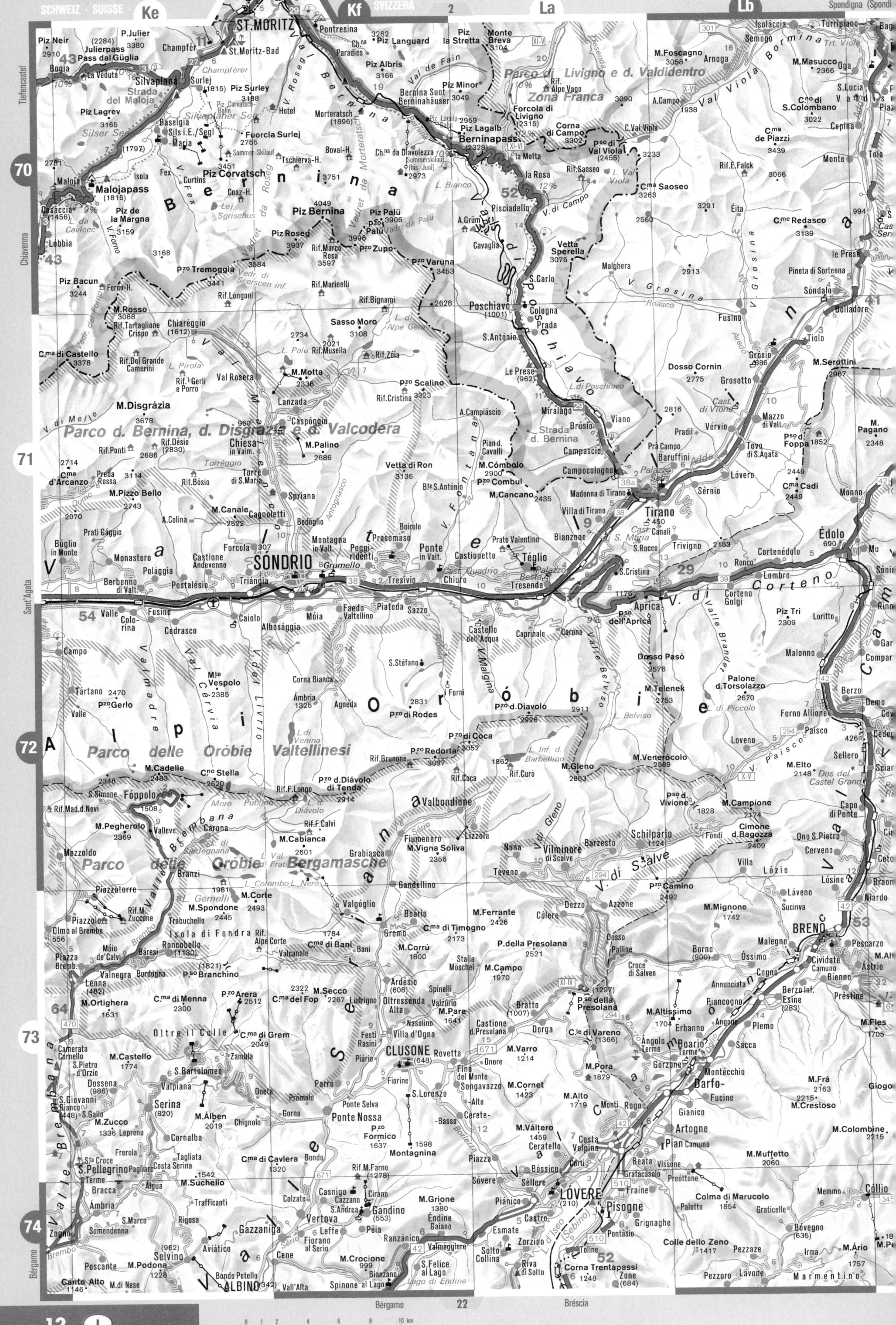

St.Moritz
Pontresina
Piz Languard
Monte Breva
Piz Julier
Piz Nair
Julierpass
Pass dal Güglia
St.Moritz-Bad
Champfèr
Silvaplana
Surlej
Piz Surley
Strada del Maloja
Piz Lagrev
Silser See
Sils i.E./Segl
Maria
Fuorcla Surlej
Piz Corvatsch
Maloja
Malojapass
Isola
Piz de la Margna
Lòbbia
Casaccia
Piz Albris
Piz Minor
Bernina Suot
Berninahäuser
Morteratsch
Piz Lagalb
Berninapass
Boval-H.
Tschierva-H.
Coaz-H.
Bernina
Piz Bernina
Piz Palü
Piz Roseg
Piz Zupò
Pᶻᵒ Varuna
Pᶻᵒ Tremoggia
Piz Bacun
M.Rosso
Rif.Tartaglione Crispo
Chiaréggio
Cᵐᵃ di Castello
Rif.Del Grande Camerini
Val Rosera
M.Disgrázia
Parco d. Bernina, d. Disgrazia e d. Valcodera
Chiesa in Valm.
Lanzada
Caspòggio
M.Palino
Torre di S.Maria
Spriana
Sasso Moro
Rif.Musella
Rif.Zòia
M.Motta
Pᶻᵒ Scalino
Rif.Cristina
Livigno
Parco di Livigno e d. Valdidentro
Zona Franca
Forcola di Livigno
Corna di Campo
Pˢᵒ di Val Viola
La Motta
La Rosa
Rif.Saoseo
Cᵐᵃ Saoseo
Pisciadello
A.Grüm
Cavaglia
Vetta Sperella
S.Carlo
Poschiavo
Cologna
Prada
S.Antònio
Le Prese
L.di Poschiavo
Miralago
Brusio
Viano
Strada d. Bernina
Campascio
Campocologno
M.Foscagno
Arnoga
Isolàccia
Semogo
Turripiano
M.Masucco
Oga
S.Colombano
Cepina
Cᵐᵃ de Piazzi
Rif.E.Falck
Monte
Tola
Cᵐᵉ Redasco
Malghera
V. Grosina
Pineta di Sortenna
Sóndalo
Bolladore
Fusine
Grósio
Tiolo
M.Serottini
Dosso Cornin
Grosotto
Mazzo di Valt.
Pˢᵒ d. Foppa
M. Pagano
Tovo di S.Agata
Lóvero
Vérvio
Pradil
Prà Campo
Baruffini
Sérnio
Cᵐᵃ Cadi
Monno
Tirano
Madonna di Tirano
Villa di Tirano
Bianzone
Téglio
Prato Valentino
S.Rocco
Trivigno
Cortenédolo
Édolo
Aprica
Pˢᵒ dell'Aprica
Corteno Golgi
Valle di Corteno
Piz Tri
Loritto
Malonno
Dosso Pasò
M.Telenek
Palone d.Torsolazzo
Forno Allione
Berzo
Demo
Paisco
Loveno
Sellero
M.Elto
M.Venerócolo
M.Gleno
Pˢᵒ d. Vivione
M.Campione
Cimone d.Bagozza
Schilpário
Ono S.Pietro
Cerveno
Capo di Ponte
Lózio
Lòsine
Sóndrio
Grumello
Montagna in Valt.
Poggiridenti
Ponte in Valt.
Castionetto
Chiuro
Tresivio
Tresenda
Triàngia
Postalésio
Berbenno di Valt.
Castione Andevenno
Monastero
Polággia
Forcola
Buglio in Monte
M.Pizzo Bello
Cᵐᵃ d'Arcanzo
Rif.Ponti
Rif.Désio
Rif.Bósio
Torrégio
M.Canale
Cagnoletti
Bedóglio
Boirolo
Prasomaso
Vetta di Ron
A.Campiáscio
Pian d. Cavalli
M.Cómbolo
Pᶻᵒ Combul
M.Cancano
Bᵗᵉ S.António
Valle
Colorina
Fusine
Cedrasco
Caiolo
Albosággia
Faedo Valtellino
Piateda
Sazzo
Castello dell'Acqua
Caprinale
Carona
Valle Belviso
Móia
Campo
Tártano
Pᶻᵒ Gerlo
Mᵗᵉ Vespolo
Val Cervia
Valmadre
V. del Livrio
Corna Bianca
Ámbria
Agneda
Pᶻᵒ di Rodes
S.Stéfano
V.Malgina
Pᶻᵒ d.Diavolo
Alpi Orobie
Parco delle Orobie Valtellinesi
Pᶻᵒ di Coca
Pᶻᵒ Redorta
Rif.Brunone
Rif.Coca
Rif.Curò
M.Cadelle
Cⁿᵒ Stella
Pᶻᵒ d.Diávolo di Tenda
Rif.F.Longo
Fóppolo
Rif.Mad.d.Nevi
S.Simone
M.Pegherolo
Valleve
Carona
Rif.F.Calvi
M.Cabianca
Valbondione
Lizzola
Fiumenero
M.Vigna Soliva
Grabiasca
Nona
Vilminore di Scalve
Barzesto
Teveno
V. di Scalve
Pᶻᵒ Camino
Mezzoldo
Parco delle Orobie Bergamasche
Branzi
Piazzatorre
Rif.M.Zuccone
Piazzolo
Olmo al Brembo
M.Spondone
M.Corte
Trabuchello
Isola di Fondra
Roncobello
Valgóglio
Gandellino
Boário
Cᵐᵃ di Timogno
M.Ferrante
Cólere
Dezzo
Azzone
Gromo
Valcanale
Cᵐᵃ di Bani
Bani
M.Corrú
P.della Presolana
Stalle Möschel
M.Campo
Piazza Bremb.
Mòio de'Calvi
Báresi
Lenna
Valnegra
Bordogna
Pˢᵒ Branchino
M.Ortighera
Cᵐᵃ di Menna
Pᶻᵒ Arera
Cᵐᵃ del Fop
M.Secco
Lizzola
Ardésio
Spinelli
Oltressenda Alta
Valzúrio
M.Pare
Bratto
Castione d.Presolana
Dorga
Pˢᵒ della Presolana
Croce di Salven
Oltre il Colle
Cᵐᵃ di Grem
Zambla
Camerata Cornello
M.Castello
S.Pietro d'Orzio
S.Bartolomeo
Valpiana
Oneta
Nasolino
Villa d'Ogna
Festi Rasini
Piário
Clusone
Rovetta
Onore
Fino del Monte
Songavazzo
M.Varro
M.Cornet
Cˡᵉ di Vareno
M.Pora
Dossena
Serina
S.Giovanni Bianco
S.Gallo
M.Zucco
Lepreno
M.Álben
Chignolo
Premolo
Gorno
Parre
Fiorine
Ponte Selva
Ponte Nossa
S.Lorenzo
Pᶻᵒ Formico
Alto
Cerete
Basso
Montagnina
M.Alto
Monti
Rogno
M.Váltero
Ceratello
Costa Volpino
Cornalba
Frerola
Tagliata
Costa Serina
S.Pellegrino Terme
Pagliaro
Cᵐᵃ di Cavlera
Bondo
Rif.M.Farno
Piazza
Sóvere
Bóssico
Corti
Sèllere
M.Suchello
Bracca
Algua
Ámbria
Trafficanti
Rigosa
Colzate
Casnigo
Cazzano
S.Andrea
Cirano
Gandino
M.Grione
Éndine Gaiano
Piánico
Lóvere
Pisogne
Castro
Grignaghe
Zogno
Somendenna
S.Marco
Gazzaniga
Vertova
Leffe
Péia
Fiorano al Serio
Ranzánico
Esmate
Zorzino
Toline
Pontásio
Selvino
Aviático
Cene
M.Crocione
Bianzano
Valmaggiore
S.Felice al Lago
Lago di Endine
Solto Collina
Riva di Solto
Corna Trentapassi
Zone
Poscante
M.Podona
Bondo Petello
Albino
Vall'Alta
Spinone al Lago
Canto Alto
M.di Nese
Boário Terme
Angolo Terme
Erbanno
Gorzone
Darfo
Montècchio
Fucine
Gianico
Artogne
Pian Camuno
Beata
Vissone
Gratacasolo
Fraine
Preóttone
Colma di Marucolo
Palotto
Graticelle
Bóvegno
Colle dello Zeno
Pezzaze
Irma
M.Ário
Pezzoro
Lavone
Marmentino
M.Altissimo
Annunciata
Piancogno
Angone
Plemo
Sacca
Breno
Malegno
Ossimo
Borno
Cividate Camuno
Pescarzo
Cogno
Bienno
Berzo Inf.
Esine
Prèstine
M.Fles
M.Mignone
Sucinva
Láveno
Niardo
M.Frá
M.Crestoso
M.Colombine
M.Muffetto
Giogo
Memmo
Cóllio
Valle Camonica
Valle Brembana
Val Seriana
Valle di Scalve
Tiefencastel
Chiavenna
Sant'Agata
Bérgamo

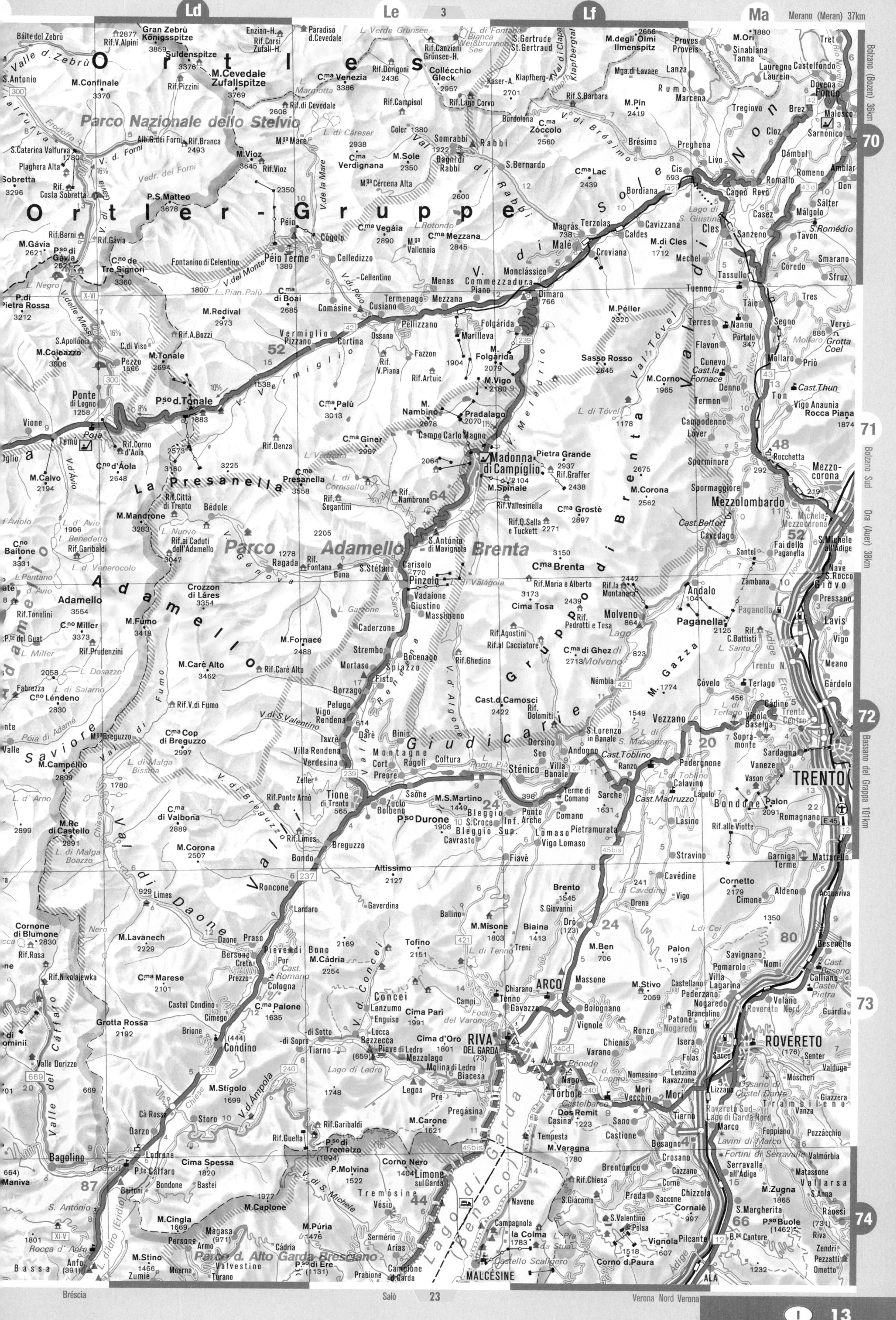

Ortles
Ortler-Gruppe
Parco Nazionale dello Stelvio
Gran Zebrù
Königsspitze
M.Cevedale
Zufallspitze
Cᵐᵃ Venezia
S.Gertrude
St.Gertraud
Proves
Proveis
Sinablana
Tanna
Lauregno Castelfondo
Laurein
Fondo
Malosco
Sarnonico
Bolzano (Bozen) 36km
70
Val di Sole
Val di Non
Val di Peio
Val di Rabbi
Rabbi
Péio
Péio Terme
Cògolo
Celledizzo
Commezzadura
Dimaro
Malè
Croviana
Terzolas
Caldes
Cavizzana
Cles
Tassullo
Sanzeno
Romeno
Amblar
Don
Sàlter
Málgolo
S.Romédio
Tavon
Smarano
Córedo
Sfruz
Tres
Vervò
Priò
Livo
Brésimo
Preghena
Rumo
Marcena
Lanza
M.Pin
Cᵐᵃ Zoccolo
M.Vioz
P.S.Matteo
M.Gávia
Pˢᵒ di Gávia
Cⁿᵒ de Tre Signori
S.Caterina Valfurva
Plaghera Alta
Sobretta
S.Antonio
M.Confinale
Vermiglio
Pizzano
Cortina
Ossana
Cusiano
Termenago
Mezzana
Pellizzano
Folgárida
Marilleva
M.Folgarida
M.Vigo
Pradalago
Campo Carlo Magno
Madonna di Campiglio
Pietra Grande
M.Spinale
Cᵐᵃ Grostè
Cᵐᵃ Brenta
Gruppo di Brenta
Val di Tóvel
Sasso Rosso
M.Péller
M.Corno
M.Corona
Pˢᵒ d.Tonale
M.Tonale
Ponte di Legno
Temù
Vione
C.di Viso
Pezzo
La Presanella
Cᵐᵃ Presanella
Cᵐᵃ Palù
Cᵐᵃ Giner
M.Calvo
Cⁿᵒ d'Áola
Rif.Città di Trento
Bédole
M.Mandrone
Parco Adamello Brenta
Adamello
M.Fumo
Crozzon di Láres
Cⁿᵒ Miller
Cⁿᵒ Baitone
Carisolo
Pinzolo
S.António di Mavignola
Vadaione
Giustino
Massimeno
Caderzone
Strembo
Bocenago
Spiazzo
Mortaso
Fisto
Borzago
Pelugo
Vigo Rendena
Darè
Villa Rendena
Verdesina
Tione di Trento
Zuclo
Bolbeno
Pˢᵒ Durone
Giudicarie
Val Rendena
V.d'Algone
Ragoli
Coltura
Preore
Montagne
Stenico
Villa Banale
Seo
Dorsino
Andogno
S.Lorenzo in Banale
Ponte Arche
Comano
Terme di Comano
Bleggio Sup.
Lomaso
Vigo Lomaso
Fiavè
Cavrasto
Molveno
Andalo
Paganella
Cᵐᵃ di Ghez
Rif.Agostini
Cast.d.Camosci
Vezzano
Cadine
Vigolo Baselga
Sopramonte
Sardagna
TRENTO
Romagnano
Mattarello
Palon
Bondone
Garniga Terme
Calavino
Lasino
Padergnone
Sarche
Cast.Toblino
Cast.Madruzzo
Mezzolombardo
Mezzocorona
Bolzano Sud
Ora (Auer) 38km
S.Michele all'Adige
Faì della Paganella
Zambana
Nave S.Rocco
Giovo
Pressano
Lavis
Vigo
Meano
Gárdolo
Terlago
Cóvelo
Spormaggiore
Sporminore
Denno
Campodenno
Termon
Lover
Flavon
Cunevo
Terres
Nanno
Portolo
Segno
Mollaro
Tuenno
Tàio
Ton
Vigo Anaunia
Rocca Piana
Cast.Thun
Rocchetta
Cavedago
Cast.Belfort
Spormaggiore
71
72
73
74
Bassano del Grappa 101km
Valle di Daone
Val di Breguzzo
Val di Fumo
Breguzzo
Bondo
Roncone
Lardaro
Altissimo
Gaverdina
Daone
Praso
Bersone
Creto
Pieve di Bono
Prezzo
Cologna
Castel Condino
Cimego
Condino
Brione
Grotta Rossa
M.Lavanech
Cᵐᵃ Marese
Cᵐᵃ Palone
M.Cádria
Concei
Val di Concei
Lenzumo
Enguiso
Cima Parì
Locca
Bezzecca
Pieve di Ledro
Mezzolago
Molina di Ledro
Biacesa
Lago di Ledro
Tiarno
Cima d'Oro
RIVA DEL GARDA
ARCO
Tenno
Chiarano
Gavazzo
Bolognano
Vignole
Massone
Nago
Tórbole
Dos Remit
Tempesta
M.Varagna
M.Ben
M.Stivo
Castellano
Pederzano
Nogaredo
Brancolino
Patone
Isera
Folas
ROVERETO
Sacco
Lizzana
Marco
Lavini di Marco
Volano
Calliano
Besenello
Nomi
Pomarolo
Savignano
Villa Lagarina
Cornetto
Cimone
Aldeno
Cavédine
Vigo
Drena
Brento
S.Giovanni
Drò
Ballino
M.Misone
Biaina
Treni
Tofino
Campi
Varano
Ronzo
Chienis
Mori
Mori Vecchio
Tierno
Sano
Castione
Besagno
Crosano
Brentónico
Cazzano
Cornè
Chizzola
Saccone
Prada
S.Giácomo
Cornalè
Serravalle all'Adige
S.Margherita
M.Zugna
Pˢᵒ Buole
Vallarsa
S.Anna
Ráossi
Matassone
Valmórbia
Trambileno
Vanza
Moscheri
Valduga
Pozzácchio
Foppiano
Riva
Zendri
Pezzati
Ometto
Pilcante
ALA
Corno d.Paura
Vignola
Polsa
S.Valentino
la Colma
Campagnola
Navene
Castello Scaligero
MALCÉSINE
Lago di Garda (Benaco)
Limone sul Garda
Corno Nero
Tremósine
Vésio
Arias
Sermério
Prabione
Campione d.Garda
Pˢᵒ di Ere
M.Púria
Val di S.Michele
P.Molvina
Pˢᵒ di Tremalzo
Rif.Guella
Rif.Garibaldi
M.Carone
Pregásina
Legos
Prè
M.Stígolo
Storo
Darzo
Cà Rossa
Lodrone
Pᵗᵉ Càffaro
Bondone
Bastei
Cima Spessa
Bagolino
Baitoni
M.Caplone
M.Cingla
Magasa
Persone
Armo
Cádria
Valvestino
Turano
Moerna
Parco d. Alto Garda Bresciano
M.Stino
Zumiè
Anfo
Bassa
Rocca d'Anfo
Lago d'Idro (Eridio)
S.Antonio
Maniva
Valle del Cáffaro
Valle Dorizzo
Rif.Nikolajewka
Rif.Rosa
Cornone di Blumone
M.Re di Castello
Val di Saviore
M.Campéllio
Cⁿᵒ Léndeno
Fabrezza
Cᵐᵃ Cop di Breguzzo
Cᵐᵃ di Valbona
M.Corona
M.Carè Alto
M.Fornace
Ragada
Bona
S.Stéfano
Val di Genova
Sarca
M.Nambino
M.S.Martino
Bleggio
S.Croce
Cᵐᵃ Tosa
Nembia
M.Gazza
Lago di Molveno
Giudicarie

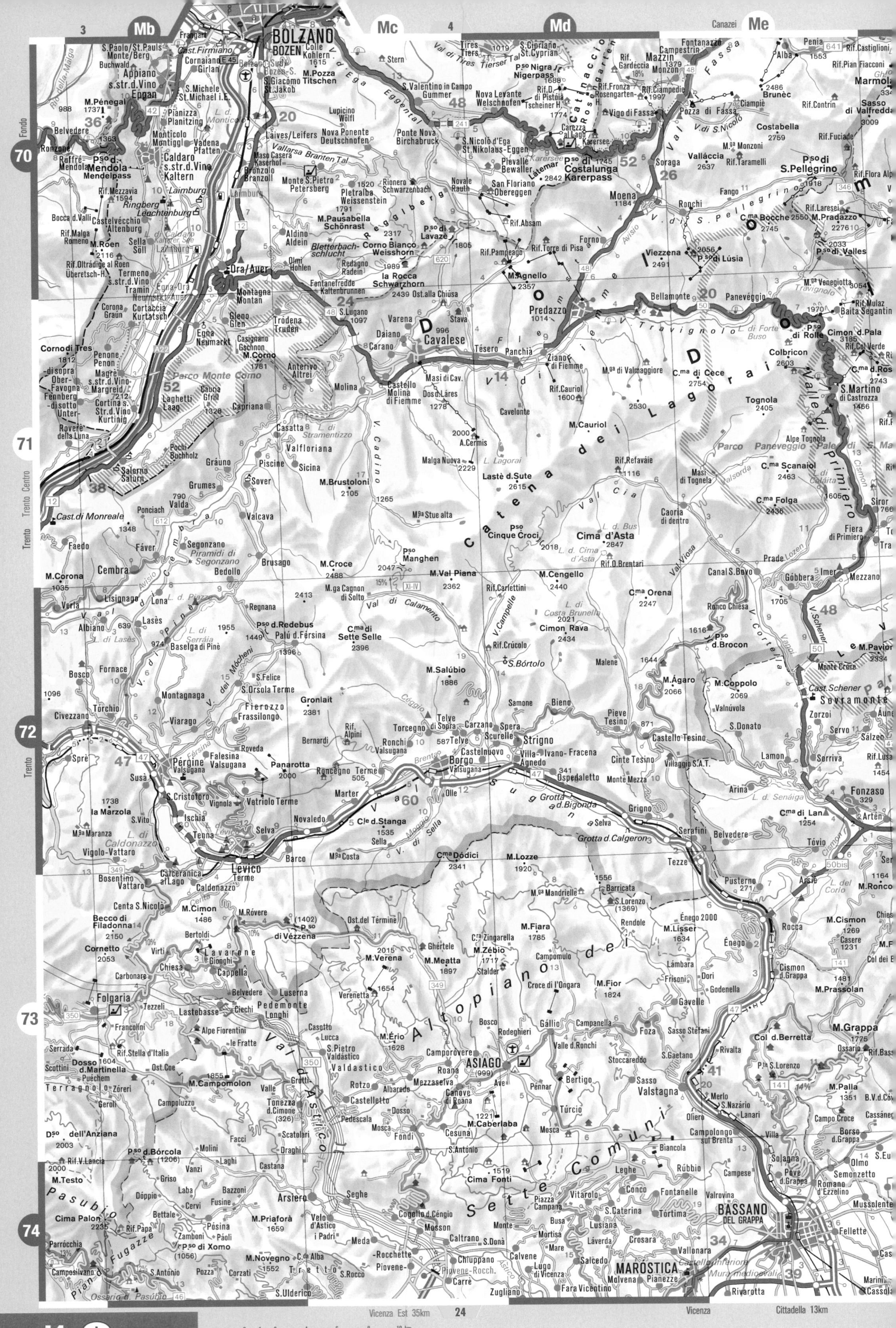

3
Mb
Mc
4
Md
Canazei
Me
70
71
72
73
74
Fondo
Trento
Trento Centro
BOLZANO
BOZEN
Appiano
s.str.d.Vino
Eppan
M.Pénegal
Mendola
Caldaro
s.str.d.Vino
Kaltern
Ora/Auer
Montagna
Montan
Egna
Neumarkt
Cortaccia
Kurtatsch
Salorno
Salurn
Laives/Leifers
Nova Ponente
Deutschnofen
Ponte Nova
Birchabruck
Nova Levante
Welschnofen
Vigo di Fassa
Pozza di Fassa
Mazzin
Campestrin
Fontanazzo
Penia
Alba
Soraga
Moena
Costalunga
Karerpass
Predazzo
Bellamonte
Panevéggio
Cavalese
Tésero
Panchià
Ziano di Fiemme
Castello Molina di Fiemme
Catena dei Lagorai
S.Martino di Castrozza
Valle di Primiero
Fiera di Primiero
Imer
Mezzano
Cima d'Asta
Cembra
Segonzano
Baselga di Pinè
Civezzano
Pérgine Valsugana
Levico Terme
Caldonazzo
Borgo Valsugana
Strigno
Castello Tesino
Pieve Tesino
Grigno
Fonzaso
Arsiè
Primolano
Lavarone
Folgaria
Luserna
Asiago
Gallio
Altopiano dei Sette Comuni
Valstagna
Arsiero
Val d'Astico
Pasubio
Cima Palon
BASSANO DEL GRAPPA
MAROSTICA
M.Grappa
Thiene
Vicenza Est 35km
24
Vicenza
Cittadella 13km
0 1 2 4 6 8 10 km

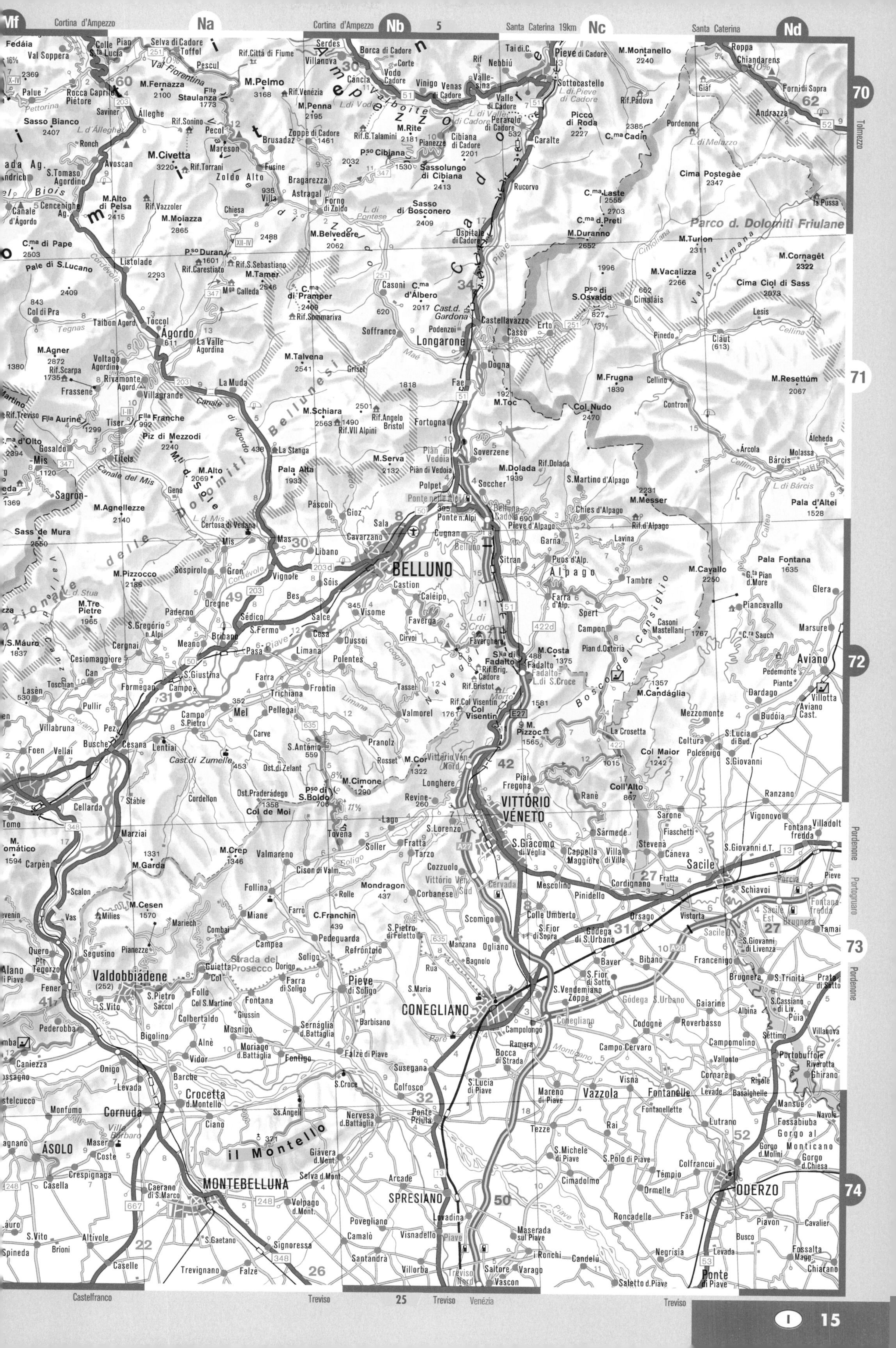

Cortina d'Ampezzo
Na
Nb
5
Santa Caterina 19km
Nc
Santa Caterina
Nd
Mf
Fedáia
Val Soppera
Colle S.ta Lucia
Selva di Cadore
Toffol
Pescul
Val Fiorentina
Rif.Città di Fiume
Serdes
Villanova
Borca di Cadore
Corte
Vodo Cadore
Cáncia
Vinigo
Venas di Cadore
Rif
Nebbiú
Tai di C.
Valle-sina
Pieve di Cadore
Sottocastello
L. di Pieve di Cadore
M.Montanello
2240
Roppa
Chiandarens
Forni di Sopra
Giáf
Rif.Padova
Andrazza
Tolmezzo
70
62
2369
Palue
Rocca Pietore
Caprile
M.Fernazza
2100
Staulanza
M.Pelmo
3168
Rif.Venézia
M.Penna
2195
L. di Vodo
Valle di Cadore
Perarolo di Cadore
Picco di Roda
2227
C.ma Cadin
Pordenone
L. di Melazzo
Sasso Bianco
2407
L. d'Álleghe
Saviner
Álleghe
Rif.Sonino
Pecol
Zoppè di Cadore
1461
Rif.G.Talamini
M.Rite
2181
Pianezze
Cibiana di Cadore
2201
Caralte
Ronch
Brusadaz
Mareson
M.Civetta
3220
Rif.Torrani
Fusine
Zoldo Alto
P.so Cibiana
1530
2032
Sassolungo di Cibiana
2413
Cima Postegàe
2347
S.Tomaso Agordino
Avoscan
Bragarezza
Astragal
Forno di Zoldo
L. di Pontese
Sasso di Bosconero
2409
Rucorvo
C.ma Laste
2555
2703
C.ma d.Preti
la Pussa
Canale d'Ágordo
Cencenighe Ag.
M.Alto di Pelsa
2415
Rif.Vazzoler
M.Moiazza
2865
Chiesa
Villa
935
Parco d. Dolomiti Friulane
M.Duranno
2652
C.ma di Pape
2503
M.Belvedere
2062
2488
Ospitale di Cadore
M.Turlon
2311
M.Cornagêt
2322
Pale di S.Lucano
Listolade
2293
P.so Duran
1601
Rif.Carestiato
Rif.S.Sebastiano
M.Tamer
2546
Cimoliana
Val Settimana
1996
M.Vacalizza
2266
Cima Ciol di Sass
2073
843
Col di Pra
2409
M.ga Calleda
C.ma di Pramper
2409
Rif.Sommariva
Casoni
C.ma d'Álbero
2017
Cast.d. Gardona
620
34
P.so di S.Osvaldo
827
662
Cimolàis
Lesis
Taibon Agord.
Tóccol
Ágordo
611
La Valle Agordina
Soffranco
Podenzoi
Longarone
Castellavazzo
Casso
Erto
13%
Pinedo
Claut
(613)
Cellina
M.Agner
2872
Rif.Scarpa
1735
Voltago Agordino
Rivamonte Agord.
Frassenè
1380
M.Talvena
2541
Grisel
Dogna
Maè
Fae
La Muda
Villagrande
Canale di Agordo
1818
192
M.Toc
M.Frugna
1839
Cellino
M.Resettùm
2067
71
Col Nudo
2470
Contron
Rif.Treviso
F.lla Aurine
1299
Tiser
F.lla Franche
992
M.Schiara
2563
1490
Rif.VII Alpini
2501
Rif.Angelo Bristol
Fortogna
Piz di Mezzodì
2240
C.ma d'Olto
Gosaldo
2394
Mis
1120
Titele
Canale del Mis
M.ti d. Sole
438
La Stanga
M.Serva
2132
Piàn di Vedoia
Soverzene
Rif.Dolada
M.Dolada
1939
Álcheda
Árcola
Molassa
Bárcis
L. di Bárcis
M.Alto
2069
Gena
Pala Alta
1933
Polpet
Soccher
S.Martino d'Alpago
2231
M.Messer
Pala d'Altei
1528
Sagron
1369
Dolomiti Bellunesi
M.Agnellezze
2140
L. d. Mis
Certosa di Vedana
Páscoli
Gioz
Sala
Ponte nelle Alpi
395
Ponte n.Alpi
Belluno
Cadola
690
Pieve d'Alpago
Chies d'Alpago
Rif.d'Alpago
Sass de Mura
2550
Mis
Mas
30
Libano
Cavarzano
Cugnan
Garna
Lavina
Pala Fontana
1635
Sospirolo
Gron
Vignole
BELLUNO
Sitran
Puos d'Alp.
Alpago
Tambre
M.Cavallo
2250
G.ta Pian d.More
M.Pizzocco
2186
Sóis
Castion
Glera
M.Tre Pietre
1965
Paderno
Oregne
49
Bes
Caléipo
Farra d'Alp.
Spert
Piancavallo
S.Gregório n.Alpi
Sédico
Salce
Visome
345
Faverga
L. di S.Croce
Campon
Casoni Mastellani
1767
Marsure
S.Máuro
1837
Meano
Bribano
S.Fermo
Cesa
Dussoi
Cirvoi
Faverghera
Pian d.Osteria
Bosco del Cansiglio
C.re Sauch
Cergnai
Pasa
Limana
Piave
S.ta di Fadalto
M.Costa
1375
488
Cesiomaggiore
S.Giustina
Polentes
Cicogna
Nevegàl
Rif.Brig. Cadore
Fadalto
Fadalto L.di S.Croce
Aviano
Pedemonte
Piante
72
Can
Toschian
Formegan
Campo
Farra
Frontin
Rif.Bristot
1357
M.Candáglia
Dardago
Villotta
Lasèn
530
31
Trichiana
Tassei
Rif.Col Visentin
Col Visentin
1761
Morto
1581
Pullir
352
Mel
Pellegai
Campo S.Pietro
Valmorel
E27
Mezzomonte
Aviano Cast.
Budóia
Villabruna
Pez
Carve
Pranolz
M. Pizzoc
1565
La Crosetta
Coltura
S.Lucia di Bud.
Foen
Vellai
Busche
Cesana
Lentiai
S.Antònio
559
Rosset
M.Cor
1322
Vittorio Ven. Nord
42
Col Maior
1242
Polcenigo
S.Giovanni
Cast.di Zumelle
453
Ost.di Zelant
M.Cimone
1290
Longhere
Piai
Fregona
1015
Ranzano
Cellarda
Stábie
Cordellon
Ost.Praderádego
1358
Col de Moi
P.so di S.Boldo
706
11%
Revine
260
VITTÓRIO VÉNETO
Ranè
Coll'Alto
867
Sarone
Fiaschetti
Vigonovo
Fontana-fredda
Villadolt
Tomo
Marziai
Lago
Tóvena
S.Lorenzo
Sàrmede
Stevenà
M. Tomático
1594
Carpèn
1331
M.Garda
M.Crep
1346
Valmareno
Soller
Fratta
Tarzo
S.Giacomo di Véglia
Cappella Maggiore
Villa di Villa
Cáneva
Sacile
S.Giovanni d.T.
Pordenone
Portogruaro
Cison di Valm.
Cozzuolo
Vittório Ven. Sud
Cervada
Mescolino
Cordignano
27
Fratta
Pieve
Schiavoi
Porcia
Scalon
Follina
Mondragon
437
Corbanese
Pinidello
Fontana-fredda
M.Cesen
1570
Milies
Vas
Miane
Farrò
C.Franchin
439
Rolle
Scomigo
Colle Umberto
Orsago
Vistorta
Sacile Est
Tamai
Mariech
Combai
S.Pietro di Feletto
S.Fior di Sopra
Gódega di S.Urbano
Brugnera
Quero
Segusino
Pianezze
Campea
Pedeguarda
Manzana
Ogliano
Sacile O.
S.Giovanni di Livenza
73
Alano di Piave
Pte Tegorzo
Valdobbiadene
(252)
Strada del Prosecco
Guietta
Col
Dorigo
Soligo
Refróntolo
Rua
Bagnolo
Baver
Bibano
Francenigo
Fener
Farra di Soligo
Pieve di Soligo
S.Maria
S.Fior di Sotto
S.Vendemiano
Zoppè
Gódega S.Urbano
Brugnera
S.Trinità
Prata di Sotto
41
S.Vito
S.Pietro
Saccol
Follo
Col S.Martino
Fontana
CONEGLIANO
Gaiarine
S.Cassiano di Liv.
Albina
Púia
Pederobba
Colbertaldo
Giussin
Barbisano
Conegliano
Codognè
Roverbasso
Pordenone
Bigolino
Mosnigo
Sernáglia d.Battáglia
Campolongo
Ramera
Campomolino
Villanova
Settimo
Caniezza
Alnè
Vidor
Moriago d.Battáglia
Fontigo
Falzè di Piave
Parè
Bocca di Strada
Campo Cervaro
Monticano
Portobuffolè
Vallonto
Rivarotta
Ghirano
Onigo
Levada
Barche
Susegana
Colfosco
S.Croce
S.Lucia di Piave
Mareno di Piave
Vazzola
Visnà
Cornarè
Rigole
Levade
Basalghelle
Mansuè
Monfumo
Crocetta d.Montello
Cornuda
Ss.Angeli
Nervesa d.Battáglia
Ponte Priula
32
Fontanelle
Fontanellette
Tezze
Rai
Lutrano
Fossabiuba
Navolè
Villa Barbaro
Maser
Coste
Ciano
il Montello
371
Giávera d.Mont.
S.Michele di Piave
S.Polo di Piave
52
Gorgo al Monticano
Gorgo d.Molini
Gorgo d.Chiesa
ÁSOLO
Crespignaga
Caerano di S.Marco
MONTEBELLUNA
Selva d.Mont.
Arcade
SPRESIANO
Cimadolmo
Tèmpio
Colfrancui
Ormelle
ODERZO
74
Casella
667
Volpago d.Mont.
Lovadina
50
Roncadelle
Faè
Piavon
Cavalier
S.Vito
Altivole
Brioni
S.Gaetano
Signoressa
Povegliano
Camalò
Visnadello
Maserada sul Piave
Busco
Spineda
22
Caselle
Santandrà
26
Negrísia
i Ronchi
Candelù
Levada
Fossalta Magg.
Chiarano
Trevignano
Falzè
Villorba
Treviso Nord
Saltore
Varago
Vascon
Saletto d.Piave
Ponte di Piave
Castelfranco
Treviso
25
Treviso
Venézia
Treviso

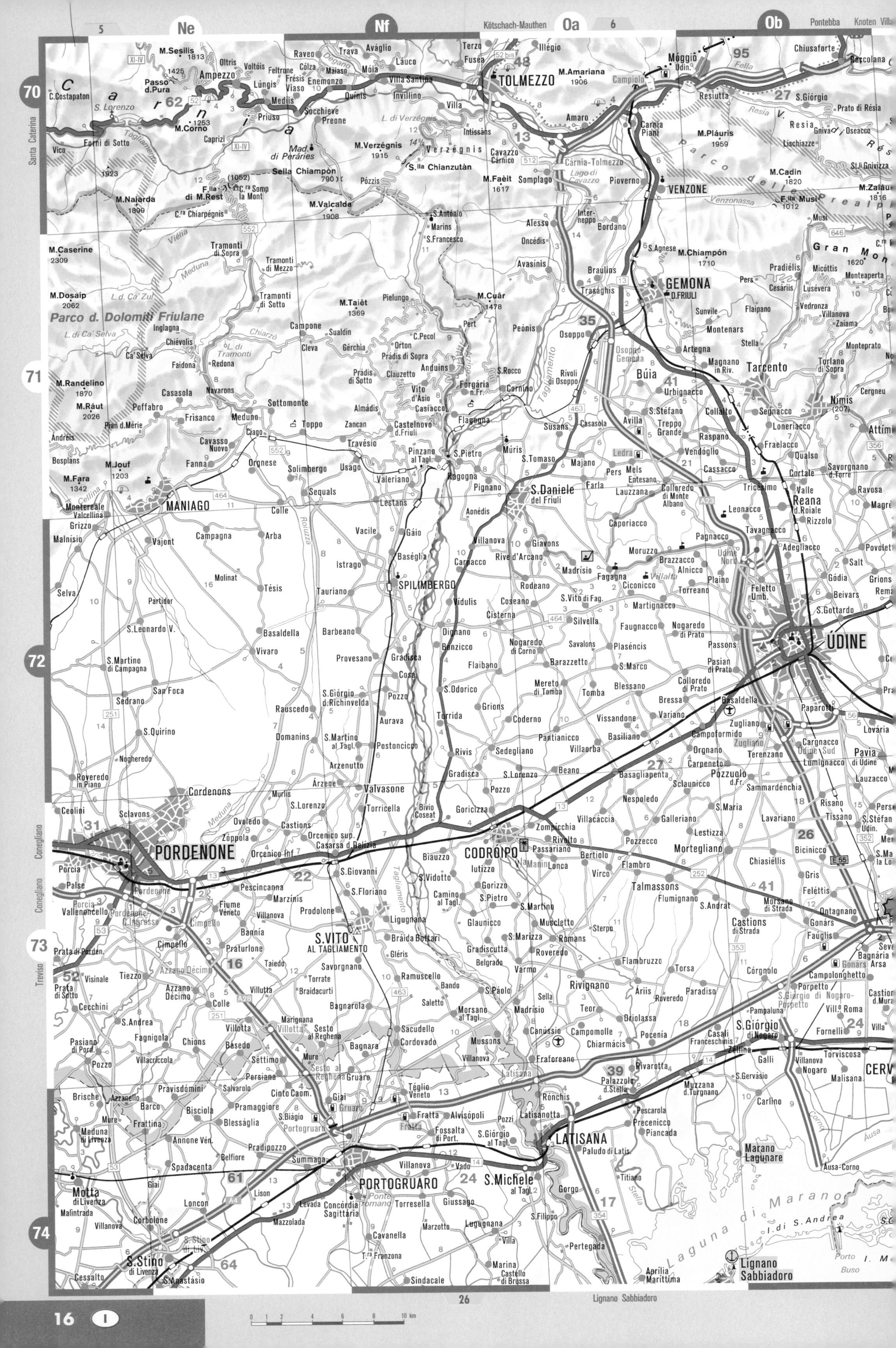
70
71
72
73
74
Santa Caterina
Conegliano
Treviso
TOLMEZZO
VENZONE
GEMONA D.FRIULI
Tarcento
Nimis
MANIAGO
SPILIMBERGO
S.Daniele del Friuli
ÚDINE
PORDENONE
CODROIPO
S.VITO AL TAGLIAMENTO
PORTOGRUARO
S.Michele al Tagl.
LATISANA
Marano Lagunare
Lignano Sabbiadoro
Laguna di Marano
Parco d. Dolomiti Friulane
Cordenons
Sacile
Motta di Livenza
S.Stino di Livenza
Ampezzo
Mòggio Udin.
Chiusaforte
Resiutta
Amaro
Carnia
Osoppo
Artegna
Búia
Majano
Fagagna
Tricesimo
Reana d.Roiale
Pasian di Prato
Campoformido
Mortegliano
Rivignano
Palazzolo d.Stella
Castions di Strada
S.Giórgio di Nogaro
Cervignano
Aviano
Fiume Veneto
Azzano Décimo
Pravisdómini
Chions
Sesto al Reghena
Casarsa d.Delizia
Valvasone
Sequals
Meduno
Travesio
Tagliamento
Cellina
Meduna
Stella
M.Amariana 1906
M.Verzégnis 1915
M.Chiampón 1710
M.Cuâr 1478
M.Raut 2026
Lignano Sabbiadoro

26
0 1 2 4 6 8 10 km

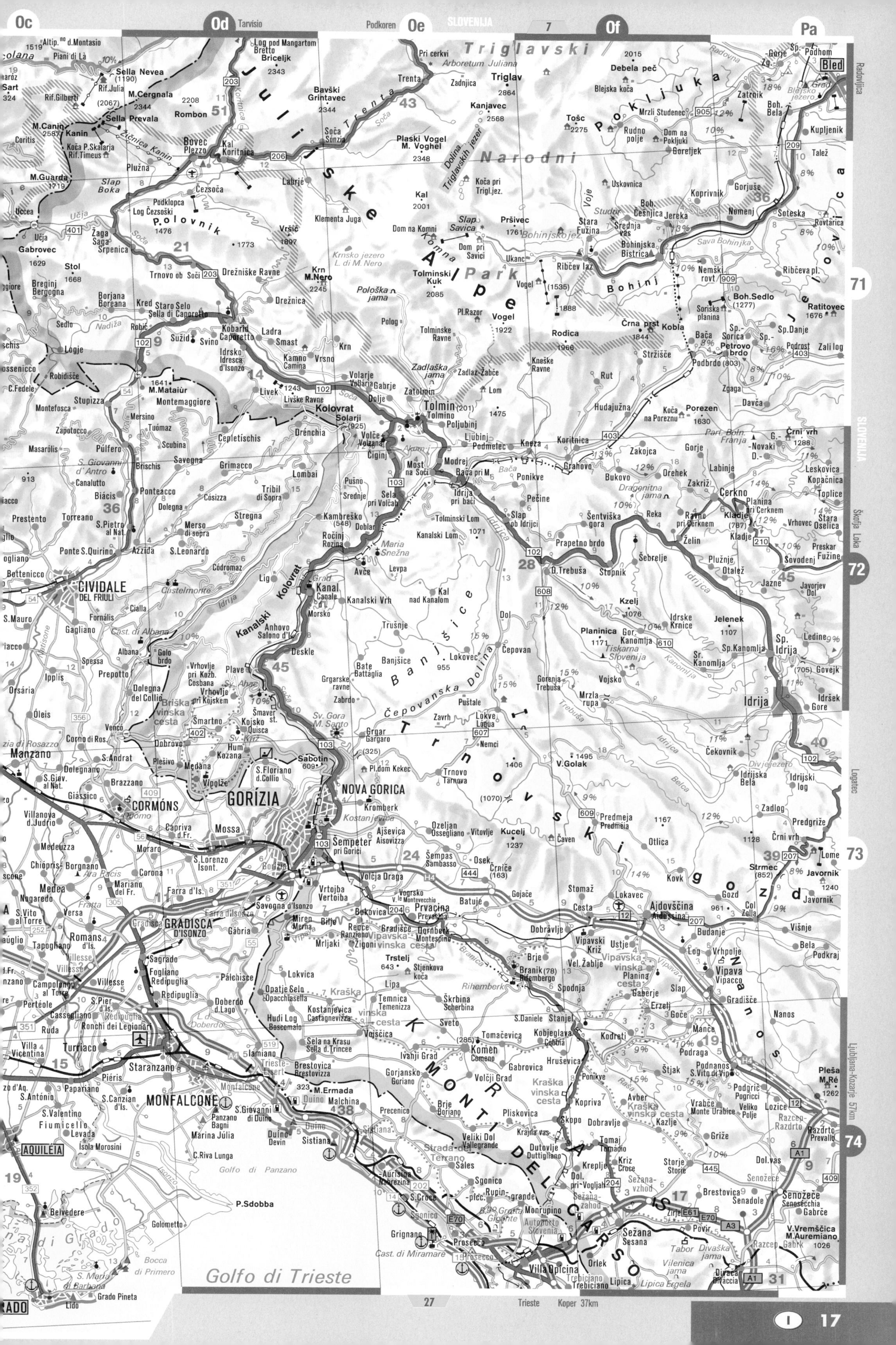

Oc
Od
Tarvísio
Podkoren
Oe
SLOVENIJA
7
Of
Pa
Sella Nevea
Rif.Julia
M.Cergnala
Rombon
Sella Prevala
M.Canin
Kanin
Coritis
Koča P.Skalarja
Rif.Timeus
M.Guarda
Uccea
Log pod Mangartom
Bretto
Briceljk
Bavški Grintavec
Trenta
Soča
Sónzia
Bovec
Plezzo
Kal Koritnica
Pri cerkvi
Arboretum Juliana
Triglavski
Triglav
Zadnjica
Kanjavec
Plaski Vogel
M. Voghel
Narodni
Park
Debela peč
Blejska koča
Pokljuka
Tošc
Rudno polje
Dom na Pokljuki
Goreljek
Mrzli Studenec
Zatrnik
Gorje
Zg.
Podhom
Bled
Boh. Bela
Kupljenik
Radovljica
Taleč
Julijske Alpe
Polovnik
Čezsoča
Podklopca
Log Čezsoški
Žaga
Saga
Srpenica
Labrje
Klementa Juga
Kal
Dom na Komni
Komna
Slap Savica
Pršivec
Stara Fužina
Srednja vas
Bohinjska Bistrica
Bohinjsko jez.
Bohinj
Uskovnica
Koprivnik
Gorjuše
Boh. Češnjica
Jereka
Nomenj
Soteska
Rovtarica
Ribčev laz
Ukanc
Nemški rovt
Ribčeva pl.
Učja
Gabrovec
Stol
Breginj
Bergogna
Borjana
Boreana
Kred
Staro Selo
Sella di Caporetto
Robič
Vršič
Trnovo ob Soči
Drežniške Ravne
Krn
M.Nero
Krnsko jezero
L. di M. Nero
Tolminski Kuk
Vogel
Pološka jama
Drežnica
Polog
Pl.Razor
Tolminske Ravne
Rodica
Boh.Sedlo
Soriška planina
Ratitovec
Črna prst
Kobla
Bača
Sorica
Sp.Danje
Petrovo brdo
Podrost
Zali log
Stržišče
Podbrdo
Sedlo
Logje
Robidišče
Sužid
Svino
Kobarid
Caporetto
Idrsko
Ladra
Smast
Kamno
Vrsno
Volarje
Gabrje
Zadlaška jama
Zadlaz-Žabče
Kneške Ravne
Rut
Zgaga
Davča
C.Fedele
Stupizza
M.Mataiùr
Montemaggiore
Livek
Livške Ravne
Kolovrat
Solarji
Dolje
Zatolmin
Tolmin
Tolmino
Poljubinj
Lom
Hudajužna
Koča na Poreznu
Porezen
Montefosca
Mersino
Tuómaz
Zapotocco
Scubina
Cepletíschis
Drénchia
Volče
Volzana
Čiginj
Ljubinj
Podmelec
Kneža
Koritnica
Grahovo
Zakojca
Gorje
Črni vrh
Novaki
Masarólis
Púlfero
S. Giovanni d'Antro
Brischis
Savogna
Grimacco
Lombai
Most na Soči
Modrej
Bača pri M.
Ponikve
Bukovo
Orehek
Labinje
Leskovica
Kopačnica
Toplice
Canalutto
Biácis
Ponteacco
Dolegna
Tribil di Sopra
Pušno
Srednje
Sela pri Volčah
Idrija pri bači
Pečine
Dragonitna jama
Reka
Cerkno
Zakriž
Planina pri Cerknem
Prestento
Torreano
S.Pietro al Nat.
Cósizza
Merso di sopra
Stregna
Kambreško
Dobjan
Ročinj
Tolminski Lom
Kanalski Lom
Slap ob Idrijci
Šentviška gora
Ravne pri Cerknem
Kladje
Vrhovec
Stara Oselica
Ponte S.Quirino
Azzida
S.Leonardo
Maria Snežna
Prapetno brdo
Šebrelje
Želin
Preskar
Fužine
Bottenicco
Cividale del Friuli
Cádromaz
Castelmonte
Lig
Avče
Levpa
D.Trebuša
Stopnik
Plužnje
Otalež
Sovodenj
Jazne
Javorjev Dol
Kanal
Canale d'I.
Morsko
Kanalski Vrh
Kal nad Kanalom
Banjšice
Kzelj
Idrske Krnice
Jelenek
S.Mauro
Gagliano
Fornális
Cialla
Cast. di Albana
Albana
Golo brdo
Kanalski Kolovrat
Anhovo
Salono d'I.
Deskle
Trušnje
Dol
Lokovec
Čepovan
Planinica
Gor. Kanomlja
Sp.Kanomlja
Sp. Idrija
Govejk
Ledine
Spessa
Ipplis
Prepotto
Vrhovlje pri Kožb.
Cosbana
Plave
Bate
Battáglia
Grgarske ravne
Zabrdo
Čepovanska Dolina
Tiskarna Slovenija
Sr. Kanomlja
Kanomlja
Vojsko
Gorenja Trebuša
Mrzla rupa
Idrija
Idršek
Gore
Orsária
Dolegna del Collio
Briška vinska cesta
Šmartno
Kojsko
Quisca
Šmaver
Sv. Gora
M. Santo
Pušale
Zavrh
Lokve
Lagua
Trnovski gozd
Óleis
Vencò
Corno di Ros.
Dobrovo
Hum
Kozana
Sabotin
Grgar
Gargaro
Nemci
V.Golak
Čekovnik
Manzano
S.Andrat
Plešivo
Medana
S.Floriano d.Collio
Pl.dom Kekec
Trnovo
Tarnova
Divje jezero
Idrijska Bela
Idrijski log
S.Giov. al Nat.
Dolegnano
Brazzano
Vipolže
Gorízia
Nova Gorica
Kromberk
Kostanjevica
Predmeja
Zadlog
Predgriže
Giássico
Cormóns
Villanova d.Judrio
Capriva d.Fr.
Mossa
Šempeter pri Gorici
Ajševica
Aisovizza
Ozeljan
Vitovlje
Kucelj
Čaven
Otlica
Črni vrh
Lome
Javornik
Medeuzza
Morarò
S.Lorenzo Isont.
Šempas
Osek
Crniče
Kovk
Strmec
Chiópris
Borgnano
Corona
Mariano del Fr.
Farra d'Is.
Vrtojba
Volčja Draga
Vogrsko
Gojače
Stomaž
Lokavec
Ajdovščina
Aidussina
Col
Gozd
Medea
Nogaredo
S.Vito al Torre
Versa
Fratta
Savogna d'Isonzo
Bukovica
Prvačina
Batuje
Cesta
Budanje
Višnje
Romans d'Is.
Tapogliano
Gradisca d'Isonzo
Gábria
Miren
Bilje
Renče
Gradišče
Dornberk
Vipavska vinska cesta
Dobravlje
Vipavski Križ
Ustje
Vrhpolje
Vipava
Bela
Podkraj
Villesse
Sagrado
Fogliano
Redipuglia
Mrljaki
Žigoni
Trstelj
Stjenkova koča
Branik
Rifembergo
Brje
Vel. Žablje
Vipavska vinska cesta
Nanos
Campolongo al Torre
Pálchisce
Lokvica
Opatje Selo
Kraška
Lipa
Rihemberk
Spodnja
Planina
Gaberje
Slap
Gradišče
Pertéole
Cassegliano
S.Pier d'Is.
Ronchi dei Legionari
Doberdo d.Lago
Temnica
Kostanjevica
Škrbina
Stanjel
Erzelj
Goče
Nanos
Ruda
Hudi Log
Vojščica
Sveto
S.Daniele
Kobjeglava
Kodreti
Manče
Podraga
Villa Vicentina
Turriaco
Staranzano
Ialmiano
Brestovica
Sela na Krasu
Ivanji Grad
Komen
Tomačevica
Hruševica
Štjak
Podnanos
S.Vito di Vipacco
Piéris
Papariano
Monfalcone
M.Ermada
Malchina
Gorjansko
Volčji Grad
Gabrovica
Kraška vinska cesta
Ponikve
Kopriva
Avber
Podgrič
Pleša
S.Antonio
S.Canzian d'Is.
S.Giovanni di Duino
Duino
Precenico
Brje
Pliskovica
Dobravlje
Vrabče
Veliko Polje
Lozice
Razdrto
S.Valentino
Fiumicello
Levada
Panzano Bagni
Marina Júlia
Sistiana
Veliki Dol
Krajna vas
Dutovlje
Tomaj
Kazlje
Griže
Isola Morosini
Aquiléia
C.Riva Lunga
Golfo di Panzano
Strada del Terrano
Sales
Kreplje
Kriz
Storje
Dol.vas
Senožeče
Aurisina
Nabrezina
Sgonico
Rupin-grande
Monrupino
Dol. pri Vogljah
Sežana-vzhod
Brestovica
Senadole
P.Sdobba
S.Croce
Grotta Gigante
Sežana
Povir
Gabrče
Belvedere
Golometto
Grignano
Cast. di Miramare
Prosecco
Opicina
Villa Opicina
Orlek
Tabor
Divaška jama
Vilenica jama
V.Vremščica
M.Auremiano
Bocca di Primero
S. Maria di Barbana
Golfo di Trieste
Trebiciano
Lipica
Divača
Grado Pineta
Lido
Grado
Monti del Carso
Trieste
Koper 37km
Ljubljana-Kozarje 57km
Logatec
Škofja Loka
27
71
72
73
74
I 17

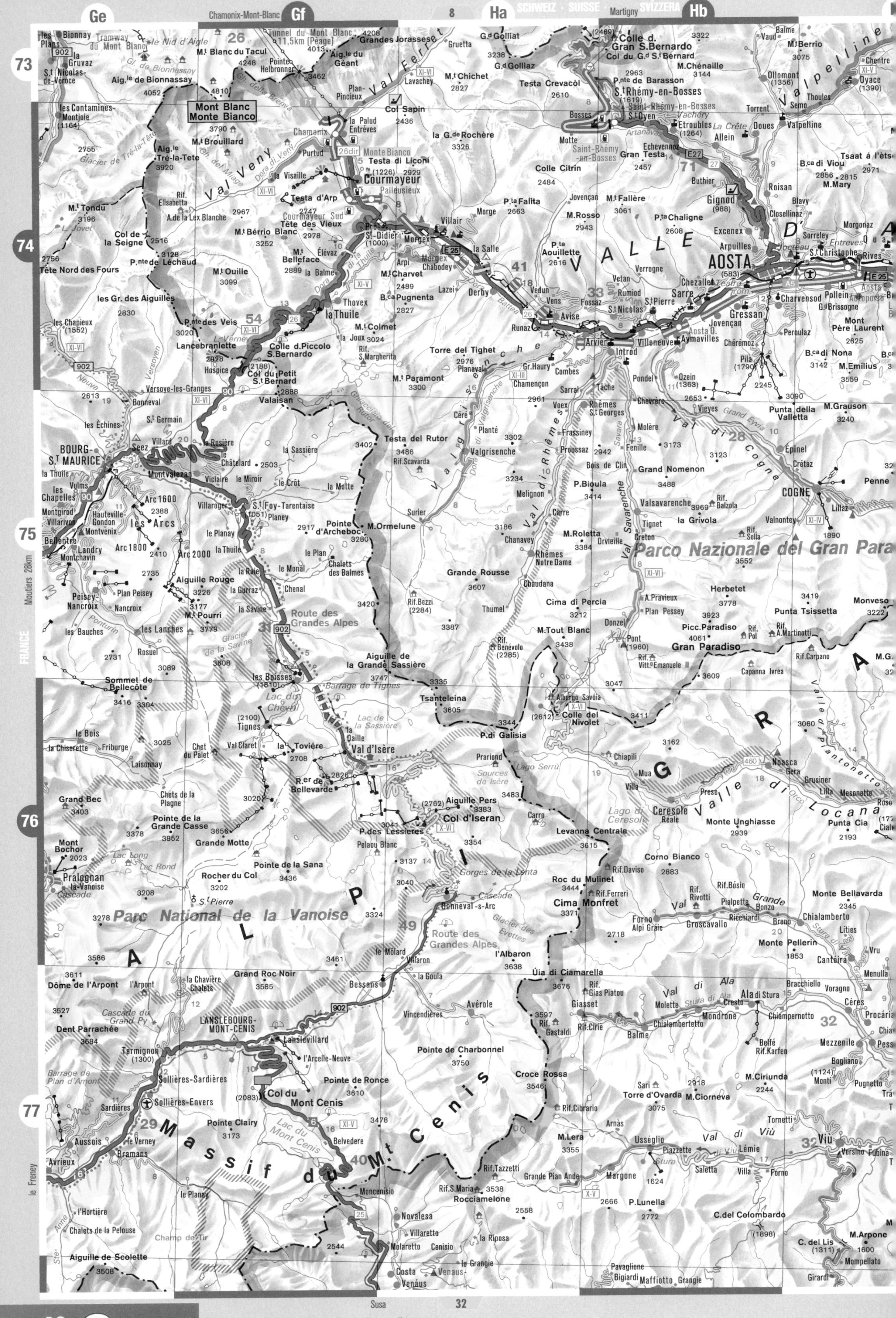
73
74
75
76
77
Mont Blanc
Monte Bianco
M.t Blanc du Tacul
4248
Aig.le de Bionnassay
4052
Tunnel du Mont Blanc
11,5km (Péage)
Grandes Jorasses
4208
Aig.le du Géant
Val Ferret
Col Sapin
Gruetta
G.d Golliat
Colle d. Gran S.Bernardo
Col du G.d S.t Bernard
G.d Golliaz
M.t Chichet
Testa Crevacòl
P.nte de Barasson
S.t Rhémy-en-Bosses
S.t Oyen
Etroubles
Allein
Doues
Valpelline
Ollomont
Oyace
Torrent
Semo
Thoules
M.t Berrio
M.Chénaille
Chentre
Les Contamines-Montjoie
(1164)
Mont Blanc
Monte Bianco
M.t Brouillard
Aig.le Trè-la-Tete
3920
Chamonix
Purtud
Val Veny
la Palud
Entrèves
Testa di Liconi
Courmayeur
Testa d'Arp
la Visaille
la G.de Rochère
3326
Colle Citrin
Gran Testa
Echevennoz
Gignod
Buthier
Roisan
B.ca di Viou
Tsaat à l'ètsena
M.Mary
M.t Tondu
Col de la Seigne
A.de la Lex Blanche
Rif. Elisabetta
M.t Berrio Blanc
Tète des Vieux
Pré-S.t-Didier
Morgex
Villair
Morge
P.ta Falita
M.Rosso
M.t Fallère
P.ta Chaligne
Excenex
Arpuilles
Sorreley
Morgonaz
VALLE D'A
Tète Nord des Fours
P.nte de Léchaud
M.t Belleface
Élévaz
la Balme
M.t Ouille
M.t Charvet
Chabodey
la Salle
P.ta Aouillette
Verrogne
AOSTA
(583)
S.t Christophe
Rives
les Gr. des Aiguilles
Thovex
la Thuile
B.ca Pugnenta
Lazei
Derby
Vedun
Vens
Avise
Fossaz
Rumiod
S.t Nicolas
S.t Pierre
Sarre
Chezallet
Gressan
Charvensod
Pollein
G.d Brissogne
Jovençan
Aymavilles
Mont Père Laurent
Peroulaz
les Chapieux
(1552)
P.nte des Veis
Lancebranlette
Colle d.Piccolo S.Bernardo
Col du Petit S.t Bernard
Hospice
la Joux
M.t Colmet
Rif. S.Margherita
Torre del Tighet
Runaz
Arvier
Introd
Villeneuve
Chérémoz
Pila
(1790)
B.ca di Nona
M.Emilius
Versoye-les-Granges
Bonneval
S.t Germain
les Échines
Valaisan
M.t Paramont
Planaval
Gr.Haury
Chamençon
Combes
Sarral
Pondel
Ozein
Vieyes
BOURG-S.T MAURICE
la Thuile
Seez
Villard
la Rosière
Châtelard
Montvalezan
Viclaire
le Miroir
la Sassière
Testa del Rutor
Rif.Scavarda
Cérè
Planté
Valgrisenche
Rhêmes S.t Georges
Frassiney
Proussaz
Fenille
Chevrère
Molère
Punta della Valletta
M.Grauson
Épinel
Crétaz
COGNE
Lillaz
Penne
les Chapelles
Vulms
Montgirod
Villarivon
Hauteville-Gondon
Montvenix
les Arcs
Arc 1600
Arc 1800
Arc 2000
Villaroger
S.t Foy-Tarentaise
Planey
le Crôt
la Motte
Pointe d'Archeboc
M.Ormelune
Surier
Bois de Clin
Grand Nomenon
P.Bioula
Melignon
Carre
Valsavarenche
la Grivola
Tignet
Valnontey
Bellentre
Landry
Montchavin
le Planay
la Thuile
le Plan
Chalets des Balmes
le Monal
Chanavey
M.Roletta
Orvieille
Rhêmes Notre Dame
Parco Nazionale del Gran Paradiso
Aiguille Rouge
Plan Peisey
Peisey-Nancroix
Nancroix
la Raie
la Gurraz
Chenal
Grande Rousse
Chaudana
Cima di Percia
Herbetet
Rif.Bezzi
(2284)
Thumel
A.Pravieux
Plan Pessey
Punta Tsissetta
Monveso
M.t Pourri
la Savine
Route des Grandes Alpes
M.Tout Blanc
Picc.Paradiso
Gran Paradiso
les Bauches
les Lanches
Rosuel
Glacier de la Savine
Rif. Benévolo
(2285)
Pont
Rif. Vitt.Emanuele II
Rif.Carpano
M.G.
Sommet de Bellecôte
les Boisses
Lac du Chevril
Aiguille de la Grande Sassière
Barrage de Tignes
Tsanteleina
Albergo Savoia
Colle del Nivolet
Capanna Ivrea
le Bois
la Chiserette
Friburge
Laisonnay
Tignes
Val Claret
la Tovière
Lac de la Sassière
la Daille
Val d'Isère
P.di Galisia
Chiapili
Mua
Noasca
Gera
Chets de la Plagne
Grand Bec
R.er de Bellevarde
Prariond
Sources de l'Isère
Lago Serrù
Villa
Ceresole Reale
Lago di Ceresole
Valle di Locana
Presa
Grusiner
Lilla
Mesanette
Valle di Piantonetto
Pointe de la Grande Casse
Grande Motte
Aiguille Pers
Col d'Iseran
P.des Lessières
Pelaou Blanc
Carro
Levanna Centrale
Monte Unghiasse
Punta Cia
Mont Bochor
Pralognan la-Vanoise
Cascade
Lac Long
Lac Rond
Pointe de la Sana
Rocher du Col
S.t Pierre
Gorges de la Lenta
Cascade
Bonneval-s-Arc
Rif.Daviso
Corno Bianco
Roc du Mulinet
Rif.Ferreri
Cima Monfret
Rif. Rivotti
Rif.Bosio
Val Grande
Pialpetta
Bonzo
Monte Bellavarda
Chialamberto
Parc National de la Vanoise
Glacier des Evettes
Route des Grandes Alpes
Forno Alpi Graie
Groscavallo
Ricchiardi
Breno
Monte Pellerin
Lities
Vru
Cantoira
ALPI
GRA
Dôme de l'Arpont
l'Arpont
la Chavière Chalets
Grand Roc Noir
le Mólard
Villaron
l'Albaron
Úia di Ciamarella
Rif. Gias Piatou
Val di Ala
Ala di Stura
Menulla
Bracchiello
Voragno
Ceres
Procaria
Bessans
la Goula
Avérole
Giasset
Molette
Cresto
Mondrone
Chiampernotto
Dent Parrachée
Cascade du Grand Py
LANSLEBOURG-MONT-CENIS
Lanslevillard
Vincendières
Rif. Bastaldi
Rif.Ciriè
Balme
Chialambertetto
Belfè
Rif.Karfen
Mezzenile
Termignon
(1300)
l'Arcelle-Neuve
Pointe de Charbonnel
Barrage de Plan d'Amont
Sollières-Sardières
Sollières-Envers
Sardières
Col du Mont Cenis
Pointe de Ronce
Croce Rossa
Sari
Torre d'Ovarda
M.Ciorneva
M.Ciriunda
Monti
Bogliano
Pugnetto
Massif du Mt Cenis
Aussois
le Verney
Bramans
Pointe Clairy
Lac du Mont Cenis
Belvedere
Rif.Cibrario
Arnàs
M.Lera
Usséglio
Piazzette
Val di Viù
Lémie
Tornetti
Viù
Versino
Fubina
Avrieux
Rif.Tazzetti
Grande Pian Ande
Margone
Saletta
Villa
Forno
le Freney
le Planay
Moncenisio
Rif.S.Maria
Rocciamelone
Novalesa
P.Lunella
C.del Colombardo
l'Hortière
Chalets de la Pelouse
Champ de Tir
Villaretto
Cenisio
la Riposa
Molaretto
M.Arpone
C. del Lis
(1311)
Mompellato
Aiguille de Scolette
le Grangie
Costa
Venaus
Pavaglione
Bigiardi
Maffiotto
Grangie
Girardi
FRANCE
Moutiers 28km

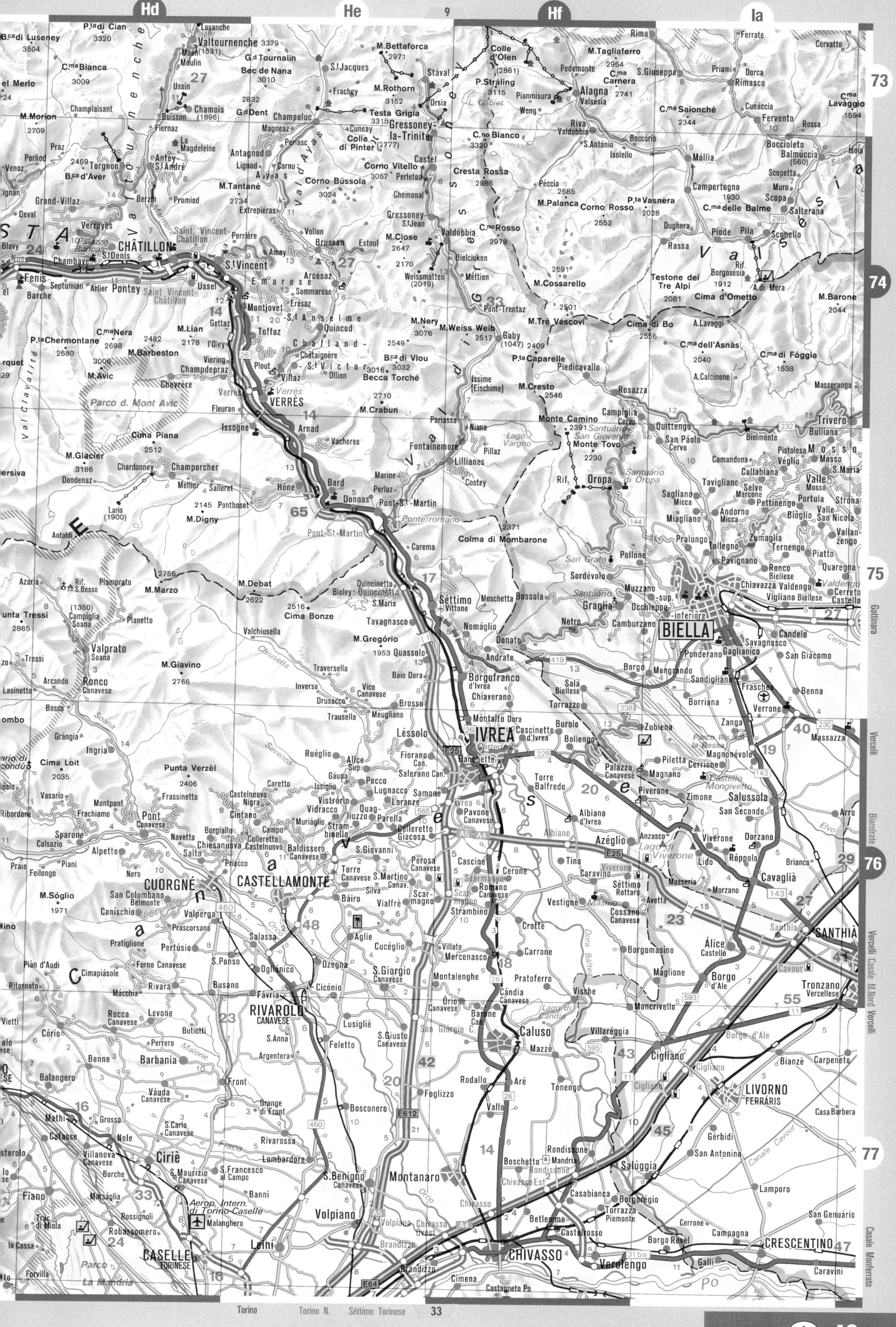
Hd
He
9
Hf
Ia
73
74
75
76
77
Valtournenche
Breuil-Cervinia
Chamois
Torgnon
Antey-St.André
CHÂTILLON
St.Vincent
Fenis
Pontey
Ussel
Montjovet
Brusson
Champoluc
Gressoney-la-Trinité
Gressoney-St.Jean
Alagna Valsésia
Riva Valdobbia
M.Tagliaferro
Colle d'Olen
Testa Grigia
Corno Vitello
Corno Bússola
Challand-St.Anselme
Challand-St.Victor
Champdepraz
VERRÈS
Issogne
Arnad
Parco d. Mont Avic
Champorcher
Hône
Bard
Donnas
Pont-St.-Martin
Carema
Gaby
Issime
Fontainemore
Lillianes
Colma di Mombarone
Oropa
Santuário di Oropa
Rosazza
Piedicavallo
Campiglia Cervo
Quittengo
San Páolo Cervo
Andorno Micca
Tollegno
Pralungo
Pollone
Sordévolo
Graglia
Muzzano
Occhieppo
BIELLA
Ponderano
Gaglianico
Candelo
Sandigliano
Borriana
Verrone
Benna
Massazza
Cossato
Valle Mosso
Trivero
Piode
Scopello
Pila
Quincinetto
Séttimo Vittone
Tavagnasco
Nomáglio
Borgofranco d'Ivrea
Chiaverano
Andrate
Montalto Dora
IVREA
Banchette
Fiorano Can.
Salerano Can.
Samone
Pavone Canavese
Léssolo
Brosso
Vico Canavese
Traversella
Valchiusella
Valprato Soana
Ronco Canavese
Ingria
Cima Bonze
M.Marzo
M.Debat
Pont Canavese
Sparone
Locana
CUORGNÉ
CASTELLAMONTE
Valperga
Salassa
Oglianico
Favria
RIVAROLO CANAVESE
Aglie
S.Giorgio Canavese
Cuceglio
Strambino
Romano Canavese
Scarmagno
Azéglio
Lago di Viverone
Viverone
Cavaglià
Salussola
Dorzano
Alice Castello
SANTHIÀ
Borgo d'Ale
Tronzano Vercellese
Cigliano
LIVORNO FERRARIS
Caluso
Mazzè
Villaréggia
Moncrivello
Saluggia
Rondissone
Montanaro
S.Benigno Canavese
Volpiano
Leinì
CHIVASSO
Verolengo
CRESCENTINO
Lamporo
San Genuário
Caravini
Cirié
Nole
S.Maurizio Canavese
San Francesco al Campo
Aerop. Intern. di Torino-Caselle
CASELLE TORINESE
Parco La Mandria
Corio
Barbania
Front
Rivarossa
Lombardore
Bosconero
Foglizzo
Feletto
Lusigliè
Po
Dora Báltea
Vercelli
Biandrate
Casale M.Nord
Casale Monferrato
Gattinara
Torino
Torino N.
Séttimo Torinese
33

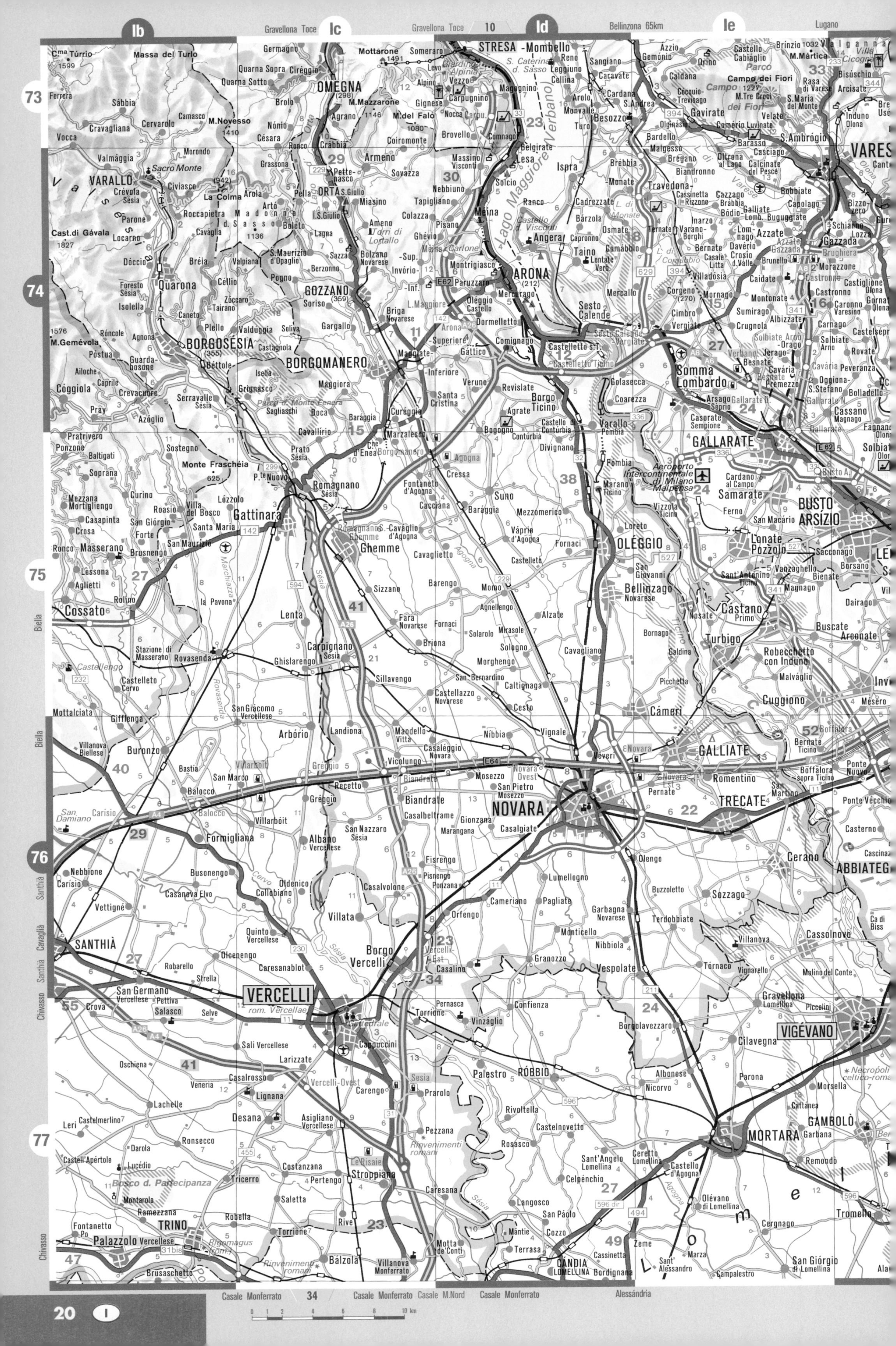

Ib
Gravellona Toce
Ic
Gravellona Toce
10
Id
Bellinzona 65km
Ie
Lugano
73
74
75
76
77
Cma Túrrio
Massa del Turlo
Ferrera
Sábbia
Cravagliana
Cervarolo
Camasco
M.Novesso
Vocca
Valmággia
Morondo
VARALLO
Sacro Monte
Crévola
Civiasco
La Colma
Parone
Roccapietra
Madonna d. Sasso
Cast.di Gávala
Locarno
Caváglia
Dóccio
Bréia
Valpiana
Quarona
Céllio
Foresto Sésia
Isolella
Zúccaro
Tairano
Caneto
M.Gemévola
Róncole
Agnona
Plello
Valdúggia
BORGOSÉSIA
Postua
Guardabosone
Bettole
Castagnola
Ailoche
Caprile
Cóggiola
Crevacuore
Pray
Azóglio
Serravalle Sesia
Grignasco
Isella
Sagliaschi
Pratrivero
Ponzone
Baltigati
Soprana
Sostegno
Monte Fraschéia
Mezzana Mortigliengo
Casapinta
Crosa
Curino
Roasio
Villa del Bosco
Lózzolo
San Giórgio
Santa Maria
Forte
Gattinara
San Maurizio
Brusnengo
Masserano
Ronco
Lessona
Aglietti
Cossato
Roliglio
la Pavona
Stazione di Masserano
Rovasenda
Castellengo
Castelletto Cervo
Mottalciata
Gifflenga
Villanova Biellese
Buronzo
Bastia
San Marco
Balocco
San Damiano
Carisio
Formigliana
Villarbóit
Busonengo
Nebbione
Casanova Elvo
Vettigné
SANTHIÀ
Quinto Vercellese
Olcenengo
Robarello
Strella
San Germano Vercellese
Crova
Salasco
Selve
Pettiva
VERCELLI
rom. Vercellae
Sali Vercellese
Oschiena
Larizzate
Veneria
Casalrosso
Lignana
Lachelle
Desana
Asigliano Vercellese
Leri
Castelmerlino
Ronsecco
Darola
Castell'Apértole
Lucédio
Bosco d. Partecipanza
Tricerro
Montarolo
Ramezzana
TRINO
Robella
Fontanetto Po
Palazzolo Vercellese
Rigomagus
Brusaschetto
Germagno
Quarna Sopra
Quarna Sotto
Ciréggio
OMEGNA
M.Mazzarone
Brolo
Nónio
Césara
Agrano
Crabbia
Grassona
Pella
ORTA S.Giulio
Pettenasco
Miasino
Armeno
Artò
Boleto
Lagna
S.Maurizio d'Opaglio
Sazza
Bolzano Novarese
Berzonno
Pogno
GOZZANO
Soriso
Gargallo
Solive
BORGOMANERO
Maggiora
Boca
Barággia
Cavallírio
Curéggio
Prato Sésia
Romagnano Sésia
Gherme
Ghemme
Cavaglietto
Sizzano
Lenta
Fara Novarese
Carpignano Sesia
Ghislarengo
Sillavengo
Arbório
Landiona
San Giacomo Vercellese
Mandello Vitta
Vicolungo
Recetto
Gréggio
Biandrate
Albano Vercellese
San Nazzaro Sésia
Oldenico
Collobiano
Casalvolone
Villata
Borgo Vercelli
Caresanablot
Cappuccini
Carengo
Prarolo
Pezzana
Rinvenimenti romani
Costanzana
Pertengo
Stroppiana
Saletta
Caresana
Rive
Torrione
Bálzola
Villanova Monferrato
Mottarone
Somerarc
Levo
Alpino
Vezzo
Carpugnino
Gignese
M.del Falò
Coiromonte
Brovello
Comnago
Massino Visconti
Sovazza
Nebbiuno
Tapigliano
Colazza
Pisano
Ghévio
Meina
Ameno
Invório
Montrigiasco
Paruzzaro
Briga Novarese
Maggiate
Gáttico
Veruno
Santa Cristina
Marzalesco
Agogna
Cressa
Fontaneto d'Agogna
Caccrana
Barággia
Suno
Cavaglio d'Agogna
Barengo
Momo
Agnellengo
Briona
Solarolo
Mirasole
Sologno
Morghengo
San Bernardino
Caltignaga
Castellazzo Novarese
Cesto
Níbbia
Casaléggio Novara
Vignale
Mosezzo
San Pietro Mosezzo
Casalbeltrame
Gionzana
Marangana
NOVARA
Casalgiate
Fisrengo
Pisnengo
Ponzana
Cameriano
Orfengo
Vercelli Est
Casalino
Pernasca
Torrione
Vinzáglio
Confienza
Palestro
RÓBBIO
Rivoltella
Castelnovetto
Rosasco
Langosco
San Páolo
Cozzo
Mántie
Terrasca
Motta de'Conti
STRESA-Mombello
S. Caterina d. Sasso
Reno
Leggiuno
Cellina
Sangiano
Caravate
Cardana
Arolo
Monvalle
Besozzo
Turro
Belgirate
Lesa
Solcio
Ispra
Ranco
Lago Maggiore (Verbano)
Angera
Cadrezzate
Bárzola
Osmate
Taino
Capronno
Comábbio
Lentate Verb.
Mercallo
ARONA
Mercurago
Oléggio Castello
Dormelletto
Comignago
Castelletto s.T.
Sesto Calende
Revislate
Borgo Ticino
Agrate
Bogogno
Conturbia
Castello di Contúrbia
Divignano
Varallo Pombia
Pombia
Marano Ticino
Mezzomerico
Váprio d'Agogna
Fornaci
Castelletto
Oléggio
Loreto
Bellinzago Novarese
Alzate
Cavagliano
Cámeri
Véveri
Romentino
TRECATE
Olengo
Lumellogno
Pagliate
Garbagna Novarese
Monticello
Nibbiola
Granozzo
Vespolate
Borgolavezzaro
Albonese
Nicorvo
Castello d'Agogna
Ceretto Lomellina
Sant'Angelo Lomellina
Celpenchio
Zeme
CANDIA LOMELLINA
Cassinetta
Bordignana
Sant'Alessandro
Marza
Azzio
Gemónio
Orino
Caldana
Cocquio-Trevisago
Gavirate
Comério
Luvinate
Barasso
Bardello
Malgesso
Brebbia
Bregano
Biandronno
Monate
Travedona-Monate
Cassinetta
Rizzone
Cazzago Brábbia
Bódio
Inarzo
Ternate
Varano-Borghi
Bernate
Casale Litta
Corgeno
Vergiate
Cimbro
Mornago
Golasecca
Coarezza
Somma Lombardo
Arsago Seprio
Casorate Sempione
GALLARATE
Aeroporto Intercontinentale di Milano Malpensa
Cardano al Campo
Samarate
Ferno
Vizzola Ticino
Lonate Pozzolo
San Macário
BUSTO ARSÍZIO
Sant'Antonino Ticino
Vanzaghello
Castano Primo
Nosate
Turbigo
Robecchetto con Induno
Malváglio
Cuggiono
Bernate Ticino
GALLIATE
Pernate
Bóffalora sopra Ticino
San Martino
Cerano
Sozzago
Terdobbiate
Villanova
Tórnaco
Vignarello
Cassolnovo
Gravellona Lomellina
Cilavegna
VIGÉVANO
Parona
Morsella
Cattánea
GAMBOLÒ
MORTARA
Remondò
Olévano di Lomellina
Cergnago
San Giórgio di Lomellina
Tromello
Campalestro
Lomellina
Brinzio
Valganna
M.Mártica
Castello Cabiaglio
Campo dei Fiori
Rasa di Varese
S.Maria del Monte
Velate
S.Ambrógio
VARESE
Casciago
Oltrona al Lago
Calcinate del Pesce
Bobbiate
Capolago
Galliate Lomb.
Buguggiate
Azzate
Daverio
Crosio d.Valle
Gazzada
Brunello
Morazzone
Caidate
Castronno
Montonate
Sumirago
Albizzate
Crugnola
Solbiate Arno
Jerago-Orago
Besnate
Cavária
Premezzo
Oggiona-S.Stefano
Cassano Magnago
Induno Olona
Bisúschio
Arcisate
Biella
Santhià
Cavaglià
Chivasso

0 1 2 4 6 8 10 km

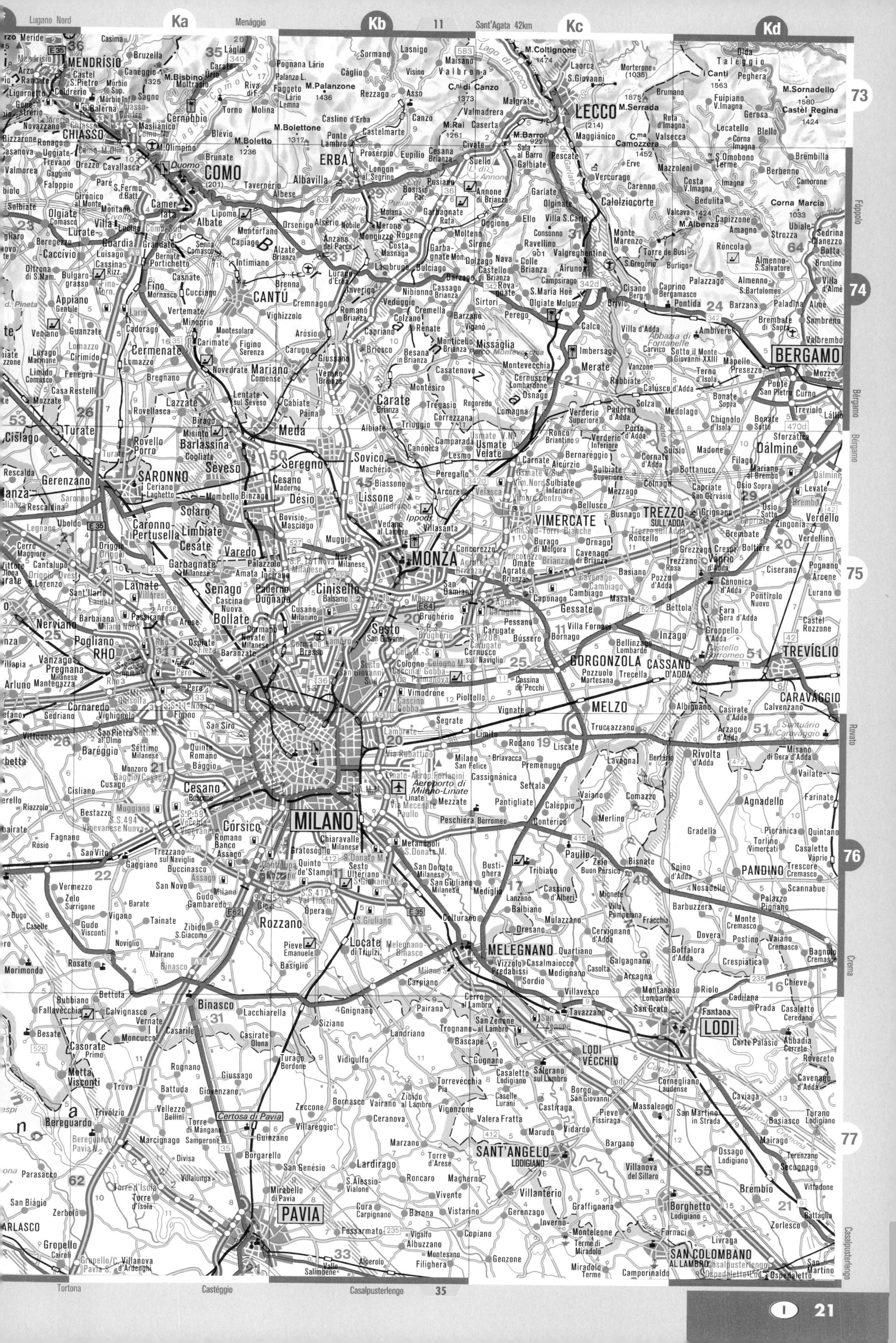
Ka
Kb
Kc
Kd
Lugano Nord
Menággio
11
Sant'Agata 42km
73
74
75
76
77
MENDRÍSIO
CHIASSO
COMO
ERBA
LECCO
BERGAMO
CANTÙ
Meda
Seregno
Carate Brianza
SARONNO
Séveso
Désio
Lissone
MONZA
VIMERCATE
TREZZO SULL'ADDA
Dálmine
Legnano
Limbiate
Cesate
Varedo
Lainate
Senago
Cinisello
Bollate
Sesto San Giovanni
RHO
Nerviano
GORGONZOLA
CASSANO D'ADDA
TREVÍGLIO
CARAVÁGGIO
MELZO
MILANO
Cesano Boscone
Córsico
Rozzano
Locate di Triulzi
MELEGNANO
San Donato Milanese
LODI
LODI VECCHIO
Binasco
PAVIA
SANT'ANGELO LODIGIANO
SAN COLOMBANO AL LAMBRO
Certosa di Pavia
Aeroporto di Milano-Linate
Tortona
Castéggio
Casalpusterlengo
35
Fóppolo
Bérgamo
Rovato
Crema
Casalpusterlengo

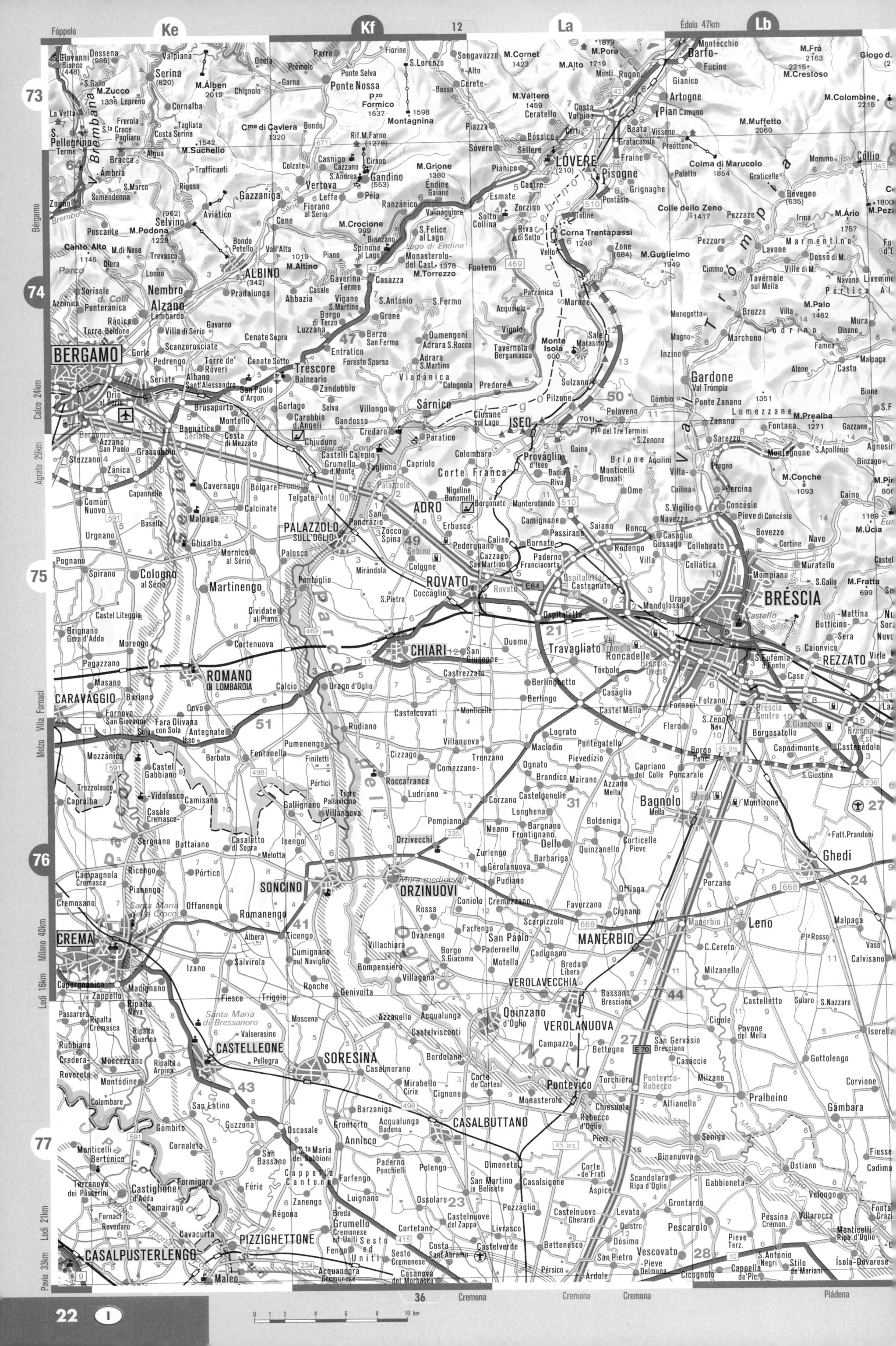

Fóppolo
Ke
Kf
12
La
Édolo 47km
Lb
73
74
75
76
77
Bèrgamo
Calco 24km
Agrate 29km
Melzo Villa Fornaci
Milano 40km
Lodi 16km
Lodi 21km
Pavia 33km
BERGAMO
BRÉSCIA
CREMA
CARAVÁGGIO
CASALPUSTERLENGO
PIZZIGHETTONE
CASTELLEONE
SORESINA
SONCINO
ORZINUOVI
ROMANO DI LOMBARDIA
CHIARI
ROVATO
PALAZZOLO SULL'OGLIO
ADRO
ISEO
LÓVERE
ALBINO
REZZATO
MANÉRBIO
VEROLANUOVA
VEROLAVECCHIA
CASALBUTTANO
Sárnico
Trescore Balneario
Gardone Val Trómpia
Darfo-
Pisogne
Monte Isola
Ghedi
Leno
Bagnolo Mella
Pontevico
Travagliato
Roncadelle
Concésio
Lago d'Iseo
Val Trómpia
V. Brembana
36
Cremona
Piádena

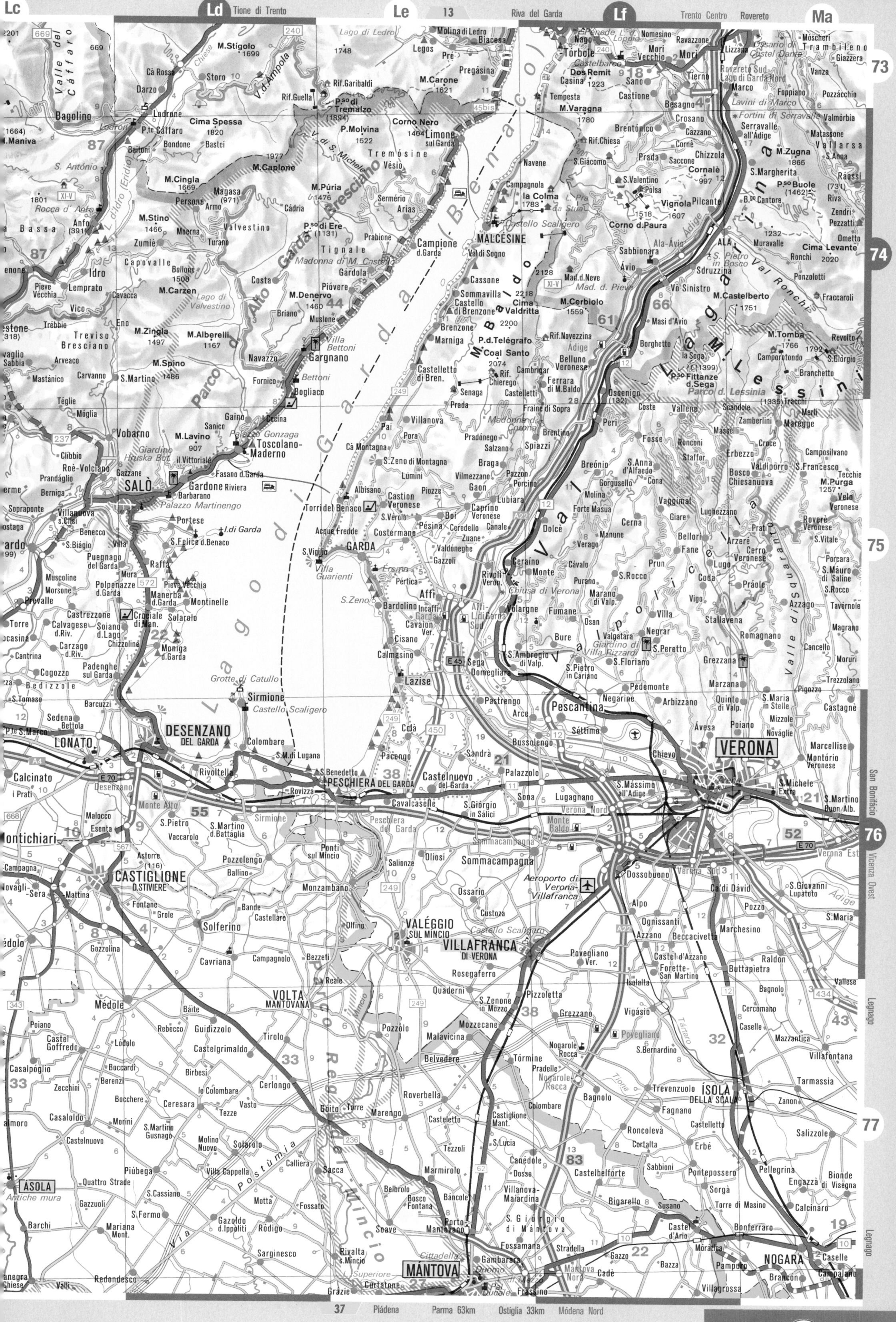
73
74
75
76
77
San Bonifácio
Vicenza Ovest
Legnago
Lago di Ledro
Riva del Garda
Nago
Tórbole
Mori
Rovereto
Bagolino
Storo
Limone sul Garda
Tremósine
Tignale
Gargnano
Campione d.Garda
Malcésine
Monte Baldo
Lago di Garda (Benaco)
Salò
Gardone Riviera
Toscolano-Maderno
Torri del Benaco
Garda
Bardolino
Lazise
Sirmione
Desenzano del Garda
Peschiera del Garda
Lonato
Castelnuovo del Garda
Castiglione d.Stiviere
Solferino
Valéggio sul Mincio
Villafranca di Verona
Sommacampagna
Aeroporto di Verona-Villafranca
Verona
Pescantina
Valpolicella
Monti Lessini
Vallagarina
Val d'Ádige
Ala
Ávio
Volta Mantovana
Goito
Mántova
Ísola della Scala
Nogara
Ásola
Parco Alto Garda Bresciano
Parco d. Lessinia
Parco d. Mincio
Via Postumia

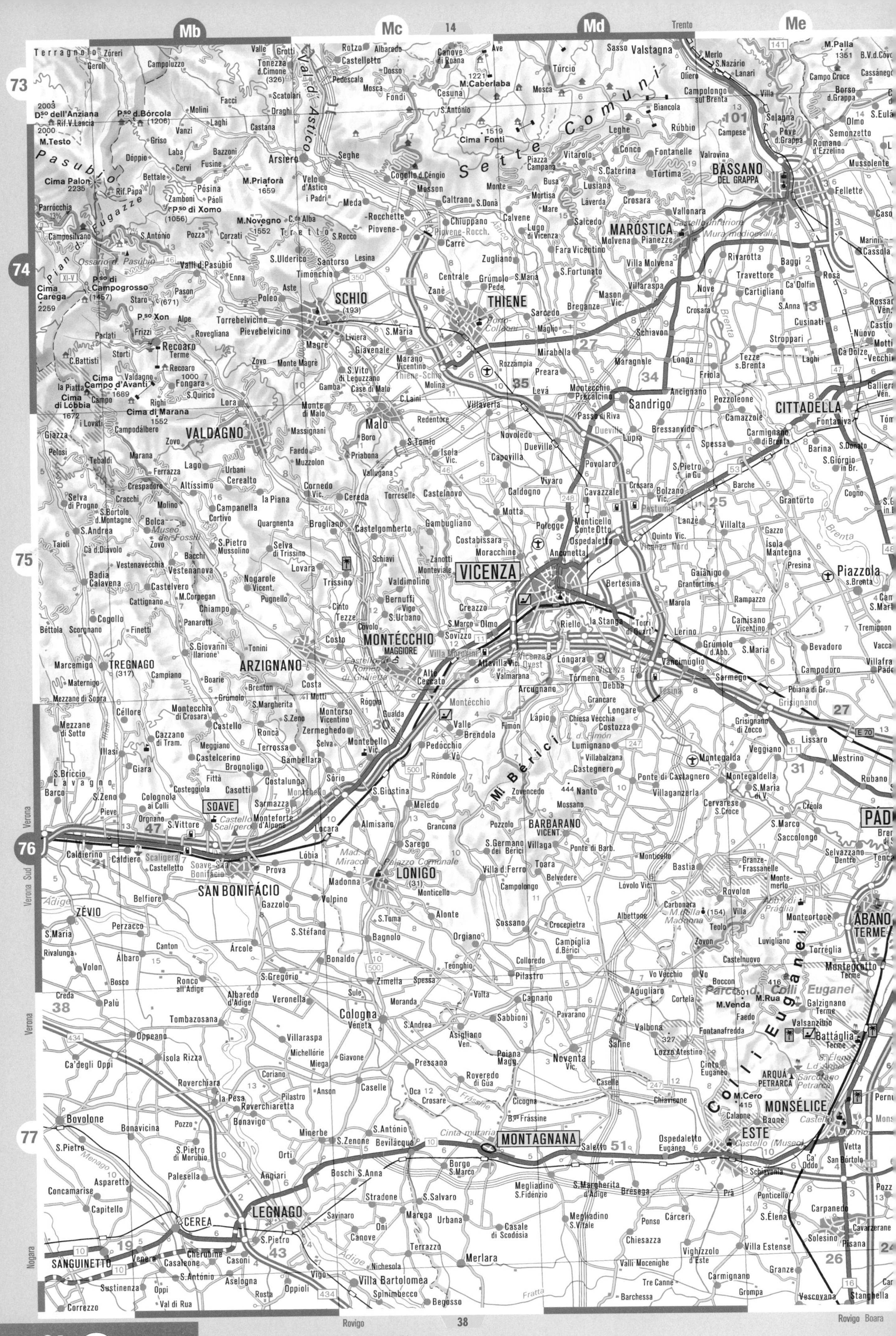
Mb
Mc
14
Md
Trento
Me
73
74
75
76
77
Sette Comuni
Val d'Astico
Pasubio
BASSANO DEL GRAPPA
MARÓSTICA
SCHIO
THIENE
VALDAGNO
VICENZA
CITTADELLA
MONTÉCCHIO MAGGIORE
ARZIGNANO
SOAVE
SAN BONIFÁCIO
LONIGO
BARBARANO VICENT.
Mi Bérici
Colli Euganei
ABANO TERME
MONSÉLICE
ESTE
MONTAGNANA
LEGNAGO
CEREA
SANGUINETTO
TREGNAGO
Sandrigo
Malo
Recoaro Terme
Cologna Véneta
Verona
Verona Sud
Nogara
Rovigo
38
Rovigo Boara

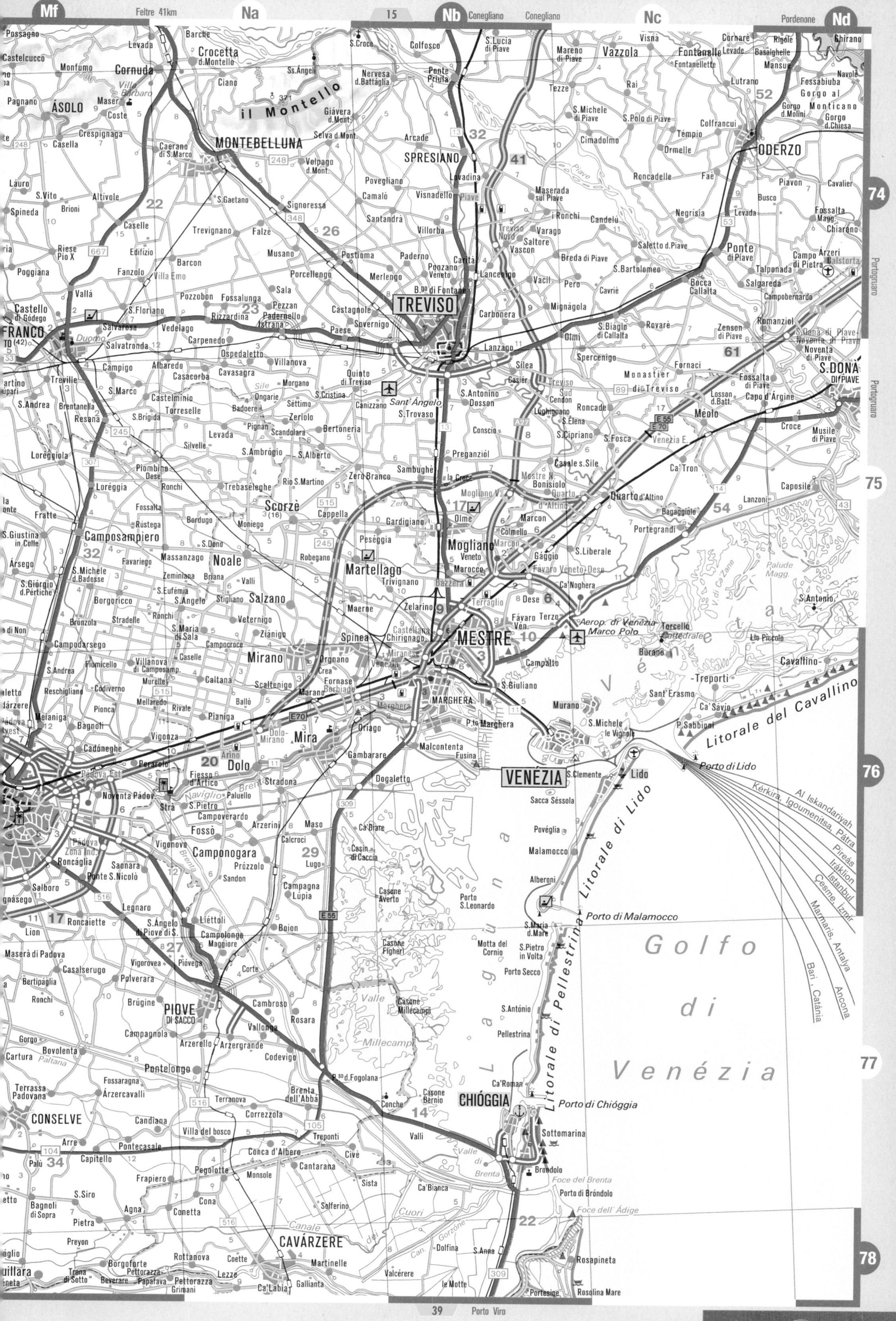
Mf
Feltre 41km
Na
15
Nb
Conegliano
Conegliano
Nc
Pordenone
Nd
Possagno
Castelcucco
Levada
Barche
Crocetta d.Montello
Monfumo
Cornuda
Ss.Angeli
S.Croce
Colfosco
S.Lucia di Piave
Mareno di Piave
Vazzola
Visnà
Fontanelle
Fontanellette
Cornarè
Levade
Rigole
Basalghelle
Mansuè
Ghirano
Navolè
Fossabiuba
Gorgo al Monticano
Gorgo d.Molini
Gorgo d.Chiesa
Villa Barbaro
Ciano
Nervesa d.Battáglia
Ponte Priula
Tezze
Rai
Lutrano
Pagnano
ÁSOLO
Maser
Coste
il Montello
Giávera d.Mont.
S.Michele di Piave
S.Polo di Piave
Colfrancui
Tempio
Crespignaga
Casella
Caerano di S.Marco
MONTEBELLUNA
Selva d.Mont.
Arcade
SPRESIANO
Cimadolmo
Ormelle
ODERZO
Volpago d.Mont.
Lovadina
Piave
Povegliano
Camalò
Visnadello
Maserada sul Piave
Roncadelle
Faè
Piavon
Cavalier
Lauro
S.Vito
Altivole
S.Gaetano
Signoressa
Busco
Spineda
Brioni
Caselle
Trevignano
Falzè
Santandrà
Villorba
Ronchi
Candelù
Negrisia
Levada
Fossalta Magg.
Chiarano
Varago
Treviso Nord
Saltore
Vascon
Saletto d.Piave
Ponte di Piave
Campo di Pietra
Árzeri
Calstorta
Riese Pio X
Edifizio
Musano
Postioma
Paderno
Carità
Pozzano Veneto
Breda di Piave
S.Bartolomeo
Talponada
Salgareda
Portogruaro
Poggiana
Fanzolo
Villa Emo
Barcon
Porcellengo
Merlengo
Lancenigo
Vacil
Pero
Cavriè
Bocca Callalta
Campobernardo
Vallà
Sala
B.go di Fontane
Pozzobon
Fossalunga
Pezzan
Castello di Gódego
S.Floriano
Rizzardina
Padernello
Istrana
Castagnole
TREVISO
Carbonera
Mignágola
Romanziol
FRANCO
Salvarosa
Vedelago
Sovernigo
Paese
S.Biagio di Callalta
Rovarè
Zenson di Piave
S.Donà di Piave
Duomo
Salvatronda
Carpenedo
Olmi
Noventa di Piave
Ospedaletto
Lanzago
Spercenigo
Fornaci
Campigo
Albaredo
Villanova
Silea
Monastier di Treviso
S.DONÀ DI PIAVE
Treville
Casacorba
Cavasagra
Quinto di Treviso
Casier
Treviso Sud
Cendon
Fossalta di Piave
S.Marco
Morgano
Ongarie
S.Cristina
Sant'Ángelo
S.Antonino
Dosson
Lughignano
Roncade
Losson d.Batt.
Capo d'Árgine
S.Andrea
Brentanella
Castelminio
Torreselle
Badoere
Settima
Canizzano
S.Trovaso
Resana
S.Brigida
Zeriolo
Pignan
Scandolara
Bertoneria
Conscio
S.Elena
Méolo
Croce
Musile di Piave
Levada
Silvelle
S.Cipriano
S.Fosca
Venezia E.
Loréggia
S.Ambrógio
S.Alberto
Preganziól
Casale s.Sile
Piombino Dese
Zero Branco
Sambughè
la Croce
Ca' Tron
Trebaseleghe
Rio S.Martino
Mestre N.
Bonisiolo
Mogliano V.
Quarto d'Altino
Caposile
Loréggia
Ronchi
Lanzoni
Fossalta
Fratte
Scorzè
Bordugo
Moniego
Cappella
Zero
Olme
Bagaggiolo
Portegrandi
Rústega
Gardigiano
Marcon
Colmello
S.Giustina in Colle
Camposampiero
S.Dono
Massanzago
Peséggia
Mogliano Veneto
Gaggio
S.Liberale
Palude Magg.
Ársego
Favariego
Noale
Robegano
Martellago
Marocco
Fávaro Veneto-Dese
S.Michele d.Badesse
Zeminiana
Briana
Valli
Trivignano
Bazzera
Ca' Noghera
S.Giórgio d.Pertiche
S.Eufémia
S.Angelo
Stigliano
Salzano
Zelarino
Terraglio
Dese
S.Antonio
Borgoricco
Stradelle
Maerne
Fávaro Ven.
Terzo
Aerop. di Venezia Marco Polo
Torcello
Cattedrale
Bronzola
Ronchi
Veternigo
Castellana
Chirignago
MESTRE
S.Maria di Sala
Ziánigo
Lio Piccolo
Campodarsego
Campocroce
Burano
Villanova di Camposamp.
Caselle
Mirano
Spinea
Miranese
Campalto
Cavallino-Treporti
Fiumicello
Orgnano
S.Andrea
Murelle
Caltana
Crea
Scaltenigo
Fornase
Borbiago
S.Giuliano
Reschigliano
Códiverno
Marano
Sant'Erasmo
Mellaredo
Rivale
Ballò
MARGHERA
Ca' Savio
Pionca
Murano
Meianiga
Pianiga
S.Michele
le Vignole
Lido
Bagnoli
Dolo-Mirano
Mira
Oriago
P.to Marghera
P.Sabbioni
Vigonza
Litorale del Cavallino
Cadóneghe
Arino
Malcontenta
Fusina
Porto di Lido
Peraga
Gambarare
Dolo
Fiesso d'Ártico
Stradona
Padova Est
VENÉZIA
S.Clemente
Dogaletto
Noventa Padov.
Paluello
Stra
Navíglio
Brenta
S.Pietro
Sacca Séssola
Litorale di Lido
Campoverardo
Arzerini
Maso
Kérkira, Igoumenitsa, Pátra
Al Iskandarīyah
Fossò
Ca'Bianca
Povéglia
Vigonovo
Camponogara
Calcroci
Casin di Caccia
Pireás
Iráklion
Istanbul
Çesme, Izmir
Malamocco
Padova Zona Ind.
Roncáglia
Saonara
Prózzolo
Lugo
Alberoni
Salboro
Ponte S.Nicolò
Sandon
Campagna Lúpia
Casone Averto
Porto S.Leonardo
Marmaris, Antalya
Legnaro
Roncaiette
S.Ángelo di Piove di S.
Liéttoli
Boion
Porto di Malamocco
Lion
Campolongo Maggiore
Casone Figheri
Motta del Cornio
S.Maria d.Mare
S.Pietro in Volta
Golfo di Venézia
Maserà di Padova
Vigorovea
Piovega
Corte
Casalserugo
Polverara
Porto Secco
Ancona
Bertipáglia
Bari, Catánia
Ronchi
Brúgine
PIOVE DI SACCO
Cambroso
Valle Millecampi
Casone Millecampi
S.António
Rosara
Laguna Veneta
Campagnola
Vallonga
Litorale di Pellestrina
Pellestrina
Gorgo
Bovolenta
Arzerello
Arzergrande
Codevigo
Cartura
Paltana
Pontelongo
Ca'Roman
Fossaragna
B.go d.Fogolana
Terrassa Padovana
Árzercavalli
Brenta dell'Abbà
Casone Bernio
Conche
CHIÓGGIA
Porto di Chióggia
Terranova
CONSELVE
Candiana
Correzzola
Sottomarina
Villa del bosco
Treponti
Valli
Arre
Pontecasale
Conca d'Albero
Civè
Valle di Brenta
Palù
Capitello
Cantarana
Brondolo
Foce del Brenta
Pegolotte
Monsole
Frapiero
Sista
Porto di Bróndolo
S.Siro
Cona
Ca'Bianca
Bagnoli di Sopra
Agna
Conetta
Solferino
Cuori
Foce dell'Ádige
Pietra
Canale
Gorzone
Preyon
CAVÁRZERE
Dolfina
S.Anna
Rottanova
Coette
Rosapineta
Borgoforte
Martinelle
Trona di Sotto
Pettorazza-Papafava
Beverare
Pettorazza Grimani
Lezze
Valcérere
Gallianta
Ca'Labia
le Motte
Portesine
Rosolina Mare
39
Porto Viro
74
75
76
77
78

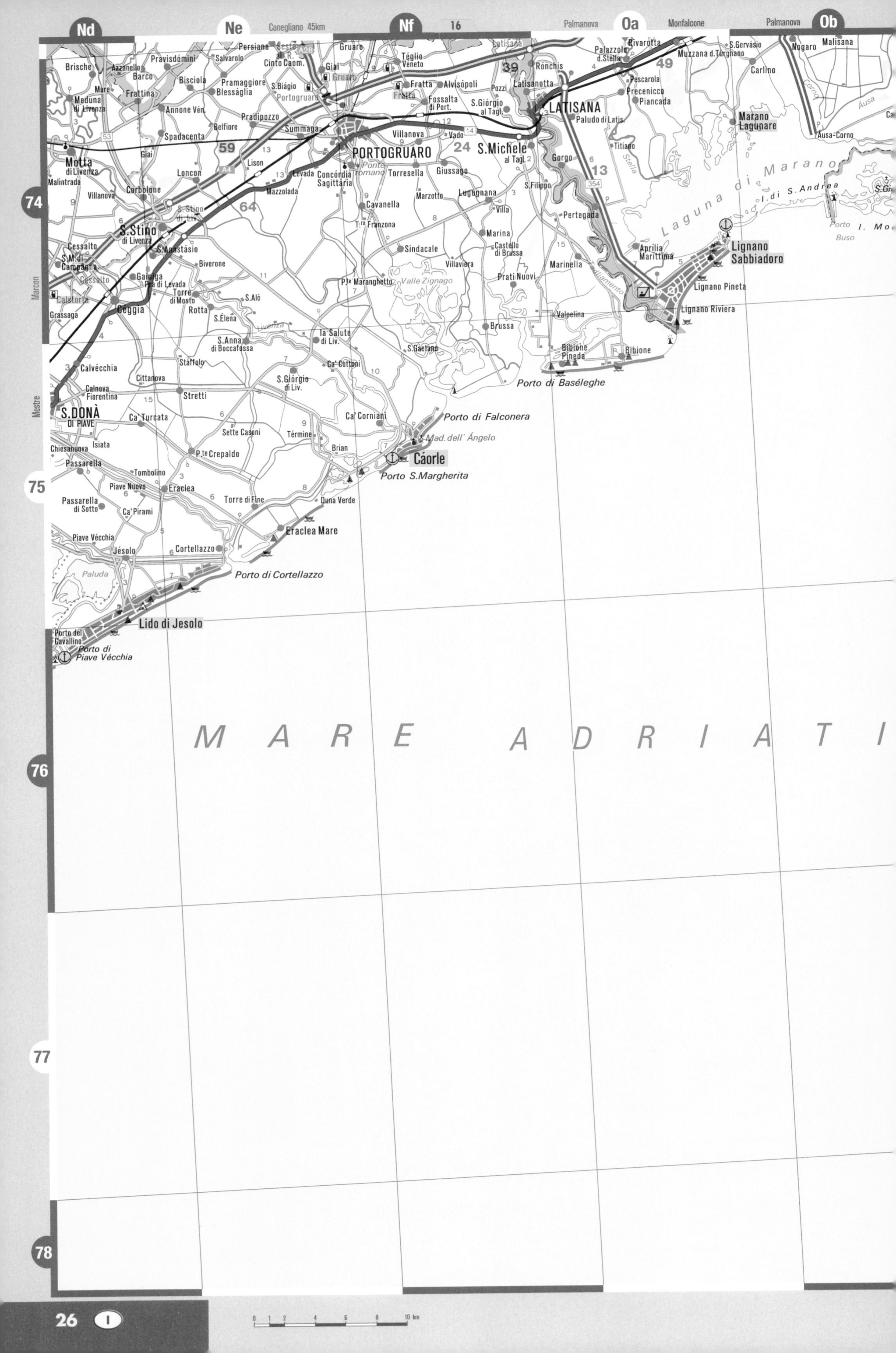

MARE ADRIATI

0 1 2   4   6   8   10 km

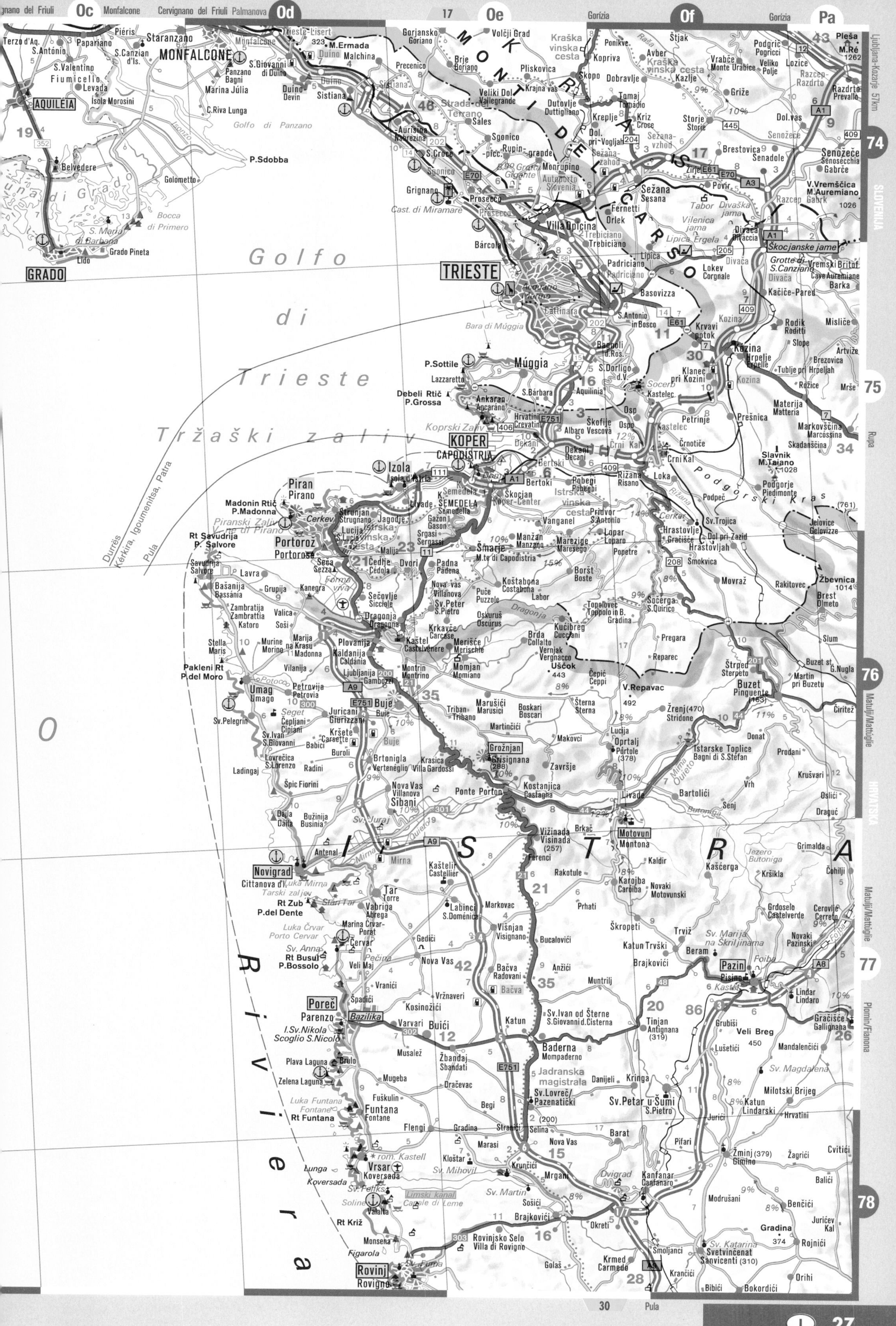

MONFALCONE
AQUILEIA
GRADO
TRIESTE
Golfo di Trieste
Tržaški zaliv
Golfo di Panzano
KOPER
CAPODISTRIA
Izola
Piran
Pirano
Portorož
Portorose
Umag
Umago
Novigrad
Cittanova d'I.
Poreč
Parenzo
Rovinj
Rovigno
Vrsar
Koversada
Pazin
Pisino
Motovun
Montona
Buzet
Pinguente
Grožnjan
Grisignana
Buje
Buie
Sežana
Sesana
Múggia
Kozina
Lipica
Škocjanske jame
ISTRA
Riviera
MONTI DEL CARSO
Limski kanal
Jadranska magistrala
Ljubljana-Kozarje 57km
SLOVENIJA
HRVATSKA
Rupa
Matulji/Mattuglie
Plomin/Fianona
Pula
74
75
76
77
78

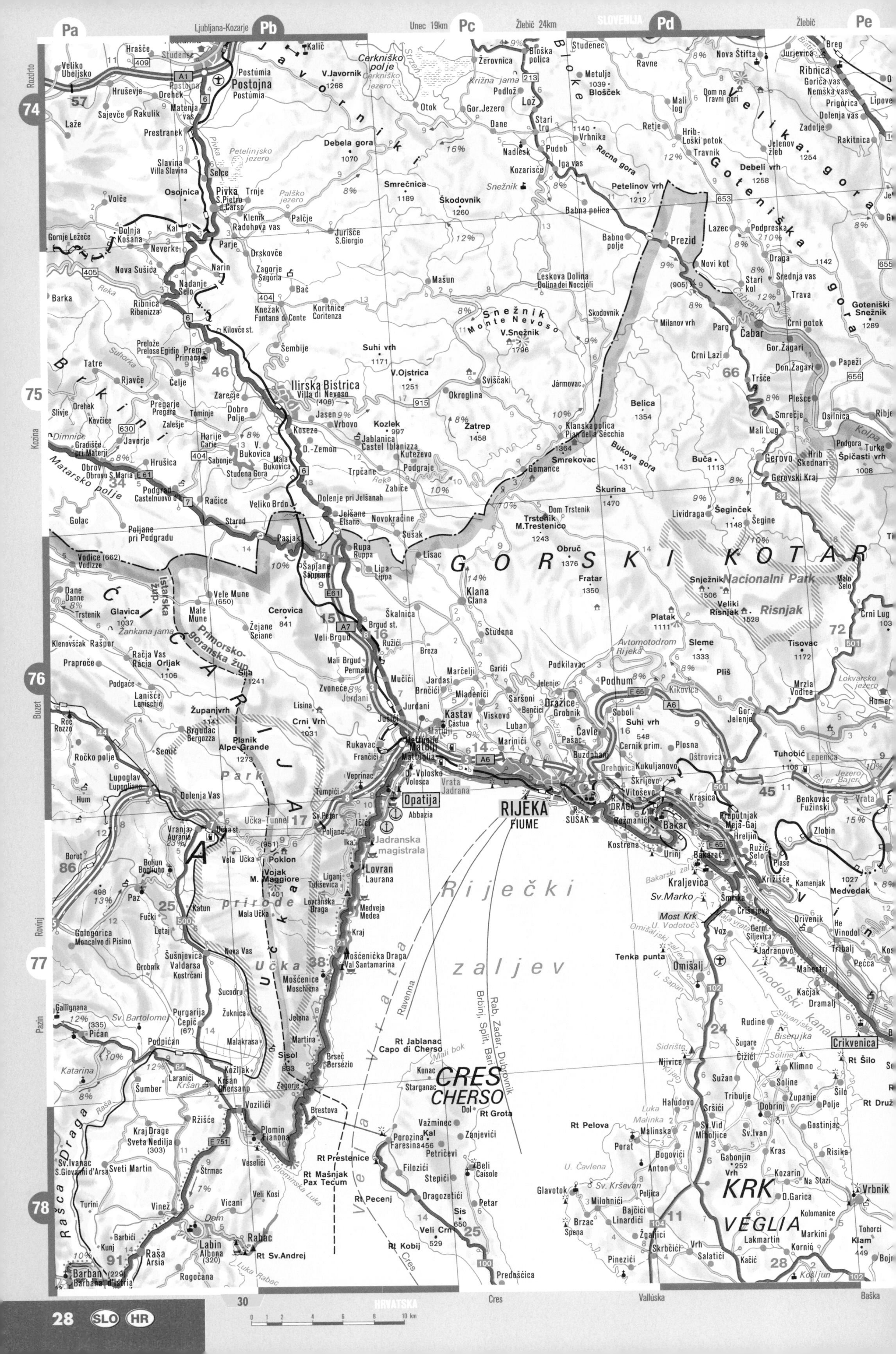
Postojna
Ilirska Bistrica
Snežnik
Monte Nevoso
GORSKI KOTAR
Nacionalni Park
Risnjak
ĆIĆARIJA
Učka
Park prirode
Opatija
RIJEKA
FIUME
Riječki zaljev
Lovran
Kastav
Matulji
Bakar
Kraljevica
Crikvenica
Omišalj
KRK
VÉGLIA
CRES
CHERSO
Labin
Rabac
Čabar
Prezid
Delnice
Vela Vrata
Vinodolski kanal
Brkini
Javorniki
Velika gora
Goteniška gora

Cres Valúska Baška

30 HRVATSKA

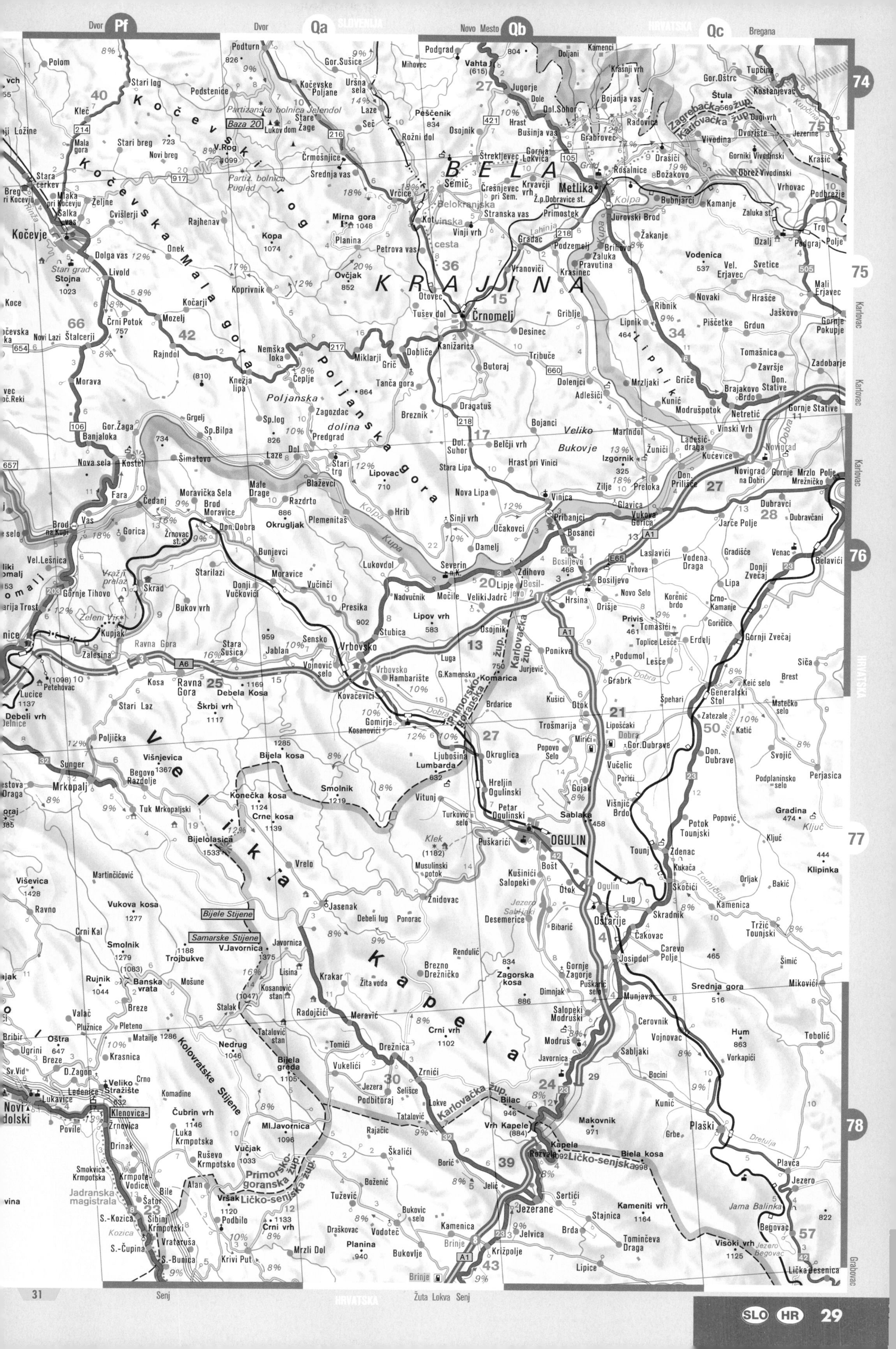
Polom
Stari log
Kleč
Ložine
Podstenice
Kočevske Poljane
Kočevski rog
Kočevska Mala gora
Gor.Sušice
Mihovec
Podgrad
Vahta
Doljani
Kamenci
Krašnji vrh
Gor.Oštrc
Tupčina
Kostanjevac
Štula
Jugorje
Dole
Dol.Suhor
Bojanja vas
Radovica
Hrast
Bušinja vas
Grabrovec
Zagrebačka žup.
Karlovačka žup.
Vivodina
Dvorište
Jezerine
Pešćenik
Osojnik
Rožni dol
Baza 20
Lukov dom
Stare Žage
Laze
Seč
Uršna sela
Stari breg
Novi breg
Mala gora
V.Rog
Črmošnjice
Srednja vas
Stara cerkev
Breg pri Kočevju
Mlaka pri Kočevju
Željne
Cvišlerji
Šalka vas
Kočevje
Rajhenav
Onek
Kopa
Mirna gora
Planina
Petrova vas
Vrčice
Semič
Črešnjevec pri Sem.
Krvavčji vrh
Štrekljevec
Gornja Lokvica
Metlika
Rosalnice
Drašiči
Božakovo
Obrež Vivodinski
Gorniki Vivodinski
Krašić
Vrhovac
Podbrežje
Bubnjarci
Kamanje
Zaluka st.
Ozalj
Podgraj
Trg
Polje
Jurovski Brod
Kolpa
Primostek
Stranska vas
Ž.p.Dobravice st.
Belokranjska cesta
Kot
Vinji vrh
Gradac
Podzemelj
Žakanje
Brihovo
Zaluka
Pravutina
Krasinec
Vranoviči
Vodenica
Vel. Erjavec
Svetice
Mali Erjavec
Dolga vas
Stari grad
Stojna
Livold
Koprivnik
Ovčjak
BELA KRAJINA
Otovec
Tušev dol
Črnomelj
Griblje
Novaki
Hrašće
Ribnik
Jaškovo
Koce
Kočarji
Mozelj
Črni Potok
Novi Lazi
Štalcerji
Rajndol
Nemška loka
Miklarji
Grič
Dobliče
Kanižarica
Desinec
Tribuče
Lipnik
Piščetke
Grdun
Gornje Pokupje
Tomašnica
Završje
Zadobarje
Morava
Knežja lipa
Čeplje
Tanča gora
Butoraj
Dolenjci
Adlešiči
Mrzljaki
Griče
Kunić
Brajakovo Brdo
Don. Stative
Modrušpotok
Netretić
Gornje Stative
Poljanska dolina
Poljanska gora
Zagozdac
Breznik
Dragatuš
Bojanci
Veliko Bukovje
Marindol
Ladešić-draga
Vinski Vrh
Banjaloka
Gor.Žaga
Grgelj
Sp.Bilpa
Sp.log
Predgrad
Dol. Suhor
Belčji vrh
Žuniči
Kučevice
Novigrad na Dobri
Gornje Mrzlo Polje
Mrežničko
Nova sela
Kostel
Šimatovo
Laze
Dol
Stari trg
Lipovac
Stara Lipa
Hrast pri Vinici
Izgornik
Zilje
Preloka
Don. Prilišće
Fara
Moravička Sela
Male Drage
Blaževci
Nova Lipa
Vinica
Glavica
Vukova Gorica
Dubravci
Dubravčani
Jarče Polje
Čedanj
Brod Moravice
Razdrto
Plemenitaš
Hrib
Kupa
Sinji vrh
Učakovci
Pribanjci
Bosanci
Brod na Kupi
Vas
Gorica
Žrnovac st.
Don.Dobra
Okrugljak
Damelj
Laslavići
Vodena Draga
Gradišće
Venac
Belavići
Vel.Lešnica
Bunjevci
Starilazi
Moravice
Vučinči
Lukovdol
Severin n.K.
Zdihovo
Bosiljevo
Vrhova
Lipa
Donji Zvečaj
Gornje Tihovo
Vražji prelaz
Skrad
Donji Vučkovići
Bukov vrh
Presika
Nadvučnik
Močile
Veliki Jadrč
Lipje
Hrsina
Orišje
Novo Selo
Korenić brdo
Crno-Kamanje
Zeleni Vir
Kupjak
Zalesina
Ravna Gora
Stara Sušica
Jablan
Sensko
Vrbovsko
Stubica
Lipov vrh
Osojnik
Ponikve
Privis
Tomašići
Toplice Lešće
Erdelj
Goričice
Gornji Zvečaj
Lucice
Petehovac
Debeli vrh
Kosa
Debela Kosa
Vojnović selo
Hambarište
Luga
G.Kamensko
Komarica
Jurjevič
Podumol
Lešće
Grabrk
Dobra
Generalski Stol
Keić selo
Brest
Sića
Stari Laz
Škrbi vrh
Kovačevići
Gomirje
Kosanovići
Brdarice
Kušići
Otok
Špehari
Zatezale
Katić
Matečko selo
Poljička
Sunger
Višnjevica
Begovo Razdolje
Bijela kosa
Ljubošina
Lumbarda
Okruglica
Trošmarija
Popovo Selo
Mirići
Liposčaki
Gor.Dubrave
Don. Dubrave
Svojić
Mrkopalj
Tuk Mrkopaljski
Konečka kosa
Crne kosa
Smolnik
Vitunj
Hreljin Ogulinski
Petar Ogulinski
Gojak
Vučelić
Poriči
Višnjić Brdo
Podplaninsko selo
Perjasica
Bijelolasica
Klek
Turković selo
Puškarići
OGULIN
Sablaka
Potok Tounjski
Popović
Gradina
Ključ
Tounj
Zdenac
Klipinka
Višnjevica
Martinčićović
Vrelo
Musulinski potok
Kušinići
Salopeki
Bošt
Otok
Lug
Kukača
Skočići
Orljak
Bakić
Ravno
Vukova kosa
Jasenak
Žnidovac
Jezero Sabljaki
Desemerice
Bibarić
Ogulin
Oštarije
Skradnik
Kamenica
Bijele Stijene
Samarske Stijene
Crni Kal
Smolnik
Trojbukve
V.Javornica
Javornica
Debeli lug
Ponorac
Čakovac
Carevo Polje
Tržić Tounjski
Josipdol
Šimić
Rujnik
Banska vrata
Mošune
Lisina
Kosanović stan
Krakar
Žita voda
Rendulić
Brezno Drežničko
Zagorska kosa
Gornje Zagorje
Puškarić selo
Dimnjak
Srednja gora
Mikovići
Valač
Breze
Stalak
Radojčići
Meravić
Crni vrh
Salopeki Modruški
Munjava
Cerovnik
Vojnovac
Pluznice
Pleteno
Matailje
Tatalović stan
Bribir
Oštra
Ugrini
Breze
Krasnica
Nedrug
Kolovratske Stijene
Bijela greda
Tomići
Drežnica
Modruš
Javornica
Sabljaki
Hum
Vorkapići
Tobolić
Sv.Vid
D.Zagon
Veliko Stražište
Crno
Komadine
Vukelići
Jezera
Zrnići
Selišće
Bocini
Ledenice
Lukavice
Novi Vinodolski
Klenovica
Povile
Žrnovica
Čubrin vrh
Luka Krmpotska
Ml.Javornica
Podbitoraj
Tatalović
Lokve
Karlovačka žup.
Bilac
Vrh Kapele
Makovnik
Kunić
Plaški
Grbe
Dretulja
Drinak
Ruševo Krmpotsko
Vučjak
Rajačić
Škaliči
Borić
Kapela
Rozvale
Ličko-senjska
Biela kosa
Plavča
Jezero
Smokvica Krmpotska
Krmpote-Vodice
Primorsko-goranska žup.
Alan
Bile
Božeić
Jelić
Sertići
Jadranska magistrala
Šator
Vršak
Ličko-senjska žup.
Tuževič
Jezerane
Stajnica
Kameniti vrh
Jama Balinka
Begovac
S.-Kozica
Sibinj Krmpotski
Podbilo
Črni vrh
Draškovac
Vodoteč
Bukovic selo
Kamenica
Jelvica
Brda
Tominčeva Draga
Visoki vrh
Jezero Begovac
S.-Čupina
Vrataruša
S.-Bunica
Krivi Put
Mrzli Dol
Planina
Bukovlje
Brinje
Križpolje
Lipice
Lička Jesenica
Kupčina
Karlovac
HRVATSKA
Grabovac
Senj
Žuta Lokva
Senj

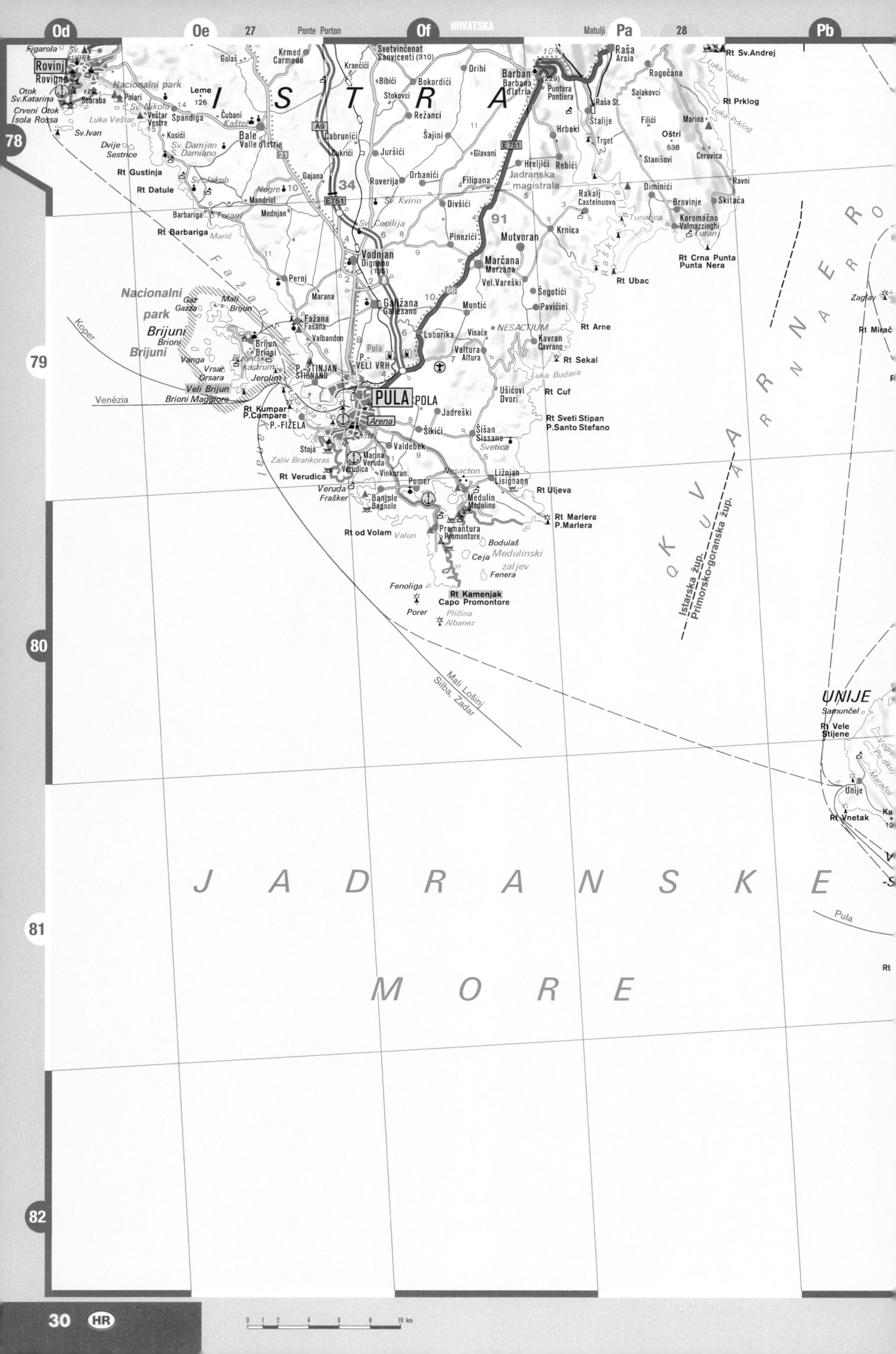

Od
Oe
27
Ponte Porton
Of
HRVATSKA
Matulji
Pa
28
Pb
78
79
80
81
82
I S T R A
Rovinj
Rovigno
Otok Sv.Katarina
Crveni Otok
Ísola Rossa
Sv.Ivan
Dvije Sestrice
Rt Gustinja
Rt Datule
Barbariga
Rt Barbariga
Nacionalni park
Polari
Scaraba
Luka Veštar
Veštar Vestre
Leme
126
Golaš
Krmed Carmedo
Čubani
Spandiga
Kaštel
Kosići
Sv. Damjan S. Damiano
Bale Valle d'Istria
Sv. Jakob
Negre
Mandriol
Mednjan
Gajana
Svetvinčenat Sanvicenti (310)
Krančići
Bibići
Bokordići
Stokovci
Režanci
Šajini
Orihi
Glavani
Cabrunići
Čukrići
Juršići
Roverija
Orbanići
Filipana
Sv. Kvirin
Divšići
Sv. Cecilija
Pinezići
Jadranska magistrala
Barban Barbana d'Istria
Raša Arsia
Raša St.
Puntera Pontiera
Štalije
Trget
Hrboki
Hreljići
Rebići
Rakalj Castelnuovo
Krnica
Mutvoran
Marčana Marzana
Vel.Vareški
Šegotići
Pavićini
Muntić
Rogočana
Salakovci
Filići
Marina
Oštri
538
Stanišovi
Cerovica
Luka Rabac
Luka Prklog
Rt Sv.Andrej
Rt Prklog
Diminići
Brovinje
Skitača
Ravni
Koromačno Valmazzinghi
Turanj
Tunarica
Rt Crna Punta Punta Nera
Rt Ubac
Vodnjan Dignano (136)
Peroj
Marana
Galižana Gallesano
Fažana Fasana
Valbandon
Nacionalni park Brijuni Brioni
Gaz Gazza
Mali Brijun
Brijun Brioni
Bizantski kastrum
Vanga
Vrsar Orsara
Jerolim
Veli Brijun Brioni Maggiore
Venézia
Koper
Pula
P.-STINJAN STIGNANO
P.-VELI VRH
PULA
POLA
Arena
Kaštel
Rt Kumpar P.Compare
P.-FIŽELA
Luka Pula
Stoja
Zaliv Brankoras
Marina Veruda
Veruda
Rt Verudica
Veruda Fraškер
Banjole Bagnole
Rt od Volam
Valun
Loborika
Visače
NESACTIUM
Valtura Altura
Kavran Cavrano
Rt Arne
Rt Sekal
Luka Budava
Ušićovi Dvori
Rt Cuf
Jadreški
Rt Sveti Stipan P.Santo Stefano
Šikići
Šišan Sissano
Svetica
Valdebek
Vinkuran
Pomer
Nesacton
Ližnjan Lisignano
Rt Uljeva
Medulin Medolino
Rt Marlera P.Marlera
Premantura Promontore
Bodulaš
Ceja
Medulinski zaljev
Fenera
Fenoliga
Porer
Rt Kamenjak Capo Promontore
Pličina Albanez
Mali Lošinj
Silba, Zadar
Istarska žup.
Primorsko-goranska žup.
K V A R N E R
Zaglav
Rt Mirač
UNIJE
Samunčel
Rt Vele Stijene
Unije
Rt Vnetak
J A D R A N S K E
M O R E
30
HR
0 1 2 4 6 8 10 km

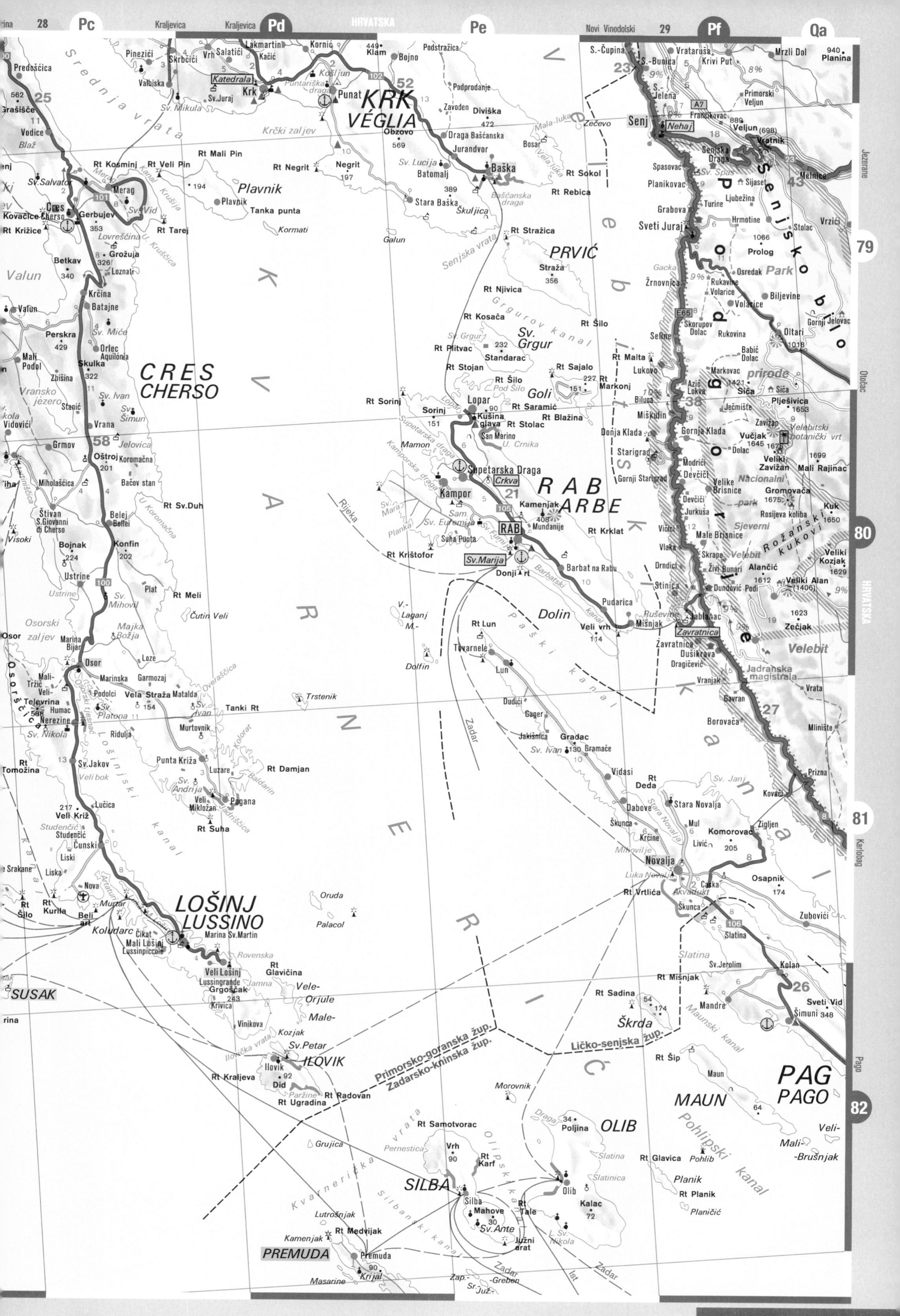
KRK
VÉGLIA
CRES
CHERSO
LOŠINJ
LUSSINO
RAB
ARBE
PAG
PAGO
PRVIĆ
Sv. Grgur
Goli
Plavnik
ILOVIK
SILBA
OLIB
PREMUDA
SUSAK
MAUN
Škrda
Dolin
K V A R N E R I Ć
V e l e b i t s k i k a n a l
Srednja vrata
Krčki zaljev
Senjska vrata
Grgurov kanal
Paški kanal
Lošinjski kanal
Kvarnerička vrata
Olipski kanal
Silbanski kanal
Pohlipski kanal
Maunski kanal
Osorski zaljev
Vransko jezero
Valun
Senjsko bilo
Podgorje
Velebit
Nacionalni park Sjeverni Velebit
Rožanski kukovi
Park prirode
Velebitski botanički vrt
Jadranska magistrala
Primorsko-goranska žup.
Zadarsko-kninska žup.
Ličko-senjska žup.
Predošćica
Pinezići
Skrbčići
Vrh
Salatići
Lakmartin
Kornić
Kačić
Klam
Bojno
Podstražica
Valbiska
Katedrala
Krk
Sv. Juraj
Košljun
Punat
Puntarska draga
Podprodanje
Zavođen
Diviška
Obzovo
Draga Bašćanska
Jurandvor
Baška
Batomalj
Stara Baška
Škuljica
Bašćanska draga
Sv. Lucija
Negrit
Rt Negrit
Rt Mali Pin
Rt Kosminj
Rt Veli Pin
Merag
Sv. Salvatore
Cres
Cherso
Gerbujev
Kovačice
Rt Križice
Lovreščina
Grožuja
Loznati
Betkav
Tanka punta
Kormati
Galun
Rt Stražica
Straža
Rt Njivica
Rt Kosača
Rt Šilo
Rt Plitvac
Standarac
Rt Stojan
Rt Šilo
Pod Šilo
Rt Sajalo
Rt Malta
Rt Markonj
Rt Sorinj
Sorinj
Lopar
Kušina glava
San Marino
U. Crnika
Rt Saramić
Rt Stolac
Rt Blažina
Mamon
Supetarska draga
Kamporska draga
Supetarska Draga
Crkva
Kampor
Kamenjak
Mundanije
Sv. Eufemija
Suha Punta
RAB
Sv. Marija
Donji rt
Barbat na Rabu
Rt Krklat
Rt Kristofor
Pudarica
Rt Lun
Tovarnele
Lun
Dudići
Gager
Jakišnica
Gradac
Sv. Ivan
Bramače
Vidasi
Rt Deda
Dabove
Škunca
Krčine
Stara Novalja
Mul
Komorovac
Livić
Novalja
Luka Novalja
Rt Vrtlića
Akvadukt
Caska
Osapnik
Zubovići
Slatina
Sv. Jerolim
Rt Mišnjak
Kolan
Mandre
Šimuni
Sveti Vid
Rt Sadina
Rt Šip
Veli vrh
Mišnjak
Ruševine
Jablanac
Zavratnica
Dušikrava
Dragičević
Vranjak
Gavran
Borovača
Prizna
Kovači
Zigljen
S.-Čupina
S.-Bunica
Vratarusa
Krivi Put
Mrzli Dol
Planina
S.-Jelena
Primorski Veljun
Senj
Nehaj
Francikovac
Veljun
Vratnik
Senjska Draga
Sv. Spas
Sijaset
Melnice
Spasovac
Planikovac
Grabova
Turine
Ljubežina
Sveti Juraj
Hrmotine
Stolac
Vrzići
Prolog
Osredak
Žrnovnica
Gacka
Rukavine
Volarice
Biljevine
Gornji Jelovac
Skorupov Dolac
Rukovina
Oltari
Seline
Babić Dolac
Lukovo
Markovac
Sića
Azić Lokva
Biluća
Pliješivica
Miškulin
Ječmište
Zavižan
Vučjak
Dolac
Donja Klada
Gornja Klada
Veliki Zavižan
Mali Rajinac
Starigrad
Modrići
Devčići
Velike Brisnice
Gromovača
Gornji Starigrad
Jurkuša
Rosijeva koliba
Kuk
Vičići
Vlaka
Mala Brisnice
Veliki Kozjak
Skrape
Živi Bunari
Alančić
Drndići
Stinica
Dundović Podi
Veliki Alan
Zečjak
Vrata
Mlinište
Prizna
Perskra
Orlec
Aquilonia
Mali Podol
Skulka
Zbišina
Sv. Mića
Krčina
Batajne
Valun
Sv. Ivan
Stanić
Sv. Šimun
Vrana
Vidovići
Grmov
Jelovica
Oštroj
Koromačna
Miholašćica
Bačov stan
Štivan
S. Giovanni di Cherso
Belej
Beliei
Rt Sv. Duh
Visoki
Bojnak
Konfin
Ustrine
Plat
Rt Meli
Čutin Veli
Sv. Mihovil
Majka Božja
Marina Bijar
Osor
Loze
Mali Tržić
Veli Televrina
Marinska
Garmozaj
Podolci
Vela Straža
Matalda
Sv. Ivan
Tanki Rt
Platona
Humac
Nerezine
Sv. Nikola
Ridulja
Murtovnik
Punta Križa
Luzare
Rt Damjan
Sv. Andrija
Veli Miklozan
Pogana
Rt Suha
Rt Tomožina
Sv. Jakov
Veli bok
Lučica
Veli Križ
Studenčić
Ćunski
Liski
Srakane
Liska
Nova
Rt Šilo
Rt Kurila
Beli art
Murtar
Koludarc
Čikat
Mali Lošinj
Lussinpiccolo
Marina Sv. Martin
Rovenska
Veli Lošinj
Lussingrande
Rt Glavičina
Grgošćak
Krivica
Jamna
Vele Orjule
Male
Vinikova
Kozjak
Sv. Petar
Ilovik
Did
Rt Kraljeva
Paržine
Rt Radovan
Rt Ugradina
Oruda
Palacol
Trstenik
Laganj
Dolfin
Morovnik
Rt Samotvorac
Grujica
Pernestica
Vrh
Rt Karf
Silba
Mahove
Sv. Ante
Rt Tale
Južni art
Lutrošnjak
Kamenjak
Rt Medvijak
Premuda
Krijal
Masarine
Draga
Poljina
Slatina
Slatinica
Olib
Kalac
L. Sv. Nikola
Rt Glavica
Pohlib
Planik
Rt Planik
Planičić
Maun
Veli-
Mali-
-Brušnjak
Zadar
Ist
Zap.-Greben
Sr. Juž.
Jezerane
Otočac
Karlobag
Pago
HRVATSKA
79
80
81
82

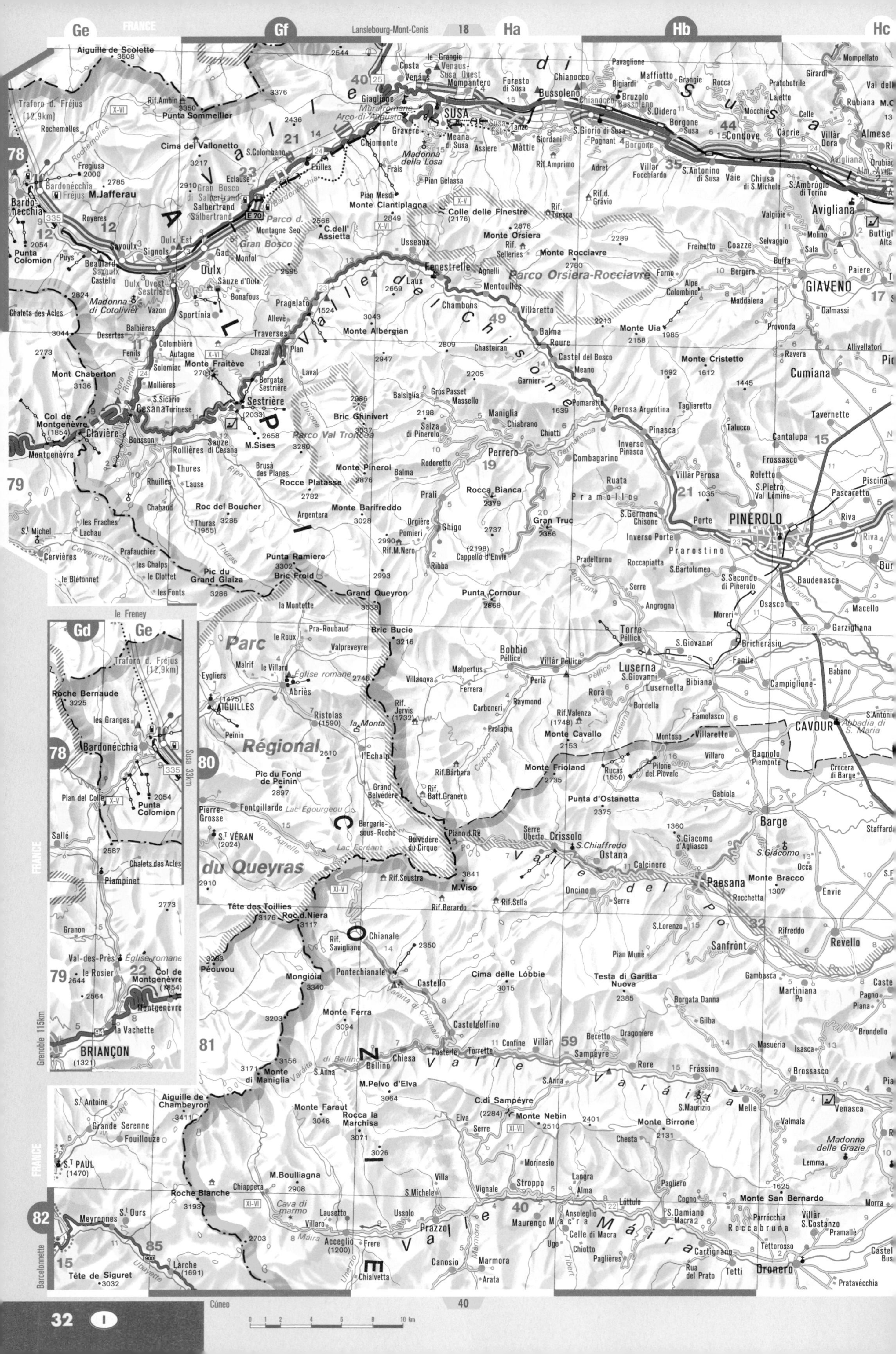

Ge
FRANCE
Gf
Lanslebourg-Mont-Cenis
18
Ha
Hb
Hc
Aiguille de Scolette
3508
Traforo d. Fréjus
(12,9km)
Rochemolles
Rif.Ambin
3350
Punta Sommeiller
Cima del Vallonetto
S.Colombano
Fregiusa
Bardonécchia
Frejus
M.Jafferau
Bardonécchia
Royeres
Punta Colomion
Puys
Beaulard
Savoulx
Signols
Oulx
Oulx Est
Gad
Monfol
Sauze d'Oulx
Bonafous
Sportinia
Oulx Ovest-Sestriere
Madonna di Cotolivier
Vazon
Chalets des Acles
Desertes
Balbières
Fenils
Colombière
Autagne
Solomiac
Monte Fraitève
Mollières
S.Sicario
Cesana Torinese
Mont Chaberton
Col de Montgenèvre
(1854)
Claviere
Bousson
Montgenèvre
Rollières
Sauze di Cesana
Sestriere
(2033)
M.Sises
Thures
Lause
Rhuilles
Chabaud
Roc del Boucher
Thuras
(1955)
S.t Michel
les Fraches
Lachau
Cervières
Prafauchier
les Chalps
le Clottet
le Blétonnet
les Fonts
Pic du Grand Glaiza
Eclause
Gran Bosco di Salbertrand
Salbertrand
Parco d. Gran Bosco
Montagne Seu
Exilles
Chiomonte
Gravere
Giaglione
Venaus
Costa
le Grangie
Venaus-Susa Ovest
Mompantero
Mura romane
Arco di Augusto
SUSA
Meana di Susa
Madonna della Losa
Fraìs
Pian Gelassa
Pian Mesdi
Monte Ciantiplagna
C.dell' Assietta
Usseaux
Colle delle Finestre
(2176)
Monte Orsiera
Rif. Selleries
Assiere
Mattie
Foresto di Susa
Bussoleno
Chianocco
S.Giorio di Susa
Giordani
Rif.Amprimo
Pognant
Borgone
Bruzolo
Bigiardi
Maffiotto
Grangie
Pavaglione
Rocca
S.Didero
Borgone Susa
Condove
Villar Focchiardo
S.Antonino di Susa
Vaie
Chiusa di S.Michele
S.Ambrogio di Torino
Avigliana
Caprie
Celle
Mocchie
Laietto
Pratobotrile
Rubiana
Villar Dora
Almese
Mompellato
Girardi
Val della Torre
Adret
Rif.d. Gravio
Rif. Toesca
Monte Rocciavre
Parco Orsiera-Rocciavre
Fenestrelle
Agnelli
Mentoulles
Laux
Pragelato
Traverses
Allevè
Plan
Chezal
Val Chisone
Chambons
Villaretto
Balma
Roure
Monte Albergian
Chasteiran
Castel del Bosco
Meano
Garnier
Pomaretto
Perosa Argentina
Pinasca
Inverso Pinasca
Villar Perosa
Forno
Alpe Colombino
Bergero
Freinetto
Coazze
Selvaggio
Molino
Sala
Buffa
GIAVENO
Maddalena
Dalmassi
Provonda
Monte Uia
Ravera
Monte Cristetto
Cumiana
Allivellatori
Tavernette
Talucco
Tagliaretto
Cantalupa
Frossasco
Roletto
S.Pietro Val Lemina
Pascaretto
Piscina
Riva
PINEROLO
Porte
S.Germano Chisone
Inverso Porte
Prarostino
S.Bartolomeo
Roccapiatta
S.Secondo di Pinerolo
Baudenasca
Osasco
Macello
Garzigliana
Bricherasio
Fenile
Campiglione
Babano
CAVOUR
Abbadia di S. Maria
Laval
Borgata Sestriere
Bric Ghinivert
Parco Val Troncea
Gros Passet
Massello
Balsiglia
Salza di Pinerolo
Maniglia
Chiabrano
Chiotti
Perrero
Combagarino
Monte Pinerol
Balma
Rodoretto
Prali
Rocca Bianca
Pramollo
Ruata
Rocce Platasse
Brusà des Planes
Monte Barifreddo
Argentera
Orgière
Pomieri
Ghigo
Rif.M.Nero
Ribba
Cappello d'Envie
Gran Truc
Punta Ramiere
Bric Froid
Grand Queyron
la Montette
Punta Cornour
Pradeltorno
Serre
Angrogna
Torre Pellice
S.Giovanni
Luserna S.Giovanni
Lusernetta
Bibiana
Bobbio Pellice
Villar Pellice
Malpertus
Villanova
Ferrera
Perla
Rorà
Bordella
Carboneri
Raymond
Rif.Valenza
(1748)
Monte Cavallo
Pralapia
Famolasco
Montoso
Villaretto
Bagnolo Piemonte
Crocera di Barge
Villaro
Rucas
(1550)
Pilone del Piovale
Monte Frioland
Rif.Barbara
Rif. Batt.Granero
Punta d'Ostanetta
Gabiola
Barge
Staffarda
Piano d.Re
Serre Uberto
Crissolo
S.Chiaffredo
Ostana
Calcinere
S.Giacomo d'Agliasco
S.Giacomo
Occa
Paesana
Monte Bracco
Envie
Rocchetta
Oncino
Serre
Rif.Sella
M.Viso
Rif.Soustra
Rif.Berardo
Belvédère du Cirque
Bergerie-sous-Roche
Lac Foréant
Grand Belvédère
l'Echalp
la Monta
Ristolas
(1590)
Abriès
le Villard
le Roux
Malrif
Pra-Roubaud
Valpreveyre
Bric Bucie
Église romane
Eygliers
AIGUILLES
(1475)
Peinin
Parc Régional du Queyras
Pic du Fond de Peinin
Fontgillarde
Lac Egourgeou
Pierre-Grosse
S.T VÉRAN
(2024)
Aigue Agnelle
Rif.Jervis
(1732)
le Freney
Gd
Ge
Traforo d. Fréjus
(12,9km)
Roche Bernaude
les Granges
Bardonécchia
Susa 33km
Pian del Colle
Punta Colomion
Sallé
Chalets des Acles
Plampinet
Granon
Val-des-Prés
Église romane
le Rosier
Col de Montgenèvre
(1854)
Montgenèvre
la Vachette
BRIANÇON
(1321)
Grenoble 115km
Tête des Toillies
Roc.d.Niera
Chianale
Rif. Savigliano
Péouvou
Mongióia
Pontechianale
Castello
Cima delle Lòbbie
Testa di Garitta Nuova
Pian Munè
Sanfrònt
S.Lorenzo
Rifreddo
Revello
Gambasca
Martiniana Po
Pagno
Piana
Brondello
Borgata Danna
Gilba
Monte Ferra
Casteldelfino
Monte di Maniglia
Bellino
Chiesa
Posterle
Torrette
Confine
Villar
Becetto
Dragoniere
Sampèyre
Valle Varáita
Rore
Frássino
Masuèria
Isasca
Brossasco
S.Anna
M.Pelvo d'Elva
C.di Sampèyre
(2284)
Monte Nebin
S.Maurizio
Melle
Venasca
Monte Birrone
Chesta
Valmala
Madonna delle Grazie
Lemma
Monte Faraut
Rocca la Marchisa
Elva
Serre
Morinesio
Aiguille de Chambeyron
S.t Antoine
Grande Serenne
Fouillouze
S.T PAUL
(1470)
FRANCE
M.Boulliagna
Chiappera
Roche Blanche
Villa
S.Michele
Vignale
Stroppo
Langra
Alma
Pagliero
Lottulo
Cogno
Monte San Bernardo
Morra
Meyronnes
S.t Ours
Cava di marmo
Lausetto
Villaro
Ussolo
Prazzo
Valle Màira
Marmora
Maurengo
Macra
Ansoleglio
Celle di Macra
S.Damiano Macra
Parròcchia
Roccabruna
Villar S.Costanzo
Pramallè
Acceglio
(1200)
Frere
Ugo
Chiotto
Paglières
Cartignano
Tettorosso
Castel
Larche
(1691)
Tête de Siguret
Barcelonnette
Canosio
Arata
Chialvetta
Rua del Prato
Tetti
Dronero
Pratavècchia
Cúneo
40

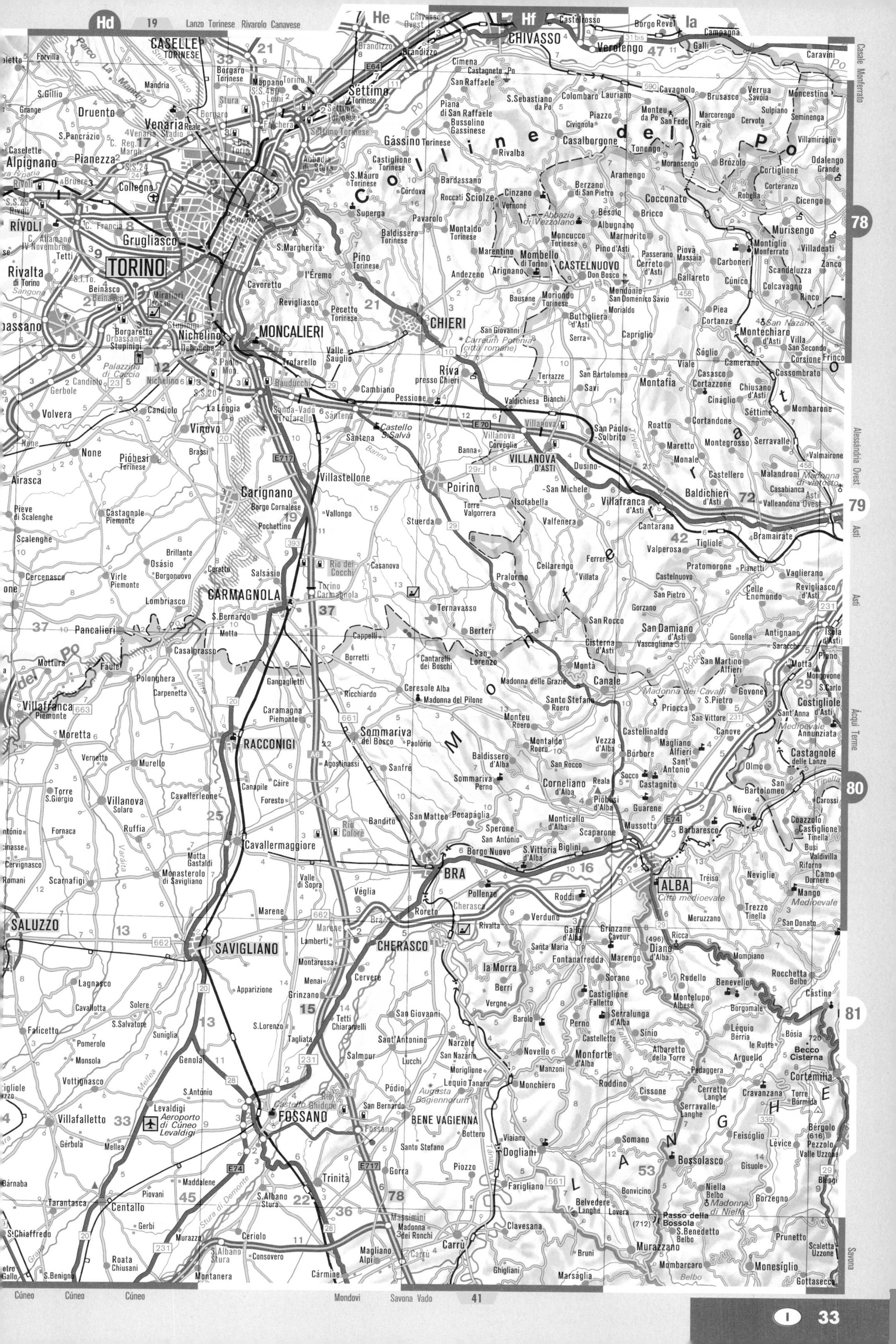
Hd
19
Lanzo Torinese Rivarolo Canavese
He
Hf
Ia
CASELLE TORINESE
CHIVASSO
Verolengo
Casale Monferrato
Venaria Reale
Druento
Settimo Torinese
Gássino Torinese
Colline del Po
Alpignano
Pianezza
Collegno
Rívoli
Grugliasco
TORINO
Rivalta di Torino
Orbassano
Beinasco
Nichelino
MONCALIERI
CHIERI
Superga
Pino Torinese
Cocconato
CASTELNUOVO Don Bosco
Montiglio Monferrato
78
Riva presso Chieri
Villanova d'Asti
Poirino
Villafranca d'Asti
79
Asti
Alessándria Ovest
Montafia
Carignano
Vinovo
Volvera
None
Piobesi Torinese
Airasca
Villastellone
Santena
CARMAGNOLA
Pancalieri
Casalgrasso
Monferrato
Langhe
San Damiano d'Asti
Canale
Villafranca Piemonte
Moretta
RACCONIGI
Sommariva del Bosco
Acqui Terme
Costigliole d'Asti
Castagnole delle Lanze
80
Cavallermaggiore
BRA
ALBA
Neive
Barbaresco
SALUZZO
SAVIGLIANO
CHERASCO
La Morra
Diano d'Alba
Monforte d'Alba
81
Cortemilia
FOSSANO
Aeroporto di Cúneo Levaldigi
BENE VAGIENNA
Dogliani
Bossolasco
Trinità
Centallo
Carrù
Murazzano
Savona
Cúneo
Mondovì
Savona Vado
41

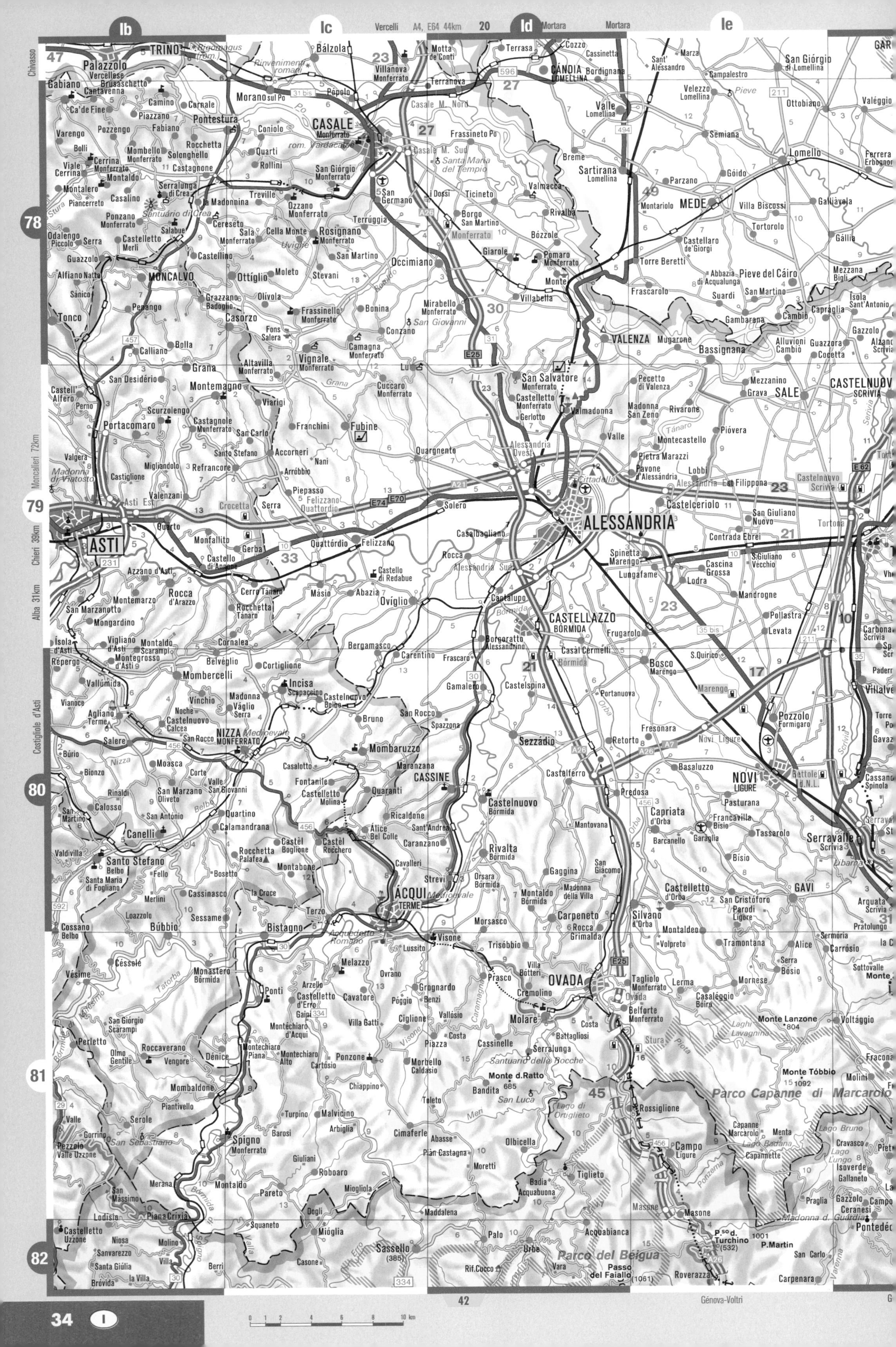
Palazzolo Vercellese
TRINO
Gabiano
Cantavenna
Camino
Pontestura
Morano sul Po
Bálzola
Villanova Monferrato
Motta de'Conti
Terrasa
Cozzo
CANDIA LOMELLINA
Bordignana
Sant' Alessandro
Marza
Campalestro
San Giórgio di Lomellina
Velezzo Lomellina
Ottobiano
Valéggio
Valle Lomellina
CASALE Monferrato
Terranova
Frassineto Po
Breme
Sartirana Lomellina
Semiana
Lomello
Ferrera Erbognone
Parzano
Góido
MEDE
Villa Bisschi
Galliavola
Montariolo
Tortorolo
Gállia
Castellaro de'Giorgi
Torre Beretti
Pieve del Cáiro
Mezzana Bigli
Frascarolo
Suardi
San Martino
Isola Sant'Antonio
Gambarana
Cambiò
Capráglia
VALENZA
Mugarone
Bassignana
Alluvioni Cambiò
Guazzora
Gazzolo
Cerrina Monferrato
Mombello
Solonghello
Rocchetta
Quarti
Rollini
San Giórgio Monferrato
Coniolo
Castagnone
Montalero
Montaldo
Serralunga di Crea
Santuário di Crea
Treville
Ozzano Monferrato
San Germano
Ticineto
Valmacca
Rivalba
Ponzano Monferrato
Cereseto
Sala Monferrato
Cella Monte
Rosignano Monferrato
Terrúggia
Borgo San Martino
Bózzole
Odalengo Piccolo
Serra
Castelletto Merli
Castellino
San Martino
Occimiano
Giarole
Pomaro Monferrato
Guazzolo
Alfiano Natta
MONCALVO
Ottíglio
Moleto
Stevani
Monte
Villabella
Sánico
Tonco
Penango
Grazzano Badoglio
Olivola
Frassinello Monferrato
Bonina
Mirabello Monferrato
San Giovanni
Casorzo
Fons Salera
Conzano
Camagna Monferrato
Calliano
Bolla
Grana
Altavilla Monferrato
Vignale Monferrato
Lu
San Salvatore Monferrato
Pecetto di Valenza
Mezzanino
Grava
SALE
CASTELNUOVO SCRIVIA
San Desidério
Montemagno
Cuccaro Monferrato
Castelletto Monferrato
Gerlotto
Valmadonna
Madonna San Zeno
Rivarone
Castell'Alfero
Perno
Scurzolengo
Viarigi
Portacomaro
Castagnole Monferrato
San Carlo
Franchini
Fubine
Valle
Montecastello
Pióvera
Quargnento
Alessandria Ovest
Pietra Marazzi
Pavone d'Alessándria
Lobbi
Valgera
Migliandolo
Refrancore
Santo Stefano
Accorneri
Nani
Arróbbio
Madonna di Viatosto
Castiglione
Piepasso
Felizzano Quattordio
Cittadella
Alessandria Est
Filippona
Castelnuovo Scrivia
Tortona
Valenzani
Asti Est
Crocetta
Serra
Solero
ALESSÁNDRIA
Castelceriolo
San Giuliano Nuovo
ASTI
Quarto
Monfallito
Gerba
Castello di Annone
Quattórdio
Felizzano
Casalbagliano
Contrada Ebrei
Spinetta Marengo
Cascina Grossa
S.Giuliano Vecchio
Azzano d'Asti
Rocca d'Arazzo
Cerro Tánaro
Rocchetta Tánaro
Másio
Abazia
Castello di Redabue
Rocca
Alessándria Sud
Lungafame
Lodra
Mandrogne
Montemarzo
San Marzanotto
Mongardino
Oviglio
Cantalupo
CASTELLAZZO BÓRMIDA
Frugarolo
Pollastra
Levata
Isola d'Asti
Vigliano d'Asti
Montaldo Scarampi
Montegrosso d'Asti
Cornalea
Bergamasco
Carentino
Frascaro
Borgoratto Alessandrino
Casal Cermelli
S.Quirico
Bosco Marengo
Répergo
Belvéglio
Cortiglione
Mombercelli
Vallúmida
Incisa Scapaccino
Gamalero
Castelspina
Marengo
Villalvernia
Vianoce
Vinchio
Madonna
Castelnuovo Belbo
Bruno
San Rocco
Spazzona
Portanuova
Pozzolo Formigaro
Agliano Terme
Noche
Castelnuovo Calcea
Vaglio Serra
Sezzádio
Fresonara
Retorto
Novi Ligure
Salere
NIZZA MONFERRATO
Mombaruzzo
Búrio
Moasca
Corte
Casalotto
Maranzana
CASSINE
Castelferro
Basaluzzo
NOVI LIGURE
Bionzo
Rinaldi
San Marzano Oliveto
Valle San Giovanni
Fontanile
Castelletto Molina
Quaranti
Castelnuovo Bórmida
Predosa
Pasturana
Calosso
San Martino
San António
Quartino
Ricaldone
Capriata d'Orba
Francavilla Bisio
Cassano Spinola
Canelli
Calamandrana
Álice Bel Colle
Sant'Andrea
Caranzano
Mantovana
Barcanello
Garaglia
Tassarolo
Serravalle Scrivia
Valdivilla
Santo Stefano Belbo
Rocchetta Palafea
Castèl Boglione
Castèl Rocchero
Cavalleri
Rivalta Bórmida
Bísio
Santa Maria di Fogliano
Fello
Bosetto
Montabone
Strevi
Orsara Bórmida
Gaggina
San Giacomo
Castelletto d'Orba
San Cristóforo
Parodi Ligure
GAVI
Arquata Scrivia
Cassinasco
la Croce
Merlini
Sessame
ACQUI TERME
Montaldo Bórmida
Madonna della Villa
Carpeneto
Rocca Grimalda
Silvano d'Orba
Montaldeo
Pratolungo
Cossano Belbo
Loazzolo
Búbbio
Terzo
Bistagno
Acquedotto Romano
Visone
Morsasco
Trisóbbio
Volpreto
Tramontana
Alice
Carrósio
Sermória
Céssole
Lussito
Melazzo
Villa Bótteri
Serra
Bósio
Sottovalle
Vésime
Monastero Bórmida
Ponti
Arzello
Castelletto d'Erro
Ovrano
Grognardo
Prasco
Cremolino
OVADA
Tagliolo Monferrato
Belforte Monferrato
Lerma
Casaléggio Boiro
Mornese
Gaini
Cavatore
Póggio
Benzi
Molare
Villa Gatti
Ciglione
Vallósio
Costa
Battagliosi
Monte Lanzone 804
Voltággio
San Giórgio Scarampi
Perletto
Montechiaro d'Acqui
Olmo Gentile
Roccaverano
Dénice
Vengore
Montechiaro Piana
Montechiaro Alto
Cartósio
Ponzone
Morbello Caldasio
Piazza
Cassinelle
Serralunga
Santuario delle Rocche
Laghi Lavagnina
Stura
Piota
Monte d.Ratto 685
Bandita
San Luca
Monte Tóbbio 1092
Fraconalto
Mombaldone
Chiappino
Toleto
Lago di Ortiglieto
Parco Capanne di Marcarolo
Piantivello
Molini
Valle
Serole
Turpino
Malvicino
Arbiglia
Cimaferle
Abasse
Olbicella
Rossiglione
Capanne Marcarolo
Menta
Lago Bruno
Gorrino
San Sebastiano
Pezzolo Valle Uzzone
Spigno Monferrato
Barosi
Pian Castagna
Moretti
Campo Ligure
Lago Badana
Capannette
Lago Lungo
Cravasco
Isoverde
Gallaneto
Giuliani
Roboaro
Tiglieto
Ponzema
Merana
San Massimo
Montaldo
Pareto
Miogliola
Badia
Acquabuona
Praglia
Gazzolo
Ceranesi
Lodisio
Piana Crixia
Dogli
Maddalena
Masone
Madonna d. Guardia
Pontedecimo
Castelletto Uzzone
Niosa
Squaneto
Mióglia
Acquabianca
P.so d. Turchino (532)
1001
P.Martin
Sanvarezzo
Molino
Sassello (385)
Palo
Urbe
Parco del Béigua
San Carlo
Santa Giúlia
Villa
Berri
Casone
Rif.Cocco
Vara
Passo del Faiallo (1061)
Roverazza
Carpenara
Bróvida
la Villa
Chivasso
Moncalieri 72km
Chieri 39km
Alba 31km
Costigliole d'Asti
78
79
80
81
82
A21
A26
A7
E25
E70
E74
E62
0 1 2 4 6 8 10 km

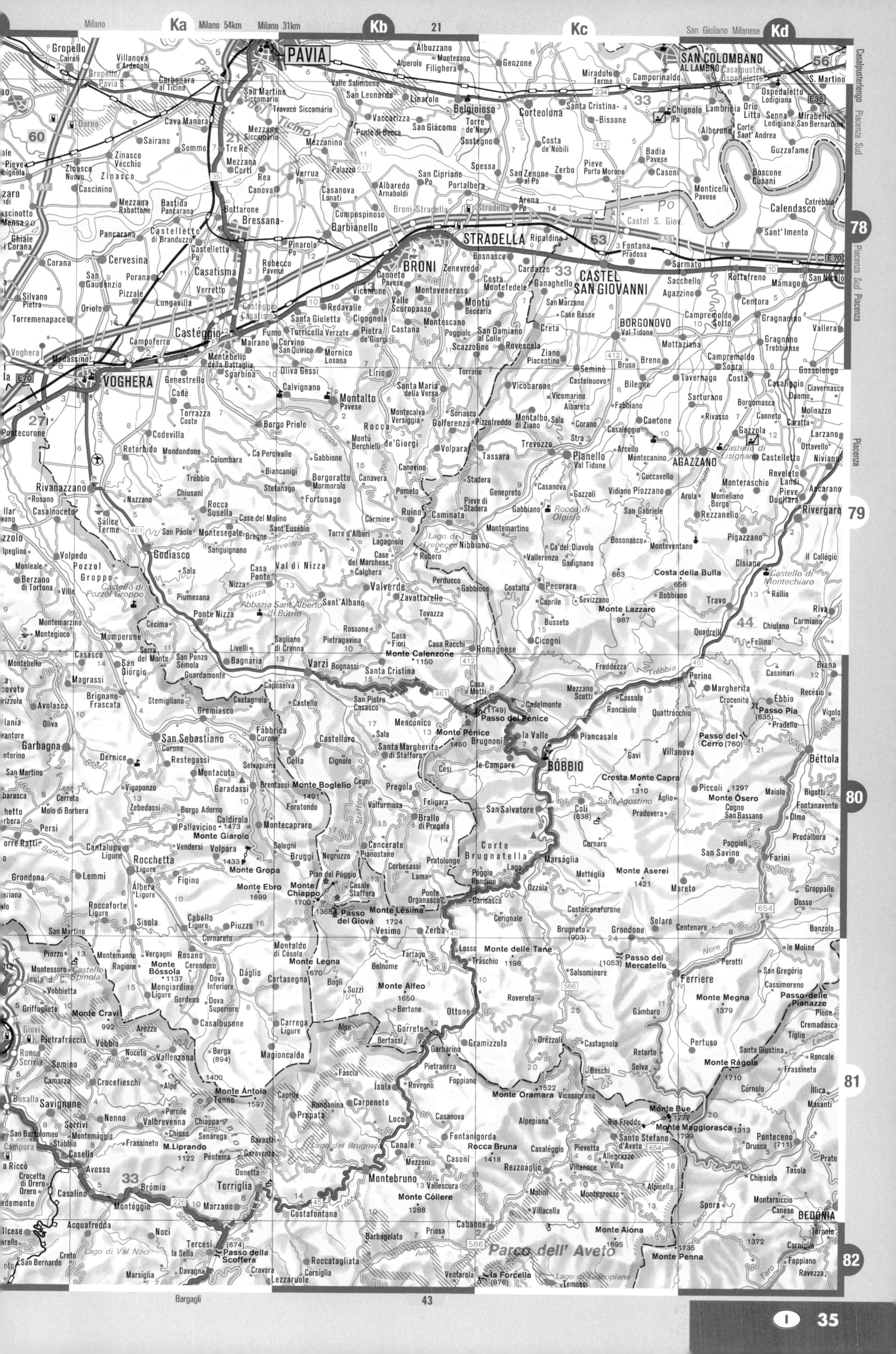
PAVIA
Gropello Cairoli
Villanova d'Ardenghi
Carbonara al Ticino
San Martino Siccomario
Travacò Siccomario
Cava Manara
Dorno
Sairano
Sommo
Tre Re
Mezzana Corti
Zinasco Vecchio
Zinasco Nuovo
Zinasco
Cascinino
Mezzana Rabattone
Bastida Pancarana
Bottarone
Bressana-
Pancarana
Castelletto di Branduzzo
Castelletto Po
Cervesina
Corana
San Gaudenzio
Porana
Pizzale
Silvano Pietra
Oriolo
Torremenapace
Casatisma
Verretto
Lungavilla
Castéggio
Campoferro
Voghera
Medassino
VOGHERA
Pontecurone
Albuzzano
Montesano
Filighera
Alperolo
Valle Salimbene
San Leonardo
Linarolo
Belgioioso
Genzone
Vaccarizza
San Giácomo
Torre de' Negri
Ponte di Becca
Mezzanino
Sostegno
Corteolona
Verrua Po
Palazzo
Rea
Canova
Casanova Lonati
Albaredo Arnaboldi
San Cipriano Po
Portalbera
Spessa
San Zenone al Po
Costa de' Nóbili
Zerbo
Pieve Porto Morone
Santa Cristina-Bissone
Composporinoso
Barbianello
Broni-Stradella
Stradella
Arena Po
Pinarolo Po
Robecco Pavese
STRADELLA
Ripaldina
BRONI
Zenevredo
Bosnasco
Canneto Pavese
Vicomune
Monteveneroso
Redavalle
Santa Giuletta
Cigognola
Valle Scuropasso
Montù Beccaria
Montescano
Torricella Verzate
Pietra de' Giorgi
Castana
Poggiolo
San Damiano al Colle
Rovescala
Scazzolino
Fumo
Mairano
Corvino San Quirico
Mornico Losana
Montebello della Battaglia
Sgarbina
Oliva Gessi
Lirio
Santa Maria della Versa
Calvignano
Montalto Pavese
Genestrello
Cadè
Torrazza Coste
Codevilla
Retórbido
Mondondone
Borgo Priolo
Rocca de' Giorgi
Montù Berchielli
Montecalvo Versiggia
Golferenzo
Soriasco
Pizzofreddo
Volpara
Colombara
Ca Percivalle
Gabbione
Biancanigi
Borgoratto Mormorolo
Canevino
Stefanago
Fortunago
Pometo
Ruino
Caminata
Trébbio
Chiusani
Rocca Susella
Case del Molino
Sant'Eusébio
Torre d'Alberi
Lagagnolo
Rivanazzano
Rosano
Casalnoceto
Nazzano
Sálice Terme
San Páolo
Montesegale
Bregne
Sanguignano
Godiasco
Volpedo
Pozzol Groppo
Berzano di Tortona
Casa Ponte
Val di Nizza
Nizza
Piumesana
Abbazia Sant'Alberto di Búrio
Ponte Nizza
Cécima
Case del Marchese
Calghera
Valverde
Zavattarello
Sant'Albano
Rossone
Tovazza
Pietragavina
Sagliano di Crenna
Casa Fiori
Casa Rocchi
Monte Calenzone 1150
Romagnese
Livelli
Montemarzino
Montegioco
Momperone
Casasco
San Giórgio
Serra del Monte
San Ponzo Sémola
Guardamonte
Bagnária
Varzi
Bognassi
Santa Cristina
Magrassi
Brignano-Frascata
Stemigliano
Gremiasco
Castagnola
Caposelva
Castello
San Pietro Casasco
Mencónico
Casa Matti
Passo del Pénice (1149)
Monte Pénice 1460
Brugnoni
la Valle
BÓBBIO
Avolasca
Oliva
Garbagna
San Sebastiano Curone
Fábbrica Curone
Castellaro
Cella
Cignolo
Santa Margherita di Stáffora
Cesi
le Campore
Dernice
Restegassi
Montacuto
Selvapiana
Garadassi
Brentassi
Monte Boglelio 1491
Cegni
Pregola
Feligara
Brallo di Pregola
Vigoponzo
Cerreto
Zebedassi
Molo di Borbera
Borgo Adorno
Caldirola
Foretondo
Valformosa
Pallavicino 1473
Montecapraro
Monte Giarolo
Persi
Vendersi
Volpara
Salogni
Cencerate
Pianostano
Cantalupo Ligure
Rocchetta Ligure
Bruggi
Negruzzo
Corbesassi
Pratolungo
Monte Gropa
Pian del Póggio
Lama
Corte Brugnatella
Lemmi
Grondona
Álbera Ligure
Figino
Monte Ebro 1699
Monte Chiappo 1700
Casale Staffora
Ponte Organasco
Poggio Rondino
Roccaforte Ligure
Cabella Ligure
Sisola
Piuzzo
Passo del Giovà
Monte Lésima 1724
Vesimo
Zerba
Carisasca
Cerignale
San Martino
Cornareto
Montaldo di Cósola
Piazzo
Montemanno
Vergagni
Rosano
Cerendero
Ragione
Castello Spinola
Montessoro
Monte Bóssola 1088
Mongiardino Ligure
Gordena
Dova Inferiore
Dova Superiore
Dáglio
Monte Legna 1670
Cartasegna
Vobbietta
Griffoglieto
Monte Cravi 992
Pietrafráccia
Vóbbia
Arezzo
Noceto
Vallenzona
Casalbusone
Carrega Ligure
Berga (894)
Magioncalda
Belnome
Tartago
Bogli
Suzzi
Monte Alfeo 1650
Bertone
Ottone
Gorreto
Bertassi
Alpe
Garbarino
Gramizzola
Traschio
Losso
Monte delle Tane 1198
Semino
Camarza
Crocefieschi
Alpe
Savignone
Nenno
Porcile
Valbrevenna
Chiappa
Monte Ántola 1597
Tonno
Caprile
Rondanina
Propata
Fáscia
Ísola
Rovegno
Carpeneto
Loco
Pietranera
Foppiano
Casanova
Fontanigorda
Rocca Bruna 1418
Montebruno
Canale
Mezzoni
Casoni
Sorrivi
Montemággio
San Bartolomeo
Stábbio
Casella
Frassineto
Chioso
Senarega
M.Liprando 1122
Pentema
Bavastri
Garaventa
Campora
Avosso
Crocetta di Orero
Orero
Casalino
Brómia
Montóggio
Torriglia
Donetta
Marzano
Costafontana
Monte Cóllere 1288
Vallescura
Rezzoáglio
Acquafredda
Noci
Tercesi
Passo della Scoffera (674)
la Sella
Lago di Val Noci
Creto
San Bernardo
Marsiglia
Davagna
Crovara
Lezzaruole
Corsiglia
Roccatagliata
Barbagelata
Priosa
Cabanne
Parco dell' Aveto
Ventarola
la Forcella (876)
Lago di Giacopiane
Temossi
SAN COLOMBANO AL LAMBRO
Miradolo Terme
Camporinaldo
Casalpusterlengo
Ospedaletto Lodigiano
Chignolo Po
Lambrinia
Alberone
Orio Litta
Senna Lodigiana
Corte Sant' Andrea
Mirabello San Bernardino
S. Martino
Guzzafame
Badia Pavese
Casoni
Boscone Cusani
Monticelli Pavese
Calendasco
Cotrébbia
Castel S. Giov.
Sant' Imento
Fontana Pradosa
Sarmato
Rottofreno
San Nicolò
Mámago
CASTEL SAN GIOVANNI
Cardazzo
Ganaghello
San Marzano
Case Basse
Creta
Ziano Piacentino
Sacchello
Agazzino
Centora
Campremoldo Sotto
Gragnanino
BORGONOVO Val Tidone
Mottaziana
Gragnano Trebbiense
Vallera
Campremoldo Sopra
Bruso
Breno
Seminò
Castelnuovo
Bilegno
Tavernago
Costa
Casaliggio
Gossolengo
Quarto
Vicobarone
Vicomarino
Albareto
Fabbiano
Sarturano
Borgomasca
Canneto
Duomo
Caratta
Ciavernasco
Molinazzo
Montalbo di Ziano
Sala
Corano
Casaléggio
Cantone
Rivasso
Gazzola
Larzano
Trevozzo
Stra
Arcello
Montecanino
AGAZZANO
Castello di Lisignano
Castelletto
Ottavello
Niviano
Pianello Val Tidone
Tassara
Cuccavello
Monteraschio
Roveleto Landi
Stadera
Genepreto
Casanova
Gazzoli
Vidiano Piozzano
Arola
Momeliano Borgo
Pieve Dugliara
Ancarano
Pieve di Stadera
Gabbiano
Rocca di Olgisio
San Gabriele
Rezzanello
Rivergaro
Montemartino
Lago di Trebecco
Nibbiano
Ca'del Diavolo
Bosonasco
Monteventano
Pigazzano
Rubero
Vallerenzo
Gadignano
Costa della Bulla
Cisiano
il Collégio
Castello di Montechiaro
Perducco
Gabbione
Costalta
Pecorara
Caprile
Sevizzano
Bobbiano
Travo
Ràllio
Monte Lazzaro 987
Busseto
Cicogni
Quadrelli
Chiulano
Carmiano
Riva
Fellino
Freddezza
Trébbia
Perino
Margherita
Biana
Cassinari
Recésio
Mezzano Scotti
Cadelmonte
Cássolo
Roncaiolo
Quattrócchio
Crocenito
Ébbio
Passo Pia (635)
Pradello
Vígolo
Piancasale
Gavi
Villanova
Passo del Cerro (760)
Béttola
Cresta Monte Capra 1310
Áglio
Piccoli 1297
Monte Ósero
Maiolo
Bigotti
Fontanavento
San Salvatore
Coli (638)
Sant'Agostino
Pradovera
Cogno San Bassano
Olmo
Cornaro
Poggioli
San Savino
Predálbora
Farini
Marságlia
Mettéglia
Monte Aserei 1421
Mareto
Groppallo
Ozzòla
Castelcanafurone
Dosso
Brugneto (903)
Grondone
Solaro
Centenaro
Banzolo
Passo del Mercatello (1053)
Salsominore
Nure
Perotti
le Moline
Ferriere
San Gregório
Cassimoreno
Rovereto
Monte Megna 1379
Passo delle Pianazze
Gámbaro
Pione
Cremadasca
Tiglio
Orèzzoli
Castagnola
Pertuso
Retorto
Selva
Santa Giustina
Roncole
Monte Rágola 1710
Frassineto
Boschi
Córnolo
Ìllica
Masanti
Monte Oramara 1522
Vicosoprano
Monte Bue 1777
Monte Maggiorasca 1799
Alpepiana
Rio Freddo
Santo Stefano d'Aveto
Ponteceno
Drusco (711)
Casaléggio
Pievetta
Allegrezze
Villa
Villanoce
Chiesiola
Prato
Tasola
Alpicella
Molini
Montegrosso
Villacella
Spora
Montarsiccio
Caneso
BEDÒNIA
Monte Aiona 1695
Tórnolo
Monte Penna 1735
Carniglia
Foppiano
Ravezza
Piacenza Sud
Piacenza

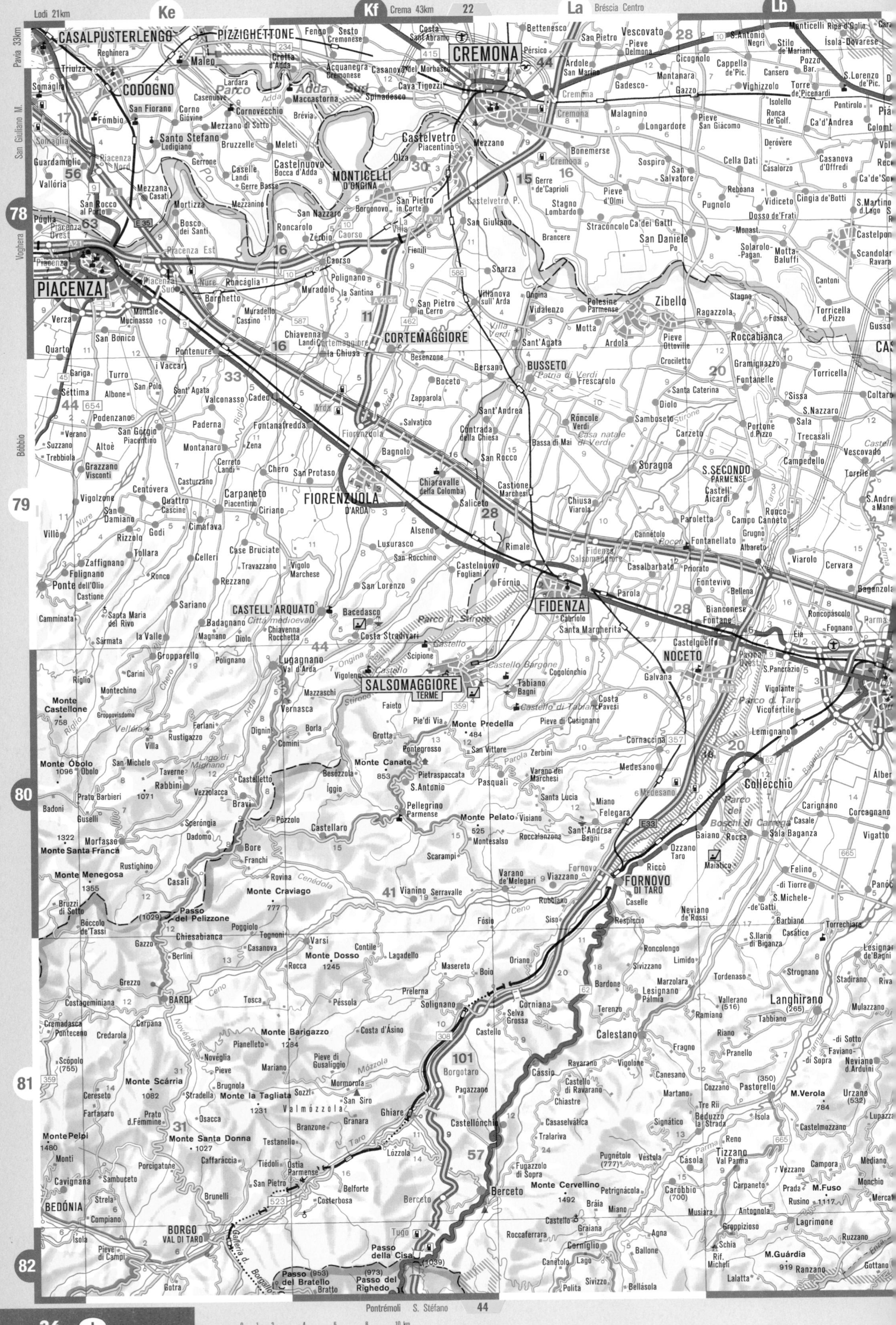
Lodi 21km
Ke
Kf
Crema 43km
22
La
Bréscia Centro
Lb
Pavia 33km
San Giuliano M.
Voghera
Bóbbio
78
79
80
81
82
CASALPUSTERLENGO
PIZZIGHETTONE
CREMONA
CODOGNO
San Fiorano
Maleo
Santo Stefano Lodigiano
Parco Adda Sud
Castelvetro Piacentino
MONTICELLI D'ONGINA
Caorso
PIACENZA
Roncáglia
San Nazzaro
Polignano
CORTEMAGGIORE
BUSSETO
Zibello
Roccabianca
Polesine Parmense
San Daniele Po
Soragna
S.SECONDO PARMENSE
FIORENZUOLA D'ARDA
Carpaneto Piacentino
Ponte dell'Olio
CASTELL'ARQUATO
Lugagnano Val d'Arda
SALSOMAGGIORE TERME
FIDENZA
NOCETO
Collécchio
Medesano
FORNOVO DI TARO
Langhirano
Calestano
Berceto
BARDI
BEDÓNIA
BORGO VAL DI TARO
Passo della Cisa
Passo del Bratello
Passo del Righedo
Monte Pelpi
Monte Barigazzo
Monte Dosso
Monte Canate
Monte Pelato
Monte Predella
Monte Craviago
Monte Menegosa
Monte Santa Franca
Monte Óbolo
Monte Castellone
Monte Santa Donna
Monte Cervellino
M.Verola
M.Fuso
M.Guárdia
Pontrémoli
S. Stéfano
44

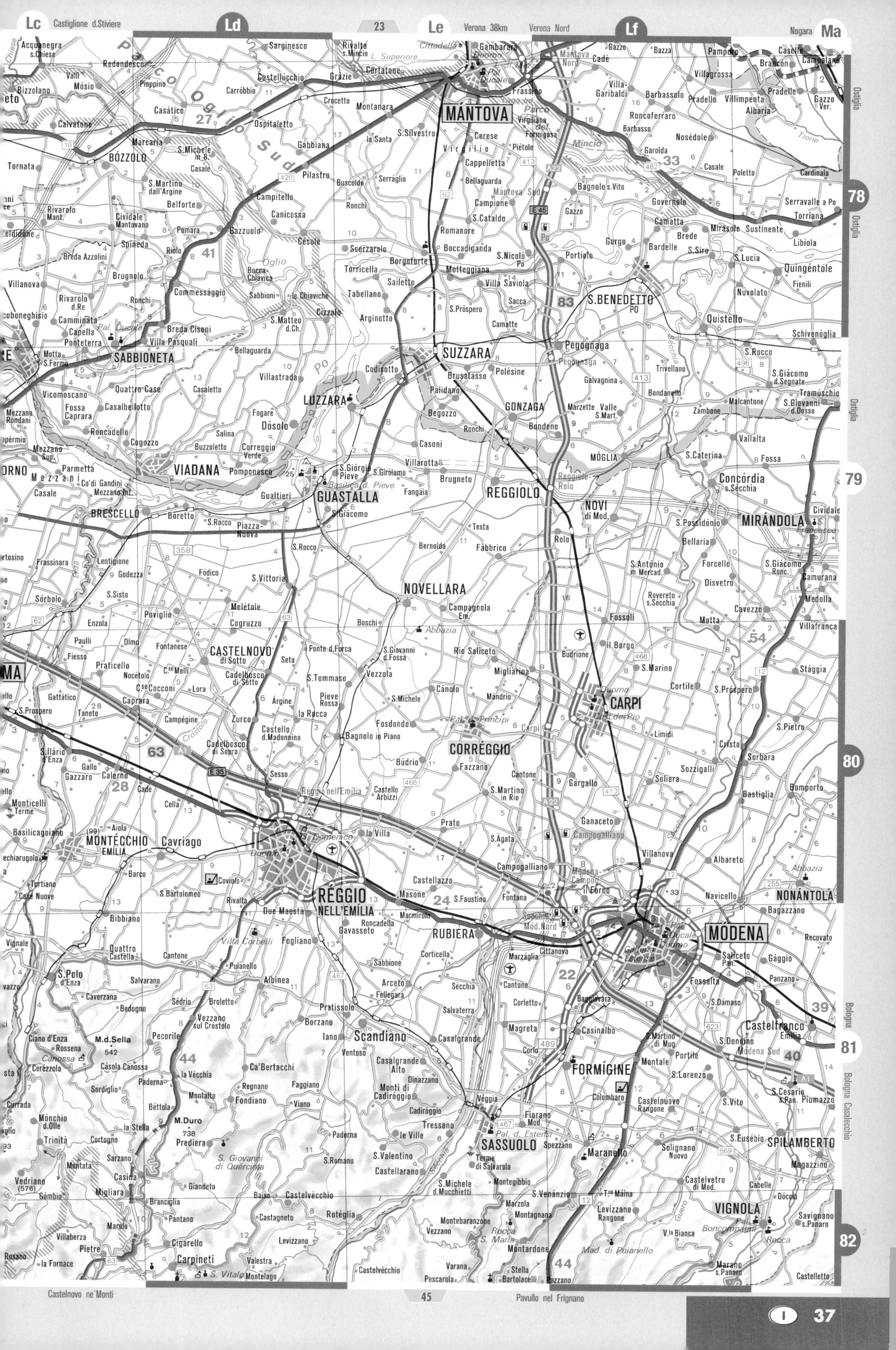

Lc
Castiglione d.Stiviere
Ld
23
Le
Verona 38km
Verona Nord
Lf
Nogara
Ma
Ostiglia
78
79
80
81
82
Bologna
Bologna Casalecchio
Castelnovo ne' Monti
45
Pavullo nel Frignano
I 37
MÁNTOVA
Sarginesco
Rivalta s.Mincio
Gambarara
Curtatone
Grazie
Castellucchio
Redondesco
Acquanegra s.Chiese
Mósio
Bizzolano
Calvatone
Carróbbio
Casático
Ospitaletto
Montanara
Crocetto
Marcaria
BÓZZOLO
Tornata
S.Michele in B.
Gabbiana
la Santa
S.Silvestro
Cerese
Virgilio
Pietole
Frassino
Formigosa
Cappelletta
Bellaguarda
Mantova Sud
Campione
S.Cataldo
Romanore
Boccadiganda
S.Nicolò Po
Borgoforte
Motteggiana
Villa Saviola
Sacca
Saviola
S.Prospero
Camatte
Buscoldo
Serráglio
Ronchi
Scorzarolo
Torricella
Sailetto
Tabellano
Arginotto
Pilastro
Campitello
Canicossa
Cesole
S.Martino dall'Argine
Belforte
Cividale Mantovano
Pomara
Gazzuolo
Spineda
Rivarolo Mant.
Breda Azzolini
Riolo
Villanova
Brugnolo
Rivarolo d.Re
Ronchi
Commessággio
Bocca Chiavica
Sabbioni
le Chiaviche
Cizzolo
S.Matteo d.Ch.
Camminata
Capella
Ponteterra
Breda Cisoni
Villa Pasquali
SABBIONETA
Bellaguarda
Villastrada
Codisotto
SUZZARA
Brusatasso
Polésine
Palidano
Begozzo
GONZAGA
Bondeno
Casoni
Villarotta
Brugneto
REGGIOLO
Pegognaga
Galvagnina
Marzette
Valle S.Mart.
MÓGLIA
Rolo
NOVI di Mod.
S.BENEDETTO PO
Quistello
Gazzo
Cadè
Bazza
Villa Garibaldi
Barbassolo
Roncoferraro
Barbasso
Nosédole
Garolda
Casale
Bagnolo s.Vito
Governolo
Gazzo
Camatta
Brede
Gurgo
Bardelle
S.Siro
Portiolo
Pampuro
Villagrossa
Villimpenta
Pradello
Albaria
Poletto
Cardinala
Serravalle a Po
Torriana
Mirasole
Sustinente
Libiola
S.Lucia
Quingéntole
Fienili
Nuvolato
Schivenóglia
S.Rocco
Trivellano
Bondanello
S.Giácomo d.Segnate
Tramúschio
Malcantone
S.Giovanni d.Dosso
Zambone
Vallalta
S.Caterina
Fossa
Concórdia s.Sécchia
MIRÁNDOLA
Cividale
S.Possidónio
Bellaria
Forcello
Disvetro
S.Giácomo Ronc.
Camurana
Medolla
S.Antonio in Mercad.
Rovereto s.Sécchia
Cavezzo
Motta
Villafranca
LUZZARA
Fogarè
Dósolo
Quattro Case
Casalbellotto
Casaletto
Vicomoscano
Fossa Caprara
Roncadello
Cogozzo
Salina
Buzzoletto
Correggio Verde
VIADANA
Pomponesco
Parmetta
Co'di Gandini
Mezzano Inf.
Mezzano Sup.
Casale
BRESCELLO
Boretto
S.Rocco
Piazza-Nuova
Gualtieri
GUASTALLA
S.Giórgio Pieve
S.Girolamo
Fangáia
S.Giácomo
Lentigione
Godezza
Frassinara
Sórbolo
Enzola
S.Sisto
Fódico
S.Vittoria
Meletole
Poviglio
Cogruzzo
Testa
Fabbrico
Bernolda
NOVELLARA
Campagnola Em.
Boschi
Abbazia
Fossoli
Budrione
il Borgo
S.Marino
Cortile
S.Próspero
Stággia
CARPI
Limidi
S.Pietro
Cristo
Sorbara
Sozzigalli
Soliera
Bastiglia
Bomporto
Pauli
Olmo
Fiesso
Fontanese
CASTELNOVO di Sotto
Praticello
Nocetolo
Cadelbosco di Sotto
Lora
Seta
Ponte d.Forca
S.Giovanni d.Fossa
Rio Saliceto
Migliarina
S.Tommaso
Vezzola
Gattático
Taneto
Caprara
Campégine
Zurco
Árgine
Pieve Rossa
la Rocca
S.Michele
Cánolo
Mándrio
Castello d.Madonnina
Bagnolo in Piano
Fosdondo
CORRÉGGIO
Fazzano
Búdrio
Cantone
Gargallo
S.Martino in Rio
Cadelbosco di Sopra
S.Ilário d'Enza
Gallo
Gazzaro
Calerno
Cade
Sesso
Réggio nell'Emilia
Castello Arbizzi
Prato
S.Ágata
Ganaceto
Campogalliano
Villanova
Albareto
Monticelli Terme
Basilicagoiano
MONTÉCCHIO EMÍLIA
Aiola
Cavriago
Cella
Barco
Coviolo
S.Bartolomeo
Rivalta
Due Maestà
RÉGGIO NELL'EMÍLIA
la Villa
Castellazzo
Masone
S.Faustino
Fontana
Marmirolo
RUBIERA
Roncadella
Gavassetto
Modena Nord
Cittanova
Marzáglia
MÓDENA
Navicello
NONÁNTOLA
Bagazzano
Recovato
Saliceto Pan.
Gággio
Panzano
Fossalta
S.Dámaso
Castelfranco Emília
S.Donnino
Modena Sud
Portile
S.Lorenzo
Montale
Tortiano
Case Nuove
Bibbiano
Vignale
Quattro Castella
Cantone
S.Polo d'Enza
Salvarano
Puianello
Villa Corbelli
Fogliano
Albinea
Sábbione
Corticella
Cantone
Arceto
Fellegara
Sécchia
Corletto
Salvaterra
Baggiovara
Casinalbo
Magreta
Caverzana
Bedogno
Sédrio
Broletto
Vezzano sul Cróstolo
Pratissolo
Borzano
Iano
Scandiano
Ventoso
Casalgrande
Casalgrande Alto
Dinazzano
Monti di Cadiróggio
Cadiróggio
Corlo
FORMÍGINE
Colombaro
Castelnuovo Rangone
S.Vito
S.Cesario s.Pan.
Piumazzo
Ciano d'Enza
Rossena
Canossa
M.d.Sella
Cerezzola
Cásola Canossa
Pecorile
Ca'Bertacchi
Paderna
Regnano
Faggiano
Viano
Véggia
Fiorano Mod.
Tressano
Sordiglio
Montalto
Fondiano
Bettola
M.Duro
Curada
Mónchio d.Olle
la Stella
Trinità
Cortogno
Prediera
Paderna
le Ville
SASSUOLO
Spezzano
Maranello
Soligrano Nuovo
S.Eusébio
SPILAMBERTO
Magazzino
Sarzano
Casina
S.Giovanni di Quércia
S.Romano
S.Valentino
Castellarano
Terme di Salvarola
Montalto
Vedriano
Migliara
Giandeto
Baiso
Castelvécchio
S.Michele d.Mucchietti
Montegibbio
S.Venánzio
Castelvetro di Mod.
Cabelle
Dócola
VIGNOLA
Savignano s.Panaro
Gómbio
Branciglia
Pantano
Castagneto
Rotéglia
Marzola
Montagnana
Levizzano Rangone
Montebaranzone
Vezzano
Rocca S.Maria
Boncompagni
Rocca
Villaberza
Marola
Pietre
Cigarello
Levizzano
Montardone
Mad. di Puianello
Rosano
la Fornace
Carpineti
Valestra
Castelvécchio
Varana
Pescarola
Stella
Bartolacelli
Pazzano
Marano s.Panaro
Castelletto
S.Vitale
Montelago

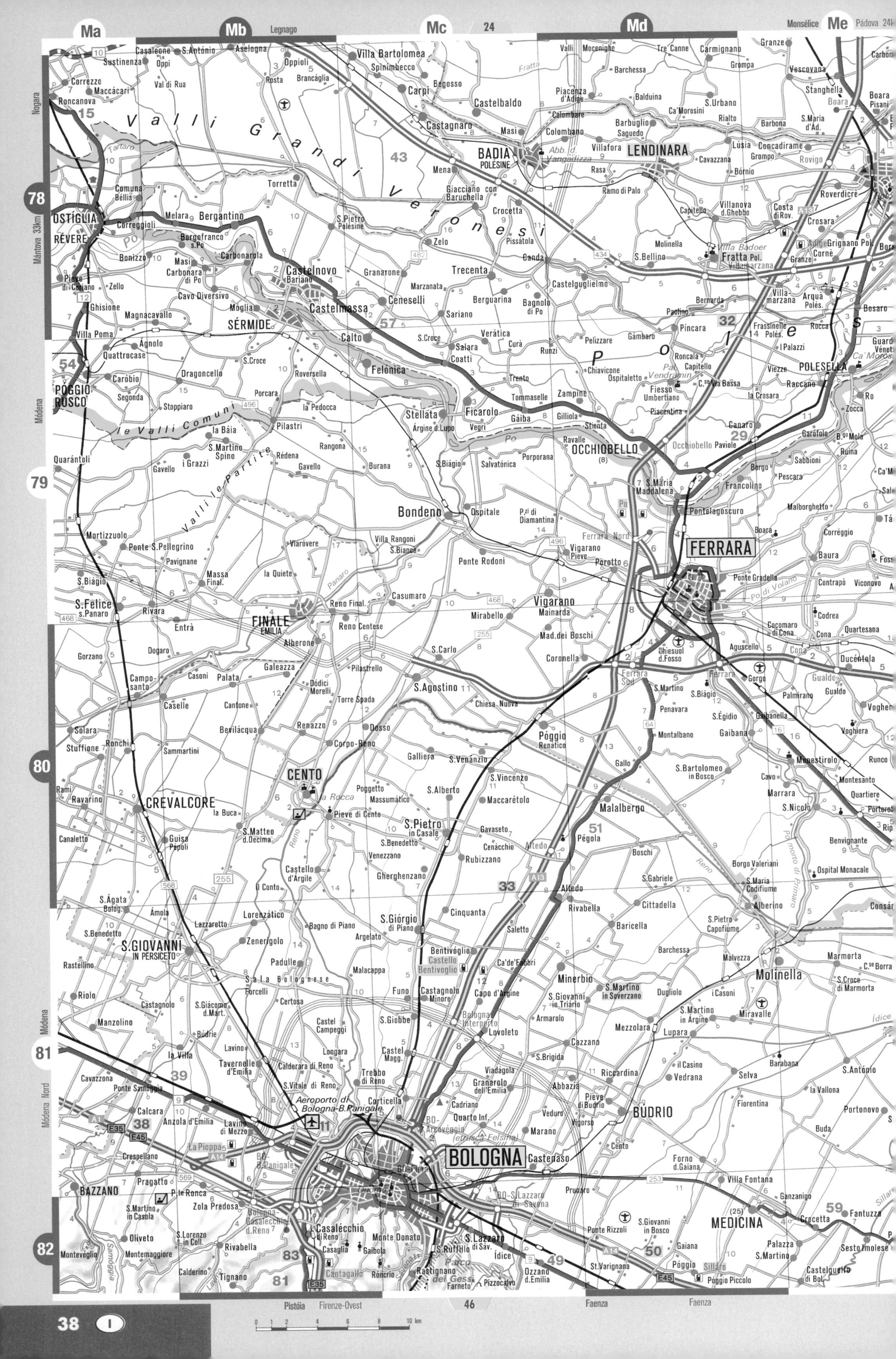

Ma
Mb
Legnago
Mc
24
Md
Monsélice
Me
Pádova
Valli Grandi Veronesi
Po
le Valli Comuni
Valli le Partite
Casaleone
S.António
Aselogna
Villa Bartolomea
Spinimbecco
Oppi
Oppioli
Sustinenza
Correzzo
Maccàcari
Roncanova
Rosta
Brancáglia
Carpi
Begosso
Castelbaldo
Castagnaro
Masi
Colombano
BADIA POLÉSINE
Villafora
LENDINARA
Piacenza d'Adige
Balduina
Barbúglio
Saguedo
Valli
Mocenighe
Tre Canne
Carmignano
Barchessa
Grompa
S.Urbano
Ca'Morosini
Rialto
Granze
Vescovana
Stanghella
Boara Pisani
Barbona
S.Maria d'Ad.
Lúsia
Concadirame
Cavazzana
Rovigo
Bórnio
Rasa
Ramo di Palo
Roverdicrè
Costa di Rov.
Crosara
Villanova d.Ghebbo
Capitello
Mena
Giacciano con Baruchella
Crocetta
Pissátola
Torretta
Comuna Béllis
OSTÍGLIA
RÉVERE
Melara
Bergantino
Correggioli
Borgofranco s.Po
Carbonarola
Bonizzo
Masi
Carbonara di Po
Pieve di Coriano
Zello
Ghisione
Cavo Diversivo
Magnacavallo
Móglia
SÉRMIDE
Castelnovo Bariano
Castelmassa
S.Pietro Polésine
Zelo
Tréçenta
Granarone
Ceneselli
Marzanata
Berguarina
Bagnolo di Po
Sariano
Canda
Castelguglielmo
Molinella
S.Bellino
Villa Badoer
Fratta Pol.
Villamarzana
Arquà Poles.
Grignano Pol.
Corné
Bernarda
Paolino
Pincara
Frassinelle Poles.
Bosaro
Rocca
I Palazzi
Polesella
Viezze
Raccano
la Crosara
Fiesso Umbertiano
Piacentina
C.se Va Bassa
Chiavicone
Ospitaletto
Vendramin
Roncala
Pelizzare
Gámbaro
Runzi
Verática
Salara
Curà
Coatti
S.Croce
Calto
Felónica
Villa Poma
Ágnolo
Quattrocase
S.Croce
Dragoncello
Roversella
Carobio
POGGIO RUSCO
Segonda
Stoppiaro
Porcara
la Pedocca
la Báia
S.Martino Spino
Pilastri
Quarántoli
Gavello
i Grazzi
Rédena
Rangona
Burana
Stellata
Árgine d.Lupo
Ficarolo
Vegri
Gáiba
Gilliola
Trento
Tommaselle
Zampine
Stienta
Ravalle
OCCHIOBELLO
Occhiobello
Paviole
Canaro
Garófolo
Zocca
Ro
B.go Mola
Rúina
Sabbioni
S.Biágio
Salvatónica
Porporana
S.Maria Maddalena
Borgo
Pescara
Francolino
Pontelagoscuro
Malborghetto
Boara
Corréggio
Bondeno
Ospitale
P.zi di Diamantina
Mortizzuolo
Ponte S.Pellegrino
Pavignane
Viarovere
Villa Rangoni
S.Bianca
Ferrara Nord
Vigarano Pieve
Porotto
FERRARA
Baura
Ponte Rodoni
Massa Final.
la Quiete
S.Biágio
S.Felice s.Panaro
Rivara
Casumaro
Reno Final.
FINALE EMILIA
Reno Centese
Mirabello
Vigarano Mainarda
Ponte Gradella
Contrapò
Viconovo
Codrea
Cocomaro di Cona
Cona
Quartesana
Entrà
Alberone
Mad.dei Boschi
Gorzano
Dogaro
S.Carlo
Coronella
Chiesuol d.Fosso
Aguscello
Ducentola
Galeazza
Pilastrello
Ferrara Sud
Gorgo
Gualdo
Campo-santo
Casoni
Palata
Dódici Morelli
S.Agostino
Chiesa Nuova
S.Martino
S.Biágio
Penavara
Palmirano
Voghenza
Caselle
Cantone
Torre Spada
S.Égidio
Gaibanella
Gaibana
Voghiera
Solara
Bevilácqua
Renazzo
Dosso
Póggio Renatico
Montalbano
Stuffione
Ronchi
Corpo-Reno
Sammartini
Galliera
S.Venanzio
Gallo
S.Bartolomeo in Bosco
Monestirolo
Runco
CENTO
S.Vincenzo
Cavo
Montesanto
Rami
Ravarino
CREVALCORE
la Buca
Poggetto
Massumático
S.Alberto
Maccarétolo
Malalbergo
Marrara
Quartiere
S.Nicolò
Portorotta
Canaletto
Guisa Pépoli
S.Matteo d.Decima
Pieve di Cento
Castello d'Argile
S.Pietro in Casale
S.Benedetto
Venezzano
Gavaseto
Cenácchio
Altedo
Pégola
Rubizzano
Boschi
Benvignante
Borgo Valeriani
Ospital Monacale
S.Maria Codifiume
Gherghenzano
S.Gabriele
Il Conto
Cittadella
Alberino
Consandolo
S.Ágata Bolog.
Ámola
Lorenzático
Lazzaretto
S.Benedetto
S.GIOVANNI IN PERSICETO
Zenerigolo
Bagno di Piano
S.Giórgio di Piano
Argelato
Cinquanta
Saletto
Rivabella
Baricella
S.Pietro Capofiume
Barchessa
Malvezza
Molinella
Marmorta
C.se Borra
S.Croce di Marmorta
Rastellino
Padulle
Sala Bolognese
Malacappa
Bentivóglio
Castello Bentivoglio
Ca'de'Fabbri
Minerbio
S.Martino in Soverzano
Dugliolo
i Casoni
Riolo
Castagnolo
Forcelli
Certosa
Funo
Castagnolo Minore
Capo d'Árgine
S.Giovanni in Triário
Armarolo
S.Martino in Árgine
Miravalle
S.Giácomo d.Mart.
Manzolino
Búdrie
Castel Campeggi
S.Giobbe
Bologna Interporto
Lovoleto
Mezzolara
Lupara
Cazzano
Lavino
Longara
Castel Magg.
S.Brigida
Barabana
S.António
la Villa
Tavernelle d'Emilia
Calderara di Reno
Trebbo di Reno
Viadágola
Granarolo dell'Emilia
Riccardina
il Casino
Vedrana
Selva
Cavazzona
Ponte Samoggia
S.Vitale di Reno
Abbazia
la Vallona
Calcara
Anzola d'Emilia
Lavino di Mezzo
Aeroporto di Bologna-B.Panigale
Corticella
Cadriano
Pieve di Budrio
BÚDRIO
Fiorentina
Portonovo
Quarto Inf.
Vedurо
Vigorso
Buda
Crespellano
La Pioppa
B.Panigale
BO-Arcoveggio
BOLOGNA
Castenaso
Marano
Cento
Forno d.Gaiana
Pragatto
P.te Ronca
BO-Fiera
Villa Fontana
Ganzanigo
BAZZANO
Zola Predosa
BO-S.Lazzaro di Savena
Prunaro
Bologna-Casalecchio d.Reno
S.Martino in Casola
Oliveto
S.Lorenzo in Coll.
Casalecchio di Reno
Casaglia
Gaibola
Monte Donato
S.Ruffillo
S.Lazzaro di Sáv.
Ponte Rizzoli
S.Giovanni in Bosco
MEDICINA
Crocetta
Fantuzza
Montevéglio
Montemaggiore
Rivabella
Parco dei Gessi
Idice
Gaiana
Palazza
S.Martino
Sesto Imolese
Calderino
Tignano
Cantagallo
Róncrio
Rastignano
Farneto
Pizzocalvo
Ozzano d.Emilia
St.Varignana
Póggio
Sillaro
Póggio Piccolo
Castelguelfo di Bol.
Nogara
Mántova 33km
Módena
Módena Nord
78
79
80
81
82
Pistóia
Firenze-Ovest
46
Faenza
Faenza

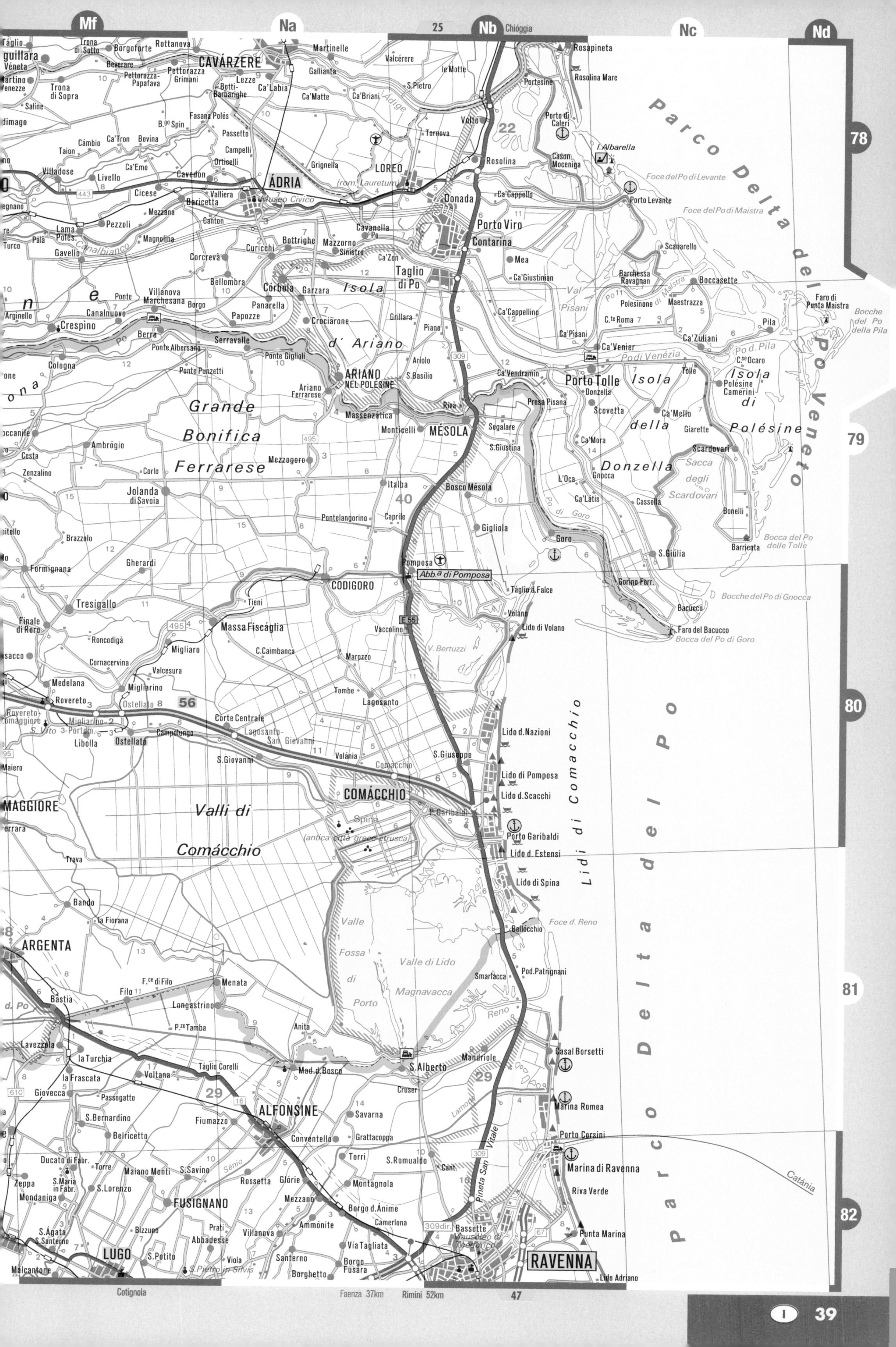
Mf
Na
25
Nb
Chióggia
Nc
Nd
78
79
80
81
82
Parco Delta del Po Veneto
Parco Delta del Po
CAVÁRZERE
ÁDRIA
LOREO
Donada
Porto Viro
Contarina
Taglio di Po
Rosolina
Rosapineta
Rosolina Mare
Porto Levante
Isola d' Ariano
ARIANO NEL POLÉSINE
Porto Tolle
Isola della Donzella
Isola di Polésine
MÉSOLA
Bosco Mésola
Goro
Grande Bonifica Ferrarese
Jolanda di Savoia
Tresigallo
CODIGORO
Abb.a di Pomposa
Massa Fiscáglia
Lido di Volano
Lido d.Nazioni
Lido di Pomposa
Lido d.Scacchi
Porto Garibaldi
Lido d. Estensi
Lido di Spina
Lidi di Comacchio
COMÁCCHIO
Valli di Comácchio
ARGENTA
ALFONSINE
FUSIGNANO
LUGO
RAVENNA
Marina di Ravenna
Punta Marina
Lido Adriano
Casal Borsetti
Marina Romea
Porto Corsini
Faenza 37km
Rimini 52km
Cotignola
47

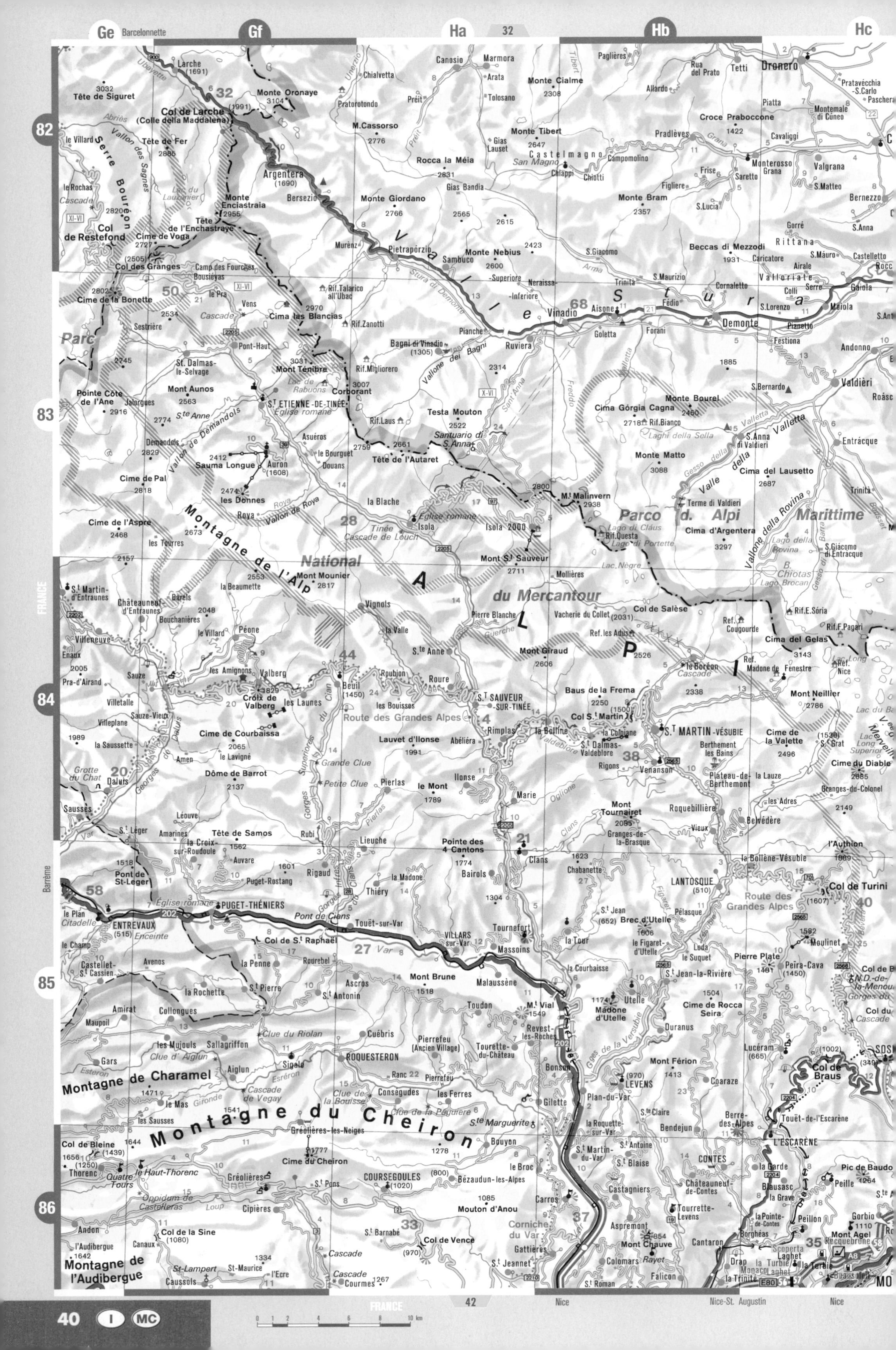
Ge
Barcelonnette
Gf
Ha
32
Hb
Hc
82
83
84
85
86
Larche (1691)
Tête de Siguret 3032
Monte Oronaye 3104
Col de Larche (Colle della Maddalena) (1991)
le Villard
Serre Bourdon
Tête de Fer 2885
Vallon des Sagnes
Argentera (1690)
le Rochas
Cascade
Monte Enciastraia 2955
Bersezio
Col de Restefond
Tête de l'Enchastraye
Cime de Voga
Col des Granges
Camp des Fourches
Bousiéyas
Cime de la Bonette 2802
le Pra
Vens
Cima las Blancias 2970
Sestrière
Parc
Pont-Haut
St. Dalmas-le-Selvage
Mont Ténibre 3031
Pointe Côte de l'Ane 2916
Jalorgues
Mont Aunos 2563
S.te Anne
ST ETIENNE-DE-TINÉE
Eglise romane
Lac de Rabuons
Corborant 3007
Demandols 2829
Vallon de Demandols
Sauma Longue 2412
Auron (1608)
Asuéros
le Bourguet
Douans
Cime de Pal 2818
les Donnes 2474
Roya
Vallon de Roya
Montagne de l'Alp
Cime de l'Aspre 2468
les Tourres
la Blache
Isola
Eglise romane
28
Tinée
Cascade de Louch
National
Mont Mounier 2817
la Beaumette
St Martin-d'Entraunes
Châteauneuf-d'Entraunes
Barels
Bouchanières
le Villard
Péone
Villeneuve
Enaux
Pra-d'Airand
Sauze
les Amignons
Valberg
Croix de Valberg 1829
les Launes
Villetalle
Sauze-Vieux
Villeplane
Cime de Courbaissa 2065
la Saussette
le Lavigné
Amen
Grotte du Chat
Daluis
Dôme de Barrot 2137
Saussès
Léouve
St Léger
Amarines
Tête de Samos
la Croix-sur-Roudoule
Auvare
Pont de St-Leger
Puget-Rostang
Rigaud
Le Plan
Citadelle
ENTREVAUX (515) Enceinte
PUGET-THÉNIERS
Eglise romane
58
le Champ
Castellet-St Cassien
Avenos
Col de St Raphaël
la Penne
la Rochette
St Pierre
Collongues
Amirat
Maupoil
Gars
les Mujouls
Sallagriffon
Clue d'Aiglun
Aiglun
Sigale
Clue du Riolan
Montagne de Charamel
le Mas
les Sausses
Cascade de Vegay
Montagne du Cheiron
Col de Bleine
Thorenc
Quatre Tours
le Haut-Thorenc
Gréolières
Oppidum de Castellaras
Cipières
Andon
l'Audibergue
Col de la Sine (1080)
Canaux
Montagne de l'Audibergue
St-Lampert
Caussols
St-Maurice
l'Ecre
Chialvetta
Pratorotondo
M.Cassorso 2776
Canosio
Marmora
Arata
Tolosano
Preit
Gias Lauset
Rocca la Méia 2831
Gias Bandia
Monte Giordano 2766
Pietraporzio
Murenz
Sambuco
Monte Nebius
Rif.Talarico all'Ubac
Rif.Zanotti
Bagni di Vinadio (1305)
Vallone dei Bagni
Rif.Migliorero
Testa Mouton 2522
Santuario di S.Anna
Rif.Laus
Tête de l'Autaret
Isola 2000
Mont St Sauveur 2711
Vignols
la Valle
S.te Anne
Roubion
Roure
Beuil (1450)
les Bouisses
ST SAUVEUR-SUR-TINÉE
Route des Grandes Alpes
Rimplas
la Bolline
Lauvet d'Ilonse 1991
Abéliéra
Ilonse
Grande Clue
Petite Clue
Pierlas
le Mont 1789
Marie
Rubi
Lieuche
Pointe des 4 Cantons 1774
Bairols
Clans
Thiéry
la Madone
Pont de Ciens
Touët-sur-Var
VILLARS sur-Var
Tournefort
Massoins
27 Var
Rourebel
Mont Brune 1518
Ascros
St Antonin
Malaussène
Toudon
Cuébris
ROQUESTERON
Pierrefeu (Ancien Village)
Tourette-du-Château
Revest-les-Roches
Ranc
Conségudes
les Ferres
Clue de la Bouisse
Clue de la Péguière
Ste Marguerite
Gréolières-les-Neiges
Cime du Cheiron 1777
COURSEGOULES (1020)
St Pons
Bézaudun-les-Alpes
Bouyon
le Broc
Mouton d'Anou 1085
St Barnabé
Col de Vence
Cascade
Courmes
Carros
Corniche du Var
Gattières
St Jeannet
Gilette
Bonson
Paglières
Rua del Prato
Tetti
Dronero
Allardo
Monte Cialme 2308
Monte Tibert 2647
Castelmagno
San Magno
Chiappi
Chiotti
Campomolino
Pradlèves
Croce Praboccone 1422
Frise
Figliere
Monte Bram 2357
S.Lucia
Beccas di Mezzodi 1931
S.Giacomo
Neraissa
Vinadio
Aisone
Valle Stura
Trinità
S.Maurizio
Fédio
Cornaletto
Demonte
Goletta
Forani
Ruviera
Pianche
Cima Górgia Cagna 2718
Rif.Bianco
Monte Bourel 2450
Laghi della Sella
Monte Matto 3088
Parco d. Alpi Marittime
Mt Malinvern 2938
Lago di Cláus
Rif.Questa
Lago di Portette
Cima d'Argentera 3297
Lac Nègre
du Mercantour
Mollières
Vacherie du Collet (2031)
Col de Salèse
Ref. les Adus
Mont Giraud 2606
Baus de la Frema 2250
Col St Martin (1500)
la Colmiane
St Dalmas-Valdeblore
Valdeblore
Rigons
Venanson
ST MARTIN-VÉSUBIE
le Boréon
Cascade
Ref. Cougourde
Cima del Gelas 3143
Ref. Madone de Fenestre
Mont Neillier 2786
Berthemont les Bains
Plateau-de-Berthemont
Mont Tournairet 2085
Granges-de-la-Brasque
Roquebillière
Vieux
Belvédère
Chabanette 1623
LANTOSQUE (510)
la Bollène-Vésubie
St Jean (652)
Brec d'Utelle 1606
le Figaret-d'Utelle
la Tour
Loda
le Suquet
Pierre Plate
St Jean-la-Rivière
la Courbaisse
Cime de Rocca Seira 1504
Utelle
Madone d'Utelle 1174
Mt Vial 1549
Duranus
Mont Férion 1413
LEVENS (970)
Coaraze
Plan-du-Var
St Claire
Bendejun
Berre-des-Alpes
la Roquette-sur-Var
St Martin-du-Var
St Antoine
St Blaise
CONTES
Châteauneuf-de-Contes
Castagniers
Tourrette-Levens
Aspremont
Mont Chauve 854
Colomars
Rayet
Falicon
St Roman
Cantaron
Pratavècchia -S.Carlo
Pascher
Piatta
Montemale di Cuneo
Cavaliggi
Monterosso Grana
Saretto
Valgrana
S.Matteo
Bernezzo
Gorré
Rittana
S.Anna
S.Mauro
Castelletto
Caricatore
Airale
Valloriate
Colli
Serre
Gaiola
S.Lorenzo
Moiola
Pianetto
Festiona
Andonno
Valdieri
S.Bernardo
S.Anna di Valdieri
Valle della Valletta
Entracque
Cima del Lausetto 2687
Terme di Valdieri
Vallone della Rovina
Lago della Rovina
S.Giacomo di Entracque
Chiotas
Lago Brocan
Rif.E.Sória
Rif.F.Pagari
Cime de la Valette 2496
St Grat
Cime du Diable 2685
la Lauze
Granges-du-Colonel
les Adres
l'Authion
Col de Turini (1607)
Route des Grandes Alpes
40
Moulinet
Peira-Cava (1450)
Col de Braus
Luceram (665)
Touët-de-l'Escarène
L'ESCARÈNE
la Garde
Blausasc
la Grave
Peille
Pic de Baudo 1264
Peillon
la Pointe-de-Contes
Gorbio
Mont Agel 1110
Roquebrune
Borghéas
Drap
la Turbie
la Trinité
Monaco
35
FRANCE
42
Nice
Nice-St. Augustin
Nice
40
I
MC
0 1 2 4 6 8 10 km

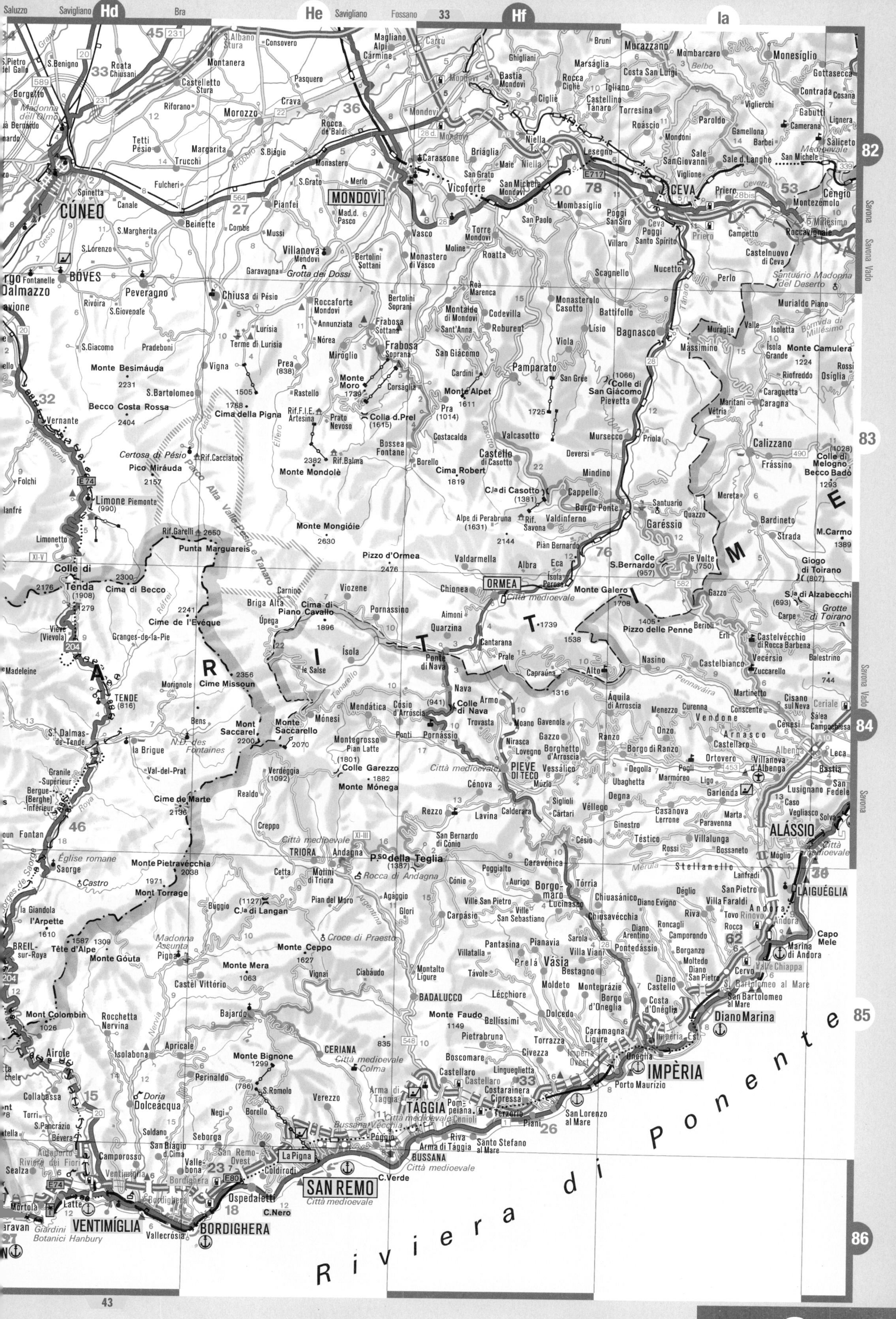

Saluzzo
Savigliano
Hd
Bra
He
Savigliano
Fossano
33
Hf
Ia
CÚNEO
MONDOVÌ
CEVA
ORMEA
Murazzano
Mombarcaro
Monesíglio
Gottasecca
Costa San Luigi
Marságlia
Rocca Cigliè
Bastia Mondovì
Ghigliani
Bruni
Magliano Alpi
Cármine
Carrù
Montanera
S.Albano Stura
Consovero
S.Benigno
Roata Chiusani
Castelletto Stura
Pasquero
Crava
Morozzo
Riforano
Rocca de' Baldi
Tetti Pésio
Margarita
Trucchi
S.Biágio
Monastero
Carassone
Bríaglia
Niella
Lesegno
Vicoforte
San Michele Mondovì
Mombasiglio
Fulcheri
Spinetta
Canale
Pianfei
S.Grato
Merlo
Beinette
Combe
S.Margherita
Mussi
Villanova Mendovì
Vasco
Torre Mondovì
Roatta
S.Lorenzo
Bertolini Sottani
Monastero di Vasco
Grotta dei Dossi
Garavagna
BÓVES
Fontanelle
Peveragno
Chiusa di Pésio
Roccaforte Mondovì
Frabosa Sottana
Frabosa Soprana
Montaldo di Mondovì
Codevilla
Roburent
Pamparato
Monasterolo Casotto
Battifollo
Bagnasco
Nucetto
Perlo
Priero
Cèngio
Montezémolo
Roccavignale
Castelnuovo di Ceva
Santuário Madonna del Deserto
Murialdo
Massimino
Isoletta
Monte Camulera
Calizzano
Frássino
Colle di Melogno
Garéssio
Colle S.Bernardo
Vernante
Limone Piemonte
Colle di Tenda
Cima di Becco
Punta Marguareis
Monte Mongióie
Pizzo d'Ormea
Cima di Piano Cavallo
Pornassino
Viozene
Quarzina
Cantarana
Ponte di Nava
Briga Alta
Úpega
Ísola
le Salse
TENDE
Cime Missoun
Monte Saccarello
Mont Saccarel
Mendática
Cósio d'Arróscia
Pornássio
Colle di Nava
Monte Galero
Pizzo delle Penne
Nasino
Castelbianco
Alto
Caprauna
Áquila di Arroscia
Vendone
Arnasco
Castellaro
Ortovero
Villanova d'Albenga
Garlenda
Onzo
Ranzo
Borgo di Ranzo
PIEVE DI TECO
Vessálico
Cénova
Rezzo
Lavina
Calderara
Montegrosso Pian Latte
Colle Garezzo
Monte Mónega
Verdéggia
Realdo
Creppo
TRIORA
Andagna
P.so della Teglia
Molini di Triora
Cetta
Carpásio
Borgomaro
Chiusanico
ALÁSSIO
LAIGUÉGLIA
Andora
Capo Mele
Marina di Andora
Cervo
San Bartolomeo al Mare
Diano Marina
IMPÈRIA
Oneglia
Porto Maurizio
San Lorenzo al Mare
Dolcedo
Vásia
Prelá
Badalucco
Montalto Ligure
Monte Fauda
Ceriana
TAGGIA
Arma di Taggia
Riva
Santo Stefano al Mare
BUSSANA
SAN REMO
C.Verde
Ospedaletti
C.Nero
BORDIGHERA
Vallecrósia
VENTIMÍGLIA
Latte
Mortola
Giardini Botanici Hanbury
Camporosso
Dolceácqua
Apricale
Perinaldo
Bajardo
Monte Bignone
Isolabona
Rocchetta Nervina
Pigna
Castèl Vittório
Monte Ceppo
Monte Mera
Buggio
C.la di Langan
Airole
Mont Colombin
BREIL-sur-Roya
Saorge
Fontan
Tête d'Alpe
Monte Góuta
Monte Pietravécchia
Mont Torrage
Cime de Marte
la Brigue
St. Dalmas-de-Tende
Rivièra di Ponente
Savona
Savona Vado
82
83
84
85
86
A R I T T I M E

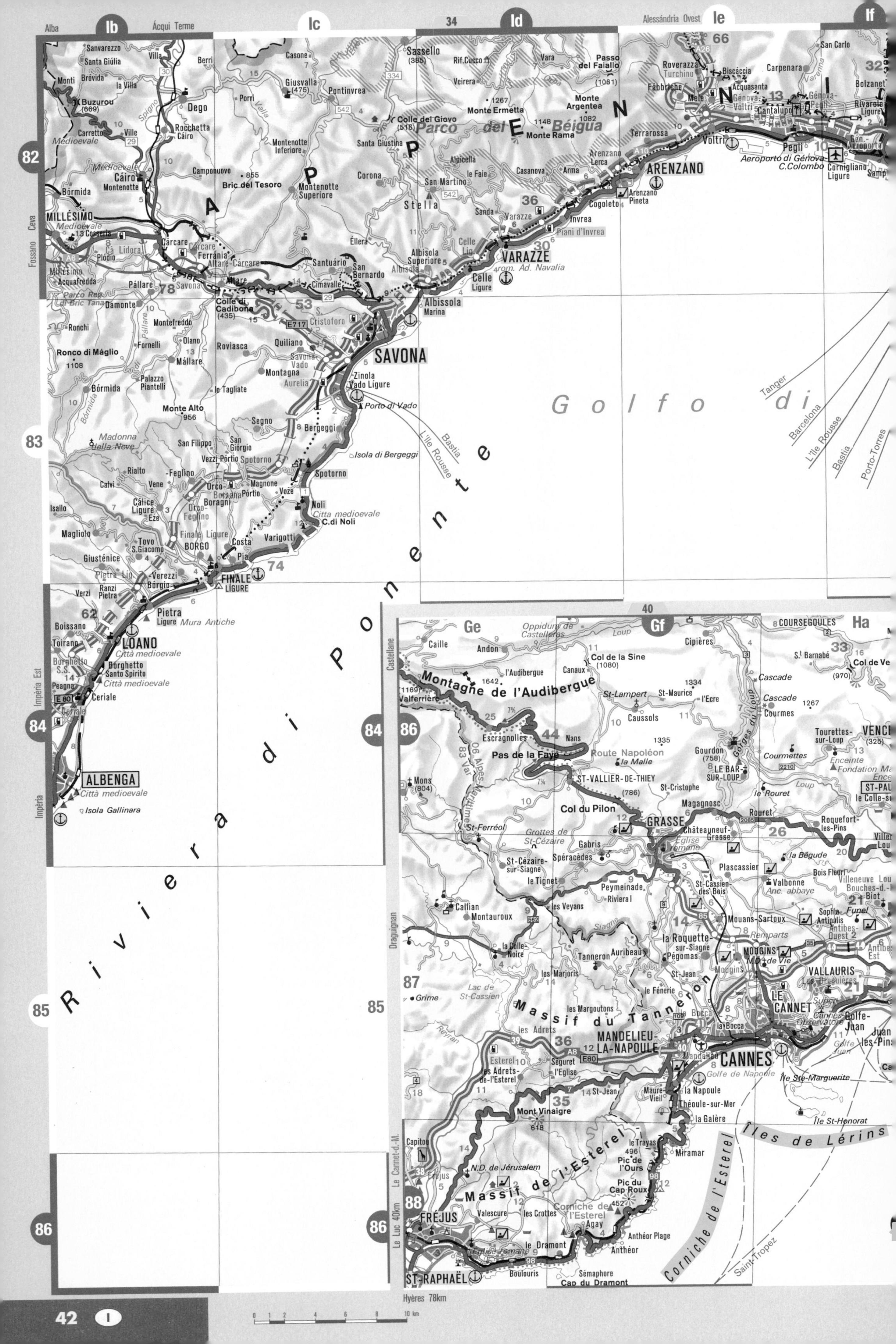

Alba
Ib
Àcqui Terme
Ic
34
Id
Alessàndria Ovest
Ie
If
Sanvarezzo
Santa Giùlia
Villa
Berri
Casone
Sassello
(385)
Rif.Cucco
Vara
Passo del Faiallo
(1061)
Roverazza
Turchino
Biscàccia
Carpenara
San Carlo
Monti
Bròvida
la Villa
Giusvalla
(475)
Pontinvrea
Veirera
Monte Argentea
Fàbbriche
Acquasanta
Bolzaneto
Buzurou
(669)
Dego
Porri
Colle del Giovo
(516)
Monte Ermetta
1267
1082
Mele
Gènova-Voltri
Cantalupo
Gènova-Pegli
Rivarolo Ligure
Carretto
Medioevale
Ville
Rocchetta Càiro
Montenotte Inferiore
Santa Giustina
Parco del Bèigua
1148
Monte Rama
Terrarossa
Voltri
Pegli
82
Medioevale
Càiro Montenotte
Camponuovo
855
Bric del Tesoro
Corona
Alpicella
le Faie
Casanova
Arma
Arenzano
Lerca
Aeroporto di Gènova C.Colombo
Cornigliano Ligure
Bòrmida
Montenotte Superiore
San Martino
Stella
Sanda
Varazze
ARENZANO
Arenzano Pineta
Cogoleto
MILLÉSIMO
Medioevale
Cosseria
Fossano
Ceva
A
P
E
N
Carcare
Ca Lidora
Plodio
Ferrània
Altare-Càrcare
Éllera
Santuàrio
San Bernardo
Albisola Superiore
Celle Ligure
VARAZZE
Invrea
Piani d'Invrea
Millésimo
Acquafredda
Pàllare
Savona
Altare
Cimavalle
Albisola
Prom. Ad. Navalia
Celle Ligure
Parco Reg. di Bric Tana
Damonte
Colle di Cadibona
(435)
53
S. Cristoforo
Albissola Marina
Ronchi
Montefreddo
Olano
Quiliano
Ronco di Màglio
1108
Fornelli
Mallare
Roviasca
Savona-Vado
SAVONA
Palazzo Piantelli
Montagna
Aurelia
Zinola
Vado Ligure
Bòrmida
le Tagliate
Porto di Vado
Golfo di
Tanger
Barcelona
L'Ile Rousse
Bastia
Porto-Torres
Monte Alto
956
Segno
Bergeggi
83
Madonna della Neve
San Filippo
San Giorgio
Bastia
L'Ile Rousse
Isola di Bergeggi
Vezzi Pòrtio
Spotorno
Rialto
Feglino
Calvi
Vene
Orco-Borsana
Magnone
Pòrtio
Spotorno
Boragni
Voze
Isallo
Càlice Ligure
Eze
Orco-Feglino
Noli
Città medioevale
C.di Noli
Magliolo
Tovo S.Giacomo
Finale Ligure
BORGO
Costa
Varigotti
Giusténice
Pia
74
Pietra Lig.
Verezzi
Borgio
FINALE LIGURE
Verzi
Ranzi Pietra
Pietra Ligure
Mura Antiche
Boissano
62
Toirano
LOANO
Città medioevale
Borghetto S.S.
Borghetto Santo Spirito
Città medioevale
Peagna
Ceriale
Impèria Est
84
ALBENGA
Città medioevale
Isola Gallinara
Impèria
Riviera di Ponente
85
86
40
Ge
Gf
Ha
Oppidum de Castellaras
Loup
COURSEGOULES
Caille
Andon
Castellane
Col de la Sine
(1080)
Cipières
S.t Barnabé
33
Col de Vence
(970)
l'Audibergue
Canaux
1642
Montagne de l'Audibergue
St-Lampert
St-Maurice
1334
l'Ecre
Cascade
(1169)
Valferrière
Caussols
Cascade
Courmes
1267
Gorges du Loup
84
86
25
44
Escragnolles
Nans
1335
Tourettes-sur-Loup
VENCE
(325)
Pas de la Faye
Route Napoléon
la Malle
Gourdon
(758)
LE BAR-SUR-LOUP
Courmettes
Enceinte
Fondation Maeght
Mons
(804)
Alpes-Maritimes
Var
ST-VALLIER-DE-THIEY
(786)
St-Cristophe
le Rouret
ST-PAUL
le Colle-sur-Loup
Col du Pilon
Magagnosc
Rouret
St-Ferréol
GRASSE
Châteauneuf-Grasse
26
Roquefort-les-Pins
Grottes de St-Cézaire
Gabris
Eglise romane
la Bégude
St-Cézaire-sur-Siagne
Spéracèdes
Plascassier
Bois Fleuri
le Tignet
Peymeinade
Riviera I
St-Cassien-des-Bois
Valbonne
Anc. abbaye
Villeneuve Loubet
Callian
Montauroux
les Veyans
Sophia-Antipolis
Mouans-Sartoux
Remparts
Draguignan
la Colle-Noire
Siagne
14
la Roquette-sur-Siagne
MOUGINS
N.D. de Vie
Tanneron
Auribeau
Pégomas
Mougins
87
les Marjoris
St-Jean
VALLAURIS
Lac de St-Cassien
Grime
le Fenerie
LE CANNET
21
Massif du Tanneron
les Margoutons
la Bocca
Golfe-Juan
les Adrets
MANDELIEU-LA-NAPOULE
36
Juan-les-Pins
Esterel
Séguret
l'Eglise
CANNES
les Adrets-de-l'Esterel
Golfe de Napoule
Île Ste-Marguerite
la Napoule
St-Jean
Maure-Vieil
18
35
Théoule-sur-Mer
Mont Vinaigre
618
la Galère
Île St-Honorat
Capitou
le Trayas
Miramar
Îles de Lérins
496
Pic de l'Ours
N.D. de Jérusalem
Fréjus
Massif de l'Esterel
Pic du Cap Roux
452
Corniche de l'Esterel
88
FRÉJUS
Valescure
les Crottes
Corniche de l'Esterel
Agay
Le Cannet-d.-M.
Le Luc 40km
Anthéor Plage
Anthéor
le Dramont
Eglise romane
Saint-Tropez
ST-RAPHAËL
Boulouris
Sémaphore
Cap du Dramont
Hyères 78km
0 1 2 4 6 8 10 km

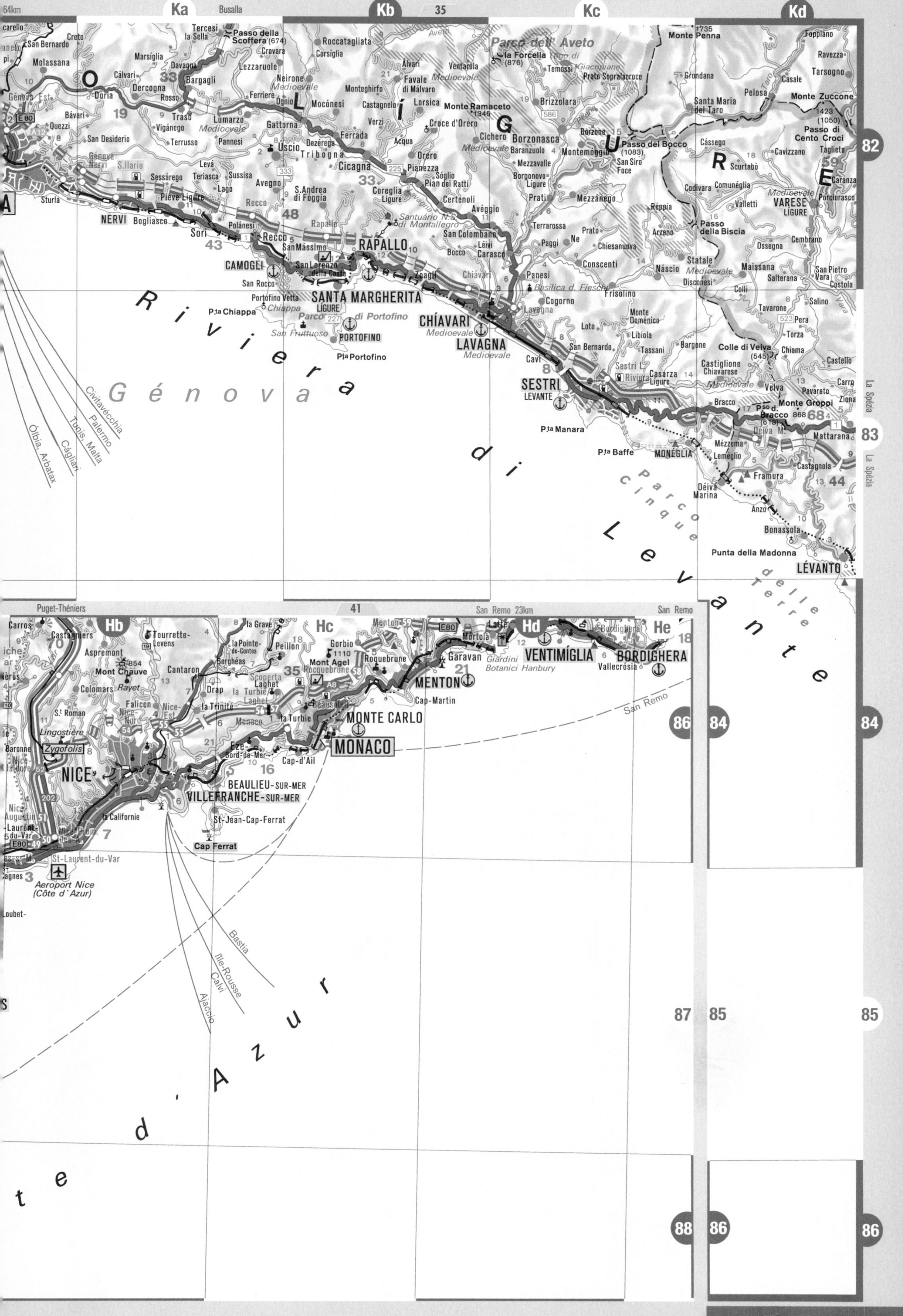
Riviera di Génova
Riviera di Levante
Côte d'Azur
Parco Cinque Terre
GÉNOVA
NERVI
CAMOGLI
RAPALLO
SANTA MARGHERITA LIGURE
PORTOFINO
CHIÁVARI
LAVAGNA
SESTRI LEVANTE
MONÉGLIA
LÉVANTO
NICE
VILLEFRANCHE-SUR-MER
BEAULIEU-SUR-MER
MONTE CARLO
MONACO
MENTON
VENTIMÍGLIA
BORDIGHERA
Aeroport Nice (Côte d'Azur)
Cap Ferrat
St-Jean-Cap-Ferrat
Cap-d'Ail
Cap-Martin
Passo del Bocco
Passo della Scoffera
Passo di Cento Croci
Passo della Biscia
Monte Penna
Monte Zuccone
Monte Ramaceto
Monte Groppi
Parco dell'Aveto
Punta della Madonna
P.ta Manara
P.ta Baffe
P.ta Chiappa
P.ta Portofino
Civitavécchia
Palermo
Tunis, Malta
Cágliari
Ólbia, Arbatax
Bastia
Ille-Rousse
Calvi
Ajaccio
La Spézia

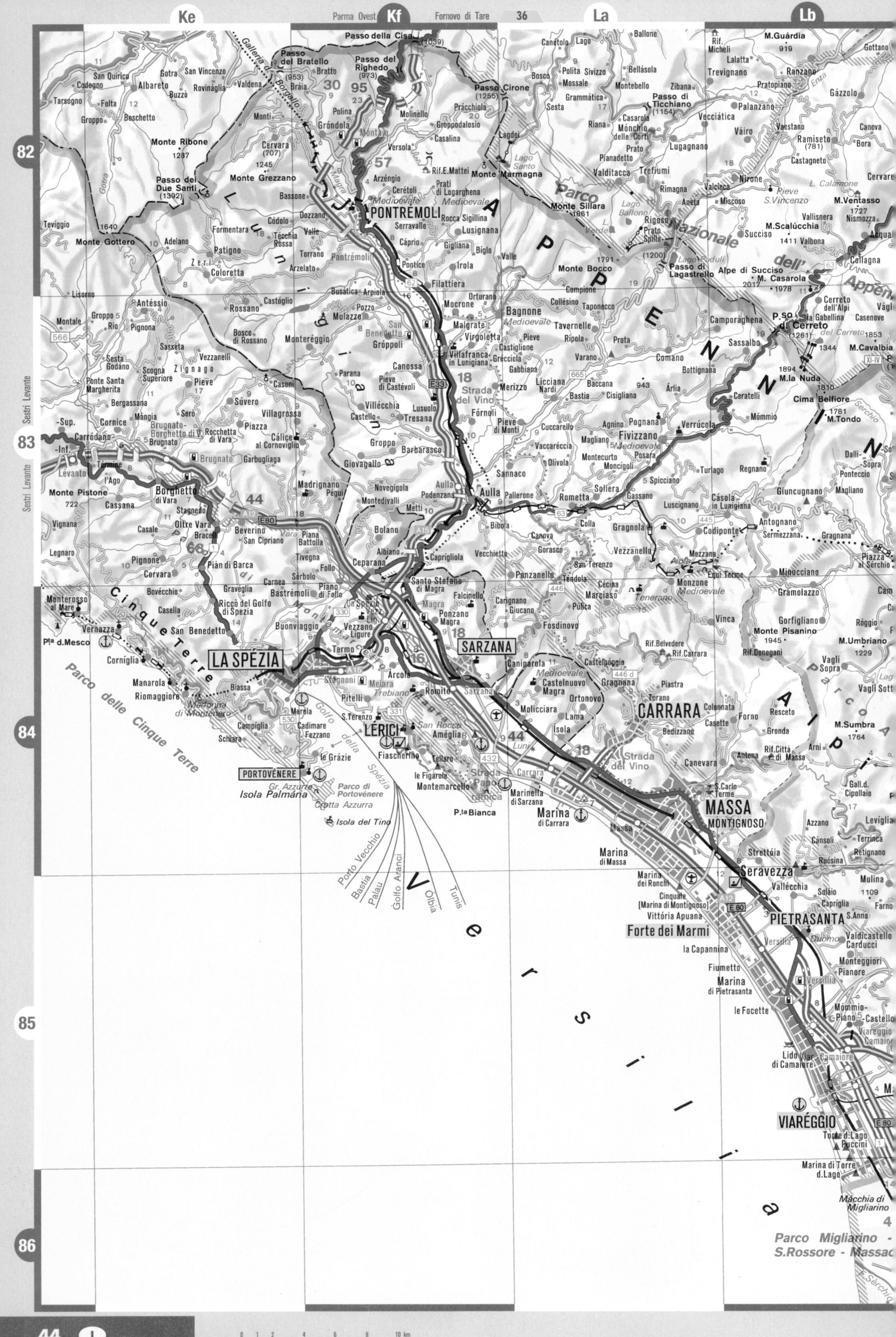
82
83
84
85
86
Sestri Levante
Passo della Cisa
(1039)
Passo del Bratello
Passo del Righedo
(973)
(953)
Bratto
Bráia
Galleria d. Borgallo
San Quirico
Codogno
Tarsogno
Albareto
Gotra
San Vincenzo
Valdena
Rovinàglia
Buzzò
Folta
Groppo
Beschetto
Monti
Gróndola
Polina
Montelungo
Molinello
Prácchiola
Groppodalosio
Casalina
Versola
Rif.E.Mattei
Monte Ribone
1287
Cervara
(707)
1245
Monte Grezzano
Passo dei Due Santi
(1392)
Bassone
Arzéngio
Cerétoli
Prati di Logarghena
PONTREMOLI
Medioevale
Teviggio
Monte Gottero
1640
Adelano
Formentara
Cádolo
Dozzano
Serravalle
Rocca Sigillina
Lusignana
Téchia Rossa
Valle
Cáprio
Gigliana
Biglo
Patigno
Zeri
Torrano
Pontrémoli
Arzelato
Coloretta
Pontice
Irola
Filattiera
Lunigiana
Lisorno
Antéssio
Castóglio
Busática
Arpiola
Pozzo
Mulazzo
Rossano
Montale
Groppo
Rio
Pignona
Bosco di Rossano
Monteréggio
San Benedetto
Gróppoli
566
Sesta Godano
Sassetta
Vezzanelli
Scogna Superiore
Zignago
Ponte Santa Margherita
Pieve
Parana
Canossa
Pieve di Castévoli
Casoni
Bergassana
Súvero
Villécchia
Castello
Lusuolo
Tresana
Villagrossa
Cornice
Mángia
Serò
Brugnato-Borghetto di V.
Rocchetta di Vara
Piazza
Cálice al Cornoviglio
Groppo
Barbarasco
Giovagallo
Carródano
Brugnato
Garbugliaga
Levanto
Termine
l'Ago
Monte Pistone
722
Borghetto di Vara
Madrignano
Pegui
Novegìgola
Montedivalli
Podenzana
Aulla
Cassana
Stagnedo
Oltre Vara
Bracelli
Vignana
Casale
Beverino
San Cipriano
Piana Battolla
Bolano
Legnaro
Pignone
Cervara
Piàn di Barca
Tivegna
Follo
Albiano
Caprígliola
Ceparana
Monterosso al Mare
Bovécchio
Graveglia
Carnea
Bastrémoli
Sórbolo
Piano di Follo
Santo Stefano di Magra
Falcinello
Vernazza
Casella
Riccò del Golfo di Spezia
San Benedetto
Buonviaggio
Vezzano Ligure
Ponzano Magra
P.ta d.Mesco
Corniglia
Cinque Terre
LA SPÉZIA
Termo
SARZANA
Manarola
Riomaggiore
Biassa
Stagnoni
Melara
Arcola
Trebiano
Romito
Madonna di Montenero
Pitelli
Marola
Campiglia
Cadimare
Fezzano
S.Terenzo
LÉRICI
San Rocco
Améglia
Schiara
le Grázie
Fiascherino
Tellaro
Parco delle Cinque Terre
PORTOVÉNERE
Gr. Azzurra
Isola Palmária
Parco di Portovénere
Grotta Azzurra
Isola del Tino
Golfo della Spézia
le Figarole
Montemarcello
Strada Panoramica
Marinella di Sarzana
P.ta Bianca
Porto Vecchio
Bastia
Palau
Golfo Aranci
Olbia
Tunis
Versilia
Canetolo
Lago
Ballone
Polita
Sivizzo
Bosco
Mossale
Bellásola
Montebello
Passo Cirone
(1255)
Grammática
Sesta
Zibana
Passo di Ticchiano
(1154)
Riana
Casarola
Mónchio delle Corti
Prato
Lagdei
Lago Santo
Monte Marmagna
Pianadetto
Lugagnano
Valditacca
Trefiumi
Parco Nazionale dell' Appennino
Monte Sillara
1861
Lago Ballono
Rimagna
Rigoso
Prato Spilla
Lago Verde
APPENNINO
Valle
Monte Bocco
1791
(1200)
Lago Paduli
Passo di Lagastrello
Alpe di Succiso
2017
Compione
Collésino
Taponecco
Orturano
Mocrone
Bagnone
Medioevale
Tavernelle
Malgrate
Virgoletta
Pieve
Ripola
Prota
Villafranca in Lunigiana
Castiglione
Gréccioia
Gabbiana
Varano
Comano
Bottignana
Licciana Nardi
665
Baccana
943
Árlia
Merizzo
Strada del Vino
Bastia
Cisigliana
Fórnoli
Pieve di Monti
Cuccarello
Agnino
Pognana
Verrúcola
Magliano
Fivizzano
Vaccaréccia
Posara
Montecurto
Moncígoli
Olívola
Sannaco
Soliera
Spicciano
Gassano
Rometta
Pallerone
Luscignano
Cásola in Lunigiana
Bíbola
Colla
Gragnola
Codiponte
Canova
Gorasco
Vecchietto
Vezzanello
Mezzana
Aiola
Equi Terme
San Terenzo
Ponzanello
Tendola
Cécina
Marciaso
Monzone
Medioevale
Carignano
Giucano
Púlica
Tenerano
Fosdinovo
Vinca
Caniparola
Castelpóggio
Rif.Belvedere
Rif.Carrara
Castelnuovo Magra
Gragnana
Piastra
Ortonovo
Torano
Molicciara
Lama
CARRARA
Colonnata
Ísola
Bedizzano
Casette
Luni
Strada del Vino
Canevara
Carrara
MASSA
S.Carlo Terme
MONTIGNOSO
Marina di Carrara
Massa
Marina di Massa
Strettóia
Marina dei Ronchi
Seravezza
Cinquale
(Marina di Montignoso)
Vittória Apuana
Valléchia
PIETRASANTA
Forte dei Marmi
Versilia
Duomo
la Capannina
Fiumetto
Marina di Pietrasanta
le Focette
Lido di Camaiore
VIARÉGGIO
Torre d.Lago Puccini
Marina di Torre d.Lago
Mácchia di Migliarino
Parco Migliarino - S.Rossore - Massac
Rif. Micheli
M.Guárdia
919
Lalatta
Trevignano
Ranzano
Pratopiano
Gottano
Gázzolo
Vecciática
Palanzano
Váiro
Vaestano
Ramiseto
(781)
Canova
Bora
Castagneto
Cervare
Nirone
Valcieca
Pieve S.Vincenzo
L. Calamone
Aneta
Miscoso
M.Ventasso
1727
Nismozza
Vallisnera
M.Scalúcchia
Succiso
1411
Valbona
Acqua
Callagna
M. Casarola
1978
Cerreto dell'Alpi
la Gabellina
Casenove
Camporághena
P.so di Cerreto
(1261)
1853
Sassalbo
1344
M.Cavalbia
1894
M.la Nuda
1810
Ceratelli
Cima Belfiore
1781
M.Tondo
Mómmio
Serchio
Dalli-Sopra
Ponteccio
Turlago
Regnano
Giuncugnano
Magliano
Antognano
Sermezzana
Gragnana
Piazza al Serchio
Minucciano
Gramolazzo
Gorfigliano
Róggio
Monte Pisanino
1945
M.Umbriano
1229
Rif.Donegani
Vagli Sopra
Vagli Sotto
Parco Alpi Apuane
Resceto
Forno
M.Sumbra
1764
Gronda
Antona
Rif.Città di Massa
Arni
Gall.d. Cipollaio
Azzano
Levigliani
Cánsoli
Terrinca
Retignano
Ruósina
Mulina
1109
Farno
Solàio
Capriglia
S.Anna
Valdicastello Carducci
Monteggiori
Pianore
Mómmio-Piano
Castello
Viareggio Camaiore

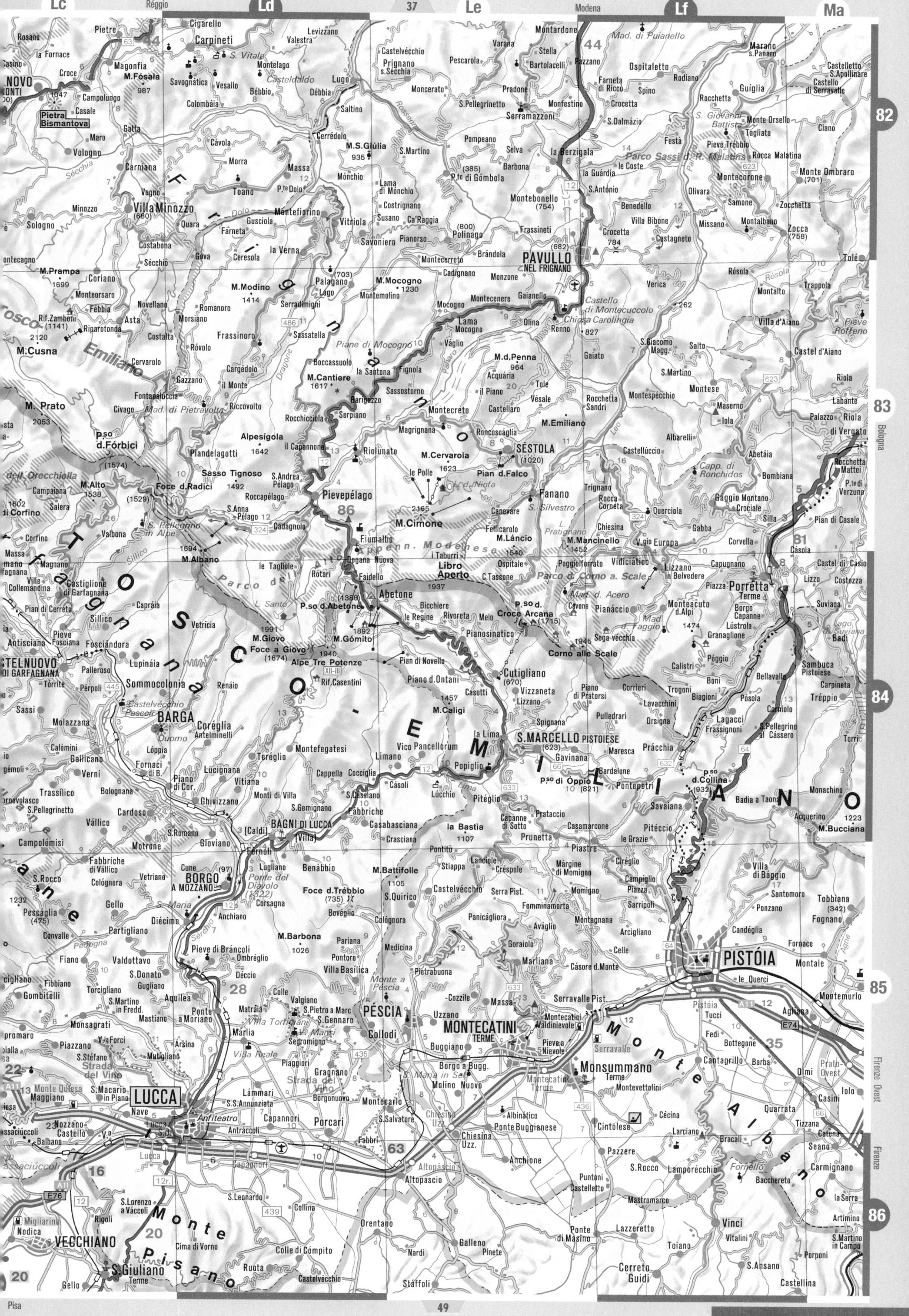
Lc
Réggio
Ld
37
Le
Modena
Lf
Ma
82
83
84
85
86
Bologna
Firenze Ovest
Firenze
Pisa
49
Carpineti
Castelnovo ne' Monti
Pietra Bismantova
Villa Minozzo
Toano
Frassinoro
Montefiorino
Lama Mocogno
Polinago
PAVULLO NEL FRIGNANO
Serramazzoni
Prignano s.Sécchia
Montese
Zocca
Guiglia
Marano s.Panaro
Vignola
Fanano
SÉSTOLA
M.Cimone
Pievepélago
Fiumalbo
Abetone
M.Cusna
M.Prato
Frignano
Appenn. Modenese
Parco d. Corno a. Scale
Corno alle Scale
Porretta Terme
Lizzano in Belvedere
Castiglione di Garfagnana
CASTELNUOVO DI GARFAGNANA
Garfagnana
BARGA
Coréglia Antelminelli
Cutigliano
S.MARCELLO PISTOIESE
BAGNI DI LUCCA
BORGO A MOZZANO
Ponte del Diavolo
PÉSCIA
MONTECATINI TERME
Monsummano Terme
PISTÓIA
Montale
Agliana
Quarrata
Serravalle Pist.
LUCCA
Capannori
Porcari
Altopascio
Collodi
VECCHIANO
S.Giuliano Terme
Monte Pisano
Monte Albano
Vinci
Lamporecchio
Cerreto Guidi
TOSCO - EMILIANO
Parco dell'Orecchiella
Valdinievole
Vicopisano
Pescáglia
M.Bucciana
Sambuca Pistoiese
Pracchia
Badi
Castel di Casio

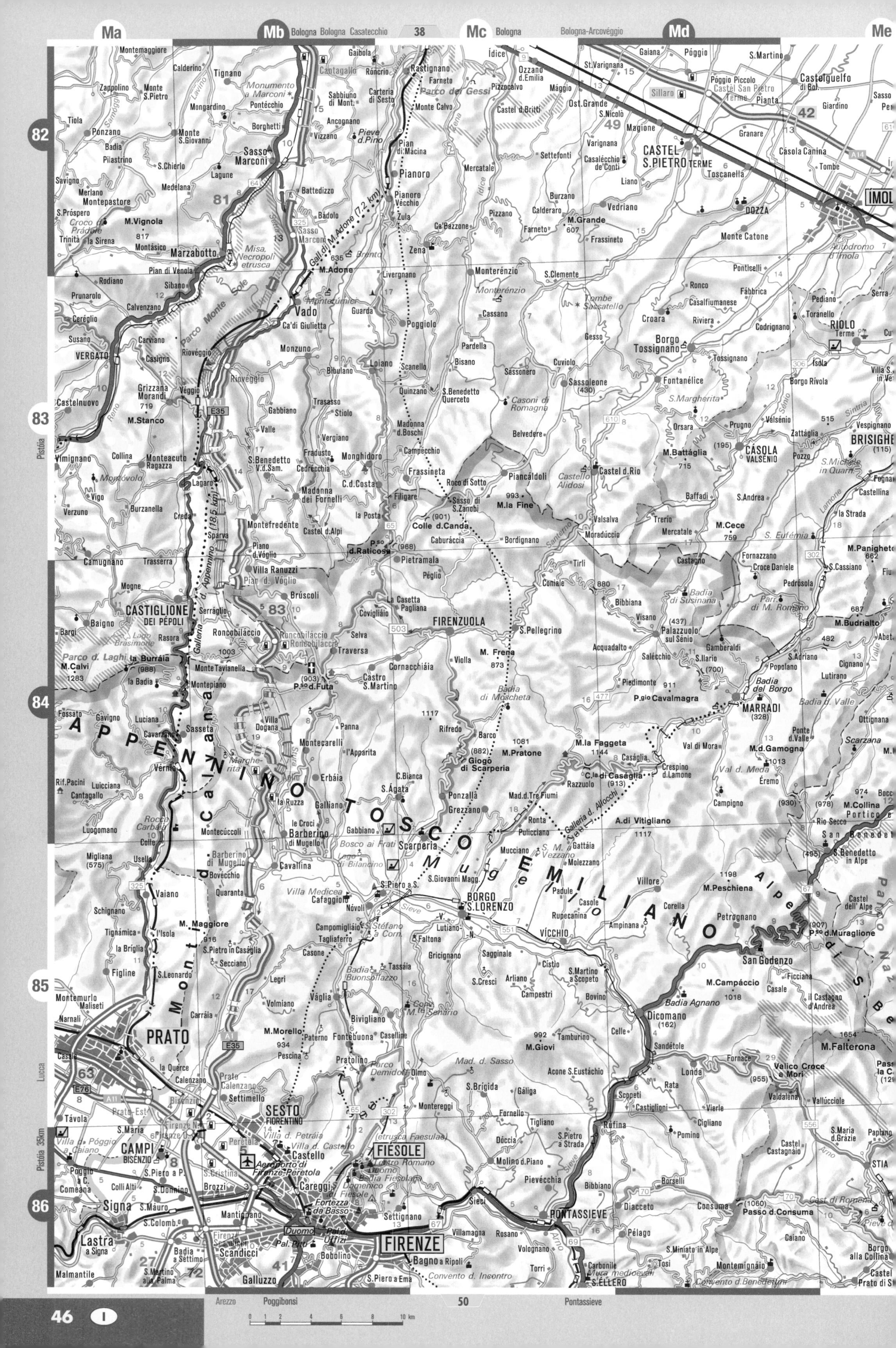
82
83
84
85
86
Pistóia
Lucca
Pistóia 35km
Montemaggiore
Calderino
Tignano
Zappolino
Monte S.Pietro
Mongardino
Pontécchio
Monumento a Marconi
Tiola
Ponzano
Monte S.Giovanni
Borghetti
Badia
Pilastrino
S.Chierlo
Sasso Marconi
Lagune
Savigno
Merlano
Montepastore
Medelana
S.Próspero
Croco di Prádole
M.Vignola
817
Trinità
la Sirena
Montásico
Marzabotto
Misa. Necropoli etrusca
Pian di Venola
Rodiano
Sibano
Prunarolo
Calvenzano
Parco Monte Sole
Cerêglio
Susano
Carviano
Riovéggio
VERGATO
Casigno
Grizzana Morandi
719
Véggio
Castelnuovo
M.Stanco
Vimignano
Collina
Monteacuto Ragazza
Momóvolo
Vigo
Lagaro
Verzuno
Burzanella
Creda
Camugnano
Trasserra
Mogne
CASTIGLIONE DEI PÉPOLI
Baigno
Bargi
Lago Brasimone
Rasora
Serrágli
Parco d. Laghi
la Burráia
(988)
M.Calvi
1283
la Badia
Monte Tavianella
Montepiano
Fossato
Gavigno
Luciana
Cavarzano
Sasseta
APPENNINO TOSCO EMILIANO
Vérnio
Rif.Pacini
Luicciana
Cantagallo
Rocca Carbaia
Luogomano
Montecúccoli
Colle
Migliana
(575)
Usella
Barberino di Mugello
Bovécchio
Vaiano
Quaranta
Schignano
M. Maggiore
916
Tignámica
l'Isola
la Bríglia
S.Pietro in Caságlia
Secciano
Figline
S.Leonardo
Montemurlo
Maliseti
Narnali
PRATO
Monti d. Calvana
Carráia
Casale
la Querce
Calenzano
Prato-Calenzano
Settimello
Távola
Prato-Est
Bisenzio
S.Maria
Firenze Nord
Villa d. Póggio a Caiano
CAMPI BISENZIO
Poggio a C.
Comeana
Colli Alti
S.Piero a P.
S.Donnino
Brozzi
Signa
S.Mauro
Mantignano
Lastra a Signa
S.Colomb.o
Firenze Scandicci
Scandicci
Badia a Settimo
S.Martino alla Palma
Malmantile
Galluzzo
Gaibola
Cantagallo
Róncrio
Rastignano
Farneto
Parco dei Gessi
Sabbiuno di Mont.
Carteria di Sesto
Monte Calvo
Ancognano
Vizzano
Pieve d.Pino
Pian di Mácina
Pianoro
Battedizzo
Pianoro Vecchio
Bádolo
Sasso Marconi
Zula
Gall. di M.Adone (7,2 km)
Brento
Zena
M.Adone
Livergnano
Monteúmici
Vado
Ca'di Giulietta
Guarda
Poggiolo
Monzuno
Loiano
Scanello
Bibulano
Quinzano
S.Benedetto Querceto
Trasasso
Stiolo
Gabbiano
Valle
Madonna d.Boschi
Vergiano
S.Benedetto V.d.Sam.
Fradusto
Monghidoro
Campecchio
Cedrecchia
C.d.Costa
Frassineta
Madonna dei Fornelli
Filigare
Montefredente
la Posta
Sparvi
Castel d.Alpi
Piano d.Vóglio
P.so d.Raticosa
(968)
Pietramala
Villa Ranuzzi
Pian d. Vóglio
Péglio
Brúscoli
Galleria d. Appennino (18,5 km)
La Casetta Pagliana
Covigliáio
FIRENZUOLA
Roncobiláccio
Selva
1003
Traversa
Cornacchiáia
Castro S.Martino
(903) P.so d.Futa
Villa Dogana
Panna
Montecarelli
l'Apparita
Marghe-rita
Erbáia
la Ruzza
Galliano
C.Bianca
S.Ágata
le Croci
Barberino di Mugello
Gabbiano
Bosco ai Frati
Scarperia
Lago di Bilancino
Cavallina
Villa Medicea Cafaggiolo
S.Piero a.S.
Nóvoli
Campomigliáio
S.Stéfano a Corn.
Tagliaferro
Casone
Faltona
Badia Buonsollazzo
Tassáia
Legri
Váglia
Volmiano
Bivigliano
Conv. M.te Senario
M.Morello
934
Paterno
Fontebuona
Caselline
Pescina
Pratolino
Parco Demidoff
Olmo
SESTO FIORENTINO
Villa d. Petráia
Villa d. Castello
Castello
Peretola
Aeroporto di Firenze-Peretola
Careggi
FIÉSOLE
(etrusca Faesulae)
Teatro Romano
Duomo
Badia Fiesolana
S.Domenico di Fiesole
Fortezza da Basso
Settignano
Duomo
Pal. d. Uffizi
Pal. Pitti
FIRENZE
Bagno a Rípoli
Bobolino
S.Piero a Ema
Convento d. Incontro
Ídice
Ozzano d.Emilia
Pizzocalvo
Mággio
Castel d.Britti
Settefonti
Mercatale
Ídice
Ca'Bazzone
Pizzano
Farneto
Monterénzio
Cassano
Pardella
Bisano
Sassonero
Casoni di Romagna
Belvedere
Piancáldoli
993
M.la Fine
Roco di Sotto
Sasso di S.Zanobi
(901)
Colle d.Canda
Caburáccia
Bordignano
S.Pellegrino
M. Frena
873
Violla
Badia di Moscheta
1117
Rifredo
Barco
1081
(882)
M.Pratone
Giogo di Scarperia
Ponzalla
Grezzano
Mad.d.Tre Fiumi
Ronta
Pulicciano
Galleria d. Allocchi
Mucciano
S. M. a Vezzano
Gattáia
Molezzano
S.Giovanni Magg.
BORGO S.LORENZO
Padule
Casole
Rupecanina
Lutiano
VÍCCHIO
Gricignano
Sagginale
Cístio
S.Cresci
Arliano
Campestri
S.Martino a Scopeto
Bovino
M.Giovi
992
Tamburino
Mad. d. Sasso
S.Brígida
Gáliga
Montereggi
Fornello
Tigliano
Dóccia
S.Pietro a Strada
Molino d.Piano
Pievécchia
Sieci
Villamagna
Rosano
PONTASSIEVE
Volognano
Torri
Gaiana
Póggio
St.Varignana
Ost.Grande
S.Nicolò
Varignana
Casalécchio de'Conti
CASTEL S.PIETRO TERME
Magione
Liano
Burzano
Calderaro
M.Grande
607
Vedriano
Frassineto
S.Clemente
Tombe Sassatello
Gesso
Cuviolo
Sassoleone
(430)
Castello Alidosi
Castel d.Río
Valsalva
Moradúccio
Tirli
Coniale
880
Bibbiana
Visano
Acquadalto
Salécchio
Piedimonte
911
P.gio Cavalmagra
M.la Faggeta
1144
C.la di Caságlia
(913)
Razzuolo
Caságlia
A.di Vitigliano
1117
Villore
1198
M.Peschiena
Corella
Ampinana
Alpe di S. Benedetto
Póggio Piccolo
Castel San Pietro Terme
Sillaro
S.Martino
Castelguelfo di Bol.
Pianta
Giardino
Granare
Cásola Canina
Tombe
Toscanella
IMOL
DOZZA
Monte Catone
Autodromo d'Imola
Ponticelli
Ronco
Fábbrica
Pediano
Casalfiumanese
Croara
Riviera
Codrignano
Toranello
RIOLO Terme
Borgo Tossignano
Tossignano
Ísola
Fontanélice
Borgo Rívola
S.Margherita
Orsara
Prugno
Vélsénio
Zattáglia
Vespignano
BRISIGHE
M.Battáglia
715
(195)
CÁSOLA VALSENIO
Pozzo
S.Michele in Quarn.
Baffadi
S.Andrea
Castellina
Trerio
Mercatale
M.Cece
759
S. Eufémia
la Strada
Castagno
Fornazzano
Croce Daniele
M.Panighet
662
S.Cassiano
Badia di Susinana
Pedrósola
Parco di M. Romano
687
M.Budrialto
(437)
Palazzuolo sul Sénio
Gamberaldi
482
S.Adriano
S.Ilario
(700)
Popolano
Cignano
Lutirano
Badia del Borgo
MARRADI
(328)
Badia d. Valle
Ottignana
Val di Mora
Crespino d.Lamone
Ponte d.Valle
M.d.Gamogna
1013
Scarzana
Val d. Meda
Éremo
Campigno
974
(930)
(978)
M.Collina
Portico
Rio Secco
San Benedetto in Alpe
(495)
Castel dell'Alpe
Petrognano
(907) P.so d.Muraglione
San Godenzo
M.Campáccio
1018
Ficciana
Casale
il Castagno d'Andrea
Badia Agnano
Dicomano
(162)
Celle
Sandétole
1654
M.Falterona
Fornace
Valico Croce a Mori
(955)
Londa
Rata
Scopeti
Castiglioni
Vierle
Valdalena
Vallúcciole
Rúfina
Pomino
Cigliano
S.Maria d.Grázie
Castel Castagnáio
Papiano
STIA
Bibbiano
Borselli
Diacceto
Consuma
(1060)
Passo d.Consuma
Cast. di Romena
Pieve d.
Pélago
Caiano
S.Miniato in Alpe
Tosi
Montemignáio
Borgo alla Collina
Carbonile
Torre medioevale
S.ELLERO
Convento d.Benedettini
Castel Prato di S

0 1 2 4 6 8 10 km

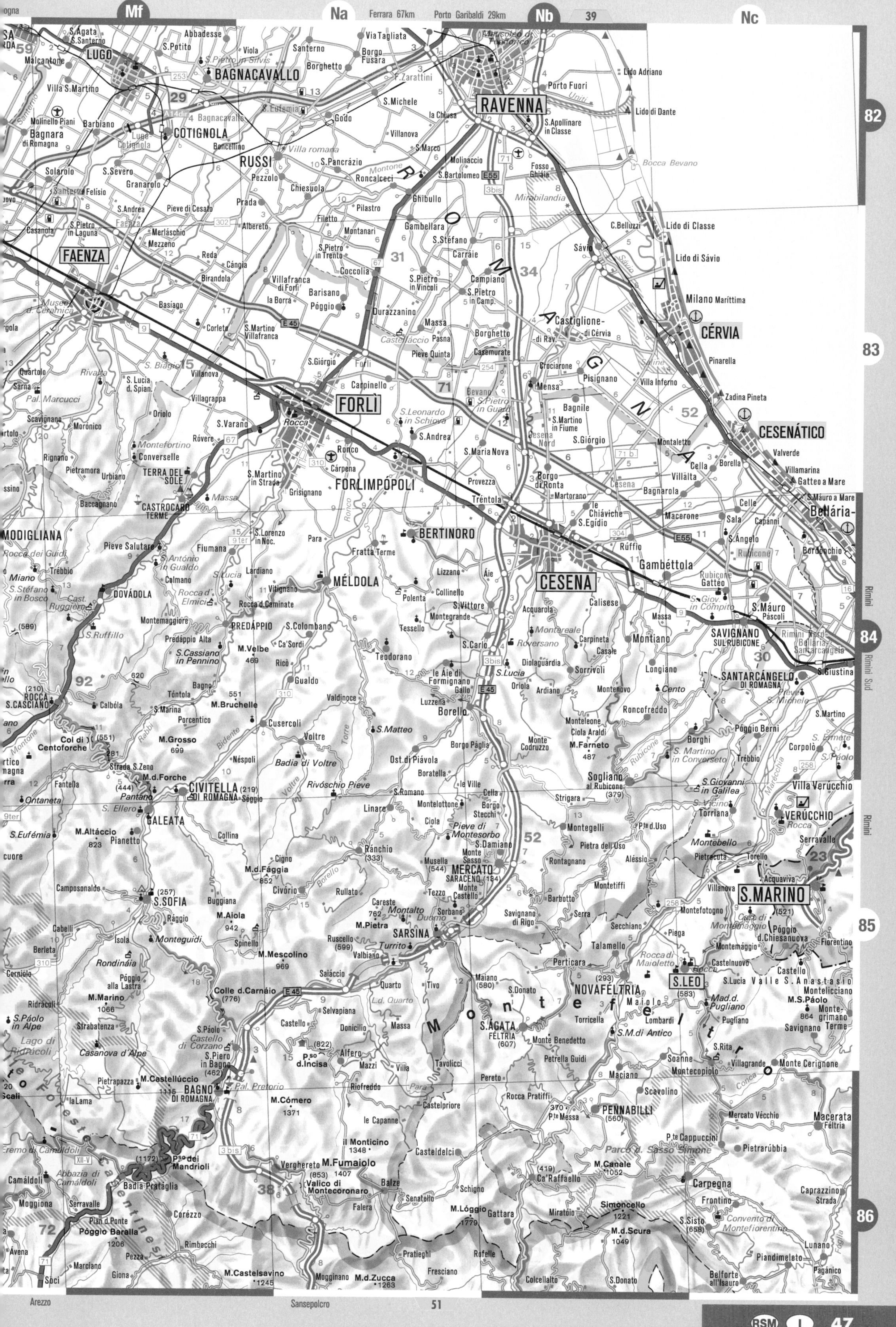
LUGO
BAGNACAVALLO
RAVENNA
COTIGNOLA
RUSSI
FAENZA
FORLÌ
FORLIMPÓPOLI
CERVIA
CESENÁTICO
Milano Maríttima
BERTINORO
CESENA
MÉLDOLA
PREDÁPPIO
CASTROCARO TERME
TERRA DEL SOLE
DOVÁDOLA
MODIGLIANA
ROCCA S.CASCIANO
CIVITELLA DI ROMAGNA
GALEATA
S.SOFIA
BAGNO DI ROMAGNA
SARSINA
MERCATO SARACENO
SAVIGNANO SUL RUBICONE
SANTARCÁNGELO DI ROMAGNA
Bellária-
Gatteo a Mare
VERÚCCHIO
S.MARINO
S.LEO
NOVAFELTRIA
S.ÁGATA FÉLTRIA
PENNABILLI
Carpegna
Macerata Féltria
Sogliano al Rubicone
Montiano
Gambéttola
Lido Adriano
Lido di Dante
Lido di Classe
Lido di Sávio
Pinarella
Zadina Pineta
Valverde
Villamarina
Porto Fuori
Mirabilandia
Camáldoli
Badia Prataglia
Verghereto
Balze
Valico di Montecoronaro
M.Fumaiolo 1407
Montefeltro
ROMAGNA
E45
E55
82
83
84
85
86
Rimini
Rimini Sud
Arezzo
Sansepolcro

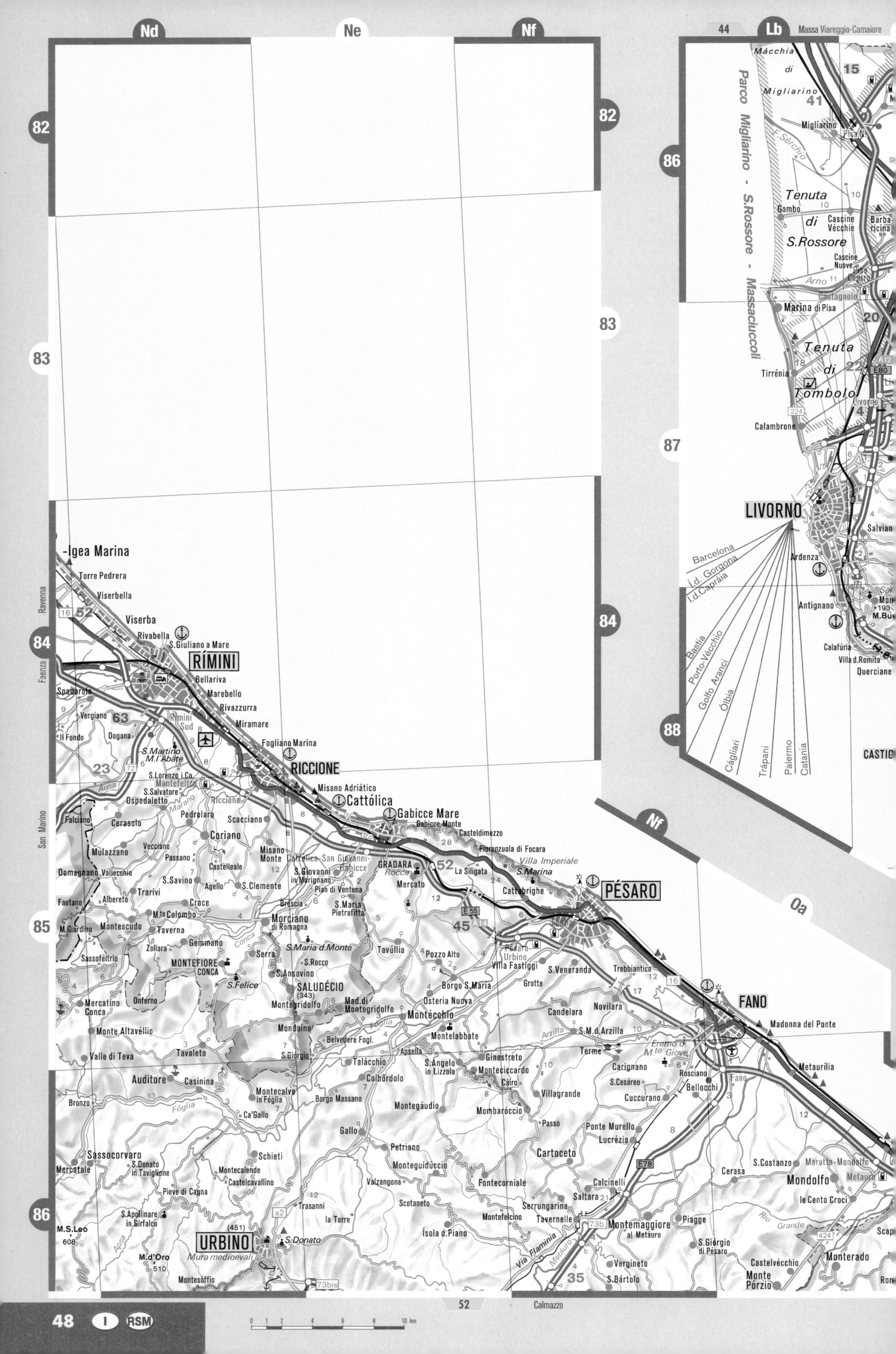

Nd
Ne
Nf
44
Lb
Massa Viareggio-Camaiore
Parco Migliarino - S.Rossore - Massaciuccoli
Migliarino
Tenuta di S.Rossore
Marina di Pisa
Tenuta di Tombolo
Tirrénia
Calambrone
LIVORNO
Ardenza
Antignano
Calafúria
Quercianete
CASTIG
Barcelona
I.d. Gorgona
I.d.Capráia
Bastia
Porto-Vécchio
Golfo Aranci
Ólbia
Cágliari
Trápani
Palermo
Catania
-Igea Marina
Torre Pedrera
Viserbella
Viserba
Rivabella
S.Giuliano a Mare
RÍMINI
Bellariva
Marebello
Rivazzurra
Miramare
Fogliano Marina
RICCIONE
Misano Adriático
Cattólica
Gabicce Mare
Gabicce Monte
Casteldimezzo
Fiorenzuola di Focara
Villa Imperiale
S.Marina
PÉSARO
Oa
FANO
Madonna del Ponte
Metaurília
Coriano
Misano Monte
GRADARA
Mercato
Morciano di Romagna
MONTEFIORE CONCA
SALUDÉCIO
Montegridolfo
Mondaino
Tavúllia
Montécchio
Montelabbate
Candelara
Novilara
S.Venerando
Carignano
Cucurano
Villagrande
Mombaróccio
Cartoceto
Lucrézia
Mondolfo
Marotta-Mondolfo
Montemaggiore al Metauro
S.Giórgio di Pésaro
Monterado
Monte Pórzio
Auditore
Sassocorvaro
Mercatale
Tavoleto
Montecalvo in Fóglia
Colbórdolo
Montegáudio
Petriano
Montefelcino
Ísola d.Piano
URBINO
Mura medioevali
S.Donato
M.S.Leo
Ravenna
Faenza
San Marino
82
83
84
85
86
87
88

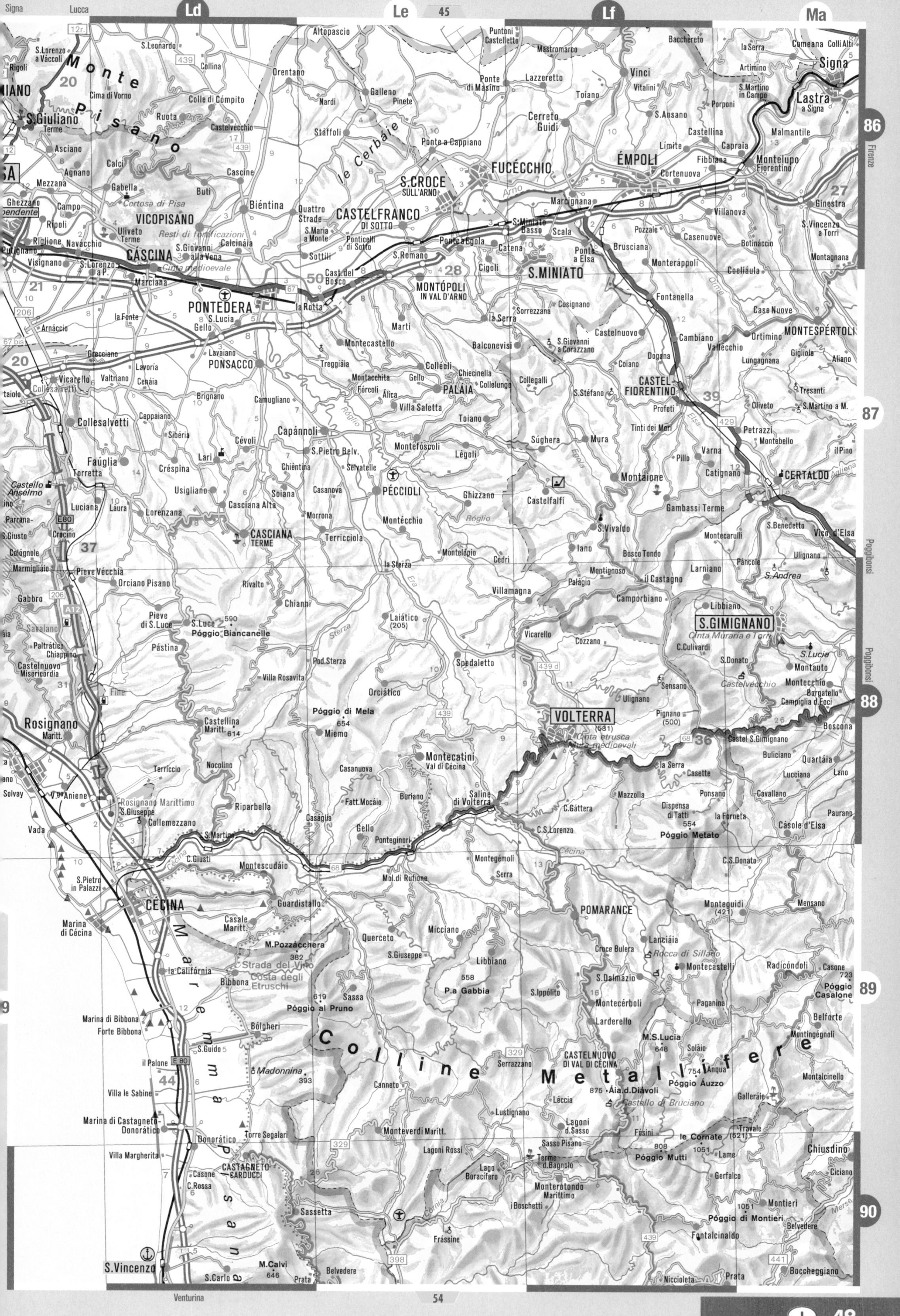
Monte Pisano
S.Lorenzo a Vàccoli
Rigoli
S.Giuliano Terme
S.Leonardo
Collina
Cima di Vorno
Colle di Cómpito
Ruota
Castelvecchio
Asciano
Agnano
Calci
Mezzana
Gabella
Certosa di Pisa
Buti
Cascine
Ghezzano
Campo
Ripoli
VICOPISANO
Bientina
Uliveto Terme
Resti di fortificazioni
Calcinàia
Riglione
Navacchio
S.Giovanni alla Vena
CÁSCINA
Cinta medioevale
Putignano
Visignano
S.Lorenzo a P.
Marciana
PONTEDERA
S.Lucia
Gello
la Fonte
Arnàccio
Lavaiano
PONSACCO
Grecciano
Lavoria
Vicarello
Valtriano
Cenàia
Collesalvetti
Ceppaiano
Sibèria
Brignano
Camugliano
Faúglia
Torretta
Créspina
Lari
Cévoli
Capánnoli
Castello Anselmo
Luciana
Laura
Usigliano
Soiana
Casciana Alta
Lorenzana
Parrana
S.Giusto
Crocino
CASCIANA TERME
Colognole
Marmigliàio
Pieve Vécchia
Orciano Pisano
Rivalto
Gabbro
Chianni
Savalano
Pieve di S.Luce
S.Luce
Póggio Biancanelle
Paltrático
Chiappino
Pástina
Castelnuovo Misericordia
Rosignano Maritt.
Castellina Maritt.
Nocolino
Terríccio
Solvay
V.ne Aniene
Rosignano Marittimo
S.Giuseppe
Collemezzano
Riparbella
Vada
S.Martino
C.Giusti
Montescudáio
S.Pietro in Palazzi
CÉCINA
Guardistallo
Marina di Cécina
Casale Maritt.
M.Pozzácchera
Strada del Vino
Costa degli Etruschi
la Califórnia
Bibbona
Marina di Bibbona
Forte Bibbona
Bólgheri
S.Guido
il Palone
Madonnina
Villa le Sabine
Marina di Castagneto-Donorático
Donorático
Torre Segalari
Villa Margherita
CASTAGNETO CARDUCCI
Casone
C.Rossa
Sassetta
S.Vincenzo
M.Calvi
S.Carlo
Prata
Belvedere
Altopascio
Orentano
Nardi
Galleno
Pinete
le Cerbàie
Stáffoli
Ponte a Cappiano
S.CROCE SULL'ARNO
FUCÉCCHIO
Quattro Strade
CASTELFRANCO DI SOTTO
S.Maria a Monte
Ponticelli di Sotto
Sottili
S.Romano
Ponte a Egola
Cast.del Bosco
la Rotta
MONTÓPOLI IN VAL D'ARNO
Marti
Montecastello
Treggiàia
Montacchita
Fórcoli
Álica
Villa Saletta
Colléoli
Chiecinella
Collelungo
PALÀIA
Toiano
Montefóscoli
Légoli
S.Pietro Belv.
Selvatelle
Chientina
PÉCCIOLI
Casanova
Morrona
Terricciola
Montécchio
Ghizzano
Róglio
Montelópio
Cedri
la Sterza
Laiático
Villamagna
Pod.Sterza
Villa Rosavita
Spedaletto
Orciático
Póggio di Mela
Miemo
Montecatini Val di Cécina
Casanuova
Fatt.Mocáio
Buriano
Saline di Volterra
Caságlia
Gello
Ponteginori
Mol.di Rufione
Querceto
S.Giuseppe
Micciano
Libbiano
P.a Gabbia
Sassa
Póggio al Pruno
Colline Metallífere
Canneto
Monteverdi Maritt.
Lagoni Rossi
Lago Boracifero
Frássine
Puntoni Castelletto
Mastromarco
Ponte di Masino
Lazzeretto
Cerreto Guidi
Toiano
Vinci
Vitalini
S.Ansano
ÉMPOLI
Cortenuova
Marcignana
S.Miniato Basso
Scala
Catena
Cigoli
S.MINIATO
Ponte a Elsa
Brusciana
Pozzale
Sorrezzana
Cosignano
la Serra
Balconevisi
S.Giovanni a Corazzano
Castelnuovo
Collegalli
Coiano
Dogana
CASTELFIORENTINO
S.Stéfano
Súghera
Mura
Castelfalfi
Montaione
S.Vivaldo
Iano
Palágio
Montignoso
Vicarello
Cozzano
VOLTERRA
Cinta etrusca
Mura medioevali
Ulignano
Mazzolla
C.Gáttera
C.S.Lorenzo
Montegémoli
Serra
POMARANCE
Croce Bulera
S.Dalmázio
S.Ippólito
Montecérboli
Larderello
Serrazzano
CASTELNUOVO DI VAL DI CÉCINA
Áia d.Diávoli
Léccia
Lustignano
Lagoni d.Sasso
Sasso Pisano
Terme d.Bagnolo
Monterotondo Marittimo
iBoschetti
Niccioleta
Baccheréto
Porponi
Castellina
Limite
Capraia
Fibbiana
Villanova
Casenuove
Monteráppoli
Fontanella
Cambiano
Vallecchio
Profeti
Tinti dei Mori
Pillo
Varna
Catignano
Gambassi Terme
Montecarulli
Bosco Tondo
il Castagno
Larniano
Camporbiano
Libbiano
S.GIMIGNANO
Cinta Muraria e Torri
C.Culivardi
S.Donato
Castelvécchio
Sensano
Pignano
la Serra
Casette
Ponsano
Dispensa di Tatti
Póggio Metato
la Forneta
Monteguidi
Lanciáia
Rocca di Sillano
Montecastelli
Paganina
M.S.Lucia
Solàio
Ánqua
Póggio Áuzzo
Castello di Bruciano
Fósini
le Cornate
Póggio Mutti
Lame
Gerfalco
Fontalcinaldo
Prata
Signa
la Serra
Comeana
Colli Alti
Artimino
S.Martino in Campo
Lastra a Signa
Malmantile
Montelupo Fiorentino
Ginestra
S.Vincenzo a Torri
Botinàccio
Montagnana
Coeliàula
Case Nuove
Ortimino
MONTESPÉRTOLI
Gigliola
Aliano
Lungagnana
Tresanti
Oliveto
S.Martino a M.
Petrazzi
Montebello
il Pino
CERTALDO
S.Benedetto
Vico d'Elsa
Pàncole
Ulignano
S.Andrea
S.Lucia
Montauto
Montecchio
Burgatello
Campiglia d.Foci
Boscona
Castel S.Gimignano
Buliciano
Quartáia
Lucciana
Lano
Cavallano
Paurano
Cásole d'Elsa
C.S.Donato
Mensano
Radicóndoli
Casone
Póggio Casalone
Belforte
Montingégnoli
Montalcinello
Galleráie
Travale
Chiusdino
Ciciano
Montieri
Póggio di Montieri
Belvedere
Boccheggiano
Maremma
Pisana
Firenze
Poggibonsi

86 87 88 89 90

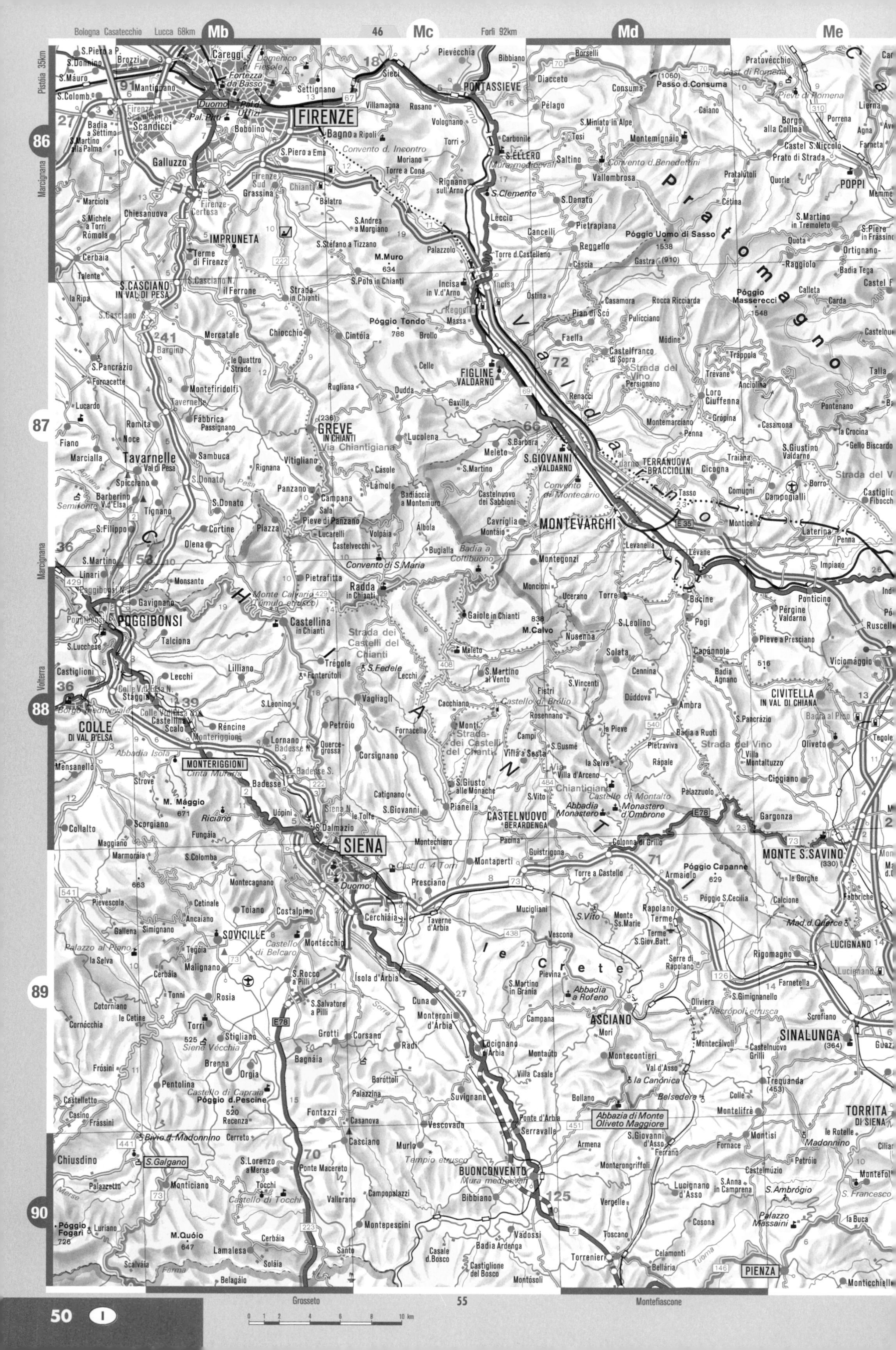
FIRENZE
Duomo
Pal. Pitti
Uffizi
Fortezza da Basso
Careggi
Settignano
Scandicci
Galluzzo
Bagno a Ripoli
Pontassieve
Sieci
Pievécchia
Bibbiano
Diacceto
Pélago
Consuma
Passo d.Consuma
Pratovécchio
Poppi
S.Ellero
Vallombrosa
Saltino
Montemignaio
Pratomagno
Póggio Uomo di Sasso
Reggello
Rignano sull'Arno
Incisa in V.d'Arno
Impruneta
S.Casciano in Val di Pesa
Strada in Chianti
Póggio Tondo
Figline Valdarno
Greve in Chianti
Via Chiantigiana
Tavarnelle Val di Pesa
Barberino V.d'Elsa
Panzano
Radda in Chianti
Castellina in Chianti
Gaiole in Chianti
M.Calvo
Montevarchi
S.Giovanni Valdarno
Terranuova Bracciolini
Valdarno
Cavríglia
Badia a Coltibuono
Convento di S.Maria
Strada dei Castelli del Chianti
Poggibonsi
Colle di Val d'Elsa
Staggia
Monteriggioni
Castelnuovo Berardenga
Siena
Duomo
Sovicille
Monte S.Savino
Civitella in Val di Chiana
Lucignano
Sinalunga
Torrita di Siena
Asciano
le Crete
Abbadia a Rofeno
Abbazia di Monte Oliveto Maggiore
Buonconvento
Murlo
Tempio etrusco
Montalcino
Torrenieri
Pienza
S.Galgano
Chiusdino
Monticiano
Castello di Tocchi
Póggio d.Pescine
S.Rocco a Pilli
Ísola d'Árbia
Monteroni d'Árbia
Lucignano d'Árbia
Rapolano Terme
Serre di Rapolano
Trequanda
Montisi
Vescovado
Bibbiano
Castiglione del Bosco
Montefollonico
Palazzo Massaini
S.Ambrógio

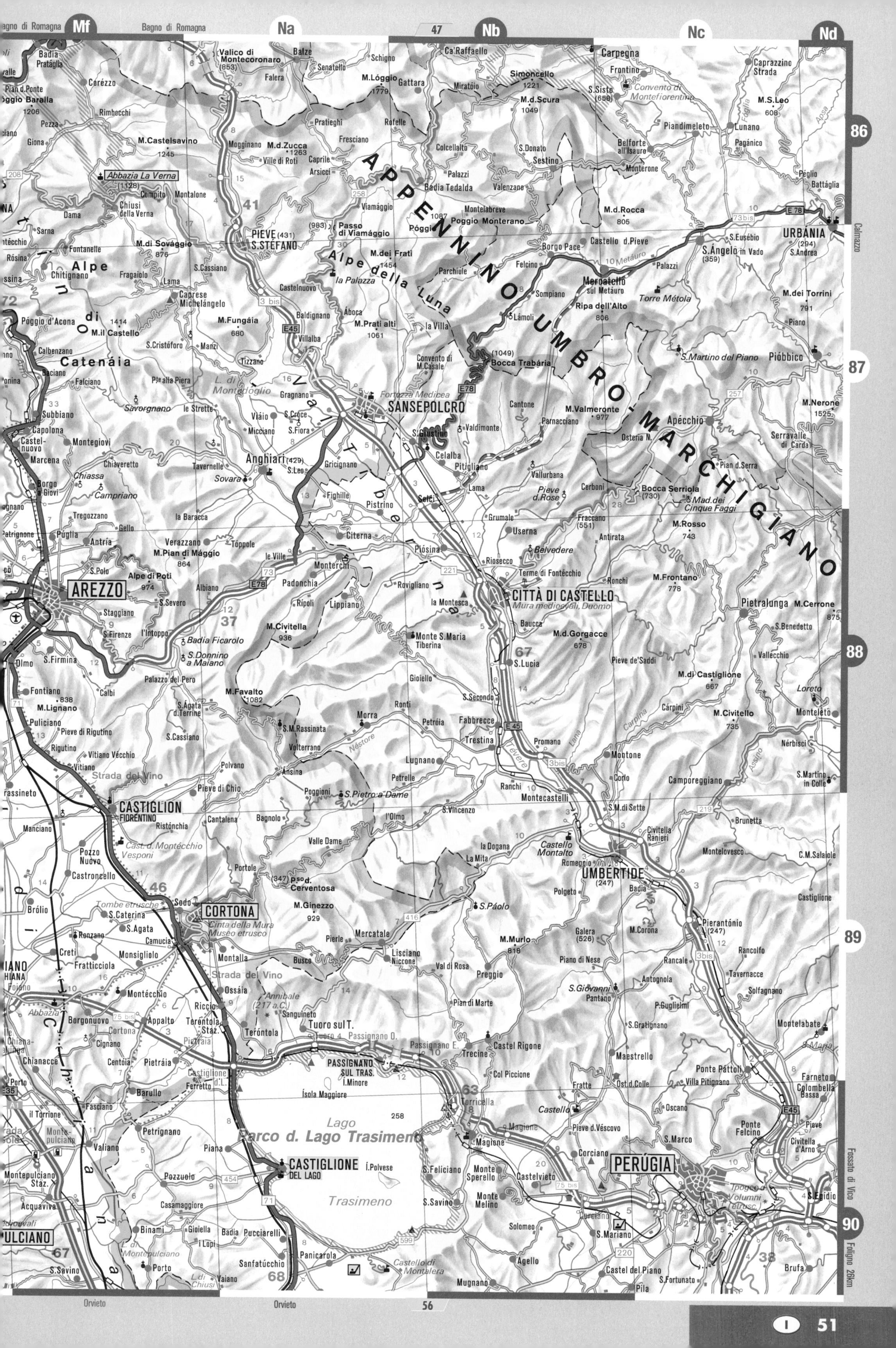

Bagno di Romagna
Mf
Na
47
Nb
Nc
Nd
Badia Pratáglia
Valico di Montecoronaro (853)
Balze
Schigno
Senatello
Ca'Raffaello
Carpegna
Frontino
Caprazzino Strada
Corézzo
Falera
M.Lóggio 1779
Gattara
Simoncello 1221
Miratoio
S.Sisto (658)
Convento di Montefiorentino
M.S.Leo 608
Pian d.Ponte
Póggio Baralla 1206
M.d.Scura 1049
Rimbocchi
Pezza
Pratieghi
Rofelle
Piandimeleto
Lunano
86
Giona
M.Castelsavino 1245
Mogginano
M.d.Zucca 1263
Fresciano
Colcellalto
S.Donato
Belforte all'Isauro
Pagánico
Ville di Roti
Caprile
Sestino
Arsicci
Monterone
Abbazia La Verna (1128)
Palazzi
Péglio
Battáglia
Montalone
Cómpito
Badia Tedalda
Valenzano
APPENNINO UMBRO-MARCHIGIANO
Chiusi della Verna
Viamággio
Montelabreve
M.d.Rocca 805
Dama
(983)
Passo di Viamággio
Póggio Monterano
URBÁNIA (294)
Sarna
PIEVE (431) S.STEFANO
Póggio
S.Eusébio
S.Andrea
M.di Sovággio 876
M.dei Frati 1454
Borgo Pace
Castello d.Pieve
S.Ángelo in Vado (359)
Fontanelle
Alpe della Luna
Felcino
Metáuro
Palazzi
Rósina
Alpe di Catenáia
Chitignano
Fragaiolo
S.Cassiano
la Palazza
Parchiule
Mercatello sul Metáuro
Lama
Castelnuovo
Sompiano
Torre Métola
M.dei Torrini 791
Caprese Michelángelo
Baldignano
Ripa dell'Alto 806
Póggio d'Acona
1414
M.Fungáia 680
Áboca
M.Prati alti 1061
Lámoli
M.il Castello
Villalba
la Villa
Piano
S.Cristóforo
Manzi
Calbenzano
(1049) Bocca Trabária
S.Martino del Piano
Piòbbico
87
Tizzano
Convento di M.Casale
Baciano
Falciano
P.te alla Piera
L. di Montedóglio
Gragnano
Fortezza Medicea
SANSEPOLCRO
Cantone
Val Tiberina
M.Valmeronte 977
Apécchio
M.Nerone 1525
Subbiano
Savorgnano
le Strette
Viáio
S.Croce
S.Fiora
Micciano
Parnacciano
Capolona
Valdimonte
Osteria N.
Serravalle di Carda
Castelnuovo
Montegiovi
S.Giustino
Marcena
Chiaveretto
Anghiari (429)
S.Leo
Gricignano
Celalba
Pitigliano
Pian d.Serra
Chiassa
Tavernelle
Vallurbana
Borgo Giovi
Campriano
Sovara
Fighille
Lama
Cerboni
Bocca Serriola (730)
Pistrino
Pieve d.Rose
Mad.dei Cinque Faggi
Tregozzano
la Baracca
Selci
Grumale
Fraccano (551)
M.Rosso 743
Gello
Citerna
Userna
Antirata
Púglia
Antría
Verazzano
Tóppole
Piósina
Belvedere
M.Pian di Mággio 864
le Ville
Riosecco
S.Polo
Alpe di Poti 974
Monterchi
Terme di Fontécchio
M.Frontano 778
AREZZO
Albiano
Padonchia
Rovigliano
Ronchi
CITTÀ DI CASTELLO
Mura medioevali, Duomo
Pietralunga
M.Cerrone 875
S.Severo
Rípoli
Lippiano
la Montesca
Staggiano
Baucca
S.Benedetto
S.Firenze
l'Intoppo
M.Civitella 936
Monte S.Maria Tiberina
M.d.Gorgacce 678
Badia Ficarolo
S.Donnino a Maiano
Vallecchio
88
Olmo
S.Firmina
S.Lucia
Pieve de'Saddi
Palazzo del Pero
Gioiello
M.di Castiglione 667
Fontiano
Calbi
M.Favalto 1082
Loreto
838 M.Lignano
S.Ágata d.Terrine
S.Secondo
Cárpini
M.Civitello 735
Monteleto
Puliciano
Pieve di Rigutino
Ronti
S.M.Rassinata
Morra
Petróia
Fabbrecce
Trestina
Rigutino
S.Cassiano
Promano
Nérbisci
Vitiano Vecchio
Vitiano
Volterrano
Néstore
Lugnano
Montone
S.Martino in Colle
Strada del Vino
Polvano
Ansina
Petrelle
Corlo
Camporeggiano
Frassineto
Pieve di Chio
Poggioni
S.Pietro a Dame
Ranchi
Montecastelli
CASTIGLION FIORENTINO
Ristónchia
Cantalena
Bagnolo
l'Olmo
S.Vincenzo
S.M.di Sette
Brunetta
Manciano
Civitella Ranieri
Cast. d. Montécchio Vesponi
Valle Dame
la Dogana
Castello Montalto
Montelovesco
Pozzo Nuovo
La Mita
Romeggio
C.M.Salaiole
Castroncello
Portole
(347) P.so d. Cerventosa
UMBÉRTIDE (247)
Badia
Castiglione
Polgeto
Tombe etrusche
Sodo
CORTONA
Cinta della Mura Museo etrusco
M.Ginezzo 929
S.Páolo
Brólio
S.Caterina
S.Agata
Pierantónio (247)
Ronzano
Camucia
Pierle
Mercatale
M.Murlo 818
Galera (526)
M.Corona
89
Creti
Monsigliolo
Montalla
Lisciano Niccone
Piano di Nese
Rancolfo
Fratticciola
Busco
Val di Rosa
Preggio
Rancale
Strada del Vino
Tavernacce
Montécchio
Ossáia
Antognola
Annibale (217 a.C.)
S.Giovanni Pantano
Solfagnano
Abbazia
Borgonuovo
Appalto
Ricci
Sanguineto
Pian di Marte
P.Guglielmi
Cortona
Teróntola Staz.
Tuoro sul T.
Montelabate
Cignano
Teróntola
Passignano O.
Passignano E.
S.Gratignano
Chianacce
Centóia
Pietráia
Pietraia
PASSIGNANO SUL TRAS.
Castel Rigone
Trecine
Maestrello
Castiglione d.L.
I.Minore
Col Piccione
Ponte Páttoli
Farneto
Porto
Ferretto
Ísola Maggiore
Fratte
Ost.d.Colle
Villa Pitignano
Colombella Bassa
Barullo
Torricella
il Torrione
Fasciano
Lago
258
Castello
Oscano
Ponte Felcino
Pieve
Petrignano
Parco d. Lago Trasimeno
Magione
Pieve d.Véscovo
Civitella d'Arno
Valiano
Piana
Magione
S.Marco
Corciano
CASTIGLIONE DEL LAGO
Í.Polvese
PERÚGIA
Montepulciano Staz.
Pozzuolo
S.Feliciano
Monte Sperello
Castelvieto
Ipogeo d. Volumni etrusc.
S.Egidio
Acquaviva
Casamaggiore
Trasimeno
S.Savino
Monte Melino
90
Binami
Gioiella
Badia
Pucciarelli
Solomeo
S.Mariano
I Lopi
Panicarola
Porto
Sanfatúcchio
Castello di Montalera
Agello
Castel del Piano
Brufa
S.Savino
Vaiano
Mugnano
S.Fortunato
Pila
Orvieto
56
Calmazzo
Fossato di Vico
Foligno 26km

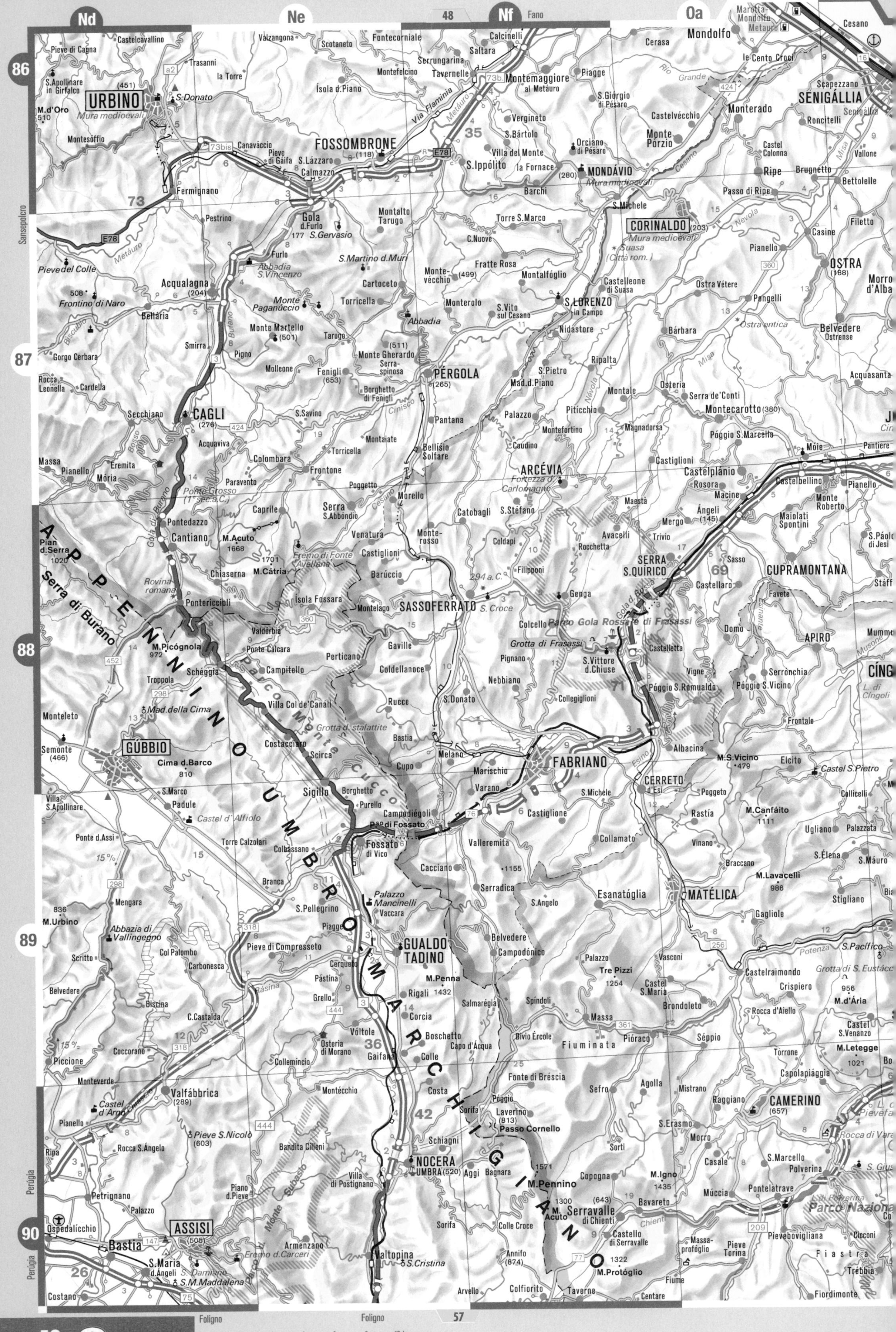

Nd
Ne
48
Nf
Fano
Oa
86
87
88
89
90
URBINO
Mura medioevali
Castelcavallino
Pieve di Cagna
Trasanni
S.Apollinare in Girfalco
S.Donato
M.d'Oro
Montesòffio
Fermignano
Canavàccio
Pieve di Gaifa
S.Lázzaro
Calmazzo
FOSSOMBRONE
Valzangona
Scotaneto
Fontecorniale
Montefelcino
Ìsola d.Piano
Serrungarina
Tavernelle
Saltara
Calcinelli
Via Flaminia
Metauro
Montemaggiore al Metáuro
Piagge
S.Giórgio di Pésaro
Vergíneto
S.Bártolo
Villa del Monte
S.Ippólito
la Fornace
Orciano di Pésaro
MONDÁVIO
Barchi
Cerasa
Mondolfo
Marotta-Mondolfo
Metauro
Cesano
le Cento Croci
Scapezzano
SENIGÁLLIA
Roncitelli
Monterado
Castelvécchio
Monte Porzio
Castel Colonna
Ripe
Brugnetto
Bettolelle
Vallone
Passo di Ripe
CORINALDO
S.Michele
Suasa (Città rom.)
Filetto
Casine
Pianello
OSTRA
Morro d'Alba
Ostra Vétere
Pongelli
Belvedere Ostrense
Bárbara
Castelleone di Suasa
S.LORENZO in Campo
Nidastore
Montalfóglio
Fratte Rosa
Torre S.Marco
C.Nuove
Montalto Tarugo
Gola d.Furlo
S.Gervasio
Furlo
Abbadia S.Vincenzo
Acqualagna
Pestrino
Pieve del Colle
Frontino di Naro
Bellaria
Smirra
Pigno
Monte Paganúccio
Monte Martello
Cartoceto
Torricella
Tarugo
S.Martino d.Muri
Monte-vecchio
Monterolo
S.Vito sul Cesano
Abbadia
Monte Gherardo
Serra-spinosa
PÉRGOLA
Fenigli
Molleone
Borghetto di Fenigli
Gorgo Cerbara
Rocca Leonella
Cardella
Secchiano
CAGLI
Acquaviva
S.Savino
Pantana
Bellisio Solfare
Montaiate
Torricella
Colombara
Frontone
Massa
Pianello
Eremita
Mória
Paravento
Ponte Grosso (1° sec.a.C.)
Poggetto
Serra S.Abbóndio
Caprile
Morello
Pontedazzo
Cantiano
M.Acuto 1668
Monte-rosso
Venatura
Castiglioni
Pian d.Serra
Serra di Burano
Chiaserna
M.Cátria
1701
Eremo di Fonte Avellana
Barúccio
Rovina romana
Ponterícciolí
Ìsola Fossara
Montelago
SASSOFERRATO
S. Croce
APPENNINO UMBRO-MARCHIGIANO
M.Picógnola 972
Valdórbia
Ponte Calcara
Perticano
Gaviille
Coldellanoce
Schéggia
Troppola
Campitello
Parco Monte Cucco
Villa Col de' Canali
Rucce
S.Donato
Mad.della Cima
Grotta d. stalattite
Bastia
Monteleto
GÚBBIO
Semonte
Cima d.Barco 810
Costacciaro
Scirca
Cupo
Melano
Sigillo
Borghetto
Purello
Campodiégoli
P.so di Fossato
Villa S.Apollinare
S.Marco
Padule
Castel d' Alfiolo
Ponte d.Assi
Torre Calzolari
Colbassano
Fossato di Vico
Branca
S.Pellegrino
Palazzo Mancinelli
Vaccara
Mengara
M.Urbino
Abbazia di Vallingegno
Piaggé
Pieve di Compresseto
GUALDO TADINO
Scritto
Col Palombo
Carbonesca
Cerqueto
Pástina
M.Penna
Rigali 1432
Belvedere
Grello
Corcia
Biscina
C.Castalda
Vóltole
Osteria di Morano
Boschetto
Coccorano
Gaifana
Colle
Piccione
Collemíncio
Montéccino
Costa
Monteverde
Valfábbrica
Castel d'Arno
Pianello
Pieve S.Nicolò
Rocca S.Ángelo
Bandita Cilleni
Schiagni
NOCERA UMBRA
Aggi
Bagnara
Ripa
Villa di Postignano
Piano d.Pieve
Monte Subasio
Petrignano
Palazzo
Ospedalicchio
ASSISI
Bastia
S.Maria d.Ángeli
S.Damiano
S.M.Maddalena
Eremo d.Carceri
Armenzano
Valtopina
S.Cristina
Sorifa
Costano
Perúgia
Sansepolcro
Foligno
57
Monte Roberto
Catobagli
S.Stéfano
Coldapi
Filipponi
294 a.C.
Genga
Colcello
Parco Gola Rossa e di Frasassi
Grotta di Frasassi
Pignano
Nebbiano
S.Vittore d.Chiuse
Collegiglioni
Castelletta
Póggio S.Romualdo
Vigne
Albacina
FABRIANO
Marischio
Varano
Castiglione
S.Michele
CERRETO d'Esi
Valleremita
Collamato
Cacciano
1155
Serradica
Esanatóglia
S.Angelo
MATÉLICA
Belvedere
Campodónico
Palazzo
Tre Pizzi 1254
Vasconi
Castel S.Maria
Salmarégia
Spíndoli
Brondoleto
Massa
Bivio Ércole
Fiuminata
Pióraco
Séppio
Fonte di Bréscia
Sefro
Agolla
Mistrano
Poggio
Laverino (813)
Passo Cornello
S.Erasmo
Morro
Sorti
Copogna
M.Pennino
1571
1300
M.Acuto
Serravalle di Chienti
Castello di Serravalle
Colle Croce
Annifo (874)
M.Protóglio
1322
Colfiorito
Taverne
Arvello
Centare
Fiume
Massa-profóglio
Pieve Torina
Pievebovigliana
Fiastra
Trébbia
Fiordimonte
Cicconi
Bavareto
M.Igno 1435
Múccia
Pontelatrave
Casale
S.Marcello
Polverina
Parco Nazionale
CAMERINO
Raggiano
Capolapiággia
Torrone
M.Letegge 1021
Castel S.Venanzo
Rocca d'Aiello
M.d'Ária
956
Crispiero
Castelraimondo
Grotta di S. Eustacchio
S.Pacífico
Gagliole
Stigliano
M.Lavacelli 986
S.Élena
S.Máuro
Braccano
Vinano
Ugliano
Palazzata
M.Canfáito 1111
Rastía
Poggeto
Collicelli
Elcito
Castel S.Pietro
M.S.Vicino 479
Frontale
Serrònchia
Póggio S.Vicino
L. di Cíngoli
APIRO
Domo
Favete
CUPRAMONTANA
Castellaro
Sasso
SERRA S.QUÍRICO
Trivio
Rocchetta
Avacelli
Mergo
Ángeli
Maiolati Spontini
S.Páolo di Jesi
Maestà
Macine
Rosora
Castelplánio
Castelbellino
Pianello
Castiglioni
Móie
Pantiere
Póggio S.Marcello
Montecarotto
Magnadorsa
Montefortino
Caudino
Palazzo
Piticchio
Montale
Osteria
Serra de'Conti
Ripalta
S.Pietro
Mad.d.Piano
ARCÉVIA
Fortezza di Carlomagno
Acquasanta
Ostra antica

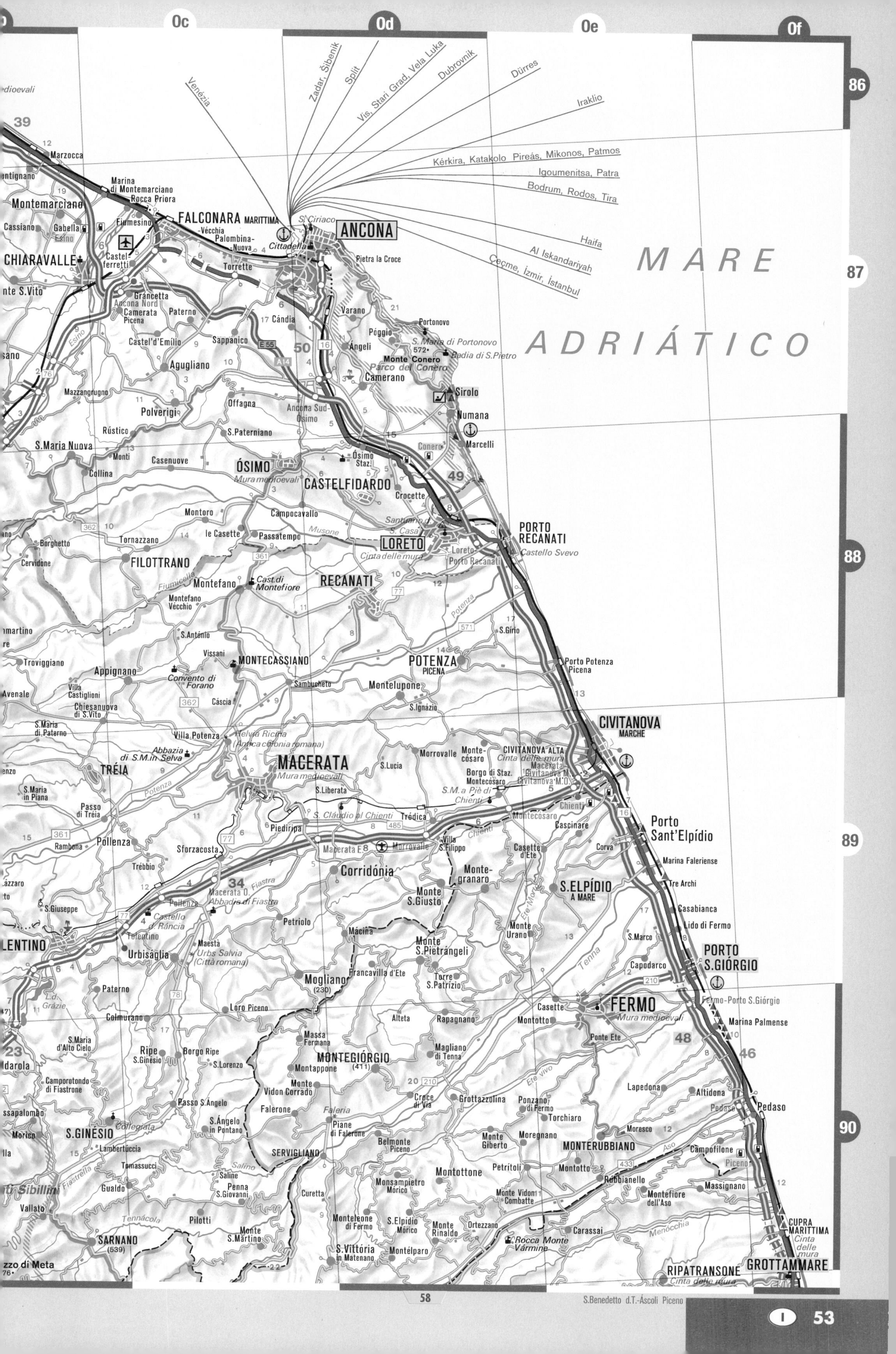

Oc
Od
Oe
Of
86
87
88
89
90
Venézia
Zadar, Šibenik
Split
Vis, Stari Grad, Vela Luka
Dubrovnik
Dürres
Iraklio
Kérkira, Katakolo Pireás, Mikonos, Patmos
Igoumenitsa, Patra
Bodrum, Rodos, Tira
Haifa
Al Iskandariyah
Çeçme, İzmir, İstanbul
MARE
ADRIÁTICO
Marzocca
Marina di Montemarciano
Rocca Priora
Montemarciano
Cassiano
Gabella
Fiumesino
FALCONARA MARITTIMA
-Vécchia
Palombina-Nuova
S.Ciriaco
ANCONA
Cittadella
Pietra la Croce
CHIARAVALLE
Castelferretti
Torrette
Grancetta
Ancona Nord
Camerata Picena
Paterno
Cándia
Varano
Portonovo
Póggio
S.Maria di Portonovo
Badia di S.Pietro
Ángeli
Monte Conero
Parco del Conero
Camerano
Castel d'Emilio
Sappanico
Agugliano
Mazzangrugno
Polverigi
Offagna
Ancona Sud-Ósimo
Sirolo
Numana
Marcelli
Rústico
S.Paterniano
S.Maria Nuova
Monti
Collina
Casenuove
ÓSIMO
Mura medioevali
Ósimo Staz.
CASTELFIDARDO
Crocette
Montoro
Campocavallo
Santuario d. S. Casa
PORTO RECANATI
Castello Svevo
Borghetto
Tornazzano
le Casette
Passatempo
Musone
LORETO
Loreto
Cinta delle mura
Porto Recanati
Cervidone
FILOTTRANO
Montefano
Cast.di Montefiore
RECANATI
Montefano Vécchio
Potenza
S.António
S.Girio
Troviggiano
Appignano
Vissani
MONTECASSIANO
Convento di Forano
POTENZA PICENA
Porto Potenza Picena
Villa Castiglioni
Sambucheto
Montelupone
Cáscia
Chiesanuova di S.Vito
S.Ignázio
S.Maria di Paterno
Villa Potenza
Helvia Ricina (Antica colonia romana)
CIVITANOVA MARCHE
Abbazia di S.M.in Selva
TRÉIA
MACERATA
Mura medioevali
S.Lucia
Morrovalle
Monte-cósaro
CIVITANOVA ALTA
Cinta delle mura
Macerata-Civitanova M.
Borgo di Staz. Montecósaro
Civitanova M.O.
S.Maria in Piana
Passo di Tréia
S.Liberata
S.M.a Piè di Chienti
Chienti
Montecósaro
Cascinare
S.Cláudio al Chienti
Trodica
Porto Sant'Elpídio
Piediripa
Rambona
Pollenza
Sforzacosta
Macerata E.
Morrovalle
Villa S.Filippo
Casette d'Ete
Corva
Marina Faleriense
Trébbio
Corridónia
Monte-granaro
Tre Archi
Macerata O.
Abbadia di Fiastra
Fiastra
Monte S.Giusto
S.ELPÍDIO A MARE
S.Giuseppe
Pollenza
Castello d.Rancia
Casabianca
Petriolo
Tolentino
Lido di Fermo
Monte Urano
Mácina
S.Marco
LENTINO
Urbiságlia
Maestà
Urbs Salvia (Città romana)
Monte S.Pietrángeli
PORTO S.GIÓRGIO
Capodarco
Francavilla d'Ete
Torre S.Patrízio
Mogliano (230)
Paterno
Fermo-Porto S.Giórgio
Casette
FERMO
Mura medioevali
Loro Piceno
Montotto
Colmurano
Alteta
Rapagnano
Marina Palmense
Ponte Ete
S.Maria d'Alto Cielo
Massa Fermana
Ripe S.Ginésio
Borgo Ripe
MONTEGIÓRGIO (411)
Magliano di Tenna
S.Lorenzo
Montappone
Camporotondo di Fiastrone
Monte Vidon Corrado
Ete vivo
Lapedona
Altidona
Croce di Via
Grottazzolina
Ponzano di Fermo
Pedaso
Passo S.Ángelo
Falerone
Faleria
Torchiaro
S.Ángelo in Pontano
Piane di Falerone
Monte Giberto
Moregnano
Moresco
S.GINÉSIO
Collegiata
Belmonte Piceno
MONTERUBBIANO
Campofilone
Lambertúccia
SERVIGLIANO
Aso
Tomassucci
Salino
Montottone
Petritoli
Montotto
Saline
Rubbianello
Massignano
Gualdo
Penna S.Giovanni
Monsampietro Mórico
Montefiore dell'Aso
Curetta
Monte Vidon Combatte
Vallato
Tennácola
Pilotti
Monteleone di Fermo
S.Elpídio Mórico
Monte Rinaldo
Ortezzano
Carassai
Menócchia
CUPRA MARITTIMA
Cinta delle mura
SARNANO (539)
Monte S.Martino
Rocca Monte Vármine
S.Vittória in Matenano
Montélparo
RIPATRANSONE
Cinta delle mura
GROTTAMMARE
58
S.Benedetto d.T.-Áscoli Piceno
53

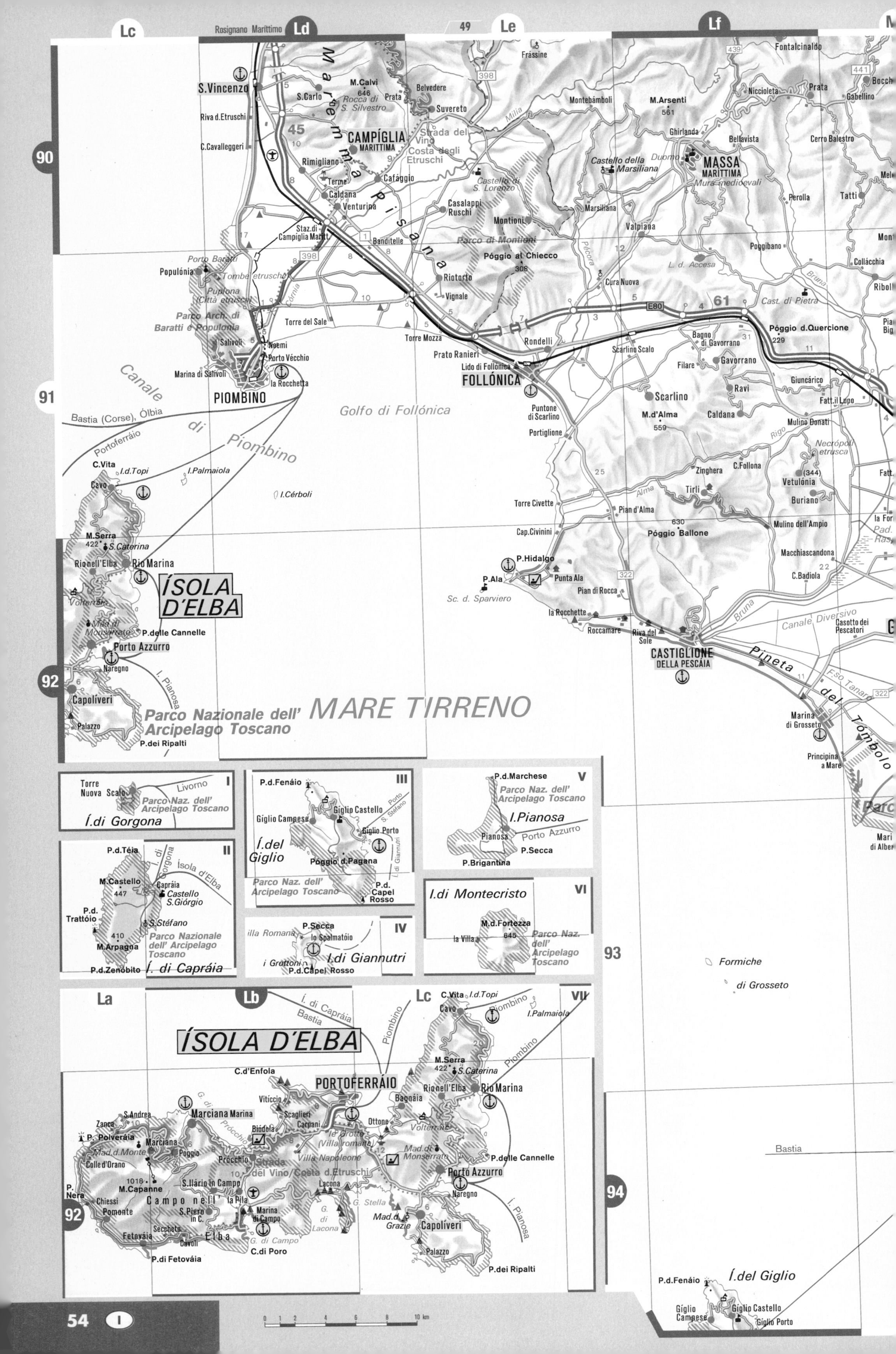

Rosignano Maríttimo
Fontalcinaldo
439
Frássine
Niccioleta   Prata   Gabellino   Bocch
441

90

S.Vincenzo
S.Carlo
M.Calvi
646
Rocca di
S.Silvestro
Prata
Belvedere
Suvereto
Montebámboli
M.Arsenti
561
Ghirlanda
Bellavista
Cerro Balestro
Riva d.Etruschi
45
CAMPÍGLIA
MARITTIMA
Strada del
Vino
Costa degli
Etruschi
Castello della
Marsiliana
Duomo
MASSA
MARITTIMA
Mura medioevali
Perolla
Tatti
C.Cavalleggeri
10
Rimigliano
Terme
Caldana
Cafággio
Casalappi
Ruschi
Castello di
S.Lorenzo
Marsiliana
Valpiana
Poggibano
Collácchia
Mon
Staz.di
Campíglia Marítt.
1
Banditelle
Montioni
Parco di Montioni
Póggio al Chiecco
308
L.d.Accesa
Ribol
Porto Baratti
Populónia
398
Riotorto
Cura Nuova
Pécora
12

91

Tombe etrusche
Cornia
Vignale
E80
4
61
Cast.di Pietra
Pia
Big
Pupluna
(Città etrusca)
10
Torre del Sale
Póggio d.Quercione
229
11
Parco Arch. di
Baratti e Populónia
Salivóli
5
Nóemi
Torre Mozza
Rondelli
Bagno di
Gavorrano
Filare
Gavorrano
Giuncárico
Marina di Salivóli
Porto Vécchio
Prato Ranieri
Scarlino Scalo
Ravi
Fatt.il Lupo
la Rocchetta
Lido di Follónica
FOLLÓNICA
Scarlino
Mulino Donati
PIOMBINO
Golfo di Follónica
Puntone
di Scarlino
M.d'Alma
559
Caldana
Bastia (Corse), Ólbia
Portiglione
Rigo
Necrópoli
etrusca
Portoferráio
Canale
C.Vita
I.d.Topi
I.Palmaiola
25
Zinghera
C.Follona
(344)
Vetulónia
Fatt.
Cavo
di
I.Cérboli
Alma
Tirli
Buriano
la For
Pad.
Ras
M.Serra
422
S.Caterina
Piombino
Torre Civette
Pian d'Alma
630
Mulino dell'Ampio
Rio nell'Elba
Rio Marina
Cap.Civinini
Póggio Ballone
Macchiascandona

92

Volterráio
ÍSOLA
D'ELBA
P.Hidalgo
C.Badiola
Mad.di
Monserrato
P.delle Cannelle
P.Ala
Punta Ala
Pian di Rocca
G
Porto Azzurro
Náregno
Sc. d. Sparviero
la Rocchette
Bruna
Canale Diversivo
Casotto dei
Pescatori
Capolíveri
Pianosa
Parco Nazionale dell'
Arcipelago Toscano
MARE TIRRENO
Roccamare
Riva del
Sole
CASTIGLIONE
DELLA PESCÁIA
Pineta
del
322
G
Palazzo
P.dei Ripalti
Marina
di Grosseto
Tómbolo
Principina
a Mare
Parc

Torre
Nuova Scalo
Livorno
I
P.d.Fenáio
III
P.d.Marchese
V
Porto
S.Stéfano
Parco Naz. dell'
Arcipelago Toscano
Giglio Campese
Giglio Castello
Parco Naz. dell'
Arcipelago Toscano
Í.di Gorgona
Giglio Porto
I.Pianosa
Pianosa
Porto Azzurro
Mari
di Alber
P.d.Téia
II
Í.del
Giglio
P.Secca
di
Isola d'Elba
Póggio d.Pagana
P.Brigantina
93
M.Castello
447
Capráia
Castello
S.Giórgio
I.di Giannutri
Parco Naz.
dell'
Arcipelago
Toscano
I.di Montecristo
VI
Formiche
di Grosseto
P.d.
Trattóio
S.Stéfano
Parco Naz. dell'
Arcipelago
Toscano
P.d.
Capel
Rosso
M.d.Fortezza
645
410
M.Arpagna
P.Secca
lo Spalmatóio
IV
la Villa
Parco Naz.
dell'
Arcipelago
Toscano
P.d.Zenóbito
Í. di Capráia
illa Romana
i Grottoni
Í.di Giannutri
P.d.Capel Rosso

La   Lb   Lc   VII

Í. di Capráia
Bastia
C.Vita
I.d.Topi
Cavo
Piombino
I.Palmaiola
ÍSOLA D'ELBA
Piombino
C.d'Enfola
PORTOFERRÁIO
M.Serra
422
S.Caterina
94
S.Andrea
Marciana Marina
Viticcio
Scáglieri
Carpani
Biódola
Ottone
Rio nell'Elba
Rio Marina
Bagnáia
Zanca
Poggio
Prócchio
le Grotte
(Villaromana)
Volterráio
Mad.di
Monserrato
P.delle Cannelle
P. Polveráia
Marciana
Mad.d.Monte
Villa Napoleone
Lacona
Porto Azzurro
Colle d'Orano
1018
S.Ilário in Campo
Strada
del Vino/Costa d.Etruschi
Náregno
P.
Nera
M.Capanne
la Pila
G.Stella
G.
di
Lacona
Mad.d.
Grazie
Campo nell'
Elba
S.Piero
in C.
Marina
di Campo
Bastia
Chiessi
Pomonte
Capolíveri
Secchetu
Dávoli
G. di Campo
P.dei Ripalti
Palazzo
92
Fetováia
P.di Fetováia
C.di Poro
P.d.Fenáio
Í.del Giglio
Giglio
Campese
Giglio Castello
Giglio Porto

0   2   4   6   8   10 km

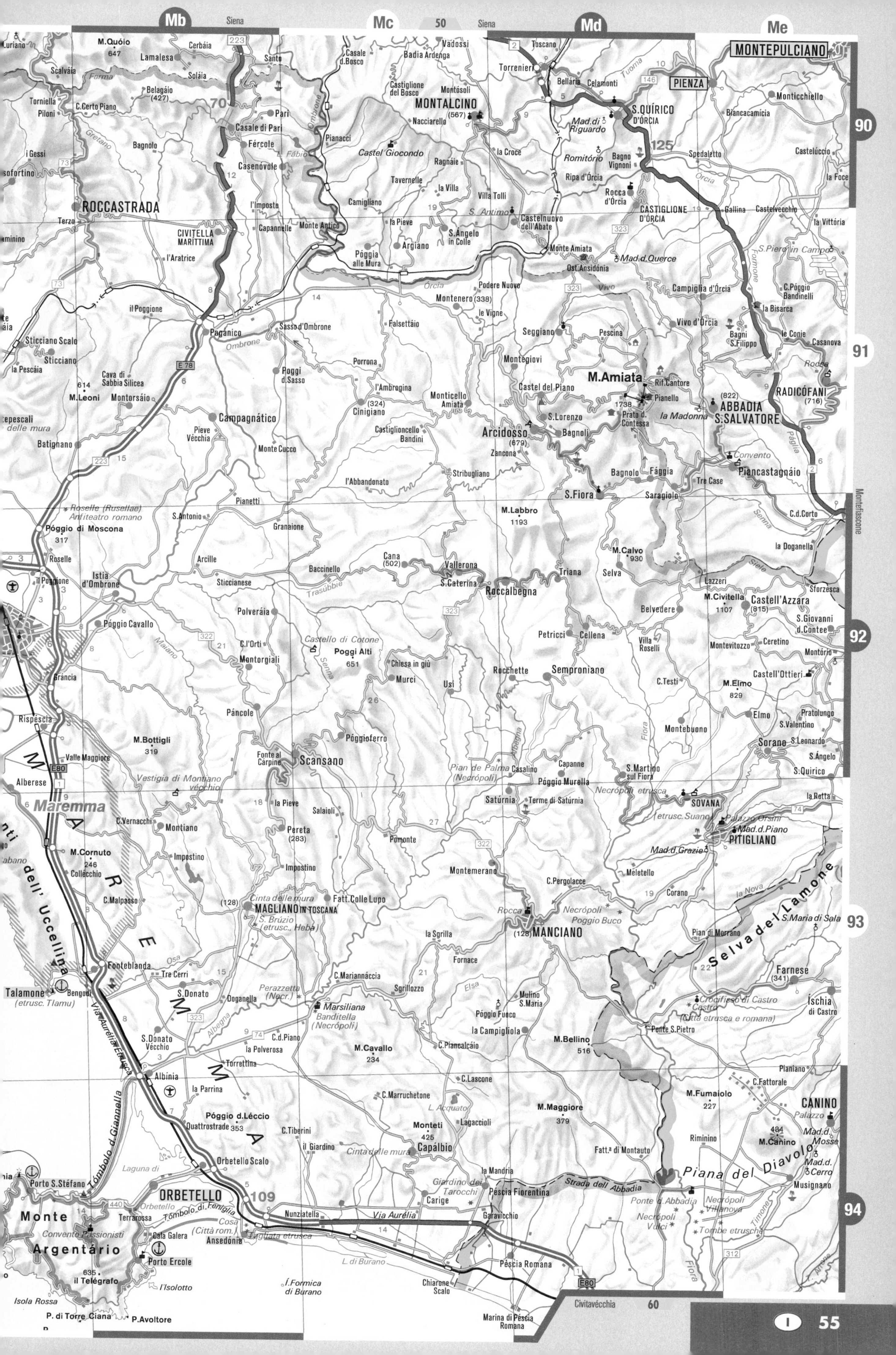

Mb
Siena
Mc
50
Md
Me
MONTEPULCIANO
PIENZA
M.Quóio
647
Lamalesa
Cerbáia
Santo
Soláia
Scalváia
Belagáio
(427)
Torniella
Piloni
C.Certo Piano
Parì
Casale di Pari
Fércole
Bagnolo
Casenóvole
i Gessi
ROCCASTRADA
l'Imposto
Capannelle
Monte Antico
CIVITELLA MARITTIMA
l'Aratrice
il Poggione
Paganico
Sticciano Scalo
Sticciano
la Pescáia
Cava di Sabbia Silicea
M.Leoni
Montorsáio
Campagnático
Pieve Véccchia
Batignano
Monte Cucco
Casale d.Bosco
Vadossi
Badia Ardenga
Castiglione del Bosco
Montósoli
MONTALCINO
(567)
Nacciarello
Pianacci
Castel Giocondo
Ragnáie
Tavernelle
la Villa
Camigliano
Villa Tolli
la Pieve
S.Angelo in Colle
Argiano
Póggia alle Mura
S. Antimo
Castelnuovo dell'Abate
Monte Amiata
Ost.Ansidónia
Podere Nuovo
Montenero (338)
le Vigne
Sasso d'Ombrone
Falsettáio
Poggi d.Sasso
Porrona
l'Ambrogina
(324) Cinigiano
Monticello Amiata
Castiglioncello Bandini
l'Abbandonato
Stribugliano
Toscano
Torrenieri
Bellária
Celamonti
S.QUÍRICO D'ÓRCIA
Mad.di Riguardo
Romitório
Bagno Vignoni
Ripa d'Órcia
Rocca d'Órcia
la Croce
CASTIGLIONE D'ÓRCIA
Mad.d.Querce
Campiglia d'Órcia
Vivo d'Órcia
Seggiano
Pescina
Montegiovi
Castel del Piano
M.Amiata
Rif.Cantore
Pianello
1738
Prato d. Contessa
S.Lorenzo
Arcidosso
(679)
Bagnoli
Zancona
Bagnolo
Fággia
S.Fiora
Saragiolo
Tre Case
Monticchiello
Biancacamícia
Spedaletto
Castelúccio
la Foce
Gallina
Castelvecchio
la Vittória
S.Piero in Campo
C.Póggio Bandinelli
la Bisarca
Bagni S.Filippo
le Conie
Casanova
Rocca
RADICÓFANI
(716)
(822)
ABBADIA S.SALVATORE
la Madonna
Convento
Piancastagnáio
C.d.Corto
Montefiascone
la Doganella
Roselle (Rusellae) Anfiteatro romano
Póggio di Moscona
317
Roselle
il Poggione
Istia d'Ombrone
S.Antonio
Pianetti
Granaione
Arcille
Sticcianese
Baccinello
Cana (502)
Vallerona
S.Caterina
Roccalbegna
Triana
M.Labbro
1193
M.Calvo
930
Selva
Lazzeri
M.Civitella
1107
Castell'Azzara
(815)
Sforzesca
Belvedere
S.Giovanni d.Contee
Póggio Cavallo
Polveráia
C.l'Orti
Montorgiali
Castello di Cotone
Poggi Alti
651
Chiesa in giù
Murci
Usi
Rocchette
Semproniano
Petricci
Cellena
Villa Roselli
Montevitozzo
Ceretino
Montório
Castell'Ottieri
M.Elmo
829
C.Testi
Elmo
Pratolungo
S.Valentino
Montebuono
Sorano
S.Leonardo
S.Ángelo
S.Quirico
Grancia
Rispéscia
Páncole
M.Bottigli
319
Poggioferro
Fonte al Carpine
Scansano
Valle Maggiore
Alberese
Vestigia di Montiano vecchio
Maremma
C.Vernacchi
Montiano
la Pieve
Salaioli
Pereta (283)
Pomonte
Pian de Palma (Necrópoli)
Casalino
Capanne
Póggio Murella
S.Martino sul Fiora
Satúrnia
Terme di Satúrnia
Necrópoli etrusca
SOVANA
(etrusc. Suana)
Palazzo Orsini
Mad.d.Piano
PITIGLIANO
la Retta
Mad.d.Grazie
M.Cornuto
246
Collécchio
Impostino
Montemerano
C.Pergolacce
Meletello
Corano
la Nova
C.Malpasso
(128)
Cinta delle mura
MAGLIANO IN TOSCANA
Fatt.Colle Lupo
S. Brúzio (etrusc., Heba)
Rocca
(128) MANCIANO
Necrópoli Poggio Buco
Pian di Morrano
Selva del Lamone
S.Maria di Sala
la Sgrilla
Fornace
Fonteblanda
Tre Cerri
S.Donato
Talamone
Bengodi
(etrusc. Tlamu)
Perazzetta (Necr.)
Doganella
C.Mariannáccia
Sgrillozzo
Marsiliana
Banditella (Necrópoli)
Mulino S.Maria
Póggio Fuoco
la Campigliola
M.Bellino
516
Farnese
(341)
Crocifisso di Castro
Castro (Città etrusca e romana)
Íschia di Castro
Ponte S.Pietro
S.Donato Vecchio
C.d.Piano
la Polverosa
M.Cavallo
234
C.Piancalcáio
Torrettina
Albinia
Via Aurelia Etrusca
la Parrina
C.Lascone
C.Marruchetone
L. Acquato
Póggio d.Léccio
Quattrostrade 353
C.Tiberini
Monteti 425
Lagaccioli
M.Maggiore
379
Piansano
C.Fattorale
M.Fumaiolo
227
CANINO
Palazzo
Tómbolo d.Giannella
il Giardino
Cinta delle mura
Capálbio
Orbetello Scalo
Laguna di Orbetello
Fatt.a di Montauto
Riminino
M.Canino
Mad.d. Mosse
Mad.d. Cerro
Porto S.Stéfano
ORBETELLO
109
Monte Argentário
Convento Passionisti
Terrarossa
Tómbolo di Feniglia
Cala Galera
Cosa (Città rom.)
Ansedónia
Tagliata etrusca
Nunziatella
Via Aurélia
Giardino dei Tarocchi
Carige
la Mandria
Pèscia Fiorentina
Strada dell Abbadia
Piana del Diavolo
Garavicchio
Ponte d.Abbadia
Necrópoli Villanova
Necrópoli Vulci
Tombe etrusche
Musignano
Porto Ercole
635 il Telégrafo
L'Isolotto
Isola Rossa
P. di Torre Ciana
P.Avoltore
L. di Burano
Í.Formica di Burano
Chiarone Scalo
Péscia Romana
Marina di Péscia Romana
Civitavécchia
60
90
91
92
93
94

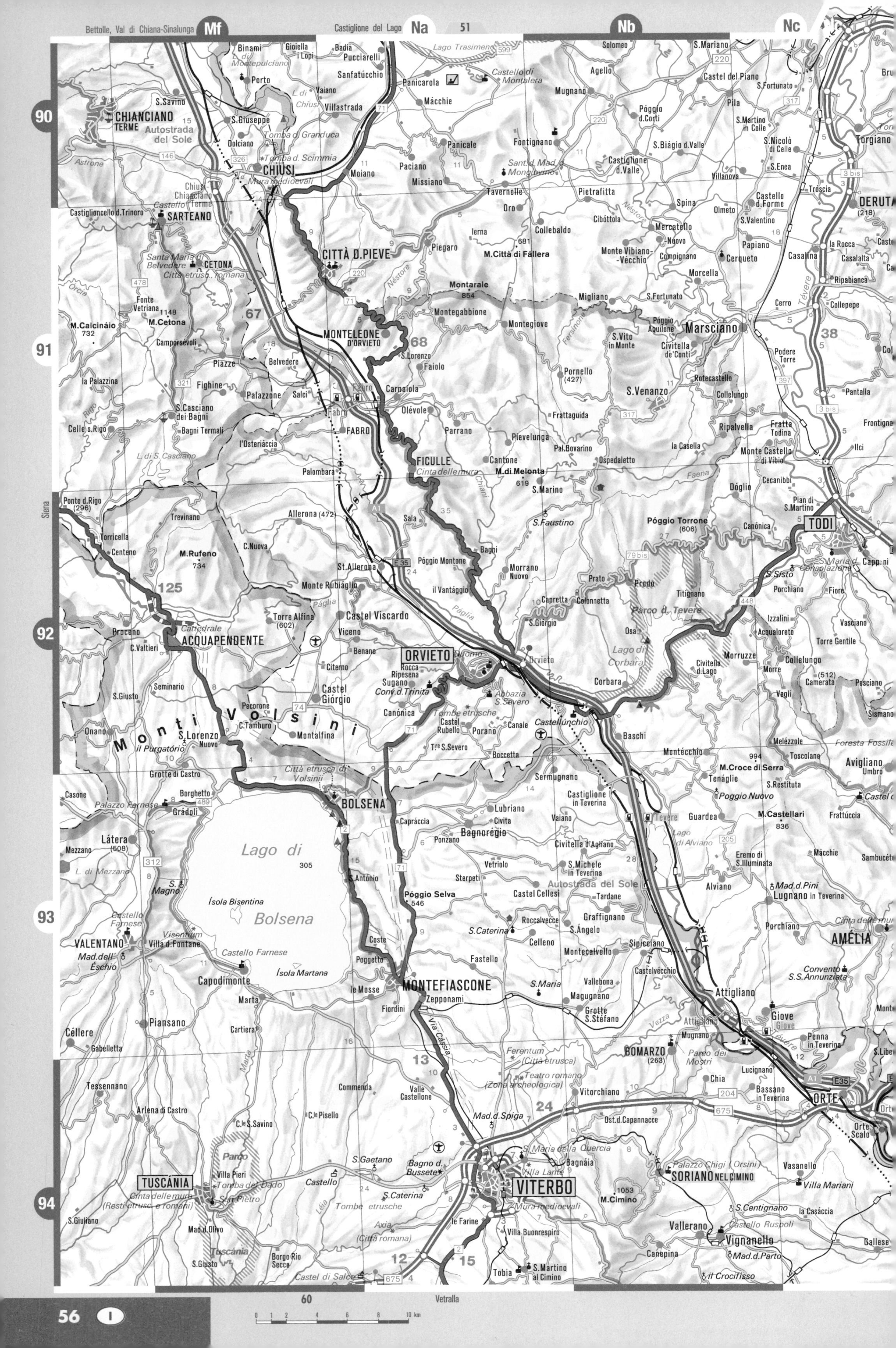

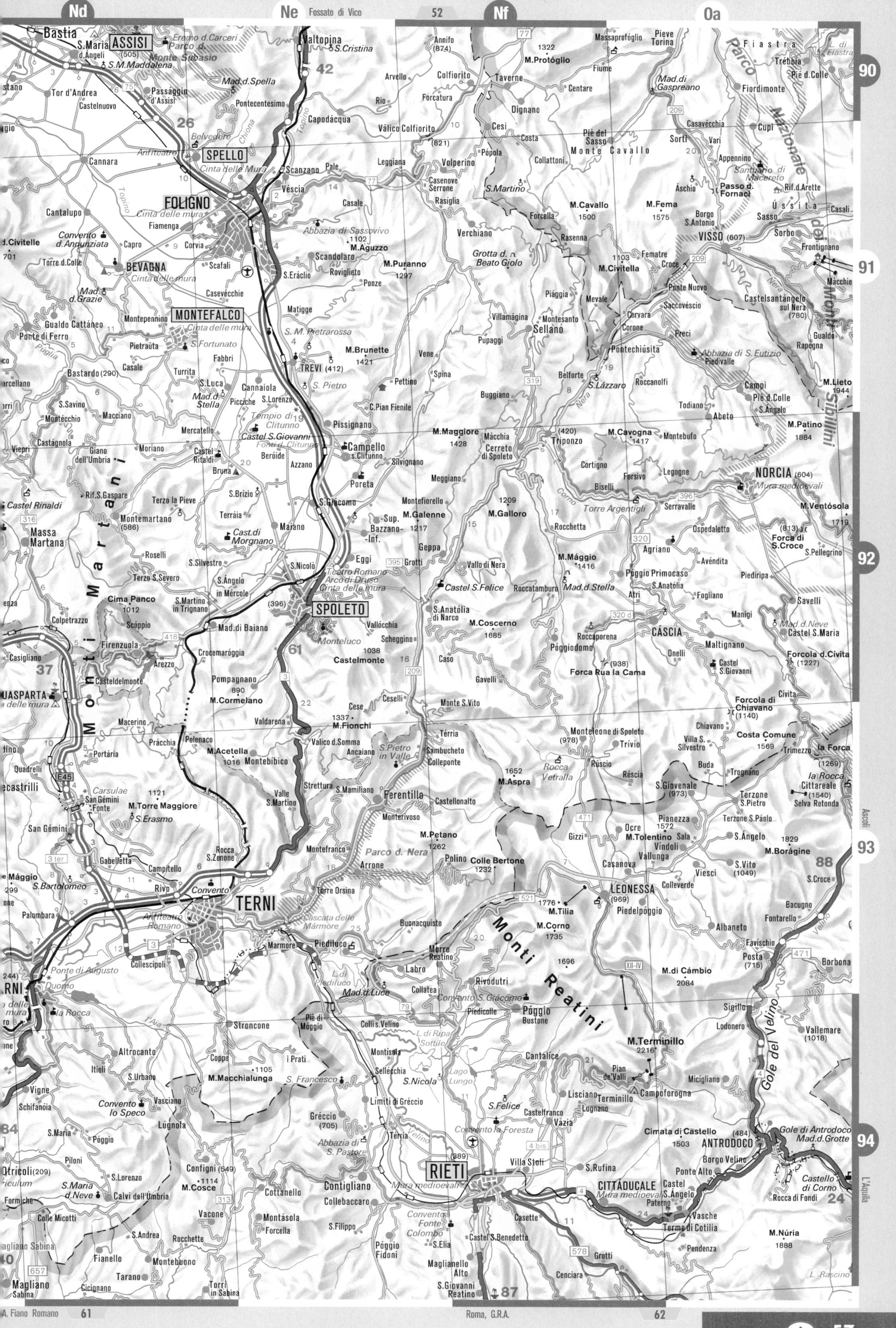
Bastia
S.Maria d.Angeli
ASSISI
(505)
Eremo d.Carceri
Parco d. Monte Subasio
S.M.Maddalena
Valtopina
S.Cristina
42
Annifo (874)
Massaprofóglio
Pieve Torina
1322
M.Protóglio
Fiastra
Trèbbia
Piè d.Colle
90
Tor d'Andrea
Castelnuovo
Passaggio d'Assisi
Mad.d.Spella
Pontecentesimo
Arvello
Colfiorito
Taverne
Fiume
Centare
Mad.di Gaspreano
Fiordimonte
Capodácqua
Forcatura
Rio
Dignano
26
Belvedere
Vàlico Colfiorito
(821)
Cesi
Costa
Piè del Sasso
Monte Cavallo
Casavécchia
Sorti
Vari
Cupi
Cannara
Anfiteatro
SPELLO
Cinta delle Mura
Scanzano
Pale
Leggiana
Volperino
Pópola
Collattoni
Appennino
Santuario di Macereto
Casenove Serrone
Vèscia
S.Martino
Áschio
Passo d. Fornaci
Rif.d.Arette
FOLIGNO
Cinta delle mura
Cantalupo
Fiamenga
Casale
Rasiglia
M.Cavallo 1500
M.Fema 1575
Borgo S.Antonio
Ússita
Casali
Sasso
Abbazia di Sassovivo
Forcella
Sorbo
Convento d.Annunziata
Capro
Corvia
1102
M.Aguzzo
Verchiano
Rasenna
VISSO (607)
Frontignano
Torre d.Colle
BEVAGNA
Cinta delle mura
Scafali
Scandolaro
Roviglieto
M.Puranno 1297
Grotta d. Beato Giolo
1103
M.Civitella
Fematre
Croce
91
S.Eráclio
Ponze
Ponte Nuovo
Mad. d.Grazie
Casevècchie
Piággia
Mevale
Castelsantángelo sul Nera (780)
Matigge
Saccovéscio
Montepennino
MONTEFALCO
Cinta delle mura
Villamágina
Montesanto
Sellano
Cervara
Corone
Gualdo Cattáneo
Ponte di Ferro
S.M. Pietrarossa
Pupaggi
Preci
Pietraúta
S.Fortunato
M.Brunette 1421
Vene
Pontechiúsita
Abbazia di S.Eutizio
Piedivalle
Gualdo
Rapegna
Bastardo (290)
Casale
Fabbri
TREVI (412)
Spina
Belforte
S.Lázzaro
Roccanolfi
Campi
Piè d.Colle
M.Lieto 1944
Turrita
S.Luca
Mad.d. Stella
Cannaiola
Picciche
S.Lorenzo
S.Pietro
Pettino
Buggiano
Todiano
S.Ángelo
S.Savino
Macciano
C.Pian Fienile
Abeto
Montécchio
Tempio di Clitunno
Pissignano
M.Maggiore 1428
Mácchia
(420)
Triponzo
M.Cavogna 1417
Montebufo
M.Patino 1884
Mercatello
Castel S.Giovanni
Fonti d. Clitunno
Campello s.Clitunno
Cerreto di Spoleto
Castágnola
Giano dell'Umbria
Moriano
Castel Ritaldi
Beróide
Azzano
Silvignano
Meggiano
Cortigno
Legogne
Vièpri
Bruna
Poreta
Forsivo
NORCIA (604)
Mura medioevali
Biselli
Castel Rinaldi
Rif.S.Gaspare
Terzo la Pieve
S.Brizio
S.Giacomo
Montefiorello
1209
M.Galloro
Torre Argentigli
Serravalle
M.Ventósola 1719
Montemartano (586)
Terráia
Sup. Bazzano Inf.
M.Galenne 1217
Rocchetta
Ospedaletto
(813)
Forca di S.Croce
Massa Martana
Cast.di Morgnano
Maiano
Geppa
Agriano
S.Pellegrino
92
Roselli
S.Silvestro
S.Nicolò
Eggi
Grotti
Vallo di Nera
M.Mággio 1416
Avéndita
Piediripa
Teatro Romano
Arco di Druso
Cinta delle mura
Castel S.Felice
Roccatamburo
Mad.d.Stella
Poggio Primocaso
S.Anatólia
Terzo S.Severo
S.Ángelo in Mércole
Atri
Fogliano
Savelli
Cima Panco 1012
S.Martino in Trignano
(396)
SPOLETO
S.Anatólia di Narco
Manigi
Mad.d.Neve
Castel S.Maria
Colpetrazzo
Scóppio
Mad.di Baiano
Vallócchia
M.Coscerno 1685
Roccaporena
CÁSCIA
Monteluco
Scheggino
Póggiodomo
Maltignano
Forcola d.Cívita (1227)
Casigliano
Firenzuola
Arezzo
Crocemaróggia
1038
Castelmonte
Caso
(938)
Forca Rua la Cama
Onelli
Castel S.Giovanni
Castel dell'Monte
Pompagnano 890
M.Cormelano
Gavelli
Cívita
Monti Martani
Cese
Ceselli
Monte S.Vito
Forcola di Chiavano (1140)
Macerino
Valdarena
1337
M.Fionchi
Térria
Chiavano
Costa Comune 1569
Monteleone di Spoleto (978)
Trivio
Villa S.Silvestro
Trimezzo
la Forca (1269)
Prácchia
Polenaco
Valico d.Somma
Ancaiano
S.Pietro in Valle
Sambucheto
Colleponte
Portária
M.Acetella 1016
Montebíbico
1652
M.Aspra
Rocca Vetralla
Rúscio
Buda
Trognano
la Rocca
Cittareale (1540)
Selva Rotonda
Quadrelli
Rèscia
S.Giovenale (973)
Carsulae
San Gèmini Fonte
1121
M.Torre Maggiore
S.Erasmo
Strettura
S.Mamiliano
Valle S.Martino
Ferentillo
Castellonalto
Terzone S.Pietro
Terzone S.Pàolo
Ascoli
San Gèmini
Monterivoso
M.Petano 1262
Gizzi
Ocre
M.Tolentino
Pianezza 1572
Sala
S.Ángelo
1829
M.Borágine
93
Gabelletta
Campitello
Rocca S.Zenone
Montefranco
Arrone
Parco d. Nera
Polino
Colle Bertone 1232
Vindoli
Vallunga
Casanova
S.Vito (1049)
88
S.Bartolomeo
Rivo
Convento
TERNI
Torre Orsina
LEONESSA (969)
Viesci
Colleverde
S.Croce
Palombara
Anfiteatro Romano
Cascata delle Mármore
1776
M.Tilia
Piedelpoggio
Bacugno
Fontarello
Buonacquisto
M.Corno 1735
Albaneto
Marmore
Piediluco
Morro Reatino
Monti Reatini
Favischio
Posta (715)
Borbona
Collescipoli
Ponte di Augusto
Labro
1696
M.di Cámbio 2084
Duomo
L.di Piediluco
Rivodutri
Mad.d.Luce
Collatea
Convento S.Giácomo
la Rocca
Piè di Móggio
Piedicolle
Póggio Bustone
Sigillo
Gole del Velino
Lodonero
Vallemare (1018)
Stroncone
Colli s.Velino
L.di Ripa Sottile
M.Terminillo 2216
Altrocanto
Coppe
1105
M.Macchialunga
i Prati
Montisola
Cantalice
Pian de'Valli
Itieli
S.Urbano
S.Francesco
Sellécchia
S.Nicola
Lago Lungo
Micigliano
Vigne
Vasciano
Campoforogna
Schifanóia
Convento lo Speco
Limiti di Gréccio
S.Felice
Lisciano
Terminillo
Lognano
Lùgnola
Gréccio (705)
Castelfranco
Vázia
Cimata di Castello 1503
(484)
ANTRODOCO
Gole di Antrodoco
Mad.d.Grotte
94
S.Maria
Póggio
Abbazia di S.Pastore
Térria
Convento la Foresta
Piloni
(389)
Villa Stoli
Borgo Velino
Ponte Alto
Castello di Corno
Otrícoli (209)
S.Lorenzo
Configni (649)
1114
M.Cosce
RIETI
Mura medioevali
S.Rufina
CITTÁDUCALE
Mura medioevali
Castel S.Ángelo
Paterno
L'Aquila
S.Maria d.Neve
Calvi dell'Umbria
Cottanello
Contigliano
Collebaccaro
Rocca di Fondi
24
Vasche
Terme di Cotilia
Formiche
Colle Micotti
Vacone
Montásola
Forcella
S.Filippo
Convento Fonte Colombo
S.Elia
Castel S.Benedetto
Casette
S.Andrea
Rocchette
Póggio Fidoni
Maglianello Alto
M.Núria 1888
Pendenza
Fianello
Montebuono
Grotti
Tarano
Cenciara
L.Rascino
Magliano Sabina
Cicignano
Torri in Sabina
S.Giovanni Reatino
87

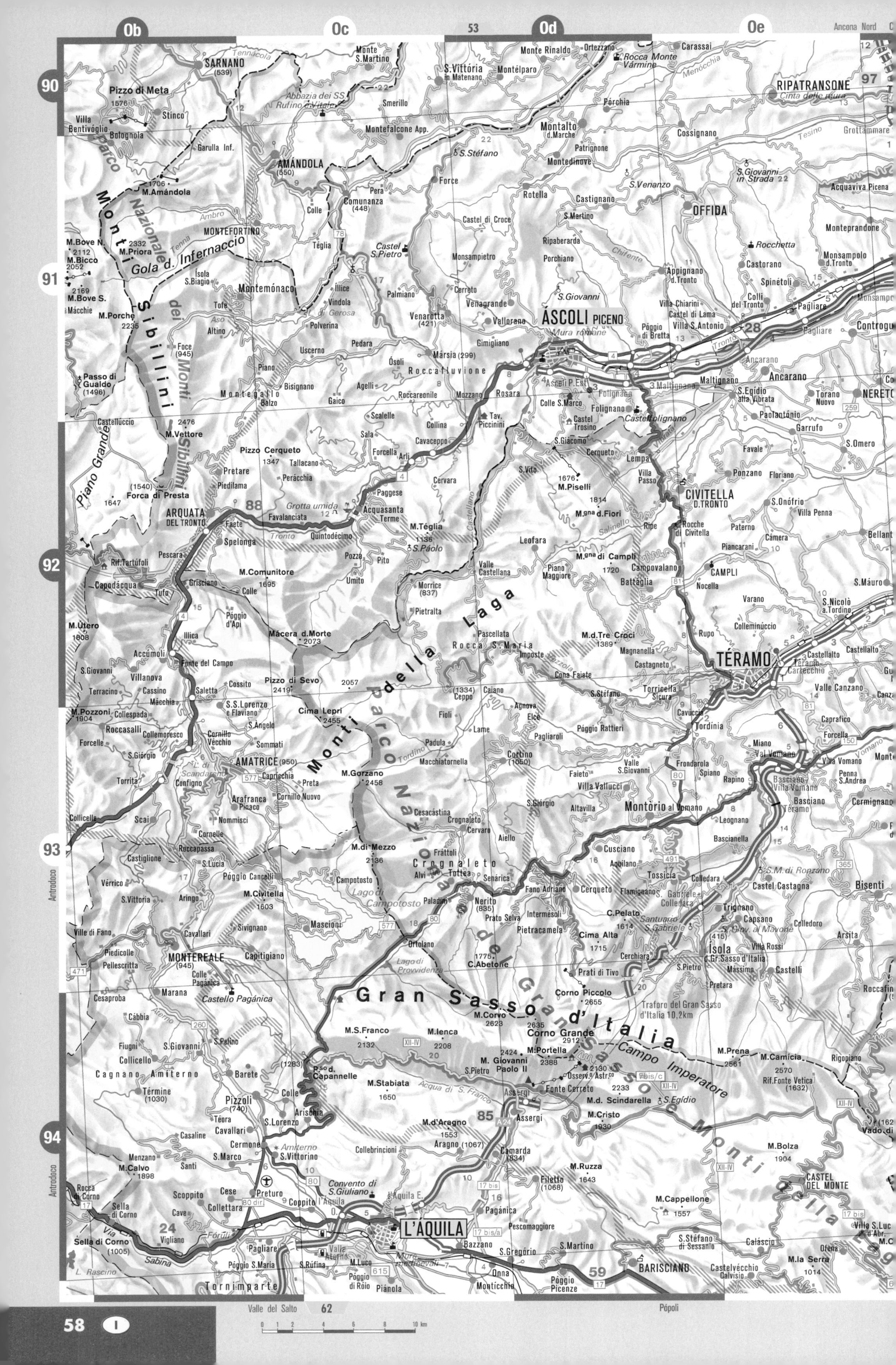

Ob
Oc
53
Od
Oe
Ancona Nord
90
91
92
93
94
97
SARNANO
Pizzo di Meta
Villa Bentivóglio
Bolognola
Stinco
Garulla Inf.
AMÁNDOLA
M.Amándola
Monti Sibillini
Parco Nazionale dei Monti Sibillini
Gola d. Infernaccio
MONTEFORTINO
M.Priora
M.Bove N.
M.Bicco
M.Bove S.
Mácchie
M.Porche
Ísola S.Biagio
Montemónaco
Foce
Altino
Passo di Gualdo
Castelluccio
Piano Grande
M.Vettore
Forca di Presta
ARQUATA DEL TRONTO
Pretare
Piedilama
Pizzo Cerqueto
Tallacano
Perácchia
Monte S.Martino
S.Vittória in Matenano
Montelparo
Abbazia dei SS. Rufino e Vitale
Smerillo
Montefalcone App.
Monte Rinaldo
Ortezzano
Rocca Monte Vármine
Carassai
RIPATRANSONE
Cinta delle mura
Pórchia
Montalto d.Marche
Patrignone
Montedinove
Cossignano
Grottammare
S.Stéfano
Force
Comunanza
Colle
Téglia
Castel S.Pietro
Rotella
Castignano
S.Venanzo
OFFIDA
S.Giovanni in Strada
Acquaviva Picena
Monteprandone
Castel di Croce
S.Martino
Ripaberarda
Porchiano
Monsampietro
Cerreto
Venagrande
Vallorano
ÁSCOLI PICENO
Mura romane
S.Giovanni
Rocchetta
Monsampolo d.Tronto
Castorano
Spinétoli
Colli del Tronto
Pagliare
Appignano d.Tronto
Villa Chiarini
Castel di Lama
Villa S.Antonio
Póggio di Bretta
Controguerra
Ilice
Vindola
Polverina
Palmiano
Venarotta
Gimigliano
Uscerno
Pedara
Ósoli
Mársia
Roccafluvione
Montegallo
Piano
Bisignano
Balzo
Agelli
Gaico
Roccareonile
Mozzano
Rosara
Ascoli P. Est
Colle S.Marco
Folignano
Castel Trosino
Castel Folignano
Maltignano
Ancarano
S.Egidio alla Vibrata
Torano Nuovo
Paolantónio
Garrufo
NERETO
Scalelle
Sala
Collina
Tav. Piccinini
Forcella
Arli
Cavaceppo
Cervara
Paggese
Acquasanta Terme
Grotta umida
Favalanciata
Quintodécimo
S.Giácomo
Cerqueto
Lempa
Villa Passo
S.Vito
M.Piselli
M.gna d.Fiori
CIVITELLA D.TRONTO
Ponzano
Floriano
S.Omero
Favale
S.Onófrio
Villa Penna
Rocche di Civitella
Paterno
Ripe
Leofara
M.Téglia
S.Páolo
Faete
Spelonga
Pescara
Rif.Tartúfoli
Capodácqua
Tufo
Grisciano
Pozza
Pito
Umito
M.Comunitore
Colle
Valle Castellana
Piano Maggiore
M.gna di Campli
Campovalano
Battáglia
CAMPLI
Nocella
Piancarani
Cámera
Bellante
S.Máuro
Morrice
Pietralta
Monti della Laga
Parco Nazionale del Gran Sasso e Monti della Laga
M.Útero
Illica
Póggio d'Api
Mácera d.Morte
Pascellata
Rocca S.Maria
Imposte
M.d.Tre Croci
Magnanella
Castagneto
TÉRAMO
Castellalto
Rupo
Colleminúccio
Varano
S.Nicolò a.Tordino
Accúmoli
Fonte del Campo
S.Giovanni
Villanova
Terracino
Cassino
Mácchia
Saletta
Cossito
Pizzo di Sevo
Cona Faiete
S.Stéfano
Torricella Sicura
Carecchio
Valle Canzano
M.Pozzoni
Collespada
Roccasalli
Collemoresco
Forcelle
S.Giórgio
S.S.Lorenzo e Flaviano
S.Ángelo
Cornillo Vecchio
Sommati
Cima Lepri
Ceppo
Caiano
Fioli
Agnova
Elce
Lame
Pagliaroli
Póggio Rattieri
Cavuccio
Tordinia
Caprafico
Forcella
Miano
Val Vomano
Torrita
Confìgno
AMATRICE
Capricchia
Preta
Cornillo Nuovo
M.Gorzano
Padula
Macchiatornella
Cortino
Valle S.Giovanni
Villa Vallucci
Faieto
Frondarola
Spiano
Rapino
Villa Vomano
Penna S.Andrea
Basciano
Collicelli
Scai
Arafranca Pinaco
Nommisci
Cornelle
Cesacástina
Crognaleto
Cervaro
S.Giórgio
Altavilla
Montorio al Vomano
Leognano
Cermignano
Bascianella
Roccapassa
Castiglione
S.Lucia
Vérrico
Póggio Cancelli
M.di Mezzo
Fráttoli
Alvi
Tottea
Senárica
Cusciano
Aquilano
Tossicia
Colledara
S.M. di Ronzano
Castel Castagna
Bisenti
Antrodoco
S.Vittoria
Aringo
M.Civitella
Campotosto
Lago di Campotosto
Paladini
Nerito
Fano Adriano
Cerqueto
Flamignano
S. Gabriele-Colledara
Intermésoli
C.Pelato
Santuario S.Gabriele
Trignano
Capsano
S.Giov. al Mavone
Colledoro
Ville di Fano
Cavallari
Sivignano
Mascioni
Prato Selva
Pietracamela
Cima Alta
Ísola d.Gr.Sasso d'Italia
Villa Rossi
Arsita
Piedicolle
Pellescritta
MONTEREALE
Capitigiano
Ortolano
Lago di Provvidenza
C.Abetone
Cerchiara
S.Pietro
Máss
Castelli
Colle Paganica
Marana
Castello Pagánica
Prati di Tivo
Corno Piccolo
Pretara
Roccafinadamo
Cesaproba
Gran Sasso d'Italia
M.Corvo
Traforo del Gran Sasso d'Italia 10,2km
Cábbia
M.S.Franco
M.Ienca
Corno Grande
Campo Imperatore
M.Prena
M.Camicia
Rigopiano
Fiugni
S.Giovanni
S.Pelino
M.Portella
M.Giovanni Paolo II
Rif.Fonte Vetica
Collicello
Cagnano Amiterno
Barete
P.so d. Capannelle
M.Stabiata
Acqua di S.Franco
Osserv. Astr.
Fonte Cerreto
M.d. Scindarella
S.Egídio
Términe
Pizzoli
Colle
Arischia
Assergi
M.Cristo
Téora
Cavallari
S.Lorenzo
M.d'Aragno
Aragno
Vado di Sole
Casaline
Cermone
Amiterno
S.Vittorino
Collebrincioni
Camarda
M.Bolza
Menzano
M.Calvo
Santi
S.Marco
M.Ruzza
Filetto
CASTEL DEL MONTE
Rocca di Corno
Sella di Corno
Scoppito
Cese
Collettara
Preturo
Convento di S.Giuliano
Coppito
L'Aquila E.
Paganica
M.Cappellone
Cave
Vigliano
Sella di Corno
Fórulì
Pagliare
Valle Aterno
L'AQUILA
Pescomaggiore
S.Stéfano di Sessanio
Calascio
Villa S.Lucia d'Abr.
Sabina
L. Rascino
Póggio S.Maria
S.Rufina
M.Luco
Mura medioevali
Bazzano
S.Gregório
S.Martino
BARISCIANO
Castelvécchio Calvisio
Ofena
M.la Serra
Tornimparte
Póggio di Roio
Pianola
Onna
Monticchio
Póggio Picenze
Valle del Salto
62
Pópoli
0 1 2 4 6 8 10 km

MARE
...mura

NEDETTO
S. TRONTO

92

orto d'Ascoli

d.T.-Áscoli Piceno
▲ Martinsicuro

● Villa Rosa

● Alba Adriática

M A R E

A D R I Á T I C O

reto
reto
Cavatassi

● Tortoreto Lido

ntone 12

● Giulianova Lido

GIULIANOVA
S.Maria a Mare

Convento

● Cologna Spiággia

262 d A14

● Cologna

ranno
lianova

ordino 16

● Giammartino
● Montepagano

● Roseto
degli Abruzzi

93

Temento
al Vomano

Morro
d'Oro

553

Vomano 10

Casal
Thaulero

Maria di
opezzano 10 Roseto

Scerne

56

68 8

Hvar, Split

Fontanelle
● Cásoli

● S.Margherita

13

● Pineto

ATRI

S.Giácomo 12

553

Mad.d.Grázie 14

● Atri-Pineto

● Mutignano

13

● Villa Bozza

● S.Martino

● Silvi Marina

Silvi

Galto

● Montefino

Villa
S.Romualdo

Mad.Addolorata

5 Torre Cerrano

● Castilenti

● Élice

Sorricchio

Mad
d.Pace

Pescara N.-
Città S.Ángelo

one
mondo

81 Mad.d'Angeli

● Cipressi

CITTÁ S.ÁNGELO

Montesilvano Marina

408 20

● Montesilvano

94

● Picciarello

S.Filomena

● Picciano

Fino

4 8

PESCARA
● Pineta

Elmo *Convento*

Collecorvino

15

Cappelle
sul Tavo

Madonna

● Pretaro

PENNE
(438)

● Bárberi

151

12

16 bis

7

● Spoltore

FRANCAVILLA
AL MARE

● Caprara
d'Abruzzo

S.S.n.16
Zona Ind.
602

S.Silvestro

6 3

di Penne

LORETO
APRUTINO

● Moscufo

S.M.a Lago

A14

● Sambuceto

Pescara-S.
Francavilla

● Foro

● Lido Riccio

(615)

● Rotacesta

● Castellana

● Villanova

S.Giovanni Teatino
Sambucето

E 55

8

Dubrovrnik

Vestea

Pianella
● Cerratina

● Villanova

Dragonara

12

649

Pescara O.-Chieti

11

Castelferrato

Alento

● Savini

● ORTONA

la Celiera

C.Cavaliere
(290)

S.M.Magg.

Cappella
Sábucchi

● Rapattoni

81

● Salvano

Torrevecchia
Teatina

Castello Aragonese

● Aquilano

vitella
asanova

S.Vincenzo

10

Villareia

11 3

Ripa Teatina

● Miglianico

98

Nora

CATIGNANO

● Nocciano

● Villa Badessa

Villareia

Villaréa

CHIETI

● Villamagna

● Tollo

● Ortona

58

Vicoli

● Villa Olivéti

● Rosciano

Piaggio

S.Rocco

● Villa Grande

Casino Vezzani

Villa
San Leonardo

Nora 5

Civitaquana

● Brecciarola

327

Bucchiánico

S.Rocco
Giuliano
Teatino

Casino Vezzani

Villa
San Vito

Marina di
San Vito

95

Cúgnoli

Cigno

30

S.M.Arabona
(Cistercense)

Brecciarola

25

● Vacri

● Crécchio

● Villa Caldari

Sant'9
Apollinaré

● San Vito
Chietino

● Mancini

Alanno

100

E80 Ripacorbaria

Casalincontrada

81

Ari ● S.Pietro

Canosa
Sannita

263

538

Villa
Rogatti

● Tréglio

16

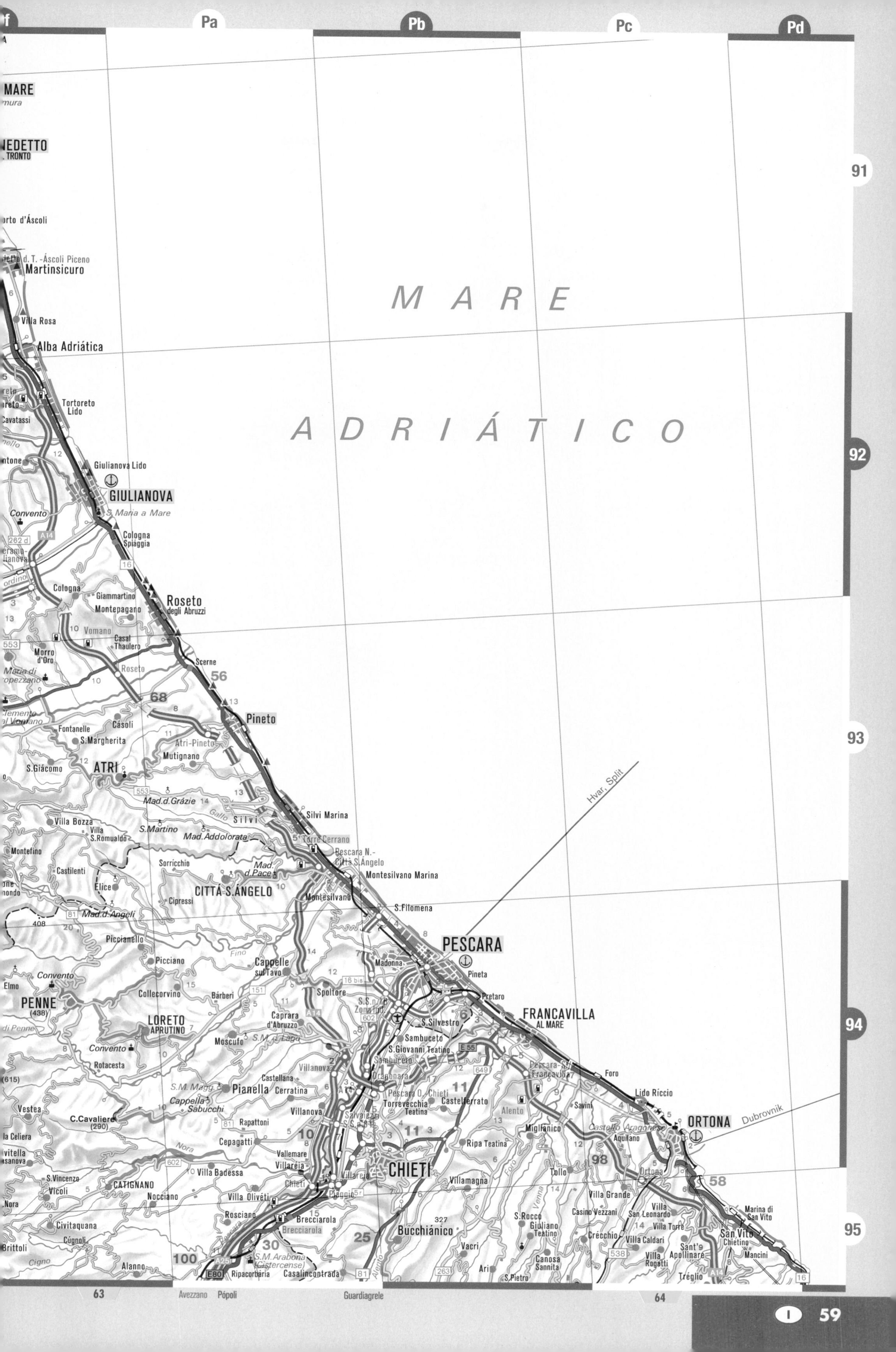

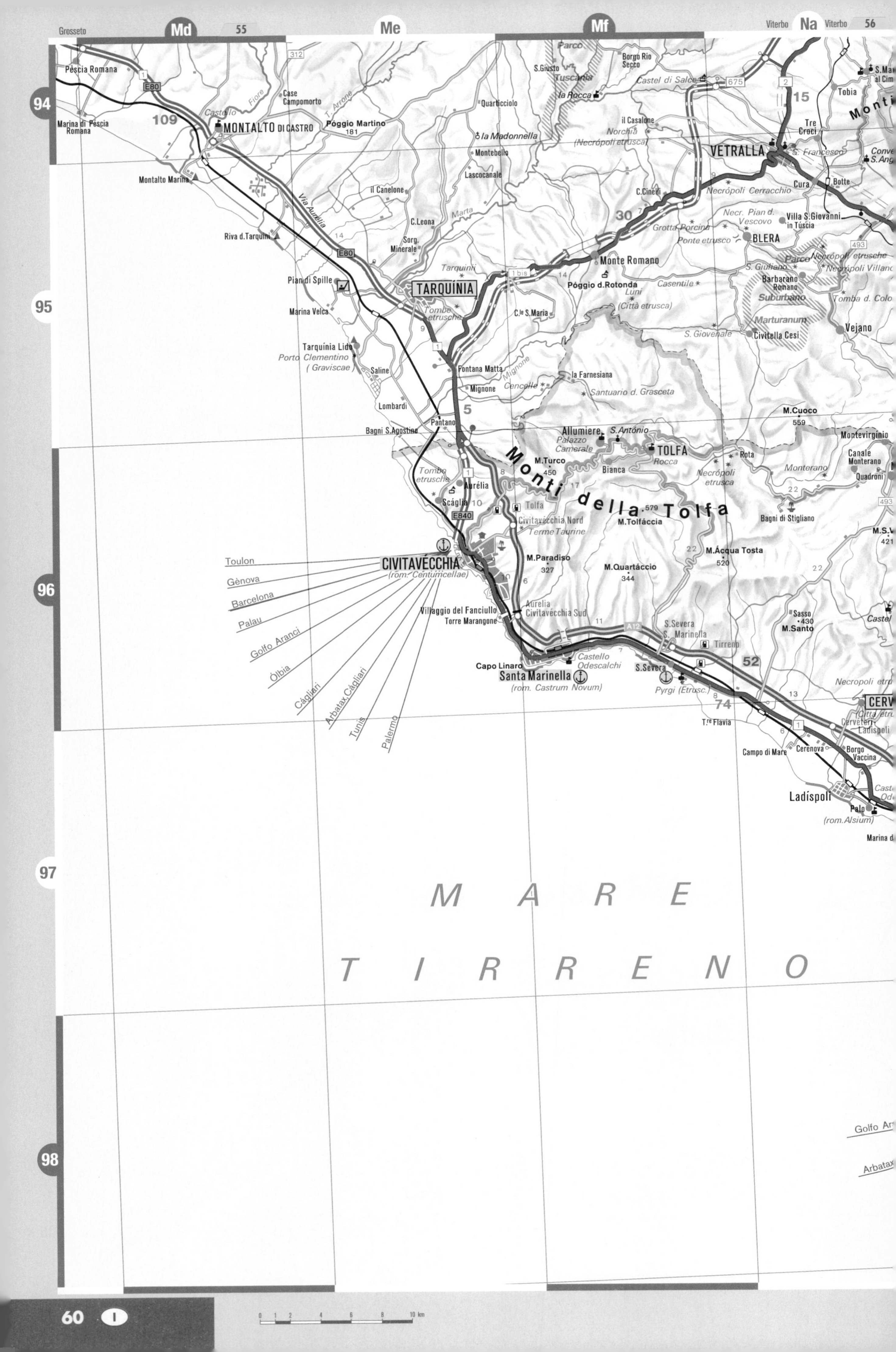

94

Péscia Romana
E80

109
Castello
Marina di Péscia
Romana
MONTALTO DI CASTRO
Póggio Martino
181
Case
Campomorto
T. Arrone
Fiore
312
Parco
S.Giusto
Tuscánia
la Rocca
Borgo Rio
Secco
Castel di Salce
675
S.Mar
al Cim
Tobia
15
Monti
Quarticciolo
il Casalone
Norchía
(Necrópoli etrusca)
Montebello
la Madonnella
Montalto Marina
Via Aurelia
C.Leona
Lascocanale
Tre
Croci
VETRALLA
S. Francesco
Conv
S. Ang
Riva d.Tarquini
14
E80
Sorg.
Minerale
Marta
Necrópoli Cerracchio
Cura
Botte
95
Tarquinii
14
1 bis
Monte Romano
Necr. Pian d.
Vescovo
Villa S.Giovànni
in Túscia
30
Grotta Porcina
Ponte etrusco
BLERA
Pian di Spille
TARQUÍNIA
Tombe
etrusche
1
Póggio d.Rotonda
C.le S.Maria
Luni
(Città etrusca)
Casentile
S. Giuliano
Parco
Necrópoli etrusche
Barbarano
Romano
Necrópoli Villano
493
Marina Velca
9
Suburbano
Tomba d. Colo
Tarquínia Lido
Porto Clementino
(Graviscae)
Saline
Fontana Matta
Mignone
Marturanum
Civitella Cesi
Vejano
96
Lombardi
Mignone
Cencelle
la Farnesiana
S. Giovenale
Bagni S.Agostino
Pantano
5
Santuario d. Grasceta
M.Cuoco
559
Allumiere
S.António
Montevirgínio
Toulon
Tombe
etrusche
1
Aurélia
Scáglia
10
E840
M.Turco
450
Palazzo
Camerale
Bianca
TOLFA
Rocca
Rota
Monti della Tolfa
Necrópoli
etrusca
Monterano
Canale
Monterano
Quadroni
22
493
Gènova
Barcelona
Palau
Tolfa
Civitavécchia Nord
Terme Taurine
579
M.Tolfáccia
Bagni di Stigliano
M.S.V
421
Golfo Aranci
M.Paradiso
327
M.Quartáccio
344
22
M.Ácqua Tosta
520
Ólbia
CIVITAVÉCCHIA
(rom. Centumcellae)
6
Sasso
·430
M.Santo
Castel
Cágliari
Villaggio del Fanciullo
Torre Marangone
Aurelia
Civitavecchia Sud
11
A12
S.Severa
S. Marinella
Tirrem
52
Arbatax-Cágliari
Capo Linaro
Castello
Odescalchi
S.Severa
Necropoli etr
Tunis
Santa Marinella
(rom. Castrum Novum)
Pyrgi (Etrusc.)
13
CERV
(Città etru
Cerveteri
Ladíspoli
Palermo
74
T.re Flávia
8
1
6
Campo di Mare
Cerenova
Borgo
Vaccina
97
Ladíspoli
Castel
Od
Palo
(rom. Alsium)
Marina d

M A R E

T I R R E N O

Golfo Ar

98
Arbatax

0 1 2 4 6 8 10 km

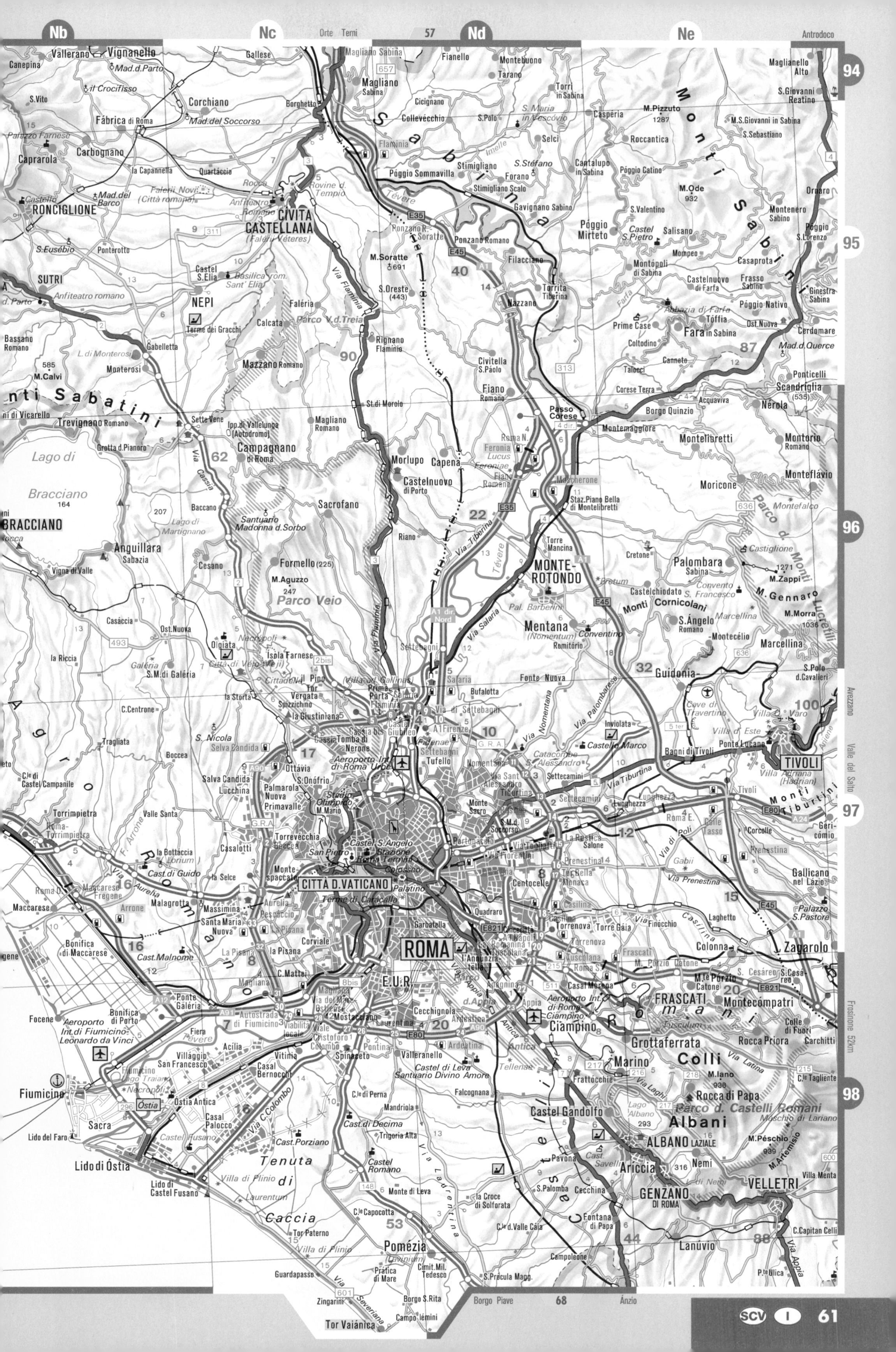
Vallerano
Vignanello
Canepina
Mad.d.Parto
Gallese
Magliano Sabina
Fianello
Montebuono
Tarano
Magliano Sabina
Maglianello Alto
il Crocifisso
S.Vito
Corchiano
Borghetto
Cicignano
Torri in Sabina
S.Maria in Vescovio
M.Pizzuto 1287
Monti Sabini
S.Giovanni Reatino
Fábrica di Roma
Mad.del Soccorso
Collevécchio
S.Polo
Caspéria
M.S.Giovanni in Sabina
S.Sebastiano
Palazzo Farnese
Caprarola
Carbognano
Flaminia
Sabina
Selci
Roccantica
la Capannella
Quartáccio
Póggio Sommavilla
Stimigliano
S.Stéfano
Forano
Cantalupo in Sabina
Póggio Catino
Falerii Novi
Rocca
Rovine d. Tempio
Stimigliano Scalo
M.Ode 932
Orvaro
Castello
Mad.del Barco
RONCIGLIONE
Anfiteatro Romano
CIVITA CASTELLANA
(Falérii Véteres)
Tévere
Gavignano Sabino
S.Valentino
Montenero Sabino
Póggio S.Lorenzo
Ponzano R. Soratte
Ponzano Romano
Póggio Mirteto
Castel S.Pietro
Salisano
S.Eusébio
Ponterotto
M.Soratte 691
Filacciano
Mompeo
Casaprota
Castel S.Elia
Basilica rom. Sant' Elia
Montópoli di Sabina
SUTRI
Anfiteatro romano
S.Oreste (443)
Torrita Tiberina
Castelnuovo di Farfa
Frasso Sabino
Ginestra Sabina
NEPI
Faléria
Nazzano
Abbazia di Farfa
Póggio Nativo
Terme dei Gracchi
Calcata
Parco V.d.Treia
Prime Case
Tóffia
Fara in Sabina
Ost.Nuova
Cerdomare
Bassano Romano
Gabelletta
Rignano Flaminio
Coltodino
Mad.d.Querce
L.di Monterosi
Civitella S.Páolo
Canneto
585 M.Calvi
Monterosi
Mazzano Romano
Talocci
Ponticelli
Fiano Romano
Corese Terra
Scandriglia (535)
Monti Sabatini
St.di Morolo
Passo Corese
Acquaviva
Borgo Quinzio
Nérola
Trevignano Romano
Ipp.di Vallelunga (Autodromo)
Magliano Romano
Sette Vene
Montemaggiore
Grotta d.Pianoro
Campagnano di Roma
Roma N.
Montelibretti
Montório Romano
Lago di Bracciano 164
Morlupo
Capena
Feronia Lucus Feroniae
Fiano Romano
Via Cassia
Castelnuovo di Porto
Moricone
Monteflávio
Mòscherone
Baccano
Sacrofano
Staz.Piano Bella di Montelibretti
Parco d. Monti Lucretili
Montefalco
BRACCIANO
Lago di Martignano
Santuario Madonna d.Sorbo
Riano
Via Tiberina
Anguillara Sabazia
Torre Mancina
Cretone
Castiglione
Formello (225)
MONTE-ROTONDO
Palombara Sabina
Vigna di Valle
Cesano
M.Aguzzo 247
Parco Veio
Eretum
Convento S. Francesco
1271 M.Zappi
M.Gennaro
Castelchiodato
Monti Cornicolani
Pal. Barberini
Casáccia
Ost.Nuova
Via Salaria
Mentana (Nomentum)
Conventino
S.Ángelo Romano
Marcellina
M.Morra 1036
Via Flaminia
Montecélio
Necrópoli
Olgiata
Isola Farnese
Rimitório
Marcellina
la Riccia
Galéria
S.M.di Galéria
Città di Veio (Veji)
Settebagni
Guidonia
S.Polo d.Cavalieri
Cittadella
Prima Porta
Villa d. Galline
Salaria
Bufalotta
Fonte Nuova
Via Palombarese
la Storta
Vergata Spizzichino
Tor
Cave di Travertino
Villa d. Varo
la Giustiniana
Via di Settebagni
C.Centrone
Via Nomentana
Inviolata
Villa d'Este
S. Nicola
Selva Candida
Cassia Tomba di Nerone
Castel Giubileo
A1 Firenze
Catacombe S. Alessandro
Castello Marco
Bagni di Tivoli
Ponte Lucano
Tragliata
Aeroporto Int. di Roma Urbe
Fidenae
Tufello
Boccea
Ottávia
Nomentano
Settecamini
Via Tiburtina
Villa Adriana (Hadrian)
TIVOLI
Avezzano
Valle del Salto
C.le di Castel Campanile
Salva Candida
Lucchina
S.Onófrio
Val Sant Alessandro
Tiburtina
Agro Romano
Palmarola Nuova
Primavalle
Stadio Olimpico
M.Mario
Monte Sacro
Settecamini
Lunghezza
Tivoli
Monti Tiburtini
Torrimpietra
Valle Santa
Roma-Torrimpietra
Torrevécchia
Boccea
S.M.d. Soccorso
Roma E.
Colle Tasso
Corcolle
Geri-cómio
Castel S.Angelo
San Pietro
Stazione Roma Termini
Portonaccio
Via Togliatti
La Rustica
Salone
Via di Poli
Prenestina
la Bottáccia (Lorium)
Casalotti
Colosseo
Via Fiorentini
Prenestina
Cast.di Guido
la Selce
Monte-spaccato
CITTÀ D.VATICANO
Palatino
Tor Bella Monaca
Centocelle
Via Prenestina
Gabii
Gallicano nel Lazio
Maccarese Fregene
Roma O.
Via Aurelia
Aurelia
Terme di Caracalla
Casilina
Maccarese
Arrone
Malagrotta
Massimina
Pescáccio
Quadraro
Torrenova
Torre Gaia
Via Finocchio
Laghetto
Palazzo S.Pastore
Santa Maria Nuova
La Pisana
Garbatella
Cinecittà
A1 Napoli
Tuscolana
Colonna
Zagarolo
Bonifica di Maccarese
Corviale
La Pisana
ROMA
L'Annunziatella
Torrenova
Frascati
Cast.Malnome
C.Mattei
Via Appia
Tuscolana
Roma S.
M. Porzio Catone
S. Cesáreo
S.Cesareo
E.U.R.
d.Appia
Casal Morena
M.te Porzio Catone
Magliana
Annunziata
Ponte Galéria
Villa dei Mare Ostiense
Mostacciano
Cecchignola
Ardeatina
Aeroporto Int. di Roma Ciampino
FRASCATI
Montecómpatri
Focene
Aeroporto Int.di Fiumicino-Leonardo da Vinci
Bonifica di Porto
Autostrada di Fiumicino
Laurentina
Ciampino
Colle di Fuori
Fiera
Tévere
Cristoforo Colombo
Via Antica
Tusculum
Grottaferrata
Rocca Priora
Carchitti
Frosinone 52km
Acilia
Vitinia
Spinaceto
Pontina
Vallerancello
Ardeatina
Via Latina
Villaggio San Francesco
Casal Bernocchi
Castel di Leva
Santuario Divino Amore
Tellenae
Marino
Colli
M.Iano 938
C.le Tagliente
Fiumicino
Porto Traiano
Necropoli
Frattocchie
Via Laghi
Rocca di Papa
Ostia
Ostia Antica
Via C.Colombo
C.le di Perna
Falcognana
Parco d. Castelli Romani
Casal Palocco
Mandriola
Castel Gandolfo
Lago Albano 293
Albani
Maschio di Lariano
Sacra
Cast.di Decima
Trigoria Alta
Lido del Faro
Castel Fusano
Cast.Porziano
ALBANO LAZIALE
M.Péschio 939
M.Artemisio
Lido di Óstia
Tenuta di Caccia
Castel Romano
Pavona
Cast. Savelli
Ariccia
Nemi
Via Laurentina
Villa Menta
Lido di Castel Fusano
Villa di Plinio
Laurentum
Monte di Leva
la Croce di Solfarata
S.Palomba
Cecchina
GENZANO DI ROMA
VELLETRI
C.le Capocotta
Fontana di Papa
C.le d.Valle Cala
Tor Paterno
Villa di Plinio
Pomézia (Lavinium)
Lanúvio
C.Capitan Celli
Via Appia
Campoleone
Pratica di Mare
Cimit.Mil. Tedesco
S.Prócula Magg.
Guardapasso
P.te Ulica
Via Severiana
Zingarini
Borgo S.Rita
Borgo Piave
68
Ánzio
Campo Iémini
Tor Vaiánica

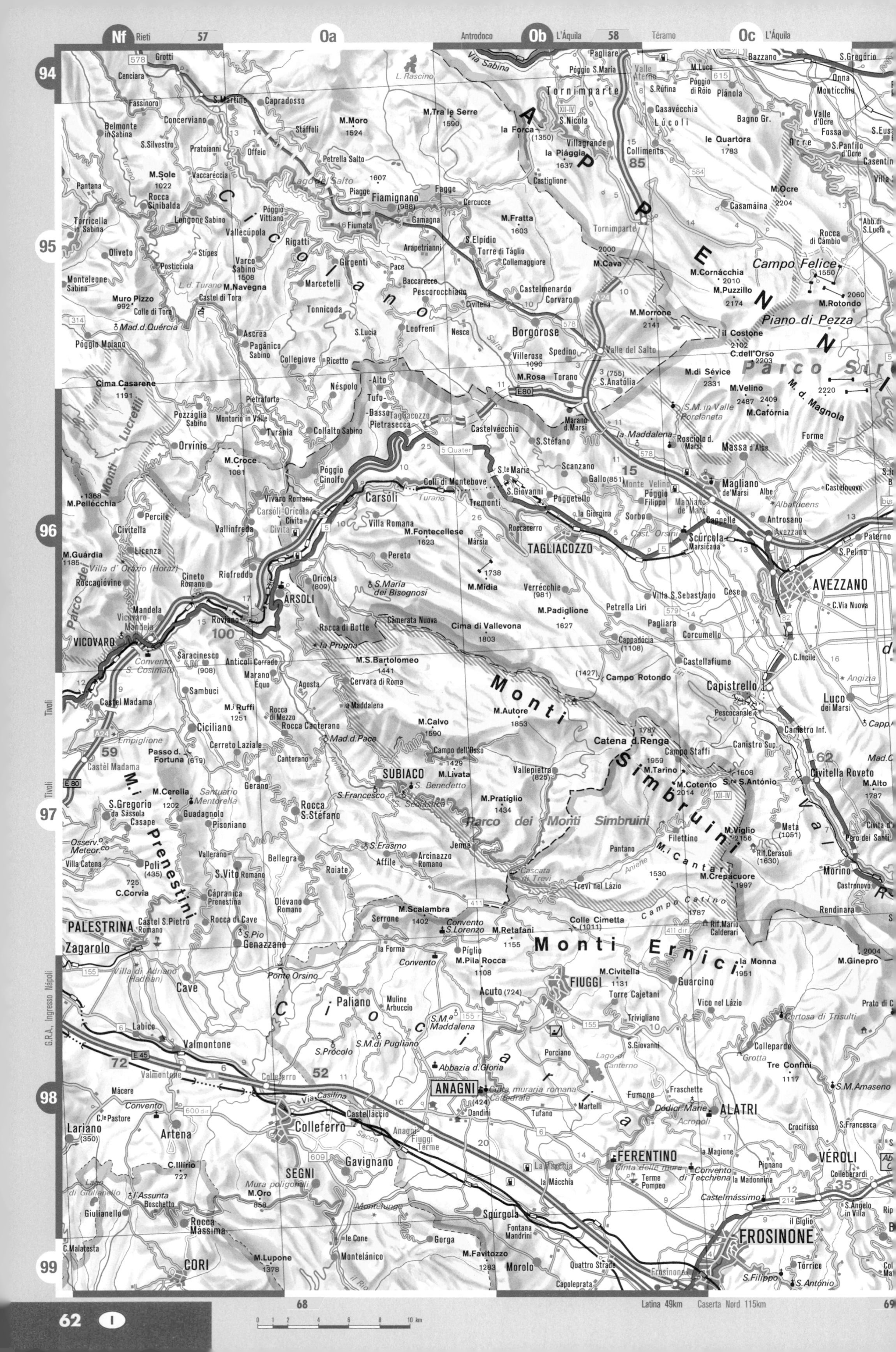

94
95
96
97
98
99
Grotti
Cenciara
Fassinoro
Belmonte in Sabina
Concerviano
S.Silvestro
Pratoianni
S.Martino
Capradosso
Stáffoli
M.Moro 1524
Offeio
Petrella Salto
Lago del Salto
L. Rascino
M.Tra le Serre 1590
Via Sabina
Pagliare
Póggio S.Maria
Valle Aterno
S.Rúfina
Tornimparte
la Forca (1350)
S.Nicola
Villagrande
la Piággia 1637
Castiglione
Collimento
Casavécchia
Lúcoli
Bagno Gr.
le Quartora 1783
Bazzano
S.Gregório
Onna
Montícchio
Valle d'Ocre
Fossa
Ocre
S.Panfilo d'Ocre
Casentino
M.Ocre 2204
Casamáina
Abb.di S.Lucia
Rocca di Cambio
Campo Felice
M.Cornácchia 2010
M.Puzzillo 2174
M.Rotondo 2060
Piano di Pezza
A P P E N N I N
M.Sole 1022
Vaccaréccia
Pantana
Rocca Sinibalda
Torricella in Sabina
Longone Sabino
Póggio Vittiano
Fiamignano (988)
Fagge
Cercucce
Piagge
Gamagna
Fiumata
Vallecúpola
Rigatti
Arapetrianni
S.Elpídio
Torre di Táglio
Collemaggiore
M.Fratta 1603
Tornimparte
M.Cava 2000
Oliveto
Stipes
Posticciola
Varco Sabino 1508
Girgenti
Pace
Baccarecce
Pescorocchiano
Civitella
Castelmenardo
Corvaro
Monteleone Sabino
L.d. Turano
M.Navegna
Castel di Tora
Muro Pizzo 992
Colle di Tora
Marcetelli
Tonnicoda
Mad.d.Quércia
Cicolano
S.Lucia
Leofreni
Nesce
Borgorose
M.Morrone 2141
il Costone 2102
C.dell'Orso 2203
Ascrea
Paganico Sabino
Collegiove
Ricetto
Villerose 1090
Spedino
Valle del Salto
Póggio Moiano
M.Rosa
Torano
(755) S.Anatólia
M.di Sévice 2331
M.Velino 2487
M.Cafórnia 2409
M.d. Magnola
Parco Sirente
Cima Casarene 1191
Néspolo
Alto
Tufo
Basso
Tagliacozzo
Pietrasecca
Castelvécchio
Marano d.Marsi
la Maddalena
S.M. in Valle Porclaneta
Rosciolo d.Marsi
Forme
Massa d'Albe
Pozzáglia Sabino
Montorio in Valle
Pietraforte
Turánia
Collalto Sabino
S.Stéfano
Monti Lucretili
Orvínio
M.Croce 1081
Póggio Cinolfo
Colli di Montebove
S.te Marie
S.Giovanni
Scanzano
Gallo (851)
Monte Velino
Magliano de'Marsi
Albe
Alba Fucens
Castelnuovo
M.Pellécchia 1368
Vivaro Romano
Carsoli
Carsoli-Oricola
Civita
Villa Romana
M.Fontecellese 1623
Tremonti
Poggetello
la Giorgina
Sorbo
Póggio Filippo
Cappelle
Antrosano
Percile
Civitella
Vallinfreda
Roccacerro
Tagliacozzo
Scúrcola Marsicana
Paterno
M.Guárdia 1185
Licenza
Villa d'Orazio (Horaz)
Pereto
Márcia
1738
Avezzano
S.Pelino
Roccagiovine
Cineto Romano
Riofreddo
Orícola (809)
S.Maria dei Bisognosi
M.Mídia
Verrécchie (981)
Villa S.Sebastiano
Cese
C.Via Nuova
Mandela
Vicovaro-Mandela
Roviano
Ársoli
Camerata Nuova
M.Padiglione 1627
Petrella Liri
Pagliara
Corcumello
Vicovaro
Convento S.Cosimato
Saracinesco (908)
Anticoli Corrado
Rocca di Botte
la Prugna
Cima di Vallevona 1803
Cappadócia (1108)
C.Incile
M.S.Bartolomeo 1441
Castellafiume
Marano Equo
Cervara di Roma
Campo Rotondo (1427)
Capistrello
Angizia
Castel Madama
Sambuci
Agosta
Monti Simbruini
Luco dei Marsi
M.Ruffi 1251
Rocca di Mezzo
Rocca Canterano
la Maddalena
M.Autore 1853
Pescocanale
Ciciliano
M.Calvo 1590
Canistro Inf.
Canistro Sup.
Empiglione
Cerreto Laziale
Mad.d.Pace
Catena d.Renga 1787
Campo Staffi
Passo d. Fortuna (619)
Campo dell'Osso 1429
M.Tarino 1959
M.Cotento 2014
Castel Madama
Canterano
1608
S.António
Civitella Roveto
Subiaco
M.Livata
S.Benedetto
Vallepietra (825)
Gerano
Santuario Mentorella
M.Cerella 1202
M.Prenestini
S.Gregorio da Sássola
Casape
Guadagnolo
Pisoniano
Rocca S.Stéfano
S.Francesco
S.Scolastica
M.Pratíglio 1434
Parco dei Monti Simbruini
Filettino
M.Viglio 2156
Meta (1051)
M.Alto 1787
Osserv. Meteor.co
Villa Catena
Poli (435)
Vallerano
Bellegra
S.Erasmo
Affile
Arcinazzo Romano
Jenne
Pantano
M.Cántari
Rif.Cerasoli (1630)
Pero dei Santi
C.Corvia 725
S.Vito Romano
Roiate
Cascata di Trevi
Trevi nel Lázio
1530
M.Crepacuore 1997
Morino
Castronovo
Cápranica Prenestina
Olévano Romano
Campo Catino 1787
Rendinara
Palestrina
Castel S.Pietro Romano
Rocca di Cave
M.Scalambra 1402
Serrone
Convento S.Lorenzo
M.Retafani 1155
Colle Cimetta (1011)
Rif.Mario Calderari
S.Pio
Genazzano
Monti Ernici
Zagarolo
la Forma
Convento
Píglio
M.Pila Rocca 1108
la Monna 1951
M.Ginepro 2004
Villa di Adriano (Hadrian)
Ponte Orsino
Cave
M.Civitella 1131
Fiuggi
Guarcino
Acuto (724)
Torre Cajetani
Vico nel Lázio
Prato di Campoli
Paliano
Mulino Arbuccio
Ciociaria
S.M.a Maddalena
Trivigliano
Certosa di Trisulti
Labico
Valmontone
S.Prócolo
S.M.di Pugliano
Porciano
Lago di Canterno
S.Giovanni
Collepardo
Grotta
Tre Confini 1117
Abbazia d.Gloria
Valmontone
Colleferro
Mácere
Convento
Via Casilina
Anagni
Cinta muraria romana
Cattedrale
Fumone
Fraschette
Dódici Marie
Alatri
S.M.Amaseno
C.le Pastore
Artena
Lariano (350)
Colleferro
Castellaccio
Sacco
Anagni Fiuggi Terme
Dandini
Tufano
Martelli
Acropoli
Crocifisso
S.Francesca
Gavignano
la Magione
Ferentino
Cinta delle mura
Convento di Tecchiena
Terme Pompeo
Pignano
Véroli
Colleberardi
la Madonnina
C.Illirio 727
Segni
Mura poligonali
Lago di Giuliano
l'Assunta
Boschetto
M.Oro 858
la Másseria
la Mácchia
Castelmássimo
S.Angelo in Villa
il Giglio
Giulianello
Montelungo
Sgúrgola
Rocca Massima
Fontana Mandrini
Frosinone
le Cone
Gorga
C.Malatesta
M.Lupone 1378
Cori
Montelánico
M.Favitozzo 1283
Morolo
Quattro Strade
Capoleprata
Torrice
S.Filippo
S.António
Tivoli
G.R.A., Ingresso Nápoli
A24
A1
E80
E45
Latina 49km
Caserta Nord 115km
0 1 2 4 6 8 10 km

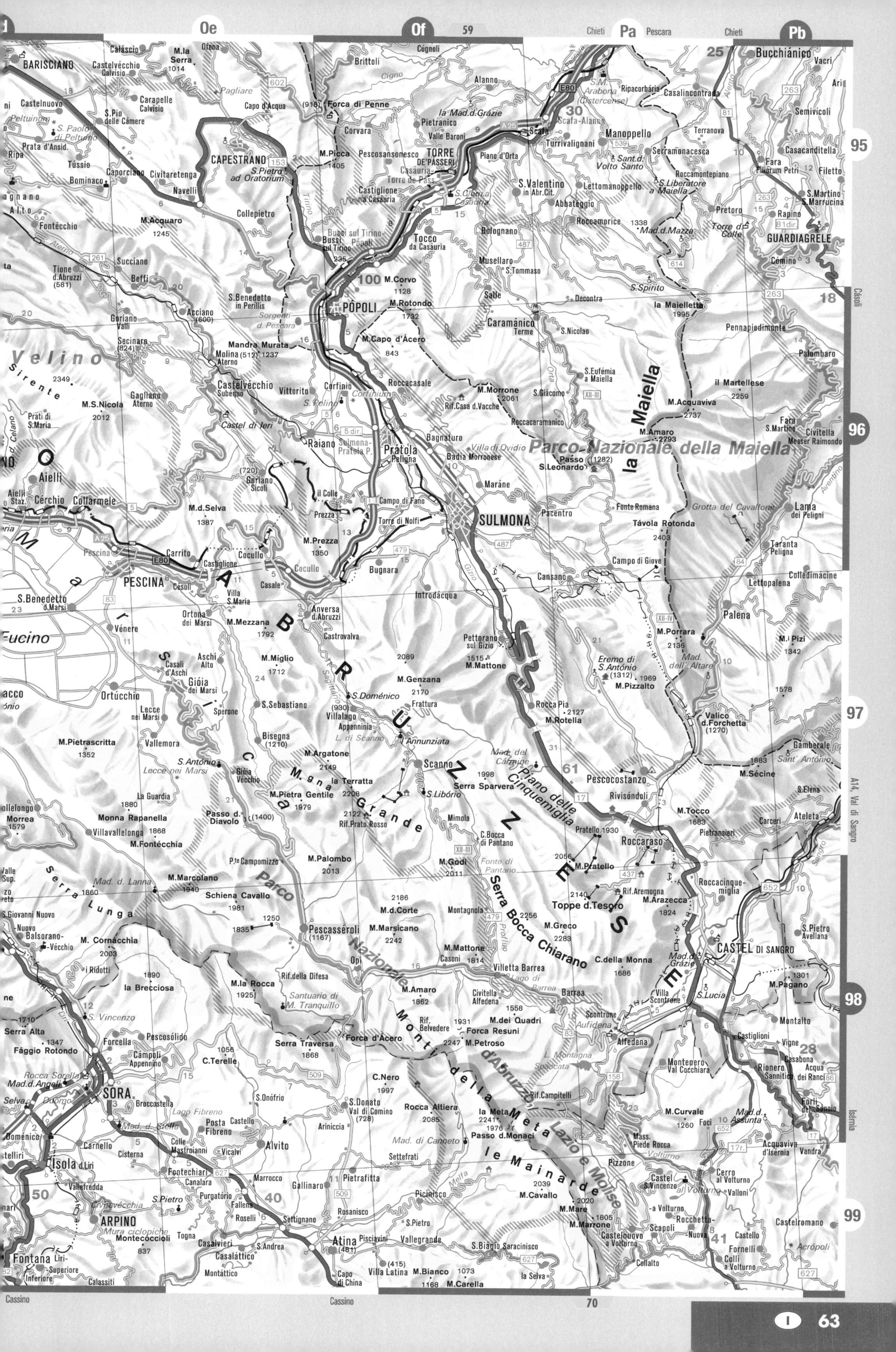
BARISCIANO
Castelvécchio Calvisio
M.la Serra
1014
Ofena
Carapelle Calvísio
Castelnuovo
S.Pio delle Cámere
Prata d'Ansid.
Capo d'Acqua
CAPESTRANO
S.Pietro ad Oratorium
Civitaretenga
Caporciano
Bominaco
Navelli
Collepietro
Tússio
Fontécchio
M.Acquaro
1245
Tione d.Abruzzi
(581)
Succiano
Beffi
S.Benedetto in Perillis
Acciano
Goriano Valli
Secinaro
Velino
Sirente
2349
Molina Aterno
Mandra Murata
1237
Castelvécchio Subequo
Gagliano Aterno
M.S.Nicola
2012
Prati di S.Maria
Castel di Ieri
Raiano
Vittorito
Corfinio
Corfinium
Goriano Sicoli
il Colle
Aielli
Cérchio
Collarmele
M.d.Selva
1387
Prezza
Cocullo
Carrito
Castiglione
PESCINA
Césoli
S.Benedetto d.Marsi
Fucino
Vénere
Ortona dei Marsi
M.Mezzana
1792
Casale
Villa S.Maria
Anversa d.Abruzzi
Castrovalva
Aschi Alto
Casali d'Aschi
Gióia dei Marsi
Ortúcchio
Lecce nei Marsi
Sperone
M.Míglio
1712
S.Sebastiano
Bisegna
(1210)
M.Pietrascritta
1352
Vallemora
S.António
Lecce nei Marsi
Gióia Vécchio
La Guardia
1880
Monna Rapanella
Villavallelonga
1868
M.Fontécchia
Passo d. Diavolo
(1400)
M.Argatone
2149
la Terratta
M.Pietra Gentile
1979
2208
2122
Rif.Prato Rosso
Mgna Grande
Pte Campomizzo
M.Palombo
2013
M.Marcolano
1940
Schiena Cavallo
1981
Serra Lunga
1860
M. Cornácchia
2003
Balsorano-Vécchio
i Ridotti
1890
la Brecciosa
M.la Rocca
1925
Rif.della Difesa
Santuario di M. Tranquillo
Pescasséroli
(1167)
Opi
M.Marsicano
2242
M.d.Corte
2186
Montagnola
Parco Nazionale
S.Vincenzo
Serra Alta
1347
Fággio Rotondo
Forcella
Pescosólido
Campoli Appennino
C.Terelle
1056
Serra Traversa
1868
Forca d'Acero
SORA
Broccostella
Lago Fibreno
Posta Fibreno
Castello
Vicalvi
Alvito
Carnello
Cisterna
Isola d.Liri
Fontechiari
Canalara
Purgatório
Fallena
Roselli
Marrocco
ARPINO
Montecoccioli
Casalvieri
Casaláttico
S.Andrea
Settignano
Gallinaro
Pietrafitta
Atina
Picinisco
Vallegrande
S.Pietro
Rosanisco
Villa Latina
M.Bianco
M.Carella
Fontana Liri
Calassiti
S.Onófrio
S.Donato Val di Comino
Ariniccia
Rocca Altiera
2085
C.Nero
1997
Mad. di Canneto
Settefrati
Monti della Meta
Parco Nazionale d'Abruzzo, Lazio e Molise
le Mainarde
la Meta
2241
Passo d.Monaci
M.Cavallo
2039
M.Mare
2020
M.Marrone
1805
S.Biagio Saracinisco
la Selva
Rif.Campitelli
M.Amaro
1862
Rif. Belvedere
1931
Forca Resuni
2247
M.Petroso
M.dei Quadri
1558
Civitella Alfedena
Villetta Barrea
Lago di Barrea
Barrea
M.Mattone
Casoni
1814
Serra Bocca Chiarano
M.Greco
2283
2256
C.della Monna
1686
M.Godi
2011
Fonte di Pantano
C.Bocca di Pantano
Mimola
Serra Sparvera
1998
S.Libório
Scanno
l'Annunziata
L. di Scanno
Villalago
Frattura
S.Doménico
M.Genzana
2170
2089
Introdácqua
Bugnara
Pettorano sul Gizio
M.Mattone
1515
M.Prezza
1350
Torre di Nolfi
Campo di Fano
Prátola Peligna
Bagnaturo
Badia Morronese
Villa di Ovidio
SULMONA
Maráne
Pacentro
Cansano
Campo di Giove
Távola Rotonda
2403
Fonte Romana
Passo S.Leonardo
(1282)
Parco Nazionale della Maiella
la Maiella
M.Amaro
2793
M.Acquaviva
2737
il Martellese
2259
la Maielletta
1995
Pennapiedimonte
Palombaro
Fara S.Martino
Civitella Messer Raimondo
Lama dei Peligni
Taranta Peligna
Grotta del Cavallone
Colledimácine
Lettopalena
Palena
M.Porrara
2136
M.i Pizi
1342
Eremo di S.António
(1312)
M.Pizzalto
1969
Rocca Pia
M.Rotella
2127
Valico d.Forchetta
(1270)
Piano delle Cinquemiglia
Pescocostanzo
Rivisóndoli
Pratello
1930
M.Pratello
2056
Roccaraso
Rif.Aremogna
Toppe d.Tesoro
2140
M.Arazecca
1824
Roccacinquemiglia
CASTEL DI SANGRO
M.Págano
1301
Gamberale
Sant' António
M.Sécine
1883
S.Elena
Ateleta
Carceri
M.Tocco
1683
Pietransieri
S.Pietro Avellana
Alfedena
Scontrone
Villa Scontrone
S.Lucia
Montalto
Castiglioni
Vigne
Montenero Val Cocchiara
Rionero Sannitico
Acqua dei Ranci
Forlì del Sánnio
M.Curvale
1260
Foci
Mad.d. Assunta
Mass. Piede Rocca
Pizzone
Castel S.Vincenzo
Cerro al Volturno
Valloni
Acquaviva d'Isernia
Vandra
Rocchetta-Nuova
Scapoli
Castelnuovo a Volturno
Collalto
Castello
Fornelli
Colli a Volturno
Castelromano
Acrópoli
Bucchiánico
Vacri
Semivícoli
Casalincontrada
Ripacorbária
S.M. Arabona
Manoppello
Scafa
Turrivalignani
Terranova
Serramonacesca
Casacanditella
Filetto
Fara Filiorum Petri
S.Valentino in Abr.Cit.
Lettomanoppello
S.Liberatore a Maiella
Roccamontepiano
S.Martino S.Marrucina
Rapino
Pretoro
Torre de' Passeri
Abbatéggio
Roccamorice
Mad.d.Mazza
1338
Torre di Colle
GUARDIAGRELE
Cómino
Bolognano
Musellaro
S.Tommaso
Tocco da Casauria
S.Clem. a Casauria
Castiglione a Casáuria
Pescosansonesco
M.Picca
1405
Corvara
Forca di Penne
Pietranico
Valle Baroni
la Mad.d.Grázie
Alanno
Brittoli
Cúgnoli
Bussi sul Tirino
M.Corvo
1128
M.Rotondo
1732
PÓPOLI
Sorgenti d. Pescara
M.Capo d'Ácero
843
Roccacasale
M.Morrone
2061
Rif.Casa d.Vacche
Roccacaramanico
Caramánico Terme
S.Nicolao
Decontra
Salle
S.Spirito
S.Eufémia a Maiella
S.Giácomo
Sulmona-Prátola P.
ABRUZZO
Marsica

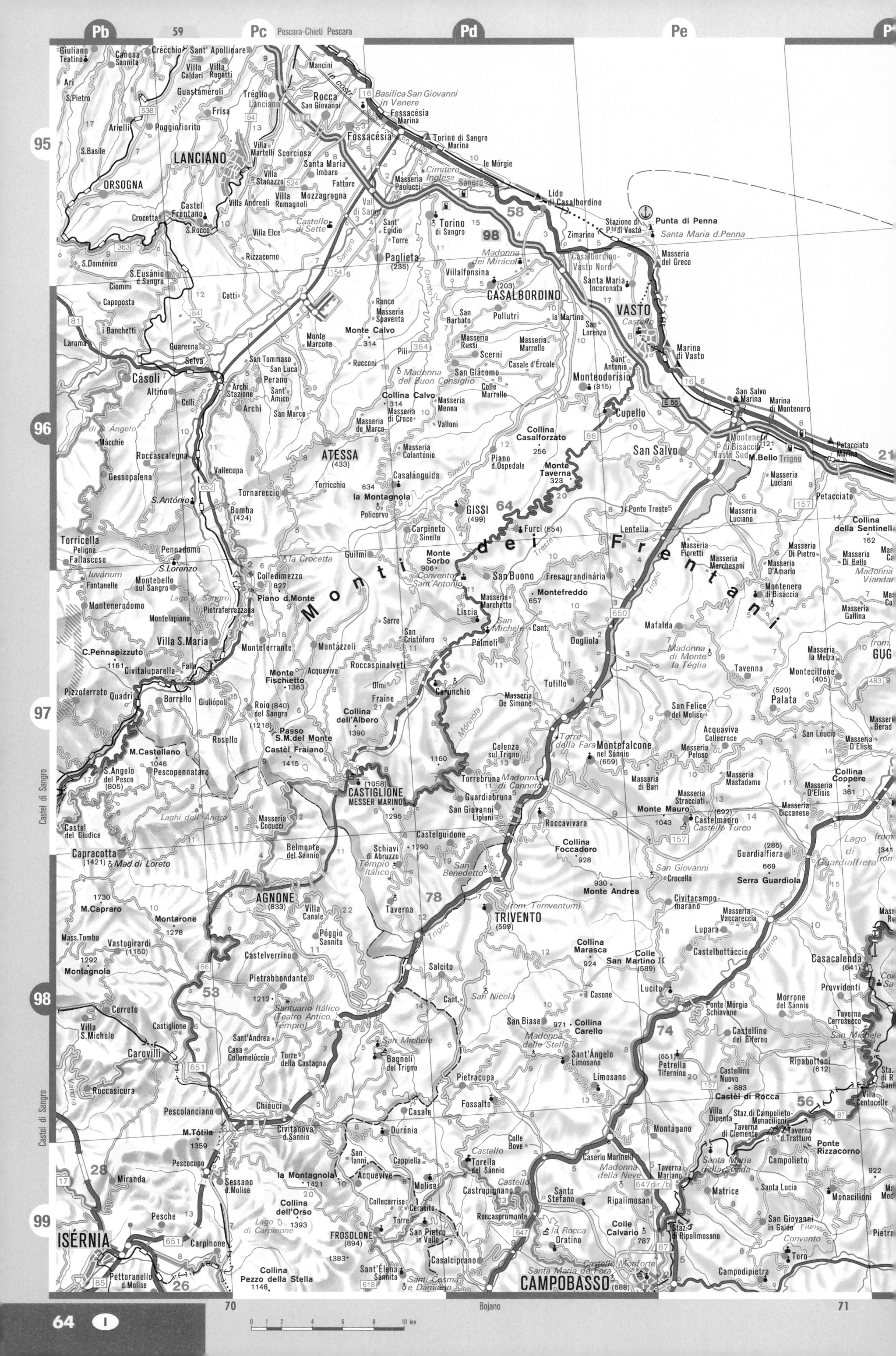

Pb
59
Pc
Pescara-Chieti Pescara
Pd
Pe
95
96
97
98
99
Giuliano Teatino
Canosa Sannita
Crecchio
Sant' Apollinare
Villa Caldari
Villa Rogatti
Ari
S.Pietro
Guastameroli
Tréglio
Lanciano
Rocca San Giovanni
Mancini
Basilica San Giovanni in Venere
Fossacésia Marina
Frisa
Arielli
Poggiofiorito
Fossacésia
Torino di Sangro Marina
S.Basile
LANCIANO
Villa Martelli
Scorciosa
Santa Maria Imbaro
le Mórgie
ORSOGNA
Villa Stanazzo
Fattore
Cimitero Inglese
Masseria Paolucci
Sangro
Villa Romagnoli
Mozzagrogna
Castel Frentano
Villa Andreoli
Lido di Casalbordino
Crocetta
S.Rocco
Castello di Sette
Val di Sangro
Sant' Egidio
Torre
Torino di Sangro
58
98
Villa Elce
Punta di Penna
Stazione di P.ta di Vasto
Zimarino
Santa Maria d.Penna
Rizzacorno
Madonna dei Miracoli
Casalbordino-Vasto Nord
Masseria del Greco
S.Doménico
Paglieta
(235)
Villalfonsina
S.Eusánio d.Sangro
Ciommi
(203)
CASALBORDINO
Santa Maria Incoronata
Capoposta
Cotti
Ranco
Masseria Spaventa
San Barbato
Pollutri
la Martina
San Lorenzo
VASTO
Castello
i Banchetti
Monte Marcone
Monte Calvo
314
Masseria Russi
Masseria Marrollo
Laroma
Guarenna
Selva
Pili
Scerni
Marina di Vasto
San Tommaso
San Luca
Rucconi
Casale d'Ercole
Cásoli
Archi Stazione
Perano
Madonna del Buon Consiglio
San Giácomo
Sant' Antonio
Altino
Sant' Amico
Colle Marrollo
Monteodorisio
(315)
San Salvo Marina
Marina di Montenero
Colli
Archi
Collina Calvo
Masseria Menna
Cupello
San Marco
Masseria di Croce
Masseria de Marco
Valloni
di S. Ángelo
Mácchie
ATESSA
(433)
Collina Casalforzato
256
San Salvo
Montenero di Bisáccia-Vasto Sud
M.Bello
Trigno
Petacciato Marina
Roccascalegna
Masseria Colantónio
Piano d.Ospedale
Monte Taverna
323
Masseria Luciani
Gessopalena
Vallecupa
Casalánguida
Sinello
Torricchio
634
la Montagnola
Policorvo
Tornareccio
S.António
Bomba
(424)
GISSI
(499)
64
Furci
(654)
Ponte Treste
Masseria Luciano
Petacciato
Collina della Sentinella
162
Torricella Peligna
Fallascoso
Carpineto Sinello
Lentella
Pennadomo
S.Lorenzo
la Crocetta
Guilmi
Monte Sorbo
906
Convento Sant'Antonio
Masseria Fioretti
Masseria Di Pietro
Masseria Di Bello
Masseria Marchesani
Masseria D'Amario
Iuvánum
Fontanelle
Montebello sul Sangro
Colledimezzo
827
San Buono
Fresagrandinária
Madonna Viandar
Lago d. Sangro
Piano d.Monte
Monti dei Frentani
Montefreddo
657
Montenero di Bisaccia
Montenerodomo
Pietraferrazzana
Masseria Marchetto
Masseria Gallina
Montelapiano
Serre
Liscia
Mafalda
Villa S.Maria
San Cristóforo
San Michele
Cant.
Pálmoli
Dogliola
C.Pennapizzuto
1161
Civitaluparella
Fallo
Monteferrante
Montázzoli
Madonna di Monte la Téglia
Masseria la Melza
Monte Fischietto
1363
Acquaviva
Roccaspinalveti
Tavenna
Montecilfone
(405)
Olmi
Tufillo
Pizzoferrato
Quadri
Borrello
Giuliópoli
Roio
(840)
del Sangro
Fraine
Carunchio
Masseria De Simone
(520)
Palata
(1218)
Passo S.M.del Monte
Collina dell'Albero
1390
San Felice del Molise
Rosello
Castèl Fraiano
1415
Acquaviva Collecroce
San Léucio
Masseria D'Elisis
M.Castellano
1046
Torre della Fara
Montefalcone nel Sánnio
(659)
Masseria Peloso
S.Angelo del Pesco
(805)
Pescopennataro
1160
Celenza sul Trigno
Castel di Sangro
(1058)
CASTIGLIONE MESSER MARINO
Torrebruna
Madonna di Canneto
Masseria di Bari
Masseria Mastadamo
Masseria D'Elisis
Collina Coppere
361
1295
Guardiabruna
Masseria Stracciati
Laghi dell' Ánitra
Masseria Cocucci
San Giovanni Lipioni
Monte Mauro
1043
(692)
Castelmauro
Castello Turco
Masseria Ciccanese
Castel del Giúdice
Castelguidone
Roccavivara
Capracotta
(1421)
Mad.di Loreto
Belmonte del Sánnio
Schiavi di Abruzzo
1290
Tempio Itálico
San Benedetto
Collina Foccadoro
928
Lago di Guardialfiera
(285)
Guardialfiera
669
Serra Guardiola
San Giovanni
Crocella
930
Monte Andrea
1730
M.Capraro
AGNONE
(833)
Villa Canale
78
Taverna
TRIVENTO
(599)
(rom. Tereventum)
Civitacampomarano
Masseria Vaccareccia
Montarone
1278
Mass.Tomba
Vastogirardi
(1150)
Póggio Sannita
Lupara
1292
Montagnola
Castelverrino
Collina Marasca
924
Colle San Martino
(589)
Castelbottáccio
Casacalenda
(641)
Pietrabbondante
Salcito
1212
Santuario Itálico (Teatro Antico, Tempio)
53
Cant.
San Nicola
il Casone
Lucito
Provvidenti
Cerreto
San Biase
971
Collina Carello
Ponte Mórgia Schiavone
Morrone del Sánnio
Taverna Cerrosecco
Villa S.Michele
Castiglione
Sant'Andrea
Casa Collemelúccio
Torre della Castagna
San Michele
Madonna delle Stelle
74
Castellino del Biferno
Carovilli
651
Bagnoli del Trigno
Sant'Ángelo Limosano
(651)
Petrella Tifernina
Ripabottoni
(612)
Roccasicura
Pietracupa
Limosano
Castellino Nuovo
883
Pescolanciano
Chiauci
Fossalto
Castèl di Rocca
56
Villa Dipenta
Staz.di Campolieto-Monacilioni
Villa Centocelle
M.Tótila
1359
Civitanova d.Sánnio
Casale
Durónia
Montágano
Taverna di Clemente
Taverna d.Tratturo
Ponte Rizzacorno
Pescocupo
San Ianni
Cappiella
Colle Bove
Castello
Torella del Sánnio
Caserio Marinelli
Madonna della Neve
Campolieto
28
Miranda
Sessano d.Molise
la Montagnola
1421
Acquevive
Molise
Castello
Castropignano
Santo Stefano
Taverna Mariano
647dir./b
Santa Maria della Strada
922
Santa Lucia
Matrice
Monacilioni
Collina dell'Orso
1393
Collecarrise
Cerasito
Ripalimosani
Pesche
Lago di Carpinone
Torre
San Pietro in Valle
Roccaspromonte
la Rocca
Oratino
Colle Calvario
787
Staz. di Ripalimosano
San Giovanni in Galdo
Convento
ISÉRNIA
Carpinone
FROSOLONE
(894)
1383
Casalciprano
Castello Monforte
Toro
Pettoranello d.Molise
26
Collina Pezzo della Stella
1148
Sant'Élena Sánnita
Santi Cosma e Damiano
Santa Maria da Fora
CAMPOBASSO
(688)
Campodipietra
64
I
70
Bojano
71
0 1 2 4 6 8 10 km

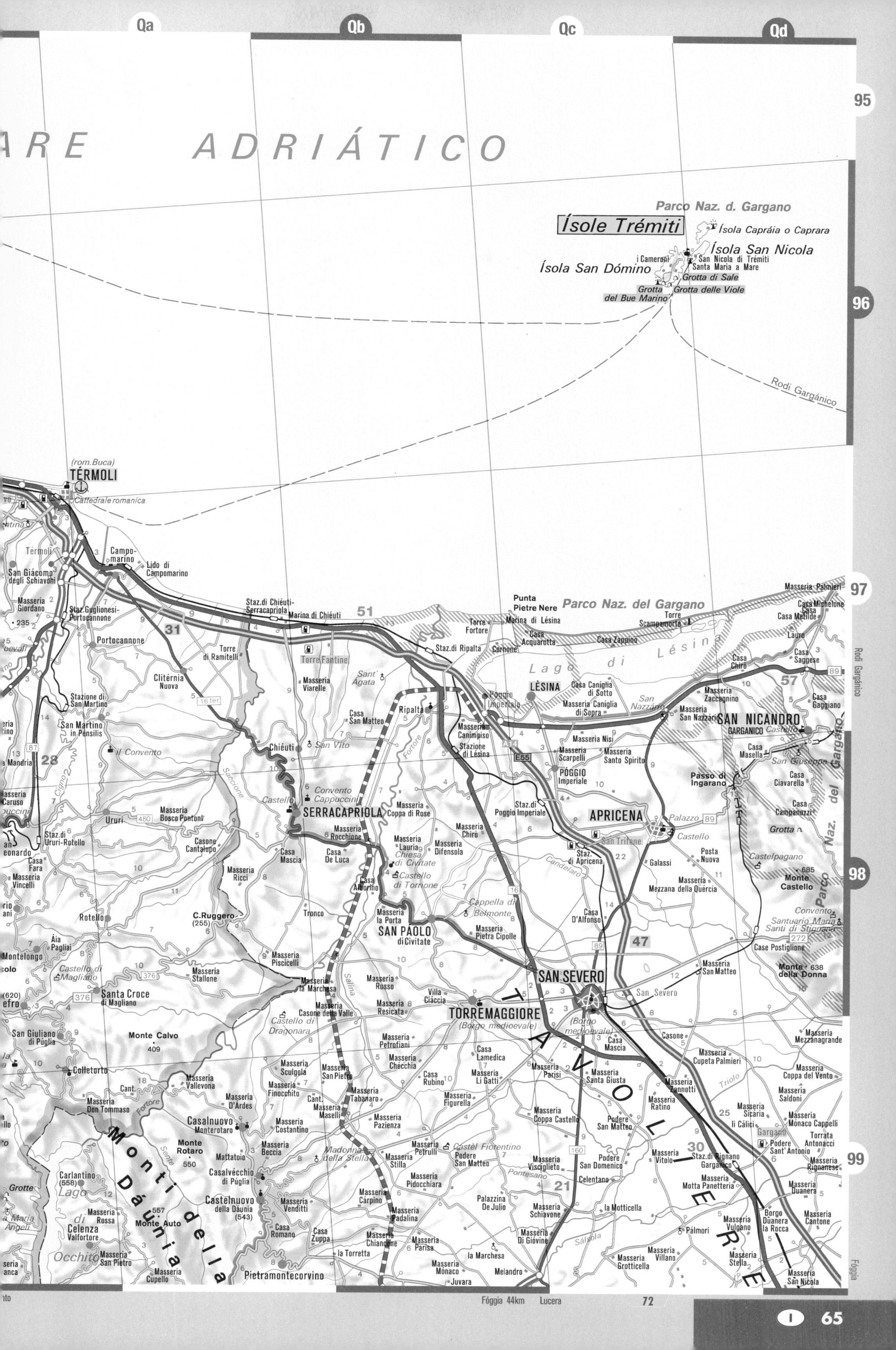

Qa
Qb
Qc
Qd
95
96
97
98
99
MARE ADRIÁTICO
Parco Naz. d. Gargano
Ísole Trémiti
Ísola Capráia o Caprara
Ísola San Nicola
i Cameroni
San Nicola di Trémiti
Santa Maria a Mare
Ísola San Dómino
Grotta di Sale
Grotta del Bue Marino
Grotta delle Viole
Rodi Gargánico
(rom.Buca)
TÉRMOLI
Cattedrale romanica
Térmoli
San Giácomo degli Schiavoni
Campomarino
Lido di Campomarino
Masseria Giordano
Staz.Guglionesi-Portocannone
Portocannone
Staz.di Chiéuti-Serracapriola
Marina di Chiéuti
51
31
Torre di Ramitelli
Torre Fantine
Clitérnia Nuova
Masseria Viarelle
Sant' Ágata
Stazione di San Martino
San Martino in Pensilis
Casa San Matteo
Ripalta
Chiéuti
San Vito
il Convento
28
Convento Cappuccini
Castello
SERRACAPRIOLA
Coppa di Rose
Ururi
Masseria Bosco Pontoni
Staz.di Ururi-Rotello
Casone Cantalupo
Masseria Rocchione
Casa Mascia
Casa De Luca
Masseria Lauria
Chiesa di Civitate
Masseria Difensola
Castello di Tortone
Masseria Ricci
Casa Alborino
Rotello
C.Ruggero (255)
Tronco
Masseria la Porta
SAN PAOLO di Civitate
Áia Pagliai
Montelongo
Castello di Magliano
Masseria Piscicelli
Masseria Stallone
Masseria la Marchesa
Santa Croce di Magliano
Masseria Russo
Villa Ciáccia
Casone della Valle
Castello di Dragonara
Masseria Resicata
TORREMAGGIORE
(Borgo medioevale)
San Giuliano di Púglia
Monte Calvo 409
Masseria Petrofiani
Masseria Chécchia
Casa Lamedica
Colletorto
Masseria Sculgola
Masseria San Pietro
Casa Rubino
Masseria Li Gatti
Masseria Vallevona
Masseria Finocchito
Masseria Tabanaro
Masseria Figurella
Masseria Don Tommaso
Masseria D'Ardes
Cant.
Masseria Maselli
Masseria Pazienza
Casalnuovo Monterotaro
Masseria Costantino
Monte Rotaro 550
Mattatoio
Masseria Beccia
Madonna della Stella
Masseria Stilla
Masseria Petrulli
Castèl Fiorentino
Podere San Matteo
Carlantino (558)
Lago di Occhito
Casalvécchio di Púglia
Masseria Pidocchiara
Castelnuovo della Dáunia (543)
Masseria Venditti
Masseria Cárpino
Masseria Padalina
Palazzina De Julio
Monti della Dáunia
Celenza Valfortore
Monte Auto 557
Masseria Rossa
Casa Romano
Casa Zuppa
Masseria Chiancone
Masseria Parisa
la Marchesa
Masseria San Pietro
Masseria Cupello
Pietramontecorvino
la Torretta
Masseria Mónaco
Juvara
Melandro
Punta Pietre Nere
Parco Naz. del Gargano
Torre Fortore
Marina di Lésina
Casa Acquarotta
Casa Zappino
Torre Scampamorte
Staz.di Ripalta
Lago di Lésina
LÈSINA
Casa Caniglia di Sotto
Masseria Caniglia di Sopra
Poggio Imperiale
San Nazzáro
Masseria Canimpiso
Stazione di Lésina
Masseria Nisi
Masseria Scarpelli
Masseria Santo Spirito
PÓGGIO Imperiale
Staz.di Poggio Imperiale
APRICENA
Palazzo
San Trifone
Castello
Masseria Chirò
Staz. di Apricena
Candelaro
Galassi
Posta Nuova
Masseria Mezzana della Quércia
Cappella di Belmonte
Masseria Pietra Cipolle
Casa D'Alfonso
47
SAN SEVERO
San Severo
(Borgo medioevale)
TAVOLIERE
Casa Mascia
Casone
Masseria Cupeta Palmieri
Masseria Parisi
Masseria Santa Giusta
Masseria Zannotti
Masseria Ratino
Masseria Coppa Castello
Podere San Matteo
Masseria Sicaria
li Cálici
Masseria Viscigliето
Podere San Domenico
Celentano
Masseria Vitolo
Staz.di Rignano Gargánico
Masseria Motta Panetteria
Pontesano
21
30
25
Masseria Schiavone
la Motticella
Masseria Di Gióvine
Sálsola
Pálmori
Masseria Vulgano
Masseria Grotticella
Masseria Villano
Masseria Stella
Borgo Duanera la Rocca
Masseria San Nicola
Masseria Palmieri
Casa Michelone
Casa Metilde
Lauro
Casa Saggese
Casa Chirò
Masseria Zaccagnino
Masseria San Nazzáro
Casa Gaggiano
57
SAN NICANDRO GARGANICO
Castello
Casa Masella
San Giuseppe
Passo di Ingarano
Casa Ciavarella
Casa Campanozzi
Grotta
Castelpagano
Monte Castello 685
Convento Santuario Maria Santi di Stignano
Case Postiglione
Masseria San Matteo
Monte della Donna 638
Masseria Mezzanagrande
Masseria Coppa del Vento
Masseria Saldoni
Masseria Mónaco Cappelli
Torrata Antonacci
Gargano
Podere Sant' Antonio
Masseria Rignanese
Masseria Duanera
Masseria Cantone
Parco Naz. del Gargano
Fóggia 44km
Lucera
72
Fóggia

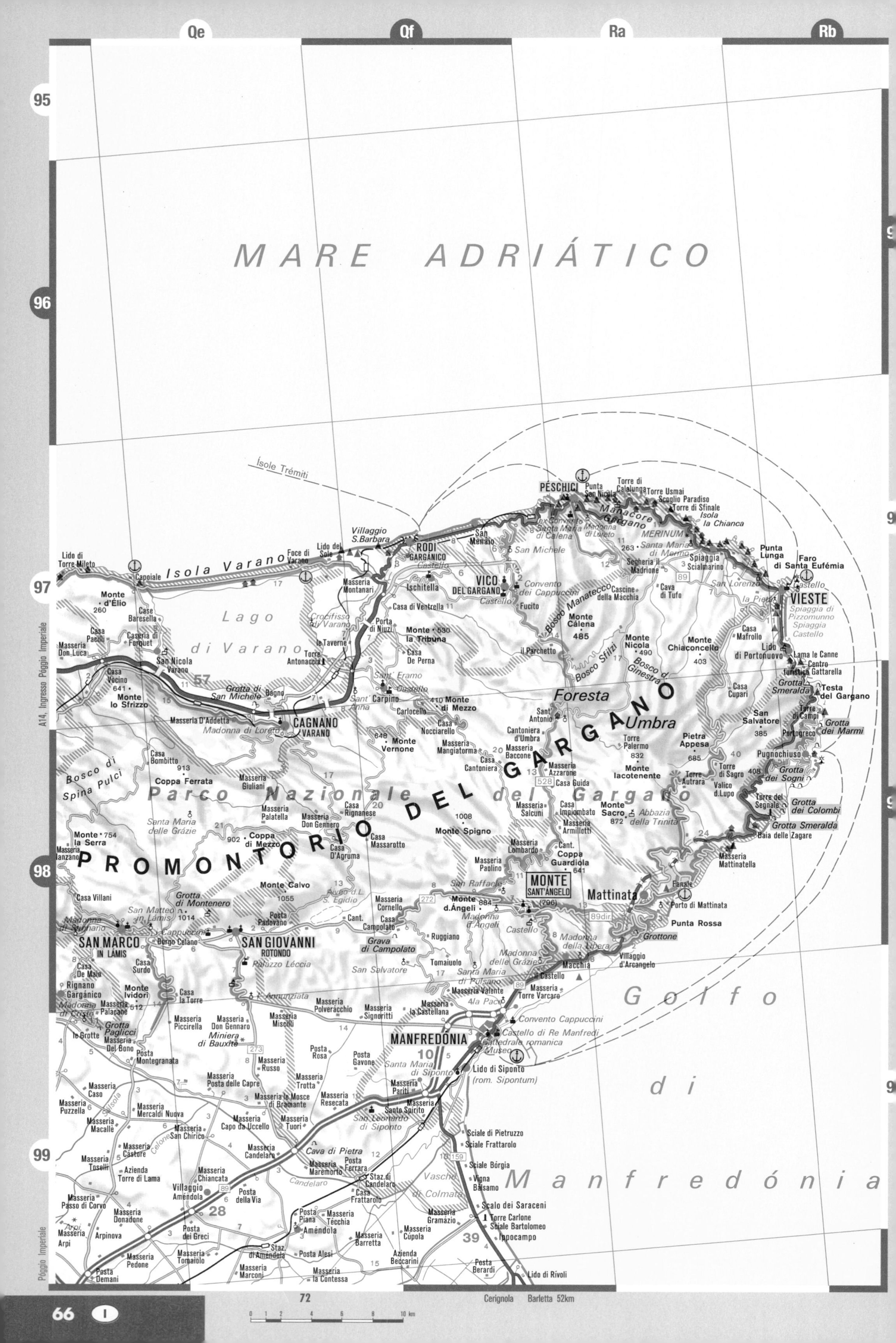
MARE ADRIÁTICO
PROMONTORIO DEL GARGANO
Parco Nazionale del Gargano
Golfo di Manfredónia
Lago di Varano
Isola Varano
Foresta Umbra
Ísole Trémiti
PÉSCHICI
RODI GARGÁNICO
VICO DEL GARGANO
VIESTE
CAGNANO VARANO
SAN MARCO IN LAMIS
SAN GIOVANNI ROTONDO
MONTE SANT'ÁNGELO
MANFREDÓNIA
Mattinata
Macchia
Lido di Siponto
Testa del Gargano
Grotta Smeralda
Baia delle Zagare
Pugnochiuso
Monte Calvo
Monte Spigno
Villaggio Amendola
Amendola
A14, Ingresso Póggio Imperiale
Póggio Imperiale
Cerignola Barletta 52km
72

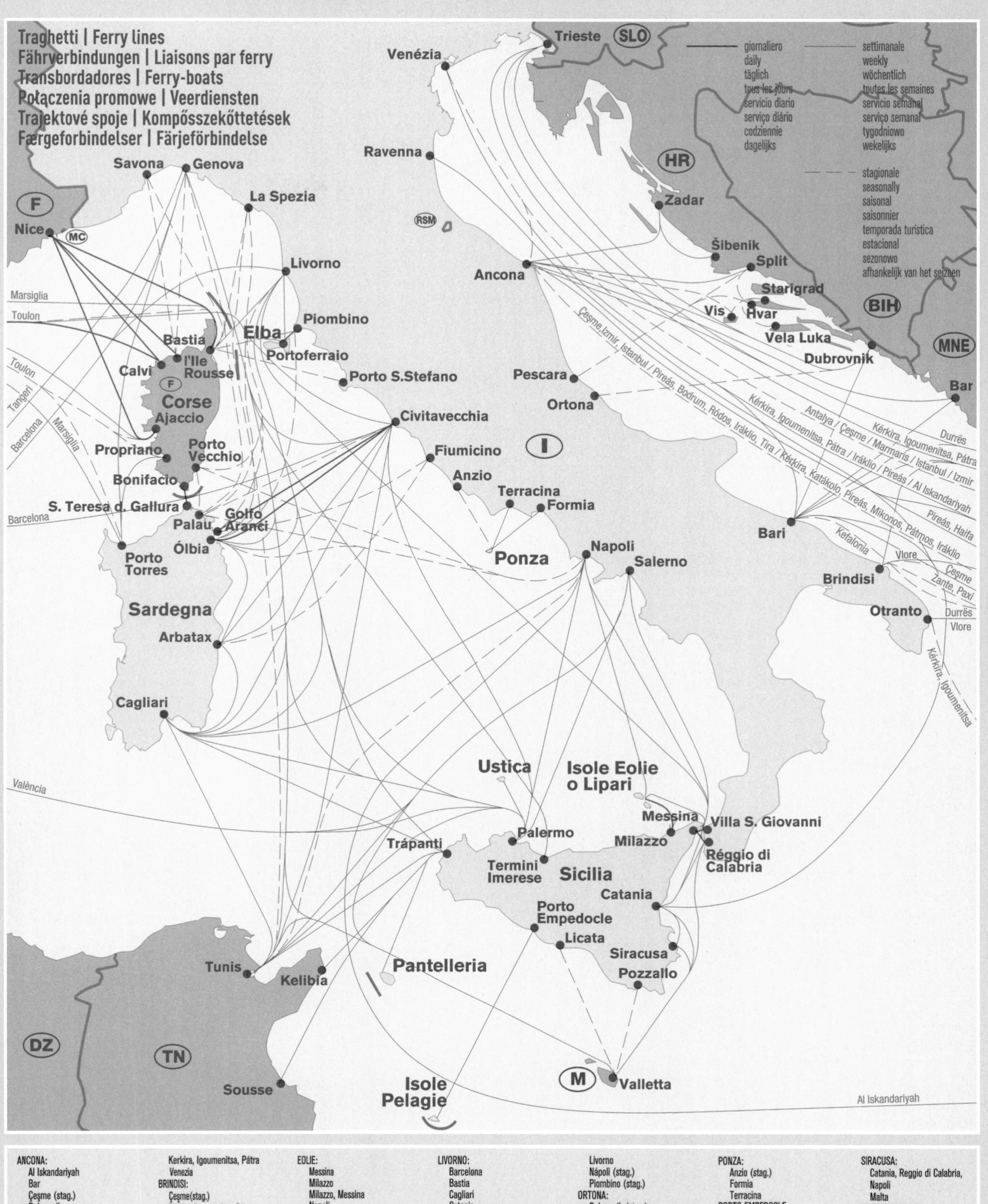

Traghetti | Ferry lines
Fährverbindungen | Liaisons par ferry
Transbordadores | Ferry-boats
Połączenia promowe | Veerdiensten
Trajektové spoje | Kompósszekőttetések
Færgeforbindelser | Färjeförbindelse

giornaliero / daily / täglich / tous les jours / servicio diario / serviço diário / codziennie / dagelijks — settimanale / weekly / wöchentlich / toutes les semaines / servicio semanal / serviço semanal / tygodniowo / wekelijks

stagionale / seasonally / saisonal / saisonnier / temporada turística / estacional / sezonowo / afhankelijk van het seizoen

ANCONA:
Al Iskandariyah
Bar
Çeşme (stag.)
Dubrovnik
Durrës
Iráklio
Izmir, Istanbul (stag.)
Kerkira, Igoumenitsa, Pátra
Kerkira, Katákolo, Pireás, Mikonos, Pátmos, Iráklio (stag.)
Pireás
Pireás, Bodrum, Ródos, Iráklio, Tíra (stag.)
Pireás, Haifa
Split
Venezia (stag.)
Vis, Starigrad, Vela Luka (stag.)
Zadar, Sibenik

ANZIO:
Ponza (stag.)

ARBATAX:
Cagliari
Civitavecchia
Fiumicino (stag.)
Genova
Olbia, Genova

BARI:
Bar
Catania
Çeşme
Dubrovnik
Durrës
Kefalonia

Kerkira, Igoumenitsa, Pátra
Venezia

BRINDISI:
Çeşme (stag.)
Kerkira, Igoumenitsa, Pátra
Paxi
Vlore
Zante

CAGLIARI:
Arbatax, Civitavecchia
Civitavecchia
Genova
Livorno
Napoli
Palermo
Trapani
Tunis

CATANIA:
Bari, Venézia
Livorno
Malta
Ravenna
Reggio di Calabria, Napoli
Siracusa, Malta

CIVITAVECCHIA:
Barcelona
Arbatax, Cagliari
Cagliari
Genova
Golfo Aranci
Olbia
Palau (stag.)
Palermo
Toulon
Tunis

EOLIE:
Messina
Milazzo
Milazzo, Messina
Napoli

FIUMICINO:
Arbatax (stag.)
Golfo Aranci (stag.)

FORMIA:
Ponza

GENOVA:
Arbatax
Barcelona
Bastia (stag.)
Cagliari
Civitavecchia
L'Ile Rousse (stag.)
Olbia, Arbatax
Palau, Porto Vecchio (stag.)
Palermo
Porto Torres, Propriano
Tangeri
Termini Imerese
Tunis, Malta

GOLFO ARANCI:
Civitavecchia
Fiumicino (stag.)
La Spezia (stag.)
Livorno (stag.)

LA SPEZIA:
Bastia (stag.)
Golfo Aranci (stag.)
Olbia (stag.)
Palau, Porto Vecchio (stag.)
Tunis

LICATA:
Malta (stag.)

LIVORNO:
Barcelona
Bastia
Cagliari
Catania
Golfo Aranci (stag.)
Olbia
Palermo
Porto Vecchio (stag.)
Portoferraio
Trapani

MESSINA:
Eolie
Milazzo, Eolie
Reggio di Calabria
Salerno
Villa S. Giovanni

MILAZZO:
Eolie
Messina

NAPOLI:
Al Iskandariyah
Cagliari
Eolie
Ólbia (stag.)
Palermo
Palau (stag.)
Porto Vecchio (stag.)
Reggio di Calabria, Catania, Siracusa, Malta
Tunis (stag.)

OLBIA:
Arbatax
Civitavecchia
Genova
La Spezia (stag.)

PIOMBINO:
Bastia (stag.)
Olbia (stag.)
Portoferraio

Livorno
Nápoli (stag.)
Piombino (stag.)

ORTONA:
Dubrovnik (stag.)

OTRANTO:
Durrës
Vlore
Kérkira, Igoumenitsa (stag.)

PALAU:
Civitavecchia (stag.)
Genova (stag.)
La Spezia (stag.)
Napoli (stag.)
Porto Vecchio (stag.)

PALERMO:
Cagliari
Civitavecchia
Genova
Livorno
Napoli
Salerno
Tunis
Ustica
Valencia

PANTELLERIA:
Trapani

PELAGIE:
Porto Empedocle

PESCARA:
Hvar
Split (stag.)

PONZA:
Anzio (stag.)
Formia
Terracina

PORTO EMPEDOCLE
Pelagie

PORTO S.STEFANO:
Bastia (stag.)

PORTO TORRES:
Genova
Marsiglia
Propriano
Toulon (stag.)

PORTOFERRAIO:
Bastia
Livorno
Piombino

POZZALLO:
Malta (stag.)

RAVENNA:
Catania

REGGIO DI CALABRIA:
Catania, Siracusa, Malta
Malta
Messina
Napoli

SALERNO:
Malta
Messina
Palermo
Tunis

SANTA TERESA GALLURA:
Bonifacio

SAVONA:
Bastia (stag.)
L'Ile Rousse (stag.)

SIRACUSA:
Catania, Reggio di Calabria, Napoli
Malta

TERMINI IMERESE:
Genova

TERRACINA:
Ponza

TRAPANI:
Cagliari
Kelibia
Livorno
Pantelleria
Sousse
Tunis

TRIESTE:
Bar
Durrës
Kérkira, Igoumenitsa, Pátra

USTICA:
Palermo

VENEZIA:
Al Iskandariyah
Ancona (stag.)
Antalya (stag.)
Bari, Catania
Çeşme (stag.)
Iráklio
Istanbul (stag.)
Izmir (stag.)
Kérkira, Igoumenitsa, Pátra
Marmaris (stag.)
Pireás

VILLA S.GIOVANNI:
Messina

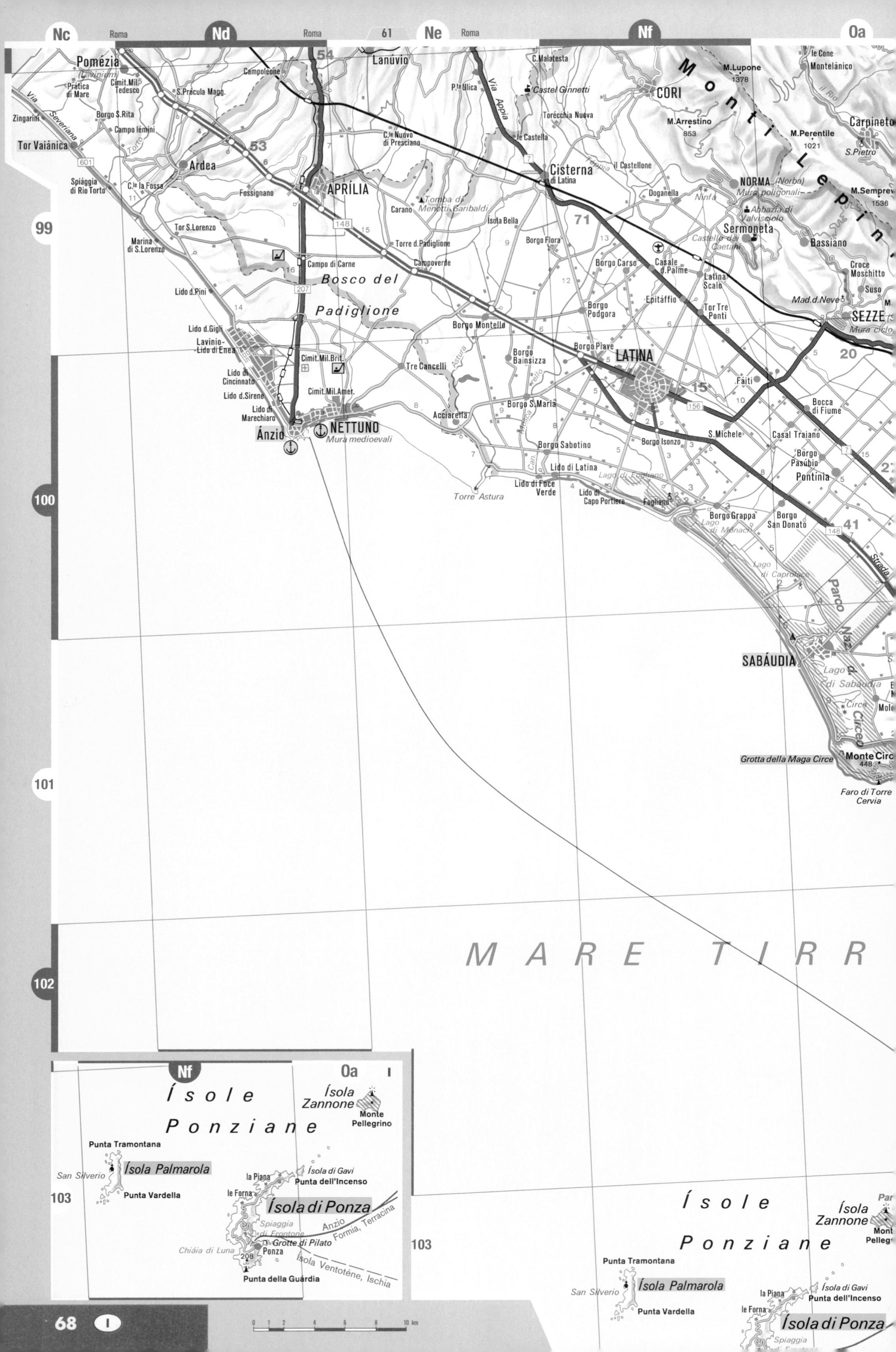

Pomézia
(Lavinium)
Prática
di Mare
Cimit.Mil.
Tedesco
S.Prócula Magg.
Campoleone
Lanúvio
C.Malatesta
Castel Ginnetti
CORI
Monti
Lepini
M.Lupone
1378
le Cone
Montelánico
Carpineto
Zingarini
Via
Severiana
Borgo S.Rita
Campo lémini
P.ta Ulica
Via Appia
Torécchia Nuova
M.Arrestino
853
M.Perentile
1021
S.Pietro
Tor Vaiánica
Torto
4
C.le Nuovo
di Presciano
le Castella
Cisterna
di Latina
il Castellone
7
Doganella
NORMA (Norba)
Mura poligonali
Ninfa
Abbazia di
Valvisciolo
M.Sempre
1536
Ardea
601
6
APRÍLIA
53
Tomba di
Menotti Garibaldi
Carano
Ísola Bella
71
13
Castello dei
Caetani
SERMONETA
Bassiano
Croce
Moschitto
99
C.le la Fossa
Fossignano
148
15
Torre d.Padiglione
Borgo Flora
9
Borgo Carso
Casale
d.Palme
Latina
Scalo
Suso
Mad.d.Neve
M.
Spiággia
di Rio Torto
11
Tor S.Lorenzo
16
Campoverde
Borgo
Podgora
Epitáffio
SEZZE
Mura ciclo
Marina
di S.Lorenzo
Campo di Carne
12
Tor Tre
Ponti
20
5
Lido d.Pini
207
14
Bosco del
Padiglione
Borgo Montello
6
Borgo Plave
LATINA
Faíti
Lido d.Gigli
Lavínio-
Lido di Enea
Cimit.Mil.Brit.
Astura
1
Borgo
Bainsizza
156
10
Bocca
di Fiume
Lido di
Cincinnato
Lido d.Sirene
Cimit.Mil.Amer.
Tre Cancelli
15
S.Michele
Casal Traiano
Lido di
Marechiaro
Ánzio
NETTUNO
Mura medioevali
Acciarella
Borgo S.Maria
Borgo Sabotino
Borgo Isonzo
3
Borgo
Pasúbio
Pontínia
100
8
7
Lido di Latina
Lago di Fogliano
Fogliano
3
3
Borgo San Donato
148
41
Torre Astura
Lido di Foce
Verde
Lido di
Capo Portiere
2
Borgo Grappa
Lago
di Monaci
Strada
Parco Naz.
SABÁUDIA
Lago
di Caprolce
2
Lago
di Sabáudia
Circe
Parco Naz.
Mole
101
Grotta della Maga Circe
Monte Circ
448
Monte Circ
Faro di Torre
Cervia
102

M A R E   T I R R

0 1 2 3 4 6 10 km

Ísole
Ponziane

Nf
Oa

Ísola
Zannone
Monte
Pellegrino

Punta Tramontana
San Silverio
Ísola Palmarola
Punta Vardella
la Piana
le Forna
Ísola di Gavi
Punta dell'Incenso
Ísola di Ponza
Spiaggia
di Frontone
Anzio
Formia, Terracina
Chiáia di Luna
Grotte di Pilato
Ponza
208
Ísola Ventoténe, Ischia
Punta della Guardia

103

103

Ísole
Ponziane

Ísola
Zannone
Mont
Pelleg

Punta Tramontana
San Silverio
Ísola Palmarola
Punta Vardella
la Piana
le Forna
Ísola di Gavi
Punta dell'Incenso
Ísola di Ponza
Spiaggia
Par

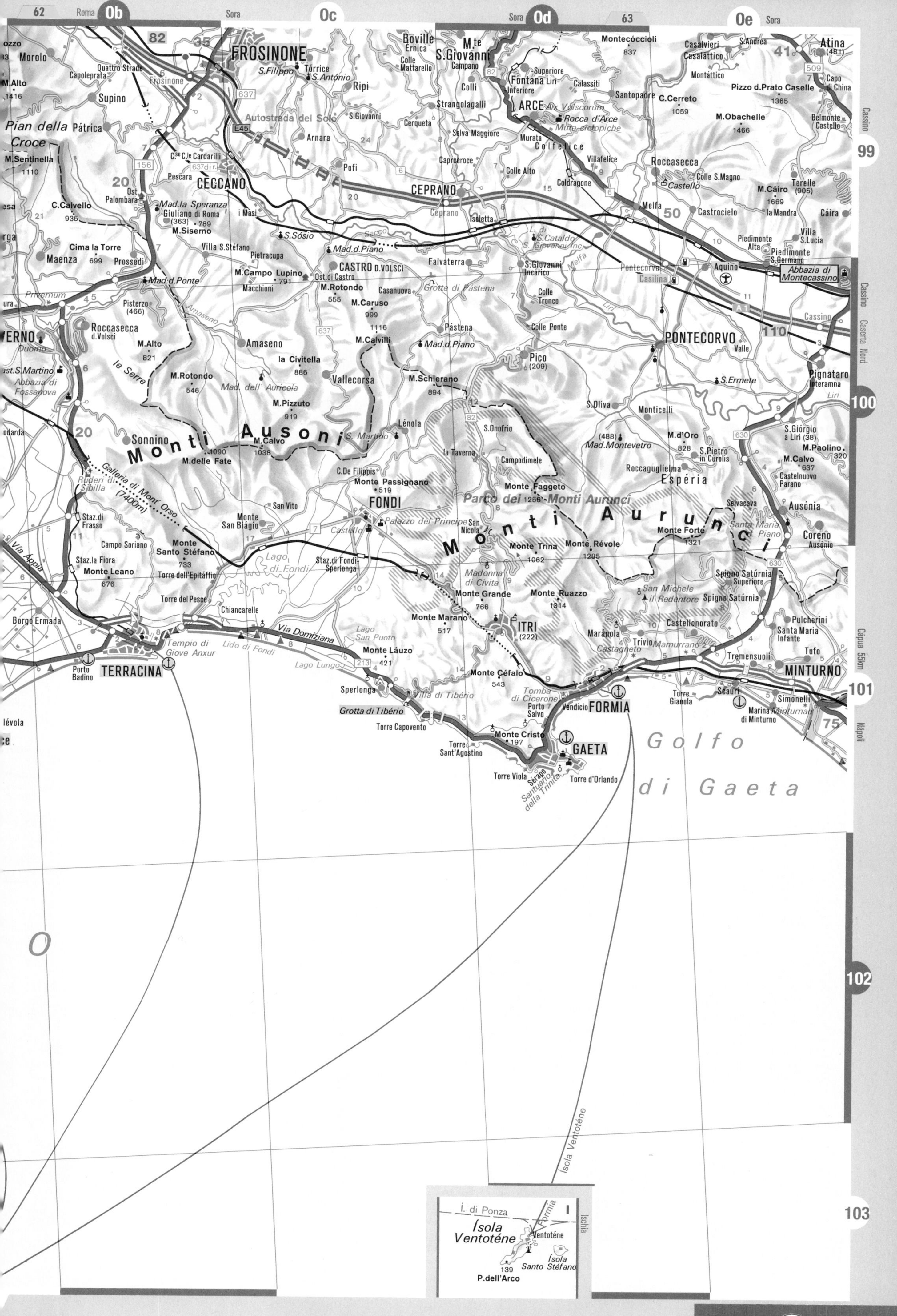

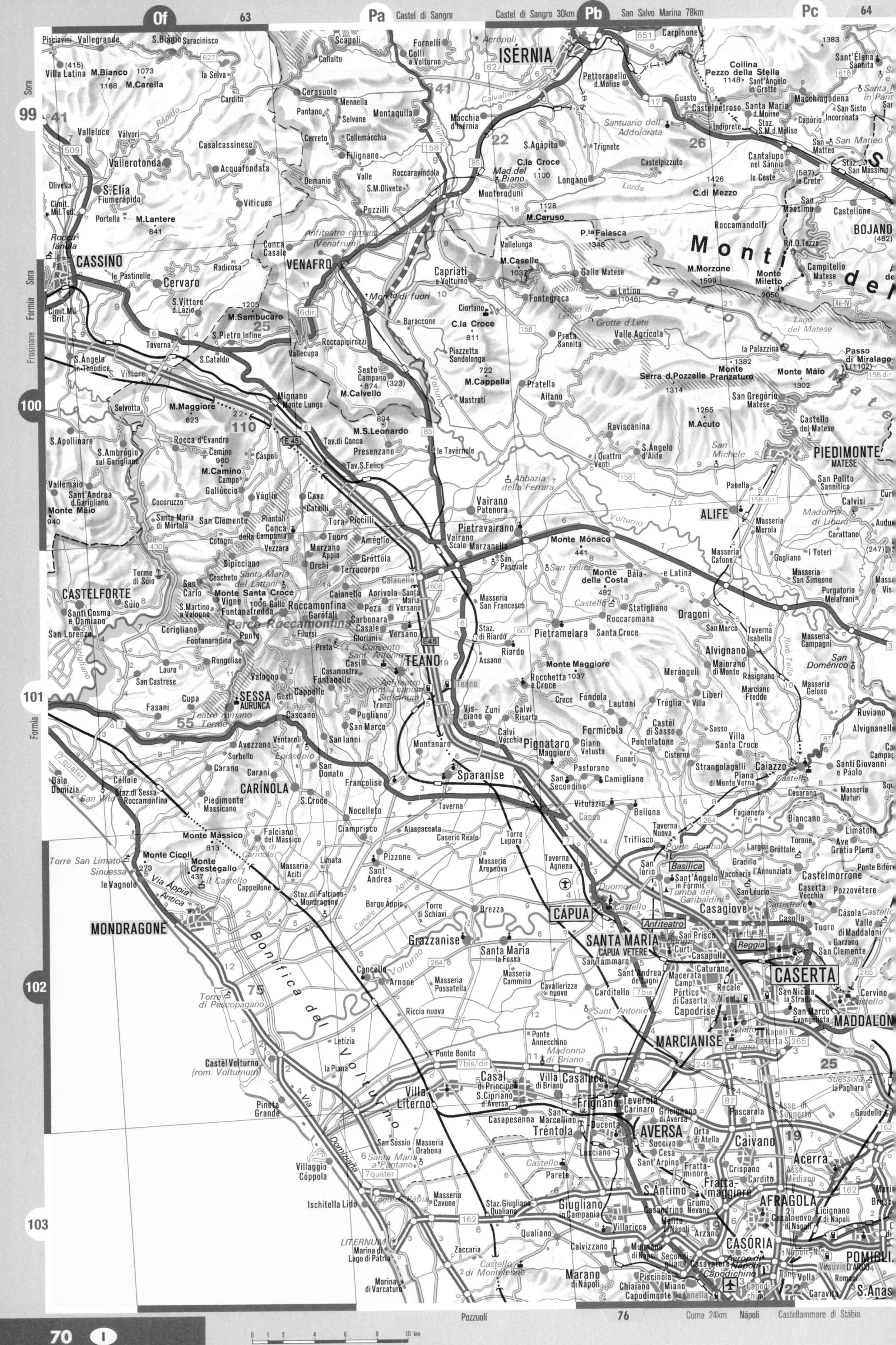

Sora
99
100
101
102
103
Formia
Frosinone
ISÉRNIA
Acrópoli
Carpinone
Pettoranello d.Molise
Collina Pezzo della Stella
Sant'Ángelo in Grotte
Macchiagodena
Sant'Elena Sannita
Castelpetroso
Santa Maria d.Molise
Cantalupo nel Sánnio
Santuario dell' Addolorata
Castelpizzuto
Longano
S.Agápito
Monteroduni
Mácchia d'Isérnia
Fornelli
Colli a Volturno
Scapoli
Cellalto
Cerasuolo
Montaquila
Filignano
Pozzilli
VENAFRO
Conca Casale
Pisciavini
Vallegrande
S.Biagio Saracinisco
Villa Latina
M.Bianco
M.Carella
la Selva
Cardito
Valleluce
Válvori
Vallerotonda
Casalcassinese
Acquafondata
Viticuso
S.Elía Fiumerápido
Olivella
Portella
M.Lantere
Rocca d'Evandro
CASSINO
le Pastinelle
Cervaro
Radicosa
S.Vittore d.Lázio
M.Sambucaro
S.Pietro Infine
Taverna
S.Cataldo
S.Ángelo in Theodice
Selvotta
M.Maggiore
Mignano Monte Lungo
M.Calvello
M.S.Leonardo
Presenzano
Tav.S.Felice
Sesto Campano
Roccapipirozzi
Vallecupa
Baraccone
C.la Croce
Capriati a Volturno
Ciorlano
Piazzetta Sandelonga
M.Cappella
Mastrati
Pratella
Ailano
Prata Sannita
Fontegreca
Gallo Matese
Letino
Lago di Letino
Grotte d.Lete
Valle Agrícola
Monti del Matese
Parco del Matese
Lago del Matese
M.Morzone
Monte Miletto
Campitello Matese
Roccamandolfi
Castellone
BOJANO
C.di Mezzo
M.Caruso
P.ta Falasca
Vallelunga
M.Caselle
Serra d.Pozzelle
Monte Pranzaturo
Monte Máio
Passo di Miralago
la Palazzina
San Gregório Matese
Castello del Matese
M.Acuto
Raviscanina
S.Ángelo d'Alife
San Michele
PIEDIMONTE MATESE
San Potito Sannitico
Calvisi
i Quattro Venti
Abbazia della Ferrara
le Tavérnole
Vairano Patenora
Pietravairano
Vairano Scalo
Marzanello
San Pasquale
Monte Mónaco
San Felice
Monte della Costa
Báia-e Latina
Dragoni
ALIFE
Masseria Merola
Carattano
Masseria Cafone
Gagliano
i Toteri
Masseria San Simeone
Purgatorio Melafrani
S.Apollinare
S.Ambrógio sul Garigliano
Camino
M.Camino
Cáspoli
Gallúccio
Vallemáio
Sant'Andrea d.Garigliano
Monte Máio
Cocoruzzo
Santa Maria di Mórtola
San Clemente
Cotogni
Piantoli
Conca della Campania
Vezzara
Váglie
Cave
Cataldi
Tora-Piccilli
Tuoro
Marzano Appio
Orchi
Améglio
Gróttola
Terracorpo
Sipicciano
Cescheto
Terme di Súio
Santa Maria del Lattani
San Carlo
Monte Santa Croce
Vigne
Fontanafredda
Roccamonfina
Galluccio
Parco Roccamonfina
CASTELFORTE
Súio
Santi Cosma e Damiano
S.Martino a Valogno
San Lorenzo
Corigliano
Fontanaradina
Ponte
Rongolise
Lauro
San Castrese
Fasani
Cupa
SESSA AURUNCA
Teatro romano
Valogno
Caianello
Aorivola
Santa Maria di Versano
Poza
Carbonara
Casale
Versano
Gloriani
Filorsi
Convento Sant' Antonio
Preta
Casi
TEANO
Casamostra
Fontanelle
Cappelle
Anfiteatro rom. Teanum Sidicinum
Tranzi
Pugliano
San Marco
Cascano
Ventaroli
Episcopio
Avezzano
Sorbello
Carano
Carani
CARÍNOLA
San Ianni
San Donato
Francolise
Céllole
Báia Domizia
San Vito
Staz.di Sessa-Roccamonfina
Piedimonte Massicano
S.Croce
Nocelleto
Monte Mássico
Falciano del Massico
Lago di Carinola
Ciamprisco
Monte Cicoli
Monte Crestegallo
il Castello
Torre San Limato
Sinuessa
le Vagnole
Via Appia Antica
MONDRAGONE
Masseria Aciti
Limata
Cappellone
Staz.di Falciano-Mondragone
Sant' Andrea
Pizzone
Borgo Áppio
Torre di Schiavi
Brezza
Aiaspaccata
Caserio Reale
Montanaro
Sparanise
Taverna
Torre Lupara
Masserie Areanova
Visciano
Zuni
Calvi Risorta
Calvi Vecchia
Riardo
Staz. di Riardo
Assano
Pietramelara
Roccaromana
Santa Croce
Statigliano
Masseria San Francesco
Monte Maggiore
Rocchetta e Croce
Croce
Fóndola
Lautoni
Tréglia
Villa
Liberi
Merángeli
Alvignano
Maiorano di Monte
San Marco
Taverna Isabella
Rasignano
Marciano Freddo
Masseria Campagni
San Doménico
Masseria Geloso
Formícola
Pignataro Maggiore
Giano Vetusto
Castel di Sasso
Pontelatone
Cisterna
Funari
Sasso
Villa Santa Croce
Strangolagalli
Caiazzo
Piana di Monte Verna
Santi Giovanni e Paolo
Ruviano
Alvignanello
Pastorano
San Secondino
Camigliano
Vitulázio
Bellona
Cápua
Taverna Agnena
Triflisco
Taverna Nuova
Ponte Annibale
Cesarano
Fagianera
Biancano
Limatola
Torone
Ave Gratia Plena
Largisi
Gróttole
Gradillo
Vaccheria
l'Annunziata
Castelmorrone
San Iorio
Basilica
Sant'Ángelo in Formis
Tomba dei Garibaldini
San Léucio
Caserta Vecchia
Pozzovétere
Casagiove
Casolla
Cásola
Tuoro
Valle di Maddaloni
CÁPUA
Duomo
Castello
Anfiteatro
SANTA MARIA CÁPUA VETERE
San Prisco
Curti
Reggia
Casapulla
CASERTA
Garzano
San Clemente
Grazzanise
Santa Maria la Fossa
San Támmaro
Sant'Andrea de' Lagni
Macerata Campania
Caturano
Pórtico di Caserta
Recale
San Nicola la Strada
San Marco Evangelista
Cervino
Castello
MADDALONI
Cancello
Arnone
Masseria Possatella
Masseria Cammino
Cavallerizze nuove
Carditello
Sant' Antonio
Capodrise
Bonifica del Volturno
Torre di Pescopagano
Riccia nuova
Letizia
Ponte Annecchino
Madonna di Briano
MARCIANISE
Casteló
Tofano
Napoli N. Caserta S.
Castèl Volturno (rom. Volturnum)
la Piana
Ponte Bonito
Casal di Principe
S.Cipriano d'Aversa
Villa Literno
Villa di Briano
Casaluce
Frignano
Teverola
Carinaro
Gricignano di Aversa
Pascarola
Suessola
la Pagliara
Pineta Grande
Via Domiziana
Casapesenna
San Marcellino
Tréntola
Ducenta
AVERSA
Orta di Atella
Succivo
Cesa
Caivano
Acerra
San Sóssio
Masseria Orabona
Santa Maria a Pantano
Castello
Parete
Lusciano
Sant'Arpino
Frattaminore
Crispano
Cardito
Frattamaggiore
Villaggio Cóppola
Ischitella Lido
Lago di Pátria
Masseria Cavone
Staz.Giugliano Qualiano
Giugliano in Campania
S.Ántimo
Casandrino
Grumo Nevano
AFRAGOLA
Casalnuovo di Napoli
Licignano di Napoli
Villaricca
Melito di Napoli
Arzano
CASÓRIA
Qualiano
LITERNUM
Marina di Lago di Pátria
Zaccaria
Castello di Monteleone
Calvizzano
Mugnano di Napoli
Secondigliano
Casavatore
Aerop. di Napoli Capodichino
POMIGLIANO D'ARCO
Volla
Marano di Napoli
Chiaiano
Piscinola
Miano
Capodimonte
Marina di Varcatura
S.Anastasia
Vesúvio
Caravita
Pozzuoli
76
Cuma 24km
Nápoli
Castellammare di Stábia
10 km

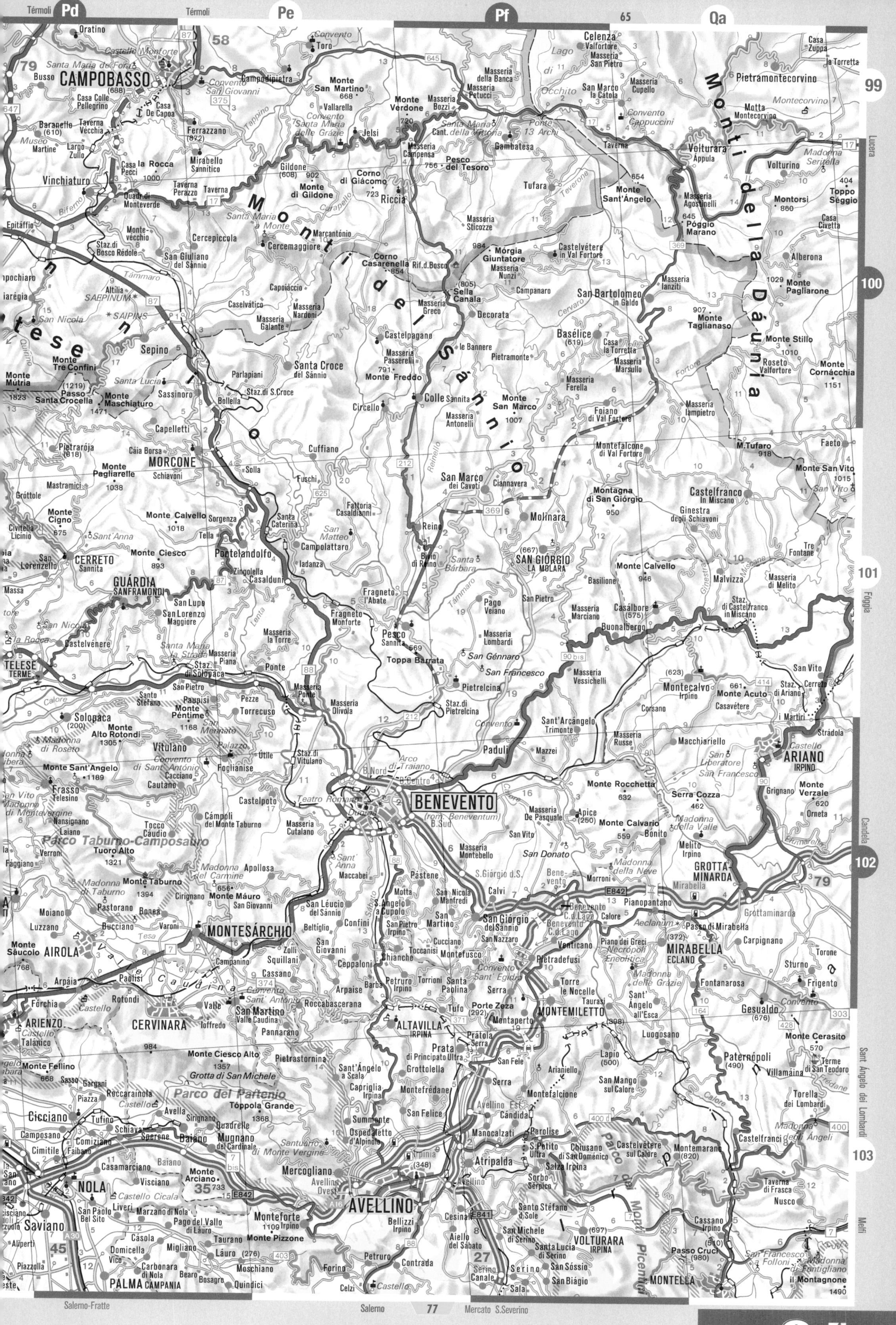
Oratino
Toro
Convento
58
CAMPOBASSO
Busso
Campodipietra
Casa Colle Pellegrino
Casa De Capoa
Baranello
Taverna Vecchia
Ferrazzano
Museo
Martine
Largo Zullo
Mirabello Sannitico
Casa Pecci
la Rocca
Vinchiaturo
Taverna Perazzo
Taverna
Quadr.di Monteverde
Monte San Martino
Vallarella
Monte Verdone
Masseria Bozzi
Jelsi
Santa Maria delle Grázie
Gildone
Monte di Gildone
Corno di Giácomo
Riccia
Masseria Campensa
Pesco del Tesoro
Gambatesa
Masseria della Banca
Masseria Petucci
Celenza Valfortore
Masseria San Pietro
San Marco la Càtola
Masseria Cupello
Convento Cappuccini
Lago di Occhito
Ponte 13 Archi
Pietramontecorvino
Monti della Dáunia
Motta Montecorvino
Montecorvino
Volturara Áppula
Volturino
Madonna Seritella
Toppo Séggio
Montorsi
Casa Civetta
Alberona
Monte Pagliarone
Tufara
Monte Sant'Ángelo
Masseria Agostinelli
Póggio Marano
Monti del Sánnio
Epitáffio
Monte-vécchio
Cercepiccola
Cercemaggiore
Marcantónio
Staz.di Bosco Redole
San Giuliano del Sánnio
Corno Casarenella
Rif.d.Bosco
Masseria Sticozze
Mórgia Giuntatore
Masseria Nunzi
Castelvétere in Val Fortore
Masseria Ianziti
San Bartolomeo in Galdo
Campanaro
Sella Canala
Decorata
Baselice
Casa la Torretta
Masseria Marsullo
Monte Taglianaso
Monte Stillo
Roseto Valfortore
Monte Cornácchia
Altilia
SAEPINUM
SAIPINS
Capoiáccio
Caselvático
Masseria Nardoni
Masseria Galante
Masseria Greco
Castelpagano
le Bannere
Pietramonte
Sepino
Monte Tre Confini
Monte Mútria
Passo Santa Crocella
Monte Maschiaturo
Sassinoro
Parlapiani
Staz.di S.Croce
Bolfella
Santa Croce del Sánnio
Masseria Passerelli
Monte Freddo
Colle Sannita
Circello
Monte San Marco
Masseria Antonelli
Masseria Ferella
Foiano di Val Fortore
Masseria Iampietro
Capelletti
Pietraróia
Cáia Borsa
MORCONE
Monte Pagliarelle
Schiavoni
Solla
Cuffiano
Fuschi
Mastramici
Gróttole
Monte Cigno
Monte Calvello
Sorgenza
Santa Caterina
Fattoria Casaldianni
San Marco dei Cavoti
Ciannavera
Montefalcone di Val Fortore
M.Tufaro
Faeto
Monte San Vito
Castelfranco in Miscano
Ginestra degli Schiavoni
Montagna di San Giórgio
Molinara
Reino
Civitella Licinio
Sant'Anna
Tella
Pontelandolfo
San Matteo
Campolattaro
Bivio di Reino
Santa Bárbara
SAN GIÓRGIO LA MOLARA
Monte Calvello
Tre Fontane
San Lorenzello
CERRETO Sannita
Monte Ciesco
Zingolella
Casalduni
Iadanza
Basilione
Malvizza
Masseria di Melito
GUÁRDIA SANFRAMONDI
San Lupo
San Lorenzo Maggiore
Fragneto l'Abate
Fragneto Monforte
Pago Veiano
San Pietro
Masseria Marciano
Casálbore
Buonalbergo
Staz. di Castelfranco in Miscano
Castelvénere
Masseria la Torre
Pesco Sannita
Masseria Lombardi
Topa Barrata
San Gènnaro
San Francesco
Pietrelcina
Masseria Vessichelli
Montecalvo Irpino
Monte Acuto
Casavétere
Staz. di Ariano
Cerreto
San Vito
TELESE TERME
Staz. di Solopaca
Masseria Piana
Ponte
Santo Stéfano
Paupisi
Monte Péntime
Pezze
Torrecuso
Masseria Ponte
Masseria Olivola
Staz.di Pietrelcina
Convento
Sant'Arcangelo Trimonte
Corsano
i Martiri
Solopaca
Monte Alto Rotondi
Madonna di Roseto
Vitulano
Foglianise
Cacciano
Cautano
Monte Sant'Angelo
Frasso Telesino
Staz.di Vitulano
Arco di Traiano
BENEVENTO
Paduli
Mazzei
Masseria Russe
Macchiariello
San Liberatore
San Francesco
ARIANO IRPINO
Strádola
Grignano
Monte Verzale
Orneta
Castelpoto
Teatro Romano
Duomo
Monte Rocchetta
Serra Cozza
Campoli del Monte Taburno
Tocco Cáudio
Masseria Cutalano
Masseria De Pasquale
Apice
Monte Calvario
Bonito
Madonna della Valle
Melito Irpino
Parco Taburno-Camposauro
Tuoro Alto
Verroni
Fággiano
Apollosa
Madonna del Carmine
San Vito
San Donato
Masseria Montebello
Madonna della Neve
GROTTA MINARDA
Madonna di Taburno
Monte Taburno
Sant'Anna
Maccabei
Pástene
S.Giórgio d.S.
Morroni
Mirabella
Cirignano
Monte Máuro
San Giovanni
Motta
San Nicola Manfredi
Calvi
Pianopantano
Grottaminarda
Pastorano
Bonea
San Léucio del Sánnio
S.Angelo a Cupolo
San Martino
San Giórgio del Sánnio
Calore
Aeclanum
Passo di Mirabella
Moiano
Luzzano
Bucciano
Varoni
MONTESÁRCHIO
Beltíglio
Confini
San Pietro Irpino
Cucciano
San Nazzaro
Carpignano
Monte Sáucolo
AIROLA
Valle Caudina
Zolli
Squillani
San Giovanni
Ceppaloni
Chianche
Toccanisi
Montefusco
Venticano
Piano dei Greci
Necrópoli Eneolítica
MIRABELLA ECLANO
Torone
Sturno
Frigento
Campanino
Paolisi
Cassano
Arpáia
Arpaise
Barba
Petruro Irpino
Torrioni
Santa Paolina
Convento Sant' Egidio
Pietradefusi
Torre le Nocelle
Madonna delle Grázie
Fontanarosa
Fórchia
Castello
Rotondi
Valle
San Martino Valle Caudina
Roccabascerana
Tufo
Serra
Porte Zeza
Montaperto
MONTEMILETTO
Taurasi
Sant' Ángelo all'Esca
Gesualdo
ARIENZO
Talánico
CERVINARA
Ioffredo
Pannarano
ALTAVILLA IRPINA
Prátola Serra
Prata di Principato Ultra
Luogosano
Monte Cerasito
Monte Fellino
Sasso
Gargani
Monte Ciesco Alto
Grotta di San Michele
Pietrastornina
Sant'Ángelo a Scala
Grottolella
San Fele
Ariániello
Lapío
Paternópoli
Terme di San Teodoro
Villamaina
Roccarainola
Piazza
Castello
Avella
Parco del Partenio
Tóppola Grande
Capriglia Irpina
Montefrédane
Serra
Montefalcione
San Mango sul Calore
Torella dei Lombardi
Cicciano
Tufino
Schiava
Sirignano
Quadrelle
Sperone
Baiano
Mugnano del Cardinale
Summonte
San Felice
Avellino Est
Cándida
Parolise
Madonna degli Angeli
Castelfranci
Camposano
Comiziano
Cimitile
Faibano
Santuario di Monte Vergine
Ospedaletto d'Alpinolo
Manocalzati
S.Potito Ultra
Chiusano di San Doménico
Castelvétere sul Calore
Montemarano
Casamarciano
Baiano
Mercogliano
Atripalda
Salza Irpina
Sorbo Sérpico
Parco dei Monti Picentini
NOLA
Visciano
Monte Arciano
Castello Cicala
Avellino Ovest
AVELLINO
Taverna di Frasca
Nusco
San Paolo Bel Sito
Liveri
Marzano di Nola
Pago del Vallo di Lauro
Monteforte Irpino
Bellizzi Irpino
Cesinali
Santo Stéfano d.Sole
Cassano Irpino
Saviano
Monte Pizzone
Aiello del Sábato
San Michele di Serino
VOLTURARA IRPINA
Santa Lucia di Serino
Passo Cruci
San Francesco a Folloni
Madonna di Fontigliano
Cásola
Taurano
Domicella
Migliano
Láuro
Vico
Carbonara di Nola
Petruro
Contrada
Serino
Canale
San Sóssio
San Biágio
MONTELLA
Il Montagnone
Piazzolla
PALMA CAMPANIA
Bearo
Bosagro
Moschiano
Quindici
Forino
Celzi
Castello
Sala
99
100
101
102
103
Lucera
Foggia
Candela
Sant' Ángelo dei Lombardi
Melfi
Salerno-Fratte
Salerno
77
Mercato S.Severino

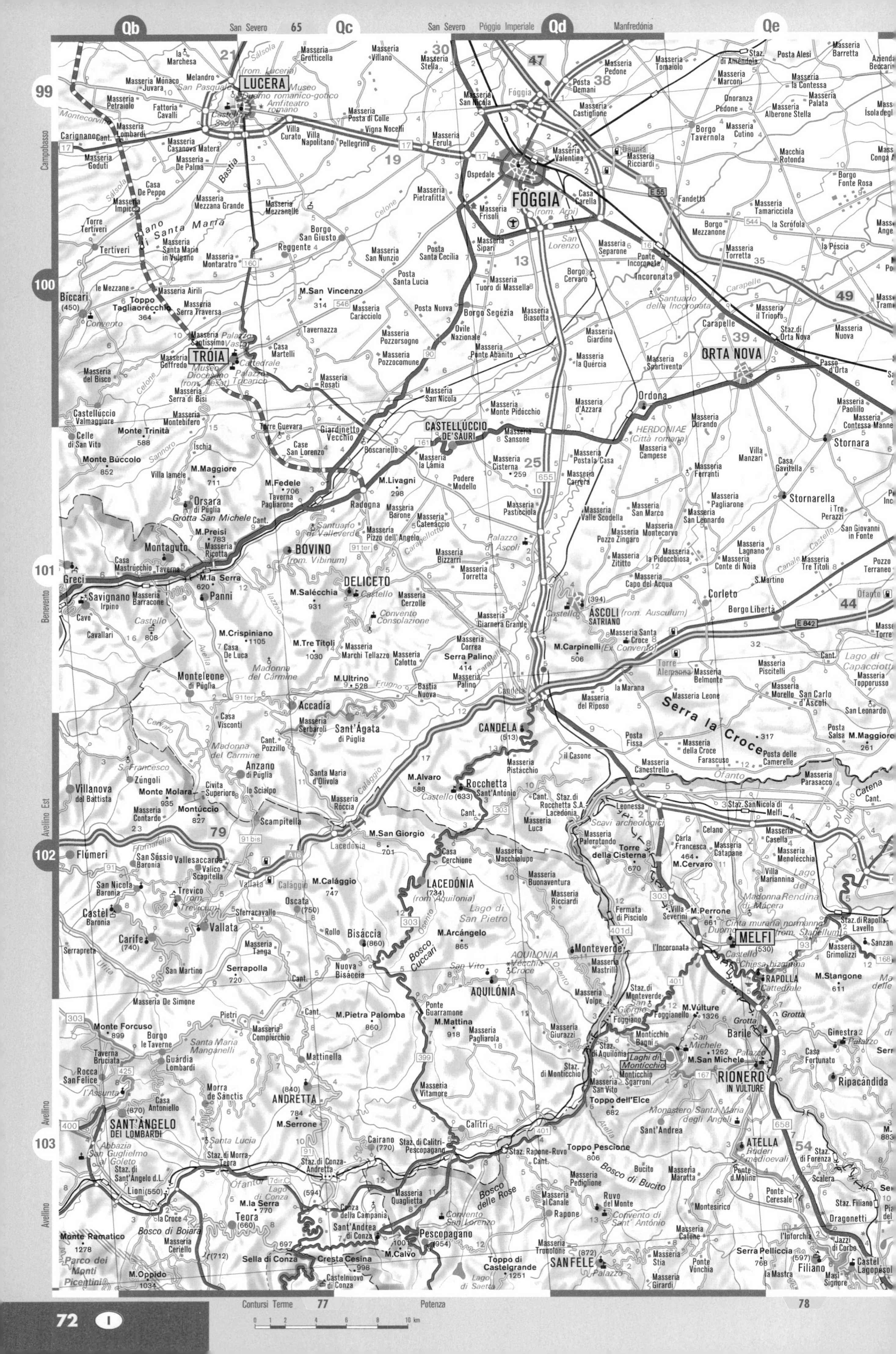

Qb
San Severo
65
Qc
San Severo
Póggio Imperiale
Qd
Manfredónia
Qe
99
100
101
102
103
Campobasso
Benevento
Avellino Est
Avellino
LUCERA
Duomo romanico-gotico
Anfiteatro romano
FÓGGIA
(rom. Arpi)
TROIA
Cattedrale
ORTA NOVA
Ordona
HERDONIAE (Città romana)
Stornara
Stornarella
Carapelle
CASTELLÚCCIO DE' SAURI
BOVINO
(rom. Vibinum)
DELICETO
Biccari
Orsara di Puglia
Grotta San Michele
Montaguto
Greci
Savignano Irpino
Panni
Monteleone di Púglia
Accadía
Sant'Ágata di Púglia
Anzano di Púglia
ÁSCOLI SATRIANO
(rom. Ausculum)
CANDELA
Rocchetta Sant'António
Serra la Croce
Corleto
Lacedónia
LACEDÓNIA
Bisáccia
Vallata
Trevico
Carife
Castel Baronia
Flumeri
Villanova del Battista
Zúngoli
AQUILÓNIA
Monteverde
MELFI
RAPOLLA
Barile
RIONERO IN VULTURE
M. Vúlture
Laghi di Monticchio
ATELLA
Ripacándida
ANDRETTA
SANT'ANGELO DEI LOMBARDI
Morra de Sanctis
Guárdia Lombardi
Lioni
Teora
Calitri
Conza della Campania
Sant'Andrea di Conza
Pescopagano
SAN FELE
Rapone
Ruvo del Monte
Filiano
Castel Lagopesole
Contursi Terme
77
Potenza
78

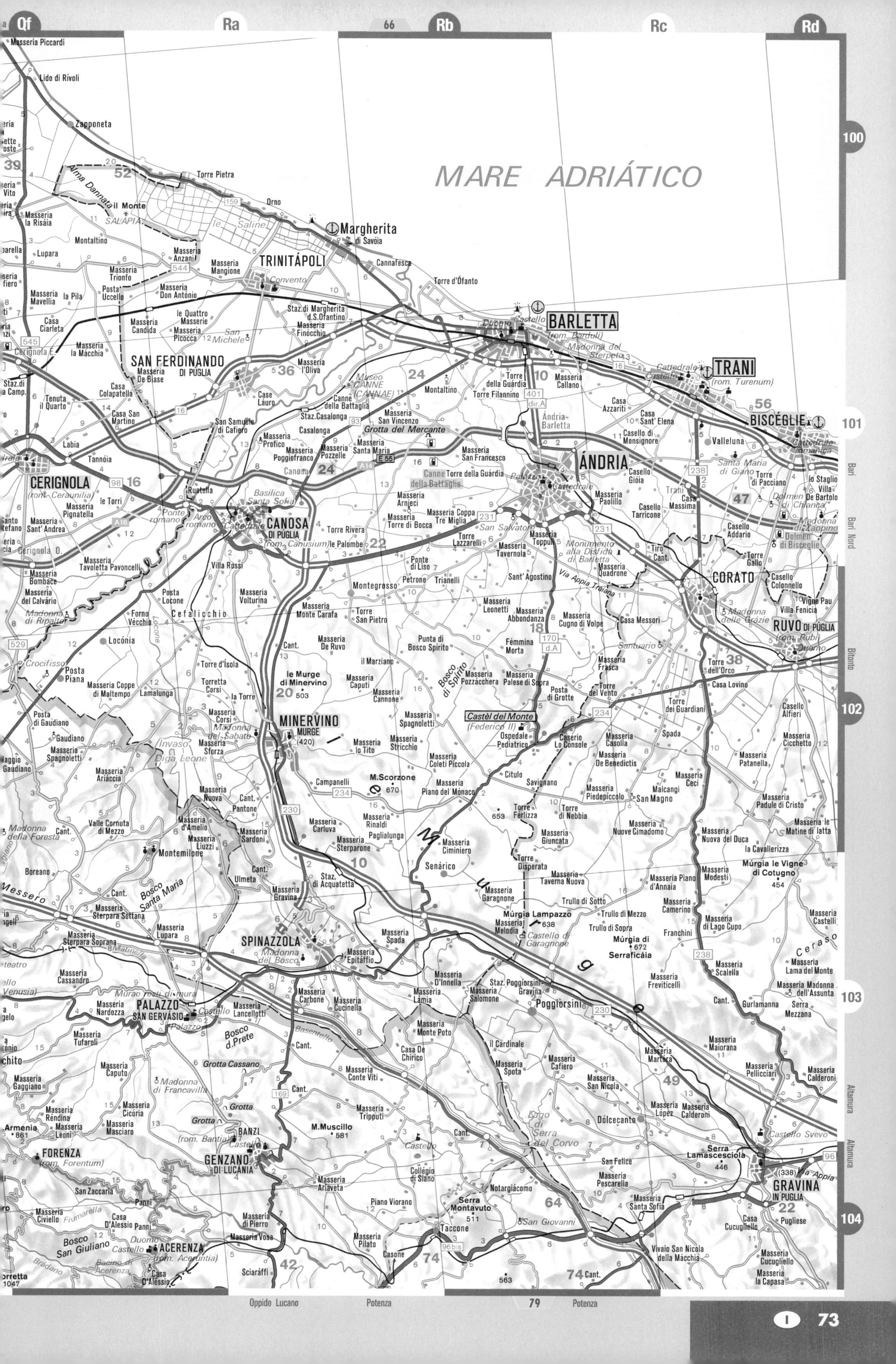
Qf
Ra
66
Rb
Rc
Rd
MARE ADRIÁTICO
100
101
102
103
104
Margherita di Savóia
TRINITÁPOLI
BARLETTA
(rom. Barduli)
Madonna del Sterpeto
TRANI
(rom. Turenum)
BISCÉGLIE
SAN FERDINANDO DI PUGLIA
CERIGNOLA
(rom. Ceraunilia)
CANOSA DI PUGLIA
(rom. Canusium)
ÁNDRIA
CORATO
RUVO DI PUGLIA
(rom. Rubi)
MINERVINO MURGE
(420)
SPINAZZOLA
PALAZZO SAN GERVÁSIO
GENZANO DI LUCANIA
BANZI
ACERENZA
(rom. Acheruntia)
FORENZA
(rom. Forentum)
GRAVINA IN PUGLIA
Poggiorsini
Castèl del Monte
(Federico II)
Masseria Piccardi
Lido di Rivoli
Zapponeta
Torre Pietra
Orno
Alma Dannata
il Monte
SALAPIA
Le Saline
Masseria la Risáia
Montaltino
Lupara
Masseria Anzani
Masseria Mangione
Masseria Trionfo
Masseria Don Antonio
Posta Uccello
Masseria Mavellia
la Pila
Casa Ciarleta
Masseria Candida
le Quattro Masserie
Masseria Picocca
San Michele
Masseria la Macchia
Cerignola E.
Cannafesca
Torre d'Ófanto
Convento
Staz.di Margherita d.S.Ofantino
Masseria Finocchio
Masseria l'Oliva
Masseria De Biase
Casa Colapatella
Tenuta il Quarto
Casa San Martino
Case Lauro
Museo CANNE (CANNAE)
Canne della Battaglia
Staz.Casalonga
Casalonga
San Samuele di Cafiero
Masseria Profico
Masseria Poggiofranco
Masseria Pozzelle
Masseria Santa Maria
Masseria San Vincenzo
Grotta del Mercante
Montaltino
Torre della Guárdia
Torre Filannino
Masseria Callano
Ándria-Barletta
Casa Azzariti
Casa Sant' Elena
Casello di Monsignore
Valleluna
Cattedrale
Castello
Duomo
Labia
Tannóia
le Torri
Ruotella
Basilica Santa Sofia
Ponte romano
Arco romano
Masseria Pignatella
Masseria Sant' Andrea
Cerignola O.
Masseria Tavoletta Pavoncelli
Masseria Bombace
Masseria del Calvário
Madonna di Ripalta
Villa Rossi
Torre Rivera
le Palombe
Masseria San Francesco
Canne della Battaglia
Torre della Guárdia
Masseria Arnjeci
Masseria Torre di Bocca
Masseria Coppa Tre Miglia
San Salvatore
Torre Lazzarelli
Masseria Tavernola
Masseria Toppulli
Monumento alla Disfida di Barletta
Masseria Quadrone
Sant' Agostino
Via Appia Traiana
Masseria Paolillo
Casello Gióia
Casello Tarricone
Casa Massima
Casello Addario
Santa Maria di Giano
Torre di Pacciano
lo Staglio
Villa De Bartolo
Dolmen di Chianca
Madonna di Zappino
Dolmen di Bisceglie
Torre Gallo
Tiro Cant.
Casello Colonnello
Vigne Pau
Villa Fenicia
Madonna delle Grázie
Ponte di Liso
Petrone
Trianelli
Montegrosso
Masseria Monte Carafa
Torre San Pietro
Masseria Volturina
Posta Locone
Forno Vécchio
Cefalicchio
Locónia
Masseria Leonetti
Masseria Abbondanza
Masseria Cugno di Volpe
Casa Messori
Santuario
Torre dell'Orco
Casa Lovino
Crocifisso
Posta Piana
Masseria Coppe di Maltempo
Lamalunga
Torre d'Ísola
Torretta Corsi
la Torre
Cant.
Masseria De Ruvo
Punta di Bosco Spirito
il Marziano
le Murge di Minervino
503
Masseria Caputi
Masseria Cannone
Bosco di Spirito
Masseria Pozzácchera
Masseria Palese di Sopra
Fémmina Morta
Posta di Grotte
Torre del Vento
Masseria Frasca
Torre dei Guardiani
Casello Alfieri
Posta di Gaudiano
Gaudiano
Masseria Spagnoletti
Masseria Corsi
Madonna del Sabato
Masseria Sforza
Invaso Diga Leone
Masseria Spagnoletti
Masseria lo Tito
Masseria Stricchio
Ospedale Pediatrico
Caserio Lo Console
Masseria Casolla
Masseria De Benedictis
Spada
Masseria Cicchetto
Masseria Patanella
Masseria Ariáccia
Masseria Nuova
Cant. Pantone
Campanelli
M.Scorzone
670
Masseria Coleti Piccola
Masseria Piano del Mónaco
Citulo
Savignano
Masseria Piedepiccolo
San Magno
Malcangi
Masseria Ceci
Masseria Padule di Cristo
Madonna della Foresta
Cant.
Valle Cornuta di Mezzo
Montemilone
Masseria d'Amelio
Masseria Liuzzi
Masseria Sardoni
Masseria Carluva
Masseria Rinaldi
Paglialunga
Masseria Sterparone
653
Torre Ferlizza
Torre di Nebbia
Masseria Giuncata
Masseria Nuove Cimadomo
Masseria Nuova del Duca
Masseria le Matine di latta
la Cavallerizza
Boreano
Messero
Bosco Santa Maria
Ulmeta
Staz. di Acquatetta
Masseria Gravina
Masseria Ciminiero
Senárico
Torre Disperata
Masseria Taverna Nuova
Masseria Garagnone
Trullo di Sotto
Masseria Piano d'Annaia
Masseria Modesti
Múrgia le Vigne di Cotugno
454
Masseria Sterpara Sottana
Masseria Lupara
Masseria Sterpara Soprana
Masseria Cassandro
Madonna del Bosco
Masseria Epitáffio
Masseria Spada
Múrgia Lampazzo
638
Masseria Melodia
Castello di Garagnone
Trullo di Mezzo
Trullo di Sopra
Múrgia di Serraficáia
672
Masseria Camerino
Franchini
Masseria di Lago Cupo
Masseria Castelli
Cerasol
Masseria Scalella
Masseria Lama del Monte
Masseria Madonna dell'Assunta
Gurlamanna
Serra Mezzana
Masseria Freviticelli
Murao resti di mura
Masseria Nardozza
Castello
Masseria Lancellotti
Masseria Carbone
Masseria Cucinella
Masseria D'Innella
Masseria Lámia
Staz. Poggiorsini
Gravina
Masseria Salomone
Masseria Tufaroli
Bosco d.Prete
Masseria Monte Poto
Casa De Chirico
il Cardinale
Masseria Spota
Masseria Cafiero
Masseria Martora
Masseria Maiorana
Masseria Pellicciari
Masseria Calderoni
Grotta Cassano
Masseria Caputo
Masseria Gaggiano
Madonna di Francavilla
Masseria Conte Viti
Masseria San Nicola
Masseria López
Masseria Calderoni
Masseria Cicória
Masseria Réndina
Masseria Masciaro
Masseria Leoni
Grotta
Masseria Tripputi
M.Muscillo
581
Lago di Serra del Corvo
Dólcecanto
Castello Svevo
Armenia
861
(rom. Bantia)
Castello
Collégio di Siano
Serra Lamascesciola
446
San Felice
Masseria Pescarella
Via Appia
(338)
San Zaccaria
Masseria Ariaveta
Notargiácomo
Masseria Civiello
Fiumarella
Casa D'Alessio
Panni
Piano Viorano
Serra Montavuto
511
Masseria di Pierro
Masseria Santa Sofia
Casa Cucuglietto
Pugliese
Bosco San Giuliano
Duomo
Bacino di Acerenza
Casa D'Alessio
Masseria Vosa
Taccone
San Giovanni
Masseria Pilato
Casone
Sciaráffi
563
Cant.
Vivaio San Nicola della Mácchia
Masseria Cucugliello
Masseria la Capasa
Bradano
Basentello
Locone
Ofanto
Murge
Bari
Bari Nord
Bitonto
Altamura
Oppido Lucano
Potenza
79
Potenza

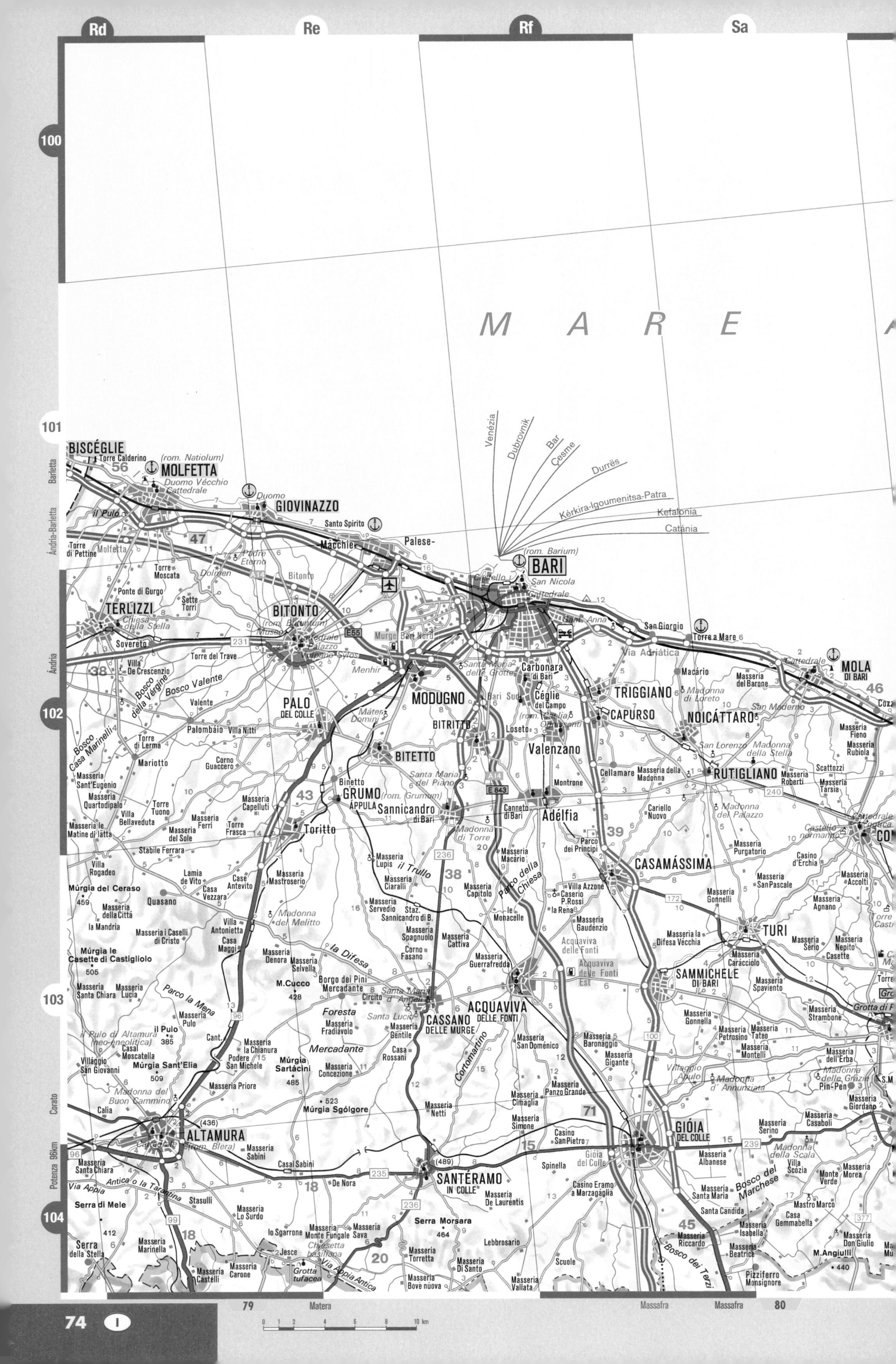
M A R E
BISCÉGLIE
MOLFETTA
GIOVINAZZO
BARI
TERLIZZI
BITONTO
MODUGNO
PALO DEL COLLE
BITETTO
TRIGGIANO
CAPURSO
NOICÁTTARO
MOLA DI BARI
RUTIGLIANO
Valenzano
Adélfia
GRUMO APPULA
Sannicandro di Bari
Toritto
CASAMÁSSIMA
TURI
SAMMICHELE DI BARI
ACQUAVIVA DELLE FONTI
CASSANO DELLE MURGE
ALTAMURA
SANTÉRAMO IN COLLE
GIÓIA DEL COLLE
Venézia
Dubrovnik
Bar
Çesme
Durrës
Kérkira-Igoumenitsa-Patra
Kefalonia
Catánia
Barletta
Ándria-Barletta
Ándria
Corato
Potenza 96km
Matera
Massafra

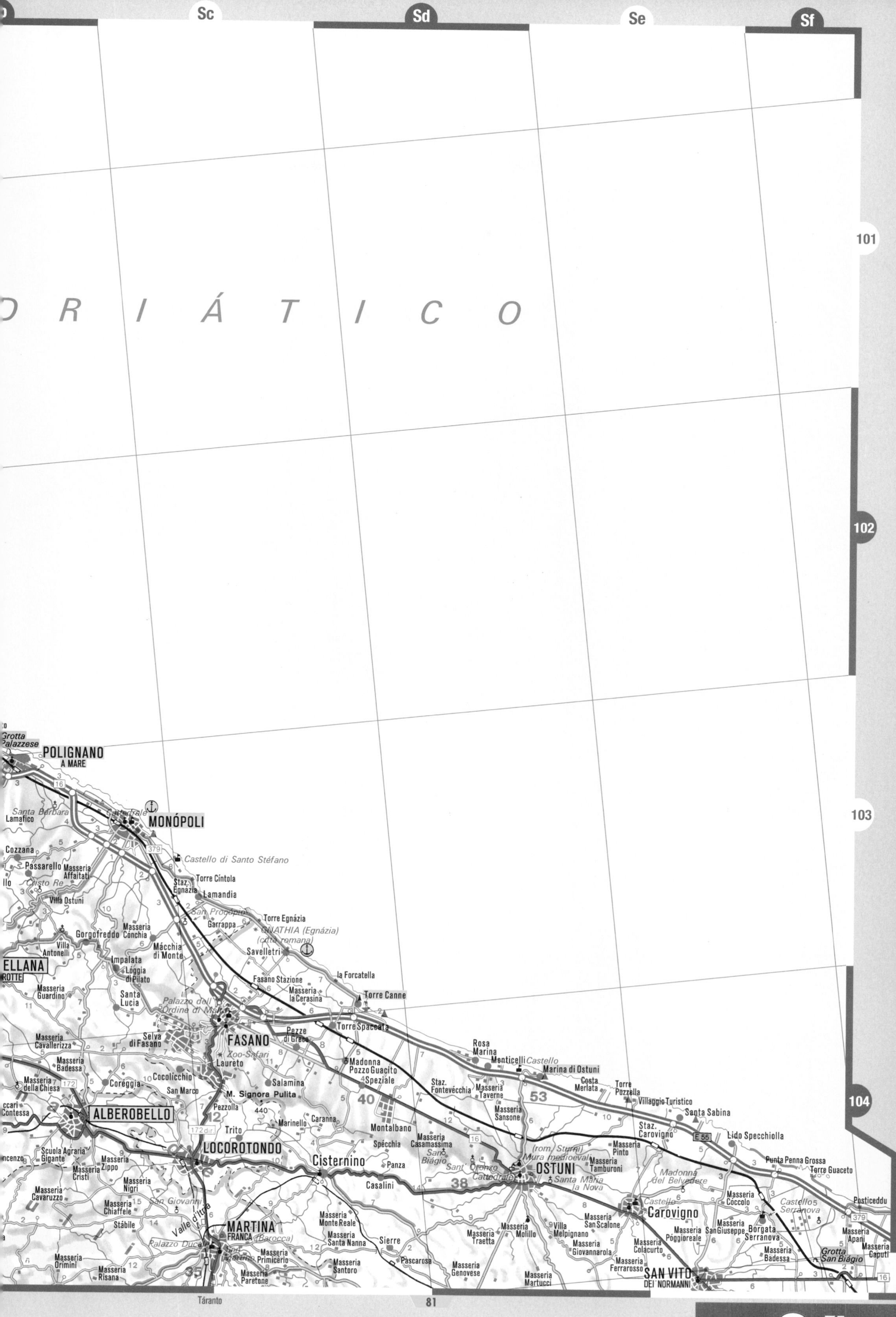

M A R E   A D R I Á T I C O

POLIGNANO
A MARE

Grotta
Palazzese

16

3

Santa Bárbara
Lamafico

Cozzana

Passarello
Cristo Re

Masseria
Affaitati

Villa Ostuni

MONÓPOLI

379

Castello di Santo Stéfano

Staz.
Egnázia

Torre Cíntola

Lamandia

San Procópio

Garrappa

Torre Egnázia

GNATHIA (Egnázia)
(città romana)

Savelletri

la Forcatella

ELLANA
ROTTE

Gorgofreddo
Masseria
Cónchia

Villa
Antonelli

Impalata

Lóggia
di Pilato

Mácchia
di Monte

Fasano Stazione

Masseria
la Cerasina

Masseria
Guardino

11

Santa
Lucia

Palazzo dell'
Órdine di Malta

Pezze
di Greco

Torre Canne

Torre Spaccata

Masseria
Cavallerizza

Selva
di Fasano

FASANO

Rosa
Marina

Monticelli Castello

Masseria
Badessa

Masseria
della Chiesa

172

Coréggia

Cocolicchio

San Marco

Zoo-Safari
Laureto

Salamina

8

11

Madonna
Pozzo Guacíto
Speziale

Marina di Ostuni

Costa
Merlata

Staz.
Fontevécchia

Masseria
Taverne

53

Torre
Pozzella

Villaggio Turístico

Santa Sabina

ALBEROBELLO

172 dir

Pezzolla

440

M. Signora Pulita

Marinello

Caranna

40

Montalbano

Masseria
Sansone

12

10

Staz.
Carovigno

E 55

Lido Specchiolla

ccari
Contessa

LOCOROTONDO

Trito

Spécchia

Masseria
Casamassima

San
Biágio

16

(rom. Sturni)
Mura medioevali

Masseria
Pinto

Masseria
Coccolo

Punta Penna Grossa

Torre Guaceto

Scuola Agraria
Gigante

Masseria
Zippo

CISTERNINO

Panza

Casalini

38

Sant'Oronzo
Cattedrale

OSTUNI

Santa Maria
la Nova

Masseria
Tamburoni

Madonna
del Belvedere

Masseria
Coccolo

Castello
Serranova

Masseria
Cavaruzzo

Masseria
Cristi

San Giovanni

Masseria
Chiaffele

Stábile

14

Palazzo Duce

Valle d'Itria

MARTINA
FRANCA (Barocca)

Masseria
Monte Reale

Masseria
Santa Nanna

Sierre

Masseria
Traetta

Masseria
Molillo

Villa
Melpignano

Masseria
San Scalone

Castello

Carovigno

Masseria
San Giuseppe

Borgata
Serranova

Masseria
Apani

Masseria
Caputi

vincenzo

Masseria
Orimini

Masseria
Risana

12

Masseria
Primicério

Masseria
Paretone

Masseria
Santoro

Pascarose

Masseria
Genovese

Masseria
Martucci

Masseria
Giovannarola

Masseria
Colacurto

Masseria
Ferrarosso

SAN VITO
DEI NORMANNI

Grotta
San Biágio

379

16

Táranto

81

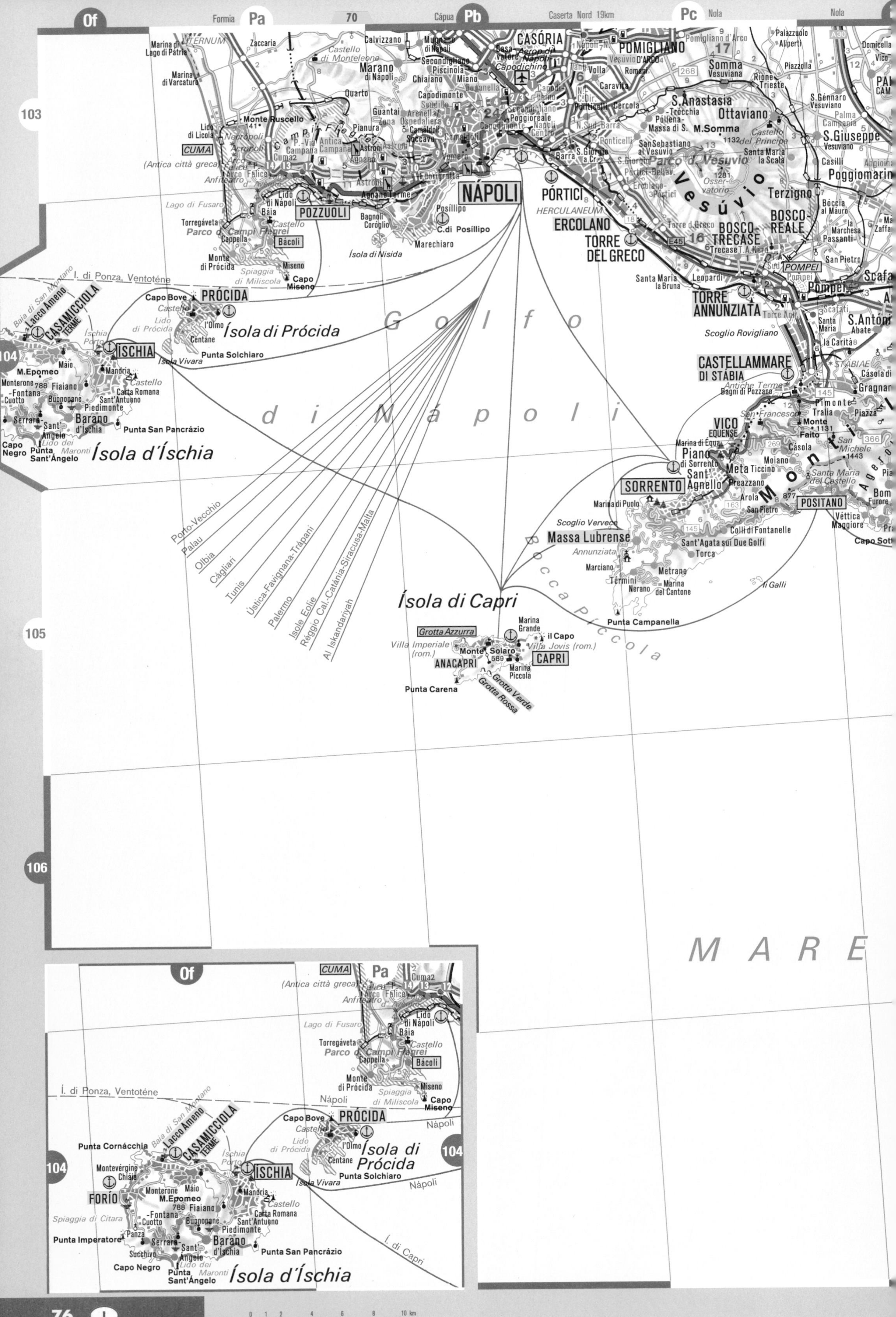

103

104

105

106

MARINA di ITERNUM
Zaccaria
Marina di Lago di Patria
Castello di Monteleone
Calvizzano
Mugnano di Napoli
Secondigliano
CASÓRIA
Napoli
POMIGLIANO
Pomigliano d'Arco
Palazzuolo
Aliperti
Domicella
Vico
Marina di Varcaturo
Secondigliano
Marano di Nápoli
Chiaiano
Miano
Capodichino
Vesúvio D'Arco
Somma
Vesuviana
Rione
Trieste
Piazzolla
PA
CAM

Quarto
Capodimonte
Arenella
Napoli Centro
Poggioreale
S. Anastasia
-Trócchia
Pollena
Massa di S.
Ottaviano
Palma
Campania
S.Giuseppe
S.Giuseppe
Casilli
Angioina
Lido di Licola
Monte Ruscello 141m
Campi Flegrei
Pianura
Camáldoli
Soccavo
San Sebastiano
al Vesuvio
M.Somma
Castello del Principe
Poggiomarino

NECROPOLI ACROPOLI
Campana Campana
Astroni
Agnano
S.Giorgio
a Cr.
Barra
Ponticelli Cercola
M.Somma 1132
Santa Maria
la Scala

CUMA
(Antica città greca)
Anfiteatro
Cuma
Astroni
Agnano Terme
Ebollirita
Parco d.Vesúvio
Osser-vatorio
Terzigno
Bóccia al Mauro
La Marchesa
Passanti
Zaffa

Lago di Fusaro
Lido di Nápoli
Báia
Bagnoli
Coróglio
NÁPOLI
PÓRTICI
HERCULANEUM
ERCOLANO
Torre d.Greco
BOSCO-TRECASE
BOSCO-REALE
San Pietro

Torregáveta
Parco d. Campi Flegrei
Cappella
C.di Posillipo
Posillipo
TORRE DEL GRECO
Trecase T.A.Nord
Leopardi
POMPEI
Scafa

Bácoli
Marechiaro
Santa Maria la Bruna
Pompei

Monte di Prócida
Spiaggia di Miliscola
Ísola di Nisida
TORRE ANNUNZIATA
Torre Ann.
Santa Maria
Abate
S.Antón

Miseno
Capo Miseno
Scoglio Rovigliano
S.Antón

G o l f o
Scoglio Rovigliano

I. di Ponza, Ventoténe
PRÓCIDA
Capo Bove
Castello
d i   N á p o l i
CASTELLAMMARE DI STABIA
STABIAE
Cásola d.
Gragnan

Baia di San Montano
Lacco Ameno
CASAMÍCCIOLA TERME
Ísola Porto
l'Olmo
Centane
Lido di Prócida
Ísola di Prócida
Antiche Terme
Bagni di Pozzano
Pimonte
Tralia
Piazza

ISCHIA
Máio
Mandria
Punta Solchiaro
Ísola Vivara
VICO EQUENSE
Marina di Equa
Monte Faito 1131
San Michele 1443

M.Epomeo
Castello
Catta Romana
Sant'Antuno
Marina di Puola
PIANO di Sorrento
Moiano
Cásola

Monterone -Fontana -Cuotto
788
Fiaiano
Piedimonte
SORRENTO
Sant'Agnello
Arola
San Pietro
877
POSITANO

Serrara
Sant' Angelo
Buonpane
BARANO d'Ischia
Punta San Pancrázio
Scoglio Verveci
Massa Lubrense
Annunziata
Colli di Fontanelle
Sant'Agata sui Due Golfi
Torca
Véttica Maggiore
Capo Sott

Capo Negro
Punta Sant'Angelo
Lido dei Maronti
Ísola d'Íschia
Marciano
Metrano
Nerano
Marina del Cantone
Li Galli

Porto-Vecchio
Palau
Olbia
Cágliari
Tunis
Ústica-Favignana-Trápani
Palermo
Isole Eolie
Réggio Cal.-Catánia-Siracusa-Malta
Al Iskandariyah
Ísola di Capri
Grotta Azzurra
Villa Imperiale (rom.)
Monte Solaro 589
ANACAPRI
Marina Grande
il Capo
Villa Jovis (rom.)
CAPRI
Marina Piccola
Grotta Verde
Grotta Rossa
Punta Carena
R o c c a   P í c c o l a
Punta Campanella

M A R E

Of
CUMA
(Antica città greca)
Anfiteatro
Pa
Cuma
Lago di Fusaro
Lido di Nápoli
Báia
Castello
Bácoli

Torregáveta
Parco d. Campi Flegrei
Cappella
Monte di Prócida
Spiaggia di Miliscola
Miseno
Capo Miseno

I. di Ponza, Ventoténe
Napoli
Capo Bove
Castello
PRÓCIDA
Napoli

Punta Cornácchia
Baia di San Montano
Lacco Ameno
CASAMÍCCIOLA TERME
Ísola Porto
l'Olmo
Centane
Lido di Prócida
Ísola di Prócida
104

Montevérgine
Chiaia
ISCHIA
Máio
Mandria
Punta Solchiaro
Ísola Vivara
Napoli

104
FORIO
Monterone -Fontana -Cuotto
M.Epomeo 788
Fiaiano
Piedimonte
Castello
Catta Romana
Sant'Antuno
I. di Capri

Spiaggia di Citara
Panza
Serrara
Sant'
Angelo
Buonpane
BARANO d'Ischia
Punta San Pancrázio

Punta Imperatore
Succhivo
Lido dei Maronti
Capo Negro
Punta Sant'Angelo
Ísola d'Íschia

0 1 2 4 6 8 10 km

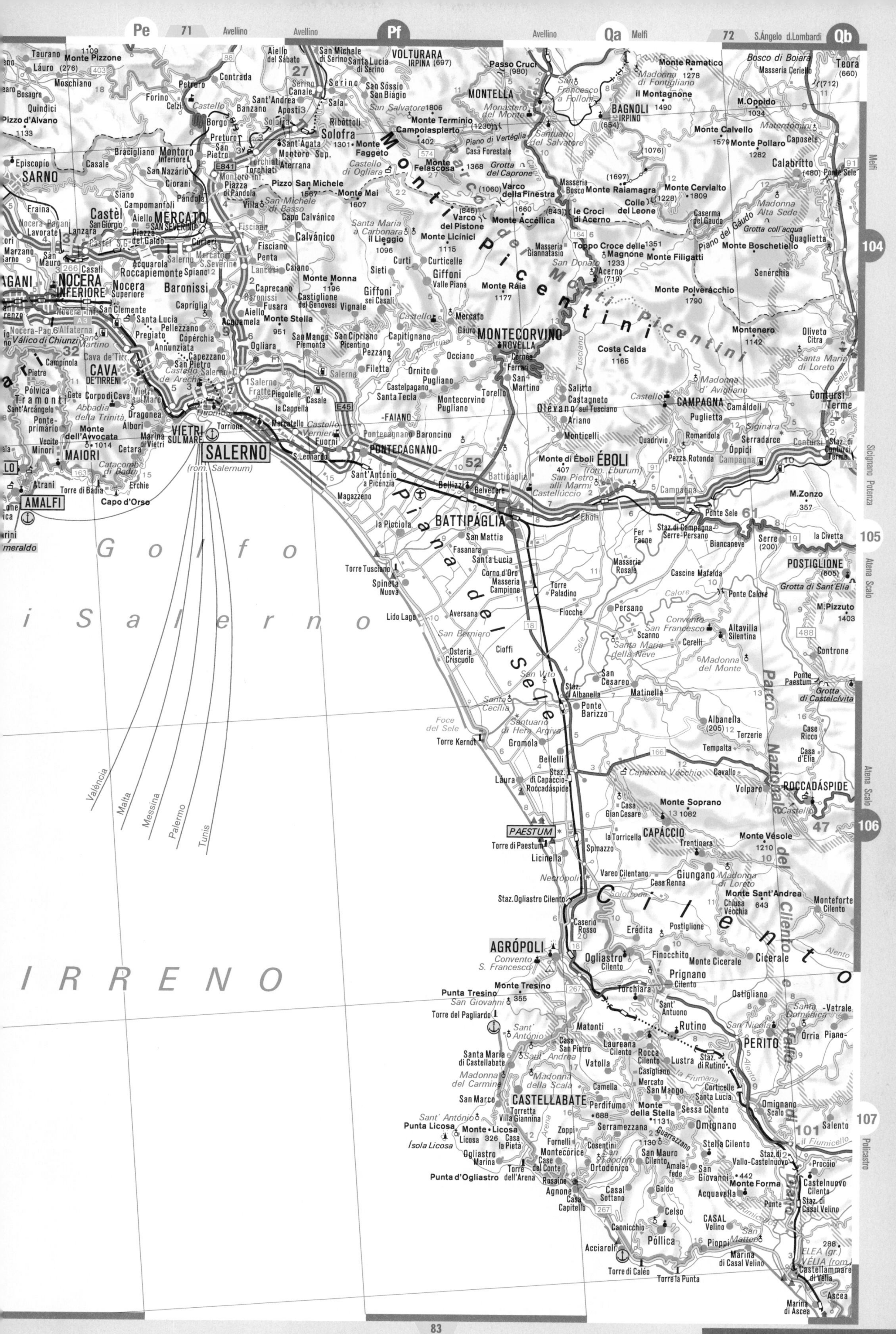
Golfo di Salerno
TIRRENO
Monti Picentini
Parco dei Monti Picentini
Piana del Sele
Cilento
Parco Nazionale del Cilento e Vallo di Diano
SALERNO
(rom. Salernum)
AMALFI
PAESTUM
SARNO
NOCERA INFERIORE
NOCERA Superiore
CAVA DE' TIRRENI
MERCATO SAN SEVERINO
Baronissi
Fisciano
MONTORO
Solofra
Serino
VOLTURARA IRPINA (697)
MONTELLA
BAGNOLI IRPINO
Calabritto
Caposele
Teora
Giffoni Valle Piana
Giffoni sei Casali
MONTECORVINO ROVELLA
Montecorvino Pugliano
PONTECAGNANO-FAIANO
BATTIPÁGLIA
ÉBOLI
(rom. Eburum)
CAMPAGNA
Contursi Terme
Olevano sul Tusciano
Acerno
POSTIGLIONE
Altavilla Silentina
Albanella
CAPÁCCIO
ROCCADÁSPIDE
Giungano
Ogliastro Cilento
AGRÓPOLI
Prignano Cilento
Rutino
PERITO
CASTELLABATE
Santa Maria di Castellabate
Punta Licosa
Ísola Licosa
Punta d'Ogliastro
Acciaroli
Póllica
CASAL VELINO
Marina di Casal Velino
ELEA (gr.) VÉLIA (rom.)
Castellammare di Vélia
Marina di Ascea
Ascea
Vallo-Castelnuovo
MAIORI
Minori
VIETRI SUL MARE
Capo d'Orso
Torre di Paestum
Torre del Pagliardo
Monte Cervialto 1809
Monte Polveràcchio 1790
Monte Terminio
Monte Accéllica
Monte Mai 1607
Monte Sóprano 1082
Monte Vésole 1210
Monte della Stella 1131
Monte Licosa 326
Monte Tresino
València
Malta
Messina
Palermo
Tunis
Melfi
Sicignano Potenza
Atena Scalo
Policastro
104
105
106
107

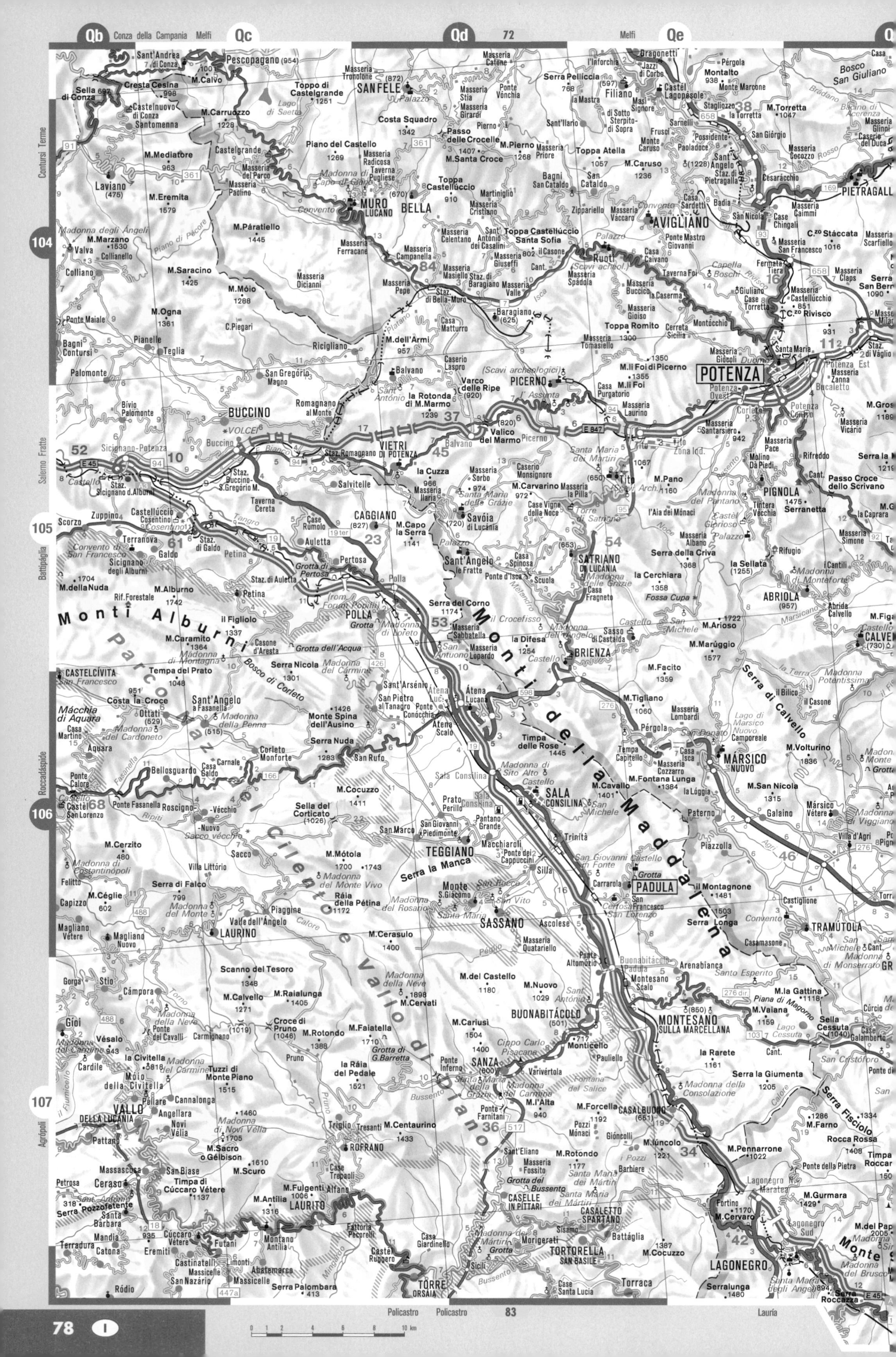

Qb
Conza della Campania
Melfi
Qc
Qd
72
Melfi
Qe
Contursi Terme
104
Salerno
Fratte
105
Battipáglia
Roccadáspide
106
107
Agrópoli
Pescopagano (954)
SAN FELE
Lago di Saetta
Castelgrande
MURO LUCANO
BELLA
AVIGLIANO
Filiano
Castel Lagopésole
Pietragalla
PIETRAGALLA
Bosco San Giuliano
POTENZA
Potenza Est
Potenza Ovest
Picerno
PICERNO
Baragiano (625)
Balvano
Valico del Marmo
VIETRI DI POTENZA
BUCCINO
Sicignano-Potenza
Tito
PIGNOLA
Passo Croce dello Scrivano
Savóia di Lucánia
CAGGIANO
Sant'Angelo le Fratte
SATRIANO DI LUCANIA
Pertosa
Grotta di Pertosa
Polla
POLLA
Monti Alburni
Parco Naz. del Cilento e Vallo di Diano
Monti della Maddalena
BRIENZA
ABRIOLA
CALVELLO
Serra di Calvello
CASTELCIVITA
Atena Lucana
Sant'Arsénio
MÁRSICO NUOVO
Lago di Marsico Nuovo
SALA CONSILINA
TEGGIANO
PADULA
Certosa di San Lorenzo
SASSANO
LAURINO
Piaggine
TRAMUTOLA
Villa d'Agri
BUONABITÁCOLO
MONTESANO SULLA MARCELLANA
SANZA
VALLO DELLA LUCANIA
ROFRANO
LAURITO
CASELLE IN PITTARI
CASALETTO SPARTANO
TORTORELLA
CASALBUONO
LAGONEGRO
Serra Fisciolo
Monte Sirino
TORRE ORSAIA
Policastro
83
Lauria
78
I
0 1 2 4 6 8 10 km

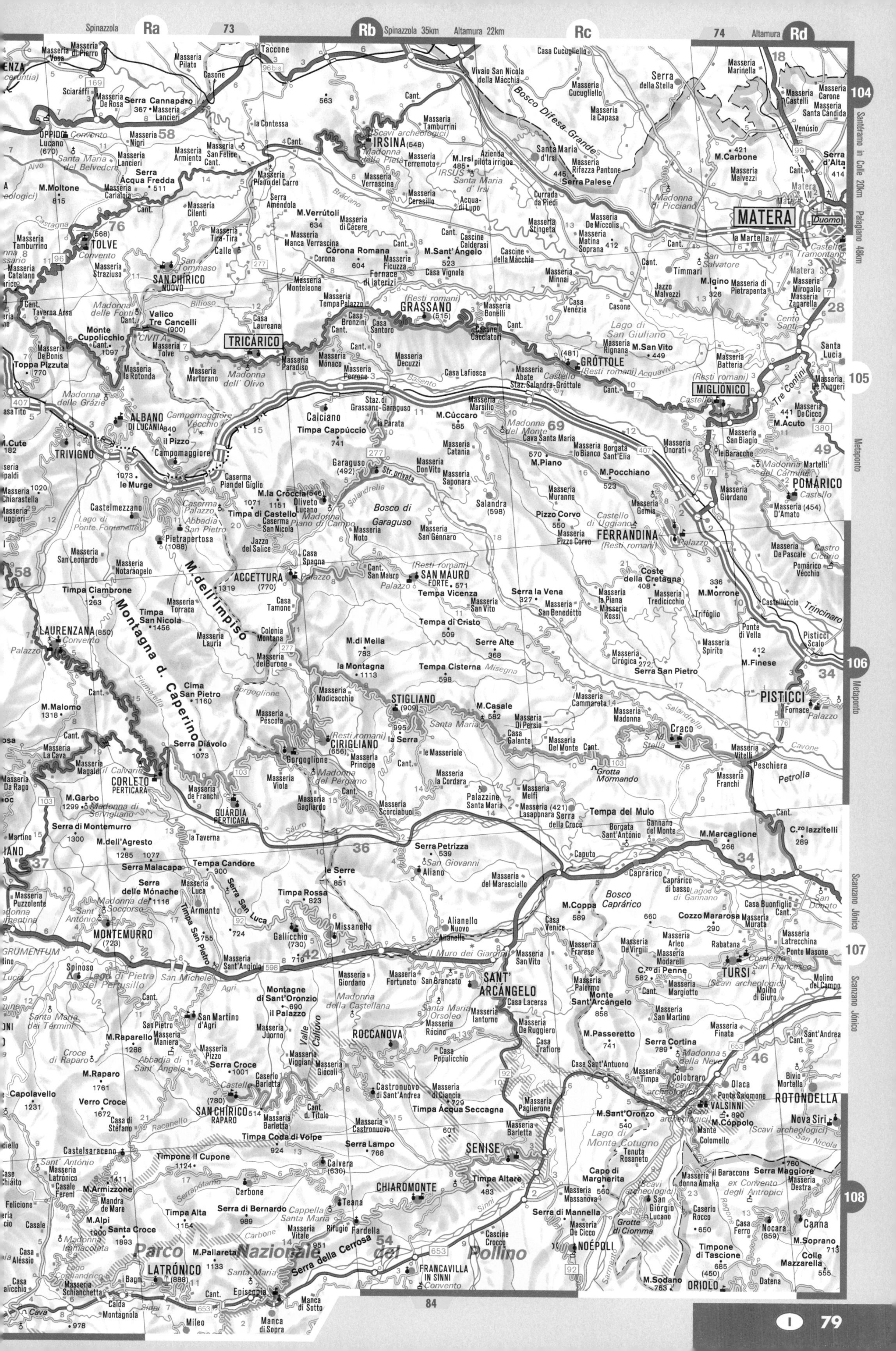
IRSINA
Madonna della Pietà
Bosco Difesa Grande
Santa Maria d'Irsi
Serra della Stella
Serra Palese
MATERA
Duomo
Venúsio
M.Carbone
Madonna di Picciano
Timmari
Lago di San Giuliano
GRASSANO
TRICÁRICO
GRÒTTOLE
MIGLIONICO
TOLVE
SAN CHIRICO NUOVO
Valico Tre Cancelli
Monte Cupolicchio
Toppa Pizzuta
ALBANO DI LUCANIA
TRIVIGNO
Campomaggiore
Calciano
M.Cúccaro
M.Piano
M.Pocchiano
POMÁRICO
FERRANDINA
Salandra
Bosco di Garaguso
Garaguso
Castelmezzano
Pietrapertosa
ACCETTURA
M.dell'Impiso
Montagna d. Caperino
SAN MAURO FORTE
Tempa Vicenza
Serra la Vena
LAURENZANA
M.Malomo
Cima San Pietro
Serra Diávolo
STIGLIANO
CIRIGLIANO
Craco
PISTICCI
Pisticci Scalo
M.Finese
CORLETO PERTICARA
GUÁRDIA PERTICARA
M.Garbo
Serra di Montemurro
M.dell'Agresto
Tempa Candore
Serra Petrizza
Aliano
Timpa Rossa
Missanello
Gallicchio
Armento
MONTEMURRO
Lago di Pietra del Pertusillo
Spinoso
M.Coppa
Bosco Caprárico
Alianello
SANT' ARCÁNGELO
TURSI
Rabatana
Colobraro
VALSINNI
ROTONDELLA
Nova Siri
San Martino d'Agri
M.Raparello
Croce di Raparo
M.Raparo
Verro Croce
SAN CHIRICO RAPARO
ROCCANOVA
Castronuovo di Sant'Andrea
Timpa Acqua Seccagna
SENISE
Lago di Monte Cotugno
CHIAROMONTE
Teana
Calvera
Carbone
Castelsaraceno
M.Armizzone
M.Alpi
Santa Croce
LATRÓNICO
Episcopia
Parco Nazionale del Pollino
FRANCAVILLA IN SINNI
NOÉPOLI
San Giorgio Lucano
Serra Maggiore
Nocara
Canna
Colle Mazzarella
ORIOLO
M.Sodano
Santéramo in Colle 20km
Palagiano 48km
Metaponto
Scanzano Jónico
104
105
106
107
108

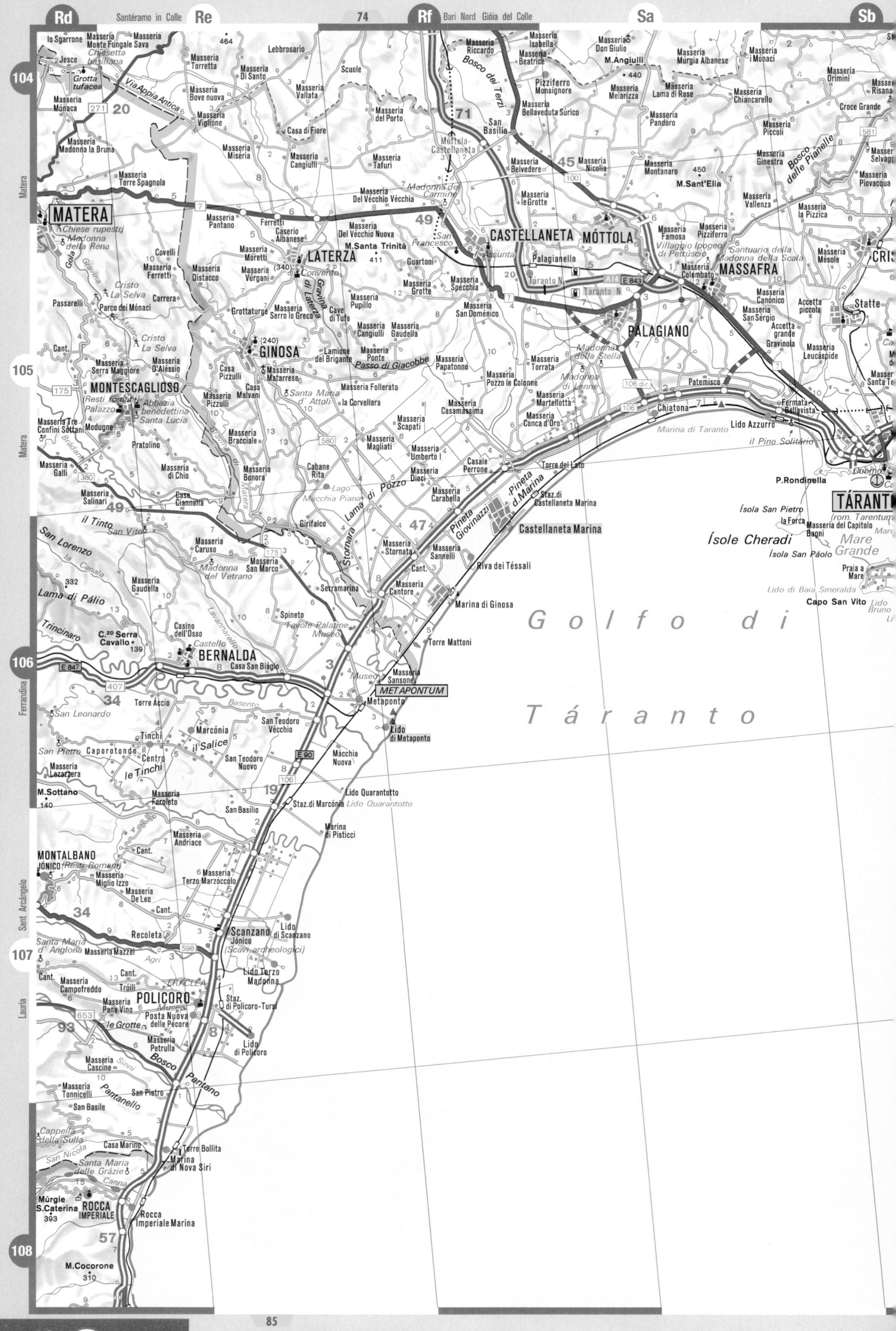
104
105
106
107
108
Matera
Matera
Ferrandina
Sant Arcángelo
Lauria
MATERA
Chiese rupestri
Madonna della Rena
Gola di Gravina
Cristo La Selva
Parco dei Mónaci
Via Appia Antica
Grotta tufacea
Jesce
lo Sgarrone
Masseria Monte Fungale Sava
Chiesetta basiliana
Masseria Mónaca
Masseria Madonna la Bruna
Masseria Torre Spagnola
Masseria Torretta
Masseria Di Santo
Lebbrosario
Scuole
Masseria Vallata
Masseria Bove nuova
Masseria Viglione
Casa di Fiore
Masseria del Porto
Masseria Miséria
Masseria Cangiulli
Masseria Tafuri
Mottola-Castellaneta
Bosco dei Terzi
San Basilio
Masseria Riccardo
Masseria Isabella
Masseria Beatrice
Pizziferro Monsignore
Masseria Bellaveduta Súrico
Masseria Don Giulio
M.Angiulli
Masseria Melarizza
Masseria Murgia Albanese
Masseria i Mónaci
Lama di Rose
Masseria Pandoro
Masseria Chiancarello
Masseria Orimini
Croce Grande
Masseria Piccoli
Masseria Ginestra
Bosco delle Pianelle
Masseria Montanaro
M.Sant'Elia
Masseria Vallenza
Masseria Piovacqua
Masseria la Pizzica
Masseria Belvedere
Masseria Nicolia
Masseria le Grotte
Madonna del Carmine
Masseria Del Vécchio Vécchia
Masseria Pantano
Ferretti
Caserio Albanese
Masseria Del Vécchio Nuova
M.Santa Trinità
San Francesco
CASTELLANETA
Assunta
MÓTTOLA
Palagianello
Masseria Famosa
Masseria Pizziferro
Villaggio Ipogeo di Petrúscio
Santuario della Madonna della Scala
Masseria Colombato
MASSAFRA
Masseria Mésole
Statte
LATERZA
Convento
Gravina di Laterza
Guartoni
Masseria Grotte
Masseria Specchia
Táranto N
Masseria Moretti
Masseria Vurgani
Covelli
Masseria Ferretti
Masseria Distacco
Carrera
Passarelli
Grottaturge
Masseria Serro lo Greco
Cave di Tufo
Masseria Pupillo
Masseria San Doménico
PALAGIANO
Masseria Canónico
Masseria San Sérgio
Accetta piccola
Accetta grande
Gravinola
Masseria Leucáspide
GINOSA
Lamione del Brigante
Masseria Cangiulli
Masseria Gaudella
Masseria Ponte
Passo di Giacobbe
Masseria Papatonno
Masseria Pozzo le Colonne
Masseria Torrata
Madonna della Stella
Madonna di Lenne
Masseria Martellotta
Masseria Conca d'Oro
Patemisco
Chiatona
Marina di Taranto
Lido Azzurro
Fermata Bellavista
il Pino Solitário
P.Rondinella
TÁRANTO
(rom. Tarentum)
Ísola San Pietro
la Forca
Masseria del Capitolo
Bagni
Ísole Cheradi
Ísola San Páolo
Mare Grande
Praia a Mare
Lido di Baia Smeralda
Capo San Vito
Cristo La Selva
Cant.
Masseria Serra Maggiore
Masseria D'Aléssio
Casa Pizzulli
Masseria Matarrese
Casa Malvani
Santa Maria d'Attoli
Masseria Follerato
la Corvellara
Masseria Casamassima
MONTESCAGLIOSO
(Resti romani)
Palazzo
Abbazia benedettina Santa Lucia
Masseria Tre Confini Sottani
Modugno
Masseria Pizzulli
Masseria Bracciale
Masseria Scapati
Masseria Magliati
Masseria Umberto I
Casale Perrone
Torre del Lato
Pratolino
Masseria Galli
Masseria di Chio
Masseria Bonora
Cabane Rita
Lago Macchia Piana
Lama di Pozzo
Masseria Dieci
Masseria Carabella
Pineta Giovinazzi
Pineta d.Marina
Staz.di Castellaneta Marina
Castellaneta Marina
Masseria Salinari
Casa Ciannella
Gravina di Matera
il Tinto
San Vito
San Lorenzo
la Canala
Lama di Pálio
Trincinaro
Masseria Gaudella
Masseria Caruso
Madonna del Vetrano
Masseria San Marco
Girifalco
Stornara
Masseria Stornata
Masseria Sannelli
Riva dei Téssali
Masseria Cantore
Serramarina
Marina di Ginosa
Spineto
Tavole Palatine
Museo
Casino dell'Osso
C.zo Serra Cavallo
Castello
BERNALDA
Casa San Biágio
Lavandarello
Torre Mattoni
Golfo di Táranto
Masseria Sansone
METAPONTUM
Metaponto
Lido di Metaponto
Museo
Torre Áccio
San Leonardo
Basento
San Teodoro Vécchio
Marcónia
il Salice
Tinchi
Centro
San Pietro
Caporotondo
le Tinchi
San Teodoro Nuovo
Mácchia Nuova
Masseria Lazazzera
M.Sottano
Masseria Feroleto
Lido Quarantotto
San Basilio
Staz.di Marcónia
Marina di Pisticci
Masseria Andriace
Cant.
MONTALBANO JÓNICO
(Resti Romani)
Masseria Miglio Izzo
Masseria De Leo
Masseria Terzo Marzoccolo
Cant.
Scanzano Jónico
(Scavi archeologici)
Lido di Scanzano
Recoleta
Santa Maria d'Anglona
Masseria Mazzei
Agri
Lido Terzo Madonna
Cant.
Masseria Campofreddo
Tróili
ERACLEA
POLICORO
Museo
Masseria Pane Vino
Posta Nuova delle Pécore
Staz. di Policoro-Tursi
le Grotte
Masseria Petrulla
Lido di Policoro
Bosco Pantano
Masseria Cascine
Sinni
Masseria Tonnicelli
San Pietro
Pantanello
San Basile
Cappella della Sulla
Casa Marino
Torre Bollita
San Nicola
Santa Maria delle Grázie
Marina di Nova Siri
Canna
Múrgie S.Caterina
ROCCA IMPERIALE
Rocca Imperiale Marina
M.Cocorone
E 90
E 843
E 847
A14
0 1 2 4 6 8 10 km

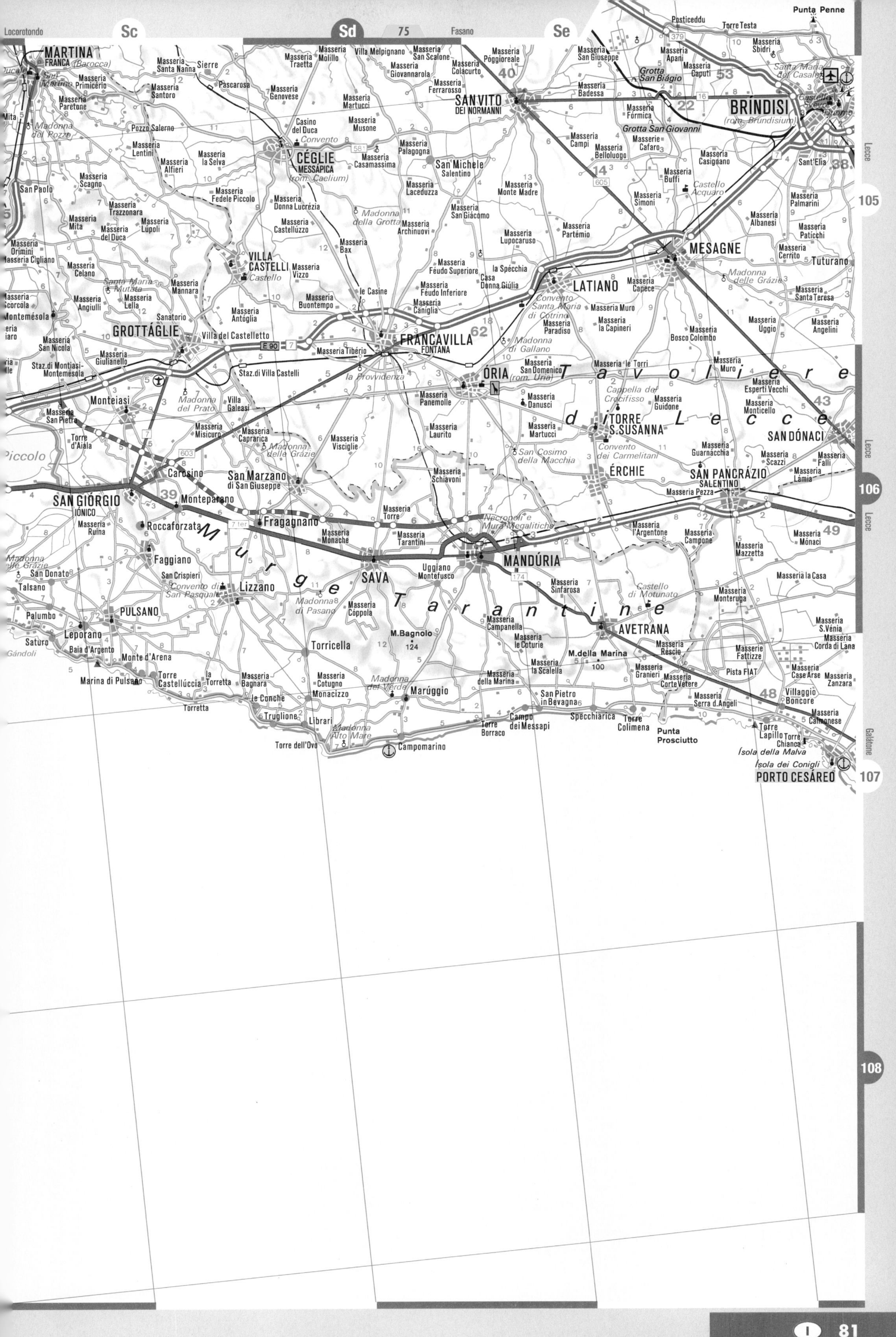
MARTINA FRANCA
CÉGLIE MESSÁPICA
SAN VITO DEI NORMANNI
BRÍNDISI
MESAGNE
LATIANO
VILLA CASTELLI
GROTTÁGLIE
FRANCAVILLA FONTANA
ÓRIA
TORRE S.SUSANNA
SAN DÓNACI
ÉRCHIE
SAN PANCRÁZIO SALENTINO
SAN GIÓRGIO IÓNICO
MANDÚRIA
SAVA
Fragagnano
Lizzano
PULSANO
AVETRANA
Torricella
Marúggio
PORTO CESÁREO
Monteiasi
Carosino
San Marzano di San Giuseppe
Monteparano
Roccaforzata
Faggiano
Leporano
San Michele Salentino
Tavoliere di Lecce
Murge Tarantine
Campomarino
Punta Penne
Lecce
105
106
107
108

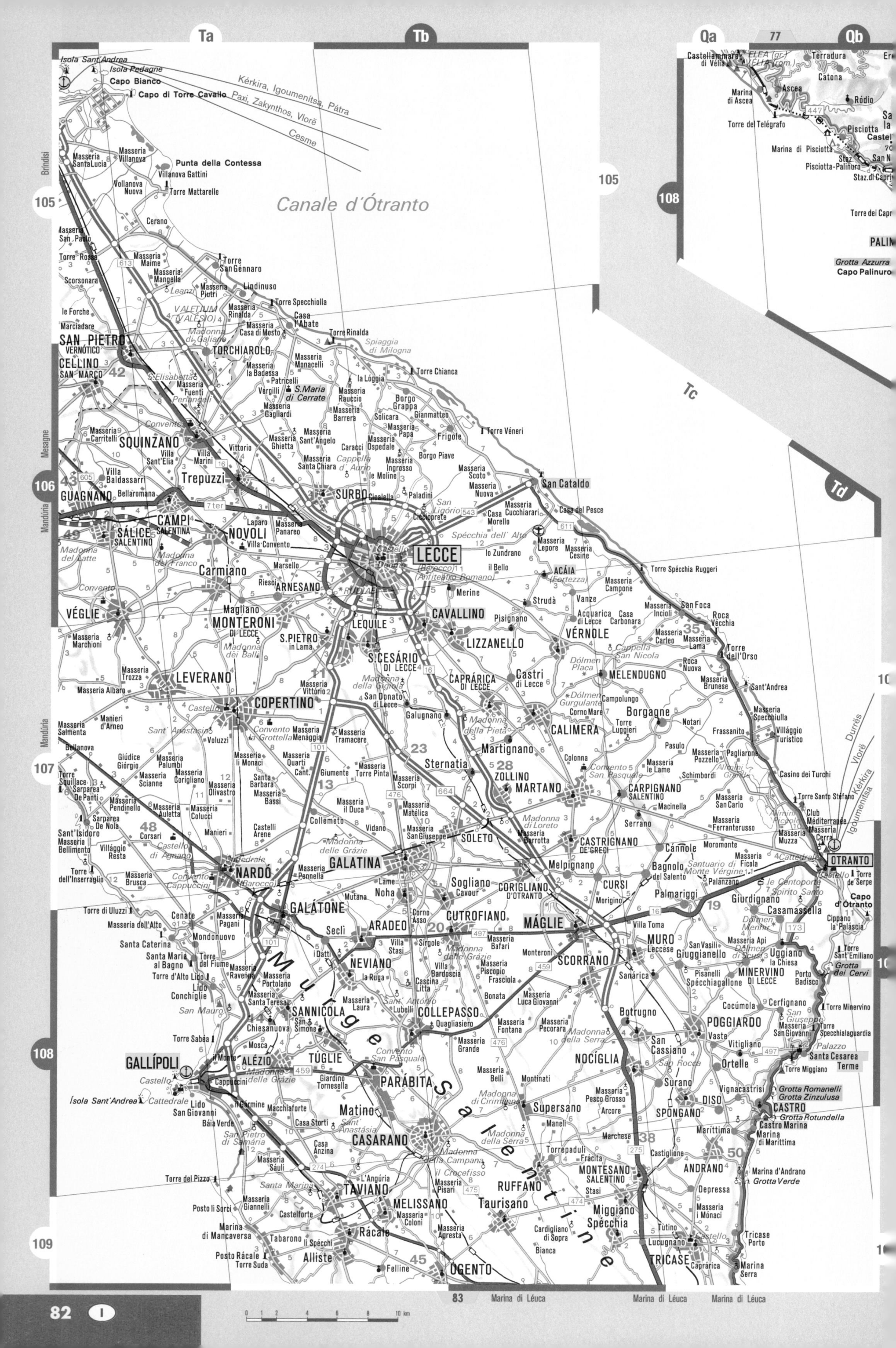

Ta
Tb
Qa
77
Qb
Tc
Td
Isola Sant'Andrea
Isola Pedagne
Capo Bianco
Capo di Torre Cavallo
Kérkira, Igoumenítsa, Pátra
Paxi, Zakynthos, Vlorë
Cesme
Punta della Contessa
Villanova Gattini
Torre Mattarelle
Canale d'Ótranto
105
106
107
108
109
Brindisi
Mesagne
Mandúria
Cerano
Torre San Gennaro
Lindinuso
Torre Specchiolla
Casa l'Abate
Torre Rinalda
Spiaggia di Milogna
Torre Chianca
VALETIUM (VALESIO)
SAN PIETRO VERNÓTICO
CELLINO SAN MARCO
TORCHIAROLO
S.Maria di Cerrate
Borgo Grappa
Frigole
Torre Véneri
Borgo Piave
SQUINZANO
Trepuzzi
SURBO
San Cataldo
Casa del Pesce
GUAGNANO
CAMPI SALENTINA
SALICE SALENTINO
NOVOLI
LECCE
Carmiano
ARNESANO
Torre Spécchia Ruggeri
ACÁIA
Strudà
Vanze
VÉGLIE
MONTERONI DI LECCE
LEQUILE
CAVALLINO
LIZZANELLO
VÉRNOLE
San Foca
Roca Vécchia
Torre dell'Orso
S.CESÁRIO DI LECCE
S.PIETRO in Lama
LEVERANO
COPERTINO
CAPRÁRICA DI LECCE
Castri di Lecce
MELENDUGNO
Sant'Andrea
Borgagne
CALIMERA
Martignano
Sternatia
ZOLLINO
MARTANO
CARPIGNANO SALENTINO
Torre Santo Stéfano
Casino dei Turchi
Porto Cesáreo
SOLETO
CASTRIGNANO DE'GRECI
Cánnole
OTRANTO
GALATINA
NARDÓ
Melpignano
Bagnolo del Salento
CURSI
Palmariggi
Giurdignano
Capo d'Otranto
Casamassella
GALÁTONE
Noha
Sogliano Cavour
CORIGLIANO D'OTRANTO
MÁGLIE
ARADEO
CUTROFIANO
Sanarica
MURO Leccese
Giuggianello
Uggiano la Chiesa
MINERVINO DI LECCE
Porto Badisco
SCORRANO
NEVIANO
SANNICOLA
COLLEPASSO
Botrugno
POGGIARDO
Vaste
San Cassiano
Torre Minervino
Santa Cesarea Terme
GALLÍPOLI
ALÉZIO
TÚGLIE
PARÁBITA
NOCÍGLIA
Ortelle
Surano
DISO
SPONGANO
Grotta Romanelli
Grotta Zinzulusa
CASTRO
Castro Marina
Grotta Rotundella
Matino
CASARANO
Supersano
Marittima
ANDRANO
Marina di Andrano
Grotta Verde
TAVIANO
RUFFANO
MONTESANO SALENTINO
Taurisano
MELISSANO
Rácale
Miggiano
Spécchia
Alliste
UGENTO
TRICASE
Tricase Porto
Marina Serra
Marina di Mancaversa
Posto Rácale
Torre Suda
Felline
Murge Salentine
Marina di Léuca
83
Castellammare di Velia
ELEA (gr.)
VELIA (rom.)
Terradura
Catona
Marina di Ascea
Ascea
Ródio
Torre del Telégrafo
Pisciotta
Marina di Pisciotta
Pisciotta-Palinuro
Torre dei Capr
Grotta Azzurra
Capo Palinuro
0 1 2 4 6 8 10 km

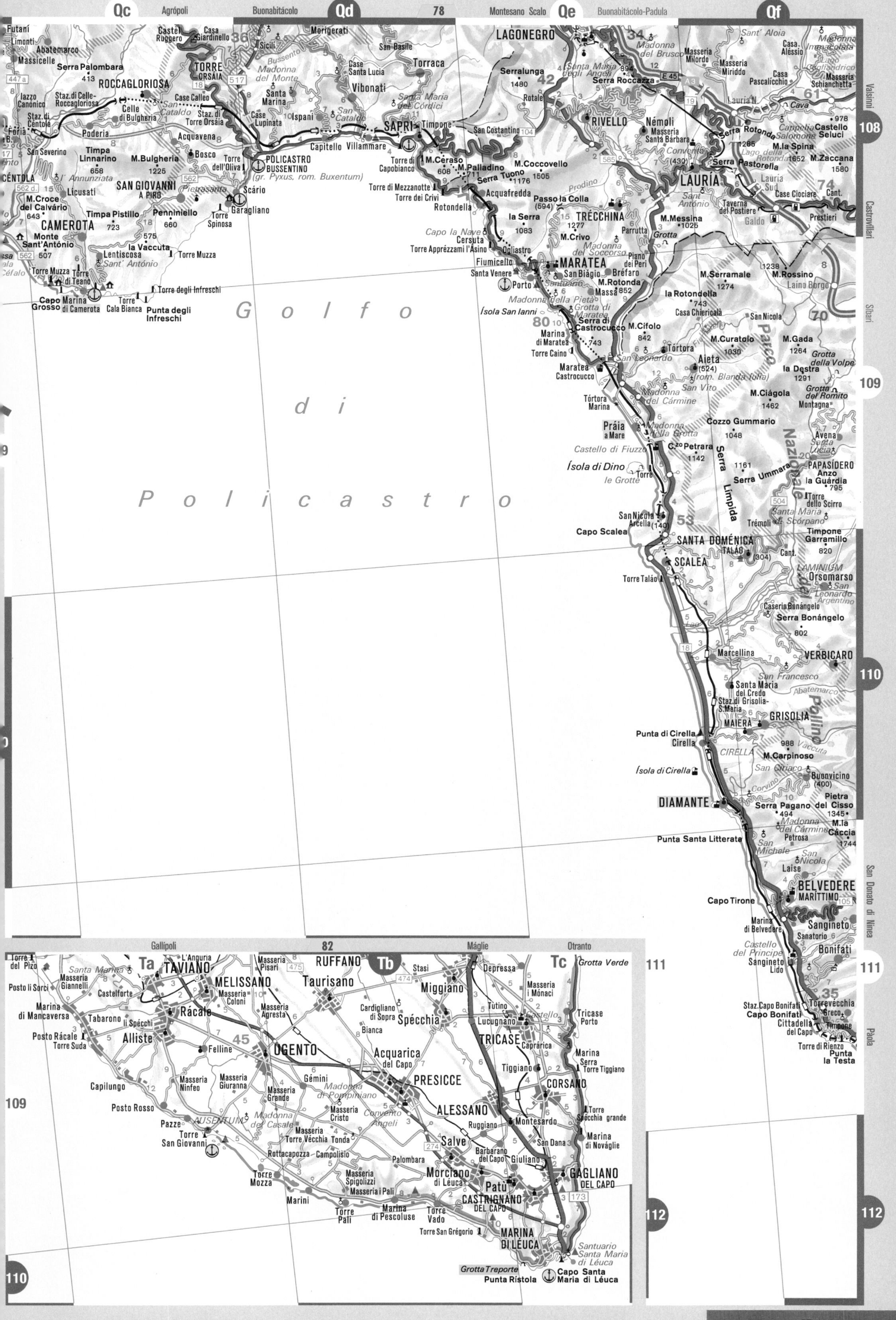

Futaní
Limonti
Abatemarco
Massicelle
Castél
Ruggero
Casa
Giardinello
Sicíli
Merigerati
LAGONEGRO
34
Sant' Aloia
Serra Palombara 413
447 a.
ROCCAGLORIOSA
TORRE
ORSAIA
Case
Santa Lucia
Torraca
Serralunga 1480
Serra Roccazza
Madonna
del Brusco
894
Madonna
Immacolata
Casa
Aléssio
Masseria
Milordo
Masseria
Miriddo
Casa
Pascalicchio
Masseria
Schianchetta
61
108
Iazzo
Canónico
Staz. di Celle-
Roccagloriosa
18
Celle
di Bulghéria
Case Calleo
Santa
Marina
Vibonati
Madonna
del Monte
Santa Maria
del Córdici
42
Rotale
Serra Maria
degli Angeli
19
RIVELLO
585
Némoli
Lúaria N
Cava
978
Cappella
Castello
Seluci
Foria
Staz. di
Torre Orsáia
Ispani
517
San
Catàldo
Case
Lupinata
SAPRI
Timpone
San Costantino
104
Masseria
Santa Bárbara
Convento
(430)
1286
Lago
della
Rotonda
M.la Spina
1652
M.Zaccana
1580
Poderia
Acquavena
Capitello Villammare
M.Céraso
608
M.Palladino
M.Coccovello
Serra Rotonda
Serra
Pastorella
70
CÉNTOLA
San Severino
Bosco
POLICASTRO
BUSSENTINO
(gr. Pyxus, rom. Buxentum)
Torre di
Capobianco
Torre di Mezzanotte
Serra Tuono
1505
1176
LAURÍA
Lauria
Sup.
74
Case Clocíare
Timpa
Linnarino
658
SAN GIOVANNI
A PIRO
Torre
dell'Oliva
562
Scário
Torre dei Crivi
Acquafredda
Passo la Colla
(594)
Sant
Taverna
del Postiere
Galdo
Prestieri
SAN GIOVANNI
A PIRO
Pietrasanta
la Serra
1083
TRÉCCHINA
1277
M.Crivo
Parrutta
1025
M.Messina
M.Serramale
1274
M.Rossino
M.Croce
del Calvário
643
Timpa Pistillo
723
575
660
Torre
Spinosa
Capo la Nave
Cersuta
Torre Apprézzami l'Asino
Odiastro
M.Crivo
1025
Grotta
Madonna
del Soccorso
Piano
dei Peri
Bréfaro
743
Casa Chiericáta
la Rotondella
M.Curatolo
1030
M.Gada
1264
Grotta
della Volpe
Camerota
Monte
Sant'Antonio
la Vaccuta
Lentiscosa
Sant' António
Fiumicello
Santa Venere
MARATEA
San Biágio
M.Rotonda
852
Massa
San Nicola
Aieta
(524)
la Destra
1291
M.Ciágola
1462
Grotta
del Romito
Montagna
562 d.
507
Torre Muzza
Torre
di Teano
Torre
Cala Bianca
Punta degli
Infreschi
Isola San Ianni
Porto
Santuario
Madonna della Piétá
Madonna della Pietá
80
Serra di
Castrocucco
10
M.Cifolo
842
743
San Leonardo
Avena
Capo Marina
Grosso
Capo Marina
di Camerota
Torre
Marina
di Maratea
Torre Caino
Maratea
Castrocucco
San Vito
(rom. Blanda Iulia)
Cozzo Gummario
1048
Anzo
la Guárdia
795
PAPASÍDERO
109
Tórtora
Marina
Madonna
del Cármine
Serra
M.la
Scórpano
504
Torre
dello Scirro
Santa Maria
Serra
Limpida
Tórtora
Pràia
a Mare
Madonna
della Grotta
C.ro Petrara
1142
1161
Serra Ummara
Trémoli
Timpone
Garramillo
820
G o l f o
Castello di Fiuzzo
Isola di Dino
le Grotte
Torre
53
San Nicola
Arcella (140)
SANTA DOMÉNICA
TALÁO
(304)
LAMINIUM
d i
Capo Scalea
SCALEA
Orsomarso
San
Leonardo
Argentino
P o l i c a s t r o
Torre Taláo
Caseria Bonángelo
Serra Bonángelo
802
18
Marcellina
VERBÍCARO
110
San Francesco
Abatemarco
Santa Maria
del Credo
Staz. di Grisolia-
S.Maria
988
la Vaccuta
MAIERÀ
GRISOLIA
Punta di Cirella
Cirella
CIRELLA
M.Carpinoso
San Ciriaco
Buonvicino
(400)
Pietra
del Cisso
1345
Isola di Cirella
Corvino
DIAMANTE
Serra Pagano
494
Madonna
del Cármine
San
Michele
Petrosa
M.la
Cáccia
1744
San
Nicola
Punta Santa Litterata
Laise
BELVEDERE
MARÍTTIMO
Capo Tirone
Marina
di Belvedere
Castello
del Principe
Sangineto
Sanatorio
Bonifati
111
Sangineto
Lido
35
Staz.Capo Bonifati
Capo Bonifati
Cittadella
del Capo
Torrevécchia
Greco
Timpone
112
Torre di Rienzo
Punta
la Testa

Torre
del Pizo
Santa Maria
Giannelli
L'Anguria
TAVIANO
Masseria
Pisari
475
RUFFANO
Ta
Stasi
474
Depressa
Grotta Verde
Tb
Tc
111
Masseria
Castelforte
MELISSANO
Masseria
Coloni
Taurisano
Miggiano
Masseria
i Mónaci
Tricase
Porto
Marina
di Mancaversa
Tabarono
li Spécchi
Rácale
Masseria
Agresta
Cardigliano
di Sopra
Spécchia
Tùtino
Lucugnano
Castello
TRICASE
Caprárica
Marina
Serra
Posto li Sorci
Alliste
Felline
UGENTO
Bianca
Acquarica
del Capo
Tiggiano
Torre Tiggiano
45
Capilungo
Masseria
Ninfeo
Gémini
Madonna
di Pompiniano
PRESICCE
CORSANO
Torre
Spécchia grande
Posto Rosso
Masseria
Giuranna
Masseria
Grande
AUSENTUM
Madonna
del Casale
Convento
Angeli
ALESSANO
Ruggiano
Montesardo
San Dana
Marina
di Nováglie
109
Pazze
Torre
San Giovanni
Masseria
Cristo
Torre Vécchia Tonda
274
Salve
Barbarano
del Capo
Giuliano
Rottacapozza
Campolisio
Palombara
Morciano
di Léuca
GAGLIANO
DEL CAPO
Torre
Mozza
Masseria
Spigolizzi
Masseria i Pali
Patú
CASTRIGNANO
DEL CAPO
173
Marini
Torre
Páli
Marina
di Pescoluse
Torre
Vado
MARINA
DI LÉUCA
112
110
Torre San Grégorio
Grotta Treporte
Punta Rístola
Capo Santa
Maria di Léuca
Santuario
Santa Maria
di Léuca

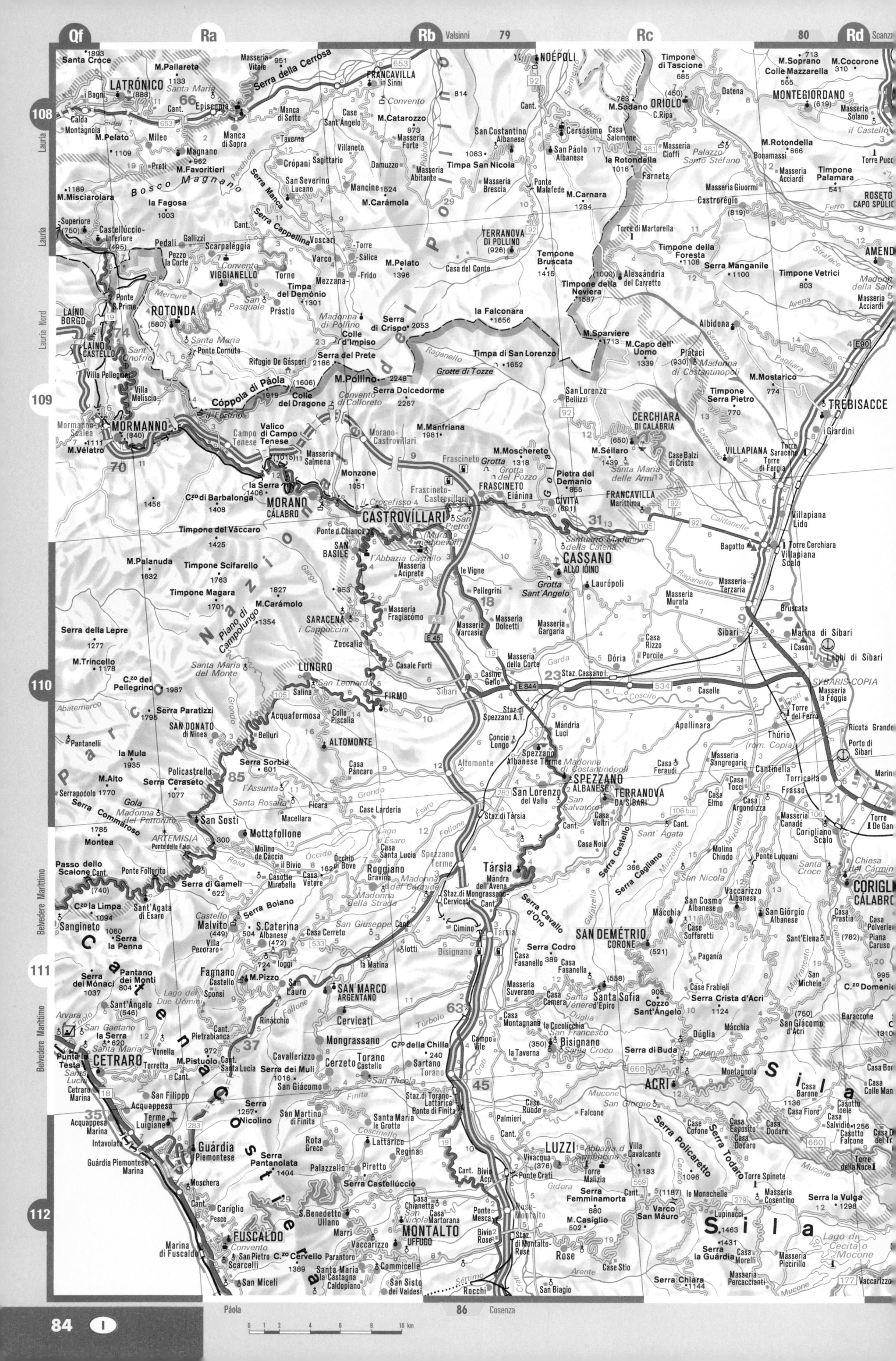

Qf
Ra
Rb
Valsinni
79
Rc
80
Rd
Scanzano
108
109
110
111
112
Lauria
Lauria Nord
Belvedere Marittimo
Santa Croce
M.Pallareta
LATRÓNICO
Episcopia
Serra della Cerrosa
FRANCAVILLA in Sinni
M.Catarozzo
NOÉPOLI
Timpone di Tascione
M.Soprano
M.Cocorone
Colle Mazzarella
MONTEGIORDANO
ORIOLO
M.Sodano
Calda
Montagnola
M.Pelato
Mileo
Magnano
M.Favoritieri
Bosco Magnano
Manca di Sopra
Crópani
Sagittario
Villaneto
Damuzzo
Masseria Forte
Masseria Abitante
San Costantino Albanese
Timpa San Nicola
Cersósimo
San Páolo Albanese
la Rotondella
Farneta
Palazzo Santo Stéfano
M.Rotondella
Bonamassi
Torre Pucci
Timpone Palamara
Masseria Acciardi
Masseria Giuormi
Castrorégio
ROSETO CAPO SPULICO
M.Misciaroiara
la Fagosa
San Severino Lucano
Mancine
M.Carámola
Masseria Brescia
Ponte Malafede
M.Carnara
Castellúccio Superiore
Castellúccio Inferiore
Pedali
Gallizzi
Scarpaléggia
Serra Cappellina
Voscari
Torre
Sálice
Frido
Varco
M.Pelato
TERRANOVA DI POLLINO
Casa del Conte
Tempone Bruscata
Torre di Martorella
Timpone della Foresta
Serra Manganile
Timpone Vetrici
AMENDOLARA
Pezzo la Corte
VIGGIANELLO
Torno
Mezzana
Timpa del Demónio
Alessándria del Carretto
Timpone della Neviera
Madonna della Salute
Masseria Acciardi
Ponte S.Prima
ROTONDA
San Pasquale
Prástio
Madonna di Pollino
la Falconara
Serra di Crispo
Colle d'Impiso
M.Sparviere
M.Capo dell' Uomo
Albidona
Plátaci
Madonna di Costantinopoli
LAÍNO BORGO
LAÍNO CASTELLO
Santa Maria
Ponte Cornute
Sant'Onofrio
Rifugio De Gásperi
Serra del Prete
Timpa di San Lorenzo
Grotte di Tozze
M.Pollino
Serra Dolcedorme
M.Mostarico
Villa Pellegrini
Villa Meliscio
Cóppola di Páola
Colle del Dragone
Convento di Colloreto
San Lorenzo Bellizzi
Timpone Serra Pietro
TREBISACCE
Mormanno Scalea
MORMANNO
M.Vélatro
Campo Tenese
Valico di Campo Tenese
Morano-Castrovillari
M.Manfriana
CERCHIARA DI CALABRIA
i Giardini
Masseria Salmena
Monzone
Frascineto
M.Moschereto
Grotta del Pozzo
M.Séllaro
Santa Maria delle Armi
Case Balzi di Cristo
VILLAPIANA
Torre Saracena
Torre di Ferdia
la Serra
Cʐᵒ di Barbalonga
MORANO CÁLABRO
il Crocefisso
CASTROVÍLLARI
Frascineto-Castrovillari
FRASCINETO
Eiánina
Pietra del Demanio
CÍVITA
FRANCAVILLA Maríttima
Timpone del Váccaro
Ponte d.Chianca
SAN BASILE
l'Abbazia Castello
Santuario Madonna della Catena
CASSANO ALLO IONIO
Bagotto
Torre Cerchiara
Villapiana Scalo
Villapiana Lido
M.Palanuda
Timpone Scifarello
Masseria Aciprete
le Vigne
Grotta Sant'Angelo
Laurópoli
Masseria Terzaria
Timpone Magara
M.Carámolo
Piano di Campolungo
Masseria Fragiacomo
Pellegrini
Masseria Dolcetti
Masseria Gargaria
Masseria Murata
Bruscata
Serra della Lepre
SARACENA
i Cappuccini
Zoccalia
Masseria Varcasia
Sibari
Marina di Síbari
i Casoni
Laghi di Síbari
M.Trincello
Santa Maria del Monte
LUNGRO
Casale Forti
Masseria della Corte
Dória
Casa Rizzo
il Porcile
Cʐᵒ del Pellegrino
San Leonardo
Salina
FIRMO
Casino Gallo
Staz. Cassano I.
Caselle
SYBARIS-COPIA
Masseria la Fóggia
Serra Paratizzi
Acquaformosa
Colle Piscalia
Staz.di Spezzano A.T.
Apollinara
Torre del Ferro
Ricota Grande
SAN DONATO di Ninea
Belluri
Mándria Luci
Thúrio
Porto di Sibari
Pantanelli
la Mula
ALTOMONTE
Concio Longo
Spezzano Albanese Terme
Madonna di Costantinópoli
Masseria Sangregorio
Casa Feraudi
Cantinella
Torricella
M.Alto
Serra Ceraseto
Policastrello
Serra Sorbia
Casa Páncaro
Altomonte
SPEZZANO ALBANESE
TERRANOVA DA SIBARI
Casa Tocci
Frasso
Serrapodolo
Serra Commaroso
Gola
Madonna del Pettoruto
l'Assunta
Ficara
Santa Rosalia
Grondo
Case Larderia
San Lorenzo del Vallo
San Salvatore
Casa Elmo
Casa Argondizza
Masseria Canade
Corigliano Scalo
Torre De Gan
Montea
San Sosti
ARTEMISIA
Ponte delle Falci
Mottafollone
Macellara
Lago dell'Ésaro
Staz.di Társia
Casa Veltri
Cant.
Sant' Agata
Casa Noia
Serra Castello
Molino Chiodo
Ponte Luquani
Santa Croce
Chiesa del Cármine
Passo dello Scalone
Ponte Follorito
Molino de Caccia
il Bivio
Óccido
Casa Santa Lucia
Spezzano Terme
Társia
Mándra dell'Avena
Serra Cagliano
San Nicola
CORIGLIANO CÁLABRO
Serra di Gameli
Casotte Mirabella
Casa Vétere
Ócchio di Bove
Roggiano Gravina
Madonna del Cármine
Madonna della Strada
Staz.di Mongrassano-Cervicati
Serra Cavallo d'Oro
Vaccarizzo Albanese
San Cosmo Albanese
Mácchia
San Giórgio Albanese
Cʐᵒ la Limpa
Sant'Agata di Esaro
Serra Boiano
Sangineto
Serra la Penna
Castello Malvito
S.Caterina Albanese
Casa Cerreto
San Giuseppe
Cimino
Serra Codro
SAN DEMÉTRIO CORONE
Case Sofferetti
Sant'Elena
Piana Caruso
Casa Polverie
Villa Pecoraro
Iotti
Bisignano
Casa Fasanello
Casa Fasanella
Pagania
Serra dei Mónaci
Pantano dei Monti
Fagnano Castello
M.Pizzo
la Matina
Masseria Suverano
Case Frabieli
San Michele
C.ʐᵒ Domenico
Sant'Angelo
Lago dei Due Uómini
Sponsi
San Lauro
SAN MARCO ARGENTANO
Casa Camera
Santa Sofia d'Epiro
Cozzo Sant'Angelo
Serra Crista d'Acri
San Giácomo d'Acri
Baraccone
Arvara
San Gaetano
la Serra
Santa Maria
Vonella
Cant. Pietrabianca
Rinácchio
Cervicati
Casa Montagnane
la Cocolicchia
San Francesco
Dúglia
Mácchia
Punta la Testa
CETRARO
Torretta
M.Pistuolo
Santa Lucia
Cavallerizzo
Mongrassano
Cʐᵒ della Chilla
Campo Vile
la Taverna
Bisignano
Santa Croce
Serra di Buda
Santa Lucia
Cetraro Marina
Serra dei Muli
Cerzeto
Torano Castello
Sartano
San Giácomo
San Nicola
Montagnola
ACRI
Sila
Casa Barone
Casa Colle Man
San Filippo
Acquappesa
Serra Nicolino
Staz.di Torano-Lattárico
Ponte di Finita
Case Ruodo
Palmieri
Falcone
San Giorgio
Casa Fiore
Casotto Ioele
Acquappesa Marina
Terme Luigiane
San Martino di Finita
Santa Maria le Grotte
Coscinello
Serra Policaretto
Serra Todaro
Case Cofone
Casa Esposito
Casa Dodaro
Casa Salvidio
Casotto Falcone
Intavolata
Guárdia Piemontese
Serra Pantanolata
Rota Greca
Lattárico
Regina
LUZZI
Abbazia di Sambucina
Villa Cavalcante
Guárdia Piemontese Marina
Palazzello
Piretto
Cant. Bivio Acri
Vivacqua
Ponte Crati
Torre Malizia
Torre Spinete
Torre della Noce
Moschera
Serra Castellúccio
Gidora
Serra Femminamorta
Le Monachelle
Masseria Cosentino
Serra la Vulga
Caríglio
Pesco
S.Benedetto Ullano
Casa Chianetta
Casa Martorana
San Nicola
Ponte Mesca
Rose-Montalto
M.Casíglio
Varco San Máuro
Lupinacci
Marri
MONTALTO UFFUGO
Bivio Rose
Staz.di Montalto-Rose
Marina di Fuscaldo
FUSCALDO
Convento
San Pietro
Scarcelli
C.ʐᵒ Cervello
Parantoro
Vaccarizzo
Commicelle
Rose
Case Stio
S.Sila
Serra la Guárdia
Casa Morelli
Masseria Piccirillo
Lago di Cecita o Mocone
San Miceli
Santa Maria la Castagna
Caldopiano
San Sisto dei Valdesi
Séttimo
Rocchi
San Biagio
Arente
Serra Chiara
Masseria Percaccianti
Vaccarizzo
Mucone
E 90
E 45
E 844
A3
Páola
86
Cosenza
0 1 2 4 6 8 10 km
84
I

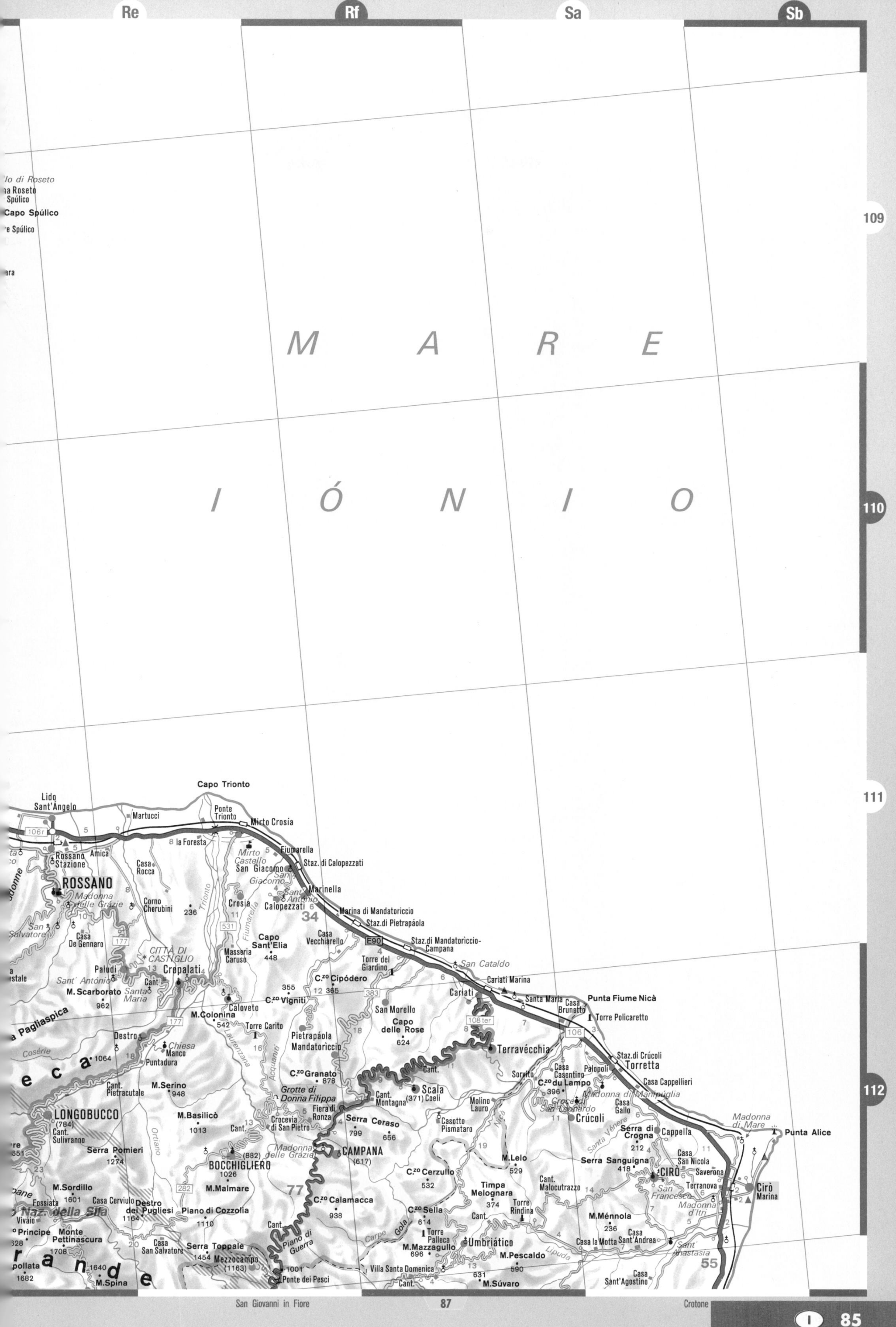

M A R E

I Ó N I O

Ilo di Roseto
na Roseto
Spúlico
Capo Spúlico
e Spúlico
ara

Capo Trionto

Lido
Sant'Angelo
Martucci
Ponte
Trionto
Mirto Crosia
106r
5
5
8 la Foresta
Fiumarella
Staz. di Calopezzati
Amica
Mirto
Castello
Rossano
Stazione
San Giacomo
San
Casa
Rocca
ROSSANO
Madonna
delle Grázie
Corno
Cherubini
Crosia
San
Antonio
Santa
Marinella
Calopezzati
Marina di Mandatoriccio
San
Salvatore
Casa
De Gennaro
177
236
11
531
34
Staz.di Pietrapáola
CITTÀ DI
CASTIGLIO
13
Masseria
Caruso
Capo
Sant'Elia
448
Casa
Vecchiarello
E90
Staz.di Mandatoriccio-
Campana
Paludi
Crepalati
Sant' António
Cant.
Torre del
Giardino
1
San Cataldo
Cariati Marina
M. Scarborato
962
Santa
Maria
Cʐᵒ Cipódero
12 365
383
Cariati
Santa Maria
Casa
Brunetto
Punta Fiume Nicà
a Pagliaspica
Caloveto
Cʐᵒ Vigniti
San Morello
108ter
Torre Policaretto
Coserie
M.Colonina
542
Torre Carito
Capo
delle Rose
624
8
7
106
3
Destro
16
18
Pietrapáola
Mandatoriccio
18
Terravécchia
Staz.di Crúcoli
Torretta
Chiesa
Manco
Puntadura
1064
CʐᵒGranato
878
Cant.
11
Sorvito
Casa
Casentino
Cʐᵒ du Lampo
396
Palopoli
Casa Cappellieri
M.Serino
948
Grotte di
Donna Filippa
Scala
(371) Coeli
Crocera di
San Leonardo
Crúcoli
Casa
Gallo
Madonna di Manpúglia
Cant.
Pietracutale
M.Basilicò
1013
Crocevia
di San Pietro
13
Cant.
Fiera di
Ronza
Cant.
Montagna
4
Molino
Lauro
Cant.
Madonna
di Mare
LONGOBUCCO
(784)
Cant.
Sulivranno
Madonna
delle Grázie
Serra Ceraso
799
656
Casotto
Pismataro
19
Punta Alice
351
Serra Pomieri
1274
(882)
BOCCHIGLIERO
1026
CAMPANA
(617)
M.Lelo
529
Serra Sanguigna
418
Serra di
Crogna
Cappella
Casa
San Nicola
23
M.Sordillo
Cane
Fossiata 1601
Casa Cerviulo
Destro
dei Pugliesi
1164
282
M.Malmare
Piano di Cozzolia
1110
77
Cʐᵒ Cerzullo
532
Timpa
Melognara
374
Torre
Rindina
212
Saverona
CIRÒ
Terranova
San
Francesco
Madonna
d'Itri
Cʐᵒ Calamacca
938
Cant.
Malocutrazzo
14
Cirò
Marina
Vivaio
º Principe Monte
Pettinascura
328
20
Casa
San Salvatore
Serra Toppale
1454
Mezzocampo
(1163)
Cant.
Piano di
Guerra
Cʐᵒ Sella
614
Torre
Palleca
M.Mazzagullo
696
Umbriático
M.Ménnola
236
Casa
55
1640
1682
M.Spina
1001
Ponte dei Pesci
Villa Santa Domenica
631
M.Pescaldo
590
Casa la Motta Sant'Andrea
Sant'
Anastasia
Casa
Sant'Agostino
M.Súvaro

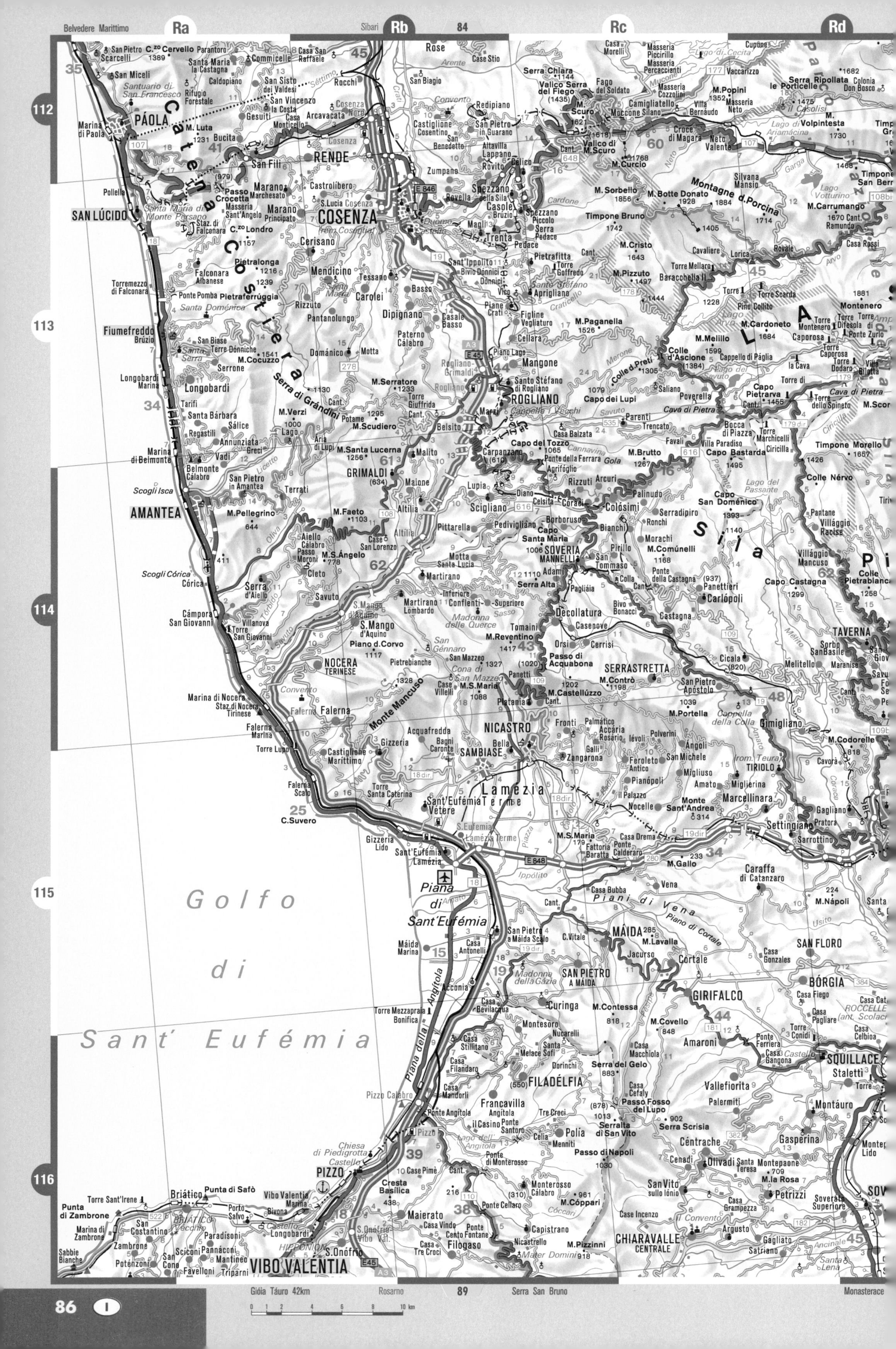

112
113
114
115
116
PÁOLA
Marina di Paola
SAN LÚCIDO
Fiumefreddo Brúzio
Longobardi
AMANTEA
Scogli Isca
Scogli Córica
Córica
Cámpora San Giovanni
Marina di Nocera
Falerna
Falerna Marina
Torre Lupo
C.Suvero
Gizzeria Lido
Sant'Eufémia Lamézia
Piana di Sant'Eufémia
Máida Marina
Torre Mezzapraia Bonifica
Pizzo Calabro
PIZZO
Briático
Punta di Safò
Punta di Zambrone
Torre Sant'Irene
Zambrone
VIBO VALÉNTIA
Vibo Valentia Marina
Golfo
di
Sant' Eufémia
Catena Costiera
Serra di Grándini
RENDE
COSENZA
Castrolíbero
Marano Marchesato
Marano Principato
Cerisano
Mendicino
Carolei
Dipignano
Rose
San Biagio
Castiglione Cosentino
Rocchi
San Fili
Rogliano
ROGLIANO
Mangone
Santo Stéfano di Rogliano
Spezzano della Sila
Celico
Casole Brúzio
Trenta
Pedace
Pietrafitta
Aprigliana
Figline Vegliaturo
Cellara
Piane Crati
Marzi
Belsito
Malito
GRIMALDI
Altilia
Scigliano
Pedivigliano
Carpanzano
M.Santa Lucerna
M.Cocuzzo
M.Serratore
M.Scudiero
M.Pellegrino
M.Faeto
Aiello Cálabro
Serra d'Aiello
Cleto
Savuto
Martirano
Martirano Lombardo
Conflenti
S.Mango d'Aquino
NOCERA TERINESE
Monte Mancuso
Gizzeria
Castiglione Marittimo
NICASTRO
SAMBIASE
Lamezia Terme
Sant'Eufémia Vétere
Platania
SOVERIA MANNELLI
Decollatura
Serra Alta
M.Reventino
SERRASTRETTA
Carlópoli
Panettieri
Cicala
Gimigliano
TIRIOLO
Marcellinara
Settingiano
Sila
LA
Montagne d.Porcina
Lago di Cecita
Camigliatello Silano
Croce di Magara
Valico di M.Scuro
M.Botte Donato
M.Curcio
Lorica
Lago Arvo
Lago Ampollino
Colosimi
Bianchi
M.Gallo
Caraffa di Catanzaro
MÁIDA
SAN PIETRO A MÁIDA
Cortale
Curinga
GIRIFALCO
Amaroni
SAN FLORO
BÓRGIA
SQUILLACE
Staletti
Vallefiorita
FILADÉLFIA
Francavilla Angitola
Polía
Serra del Gelo
Cénadi
Olivadi
Céntrache
Gasperina
Montepaone
Montáuro
San Vito sullo Iónio
Petrizzi
CHIARAVALLE CENTRALE
Maierato
Filogaso
Capistrano
M.Pizzinni
Monterosso Cálabro
Passo di Napoli

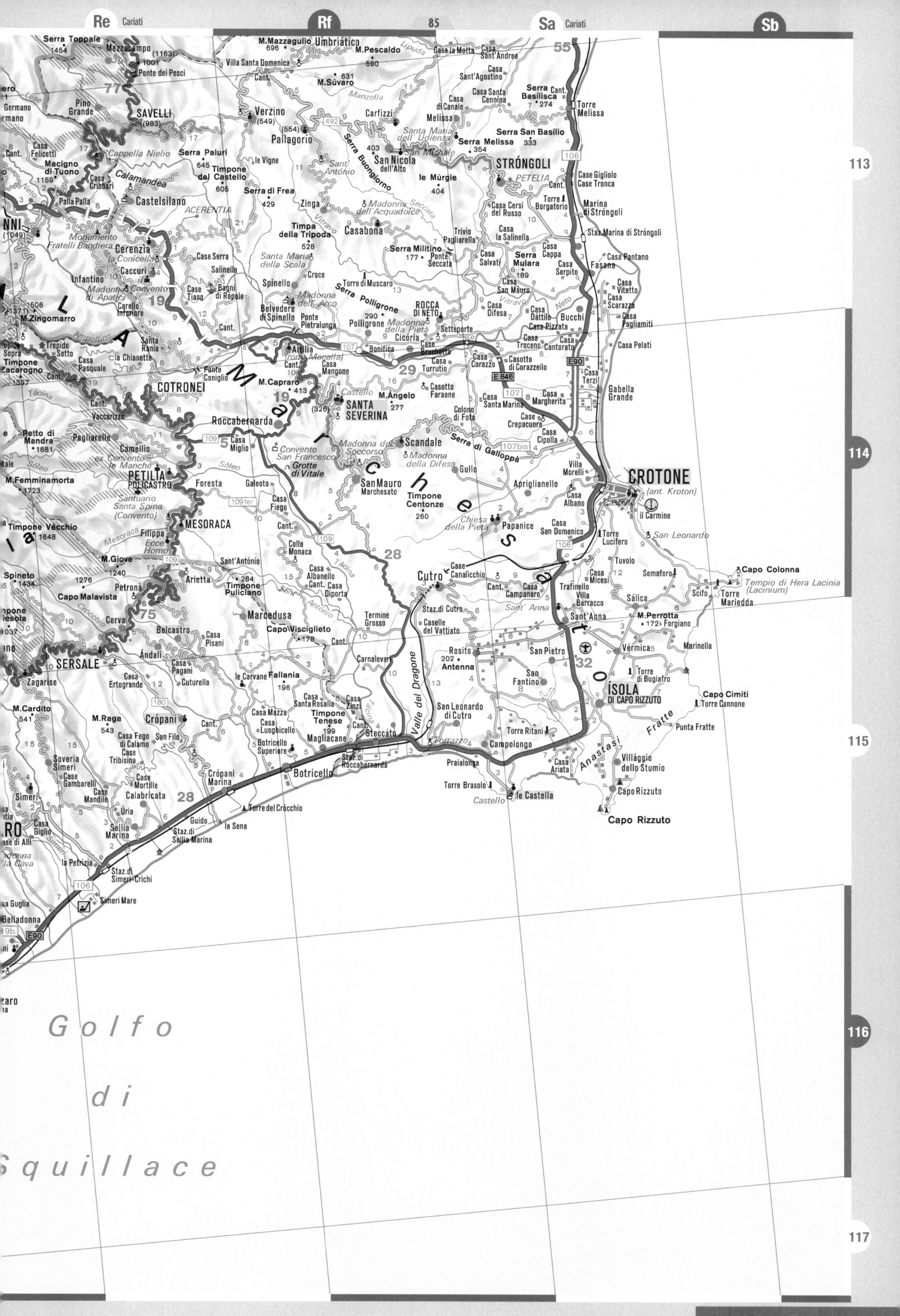
Serra Toppale
Mezzocampo
Ponte dei Pesci
Pino Grande
SAVELLI
Germano
Casa Felicetti
Macigno di Tuono
Cappella Nielio
Serra Paluri
Timpone del Castello
Calamandrea
Casa Cribbari
Palla Palla
Castelsilano
ACERENTIA
Monumento Fratelli Bandiera
Cerenzia
la Conicella
Caccuri
Infantino
Madonna di Apatia
Carello Inferiore
M.Zingomarro
Trepido Sotto
Timpone Zacarogno
Casa Pasquale
la Chianette
Santa Rania
COTRONEI
Tacina
Vaccarizzo
Petto di Mandra
Pagliarelle
Camellio
ex Convento le Manche
M.Femminamorta
PETILIA POLICASTRO
Santuario Santa Spina (Convento)
Timpone Vecchio
Filippa
Ecce Homo
MESORACA
M.Giove
Spineto
Petronà
Arietta
Capo Malavista
Cerva
Belcastro
Casa Pisani
Andali
SERSALE
Zagarise
Casa Ertogrande
Cuturella
M.Cardito
M.Raga
Crópani
Casa Fego di Calamo
Case Tribisina
San Filo
Soveria Simeri
Case Gambarelli
Case Mandile
Case Mortille
Calabricata
Úria
Crópani Marina
Simeri
Sellia Marina
Staz.di Sellia Marina
Guido
la Sena
Torre del Crócchio
la Petrizia
Staz.di Simeri-Crichi
Simeri Mare
Belladonna
M.Mazzagullo
Umbriático
M.Pescaldo
Villa Santa Domenica
M.Súvaro
Manzella
Verzino
Pallagorio
le Vigne
Serra di Frea
Zinga
Timpa della Tripoda
Santa Maria della Scala
Case Serra
Salinella
Croce
Spinello
Case Tiano
Bagni di Répole
Belvedere di Spinello
Ponte Pietralunga
Altilia
Cant.
Casa Mangone
Ponte Coniglio
M.Capraro
Castello
SANTA SEVERINA
M.Angelo
Roccabernarda
Casa Miglio
Convento San Francesco
Grotte di Vitale
Madonna del Soccorso
Scandale
Madonna della Difesa
Sóleo
Foresta
Galeoto
Casa Fiego
San Mauro Marchesato
Timpone Centonze
Colla Monaca
Casa Albanello
Casa Diporta
Sant'Antonio
Timpone Puliciano
Marcedusa
Capo Viscigliesto
Termine Grosso
Carnalevari
Fallania
le Carvane
Casa Mazza
Casa Luoghicello
Casa Santa Rosalia
Timpone Tenese
Magliacane
Botricello Superiore
Botricello
Steccato
Staz.di Roccabernarda
Valle del Dragone
Carfizzi
Melissa
Serra Buongiorno
San Nicola dell'Alto
Santa Maria dell'Udienza
San Michele
Madonna Seccata dell'Acquadolce
Casabona
Serra Melissa
le Múrgie
Casa la Motta
Casa Sant'Andrea
Sant'Agostino
Casa Santa Cennina
Casa di Canale
Serra Basilisca
Torre Melissa
Serra San Basilio
STRÓNGOLI
PETELIA
Case Gigliolo
Case Tronca
Marina di Strongoli
Torre Borgatorio
Casa Cersi del Russo
Casa la Salinella
Staz.Marina di Strongoli
Trivio Pagliarella
Serra Militino
Ponte Seccata
Casa Salvati
Serra Mulara
Casa Cappa
Casa Serpito
Casa Pantano
Fasana
Casa San Mauro
Casa Vitetto
Casa Scarazza
Casa Pagliamiti
Torre di Muscaro
Serra Polligrone
Polligrone
Madonna della Pietà
ROCCA DI NETO
Cicória
Settaporte
Casa Difesa
Casa Dattilo
Bucchi
Casa Pizzata
Casa Troceno
Casa Cantorato
Casa Pelati
Bonifica
Case Bruchetto
Casa Turrutio
Casa Corazzo
Casotto di Corazzello
Casa Terzi
Gabella Grande
Casotto Faraone
Casa Santa Marina
Casa Margherita
Colono di Fota
Case Crepacuore
Casa Cipolla
Serra di Galloppà
Gullo
Apriglianello
Villa Morelli
CROTONE
(ant. Kroton)
Castello
il Carmine
Casa Albano
Chiesa della Pietà
Papanice
Casa San Domenico
Torre Lucifero
San Leonardo
Tuvolo
Semaforo
Capo Colonna
Tempio di Hera Lacinia (Lacinium)
Torre Mariedda
Scifo
Cutro
Case Canalicchio
Casa Campanaro
Casa Micesi
Trafinello
Villa Barracco
Sant'Anna
Sálica
M.Perrotta
Forgiano
Staz.di Cutro
Caselle del Vattiato
Rosito
Antenna
San Pietro
Vérmica
Marinella
Torre di Bugiafro
San Fantino
ÍSOLA DI CAPO RIZZUTO
Capo Cimiti
Torre Cannone
San Leonardo di Cutro
Torre Ritani
Campolongo
Punta Fratte
Fratte
Anastasi
Világgio dello Stumio
Capo Rizzuto
Casa Ariata
Prialonga
Torre Brasolo
Castello
le Castella
Golfo di Squillace
113
114
115
116
117

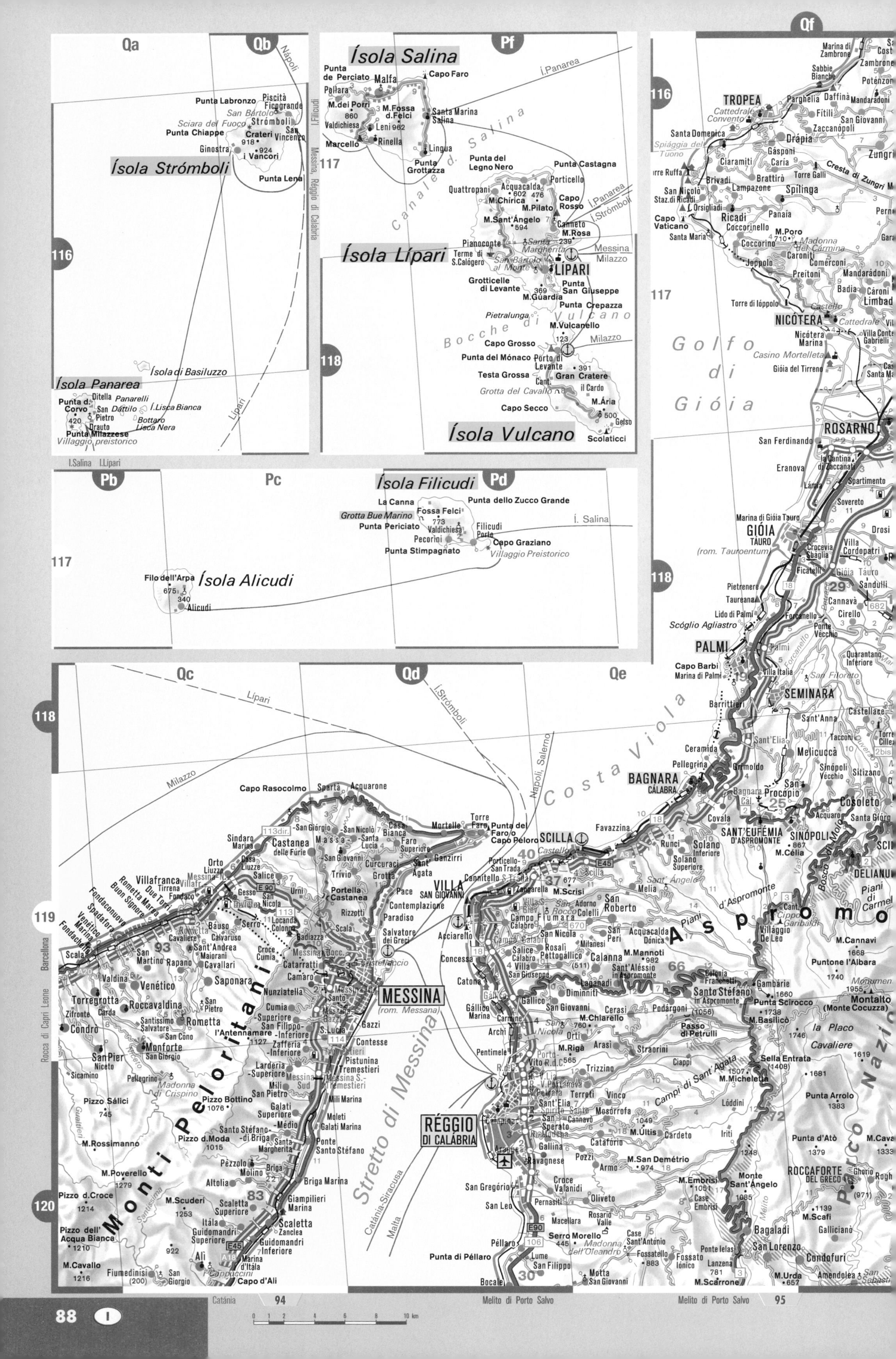

Qa

Qb

Napoli

Punta Labronzo   Piscità
Ficogrande
Sciara del Fuoco   Strómboli
San Bártolo
Punta Chiappe   San
Vincenzo
Ginostra   918   Cràteri
•924
i Vancori
Ísola Strómboli
Punta Lena

116

Ísola Panarea

Punta d: Ditella   Panarelli
Corvo   San   Pietro   I.Lisca Bianca
420   Drauto   Bottaro
Punta Milazzese   Lisca Nera
Villaggio preistorico

I.Salina I.Lípari

Pb   Pc

117

Filo dell'Arpa   **Ísola Alicudi**
675•   •
340
Alicudi

Ísola Salina

Punta
de Perciato   Malfa   Capo Faro
Póllara
M.dei Porri   M.Fossa
860   d.Felci   Santa Marina
Valdichiesa   Leni 962   Salina
Marcello   Rinella
Lingua
117
Punta
Grottazza
Punta del
Legno Nero

Punta Castagna
Porticello
Quattropani   •602 476   Capo
Acquacalda   M.Pilato   Rosso
M.Chirica
M.Sant'Ángelo 7
594   M.Rosa
Pianoconte   •239   Messina
Santa   Milazzo
Ísola Lípari   Margherita
Terme di   San Bártolo   **117**
S.Calógero   al Monte   **LÍPARI**
Grotticelle   369   Punta
di Levante   San Giuseppe
M.Guàrdia   Punta Crepazza
Pietralunga   M.Vulcanello
Bocche di   Vulcano   Milazzo
Capo Grosso   M.Vulcano
123
Punta del Mónaco   Porto di
Testa Grossa   Levante   •391
Gran Cratere
Cant.
Grotta del Cavallo   il Cardo
Capo Secco   M.Ária
•500
Ísola Vulcano   Gelso
Scoláticci

Pd

Ísola Filicudi   Punta dello Zucco Grande
La Canna
Grotta Bue Marino   Fossa Felci
773   Filicudi
Punta Periciato   Valdichiesa   Porto
Pecorini   Capo Graziano
Punta Stimpagnato   Villaggio Preistorico
Í. Salina

118

Qf

116

TROPEA   Marina di
Zambrone   Cost
Cattedrale   Parghelia   Daffinà   Mandaradoni
Convento   Fitili
Santa Domenica   Gásponi   Cária   San Giovanni
Ciaramiti   Brattirò   Zaccanópoli   Zungri
Torre Ruffa   Brivadi   Lampazone   Torre Galli   Cresta di Zungri
Capo   Staz.di Ricadi   Spilinga   Perne
Vaticano   Ricadi   Panaia
Orsigliadi   M.Poro
Coccorinello   710•   Madonna
Santa Maria   Coccorino   del Carmine
Joppolo   Caronti   Comérconi
Preitoni   Badia   Cároni
Limbad
Torre di Ióppolo   Castello
NICÓTERA   Cattedrale
Nicótera   Villa Conte
Marina   Gabrielli
Casino Mortelleta   Cas
Gióia del Tirreno   Santa Maria

Golfo
di
Gióia

117

ROSARNO
San Ferdinando   La Cantina
di Zaccanati
Eranova   Lámia   Spartimento
Marina di Gióia Tauro   Sovereto   Drosi
GIÓIA   Crocevia   Villa
TAURO   Suáglia   Cordopatri
(rom. Tauroentum)   Ficatelli   Gióia Táuro   Sandulli
18   29
Pietrenere   Cannavà   682
Taureana   Forcanello   Cirello   Ponte
Lido di Palmi   Vecchio
Scóglio Agliastro   Quarantani
Inferiore
PALMI   San Fínoteri
Capo Barbi   Palmi
Marina di Palmi   Villa Itália

118

Barrittieri   **SEMINARA**
Sant'Anna   Castellace
Torri
Cillea
Ceramida   Sant'Elia   Meliccucà   Tacconi
2bis
Pellegrina   Sinópoli   Sitizano
Grimoldo   Vecchio
BAGNARA   **COSOLETO**
CÁLABRA   Bagnara   Cál.   San
Cáal.   Procópio   25
10   18   Covala   Acquaro   Santa Giórg
Favazzina   SINÓPOLI
SCILLA   **SANT'EUFÉMIA**   867   SCI
40   Castello   E45   A3   **D'ASPROMONTE**   M.Célia
Runci   Solano   DELIÁNU
Melia   Solano   Piani
Sant'Ángelo   Superiore   di
677   d'Aspromonte   Carmel
M.Scrisi   Cippo
San   Roberto   Villággio
M.Adorno   Rocco   Garibaldi
Campo Fiumara   San Nicola   M.Cannavi
Cálabro   670   Acquacalda   1668
San   Dónica
Salice   Rosali   Milanesi   M.Mannoti   Puntone l'Albara
Cálabro   Pettogállico   982   1740
Calanna   Sant'Aléssio   66   Colónia   Monumen
511   in Aspromonte   Franchetti   Gambárie   1955.
Laganadi   in Aspromonte   1660
Santo Stéfano   Punta Scirocco
Cerasi   1738   M.Basílicò   la Placa
Podárgoni   1056   Cavaliere
Passo   1619
di Petrulli   Sella Entrata
M.Chiarello   760   1507   M.Micheleda
M.Rigà   1408   1681
Arasì   Ciappi   Púnta Arrolo
Straorini   1049   1383
Trizzino   Lóddini   1248   Rogh
ROCCAFORTE
M.San Demétrio   M.Embrisi   **DEL GRECO**   (971)
974   1051   Monte
Sant'Ángelo   M.Scafi
1085   1139
Bagaladi   Gallicianò
San Lorenzo
Condofuri

Qc

Lípari

118

Milazzo

Capo Rasocolmo   Spartà   Acquarone
Sindaro   San Giórgio   San Nicolò   Casa   Torre
Marina   Castanea   Bianca   Faro   Punta del
Villafranca   delle Fúrie   Massa   San Lúcia   Faro   Faro •
Tirrena   Orto   Faro   Capo Péloro
Buon Signore   Liuzza   Casa   Superiore
Fondaconuovo   Salice   Liuzze   San Giovanni   Ganzirri   40
Rometta Mar.   Messina   Portella   Grotta   Pace   Porticello-   Castello
Venetico   Tirrena   Villafr.   Urni   Trivio   Castanea   Sant   San Trada   Fancarella
Spadafora   Gesso   Divieto   Rizzotti   Agata   Cannitello   S.Trada   37
Marina   San Nicola   Serro   Paradiso   **VILLA**   Melia
Scala   Bàuso   Contemplazione   **SAN GIOVANNI**   Campo
Calvaruso   Scala   Salvatore   San Nicola   Fumara
93   San   Cavaliere   Badiazza   dei Greci   Concessa   Sant'Alessio
Martino   Sant'Andrea   Croce   Messina Bocc.   Asciarello   Rosali
Valdina   Rapano   Maiorani   Cumia   Catarratti   Salice   Villa   Laganadi
Venético   Cavallari   Camàro   Cálabro   San Geseppe
Torregrotta   Saponara   Nunziatella   Santo   Catona
Roccavaldina   Cumia   Messina   Gállico
Condro   Superiore   Superiore   Gállico   San Giovanni
Romette   Santo   Marina   Cerasi
Santíssimo   l'Antennamare   S.Lúcia   Gazzi   Carmine
Salvatore   1127   Zafferia   Contesse   Archì
San Pier   Monforte   San Giórgio   Superiore   Pentimele   Orti
Níceto   Zafferia   Pistunina   M.Rigà
Sícamino   Inferiore   Tremestieri   Porto   M.Chiarello
Pellegrino   Lardería   Messina   Sant   565   760
Pizzo Sálici   Superiore   Tremestieri   V.Pantanova
745   Madonna   Messina   Mili   Pellaro   Terreti
di Crispino   Sud   San Pietro   Sant'Elía   Arasì
M.Rossimanno   Galati   Mili Marina   Spirito   Vinco   Straorini
Pizzo Bottino   Superiore   Sperato   Mosórrofa   Cannavò
1076   -Médio   Gállina   Cardeto
Galati Marina   M.Últis   Iriti
Santo Stéfano   Cataforio
-di Briga   Ponte   M.San Demétrio
Santa   Santo Stéfano   Pozzi   974
Pézzolo   Margherita   Armo   Monte
Briga   Briga Marina   Croce   Sant'Ángelo
M.Poverello   Molino   Valanidi   Olíveto
1279   Altolia   San Gregório   Rosário   Sella Entrata
Pizzo d.Croce   Giampilieri   San Leo   Valle   1507
1214   Marina   Pernasiti   Macellara   Case
M.Scuderi   Scaletta   Pérraro   Embrisi
Pizzo dell'   1253   Superiore   106   Serro Morello   Sant'Antonio
Acqua Bianca   Ítala   Zanclea   Púnta di Péllaro   445   Madonna   Fossatello
1210   Guidomandri   Scaletta   dell'Oleandro   Lanzana
M.Cavallo   Superiore   Guidomandri   Lume   Fossato
1216   922   Inferiore   San Filippo   Iónico
Fiumedinisi   Ali   Marina   Bocale   Motta   781
San   d'Itàla   30   San Giovanni   Condofuri
Cappuccini   Capo d'Ali

93   **83**

Rocca di Capri Leone

Barcellona

119

120

Monti Peloritani

Stretto di Messina

Catánia-Siracusa

Malta

MESSINA
(rom. Messana)

RÉGGIO
DI CALÁBRIA

Costa Viola

Napoli, Salerno

Napoli, Salerno

Aspromonte

Pizzo
di
Capri Leone

Picco Nazionale

Qd   Qe

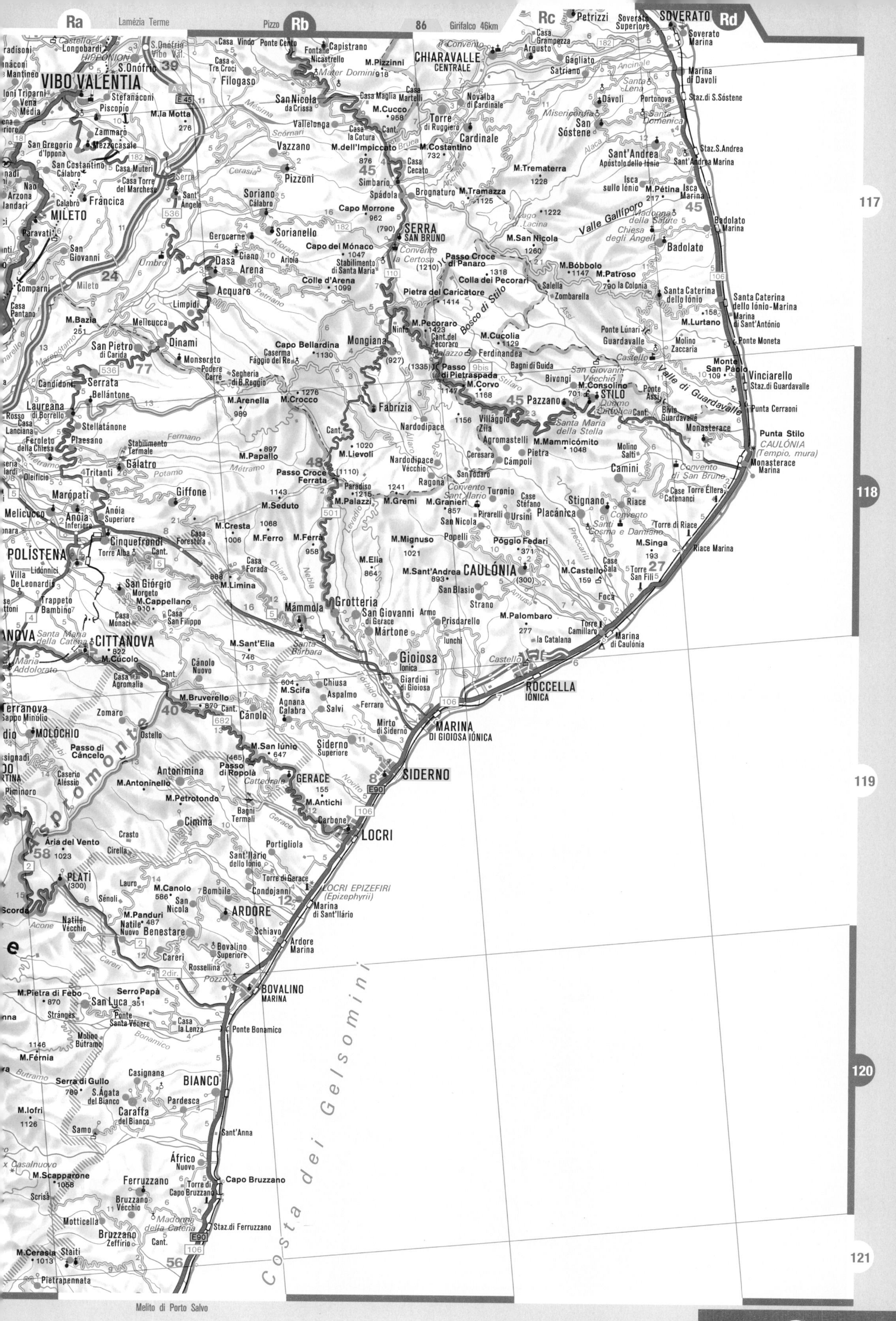
VIBO VALENTIA
MILETO
SERRA SAN BRUNO
CHIARAVALLE CENTRALE
SOVERATO
Soverato Marina
Badolato
Sant'Andrea Apostolo dello Ionio
Isca sullo Ionio
Santa Caterina dello Ionio
Guardavalle
STILO
Pazzano
Bivongi
Monasterace
Punta Stilo
CAULÓNIA
Stignano
Riace
Camini
Placánica
Fabrízia
Mongiana
Nardodipace
Arena
Acquaro
Dasà
Dinami
Soriano Cálabro
Sorianello
Pizzoni
Vazzano
Filogaso
Capistrano
Torre di Ruggiero
Cardinale
San Sóstene
Dávoli
Satriano
Gagliato
Argusto
Petrizzi
Serrata
Laureana di Borrello
Galatro
Giffone
Maropati
Cinquefrondi
POLISTENA
CITTANOVA
San Giórgio Morgeto
Mámmola
Grotteria
Gioiosa Ionica
MARINA DI GIOIOSA IÓNICA
ROCCELLA IONICA
SIDERNO
GERACE
LOCRI
ARDORE
BOVALINO MARINA
San Luca
BIANCO
Africo Nuovo
Capo Bruzzano
Staiti
Brancaleone
PLATÌ
Canolo
Antonimina
Cimina
Portigliola
Sant'Ilário dello Ionio
Benestare
Careri
Casignana
Caraffa del Bianco
Sant'Agata del Bianco
Samo
Ferruzzano
Bruzzano Zeffirio
Costa dei Gelsomini
Valle di Guardavalle
Valle Gallíporo
Bosco di Stilo
Aspromonte
LOCRI EPIZEFIRI (Epizephyrii)
E90
106
117
118
119
120
121

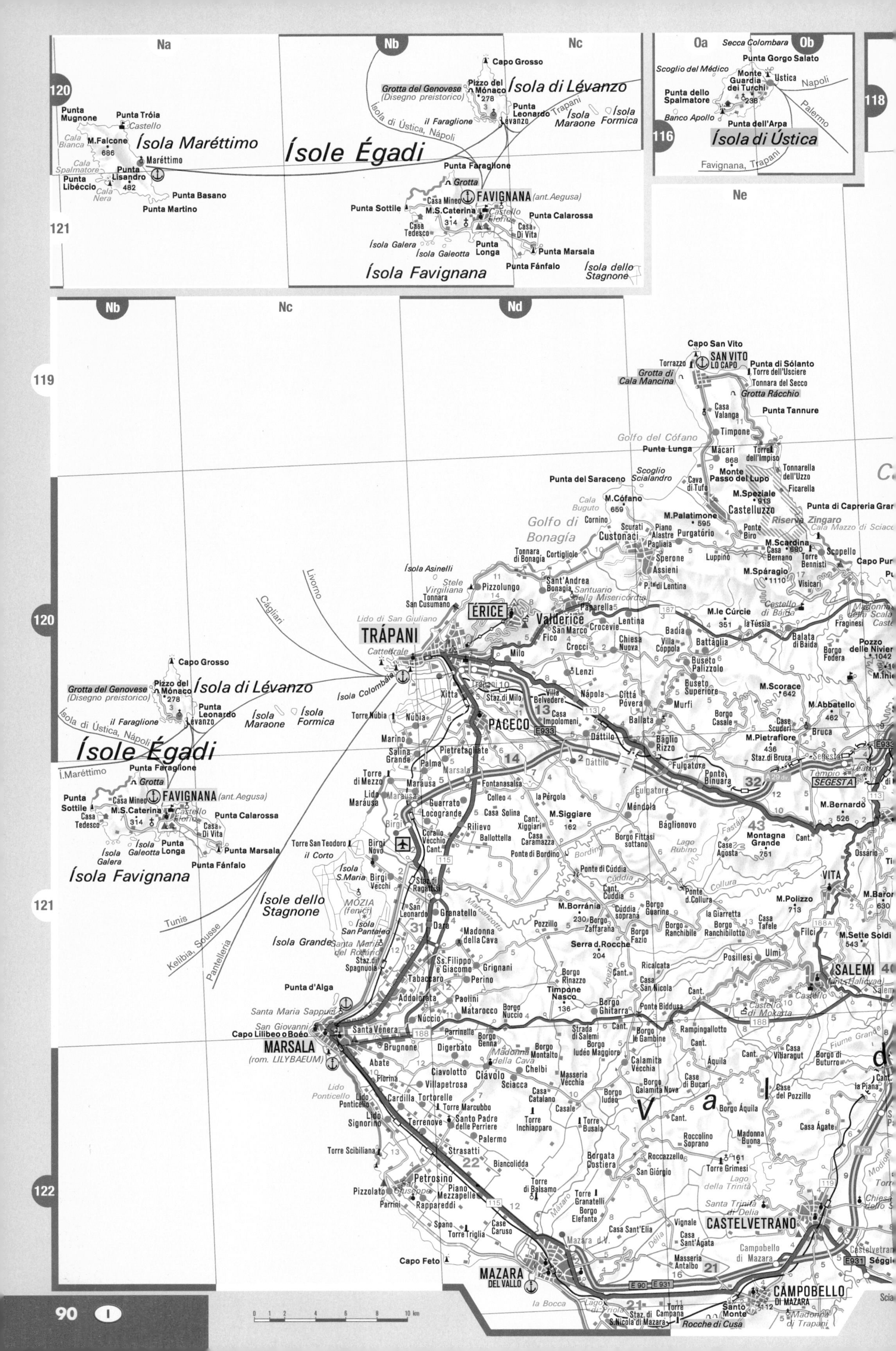

Na
Nb
Nc
Oa
Ob
Ne
Nd
120
121
118
116
119
122
Punta Mugnone
Punta Tróia
Castello
Cala Bianca
M.Falcone
686
Ísola Maréttimo
Maréttimo
Cala Spalmatore
Punta Lisandro
Punta Libéccio
482
Cala Nera
Punta Basano
Punta Martino
Capo Grosso
Grotta del Genovese
(Disegno preistorico)
Pizzo del Mónaco
278
Ísola di Lévanzo
Punta Leonardo
Lévanzo
il Faraglione
Ísola di Ústica, Nápoli
Trapani
Ísola Maraone
Ísola Formica
Ísole Égadi
Punta Faraglione
Grotta
FAVIGNANA
(ant. Aegusa)
Punta Sottile
Casa Mineo
M.S.Caterina
Castello Florio
314
Casa Tedesco
Casa di Vita
Punta Calarossa
Ísola Galera
Ísola Galeotta
Punta Longa
Punta Marsala
Punta Fánfalo
Ísola dello Stagnone
Ísola Favignana
Secca Colombara
Punta Gorgo Salato
Scoglio del Médico
Monte Guardia dei Turchi
Ustica
Napoli
Punta dello Spalmatore
238
Palermo
Banco Apollo
Punta dell'Arpa
Ísola di Ústica
Favignana, Trapani
Capo San Vito
Torrazzo
SAN VITO LO CAPO
Punta di Sólanto
Torre dell'Usciere
Grotta di Cala Mancina
Tonnara del Secco
Grotta Rácchio
Casa Valanga
Punta Tannure
Timpone
Golfo del Cófano
Punta Lunga
Mácari
868
Torre dell'Impiso
Monte Passo del Lupo
Tonnarella dell'Uzzo
Punta del Saraceno
Scoglio Scialandro
Cava di Tufo
M.Speziale
913
Ficarella
Cala Buguto
M.Cófano
659
Castelluzzo
Punta di Capreria Grar
Golfo di Bonagía
Cornino
M.Palatimone
595
Riserva Zingaro
Cala Mazzo di Sciacc
Custonaci
Scurati
Piano Alastre
Purgatório
Ponte Biro
Pagliaia
M.Scardina
Casa Bernano
680
Torre Bennisti
Scopello
Capo Pur
Tonnara di Bonagía
Cortigliolo
Sperone
Luppino
Assieni
Ísola Asinelli
Stele Virgiliana
M.Spáragio
1110
Visicari
Pizzolungo
Tonnara San Cusumano
Sant'Andrea Bonagía
Santuario della Misericordia
P.te di Lentina
Livorno
Cágliari
Lido di San Giuliano
ÉRICE
Paparella
Valderice
Lentina
M.le Cúrcie
351
la Túsia
Castello di Báida
Madonna della Scala
Fraginesi
TRÁPANI
San Marco
Crocevie
Fico
Badía
Chiesa Nuova
Villa Coppola
Battáglia
Balata di Baida
Borgo Fodera
Pozzo delle Nivier
1042
Cattedrale
Milo
Crocci
Buseto Palizzolo
M.Inic
Capo Grosso
Grotta del Genovese
(Disegno preistorico)
Pizzo del Mónaco
278
Ísola di Lévanzo
Ísola Colombaia
Lenzi
Buseto Superiore
M.Scorace
642
il Faraglione
Punta Leonardo
Lévanzo
Ísola Maraone
Ísola Formica
Xitta
Stáz.di Milo
Villa Belvedere
Nápola
Cittá Póvera
Murfi
M.Abbatello
462
Ísola di Ústica, Nápoli
Torre Núbia
Núbia
Casa Impolomeni
Ballata
Borgo Casale
Case Scuderi
Bruca
Ísole Égadi
PACECO
Dáttilo
Báglio Rizzo
M.Pietrafiore
436
Staz.di Bruca
Segesta
Marino
Salina Grande
Pietretagliate
Dáttilo
Fulgatore
Ponte Binuara
Tempio
SEGESTA
I.Maréttimo
Punta Faraglione
Grotta
Palma
Marsala
FAVIGNANA
(ant. Aegusa)
Torre di Mezzo
Maráusa
Fontanasalsa
Fulgatore
Punta Sottile
Casa Mineo
M.S.Caterina
Castello Florio
Lido Maráusa
Colleo
la Pérgola
Méndola
M.Bernardo
526
Casa Tedesco
314
Punta Calarossa
Guarrato
Locogrande
Casa Solina
Cant. Xiggiari
M.Siggiare
162
Báglionovo
Casa di Vita
Birgi
Rilievo
Ballottella
Casa Caramazza
Fastáia
Montagna Grande
751
Cant.
Ossário
Ísola Galeotta
Punta Longa
Ísola Galera
Punta Marsala
Torre San Teodoro
Birgi Novo
Corallo Vecchio
Cant.
Borgo Fittasi sottano
Lago Rubino
Case Agosta
Punta Fánfalo
il Corto
Ponte di Bordino
Bordino
Ísola Favignana
Ísola S.Maria
Birgi Vecchi
Staz.di Ragattisi
Ponte di Cúddia
Cúddia
Cant. Cúddia
Ponte d.Collura
Collura
VITA
M.Polizzo
713
M.Baror
630
Tunis
MÓZIA (fenici)
Ísole dello Stagnone
San Leonardo
Granatello
Marcanzotta
M.Borránia
230
Borgo Zaffarana
Cúddia soprana
Borgo Guarine
la Giarretta
Borgo Ranchibile
Borgo Ranchibilotto
Casa Tafele
Ísola San Pantaleo
Dara
Madonna della Cava
Pozzillo
Borgo Fazio
Filci
M.Sette Soldi
543
Kelibia, Sousse
Ísola Grande
Santa Maria del Rosario
Staz.di Spagnuola
Serra d.Rocche
204
Posillesi
Ulmi
Pantelleria
Ss.Filippo e Giacomo
Grignani
Borgo Rinazzo
Agezio
Cant.
Ricalcata
SALEMI
(ant.Halicyae)
Tabaccaro
Perino
Casa San Nicola
Cant.
Castello
Punta d'Alga
Addolorata
Paolini
Timpone Nasco
136
Borgo Ghitarra
Ponte Biddusa
Castello di Mokarta
Santa Maria Sappusi
Núccio
Matarocco
Borgo Núccio
San Giovanni
Capo Lilibeo o Boéo
Santa Vénera
Parrinello
Borgo Genna
Strada di Salemi
Cant.
Borgo le Gambine
Rampingallotto
Cant.
Fiume Grande
MARSALA
(rom. LILYBAEUM)
Brugnone
Digerbato
Madonna della Cava
Borgo Montalto
Borgo Iudéo Maggiore
Calamita Vécchia
Cant.
Áquila
Casa Villaragut
Borgo di Buturro
Abate
Ciavolotto
Ciávolo
Chelbi
Masseria Vécchia
Borgo Calamita Nova
Case di Bucari
Cant.
la Piana
Lido Ponticello
Florina
Villapetrosa
Sciacca
Casa Catalano
Case del Pozzillo
Ponticello
Cardilla
Tortorelle
Torre Marcubbo
Borgo Iudéo
Casale
Borgo Áquila
Lido Signorino
Terrenove
Santo Padre delle Perriere
Torre Inchiapparo
Torre Busala
Cant.
Casa Ágate
Palermo
Roccolino Soprano
Madonna Buona
Torre Scibiliana
Strasatti
Biancolidda
Borgata Costiera
Roccazzello
161
Torre Grimesi
San Giórgio
Lago della Trinità
Petrosino
Torre di Balsamo
Pizzolato
Giuseppe
Piano Mezzapelle
Torre Granatelli
Santa Trinità di Delia
Chiesa delle
Parrini
Rappareddi
Borgo Elefante
Spano
Torre Triglia
Case Caruso
Casa Sant'Elia
Vignale
CASTELVETRANO
Mázaro
Délia
Casa Sant'Ágata
Capo Feto
Mazara d.V.
Campobello di Mazara
Masseria Antalbo
MAZARA DEL VALLO
Castelvetran
Séggi
CAMPOBELLO DI MAZARA
la Bocca
Lago di Priola
Staz. di S.Nicola di Mazara
Campana
Torre
Rocche di Cusa
Santo Monte
Madonna di Trapani
Scia
V a l d

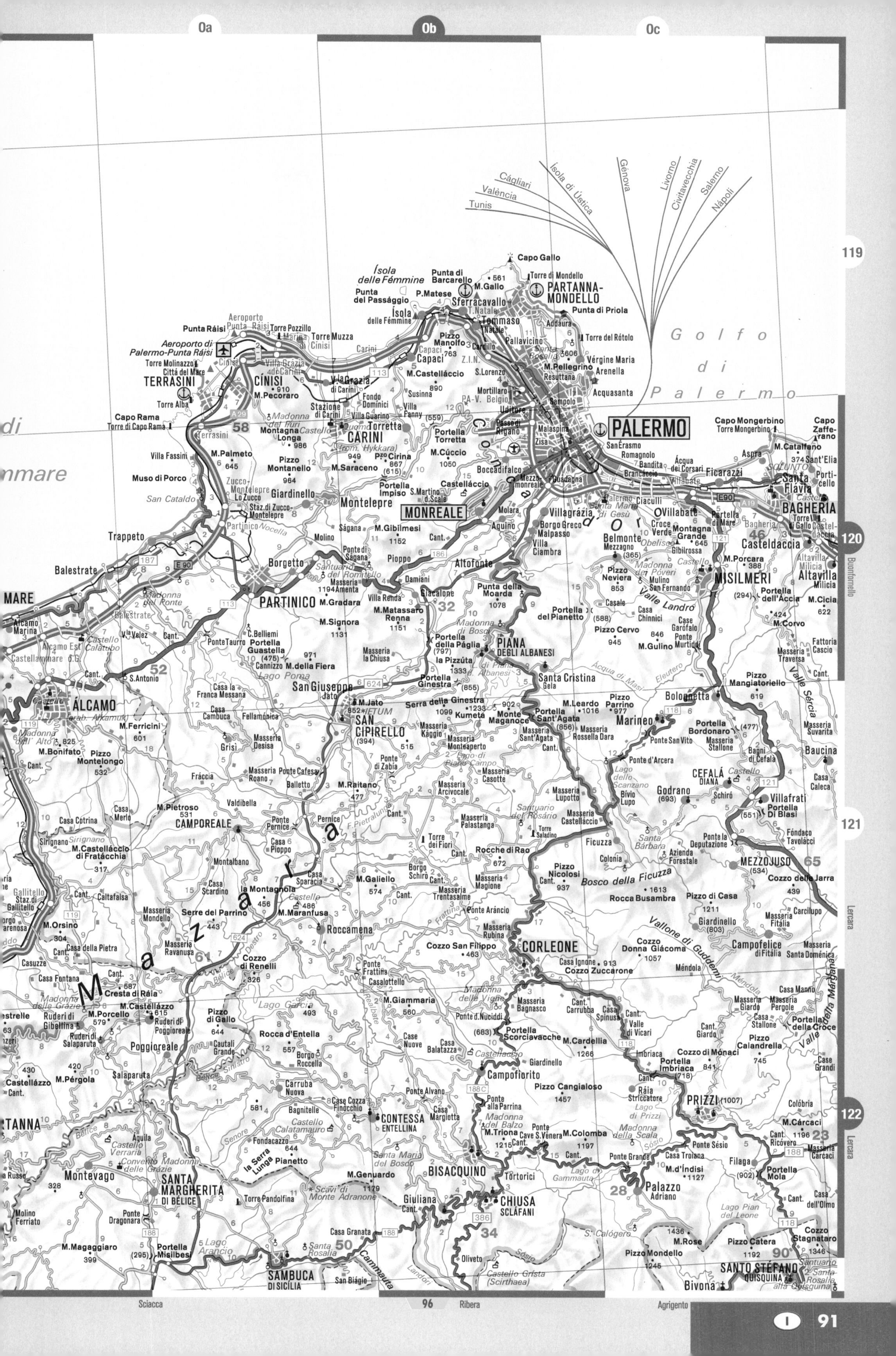

Golfo di Palermo
PALERMO
MONREALE
Cágliari
València
Tunis
Ísola di Ústica
Génova
Livorno
Civitavecchia
Salerno
Nápoli
Capo Gallo
PARTANNA-MONDELLO
Punta di Priola
Ísola delle Fémmine
Punta di Barcarello
M.Gallo
Sferracavallo
Torre del Rótolo
Mondello
Vérgine Maria
Arenella
Acquasanta
M.Pellegrino
Aeroporto di Palermo-Punta Ráisi
Punta Ráisi
TERRASINI
CÍNISI
M.Pecoraro
Capaci
M.Castellàccio
CARINI
Torretta
Montelepre
Giardinello
Borgetto
PARTINICO
Trappeto
Balestrate
Capo Rama
Capo Mongerbino
Capo Zafferano
Ficarazzi
Villabate
Santa Flávia
BAGHERIA
Casteldaccia
Altavilla Milicia
Belmonte Mezzagno
MISILMERI
Villagrázia
Altofonte
PIANA DEGLI ALBANESI
Santa Cristina Gela
SAN CIPIRELLO
San Giuseppe Jato
M.Jato
Marineo
Bolognetta
Baucina
Cefalá Diana
Godrano
Villafrati
Mezzojuso
Ficuzza
Rocca Busambra
Bosco della Ficuzza
Campofelice di Fitália
CORLEONE
Roccamena
CAMPOREALE
ÁLCAMO
Alcamo Marina
Castellammare d.G.
Gibellina
M.Castellàzzo
Poggioreale
Salaparuta
Contessa Entellina
Campofiorito
BISACQUINO
CHIUSA SCLÁFANI
Giuliana
PRIZZI
Palazzo Adriano
SANTO STÉFANO QUISQUINA
Bivona
Montevago
SANTA MARGHERITA DI BÉLICE
SAMBUCA DI SICILIA
Lago Arancio
Lago Poma
Lago Garcia
Lago di Piana
Lago di Prizzi
Lago di Gammauta
Lago Pian del Leone
Vallone di Guddemi
Valle Landro
Valle Sérica
Valle della Margana
M.Genuardo
Pizzo Cangialoso
M.Cardellia
Portella della Paglia
Portella Ginestra
Serra della Ginestra
Rocche di Rao
Pizzo Nicolosi
Cozzo di Renelli
Rocca d'Entella
Castello Calatamauro
Filaga
M.Rose
Pizzo Catera
Pizzo Mondello
Mazara
E90
A29
A19
113
119
186
624
118
121
188
386
Buonfornello
Lercara
Sciacca
Ribera
Agrigento

119 120 121 122 96

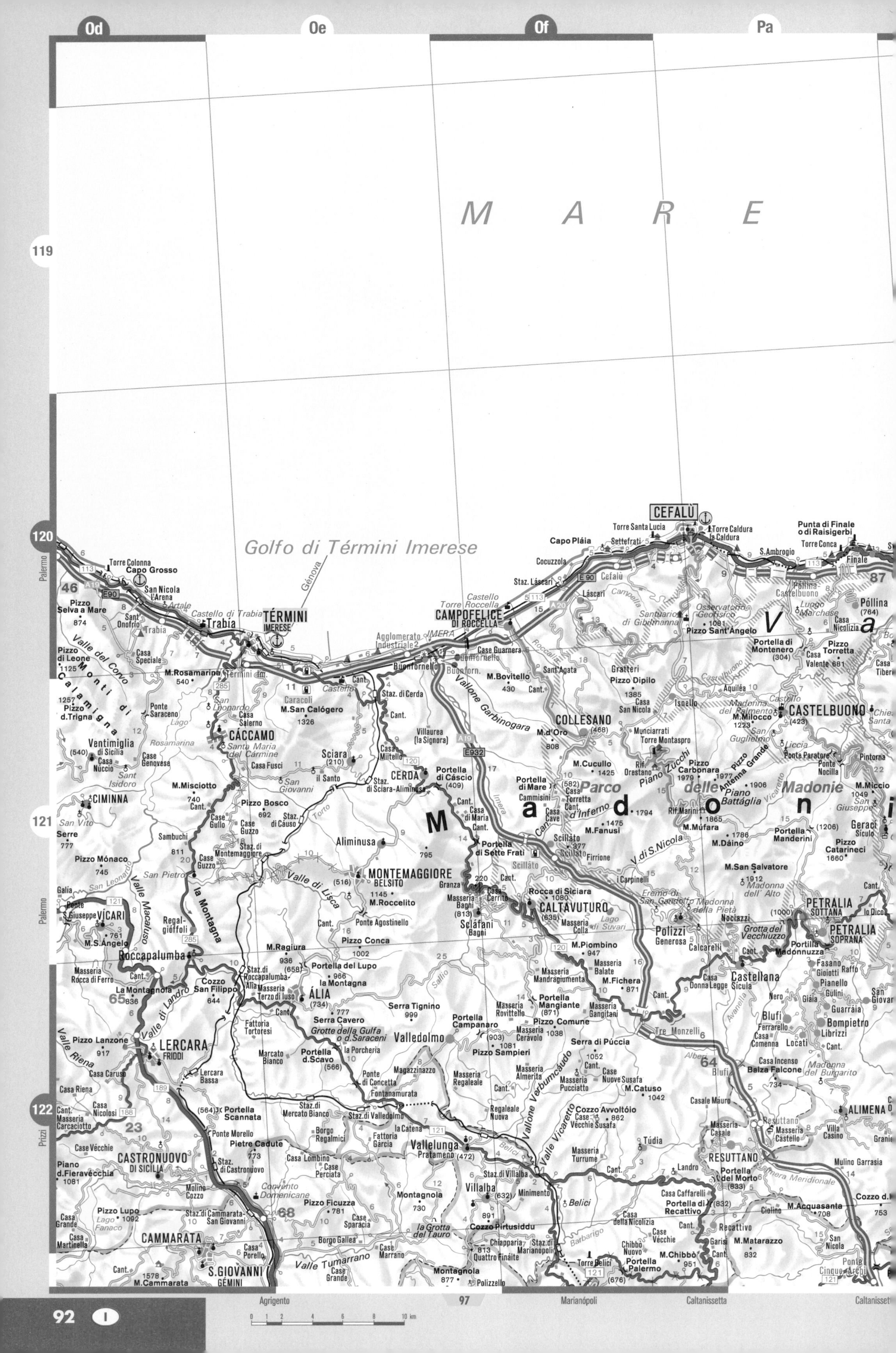
Od
Oe
Of
Pa
M A R E
119
120
121
122
Golfo di Términi Imerese
CEFALÙ
TÉRMINI IMERESE
Trabia
CAMPOFELICE DI ROCCELLA
CÁCCAMO
CERDA
COLLESANO
CASTELBUONO
MONTEMAGGIORE BELSITO
CALTAVUTURO
Polizzi Generosa
PETRALIA SOTTANA
PETRALIA SOPRANA
Castellana Sicula
Roccapalumba
ÁLIA
LERCARA FRIDDI
VICARI
CIMINNA
Sciara
Aliminusa
Valledolmo
Vallelunga Pratameno
Villalba
RESUTTANO
ALIMENA
CASTRONUOVO DI SICILIA
CAMMARATA
S.GIOVANNI GÉMINI
Madonie
Parco delle Madonie
Pollina
Palermo
Prizzi
Agrigento
Mariamópoli
Caltanissetta

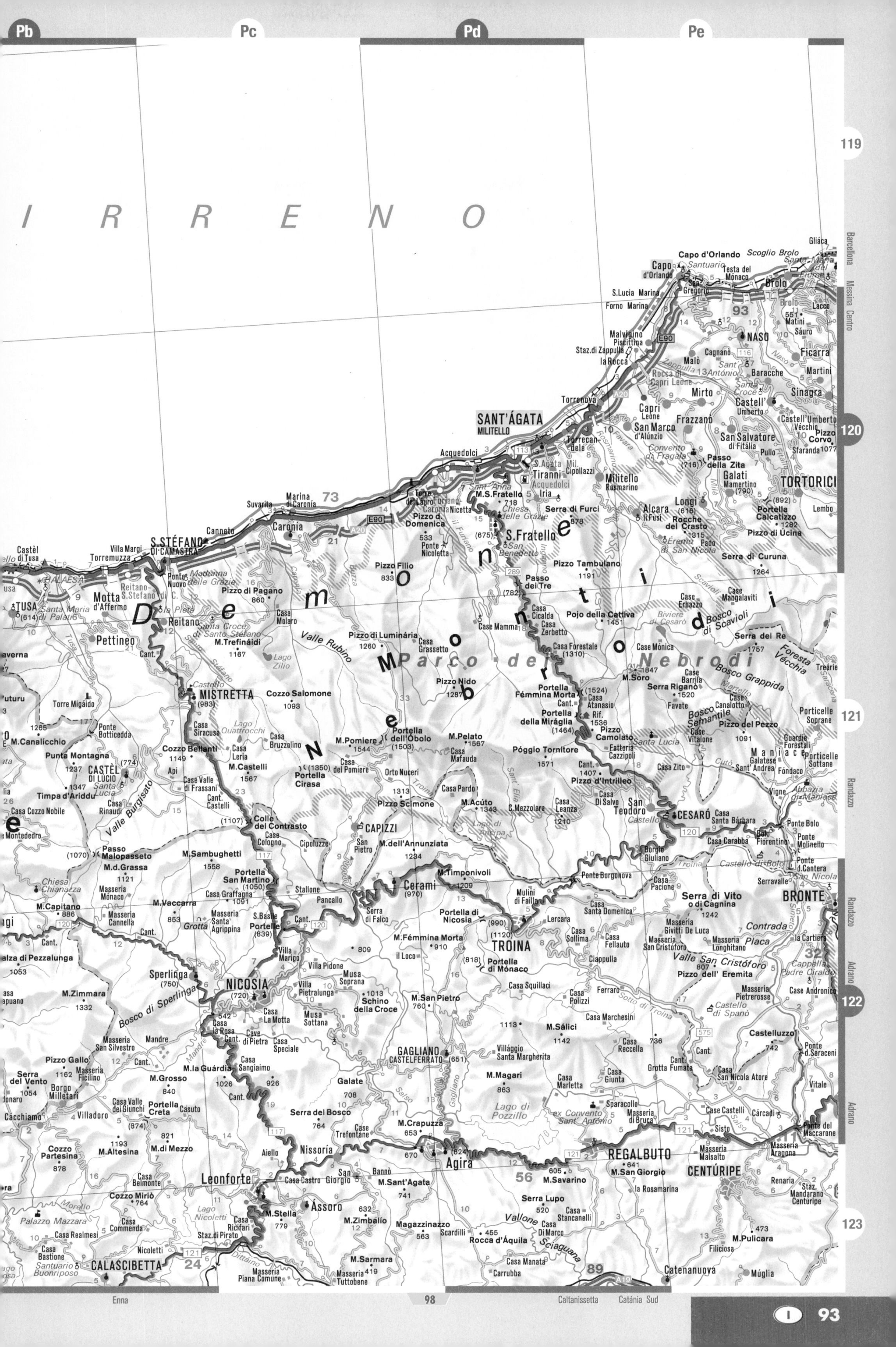
IRRENO
Capo d'Orlando
Brolo
NASO
Ficarra
Sinagra
TORTORICI
SANT'ÁGATA MILITELLO
Acquedolci
S.Fratello
Longi
Galati Mamertino
Alcara li Fusi
Militello Rosmarino
Caronía
S.STÉFANO DI CAMASTRA
TUSA
Motta d'Affermo
Pettineo
Reitano
MISTRETTA
Monti Nebrodi
Parco dei Nebrodi
CAPIZZI
CESARÓ
BRONTE
Cerami
TROINA
NICOSIA
Sperlinga
GAGLIANO CASTELFERRATO
Nissoria
Agira
REGALBUTO
CENTÚRIPE
Leonforte
Ássoro
CALASCIBETTA
Catenanuova
Enna
Caltanissetta
Catánia Sud
Barcellona
Messina Centro
Randazzo
Adrano

119 120 121 122 123 98

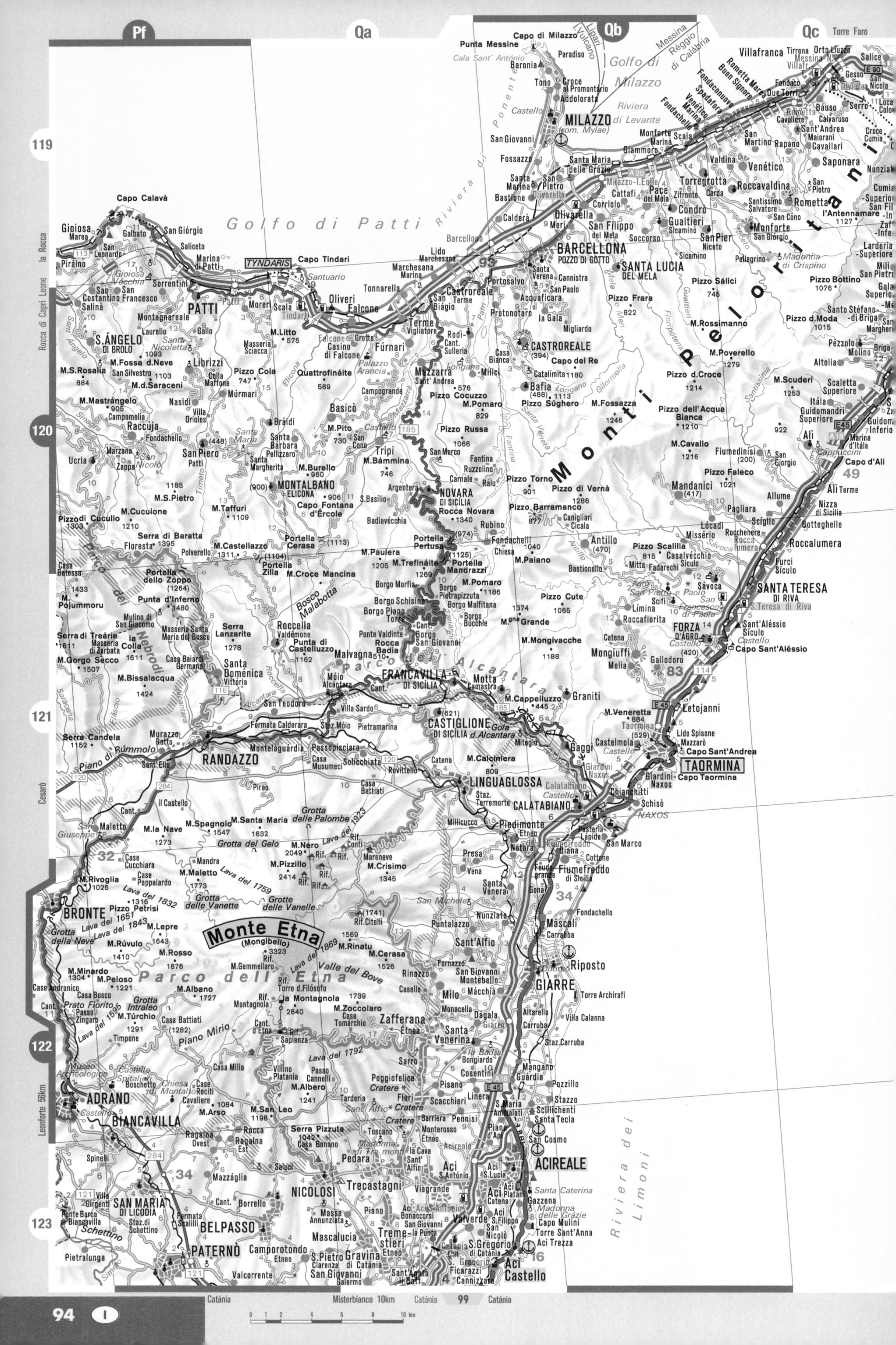

Pf
Qa
Qb
Qc
Torre Faro
119
120
121
122
123
Capo di Milazzo
Punta Messine
Cala Sant' António
Baronia
Paradiso
Tono
Croce al Promontório
Addolorata
Golfo di Milazzo
Riviera di Levante
Messina
Réggio di Calábria
Villafranca Tirrena
Orto Liuzzo
Salice
Gesso
Rometta Marea
Due Torri
Bàuso
Serro
Calvaruso
Sant'Andrea
Maiorani
Cavallari
Croce Cumia
Castello
MILAZZO
(rom. Mylae)
San Giovanni
Monforte Marina
Scala
Giammoro
Fossazzo
Santa Maria delle Grázie
Santa Marina
San Pietro
Bastione
Olivarella
Corriolo
Cattafi
Pace del Mela
Zifronte
Torregrotta
Roccavaldina
Valdina
Venético
Saponara
Condrò
Gualtieri Sicaminò
Rometta
Monforte
San Pier Niceto
San Filippo del Mela
Soccorso
Calderà
Meri
Capo Calavà
Golfo di Patti
Riviera di Ponente
Gioiosa Marea
Galbato
San Giórgio
San Leonardo
Saliceto
Piráino
Gioiosa Vécchia
Marina di Patti
TYNDARIS
Capo Tíndari
Santuario
Sorrentini
Barcellona
Lido Marchesana
Marchesana Marina
BARCELLONA POZZO DI GOTTO
SANTA LUCIA DEL MELA
Sicamino
Pellegrino
Madonna di Crispino
Pizzo Sálici 745
Pizzo Bottino 1076
San Costantino
San Francesco
Salinà
PATTI
Montagnareale
Moreri
Scala
Tindari
Oliveri
Falcone
Tonnarella
Castroreale Terme
San Biágio
Portosalvo
Santa Verena
Cannistra
San Paolo
Acquaficarra
Protonotaro
la Gala
Migliardo
Pizzo Frara 822
M.Rossimanno
Pizzo d.Moda 1015
Monti Peloritani
S.ÁNGELO DI BROLO
Laurello
Gallo
Santa Nicoletta
1093
M.Litto 575
Terme Vigliatore
Rodì
Cant. Sulleria
Falcone Grotte
Casino di Falcone
Fúrnari
Masseria Sciacca
M.S.Rosalia 884
M.Fossa d.Neve
San Silvestro 1103
Librizzi
Colla Maffone
Pizzo Cola 747
Quattrofináite 569
Palazzo Arancia
Mazzarrà Sant' Andrea
Milici
Casa Bianca
CASTROREALE (394)
Capo del Re
Catalimita 1180
M.Poverello 1279
Pizzo d.Croce 1214
Altolia
M.Scuderi 1253
Scaletta Superiore
Itála
Guidomandri Superiore
M.d.Saraceni
M.Mastrángelo 905
Campomelia
Nasidi
Múrmari
Campogrande
576
Pizzo Cocuzzo
M.Pomaro 829
Bafia (488) 1113
Pizzo Súghero
M.Fossazza 1246
Pizzo dell'Acqua Bianca 1210
922
Alì
Raccuja
Fondachello
Villa Orioles
Bráidi
Basicò
M.Pito 730
San Cono
Castello
Pizzo Russa 1066
Santa Bárbara
Pellizzaro
Santa Maria
(448)
San Piero Patti
Santa Margherita
Tripi
M.Bámmina 746
San Marco
Fantina
Ruzzolino
Raiu
Ucria
Marzana
Zappa
San Nicolò
M.Burello 960
(900) MONTALBANO ELICONA
906
S.Basilio
Capo Fontana d'Ércole
Argentera
Carnale
NOVARA DI SICILIA
Rocca Novara 1340
Pizzo Torno 901
Pizzo di Vernà 1286
Pizzo Barramanco 877
Caniglíari
Cicala
M.Cavallo 1216
Fiumedinisi (200)
San Giórgio
Pizzo Faleco 1021
Mandanici (417)
Allume
Pagliara
Capo d'Alì
Alì Terme
Nizza di Sicília
Scíglio
Botteghelle
Roccalumera
1185
M.S.Pietro
M.Cuculone 1210
M.Taffuri 1109
Pizzo di Cucullo 1303
Serra di Baratta
Floresta 1395
Polverello
M.Castellazzo 1311
Portella Cerasa (1113)
(1104)
Portella Zilla
Badiavécchia
Portella Pertusa
(974)
Rubino
Fondachelli
Chiesa 1040
Antillo (470)
M.Paiano
Lócadi
Missério
Rocchenere
Pizzo Scalilla 815
Casalvécchio Siculo
Mitta
Fadarechi
Bastionello
Furci Siculo
Casa Batessa
1433
M. Pojummoru
Portella dello Zoppo (1264)
Punta d'Inferno 1480
M.Croce Mancina
M.Paulera 1205
M.Trefináite 1269
(1125)
Portella Mandrazzi
Borgo Morfia
Bosco Malabotta
M.Pomaro 1186
Borgo Pietrapizzuta
Borgo Malfitana
Borgo Schisina
Borgo Piano Torre
Pizzo Cute 1065
1374
M.gna Grande
Sàvoca
Límina
Scifì
San Francesco di Paola
SANTA TERESA DI RIVA
S.Teresa di Riva
Roccafiorita
Sant'Aléssio Siculo
Capo Sant'Aléssio
Mulino di San Giacomo
Masseria Santa Maria del Bosco
Serra di Treárie 1611
Masseria di Zarbata
la Colla 1611
Serra Lanzarite 1278
Roccella Valdémone
Punta di Castelluzzo 1162
Ponte Valdinte
Rocca Badia 510
Malvagna
Borgo Bucchie
Cant.
Borgo San Giovanni
M.Mongivacche 1188
Catena
Mongiuffi Melia
FORZA D'AGRÒ
Castello (420)
Gallodoro
M.Gorgo Secco 1507
Casa Baiardi Germana
Santa Doménica Vittória
Parco dei Nebrodi
M.Bissalacqua 1424
Móio Alcántara
FRANCAVILLA DI SICILIA
Motta Camastra
Parco dell' Alcantara
M.Cappelluzzo 445
Graniti
San Teodoro
Villa Sardo
M.Venerette 884
Taormina
Letojanni
Fermata Calderara
Staz.Móio
Pietramarina
(621)
CASTIGLIONE DI SICILIA
Gola d.Alcantara
Mitogio
Castelmola (529)
Lido Spisone
Mazzarò
Capo Sant'Andrea
TAORMINA
Serra Candela 1152
Murazzo Rotto
Piano di Rúmmolo
Sant'Elia
RANDAZZO
Montelaguárdia
Passopisciaro
Casa Musumeci
Solicchiata
Rovittello
Catena
M.Calcinera 809
Gaggi
Giardini Naxos
Giardini-Naxos
Capo Taormina
Cesarò
Pirao
Casa Battiati
LINGUAGLOSSA
Calatabiano
Castello
Chianchitti
Schisò
NAXOS
Staz. Terremorte
CALATABIANO
il Castello
Cant.
San Giuseppe
Maletto
M.la Nave 1273
M.Spagnolo 1547
M.Santa Maria 1632
Grotta delle Palombe
Lava del 1923
Rif. Conti
Millicucco
Piedimonte Etneo
Pasteria-Lapide
San Marco
Nótara
Fiumefreddo
Diana
Cottone
Grotta del Gelo
M.Nero 2049
Rif.
Mareneve
M.Crisimo 1345
Presa
Vena
Feudo grande
Fiumefreddo di Sicilia
Case Cucchiara
Mandra
M.Pizzillo 2414
M.Rivoglia 1025
Case Pappalardo
M.Maletto 1773
Lava del 1759
Santa Vénera
Gona
Lava del 1832
Pizzo Petrisi 1316
Grotta delle Vanette
Grotte delle Vanelle
San Michele
Nunziata
Fondachello
Máscali
Carrabba
BRONTE
Lava del 1651
Lava del 1843
M.Lepre 1643
(1741)
Rif.Citelli
Puntalazzo
Grotta della Neve
Monte Etna (Mongibello)
1569
M.Rinatu
Sant'Alfio
M.Rúvolo 1410
3323
M.Cerasa 1526
Fornazzo
San Giovanni Montebello
Riposto
M.Rosso 1876
Rif.
Lava del 1869
Valle del Bove
Rinazzo
M.Minardo 1304
M.Peloso 1221
M.Gemmellaro
Parco dell' Etna
Rif. Torre d.Filósofo
Caselle
Milo
Mácchia
GIARRE
Torre Archirafi
Case Andronico
Casa Bosco
M.Albano 1727
Grotta Intraleo
Prato Fiorito
Passo Zingaro
Lava del 1595
M.Túrchio 1291
Montagnola
Rif.
la Montagnola 2640
1739
M.Zoccolaro
Monacella
Dágala
Altarello
Villa Calanna
Case Tomarchio
Zafferana Étnea
Casa Battiati (1282)
Piano Mirio
Cant. d'Etna
Rif. Sapienza
Santa Venerina
Carruba
Staz.Carruba
Timpone
Lava del 1792
la Badia
Bongiardo
Mangano
Guárdia
Museo Archeologico
Castello Spitaliere
Boschetto
Chiesa Montalto
Case Reciti
Casa Milia
Villino Platania
Passo Cannelli
Poggiofelice Cratere
Sarro
Pisano
Cosentini
Pozzillo
ADRANO
Cavaliere
1084
M.Arso
M.Albero 1241
Tarderia
Fleri Cratere
Scacchieri
Linera
Stazzo
S.Maria Ammalati
Scillichenti
Santa Tecla
Leonforte 56km
Castello
BIANCAVILLA
M.San Leo 1198
Sant'Alfio Cratere
Barriera
Pennisi
Piano d'Api
Ragalna Ovest
Rocca
Ragalna Est
Serra Pizzuta 1042
Casa Bonano
Toscano
Monterosso Étneo
Acireale
San Cosmo
Spinelli
Madonna d.Fis.mone
la Cava
Pedara
Sant' Alfio
Aci S.Antonio
Aci S.Lucia
ACIREALE
Saluci
Mazzáglia
Trecastagni
Viagrande
Aci Platani
Santa Caterina
Gazzena
Villa Girgenti
SAN MARIA DI LICODIA
Staz.di Schettino
Cant.
Borrello
NICOLOSI
Massa Annunziata
Aci Bonaccorsi
Aci Catena
Madonna delle Grazie
Capo Mulini
Ponte Barca di Biancavilla
Fermata Scalilli
BELPASSO
Piano
San Giovanni
Valverde
S.Filippo
San Nicolò
Torre Sant'Anna
Aci Trezza
Schettino
Mascalucia
Treme-stieri Etneo
la Punta
Catania
S.Grégorio di Catania
Pietralunga
PATERNÒ
Camporotondo Etneo
S.Pietro Clarenza
Gravina di Catania
Aci Castello
Valcorrente
San Giovanni Galermo
Sant'Agata li Batt.
Ficarazzi
Cannizzaro
Riviera dei Limoni
Simeto
Rocca di Capri Leone
la Rocca
Catánia
Misterbianco 10km
Catánia 99 Catánia
0 1 2 4 6 8 10 km

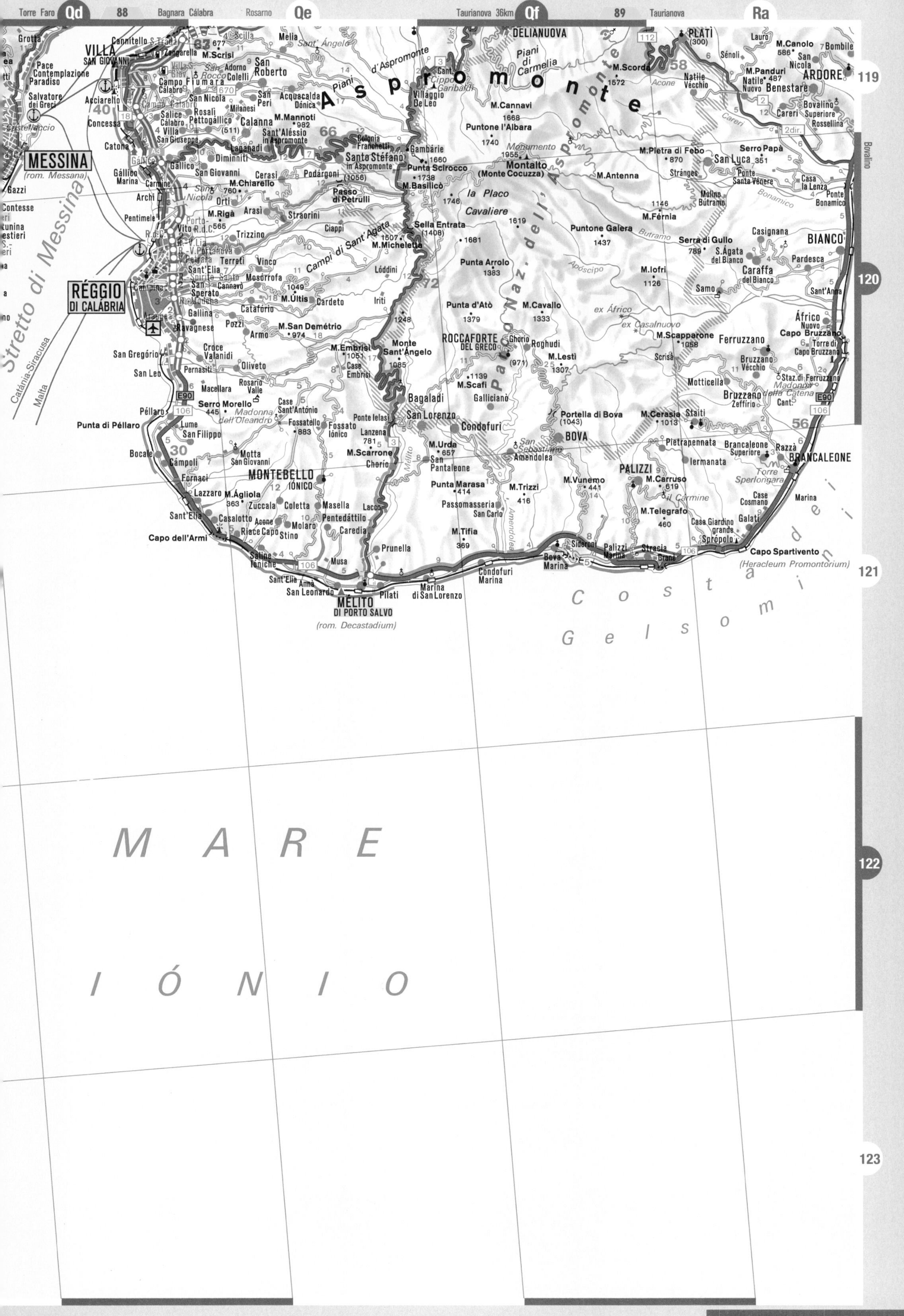

Torre Faro
Qd
88
Bagnara Cálabra
Rosarno
Qe
Taurianova 36km
Qf
89
Taurianova
Ra
Aspromonte
Parco Naz. dell'Aspromonte
Stretto di Messina
MESSINA
(rom. Messana)
VILLA SAN GIOVANNI
Cannitello
Scilla
Melia
Sant'Ángelo
d'Aspromonte
Piani d'Aspromonte
Piani di Carmelia
DELIANUOVA
PLATÌ
M.Scrisi
San Roberto
Campo Calabro
Fiumara
Colelli
Acciarello
Concessa
Salice Cálabro
Rosalì
Pettogállico
Calanna
M.Mannoti
Sant'Aléssio in Aspromonte
Catona
Gallico
Diminniti
Santo Stéfano in Aspromonte
Gambàrie
Cippo Garibaldi
Villággio De Leo
M.Cannavi
Puntone l'Albara
Montalto (Monte Cocuzza)
Monumento
M.Scorda
Gállico Marina
San Giovanni
Cerasi
Podárgoni
Punta Scirocco
M.Basilicò
Passo di Petrulli
M.Chiarello
Archi
Orti
la Placo
Cavaliere
M.Antenna
M.Pietra di Febo
San Luca
Serro Papà
Pentimele
M.Rigà
Arasi
Straorini
Sella Entrata
M.Férnia
Puntone Galera
Serra di Gullo
S.Ágata del Bianco
Casignana
BIANCO
Pardesca
Trizzino
Campi di Sant'Agata
M.Micheletta
Punta Arrolo
M.Iofri
Caraffa del Bianco
Samo
Sant'Anna
RÉGGIO DI CALÁBRIA
Terreti
Vinco
Mosorrofa
Lóddini
Sant'Elia
San Sperato
M.Ultis
Cardeto
Iriti
Punta d'Atò
M.Cavallo
ex Áfrico
ex Casalnuovo
Áfrico Nuovo
Capo Bruzzano
Gallina
Cataforio
Ravagnese
Pozzi
M.San Demétrio
M.Scapparone
Ferruzzano
Croce Valanidi
Armo
M.Embrisi
Monte Sant'Ángelo
ROCCAFORTE DEL GRECO
Ghorio
Roghudi
M.Lesti
Scrisà
Bruzzano Vécchio
Torre di Capo Bruzzano
San Gregório
San Leo
Pernasiti
Oliveto
Case Embrisi
M.Scafi
Gallicianò
Motticella
Bruzzano Zeffirio
Madonna della Catena
Staz.di Ferruzzano
Macellara
Rosario Valle
Bagaladi
Serro Morello
Madonna dell'Oleandro
Case Sant'António
Fossatello
Fossato Iónico
Ponte Ielasi
San Lorenzo
Condofuri
Portella di Bova
BOVA
M.Cerasia
Staiti
Péllaro
Punta di Péllaro
Lume
San Filippo
Lanzena
M.Urda
San Pantaleone
Amendolea
Pietrapennata
Brancaleone Superiore
Razzà
BRANCALEONE
Bocale
Cámpoli
Motta San Giovanni
M.Scarrone
Chorio
Iermanata
Fornaci
MONTEBELLO IÓNICO
Punta Marasa
M.Trizzi
M.Vunemo
PALIZZI
M.Carruso
Torre Sperlongara
Lazzaro
M.Ágliola
Zuccala
Coletta
Masella
Lacco
Passomasseria
San Carlo
il Cármine
Case Cosmano
Marina
Sant'Elia
Casalotto
Acone
Molaro
Pentedáttilo
M.Telegrafo
Casa Giardino grande
Galati
Capo dell'Armi
Riace Capo
Stino
Caredia
M.Tifia
Spropolo
Saline Ióniche
Musa
Prunella
Siderоni
Bova Marina
Palizzi Marina
Stracia
Capo Spartivento
(Heracleum Promontorium)
Sant'Elia
Annà
San Leonardo
MÉLITO DI PORTO SALVO
(rom. Decastadium)
Pilati
Marina di San Lorenzo
Condofuri Marina
Costa dei Gelsomini
MARE IÓNIO
Bovalino
Lauro
M.Canolo
Bombile
Sénoli
San Nicola
ARDORE
M.Panduri
Natile Vécchio
Natile Nuovo
Benestare
Bovalino Superiore
Careri
Rosselliina
Acone
Stránges
Ponte Santa Vénere
Casa la Lenza
Ponte Bonamico
Molino Butramo
Butramo
Bonamico
Apóscipo
Catánia-Siracusa
Malta
119
120
121
122
123

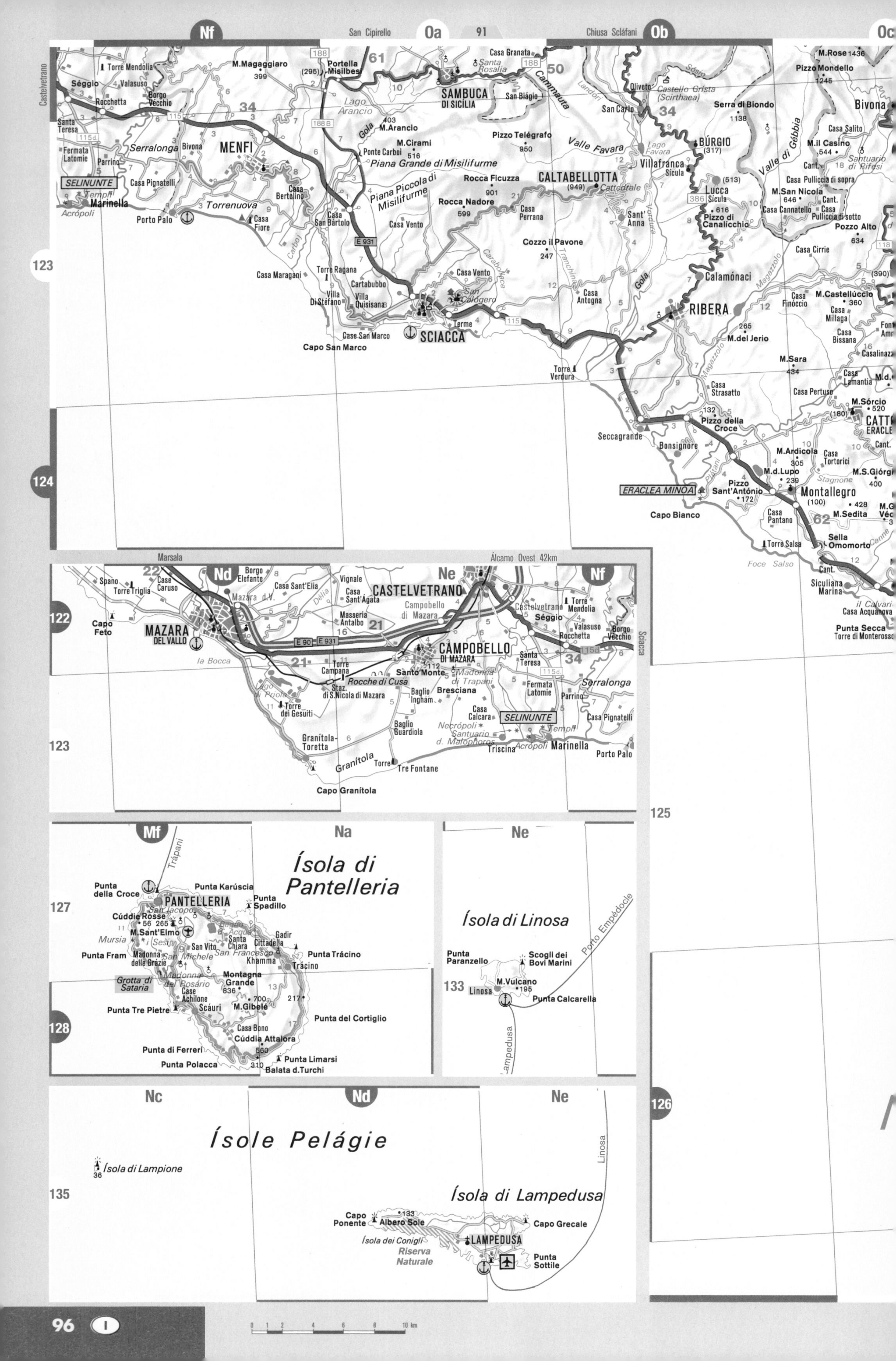
Castelvetrano
Torre Mendolia
Valasuso
Séggio
Borgo Vecchio
Rocchetta
Santa Teresa
Fermata Latomie
Parrino
Serralonga
Bivona
MENFI
M.Magaggiaro
399
Portella Misilbesi
Lago Arancio
SAMBUCA DI SICILIA
Casa Granata
Santa Rosalia
San Biágio
Cammauta
Landori
Oliveto
Castello Grista (Scirthaea)
San Carlo
Serra di Biondo
1138
M.Rose 1436
Pizzo Mondello
1245
Bivona
Casa Salito
M.il Casino
544
Santuario di Rifesi
Gola
M.Arancio
403
M.Cirami
516
Ponte Carboi
Piana Grande di Misilifurme
Piana Piccola di Misilifurme
Pizzo Telégrafo
950
Valle Favara
Lago Favara
BÚRGIO
(317)
Valle di Gèbbia
Villafranca Sícula
SELINUNTE
Casa Pignatelli
Templi
Marinella
Acrópoli
Porto Palo
Torrenuova
Casa Fiore
Casa Bertolino
Casa San Bartolo
Casa Vento
Rocca Ficuzza
901
Rocca Nadore
599
CALTABELLOTTA
(949)
Cattedrale
Casa Perrana
Sant' Anna
Lucca Sícula
(513)
Pizzo di Canalicchio
616
Casa Pulliccia di sopra
M.San Nicola
646
Casa Cannatello
Casa Pulliccia di sotto
Pizzo Alto
634
Casa Cirrie
Carboj
Casa Maragani
Torre Ragana
Cartabubbo
Villa Di Stéfano
Villa Quisisana
Casa Vento
San Calógero
Cozzo il Pavone
247
Casa Antogna
Calamónaci
RIBERA
Magazzolo
M.Castellúccio
360
Casa Finoccio
Casa Millaga
Casa Bissana
Casalinazzo
Terme
Case San Marco
SCIACCA
Capo San Marco
M.del Jerio
265
M.Sara
434
Torre Verdura
Casa Strasatto
Casa Lamantia
Casa Pertuso
M.Sórcio
520
(180)
CATT ERACLE
Seccagrande
Pizzo della Croce
132
Bonsignore
Platani
M.Ardicola
305
Casa Tortorici
M.d.Lupo
239
M.S.Giórgio
400
Stagnone
ERACLEA MINOA
Pizzo Sant'António
172
Montallegro
(100)
Capo Bianco
Casa Pantano
M.Sedita
428
Torre Salsa
Sella Omomorto
Foce Salso
Cant.
Siculiana Marina
il Calvario
Casa Acquanova
Punta Secca
Torre di Monterosso
123
124
125
126
Marsala
Álcamo Ovest 42km
Nd
Ne
Nf
Spano
Torre Triglia
Case Caruso
Borgo Elefante
Casa Sant'Elia
Vignale
Casa Sant'Ágata
CASTELVETRANO
Campobello di Mazara
Masseria Antalbo
Délia
Capo Feto
MAZARA DEL VALLO
Mazara d.V.
la Bocca
Castelvetrano
Torre Mendolia
Séggio
Valasuso
Rocchetta
Borgo Vecchio
Sciacca
CAMPOBELLO DI MAZARA
Santa Teresa
Torre Campana
Santo Monte
112
Madonna di Trapani
Rocche di Cusa
Staz. di S.Nicola di Mazara
Baglio Ingham
Bresciana
Fermata Latomie
Parrino
Serralonga
Casa Pignatelli
Lago di Priola
Torre dei Gesuiti
Casa Calcara
SELINUNTE
Baglio Guardiola
Necrópoli
Santuario d. Malophoros
Templi
Triscina
Acrópoli
Marinella
Porto Palo
Granítola-Toretta
Granítola
Torre
Tre Fontane
Capo Granítola
122
123
Mf
Na
Ne
Trápani
Ísola di Pantelleria
Punta della Croce
Punta Karúscia
PANTELLERIA
Punta Spadillo
Cúddie Rosse
56
265
M.Sant'Elmo
Mursia
Sesi
San Vito
Santa Chiara
Cittadella
Gadir
Punta Fram
Madonna delle Grázie
San Michele
San Francesco
Khamma
Punta Trácino
Trácino
Grotta di Satarìa
Madonna del Rosário
Montagna Grande
836
Case Achilone
700
217
Punta Tre Pietre
Scáuri
M.Gibele
Punta del Cortiglio
Casa Bono
Cúddia Attalora
560
Punta di Ferreri
Punta Limarsi
Punta Polacca
310
Balata d.Turchi
127
128
Ísola di Linosa
Porto Empédocle
Punta Paranzello
Scogli dei Bovi Marini
M.Vulcano
195
133
Linosa
Punta Calcarella
Lampedusa
Nc
Nd
Ne
Ísole Pelágie
Ísola di Lampione
36
135
Linosa
Ísola di Lampedusa
Capo Ponente
133
Albero Sole
Capo Grecale
Ísola dei Conigli
Riserva Naturale
LAMPEDUSA
Punta Sottile
0 1 2 4 6 8 10 km

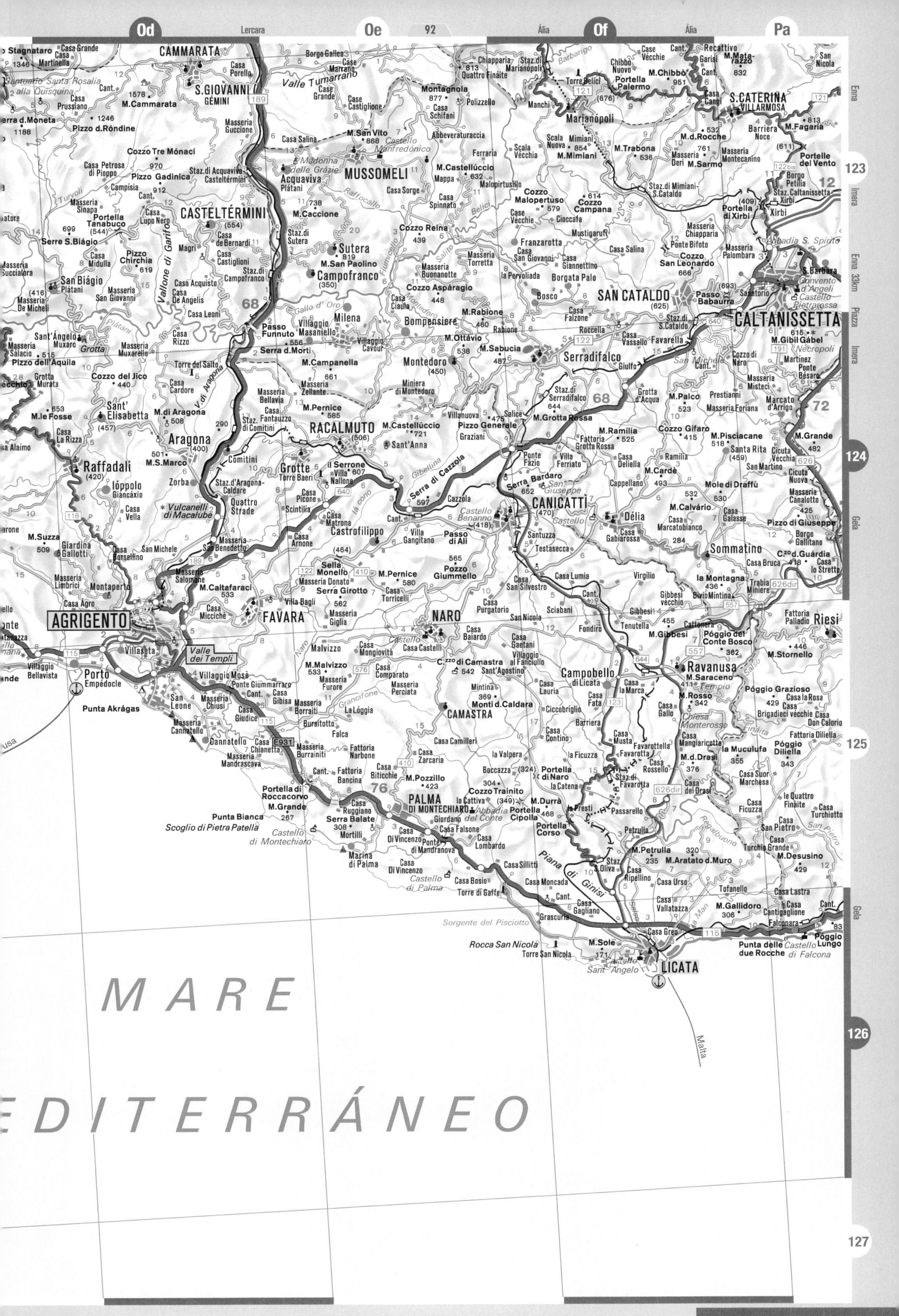
CAMMARATA
S.GIOVANNI GÉMINI
MUSSOMELI
Acquaviva Plátani
CASTELTÉRMINI
Sutera
Campofranco
Milena
Mariánópoli
S.CATERINA VILLARMOSA
SAN CATALDO
CALTANISSETTA
Serradifalco
Montedoro
RACALMUTO
Grotte
Sant' Elisabetta
Aragona
Raffadali
Ióppolo Giancáxio
Comitini
Favara
AGRIGENTO
Porto Empédocle
Punta Akrágas
Valle dei Templi
Castrofilippo
CANICATTÌ
Délia
Sommatino
NARO
Camastra
PALMA DI MONTECHIARO
Campobello di Licata
Ravanusa
Riesi
LICATA
Punta Bianca
Scoglio di Pietra Patella
Rocca San Nicola
Torre San Nicola
Punta delle due Rocche
Malta
MARE
EDITERRÁNEO
123
124
125
126
127
Enna
Imera
Gela
Piazza

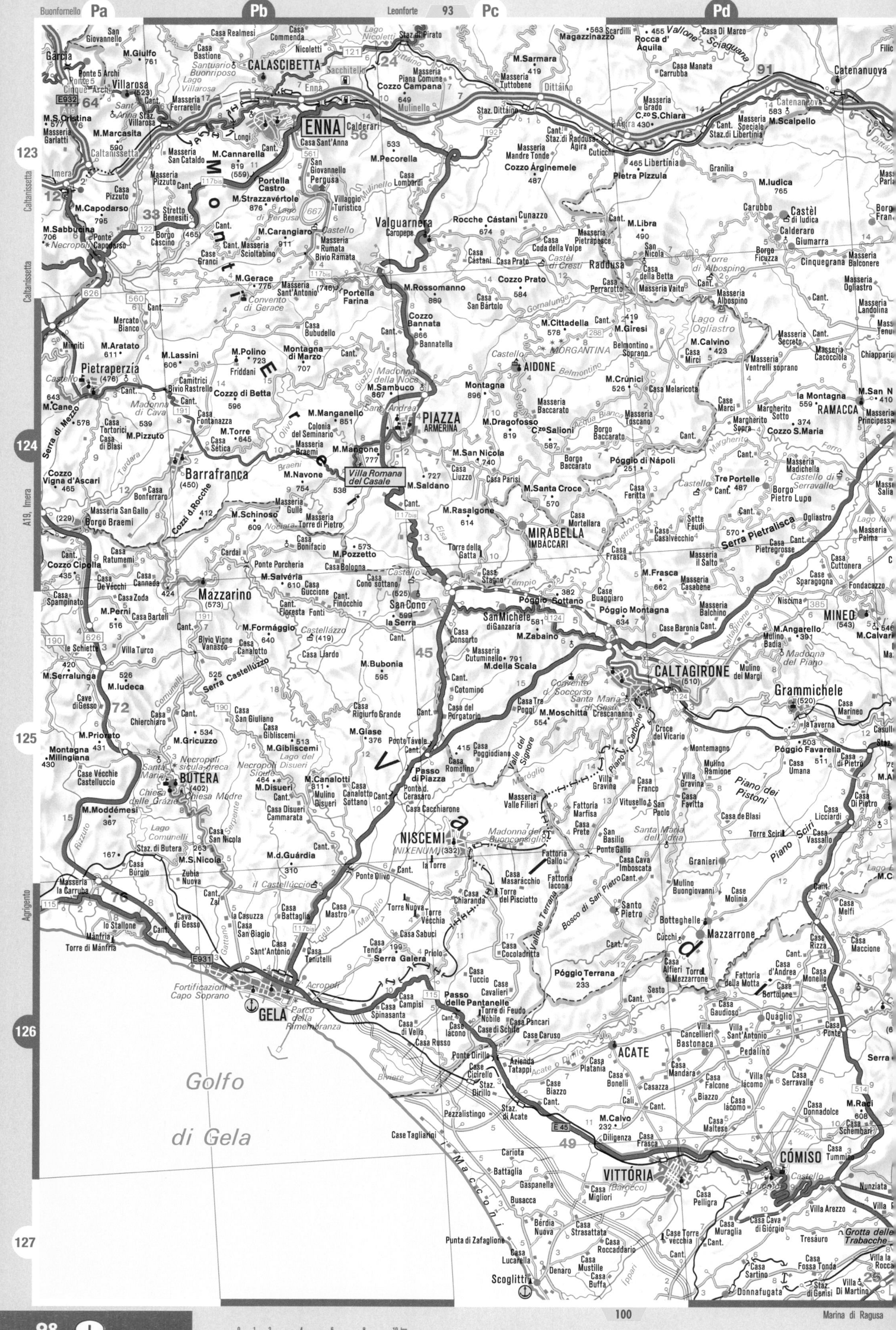

ENNA
CALASCIBETTA
Villarosa
Caltanissetta
Pietraperzia
Barrafranca
Mazzarino
BUTERA
GELA
Golfo
di Gela
PIAZZA ARMERINA
Villa Romana del Casale
Valguarnera Caropepe
AIDONE
MORGANTINA
Raddusa
MIRABELLA IMBACCARI
San Michele di Ganzaria
CALTAGIRONE
Grammichele
MINEO
RAMACCA
Catenanuova
NISCEMI
Mazzarrone
ACATE
VITTÓRIA
CÓMISO
Scoglitti
Agira
Libertínia
Monti Erei
Lago di Pergusa
Lago di Ogliastro
Serra Pietralisca
Piano dei Pistoni
Bosco di San Pietro
Macconi
123
124
125
126
127

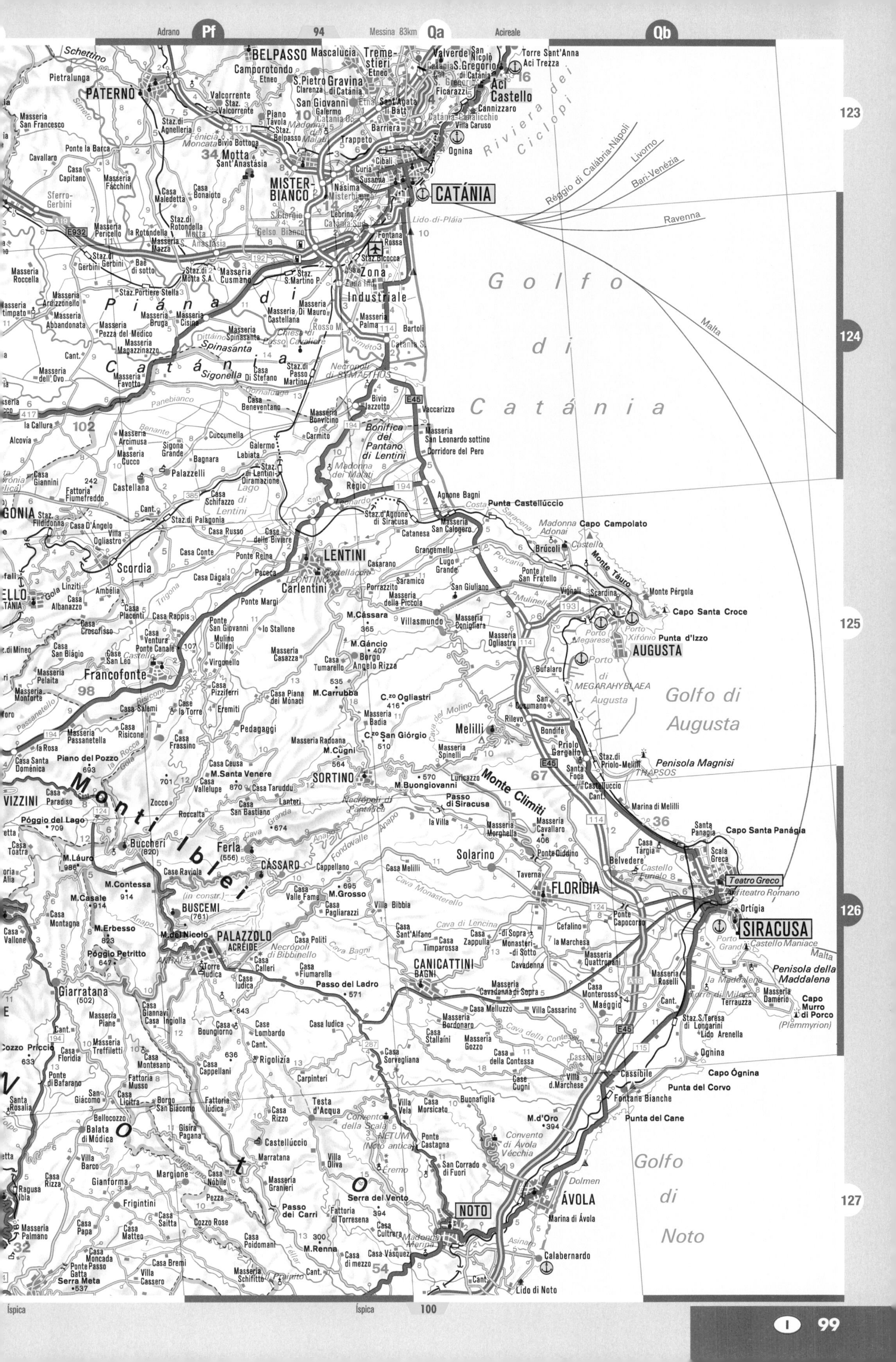
Adrano
Pf
94
Messina 83km
Qa
Acireale
Qb
123
124
125
126
127
BELPASSO
Mascalucia
Tremestieri Etneo
Valverde
San Nicolò
Torre Sant'Anna
Aci Trezza
Aci Castello
Camporotondo Etneo
S.Pietro Clarenza
Gravina di Catánia
S.Gregorio di Catania
Pietralunga
PATERNÒ
Valcorrente
San Giovanni Galermo
Sant'Agata li Batt
Ficarazzi
Cannizzaro
Villa Caruso
Ognina
Riviera dei Ciclopi
Masseria San Francesco
Ponte la Barca
Cavallaro
Motta Sant'Anastásia
Barriera
Trappeto
Cibali
MISTERBIANCO
Nésima
CATÁNIA
Réggio di Calábria-Nápoli
Livorno
Bari-Venézia
Ravenna
Malta
Lido-di-Pláia
Fontana Rossa
Zona Industriale
Golfo di Catánia
Piána di Catánia
Sigonella
Bartoli
Vaccarizzo
Bonifica del Pantano di Lentini
Masseria San Leonardo sottino
Corridore del Pero
Agnone Bagni
Punta Castellúccio
Capo Campolato
Brúcoli
Monte Táuro
Monte Pérgola
Capo Santa Croce
Punta d'Izzo
AUGUSTA
Golfo di Augusta
Penisola Magnisi
THAPSOS
MEGARA HYBLAEA
Scordia
LENTINI
Carlentini
LEONTINOI
Francofonte
Villasmundo
Melilli
M.Cássara
M.Gáncio
Monte Climiti
Priolo Gargallo
Marina di Melilli
Capo Santa Panágia
Santa Panagia
Scala Greca
Belvedere
Teatro Greco
Anfiteatro Romano
Ortígia
SIRACUSA
Porto Grande
Castello Maniace
Penisola della Maddalena
Capo Murro di Porco
(Plemmyrion)
FLORIDIA
Solarino
SORTINO
Monti Iblei
VIZZINI
Buccheri
Ferla
CÁSSARO
BUSCEMI
PALAZZOLO ACRÉIDE
CANICATTINI BAGNI
Giarratana
Cassíbile
Fontane Bianche
Punta del Cane
Capo Ógnina
Golfo di Noto
ÁVOLA
NOTO
Calabernardo
Lido di Noto
Marina di Ávola
Ragusa Ibla
Íspica
Íspica
100
I 99

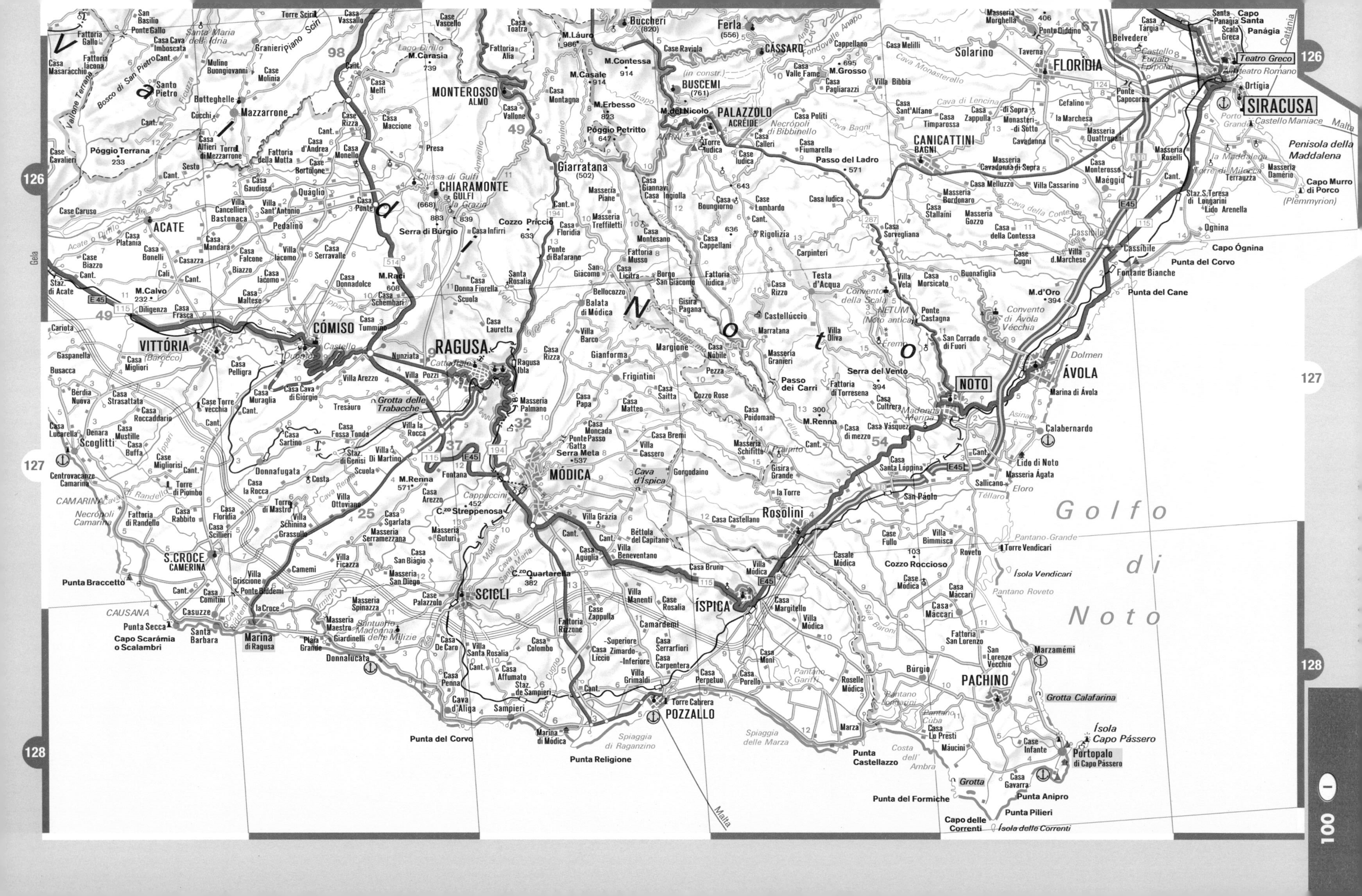

Val di Noto
Gela
126
127
128
VITTÓRIA
ACATE
Mazzarrone
CÓMISO
RAGUSA
Ragusa Ibla
CHIARAMONTE GULFI
MONTEROSSO ALMO
Giarratana
Buccheri
BUSCEMI
PALAZZOLO ACREIDE
Ferla
CÁSSARO
Solarino
FLORIDIA
CANICATTINI BAGNI
SIRACUSA
Ortigia
Teatro Greco
Penisola della Maddalena
Capo Murro di Porco
Fontane Bianche
Cassibile
Punta del Cane
ÁVOLA
Marina di Ávola
NOTO
Lido di Noto
Calabernardo
Golfo di Noto
Ísola Vendicari
Marzamémi
PACHINO
Portopalo di Capo Pássero
Ísola Capo Pássero
Ísola delle Correnti
Capo delle Correnti
Punta del Formiche
Rosolini
ÍSPICA
POZZALLO
Malta
Punta Religione
Marina di Módica
Sampieri
SCICLI
Punta del Corvo
Donnalucata
MÓDICA
Cava d'Íspica
Marina di Ragusa
S.CROCE CAMERINA
Punta Secca
Capo Scarámia o Scalambri
Punta Braccetto
Scoglitti
Camarina
Grotta delle Trabacche
Serra del Vento
Passo del Ladro
Grotta Calafarina

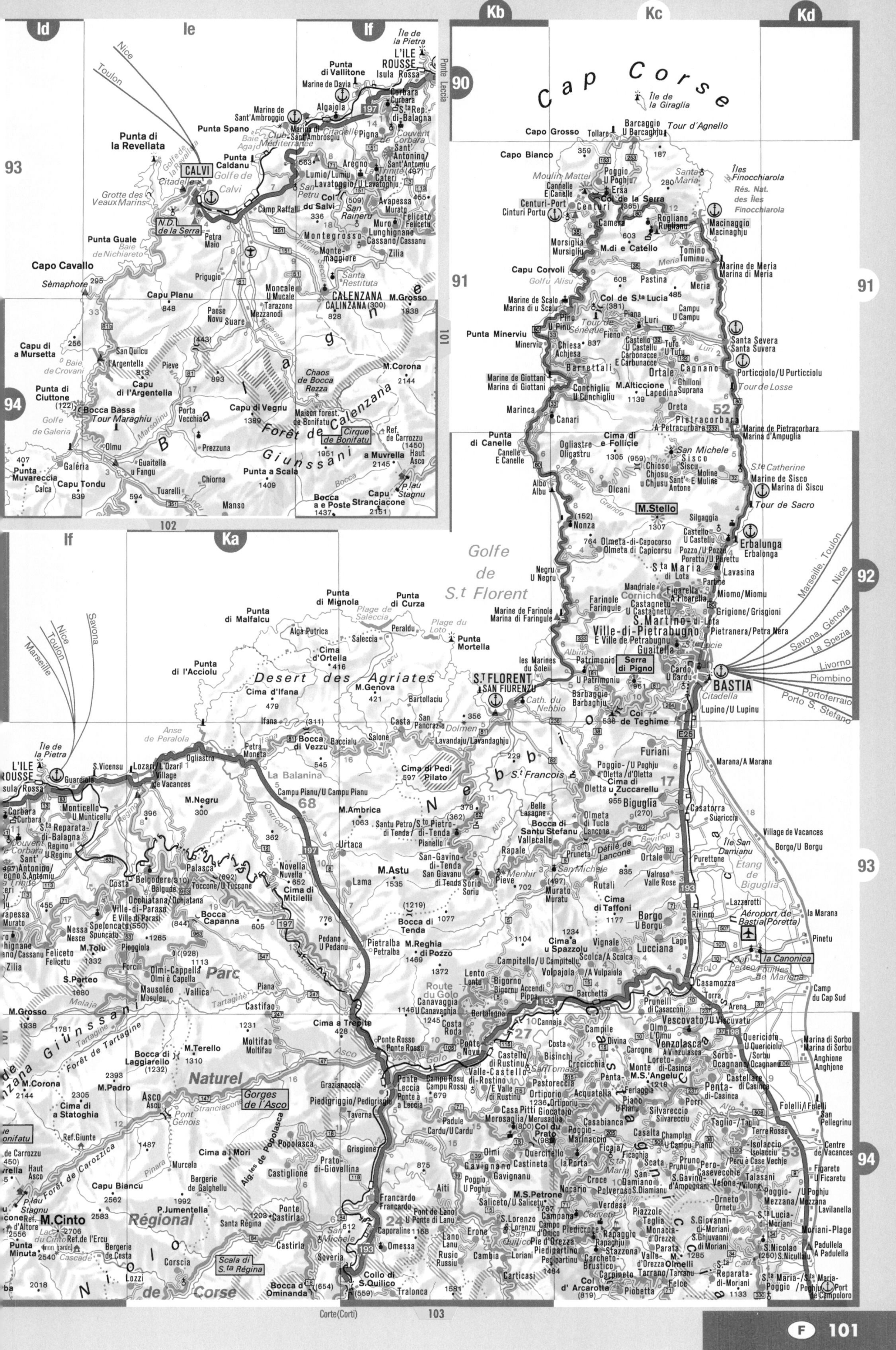
Id
Ie
If
Kb
Kc
Kd
Ka
Cap Corse
Île de la Giraglia
Capo Grosso
Tollare
Barcaggio
U Barcaghju
Tour d'Agnello
Capo Bianco
Îles Finocchiarola
Rés. Nat. des Îles Finocchiarola
Moulin Mattei
Centuri-Port
Cinturi Portu
Centuri
Col de la Serra
Rogliano
Ruglianu
Macinaggio
Macinaghju
Camera
Morsiglia
Mursiglia
M.di e Catello
Tomino
Tuminu
Marine de Meria
Marina di Meria
Capu Corvoli
Golfu Alisu
Pastina
Meria
Marine de Scalo
Marina di u Scalu
Col de S.ta Lucia
Pino
U Pinu
Tour de Sénèque
Luri
Campu
U Campu
Punta Minerviu
Minerviu
Chiesa
Achjesa
Fieno
Castello
U Castellu
Tufo
U Tufu
Carbonacce
E Carbunacce
Santa Severa
Santa Suvera
Porticciolo/U Purticciolu
Tour de Losse
Marine de Giottani
Marina di Giottani
Barrettali
Ortale
Cagnano
Ghilloni
Suprana
Conchigliu
U Cunchigliu
M.Alticcione
Lapedina
Marinca
Canari
Oreta
Pietracorbara
A Petracurbara
Marine de Pietracorbara
Marina d'Ampuglia
Punta di Canelle
Canelle
E Canelle
Ogliastro
Oligastru
Cima di e Follicie
San Michele
Sisco
Siscu
Chioso
Chjosu
u Chjusu
Sant' Antone
Moline
E Muline
S.te Catherine
Marine de Sisco
Marina di Siscu
Tour de Sacro
Albo
Albu
Olcani
M.Stello
Nonza
Silgaggia
Castello
U Castellu
Erbalunga
Erbalonga
Olmeta-di-Capocorso
Olmeta di Capicorsu
Pozzo/U Pozzu
Poretto/U Purettu
Lavasina
S.ta Maria di Lota
Partine
Golfe de S.t Florent
Negru
U Negru
Farinole
Faringule
Mandriale
Corniche
Castagneto
U Castagnetu
Figarella
A Ficarella
Miomo/Miomu
Grigione/Grisgioni
Marine de Farinole
Marina di Faringule
S.Martino-di-Lota
Ville-di-Pietrabugno
E Ville de Petrabugnu
Pietranera/Petra Nera
Guaitella
S.te Lucie
Albino
les Marines du Soleil
Patrimonio
U Patrimoniu
Serra di Pigno
Cardo
U Cardu
BASTIA
Citadella
Lupino/U Lupinu
S.T FLORENT
SAN FIURENZU
Cath. du Nebbio
Barbaggio
Barbaghju
Col de Teghime
Marseille, Toulon
Nice
Savona, Genova
La Spezia
Livorno
Piombino
Portoferraio
Porto S. Stefano
Nice
Toulon
Punta di la Revellata
Punta Spano
Marine de Sant'Ambroggio
Marina di Sant'Ambrosgiu
Club Méditerranée
Punta di Vallitone
Marine de Davia
L'ILE ROUSSE
Isula Rossa
Île de la Pietra
Ponte Leccia
Corbara
Curbara
S.ta Rep.-di-Balagna
Couvent de Corbara
Algajola
Citadelle
Pigna
Sant' Antonino
Sant'Antumu
La Trinité
Punta Caldanu
CALVI
Golfe de Calvi
Citadelle
Aregno
Lumio/Lumiu
Lavatoggio/U Lavatoghju
Cateri
Avapessa
Grotte des Veaux Marins
Camp Raffalli
San Petru
Col du Salvi
San Raineru
Muro
Feliceto
Felicetu
Lunghignano
Cassano/Cassanu
N.D. de la Serra
Punta Guale
Baie de Nichiareto
Petra Maio
Montegrosso
Monte-maggiore
Zilia
Capo Cavallo
Sèmaphore
Prigugio
Santa Restituta
Moncale
U Mucale
CALENZANA
CALINZANA
M.Grosso
Capu Planu
Paese Novu
Suare
Tarazone
Mezzanodi
Capu di a Mursetta
Baie de Crovani
San Quilcu
l'Argentella
Pieve
Capu di l'Argentella
Chaos de Bocca Rezza
M.Corona
Punta di Ciuttone
Bocca Bassa
Tour Maraghiu
Golfe de Galeria
Porta Vecchia
Capu di Vegnu
Maison forest. de Bonifatu
Cirque de Bonifatu
Forêt de Calenzana
Ref. de Carrozzu
Balagne
Olmu
Prezzuna
Giunssani
Punta Muvareccia
Galéria
Guaitella
u Fangu
Chiorna
a Muvrella
Haut Asco
Punta a Scala
Calca
Capu Tondu
Tuarelli
Manso
Bocca a e Poste
Capu Stranciacone
Capu Stagnu
Plau
93
94
90
91
92
101
102
103
Punta di Mignola
Punta di Curza
Plage de Saleccia
Plage du Loto
Punta di Malfalcu
Alga Putrica
Saleccia
Peraldu
Punta Mortella
Cima d'Ortella
Punta di l'Acciolu
Desert des Agriates
Cima d'Ifana
M.Genova
Bartollaciu
Ifana
Casta
San Pancraziu
Dolmen
Anse de Peraloa
Bocca di Vezzu
Bacciala
Salone
Lavandaju/Lavandaghju
Petra Moneta
Ogliastro
Lozari
L'Ozari
Village de Vacances
S.Vicensu
Guardiola
La Balanina
Cima di Pedi Pilato
Nebbio
S.t Francois
Poggio-/U Poghju d'Oletta/d'Oletta
Oletta
Cima di u Zuccarellu
Biguglia
Furiani
Marana/A Marana
Campu Pianu/U Campu Pianu
M.Negru
Monticello
U Monticellu
M.Ambrica
Santu Petru/S.to Pietro-di-Tenda
Belle Lasagne
Bocca di Santu Stefanu
Vallecalle
Olmeta di Tuchia
Lancone
Casatorra
Suariccia
Village de Vacances
Borgo/U Borgu
Île San Damianu
Etang de Biguglia
Urtaca
Pianello
Rapale
Défilé de Lancone
Ortale
Puretone
San-Gavino-di-Tenda
San Giavanu di Tenda
Sorio
Soriu
Pieve
San Michele
Valroso
Valle Rose
Novella
Nuvella
M.Astu
Lama
Cima di Mitilelli
Palasca
Toccone/U Tuccone
Belgodere
Balgudè
Costa
Ochjatana
Ville-di-Paraso
E Ville di Parasi
Speloncato
Spuncatu
Nessa
Nesce
Bocca Capanna
Rutali
Murato
Muratu
Cima di Taffoni
Borgo
U Borgu
Lazzarotti
Rivinco
Aéroport de Bastia(Poretta)
la Marana
Pinetu
La Canonica
Pedano
U Pedanu
Pietralba
Petralba
M.Reghia di Pozzo
Bocca di Tenda
Vignale
Cima a u Spazzolu
Lucciana
Lago
Campitello/U Campitellu
Scolca/A Scolca
Volpajola
Vulpaiola
Lento
Bigorno
Bigornu
Accendi Pippa
Route du Golo
Canavaggia
U Canavaghja
Barchetta
Casamozza
Torra
Prunelli di Casacconi
Arena
Camp du Cap Sud
M.Tolu
Feliceto
Pioggiola
Forcili
Olmi-Cappella
Olmi è Capella
Parc
Piana
Mausoléo
Mosuleu
Vallica
Tartagine
Castifao
S.Parteo
M.Grosso
Melaja
Giunssani
Forêt de Tartagine
Cima a Trepie
Ponte Rosso
Ponte Rossu
Moltifao
Moltifau
M.Terello
Bocca di Laggiarello
Naturel
Asco
Gorges de l'Asco
M.Corona
M.Padro
Cima di a Statoghia
Grazianaccia
Piedigriggio/Pedigrisgiu
Ponte Leccia
Ponte à a Leccia
Campu Rosu
Campu Rossu
Costa Roda
Ponte Novu
Castello di Rostino
Valle-Castello
Valle-di-Rostino
Bisinchi
Crocicchia
Pastoreccia
Ortiporio
Acquatella
Penta-Acquatella
Monte
M.S.'Angelu
Vescovato/U Viscuvatu
Olmo
L'Olmu
Venzolasca
A Vinzulasca
Loreto-di-Casinca
Sorbo-Ocagnano
Castellare-di-Casinca
Penta-di-Casinca
Querciolo
U Querciolu
Marina di Sorbo
Anghione
Folelli/I Fulelli
San Pellegrinu
Taglio-/Tagliu
Talasani
Centre de Vacances
Figareto
U Ficaretu
Poggio-/U Poghju
Mezzana
Lavilanella
S.ta Lucia-di-Moriani
Moriani-Plage
Padulella
A Padulella
S.Nicolao
S.Niculau
S.ta Maria-Poggio
Port de Campoloro
Ref. Giunte
Taverna
Grisgione
Prato-di-Giovellina
Popolasca
Castiglione
Aiti
Casa Pitti
Giocatojo
Morosaglia
Padule
Carbu/U Carbu
Silvareccio
Casabianca
Casalta
Champlan
Campu Pianu
Isolaccio
Isulacciu
Peru/Case Vechje
Casevecchie
Tour Rosse
Scata
Pruno
San Damiano
S.Gavino-d'Ampugnani
Velone-/Vilone
Orneto
Ornetu
Forêt de Carozzica
Haut Asco
Capu Biancu
Bergerie de Galghellu
Murcela
Cima a i Mori
Aiguilles de Popolasca
Ponte Castirla
Francardo
Francardu
Pont de Lano
Pont e di Lanu
Caporalino
Omessa
M.Cinto
P.Jumentella
Régional
Santa Règina
Castirla
Soveria
Lano
Rusio
Cambia
Erone
Loriani
Carticasi
Piedicorte
Campana
Rapaggio
Stazzona
Carcheto-Brustico
Piazzole
Teglia
Monacia-d'Orezza
Parata
Valle-d'Orezza
Tarrano
Felce
S.Giovanni-di-Moriani
S.ta Reparata-di-Moriani
Bergeries de Cesta
Punta Minuta
Corscia
Scala di S.ta Régina
Lozzi
Niolo
de Corse
Collo di S.Quilico
Tralonca
Bocca d'Ominanda
Col d' Arcarotta
Piobetta
M.S.Petrone
Verdese
Nocario
Polveroso
Croce
Ficaja
Quercitello
La Porta
Gavignano
Poggio
Salicito/U Salicetu
S.Lorenzo
Piedipartino
Pie d'Orezza
Castagniccia
Corte(Corti)
Stranciacone
Pont Génois
Cascade
Ref.de l'Ercu
Capu Stagnu
d'Altore
du Cinto
Pinara
Route

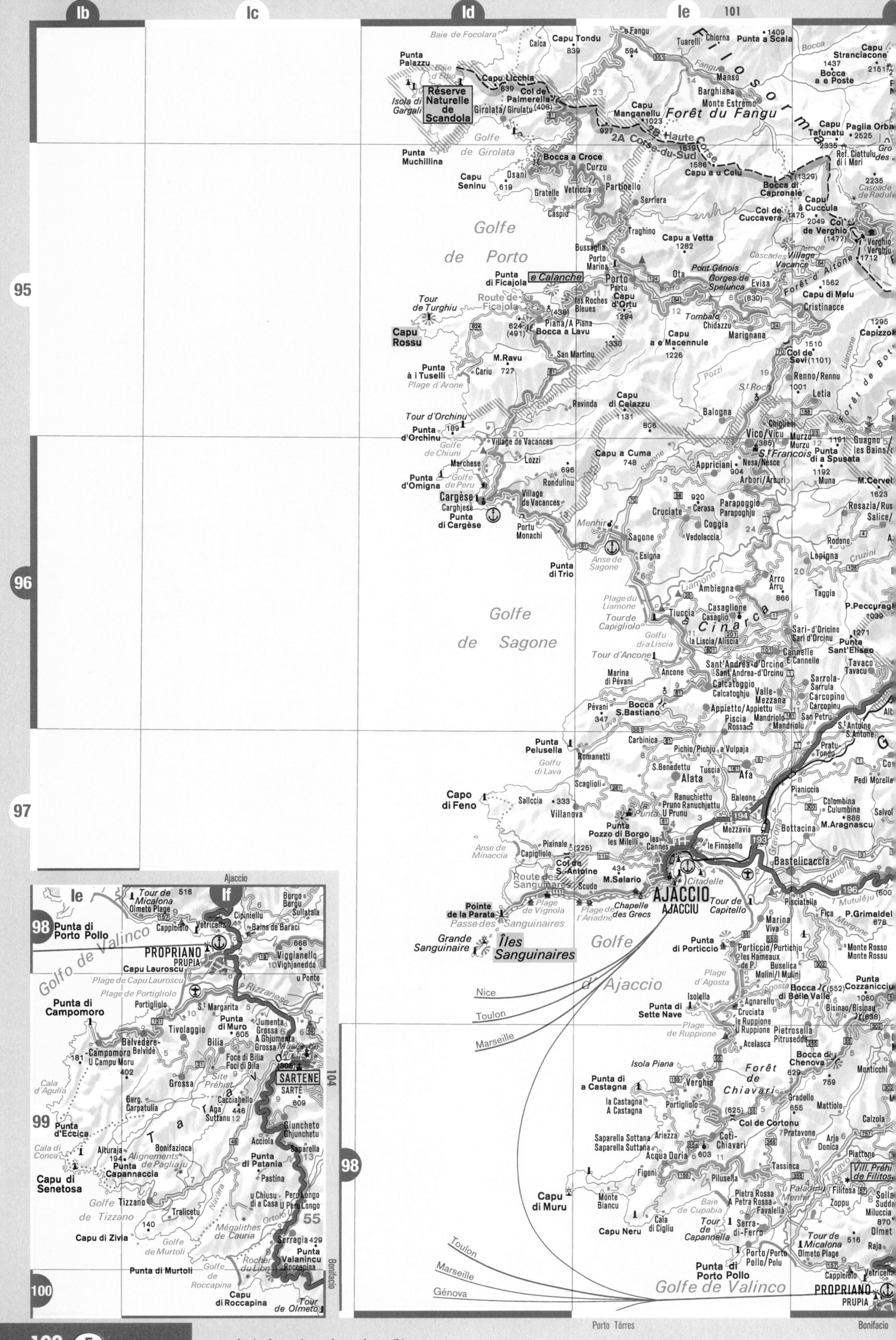
95
96
97
98
99
100
Baie de Focolara
Punta Palazzu
Capu Tondu
839
u Fangu
594
Tuarelli
Chiorna
Punta a Scala
1409
Capu Stranciacone
Bocca a e Poste
1437
Filosorma
Capu Licchia
Col de Palmerella
Réserve Naturelle de Scandola
Isola di Gargali
Girolata/Girulatu
Manso
Barghiana
Monte Estremo
Capu Manganellu
1023
Forêt du Fangu
Capu Tafunatu
Paglia Orba
2525
2A Corse-du-Sud
2B Haute-Corse
Golfe de Girolata
Punta Muchillina
Bocca a Croce
Curzu
Capu a u Celu
Ref. Ciottulu di i Mori
Capu Seninu
Osani
619
Gratelle
Vetriccia
Partinello
Serriera
Bocca di Capronale
Capu à Cuccula
Col de Cuccavera
Col de Verghio
Verghio
Caspiu
Golfe de Porto
Traghino
Capu a Vetta
1282
Bussaglia
Porto Marina
Punta di Ficajola
e Calanche
Porto
Portu
Ota
Pont Génois
Gorges de Spelunca
Evisa
Forêt d'Aïtone
Capu di Melu
Cristinacce
Tour de Turghiu
Route de Ficajola
les Roches Bleues
Capu d'Ortu
1294
Tombalo
Chidazzu
Piana/A Piana
Bocca a Lavu
Capu Rossu
Capu a e Macennule
1226
Marignana
Capizzolu
Col de Sevi
Renno/Rennu
San Martinu
M.Ravu
727
Cariu
Punta à i Tuselli
Plage d'Arone
Letia
Revinda
Capu di Calazzu
1131
Balogna
Tour d'Orchinu
Punta d'Orchinu
Golfe de Chiuni
Village de Vacances
Lozzi
Capu a Cuma
748
Vico/Vicu
Murzu
Guagno les Bains
S.t François
Punta di a Spusata
Marchese
Appriciani
Nesa/Nesce
Arbori/Arburi
Muna
M.Cervellu
Punta d'Omigna
Golfe de Peru
Rondulinu
Cargèse
Carghjese
Punta di Cargèse
Village de Vacances
Portu Monachi
Cruciate
Cerasa
Parapoggio
Parapoghju
Coggia
Vedolaccia
Rosazia/Rus
Salice
Menhir
Sagone
Esigna
Anse de Sagone
Rodone
Lopigna
Punta di Trio
Arro
Arru
866
Taggia
Golfe de Sagone
Plage du Liamone
Tour de Capigliolo
Ambiegna
Tiuccia
Casaglione
Casagliu
Cinarca
P.Peccuragl
Golfu di a Liscia
la Liscia/Aliscia
Sari-d'Orcino
Sari d'Orcinu
Punta Sant'Eliseo
Tour d'Ancone
Ancone
Cannelle
Sant'Andréa-d'Orcino
Sant'Andrea-d'Orcinu
Tavaco
Tavacu
Marina di Pévani
Calcatoggio
Calcatoghju
Valle-Mezzana
Sarrola-Sarrula
Carcopino
Carcopinu
Pévani
Bocca S.Bastiano
Appietto/Appiettu
Piscia Rossa
Mandriolo
Mandriolu
San Petru
S.t Antoine
S.Antone
Carbinica
Punta Pelusella
Romanetti
Pichio/Pichju
a Vulpaja
Pratu-Tondu
Golfu di Lava
S.Benedettu
Tuscia
Alata
Afa
Pedi Morella
Scaglioli
Capo di Feno
Sallccia
333
Villanova
Ranuchiettu
Pruno Ranuchjettu
Baleone
Pianiccia
Colombina
Culumbina
M.Aragnascu
Punta U Prunu
Punta Pozzo di Borgo
les Milelli
les Cannes
Mezzavia
Bottacina
Anse de Minaccia
Pisinale
Capigliolo
le Finosello
Col de S. Antoine
434
M.Salario
Bastelicaccia
Route des Sanguinaires
Scudo
Citadelle
AJACCIO
AJACCIU
Tour de Capitello
Pisciatella
Mutuléju
Fica
P.Grimaldel
Pointe de la Parata
Passe des Sanguinaires
Plage de Vignola
Plage de l'Ariadne
Chapelle des Grecs
Grande Sanguinaire
Îles Sanguinaires
Golfe d'Ajaccio
Marina Viva
Punta di Porticcio
Porticcio/Purtichju
les Hameaux de P.
Monte Rosso
Monte Rossu
Buselica
Molini/I Mulini
Plage d'Agosta
Nice
Toulon
Marseille
Isolella
Agnarellu
Cruciata
Punta di Sette Nave
Bocca di Belle Valle
Punta Cozzanicciu
Bisinao/Bisinau
Plage de Ruppione
U Ruppione
Pietrosella
Pitrusedda
Acelasca
Isola Piana
Forêt de Chiavari
Bocca di Chenova
Monticchi
Punta di a Castagna
Verghia
la Castagna
A Castagna
Portigliolo
Gradello
Mattiolo
Col de Cortonu
Pratavone
Calzola
Saparella Sottana
Saparella Suttana
Ariezza
Coti-Chiavari
Acqua Doria
Arja Donica
Piattone
Figoni
Tassinca
Vill. Préhi de Filitos
Filitosa
Zoppu
Capu di Muru
Monte Biancu
Baie de Cupabia
Pietra Rossa
A Petra Rossa
Favalella
Cala di Ciglia
Capu Neru
Tour de Capannella
Serra-di-Ferro
Tour de Micalona
Olmeto Plage
Porto/Portu
Pollo/Polu
Punta di Porto Pollo
Golfe de Valinco
Génova
Cappiciolo
Vetricella
PROPRIANO
PRUPIA
Porto Tórres
Bonifacio
Ajaccio
Ie
If
Tour de Micalona
Olmeto Plage
Punta di Porto Pollo
Golfo de Valinco
Cipiniellu
Bains de Baraci
Burgo
Burgu
Sullatala
Viggianello
Vighjaneddu
Capu Laurosco
Plage de Capu Laurosco
Plage de Portigliolo
Rizzanese
u Ponte
Punta di Campomoro
Portigliolo
S.t Margarita
Punta di Muro
Jumenta Grossa
A Ghjumenta Grossa
Tivolaggio
Belvédère-Campomoro
Belvidè-U Campu Moru
Bilia
Foce di Bilia
Foci di Bila
SARTENE
SARTÈ
Cala d'Agulia
Grossa
Site Préhist.
Cacciabello
Aga Suttanu
Berg. Carpatulia
Giuncheto
Ghjunchetu
Punta d'Eccica
Acciola
Saparella
Cala di Conca
Alturaja
Bonifazinca
Punta Capannaccia
Alignements de Paglia ju
Punta di Patania
Pastina
Capu di Senetosa
Golfe de Tizzano
Tizzano
Tralicetu
u Chiusu di a Casa
Pero Longo
U Peru Longu
Mégalithes de Cauria
Capu di Zivia
Golfe de Murtoli
Serragia
Punta Valanincu
Roccapina
Punta di Murtoli
Golfe de Roccapina
Rocher du Lion
Capu di Roccapina
Tour de Olmeto
104
0 1 2 4 6 8 10 km

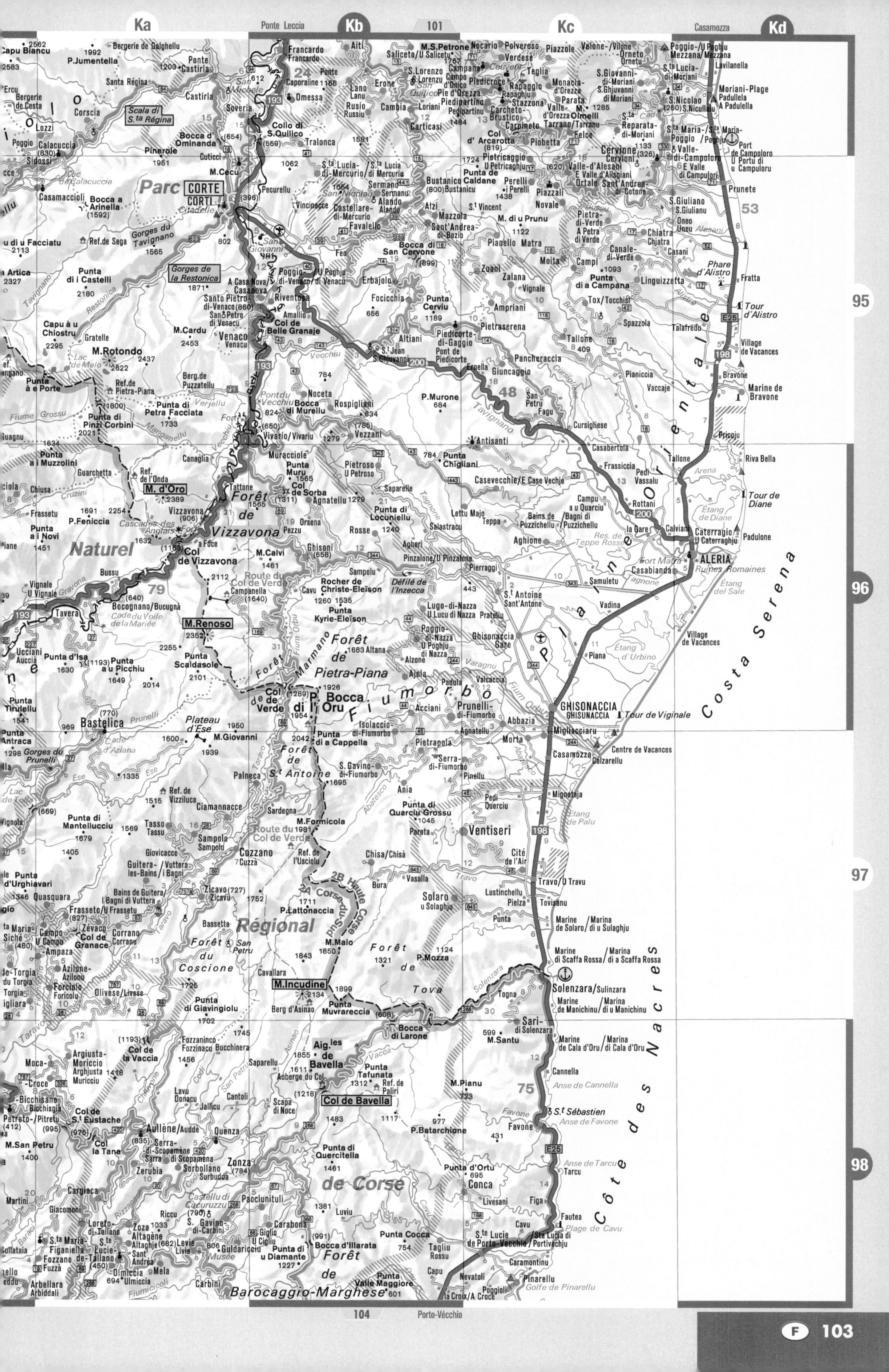

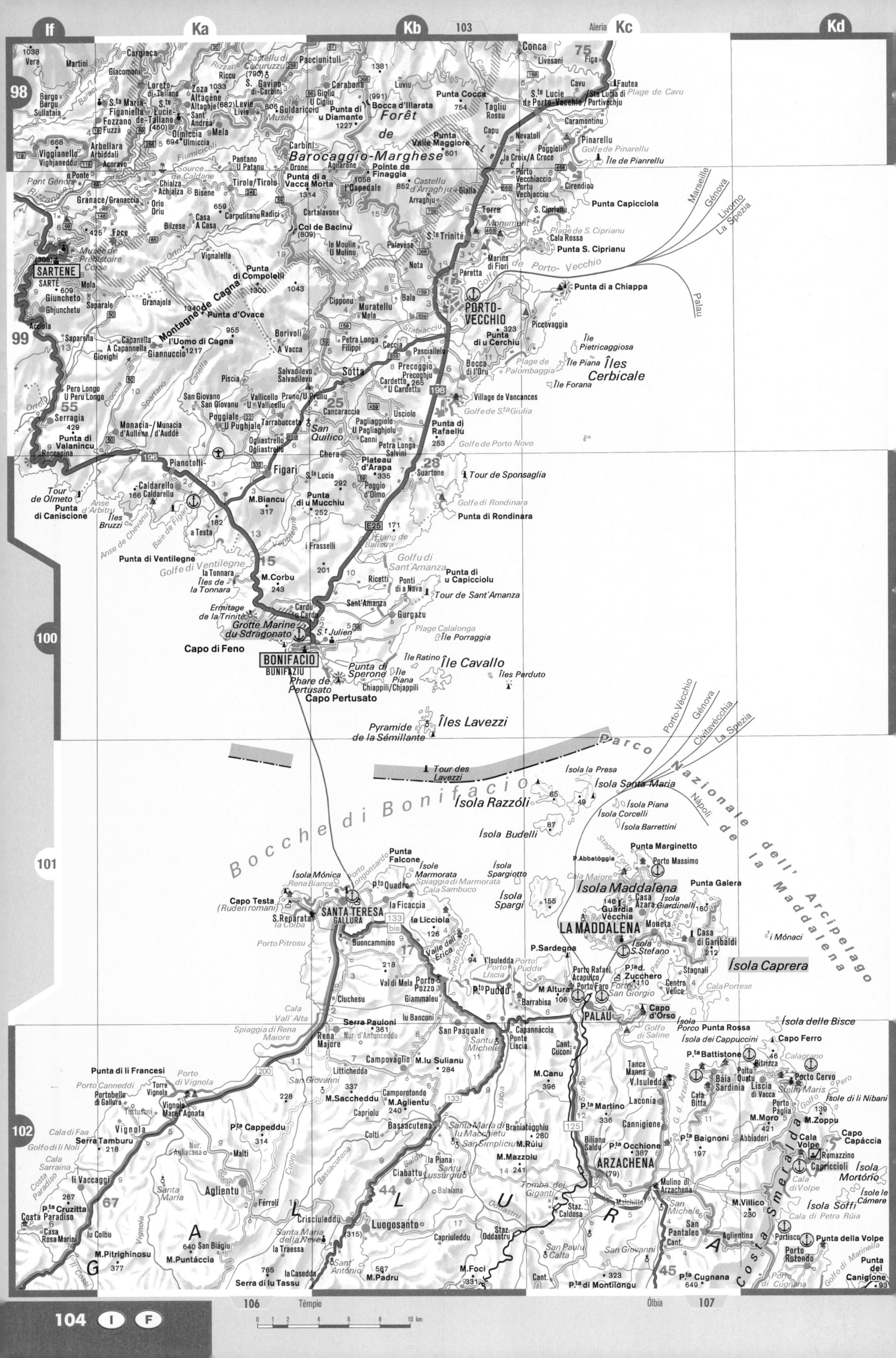

If
Ka
Kb
103
Aleria
Kc
Kd
98
99
100
101
102
Conca
Livesani
Figa
Fautea
Cavu
Plage de Cavu
S.te Lucie de Porto-Vecchio
Sta Lucia di Portivechju
Caramontinu
Pinarellu
Golfe de Pinarellu
Île de Pianrellu
Punta Cocca
Tagliu Rossu
Capu
Nevatoli
Poggioli
la Croix/A Croce
Forêt de Barocaggio-Marghese
Punta Valle Maggiore
Bocca d'Illarata
Punta di u Diamante
Luviu
Carabona
Paccìunituli
Cargiaca
Giacomoni
Martini
Vera
Burgo Burgu
Sullataia
Loreto-di-Tallano
S.ta Maria-Figaniella
Fozzano
Fuzzà
S.te Lucie-de-Tallano
Zoza
Altagène Altaghje
Levie Livia
Sant'Andréa
Olmiccia
Mela
Ulmiccia
Guldariccia
Carbini
Orone
Agnarone
Pointe de Finaggia
l'Ospedale
Castellu d'Arraghju
Arraghju
Gialla
Viggianello Vighjaneddu
Arbellara Arbiddali
Acoravo
Pantano U Patanu
Punta di a Vacca Morta
Porto Vecchiaccio Portu Vechjacciu
Cirendinu
Marseille
Génova
Livorno
La Spezia
Punta Capicciola
Pont Génois
Chialza Achjalza
Bisene
Tirolo/Tirolu
Granace/Granaccia
Orio Oriu
Carpulitanu
Radici
Cartalavone
Col de Bacinu
Torre
Monument
S. Ciprianu
Plage de S. Ciprianu
Cala Rossa
Punta S. Ciprianu
Rizzanese
Bilzese
Casa A Casa
Foce
Musée de Préhistoire Corse
le Moulin U Mulinu
Palavese
S.te Trinité
Marina di Fiori
Golfe de Porto-Vecchio
SARTENE
SARTÈ
Mola
Giuncheto Ghjunchetu
Saparale
Vignalella
Punta di Compolelli
Nota
Poretta
Punta di a Chiappa
Palau
Granajola
Montagne de Cagna
Punta d'Ovace
Cipponu
Muratellu Mela
Bala
PORTO-VECCHIO
Acciola
Saparella
Capanella A Capannella
Giovighi
Giannuccio
l'Uomo di Cagna
Borivoli
A Vacca
Petra Longa Filippi
Ceccia
Pasciallelo
Piccovaggia
Punta di u Cerchiu
Île Pietricaggiosa
Île Piana
Îles Cerbicale
Île Forana
Plage de Palombaggia
Bocca di l'Oru
Precoggio Precoghju
Cardetto U Cardettu
Sotta
Salvadilevo Salvadilevu
Piscia
Village de Vancances
Golfe de S.ta Giulia
Pero Longo U Peru Longo
Serragia
Punta di Valanincu
Roccapina
San Giovano San Giovanu
Vallicello U Vallicellu
Pruno/U Prunu
Cancaraccia
Usciolo
Poggiale U Pughjale
Tarrabucceta
San Quilico
Pagliaggiolo U Pagliaghjolu
Canni
Punta di Rafaellu
Golfe de Porto Novo
Monacia-/Munacia d'Aullène/d'Auddè
Ogliastrello Ogliastrellu
Petra Longa Salvini
Pianotolli-Caldarello
Chera
Plateau d'Arapa
Suartone
Tour de Sponsaglia
Tour de Olmeto
Punta di Caniscione
Anse d'Arbitru
Îles Bruzzi
Caldarello Caldarellu
Figari
S.ta Lucia
Poggio d'Olmo
M.Biancu
Punta di u Mucchiu
Golfe di Rondinara
Punta di Rondinara
Anse de Chevanu
Baie de Figari
a Testa
Ventilegne
Etang de Balistra
i Frasselli
Punta di Ventilegne
Golfe di Ventilegne
la Tonnara
Îles de la Tonnara
M.Corbu
Golfu di Sant'Amanza
Punta di u Capicciolu
Ricetti
Ponti di a Nava
Tour de Sant'Amanza
Ermitage de la Trinité
Sant'Amanza
Cardu u Cardu
Gurgazu
Grotte Marine du Sdragonato
S.t Julien
Plage Calalonga
Île Porraggia
Capo di Feno
BONIFACIO
BUNIFAZIU
Île Ratino
Île Cavallo
Îles Perduto
Punta di Sperone
Île Piana
Chiappili/Chjappili
Phare de Pertusato
Capo Pertusato
Pyramide de la Sémillante
Îles Lavezzi
Porto-Vècchio
Génova
Civitavècchia
La Spezia
Parco Nazionale de la Maddalena
Arcipelago dell' Maddalena
Tour des Lavezzi
Bocche di Bonifacio
Ísola la Presa
Ísola Santa Maria
Ísola Razzóli
Ísola Piana
Ísola Corcelli
Ísola Barrettini
Nápoli
Ísola Budelli
Punta Marginetto
P.Abbatóggia
Porto Massimo
Punta Falcone
Ísole Marmorata
Spiaggia di Marmorata
Cala Sambuco
Ísola Spargiotto
Ísola Spargi
Ísola Mónica
Rena Bianca
Longonsardo
P.to Quadro
Capo Testa (Ruderi romani)
S.Reparata
la Colba
SANTA TERESA GALLURA
la Ficaccia
la Licciola
Ísola Maddalena
Punta Galera
Cala Maiore
Guardia Vécchia
Casa Azara
Ísola Giardinelli
LA MADDALENA
Moneta
Casa di Garibaldi
i Mónaci
Ísola S.Stefano
Ísola Caprera
Porto Pitrosu
Buoncammino
Valle dell'Erica
Porto Pozzo
P.Sardegna
l'Isuledda
Porto Liscia
Porto Puddu
P.to Puddu
Porto Rafael
Acapulco
P.ta d. Zucchero
Porto Faro
Forte San Giorgio
Stagnali
Centro Vélico
Cala Portese
Val di Mela
Ciuchesu
Giammaleu
Barrabisa
M.Altura
PALAU
Capo d'Orso
Cala Vall'Alta
Serra Pauloni
Nur. d'Antunceddu
lu Banconi
Spiaggia di Rena Maiore
Rena Majore
San Pasquale
Santu Michele
Capannàccia
Ponte Liscia
Cant. Cuconi
Golfo di Saline
Ísola Porco
Punta Rossa
Ísola dei Cappuccini
Ísola delle Bisce
Capo Ferro
Punta di li Francesi
Porto di Vignola
Porto Canneddi
Torre Vignola
Portobello di Gallura
Vignola Mare
l'Agnata
Littichedda
Campovàglio
M.lu Sulianu
San Giovanni
M.Saccheddu
Camporotondo
M.Aglientu
Capriolu
M.Canu
Tanca Manna
V.Isuledda
Laconía
P.ta Battistone
Poltu Quatu
Báia Sardinia
Liscia di Vacca
Porto Cervo
Calagrano
Pero
Cala Bitta
Stelle Maris
Ísole di li Nibani
Porto Páglia
M.Moro
M.Zoppu
Cala di Faa
Golfo di li Noli
Cala Sarraina
Costa Paradiso
Vignola
Serra Tamburu
Nur. d'Agliacana
Malti
P.ta Cappeddu
Colti
Bassacutena
Santa Maria di lu Macchietu
San Simpliciu
Braniatógghiu
M.Rúiu
P.ta Martino
Cannigione
P.ta Occhione
P.ta Baignoni
Abbiadori
Capo Capàccia
Cala Volpe
Romazzino
Capriccioli
Ísola Mortório
li Vaccaggi
Santa Maria
Aglientu
Ferroli
Ciabattu
la Piana
Santu Lussúrgiu
Balaiana
M.Mazzolu
Tomba dei Giganti
Bilianu Saldu
ARZACHENA
Mulino di Arzachena
Malchittu
Cala di Volpe
Ísole le Cámere
Ísola Soffi
Cala di Petra Rúia
Costa Paradiso
P.ta Cruzitta
Casa Rosa Marini
lu Colbu
Crisciuleddu
Luogosanto
Santa Maria della Neve
la Traessa
Capriuleddu
Staz. Oddastru
Oddastru
Staz. Caldosa
San Paulu
Calta
San Michele
San Pantaleo
Cant.
San Giovanni
Aglientina
M.Villico
Costa Smeralda
Portisco
Punta della Volpe
Porto Rotondo
Golfo di Marinella
Punta del Canigione
M.Pitrighinosu
San Biágiu
M.Puntáccia
Sant'Antònio
M.Padru
Serra di lu Tassu
la Casedda
M.Foci
Cant.
P.ta di Montilongu
P.ta Cugnana
Porto di Cugnana
GALLURA
106
Témpio
Ólbia
107
104
I
F
10 km

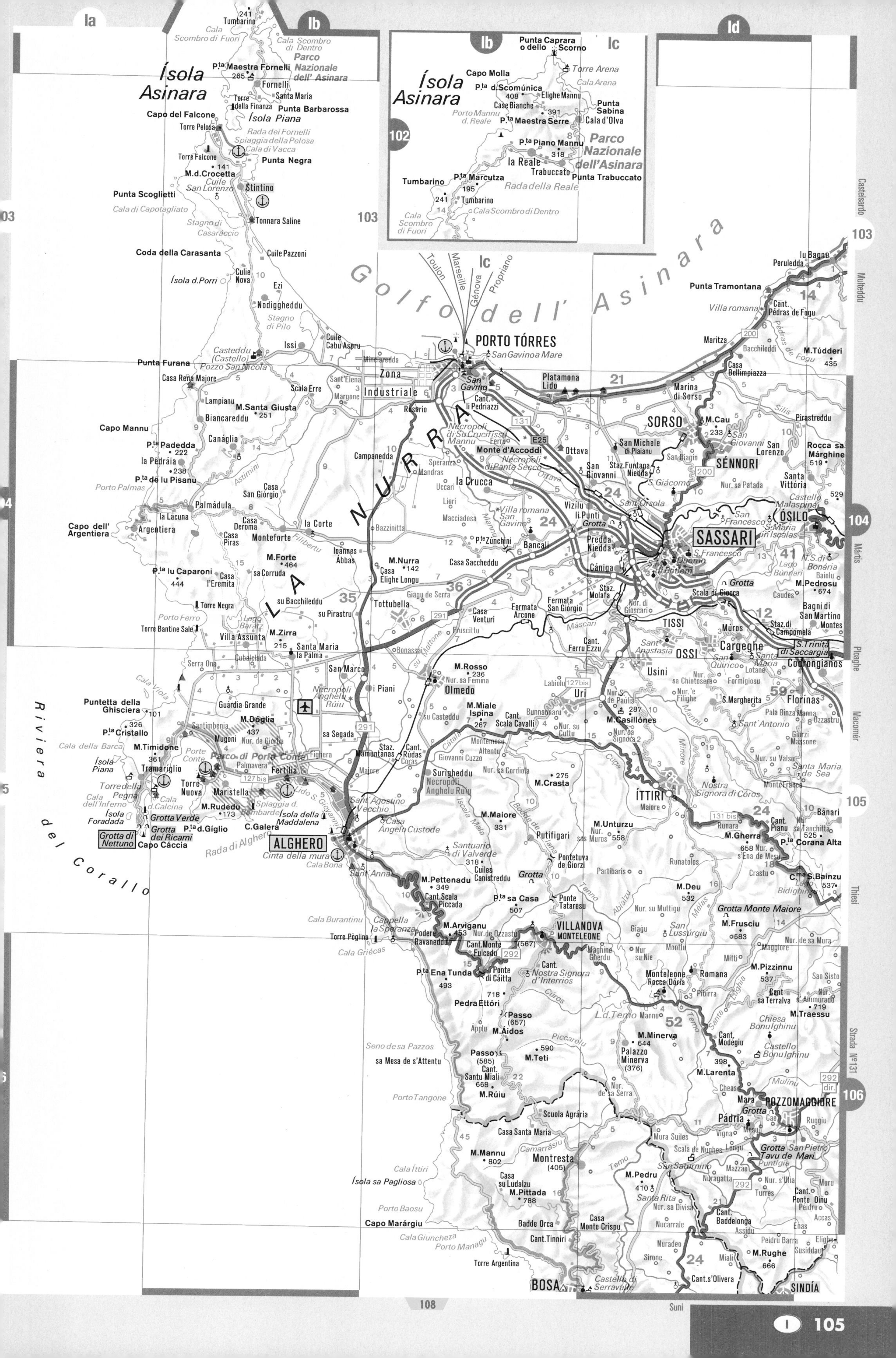
Ia
Ib
Ic
Id
Ísola Asinara
Tumbarino
Cala Scombro di Fuori
Cala Scombro di Dentro
Parco Nazionale dell' Asinara
P.ta Maestra Fornelli
Fornelli
Santa Maria
Torre della Finanza
Punta Barbarossa
Ísola Piana
Capo del Falcone
Torre Pelosa
Rada dei Fornelli
Spiaggia della Pelosa
Cala di Vacca
Torre Falcone
Punta Negra
M.d.Crocetta
Cuile San Lorenzo
Stintino
Punta Scoglietti
Cala di Capotagliato
Stagno di Casaraccio
Tonnara Saline
103
Coda della Carasanta
Cuile Pazzoni
Ísola d.Porri
Cuile Nova
Ezi
Nodiggheddu
Stagno di Pilo
Cuile Cabu Aspru
Issi
Casteddu (Castello)
Punta Furana
Pozzo San Nicola
Casa Rena Majore
Lampianu
M.Santa Giusta
Biancareddu
Capo Mannu
P.ta Padedda
la Pedráia
P.ta de lu Pisanu
Porto Palmas
Canáglia
Palmádula
la Lacuna
Capo dell' Argentiera
Argentiera
Casa San Giorgio
Casa Deroma
Casa Piras
Monteforte
la Corte
P.ta lu Caparoni
Casa l'Eremita
M.Forte
sa Corruda
Torre Negra
Porto Ferro
Lago Baratz
Torre Bantine Sale
Villa Assunta
M.Zirra
Santa Maria la Palma
Serra Ona
Cala Viola
Puntetta della Ghisciera
P.ta Cristallo
Cala della Barca
M.Timidone
Ísola Piana
Tramariglio
Torre Nuova
Torre della Pegna
Cala dell'Inferno
Ísola Foradada
Grotta Verde
Grotta dei Ricami
Grotta di Nettuno
Capo Cáccia
M.Rudedu
P.ta d.Giglio
Porte Conte
Parco di Porto Conte
Maristella
Spiaggia d. Bombarde
Ísola della Maddalena
C.Galera
Guardia Grande
M.Dóglia
Nur. de Giorba
Santimbenia
Mugoni
Palmavera
Fertilia
Lido S. Giovanni
Rada di Alghero
ALGHERO
Cinta della mura
Cala Bona
Sant'Anna
Riviera del Corallo
Golfo dell' Asinara
Toulon
Marseille
Génova
Propriano
PORTO TÓRRES
San Gavino a Mare
Zona Industriale
Minciaredda
Sant'Elena
Margone
Scala Erre
Rosario
San Gavino
Cant. li Pedriazzi
Platamona Lido
Necropoli di Su Crucifissu Mannu
LA NURRA
Campanedda
Speranza
Mandras
Uccari
Monte d'Accoddi
Necropoli di Ponte Secco
Ottava
la Crucca
Liori
Macciadosa
Villa romana San Gavino
P.te Zunchini
Bancali
Bazzinitta
Ioannes Ábbas
M.Nurra
Casa Elighe Longu
Casa Saccheddu
Giagu de Serra
Tottubella
su Bacchileddu
su Pirastru
Casa Venturi
Fermata Arcone
Fermata San Giorgio
Bonassai
San Marco
i Piani
Necropoli Anghelu Rúiu
sa Segada
M.Rosso
Nur. sa Femina
Olmedo
M.Miale Ispina
Cant. Scala Cavalli
su Casteddu
Staz. Mamuntanas
Cant. Rudas
Surigheddu
Necropoli Anghelu Ruju
Sant'Agostino Vecchio
Casa Ángelo Custode
Santuario di Valverde
M.Maiore
Putifigari
Cuiles Canistreddu
Grotta
M.Pettenadu
Cant.Scala Piccada
Cala Burantinu
Cappella la Speranza
Podere Ravaneddu
Torre Póglina
Cala Griécas
M.Arviganu
Cant.Monte Fulcadu
P.ta Ena Tunda
Ponte di Cáitta
Pedra Ettóri
Passo
M.Áidos
Seno de sa Pazzos
sa Mesa de s'Attentu
Passo
Cant. Santu Miali
M.Rúiu
M.Teti
Porto Tangone
Scuola Agrária
Casa Santa Maria
M.Mannu
Montresta
Cala Íttiri
Ísola sa Pagliosa
Casa su Ludalzu
M.Pittada
Porto Baosu
Capo Marárgiu
Badde Orca
Cala Giuncheza
Porto Managu
Cant.Tinniri
Torre Argentina
BOSA
Castello di Serravalle
108
VILLANOVA MONTELEONE
Cant. Nostra Signora d'Interrios
Monteleone Rocca Dória
Romana
L.d.Temo
M.Minerva
Palazzo Minerva
Nur. de sa Serra
Casa Monte Crispu
Nucarrale
Nuradeo
Sirone
Mialì
M.Rughe
Cant.s'Olivera
SINDÍA
Suni
Padria
Mara
POZZOMAGGIORE
Grotta San Pietro Tavu de Mari
Mura Suiles
Scala de Nughes
San Saturnino
M.Pedru
Santa Rita
Nur. sa Divisa
Cant. Baddelonga
M.Larenta
Cant. Modégiu
Chiesa Bonulghinu
Castello Bonulghinu
M.Traessu
M.Pizzinnu
Cant. sa Terralva
Mitti
Maggiore
Grotta Monte Maiore
M.Frusciu
San Lussúrgiu
Nur. su Muttigu
M.Deu
Runatolos
Partibaris
Nur. de sa Mura
Pontetuva de Giorzi
Ponte Tataresu
M.Unturzu
Nur. sos Muros
M.Crasta
ÍTTIRI
Nostra Signora di Coros
M.Gherra
Runara
Cant. Pianu
P.ta Corana Alta
Bánari
C.ma S.Bainzu
Bidighinzu
Uri
M.Casillones
Nur. s. Signora
Usini
Tissi
OSSI
Muros
Cargeghe
Sant'Anastasia
Cant. Ferru Ezzu
Florinas
Codrongianos
S.Trinità di Saccargia
Staz.di Campomela
Bagni di San Martino
M.Pedrosu
Grotta
Scala di Giocca
Caudes
SASSARI
S.Francesco
Duomo
Bétlem
Predda Niedda
Cániga
Staz. Molafa
Nur. di Gioscari
Vizilu
li Punti
Grotta
San Giovanni
Staz.Funtana Niedda
San Michele di Plaianu
San Biagio
S.Giácomo
SÉNNORI
SORSO
M.Cau
San Giovanni
San Lorenzo
Nur. sa Patada
Santa Vittória
Castello Malaspina
ÓSILO
S.Maria in Iscalas
San Francesco
Lago Bunnari
N.S.di Bonária
Marina di Sorso
Casa Bellimpiazza
Bacchileddi
Maritza
Cant. Pédras de Fogu
Villa romana
Punta Tramontana
Peruledda
lu Bagnu
M.Túdderi
Pirastreddu
Rocca sa Márghine
Punta Caprara o dello Scorno
Torre Arena
Cala Arena
Capo Molla
P.ta d.Scomúnica
Elighe Mannu
Case Bianche
Porto Mannu d.Reale
P.ta Maestra Serre
Punta Sabina
Cala d'Olva
P.ta Piano Mannu
Parco Nazionale dell'Asinara
la Reale
Trabuccato
Punta Trabuccato
Rada della Reale
Tumbarino
P.ta Marcutza
Cala Scombro di Dentro
Cala Scombro di Fuori
102
104
105
106
Castelsardo
Multeddu
Mártis
Ploaghe
Macomér
Thiesi
Strada N°131

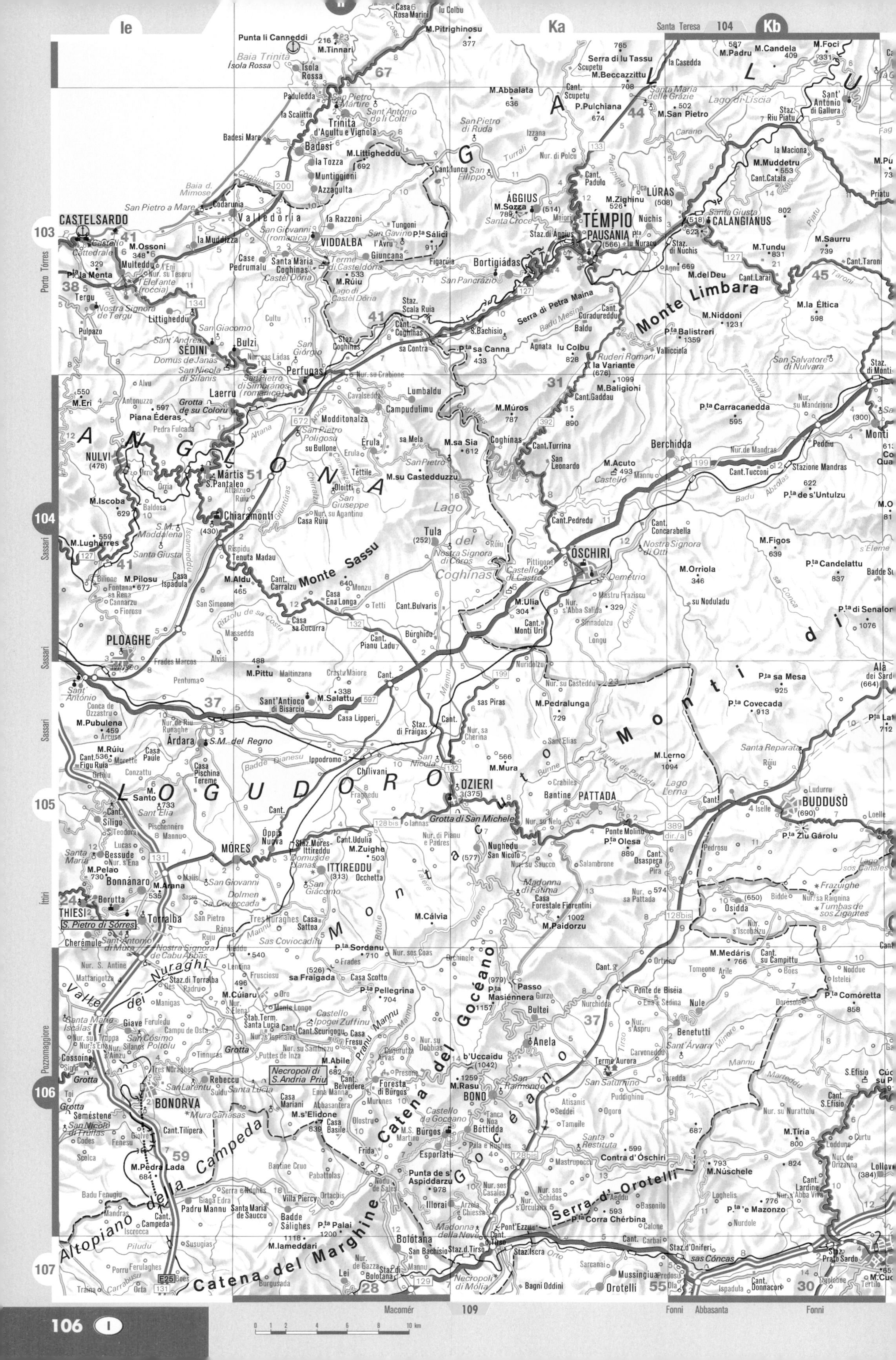

Ie
Ka
Santa Teresa
104
Kb
Punta li Canneddi
M.Tinnari
Baia Trinità
Ísola Rossa
Isola Rossa
M.Pitrighinosu
377
Serra di lu Tassu
Scupetu
M.Beccazzittu
la Casedda
M.Padru
M.Candela
409
M.Foci
331
Paduledda
San Pietro a Mārture
la Scalitta
Sant'Antonio de li Colti
Trinità d'Agultu e Vignola
Badesi Mare
Badesi
M.Littigheddu
692
la Tozza
Muntiggioni
Azzagulta
M.Abbalata
636
Cant. Scupetu
P.Pulchiana
674
Santa Maria delle Grazie
M.San Pietro
Lago di Liscia
Sant'Antonio di Gallura
Riu Piatu
San Pietro di Ruda
Izzana
Nur. di Polcu
Turrali
Cant.Iuncu
San Filippo
Baia d. Mimose
Coghinas
San Pietro a Mare
Codarunia
Valledoria
la Razzoni
Tungoni
ÁGGIUS
M.Sozza
Santa Croce
Staz.di Aggius
TÉMPIO PAUSÁNIA
Núchis
LÚRAS
Cant. Padulo
M.Zighinu
526
Santa Giusta
CALANGIANUS
la Maciona
M.Muddetru
553
Cant.Catala
802
Príatu
CASTELSARDO
M.Ossoni
348
Cattedrale
la Muddizza
San Giovanni (romanica)
San Gavino
P.ta Sálici
911
VIDDALBA
l'Avru
Giuncana
Staz. di Núchis
Agnu
669
M.del Deu
Cant.Larai
M.Tundu
831
M.Saurru
739
Cant.Taroni
Porto Torres
329
P.ta la Menta
Multeddu
Nur. su Tesoru
l'Elefante (roccia)
Tergu
Nostra Signora de Tergu
Case Pedrumalu
Santa Maria Coghinas
Castel Dória
Terme di Casteldória
533
M.Rúiu
Lago di Castel Dória
Figarúia
Bortigiádas
San Pancrázio
Serra di Petra Maina
Monte Limbara
M.la Éltica
598
M.Niddoni
1231
P.ta Balistreri
1359
Vallicciola
Littigheddu
Pulpazo
Cultu
Staz. Scala Ruia
Cant. Coghinas
Staz. Coghinas
S.Bachisio
Cant. Curadureddu
Baldu
Badu Mesina
San Giacomo
Sant'Andrea
SÉDINI
Bulzi
Domus de Janas
San Nicola di Silanis
San Giórgio
Nur. sas Ládas
Perfugas
sa Contra
P.ta sa Canna
433
Agnata
lu Colbu
828
Ruderi Romani
la Variante
M.Baligioni
1099
San Salvatore di Nulvara
Staz. di Monti
Alvu
550
M.Eri
Antonuzzo
597
Piana Éderas
Grotta de su Coloru
Laerru
San Pietro di Simbranos (romanico)
Nur. su Crabione
Cavalsedda
Lumbaldu
Campudulimu
Cant.Gaddau
Pedra Fulcada
ANGLONA
San Pietro Poligosu
Modditonalza
M.Múros
787
890
P.ta Carracanedda
595
Nur. su Mandrione
Monti
NULVI
su Bullone
Érula
sa Mela
M.sa Sia
612
Coghinas
Cant.Turrina
San Leonardo
Berchidda
Nur.de Mandras
Peddiu
Stazione Mandras
Cant.Tucconi
622
P.ta de s'Untulzu
Mártis
S.Pantaleo
Orria
Téttile
M.su Castedduzzu
Oloitti
San Giuseppe
Nur. su Agantinu
Casa Rúiu
M.Acuto
493
Castello
Mannu
M.Iscoba
629
Baldosa
Chiaramonti
Lago
Tula
del
Cant.Pedredu
Cant. Concarabella
Nostra Signora di Otti
M.Figos
639
M.Lughérres
559
S.M. Maddalena
Santa Giusta
Rispidu
Tenuta Madau
Monte Sassu
Nostra Signora di Coros
Coghinas
ÓSCHIRI
Pittigoni
Castello di Castro
S.Demétrio
M.Orriola
346
P.ta Candelattu
837
Sassari
Bilione
M.Pilosu
677
Fontana sa Rena
Cannarzu
Fiorosu
Casa Ispadula
M.Aldu
465
Cant. Carralzu
Monzu
Casa Ena Longa
Tetti
Cant.Bulvaris
M.Ulia
304
Nur. s'Abba Salida
329
Mastru Fraziscu
Sinnadolzu
su Noduladu
P.ta di Senalonga
1076
San Simeone
Rizzolu de sa Costa
Casa sa Cucurra
Massedda
Cant. Pianu Ladu
Búrghidu
Cant. Monti Uri
Longu
PLOAGHE
Museo
Frades Marcos
Alvisi
488
M.Pittu
Maltinzana
Crastu Maiore
Cant.
Nuridelzu
Nur. su Casteddu
Monti di Alà
Alà dei Sardi
(664)
Sant'Antonio
Pentuma
Sant'Antioco di Bisárcio
M.Salattu
338
Casa Lipperi
Staz. di Fraigas
Cant.
sas Piras
M.Pedralunga
729
P.ta sa Mesa
925
P.ta Covecada
913
Conca de Ozzastru
M.Pubulena
459
Arcusa
Nur.de Riu Runaghe
Árdara
S.M. del Regno
Nur. sa Cherina
Sant'Elias
M.Rúiu
536
Cant.
Figu Ruia
Morette
Casa Paule
Badde Dianesu
Ippodromo
San Nicola
566
M.Mura
M.Lerno
1094
Santa Reparata
Rúiu
Lago Lerna
THIESI
Conzattu
Casa Pischina Tereme
Chilivani
OZIERI
(375)
Crabiles
Bantine
PATTADA
BUDDUSÒ
Ludurru
(690)
Iselle
Loelle
M. Santo
733
LOGUDORO
Fraghedu
Cant.
Grotta di San Michele
Nur. su Nelo
Ponte Molino
P.ta Olesa
889
Cant. Osaspera
Pira
P.ta Ziu Gárolu
Síligo
Sant'Elia
Pischennero
Teodora
Mannu
Óppia Nuova
Staz.Mores-Ittireddu
Cant.Udulia
M.Zuighe
503
Nur. di Pianu e Padres
Nughedu San Nicolò
(577)
Nur. su Saucco
Salambrone
Lucas
Bessude
Nur. s'Ena
M.Pelao
730
Bonnánaro
MÓRES
Domus de Janas
ITTIREDDU
(313)
Occhetta
Monte Acuto
Madonna di Fátima
Casa Forestale Fiorentini
Nur. sa Pattada
574
Osidda
(650)
Bidde
Nur. sa Ráigina
Tumbas de sos Zigantes
Frazuighe
M.Arana
535
Maliscu
San Giovanni
San Giácomo
Dolmen Sa Coveccada
M.Cálvia
M.Paidorzu
1002
Nur. s'Iscobáizu
Borutta
Torralba
S. Pietro di Sórres
San Pietro
Ránas
Tres Nuraghes
Casa Sattoa
Sas Coviocadilu
Butule
Oletto
Chermule
Sant'Antonio di Mura
Nostra Signora de Cabu Abbas
Nuddu
540
P.ta Sordanu
710
Nur. sos Coas
Orchinele
Cant.
Ortulle
M.Medáris
766
Cant. su Campittu
Arile
Boes
Tomeone
Noddue
Istelei
Nur. S. Antine
Mattarigotzu
Lentina
Frusciosu
(526)
sa Fraigada
Casa Scotto
(979)
Passo
P.ta Masiénnera
1157
Ponte de Biséia
Ena e Sedina
Nule
Dorésole
P.ta Comóretta
858
Valle dei Nuraghi
Staz.di Torralba
Padru
496
M.Cuiaru
Oro
P.ta Pellegrina
704
Gurzu
Bultei
Nurchidda
Nur. s'Aspru
Benetutti
Sant'Árvara
Minore
Santa Maria Iscálas
Giave
Feruledu
Campu de Osta
Manigas
Nur. s'Elena
Stab.Term. Santa Lucia
Monte Longe
Castello Ipogei Zuffinu
Cant.Scurigogu
Casa Fresu
Pranu Mannu
Nur. su Tropa
San Cósimo
Poltolu
Nur. s'Ispinalva
Tinnuras
Grotta
Puttes de Inza
Nur. su Sambinzu
Cugurutta
Nur. su Dobbias
Anela
Terme Aurora
Carvoneddu
Cossoine
Sighi
Grotta
Tres Nuraghes
Necropoli di S.Andria Priu
Arvas
682
b'Uccaidu
(1042)
San Saturnino
Tirso
Mannu
S.Efisio
Rebeccu
Sulus
San Larentu
Santa Lucia
Cant. Belvedere
Foresta di Búrgos
M.Rasu
1259
San Raimondo
Puddighinu
Toi
Grotta
BONORVA
Semėstene
San Nicolò di Trullas
Mura Cariasas
Casa Mariani
Ábbasantera
Murones
BONO
Atisanis
Seddei
Ogoro
Nur. su Nurattolu
Cant. S.Efisio
Codes
Giolve
Cant.Tilipera
M.s'Elidone
839
Casa Basile
Olostru
Castello di Goceano
Tanca Noa
Búrgos
Bóttidda
Tamuile
687
M.Tiria
800
Curtu
Scolca
Fenesu
59
M.S. Martino
Frida
Esporlatu
Pala e Rughes
Santa Restituta
599
Contra d'Óschiri
Nur. de Orizanna
Loddune
M.Pedra Lada
684
Catena del Goceano
Goceano
Altopiano della Campeda
Bantine Cruo
Pabattolas
Nodu de Sales
Punta de s'Aspiddarzu
978
Mastrupoccu
793
M.Núschele
824
Lollove
(384)
Badu Fenugiu
Serra e Nughes
Giaga Edra
Padru Mannu
Santa Maria de Saucc
Ortachis
Villa Piercy
Badde Sálighes
Illorai
Arzola e Chiesa
Nur. sos Casales
Nur. sos Schidas
Nur. s'Orculana
Serra d'Orotelli
593
Aeddu
Basonilo
Loghelis
776
P.ta e Mazonzo
Cant. Lardine
s'Abba Viva
Mandras
Cant. Campeda
Isorocca
P.ta Palai
1200
Madonna della Neve
Pont'Ezzu
Cant. Tirso
P.ta Corra Chérbina
Calone
Nurdole
Piludu
Susugias
M.Iameddari
1118
Catena del Marghine
Bolótana
San Bachisio
Staz.d.Tirso
Staz.Iscra
Orto
Cant.
Carbai
Staz.d'Oniferi
sas Côncas
Staz. Prato Sardo
Porru
Ferulaghes
Nur. de Gazza
Lei
Staz.di Bolotana
Mannu
Necropoli di Molia
Bagni Oddini
Sarcanai
Mussingiua
Predosu
Orotelli
Ola
Ispadula
Cant. Donnacori
Tolo
Tertilo
M.Cuc
Traina
Orta
Carrabusu
Burgusada
E25
131
28
55
30
103
104
105
106
107
Sassari
Íttiri
Pozzomaggiore
Macomér
109
Fonni
Abbasanta
Fonni
106
I
0 1 2 4 6 8 10 km

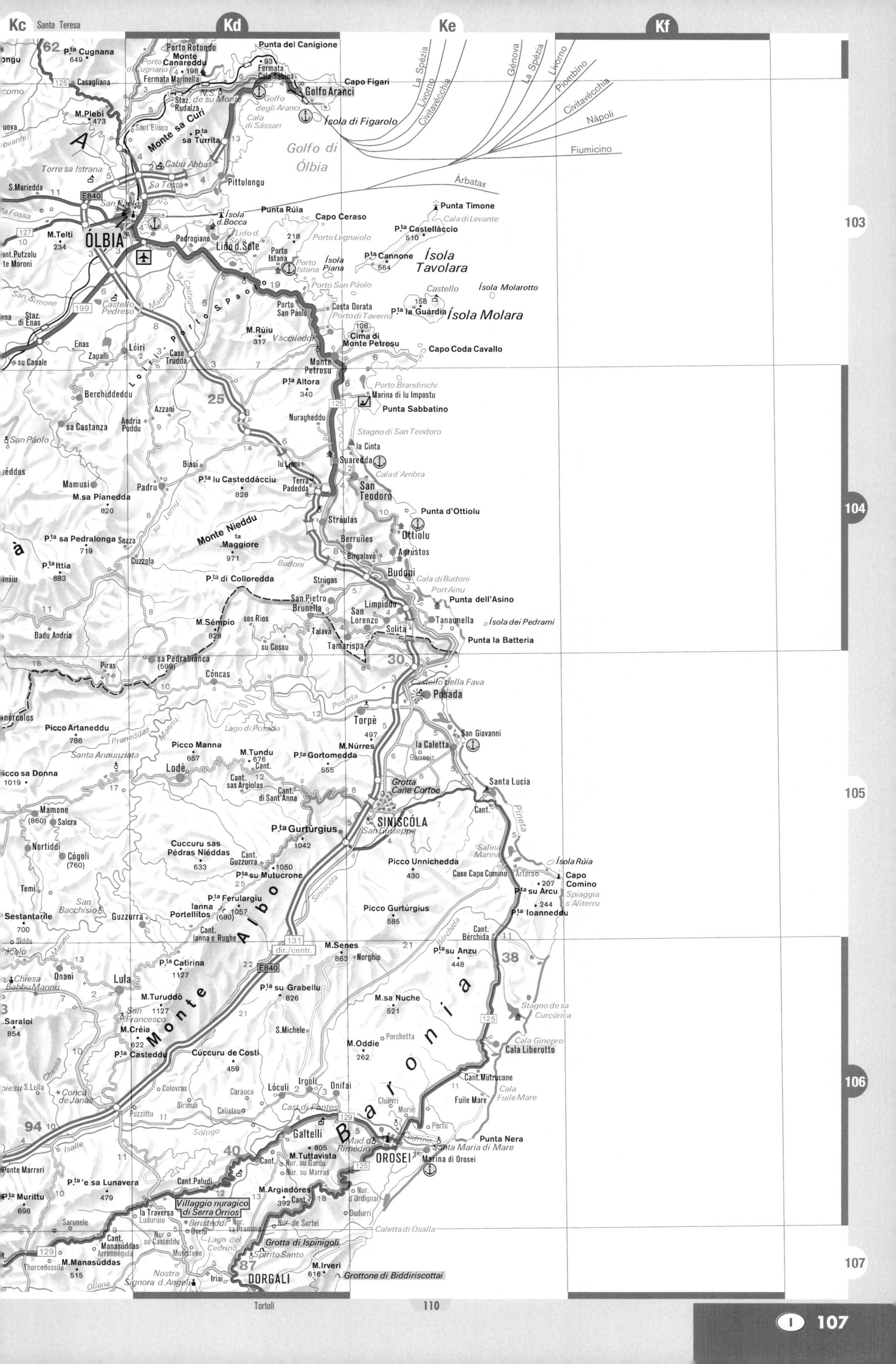
Punta del Canigione
Porto Rotondo
Capo Figari
Golfo Aranci
Ísola di Figarolo
Golfo di Ólbia
Monte sa Curi
Pittulongu
ÓLBIA
Punta Rúia
Capo Ceraso
Punta Timone
Lido d.Sole
Porto Istana
Ísola Tavolara
Ísola Molarotto
Porto San Páolo
Ísola Molara
Capo Coda Cavallo
Lóiri
Berchiddeddu
Punta Sabbatino
Stagno di San Teodoro
San Teodoro
Punta d'Ottiolu
Ottiolu
Monte Nieddu
Budoni
Punta dell'Asino
Ísola dei Pedrami
Punta la Batteria
Posada
Torpè
Santa Lucia
SINISCÓLA
Lodè
Capo Comino
Monte Albo
Lula
Baronia
Cala Liberotto
Fuile Mare
Galtelli
OROSEI
Punta Nera
Marina di Orosei
Villaggio nuragico di Serra Orrios
Grotta di Ispinigoli
DORGALI
Grottone di Biddiriscottai
Génova
La Spézia
Livorno
Piombino
Civitavécchia
Nápoli
Fiumicino
Árbatax
103
104
105
106
107

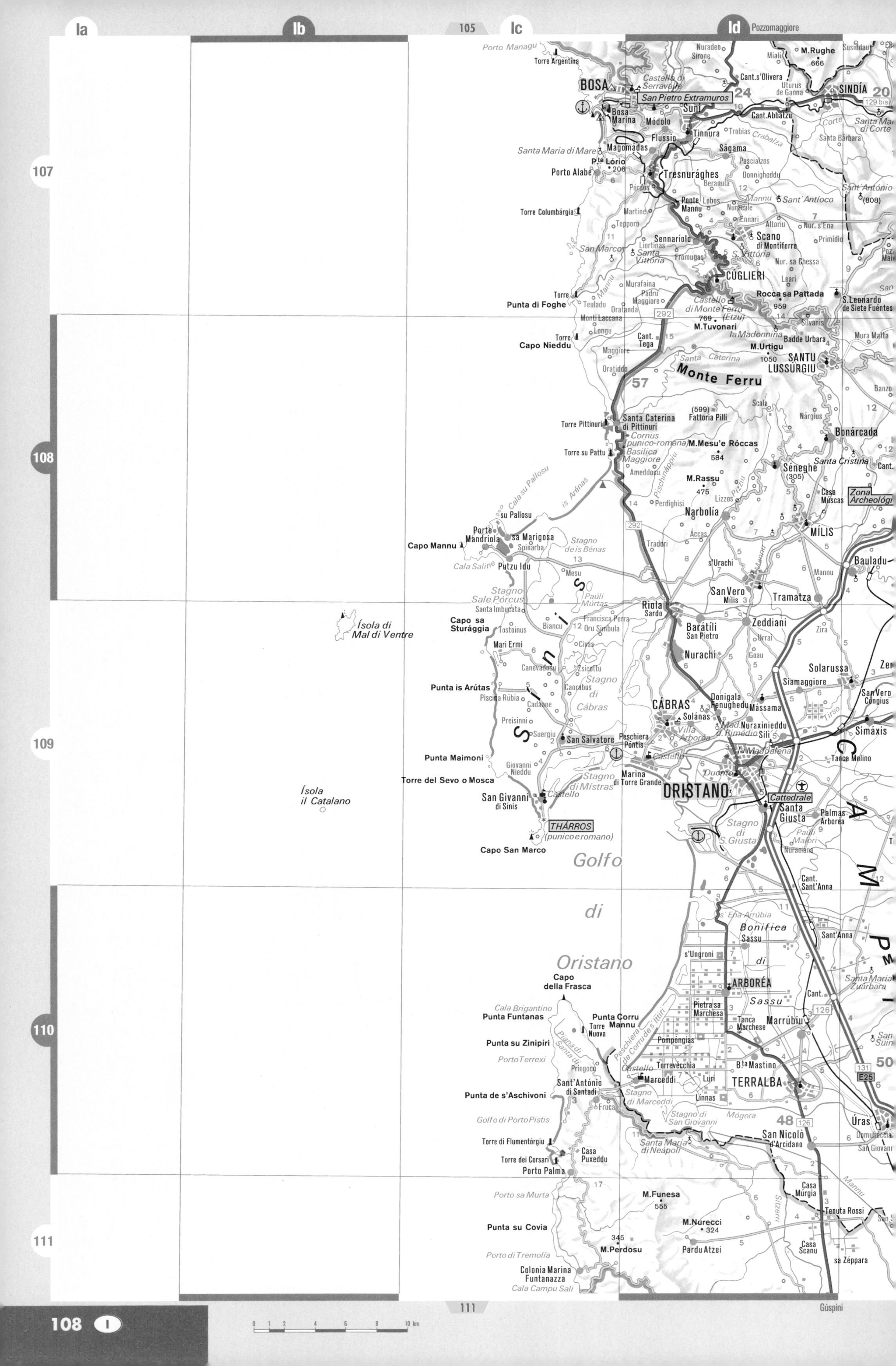

Porto Managu
Torre Argentina
BOSA
San Pietro Extramuros
Bosa
Marina
Módolo
Flússio   Tinnúra
Santa Maria di Mare   Magomádas
P.ta Lório
206
Porto Alabé
Tresnurághes
Torre Columbárgia
Punta di Foghe
Torre
Capo Nieddu
Torre
Santa Caterina
di Pittinuri
Torre Pittinuri
Cornus
(punico-romana
Basilica
Maggiore
Torre su Pattu
su Pallosu
Cala su Pallosu
Porto
Mandriola
sa Marigosa
Capo Mannu   Spinarba
Cala Saline
Putzu Idu
Ísola di
Mal di Ventre
Capo sa
Sturággia
Mari Ermi
Punta is Arútas
Piscina Rúbia
Cadaane
Preisinni
Suergiu
San Salvatore
Punta Maimoni
Torre del Sevo o Mosca
Ísola
il Catalano
San Givanni
di Sinis
Castello
THÁRROS
(punico e romano)
Capo San Marco

Golfo

di

Oristano
Capo
della Frasca
Cala Brigantino
Punta Funtanas
Punta Corru
Mannu
Torre
Nuova
Punta su Zinipíri
Porto Terrexi
Punta de s'Aschivoni
Sant'António
di Santadi
Golfo di Porto Pistis
Torre di Flumentórgiu
Casa
Puxeddu
Torre dei Corsari
Porto Palma
Porto sa Murta
Punta su Covia
M.Perdosu
Porto di Tremolía
Colonia Marina
Funtanazza
Cala Campu Sali

Nuradeo
Sirone   Miali   M.Rughe
666
Cant.s'Olivera
Castello di   SINDÍA 20
Serravalle   Uturus de
Ganna   129 bis
Suni   Santa Maria
Cant.Abbatzu   di Corte
Santa Bárbara
Ságama   Trobias   Crabalza   Corte
Pascialzos
Donnigheddu
Ponte
Mannu   Sant'António
Sant'Antioco   (808)
Ennari   Nur. s'Ena   Primidio
Scano
di Montiferro   Poz.
Maio
S. Vittória   Nur. sa Chessa
CÚGLIERI
Rocca sa Pattada   S.Leonardo
959   de Siete Fuentes
Castello
di Monte Ferru   Silvanis
(Etzu)
769   14
M.Tuvonari   la Madonnina   Badde Urbara   Mura Malta
M.Urtigu
1050   SANTU
Monte Ferru   LUSSÚRGIU
57   Scalo   Banzo
(599)   Nárgius   12
Fattoria Pilli
M.Mesu'e Róccas   Bonárcada
584
Séneghe   Santa Cristina
M.Rassu   (305)   Cant.
475   Casa
Perdighisi   Múscas   Zona
Narbolía   Archeológi
MÍLIS
Áccas
Tradori   Mannu
s'Urachi   Bauladu
Mesu
San Vero   Tramatza
Milis 3
Riola
Sardo   Zeddiani
Barátili   Zira
San Pietro   Urrai
Nurachi   Goau
Solarussa
Siamaggiore   San Vero
Donigala   Mássama   Congius
CÁBRAS   Fenughedu   Sili   Simáxis
Solánas   Mad.Nuraxinieddu
Villa   d'Rimédio
Peschiera   d'Arbora
Póntis   la Maddalena   Tanca Molino
Castello   Duomo
ORISTANO   Cattedrale
Marina   Santa
di Torre Grande   Giusta   Palmas
Stagno   Arbórea
di Místras   Pául
Stagno   Maiori
di S.Giusta   Nuraciana

Cant.
Sant'Anna
s' Ena Arrúbia
Bonífica   Sant'Anna
Sassu
s'Ungroni   di
ARBORÉA
Pietra sa   Santa Maria
Marchesa   Zuárbara
Cant.
Tanca   E25
Marchese   Marrúbiu   126
Pompongias
Torrevécchia
Marceddi   Luri   B.la Mastino   131   50
Linnas   TERRALBA   San Suin
Stagno   48   126
di Marceddi   Mógora   Úras
Stagno di   Domu
San Giovanni   San Nicolò   Domuvecchia
Santa Maria   d'Arcidano   San Giovanni
di Neápoli
Sitzerri   Casa
Múrgia
M.Funesa   Tenuta Rossi
555
M.Núrecci
324   Casa
Pardu Atzei   Scanu
sa Zéppara

0 1 2   4   6   8   10 km

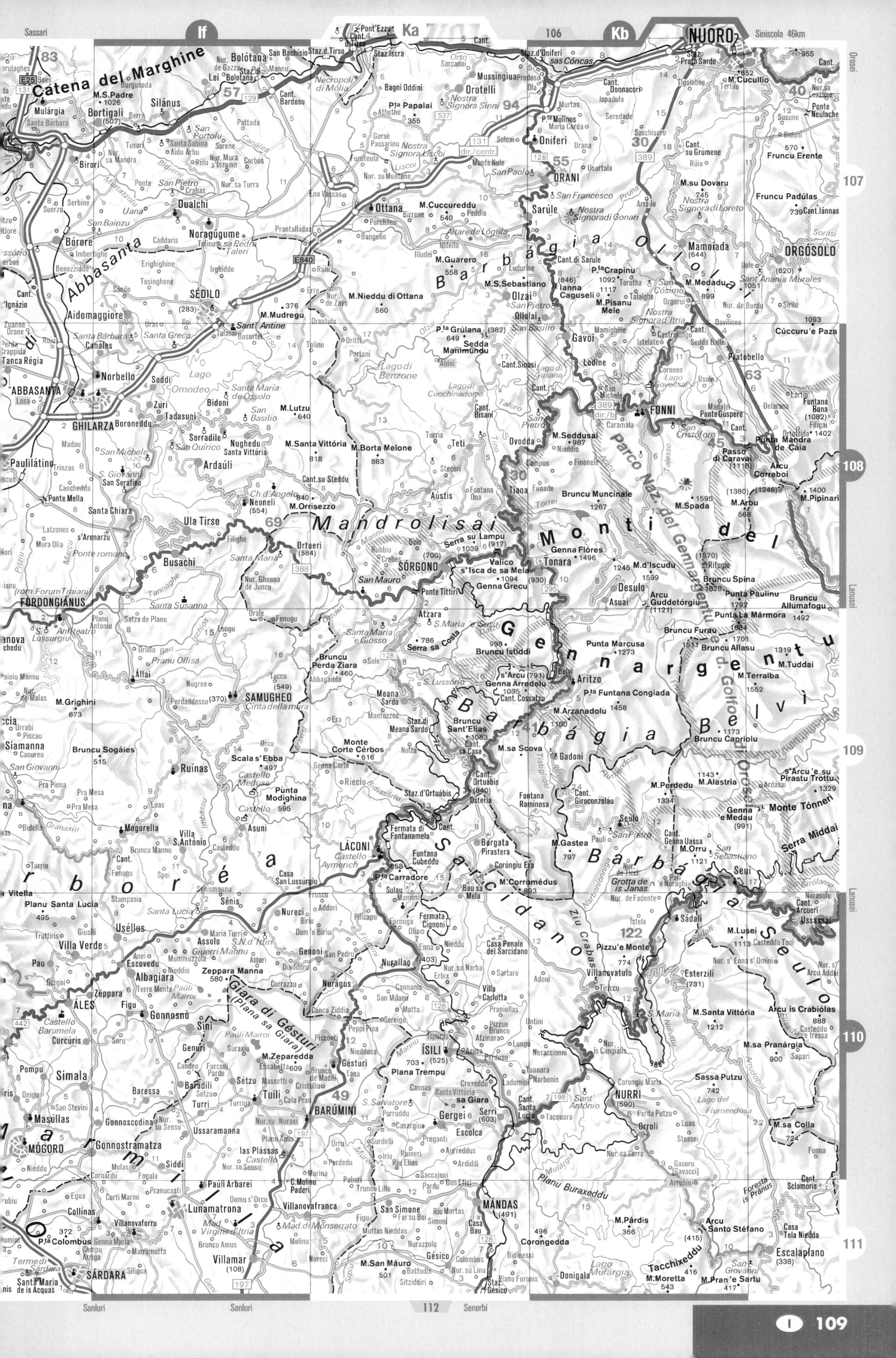

Sassari
If
Ka
106
Kb
NUORO
Siniscola 46km
Orosei
Catena del Marghine
Bolótana
Bortigali
Silánus
Mulárgia
Birori
Dualchi
Noragúgume
Bórore
Abbasanta
SÉDILO
Aidomaggiore
ABBASANTA
Norbello
GHILARZA
Paulilátino
Ula Tirso
Busachi
FORDONGIANUS
Ottana
Orotelli
Mussingiua
Oniferi
ORANI
Sarúle
Olzai
Ollolai
Gavoi
Lodine
FONNI
Mamoiada
ORGÓSOLO
Barbágia Ollolai
Mandrolisai
Sórgono
Atzara
Tonara
Desulo
Aritzo
Belvi
Monti del Gennargentu
Parco Naz. del Gennargentu e d. Golfo di Orosei
Barbágia Belvì
Punta La Mármora
Bruncu Spina
Gadoni
Seulo
Seui
Sádali
Ussassai
Esterzili
Barbágia Seulo
Sarcidano
LÁCONI
Samugheo
Asuni
Ruinas
Mogorella
Villa S.António
Usellus
Albagiara
Ales
Gonnosnò
Sini
Genuri
Giara di Gesturi (Plana sa Giara)
Gésturi
Tuili
BARÚMINI
Setzu
Turri
Baradili
Baressa
Simala
Masullas
MÓGORO
Gonnostramatza
Collinas
Lunamatrona
Villamar
SÁRDARA
Villanovafranca
Ísili
Nurallao
Nuragus
Gergei
Escolca
Serri
MÁNDAS
Nurri
Orroli
Villanovatulo
Lago del Flumendosa
Escalaplano
Arborèa
Marmilla
107
108
109
110
111
Lanusei
Sanluri
112
Senorbì
109

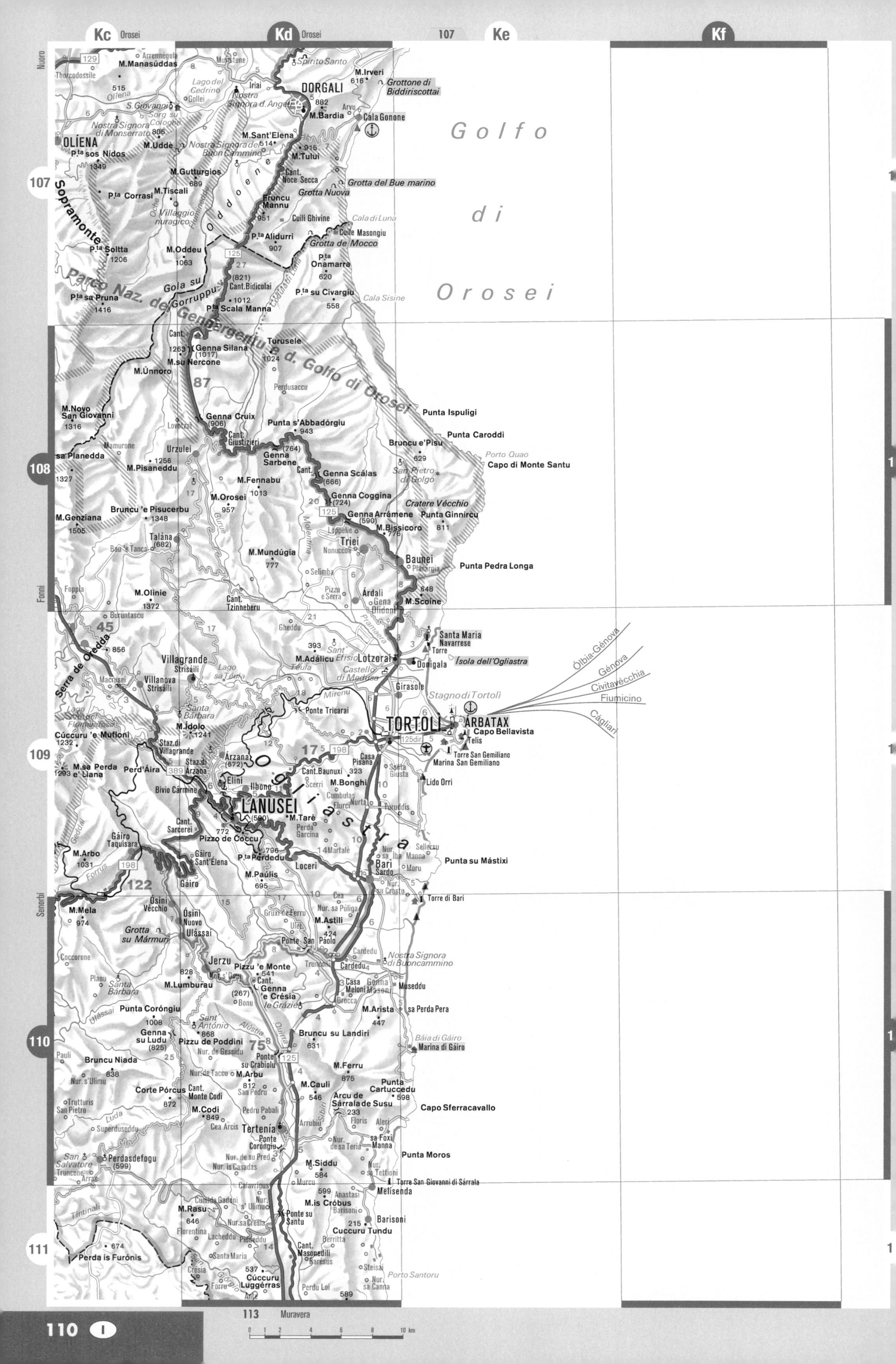

Kc Orosei
Kd Orosei
107
Ke
Kf
Nuoro
Golfo
di
Orosei
DORGALI
Spirito Santo
M.Irveri
Grottone di Biddiriscottai
M.Bardia
Cala Gonone
M.Manasúddas
Lago del Cedrino
Nostra Signora d.Angeli
Iriai
Oliena
S.Giovanni
Sorg su Cologne
Nostra Signora di Monserrato
OLÍENA
M.Uddè
Nostra Signora de Buon Cammino
M.Sant'Elena
M.Tului
P.ta sos Nidos
1349
M.Gutturgios
Cant. Noce Secca
Grotta del Bue marino
Grotta Nuova
107
Supramonte
P.ta Corrasi
M.Tiscali
Villaggio nuragico
Fruncu Mannu
Cuili Ghivine
Cala di Luna
Cuile Masongiu
P.ta Alidurri
Grotta de Mocco
P.ta Soltta
1206
M.Oddeu
1063
P.ta Onamarra
620
Gola su Gorruppu
Cant.Bidicolai
P.ta su Civargiu
558
Cala Sisine
Parco Naz. del Gennargentu e d. Golfo di Orosei
P.ta sa Pruna
1416
P.ta Scala Manna
Genna Silana
M.su Nercone
Turusele
1024
M.Únnoro
87
Perdusaccu
Punta Ispuligi
M.Novo San Giovanni
1316
Genna Cruix
Punta s'Abbadórgiu
943
Punta Caroddi
Cant. Giustizieri
Genna Sarbene
Bruncu e'Pisu
629
Porto Quao
Capo di Monte Santu
Mamurone
Urzulei
sa Planedda
108
M.Pisaneddu
1256
1327
M.Fennabu
1013
Genna Scálas
San Pietro di Golgo
Genna Coggina
M.Orosei
957
Bruncu 'e Pisucerbu
1348
Cratere Vécchio
Genna Arrámene
Punta Ginnircu
811
M.Genziana
1505
Talána
M.Bissicoro
Triei
Bau 'e Tanca
M.Mundúgia
777
Baunei
Punta Pedra Longa
Foppla
M.Olinie
1372
Cant. Tzinneberu
Árdali
Gena Olidoni
M.Scoine
Fonni
45
Burantascu
Gheddu
Santa Maria Navarrese
Torre
Serra de Oredda
856
Villagrande Strisáili
Lago sa Teula
M.Adálicu
Sant' Efisio
Lotzorai
Dónigala
Ísola dell'Ogliastra
Villanova Strisáili
Castello di Medusa
Girasole
Ólbia-Génova
Génova
Civitavécchia
Fiumicino
Cágliari
Santa Bárbara
Mirenu
Stagno di Tortolì
Ponte Tricarai
TORTOLÌ
ÁRBATAX
Capo Bellavista
Cúccuru 'e Mufloni
1232
M.Ídolo
1241
Staz.di Villagrande
Árzana
17
198
Telis
Torre San Gemiliano
Marina San Gemiliano
109
M.sa Perda e' Liana
Perd'Áira
Cant.Baunuxi
Casa Pisana
Santa Giusta
Elini
Ilbono
M.Bonghi
Lido Orri
Bivio Carmine
LANUSEI
Ogliastra
Tarè
Cant. Sarcerei
Pizzo de Coccu
Gáiro Taquisara
M.Arbo
1031
P.ta Perdedu
Gáiro Sant'Élena
Loceri
Bari Sardo
Punta su Mástixi
122
Gáiro
M.Paúlis
695
Torre di Bari
Senorbì
M.Mela
974
Ósini Vécchio
Ósini Nuovo
Ulássai
Grotta su Mármuri
M.Astili
Ponte San Paolo
Coccorone
Jerzu
Pizzu 'e Monte
Cardedu
Nostra Signora di Buoncammino
Santa Bárbara
M.Lumburau
Genna 'e Crésia
Museddu
Punta Coróngiu
1008
M.Arista
447
sa Perda Pera
Genna su Ludu
Sant' António
868
Pizzu de Poddini
Bruncu su Landiri
631
Báia di Gáiro
Marina di Gáiro
110
Bruncu Niada
838
75
125
M.Ferru
875
Corte Pórcus
M.Arbu
M.Cauli
546
Punta Cartuccedu
598
Arcu de Sárrala de Susu
Capo Sferracavallo
M.Codi
849
Tertenía
Perdasdefogu
(599)
Punta Moros
M.Siddu
584
Torre San Giovanni di Sárrala
Melisenda
M.Rasu
646
M.is Cróbus
Ponte su Santu
Barisoni
Cuccuru Tundu
111
Perda is Furònis
674
Cúccuru Luggérras
Porto Santoru
113 Muravera
0 1 2 4 6 8 10 km

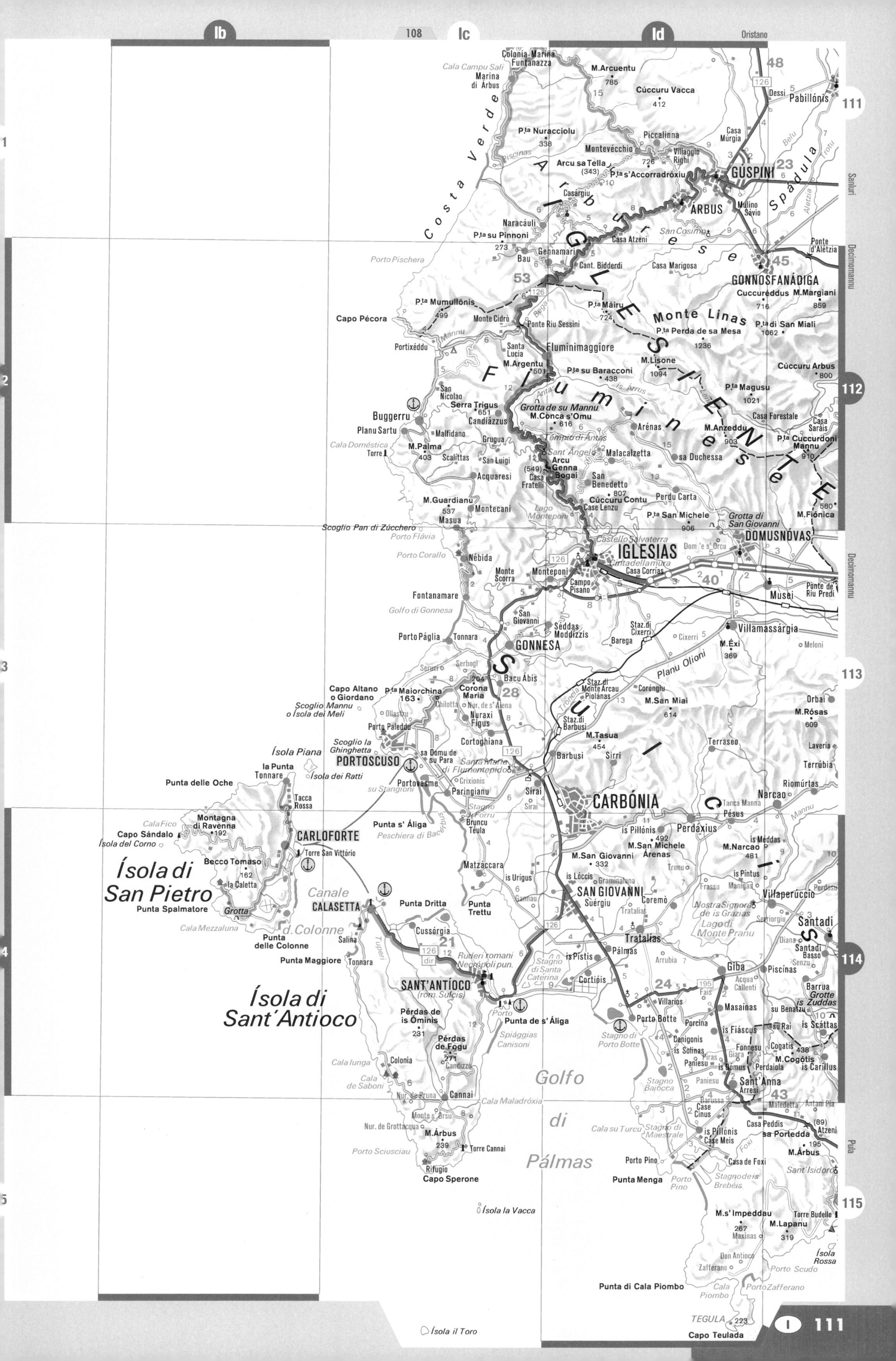

Ib
108
Ic
Id
Oristano
111
112
113
114
115
Sanluri
Decimomannu
Pula
Colonia Marina Funtanazza
Cala Campu Sali
Marina di Arbus
M.Arcuentu
785
Cúccuru Vacca
412
Costa Verde
P.ta Nuracciolu
338
Piccalinna
Casa Murgia
Dessi
Pabillónis
Montevécchio
Villaggio Righi
Arcu sa Tella
(343)
P.ta s'Accorradróxiu
GÚSPINI
Casárgiu
ÁRBUS
Mulino Sávio
Spádula
Naracáuli
P.ta su Pinnoni
273
San Cosimo
Casa Atzeni
Ponte d'Aletzia
Porto Pischera
Bau
Gennamari
Cant. Bidderdi
Casa Marigosa
GONNOSFANÁDIGA
Cuccuréddus
716
M.Margiani
859
P.ta Mumullónis
499
Capo Pécora
Monte Cidrò
P.ta Máiru
724
Monte Linas
P.ta Perda de sa Mesa
1236
P.ta di San Miali
1062
Ponte Riu Sessini
Portixéddu
Santa Lucia
Fluminimaggiore
M.Argentu
501
M.Lisone
1094
P.ta su Baracconi
438
Cúccuru Arbus
800
ARCUENTU
IGLESIENTE
Flumini
P.ta Magusu
1021
San Nicolao
Serra Trigus
651
Candiázzus
Grotta de su Mannu
M.Conca s'Omu
616
Casa Forestale
Casa Saráis
Buggerru
Planu Sartu
Malfidano
Arénas
M.Anzeddu
903
P.ta Cuccurdoni Mannu
910
Cala Doméstica
Torre
M.Palma
403
Scalíttas
Grugua
San Luigi
Témpio di Antas
Sant'Ángelo
Malacalzetta
sa Duchessa
Arcu Genna Bogai
(549)
Casa Fratelli
Acquaresi
San Benedetto
807
Cúccuru Contu
Case Lenzu
Perdu Carta
M.Guardianu
537
Masua
Montecani
Lago Monteponi
P.ta San Michele
906
Grotta di San Giovanni
580
M.Fiónica
Scoglio Pan di Zúcchero
Porto Flávia
Castello Salvaterra
DOMUSNÓVAS
Porto Corallo
Nébida
IGLESIAS
Dom 'e s'Orcu
Cittadellamura
Casa Corrias
Monte Scorra
Monteponi
Campo Pisano
Fontanamare
Musei
Ponte de Riu Predi
Golfo di Gonnesa
San Giovanni
Séddas Moddizzis
Staz.di Cixerri
Cixerri
Villamassárgia
Porto Páglia
Tonnara
GONNESA
Barega
M.Éxi
369
Meloni
Planu Olioni
Serucci
Serbogi
Bacu Ábis
SULCIS
Capo Altano o Giordano
P.ta Maiorchina
163
Corona Maria
Staz.di Monte Arcau
Piolanas
Coróngiu
M.San Miai
614
Orbai
M.Rósas
609
Scoglio Mannu o Ísola dei Meli
Chilotta
Nur. de s'Aiena
Nuraxi Figus
Staz.di Barbusi
Ollastru
Porto Paleddu
M.Tasua
454
Laveria
Scoglio la Ghinghetta
Cortoghiana
Terraseo
Ísola Piana
PORTOSCUSO
sa Domu de su Para
Barbusi
Sirri
Terrúbia
la Punta
Tonnare
Ísola dei Ratti
Santa Maria di Flumentepido
Crixionis
Punta delle Oche
Portovesme
su Stangioni
Paringianu
Sirai
CARBÓNIA
Riomúrtas
Narcao
Tacca Rossa
Stagno di Forru
Bruncu Téula
Tanca Manna
Pésus
Cala Fico
Montagna di Ravenna
192
Capo Sándalo
Ísola del Corno
CARLOFORTE
Punta s' Áliga
Peschiera di Bacu Abis
is Pillónis
492
M.San Michele
Arénas
Perdáxius
is Méddas
M.Narcao
481
Torre San Vittório
Becco Tomaso
162
la Caletta
Ísola di San Pietro
Punta Spalmatore
Grotta
Cala Mezzaluna
Matzáccara
M.San Giovanni
332
is Urigus
is Lóccis
Gramaialana
Tronu
is Pintus
Manigas
Frassu
Villaperúccio
Canale
CALASETTA
Punta Dritta
Punta Trettu
SAN GIOVANNI
Suérgiu
Coremò
Tratalias
Nostra Signora de is Grazias
Lago di Monte Pranu
Seriorgiu
Santadi
d.Colonne
Punta delle Colonne
Salina
Cussórgia
Gannau
TRATALIAS
Diana
Santadi Basso
Senzu
Punta Maggiore
Tonnara
Tuperi
Ruderi romani Necropoli pun.
is Pistis
Stagno di Santa Caterina
Pálmas
Árrubia
Giba
Píscinas
Barrua
Grotte is Zuddas
Cortióis
Acqua Callenti
SANT'ANTÍOCO
(rom. Sulcis)
Fais
Villarios
Masainas
su Benatzu
Ísola di Sant'Antioco
Porto
Punta de s' Áliga
Porto Botte
Porcina
is Fiáscus
su Rai
is Scáttas
Pérdas de is Óminis
281
Spiággias Canisoni
Stagno di Porto Botte
Canigonis
is Solinas
Piras
Paniesu
Giara
Fonnesu
is Dómus
Perdaiola
Cogotis
438
M.Cogótis
is Carillus
Pérdas de Fogu
271
Candiazzu
Cala lunga
Colonia
Cala de Saboni
Golfo
Stagno Baiocca
Paniesu
Sant'Anna Arresi
Nur. de Pruna
Cannai
Cala Maladróxia
Barussa
Case Cinus
Maledetta
Antoni Pili
Monte s'Orsu
Nur. de Grottacqua
M.Árbus
239
Torre Cannai
di
Cala su Turcu
Stagno di Maestrale
is Pillónis
Case Meis
Casa Peddis
sa Portedda
(89)
Atzeni
195
M.Árbus
Porto Sciusciau
Rifugio
Capo Sperone
Pálmas
Porto Pino
Punta Menga
Porto Pino
Foxi
Casa de Foxi
Stagno de is Brebéis
Sant'Isidoro
Ísola la Vacca
M.s'Impeddau
267
Maxinas
Torre Budello
M.Lapanu
319
Don Antioco
Zafferano
Ísola Rossa
Porto Scudo
Punta di Cala Piombo
Cala Piombo
Porto Zafferano
TEGULA
223
Capo Teulada
Ísola il Toro
I 111

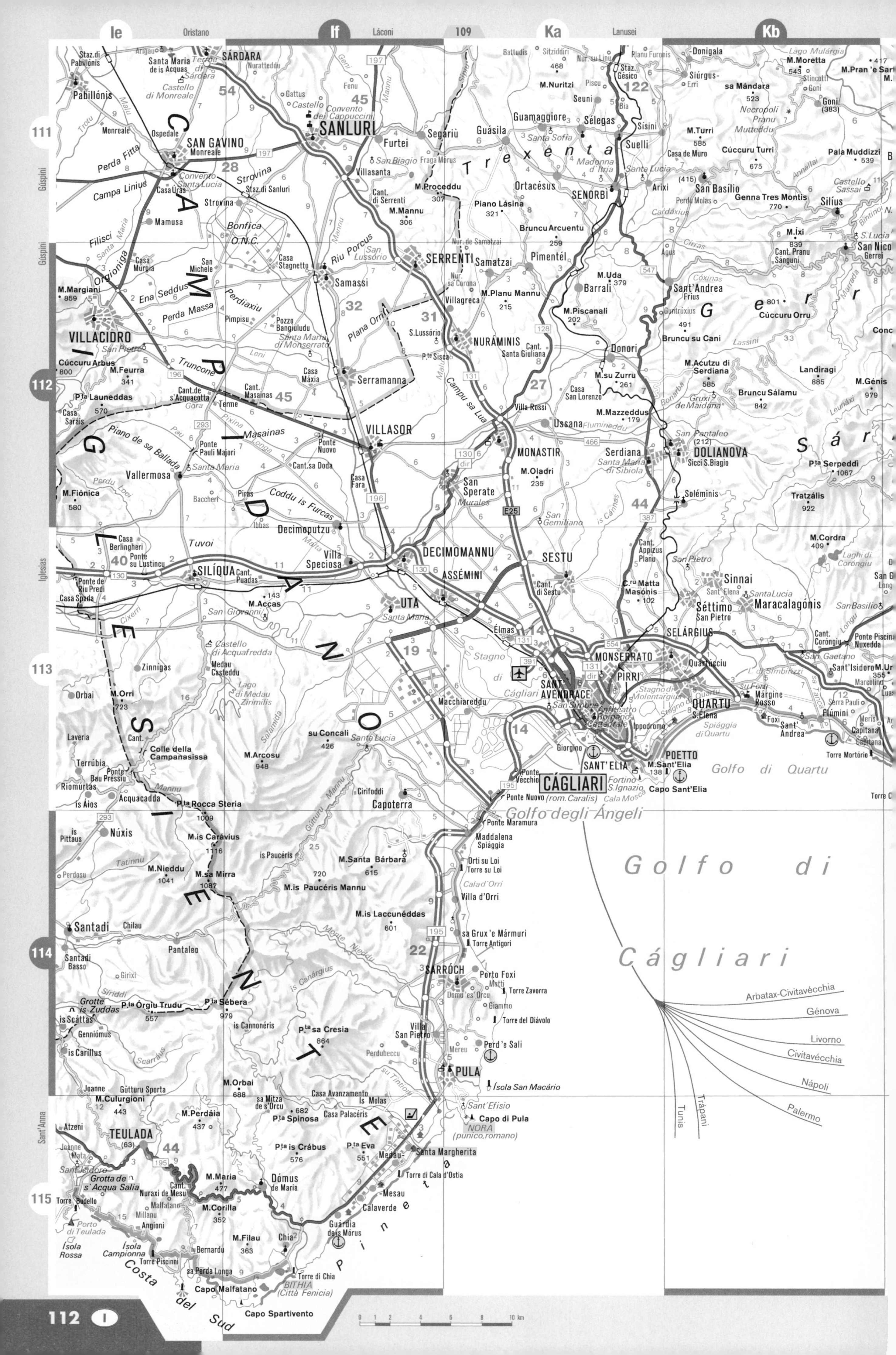
Ie
Oristano
If
Láconi
109
Ka
Lanusei
Kb
111
112
113
114
115
Gúspini
Iglesias
Sant'Anna
Staz.di Pabillónis
Pabillónis
Santa Maria de is Acquas
SÁRDARA
Sárdara
Castello di Monreale
Monreale
SAN GAVINO Monreale
Perda Fitta
Campa Linius
Strovina
Staz.di Sanluri
Mamusa
Bonfica O.N.C.
Filisci
Casa Murgia
San Michele
M.Margiani 859
VILLACIDRO
San Pietro
Cúccuru Arbus 800
M.Feurra 341
Pta Launeddas 570
Casa Saráis
Piano de sa Ballada
Vallermosa
M.Fiónica 580
Casa Berlingheri
Ponte su Lustincu
SILÍQUA
Cant. Puadas
Ponte de Riu Predi
Casa Spada
M.Accas 143
Castello di Acquafredda
Zinnigas
Medau Casteddu
Lago di Medau Zirimilis
Orbai
M.Orri 723
Laveria
Colle della Campanasissa
Terrúbia
Ponte Bau Pressiu
Riomurtas
is Áios
Acquacadda
Pta Rocca Steria 1009
is Pittaus
Núxis
M.is Carávius 1116
M.Nieddu 1041
M.sa Mirra 1087
Perdosu
Santadi
Chilau
Santadi Basso
Pantaleo
Girixi
Grotte is Zuddas
Pta Órgiu Trudu 557
Pta Sébera 979
is Scáttas
Genniómus
is Carillus
is Cannonéris
Pta sa Cresia 864
Joanne
Gútturu Sporta
M.Culurgioni 443
M.Orbai 688
M.Perdáia 437
Atzeni
TEULADA
Porto di Teulada
Ísola Rossa
Ísola Campionna
Torre Budello
Grotta de s' Acqua Salia
Nuraxi de Mesu
Malfatano
Millanu
Angioni
M.Maria 477
M.Corilla 352
Dómus de Maria
M.Filau 363
Chia
Bernardu
Torre Piscinni
sa Perda Longa
Capo Malfatano
Torre di Chia
BITHIA (Città Fenicia)
Capo Spartivento
Costa del Sud
Pineta
SANLURI
Furtei
Segariù
Villasanta
Convento dei Cappuccini
Gattus
Fenu
Cant. di Serrenti
M.Proceddu 307
M.Mannu 306
SERRENTI
Samatzai
Riu Porcus
Casa Stagnetto
Samassi
Pimpisu
Pozzo Bangiuludu
Santa Maria di Monserrato
Serramanna
Casa Máxia
Plana Orri
S.Lussório
Villagreca
NURÁMINIS
Cant. Santa Giuliana
Cant. Masainas
VILLASOR
Ponte Nuovo
Cant.sa Doda
Ponte Pauli Majori
Casa Fara
Coddu is Furcas
Baccheri
Decimoputzu
Villa Speciosa
DECIMOMANNU
ASSÉMINI
UTA
Santa Maria
Elmas
Stagno di Cágliari
Macchiareddu
su Concali 426
M.Arcosu 948
Cirifoddi
Capoterra
Ponte Maramura
Maddalena Spiággia
Orti su Loi
Torre su Loi
Villa d'Orri
sa Grux 'e Mármuri
Torre Antigori
SARRÓCH
Porto Foxi
Torre Zavorra
Torre del Diávolo
Villa San Pietro
Perd'e Sali
Perdubeccu
PULA
Ísola San Macário
Sant'Efisio
Capo di Pula
NORA (punico, romano)
is Molas
Casa Palacéris
Casa Avanzamento
sa Mitza de s'Orcu
Pta Spinosa
Pta is Crábus 576
Pta Eva 551
Santa Margherita
Torre di Cala d'Ostia
Calaverde
Guárdia dets Mórus
M.Santa Bárbara 615
M.is Paucéris Mannu
M.is Laccunéddas 601
Guasila
Trexenta
Santa Sofia
Guamaggiore
Sélegas
Suelli
Sísini
Seuni
M.Nuritzi
Ortacésus
SENORBÌ
Arixi
Piano Lásina 321
Bruncu Arcuentu 259
Pimentél
Barrali
M.Uda 379
M.Planu Mannu 215
M.Piscanali 202
Donori
M.su Zurru 261
Casa San Lorenzo
Villa Rossi
Ussana
M.Mazzeddus 179
MONASTIR
M.Oladri 235
San Sperate
Serdiana
Santa Maria di Sibiola
San Gemiliano
SESTU
Cant. di Sestu
C.ru Matta Masónis 102
Cant. Appizus Planu
MONSERRATO
PIRRI
SANT'AVENDRACE
CÁGLIARI
Giorgino
SANT'ELIA
Ponte Vecchio
Ponte Nuovo (rom.Caralis)
Fortino S.Ignazio
Cala Mosca
M.Sant'Elia 138
Capo Sant'Elia
POETTO
Ippodromo
QUARTU S.Elena
Spiággia di Quartu
Quartúcciu
SELÁRGIUS
Sinnai
Séttimo San Pietro
Maracalagónis
Golfo degli Ángeli
Golfo di Quartu
Golfo di Cágliari
Arbatax-Civitavécchia
Génova
Livorno
Civitavécchia
Nápoli
Palermo
Trápani
Tunis
Dolianova
Soléminis
Sicci S.Biagio
DOLIANOVA
Sant'Andrea Frius
Guntrúxius
Gerrei
Cúccuru Orru
Bruncu su Cani
M.Acutzu di Serdiana 585
Gruxi de Maidana
Bruncu Sálamu 842
Landiragi 885
M.Génis 979
Pta Serpeddi 1067
Tratzális 922
M.Cordra 409
Laghi di Corongiu
Margine Rosso
Foxi
Sant'Andrea
Flúmini
Capitana
Torre Mortório
Cant. Corongiu
Ponte Piscina Nuxedda
San Gaetano
Sant'Isidoro
Donigala
Siúrgus-Erri
M.Moretta 543
sa Mándara 523
Goni (383)
Necropoli Pranu Mutteddu
M.Turri 585
Cúccuru Turri 675
Casa de Muro
San Basilio
Genna Tres Montis 770
Silíus
Pala Muddizzi 539
M.Ìxi 839
Cant. Pranu Sanguni
San Nicolò Gerrei

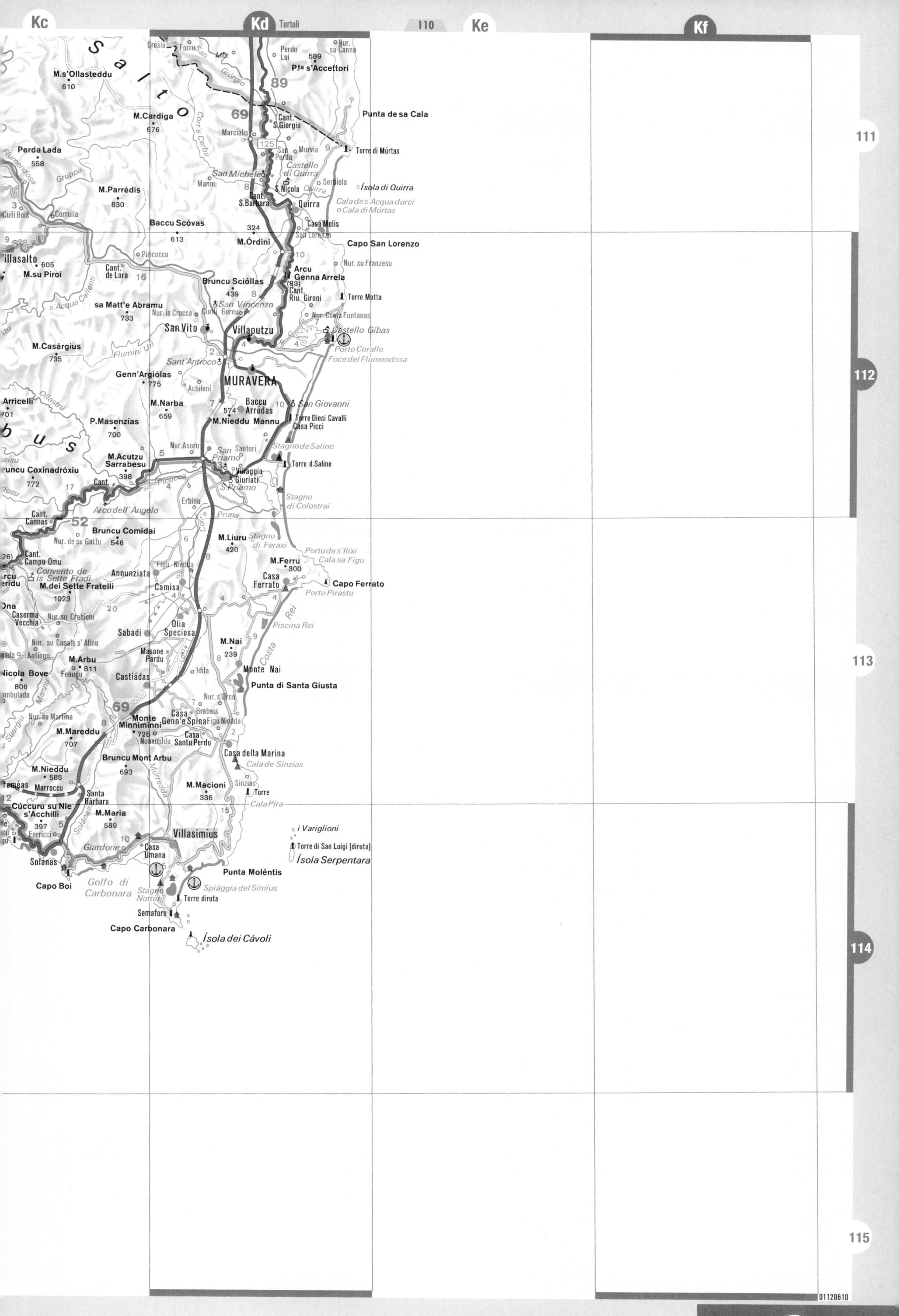

Salto
M.s'Ollasteddu 610
M.Cardiga 676
Perda Lada 558
M.Parrédis 630
Baccu Scóvas 613
Punta de sa Cala
Torre di Múrtas
Ísola di Quirra
Quirra
S.Nicola
Cala des' Acqua durci o Cala di Múrtas
Casa Melis
Capo San Lorenzo
M.Ordini
Arcu Genna Arrela
Bruncu Sciòllas 439
Torre Motta
sa Matt'e Abramu 733
San Vito
Villaputzu
Castello Gibas
Porto Corallo
Foce del Flumendosa
M.Casárgius 735
Genn'Argiólas 775
MURAVERA
San Giovanni
M.Narba 659
Baccu Arródas
M.Nieddu Mannu
Torre Dieci Cavalli
Casa Picci
P.Masenzias 700
Stagno de Saline
Torre d.Saline
M.Acutzu Sarrabesu 398
Villaggio Giuriati
Bruncu Coxinadróxiu 772
Stagno di Colostrai
Arco dell' Angelo
Bruncu Comidai 546
M.Liuru 420
Stagno di Feraxi
Porto de s'Ilixi
Cala sa Figu
M.Ferru 300
Casa Ferrato
Capo Ferrato
Porto Pirastu
M.dei Sette Fratelli 1023
Convento de is Sette Fradi
Annunziata
Camisa
Olia Speciosa
Sabadi
Piscina Rei
Costa Rei
M.Nai 239
Monte Nai
Punta di Santa Giusta
M.Arbu 811
Castiádas
Monte Minniminni 725
M.Mareddu 707
Bruncu Mont Arbu 693
Casa della Marina
Cala de Sinzias
M.Nieddu 585
M.Macioni 336
Cala Pira
Cúccuru su Nie
s'Acchilli 397
M.Maria 589
Villasimius
i Variglioni
Torre di San Luigi (diruta)
Ísola Serpentara
Solánas
Capo Boi
Golfo di Carbonara
Punta Moléntis
Spiággia del Simíus
Torre diruta
Semaforo
Capo Carbonara
Ísola dei Cávoli
111
112
113
114
115
01120610

I	GB	D		F	E	P
Autostrada	Motorway	Autobahn		Autoroute	Autopista	Auto-estrada
Strada a quattro corsie	Road with four lanes	Vierspurige Straße		Route à quatre voies	Carretera de cuatro carriles	Estrada com quatro faixas
Strada di attraversamento	Thoroughfare	Durchgangsstraße		Route de transit	Carretera de tránsito	Estrada de trânsito
Strada principale	Main road	Hauptstraße		Route principale	Carretera principal	Estrada principal
Altre strade	Other roads	Sonstige Straßen		Autres routes	Otras carreteras	Outras estradas
Via a senso unico - Zona pedonale	One-way street - Pedestrian zone	Einbahnstraße - Fußgängerzone		Rue à sens unique - Zone piétonne	Calle de dirección única - Zona peatonal	Rua de sentido único - Zona de peões
Informazioni - Parcheggio	Information - Parking place	Information - Parkplatz		Information - Parking	Información - Aparcamiento	Informação - Parque de estacionamento
Ferrovia principale con stazione	Main railway with station	Hauptbahn mit Bahnhof		Chemin de fer principal avec gare	Ferrocarril principal con estación	Linha principal ferroviária com estação
Altra ferrovia	Other railway	Sonstige Bahn		Autre ligne	Otro ferrocarril	Linha ramal ferroviária
Metropolitana	Underground	U-Bahn		Métro	Metro	Metro
Tram	Tramway	Straßenbahn		Tramway	Tranvía	Eléctrico
Autobus per l'aeroporto	Airport bus	Flughafenbus		Bus d'aéroport	Autobús al aeropuerto	Autocarro c. serviço aeroporto
Posto di polizia - Ufficio postale	Police station - Post office	Polizeistation - Postamt		Poste de police - Bureau de poste	Comisaria de policia - Correos	Esquadra da polícia - Correios
Ospedale - Ostello della gioventù	Hospital - Youth hostel	Krankenhaus - Jugendherberge		Hôpital - Auberge de jeunesse	Hospital - Albergue juvenil	Hospital - Pousada da juventude
Chiesa - Chiesa interessante	Church - Church of interest	Kirche - Sehenswerte Kirche		Église - Église remarquable	Iglesia - Iglesia de interés	Igreja - Igreja interessante
Sinagoga - Moschea	Synagogue - Mosque	Synagoge - Moschee		Synagogue - Mosquée	Sinagoga - Mezquita	Sinagoga - Mesquita
Monumento - Torre	Monument - Tower	Denkmal - Turm		Monument - Tour	Monumento - Torre	Monumento - Torre
Caseggiato, edificio pubblico	Built-up area, public building	Bebaute Fläche, öffentliches Gebäude		Zone bâtie, bâtiment public	Zona edificada, edificio público	Área urbana, edifício público
Zona industriale	Industrial area	Industriegelände		Zone industrielle	Zona industrial	Zona industrial
Parco, bosco	Park, forest	Park, Wald		Parc, bois	Parque, bosque	Parque, floresta

PL	NL	CZ		H	DK	S
Autostrada	Autosnelweg	Dálnice		Autópálya	Motorvej	Motorväg
Droga o czterech pasach ruchu	Weg met vier rijstroken	Čtyřstopá silnice		Négysávos út	Firesporet vej	Väg med fyra körfällt
Droga przelotowa	Weg voor doorgaand verkeer	Průjezdní silnice		Átmenő út	Genemmfartsvej	Genomfartsled
Droga główna	Hoofdweg	Hlavní silnice		Főút	Hovedvej	Huvudled
Drogi inne	Overige wegen	Ostatní silnice		Egyéb utak	Andre mindre vejen	Övriga vägar
Ulica jednokierunkowa - Strefa ruchu pieszego	Straat met eenrichtingverkeer - Voetgangerszone	Jednosměrná ulice - Pěší zóna		Egyirányú utca - Sétáló utca	Gade med ensrettet kørsel - Gågade	Enkelriktad gata - Gågata
Informacja - Parking	Informatie - Parkeerplaats	Informace - Parkoviště		Információ - Parkolóhely	Information - Parkeringplads	Information - Parkering
Kolej główna z dworcami	Belangrijke spoorweg met station	Hlavní železnice s stanice		Fővasútvonal állomással	Hovedjernbanelinie med station	Huvudjärnväg med station
Kolej drugorzędna	Overige spoorweg	Ostatní železnice		Egyéb vasútvonal	Anden jernbanelinie	Övrig järnväg
Metro	Ondergrondse spoorweg	Metro		Földalatti vasút	Underjordisk bane	Tunnelbana
Linia tramwajowa	Tram	Tramvaj		Villamos	Sporvej	Spårväg
Autobus dojazdowy na lotnisko	Vliegveldbus	Letištní autobus		Repülőtéri autóbusz	Bus til lufthavn	Flygbuss
Komisariat - Poczta	Politiebureau - Postkantoor	Policie - Poštovní úřad		Rendőrség - Postahivatal	Politistation - Posthus	Poliskontor - Postkontor
Szpital - Schronisko młodzieżowe	Ziekenhuis - Jeugdherberg	Nemocnice - Ubytovna mládeže		Kórház - Ifjúsági szálló	Sygehus - Vandrerhjem	Sjukhus - Vandrarhem
Kościół - Kościół zabytkowy	Kerk - Bezienswaardige kerk	Kostel - Zajímavý kostel		Templom - Látványos templom	Kirke - Seværdig kirke	Kyrka - Sevärd kyrka
Synagoga - Meczet	Synagoge - Moskee	Synagoga - Mešita		Zsinagóga - Mecset	Synagoge - Moské	Synagoga - Moské
Pomnik - Wieża	Monument - Toren	Pomník - Věž		Emlékmű - Torony	Mindesmærke - Tårn	Monument - Torn
Obszar zabudowany, budynek użyteczności publicznej	Bebouwing, openbaar gebouw	Zastavěná plocha, veřejná budova		Beépítés, középület	Bebyggelse, offentlig bygning	Bebyggt område, offentlig byggnad
Obszar przemysłowy	Industrieterrein	Průmyslová plocha		Iparvidék	Industriområde	Industriområde
Park, las	Park, bos	Park, les		Park, erdő	Park, skov	Park, skog

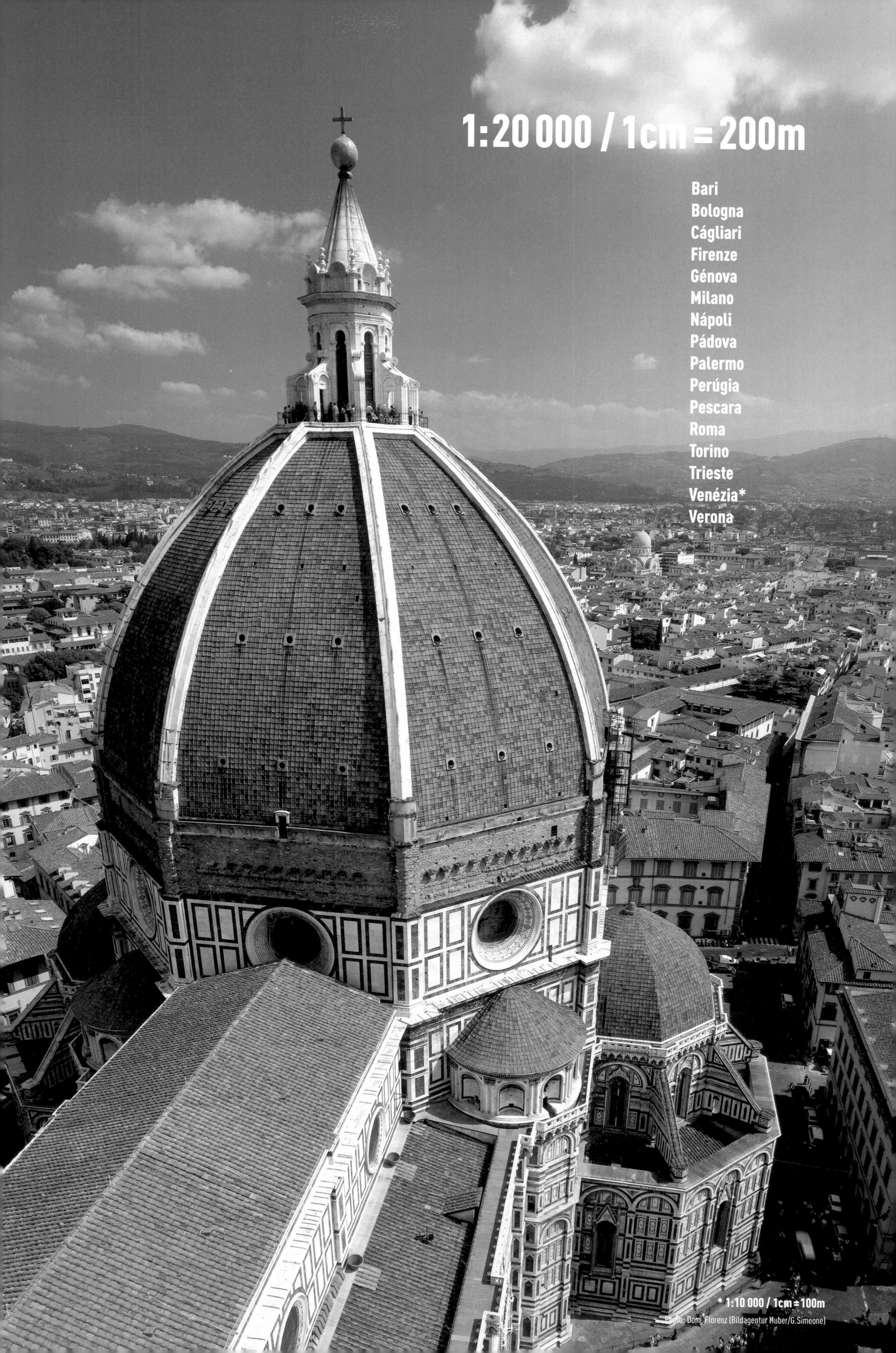

1:20 000 / 1cm = 200m

Bari
Bologna
Cágliari
Firenze
Génova
Milano
Nápoli
Pádova
Palermo
Perúgia
Pescara
Roma
Torino
Trieste
Venézia*
Verona

* 1:10 000 / 1cm = 100m

Photo: Dom, Florenz (Bildagentur Huber/G.Simeone)

Bari I-70100 ☎080 BA

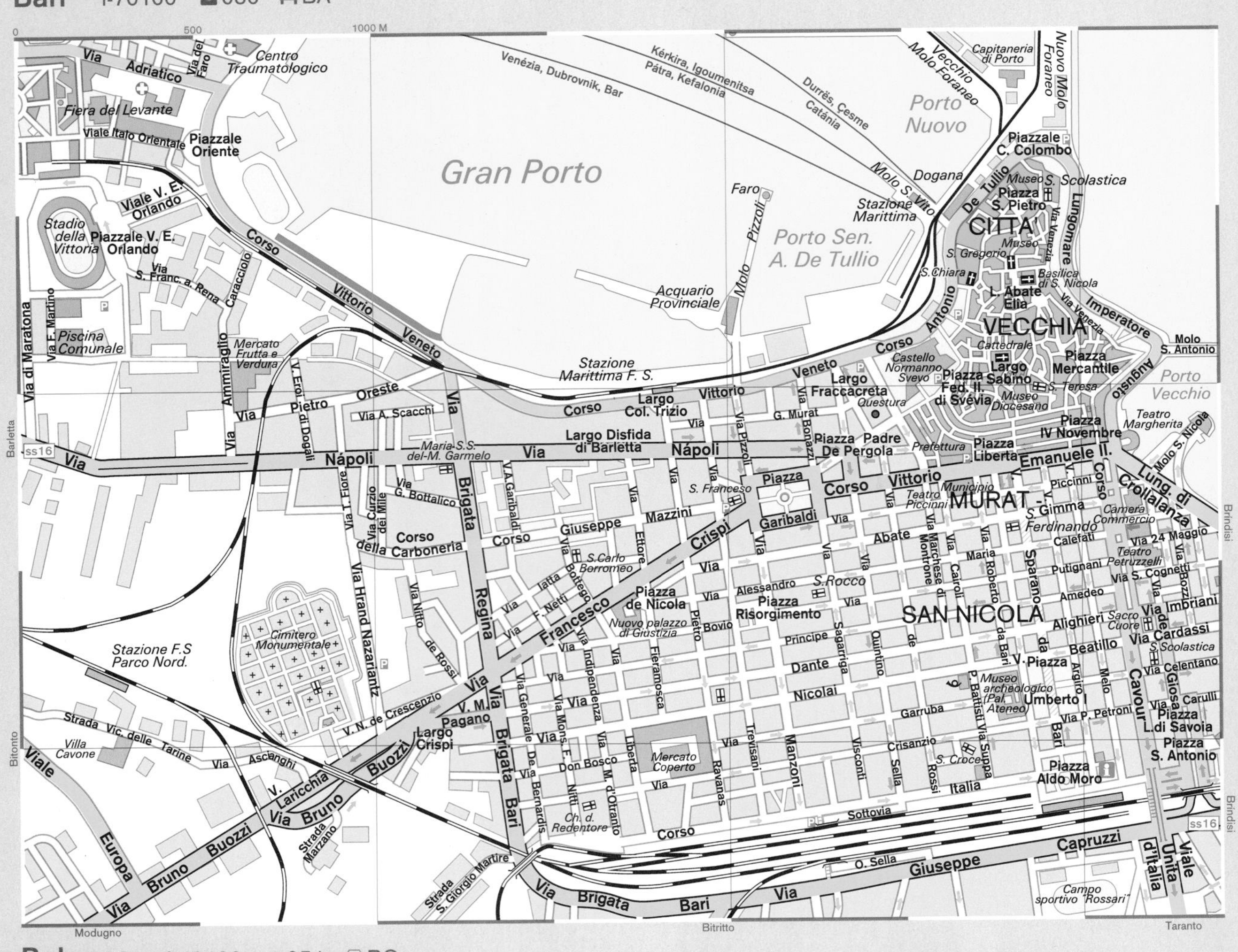

0
500
1000 M
Gran Porto
Porto Nuovo
Porto Sen. A. De Tullio
Porto Vecchio
Centro Traumatologico
Fiera del Levante
Piazzale Oriente
Stadio della Vittoria
Piazzale V. E. Orlando
Piscina Comunale
Corso Vittorio Veneto
Stazione Marittima F. S.
Acquario Provinciale
Faro
Molo Pizzoli
Stazione Marittima
Dogana
Piazzale C. Colombo
Capitaneria di Porto
CITTÀ VECCHIA
S. Scolastica
Basilica di S. Nicola
Cattedrale
Castello Normanno Svevo
Piazza Mercantile
Piazza Fed. II. di Svevia
Molo S. Antonio
Teatro Margherita
Piazza IV Novembre
Piazza Libertà
Largo Fraccacreta
Questura
Piazza Padre De Pergola
Prefettura
Via Nápoli
Largo Disfida di Barletta
Largo Col. Trizio
Mercato Frutta e Verdura
Corso della Carboneria
Via Brigata Regina
Corso Giuseppe Mazzini
Piazza Garibaldi
Corso Vittorio Emanuele II.
Teatro Piccinni
Municipio
MURAT
Lung. di Crollalanza
Camera Commercio
Teatro Petruzzelli
Piazza de Nicola
Nuovo palazzo di Giustizia
Piazza Risorgimento
S. Rocco
SAN NICOLA
Cimitero Monumentale
Stazione F.S Parco Nord.
Villa Cavone
Largo Crispi
Mercato Coperto
Museo archeologico (Pal. Ateneo)
Piazza Umberto I
Piazza L. di Savoia
Piazza S. Antonio
Piazza Aldo Moro
Corso Italia
Via Bruno Buozzi
Viale Europa
Via Brigata Bari
Via Giuseppe Capruzzi
Campo sportivo 'Rossari'
Viale Unità d'Italia
Barletta
Bitonto
Modugno
Bitritto
Taranto
Brindisi

Bologna I-40100 ☎051 BO

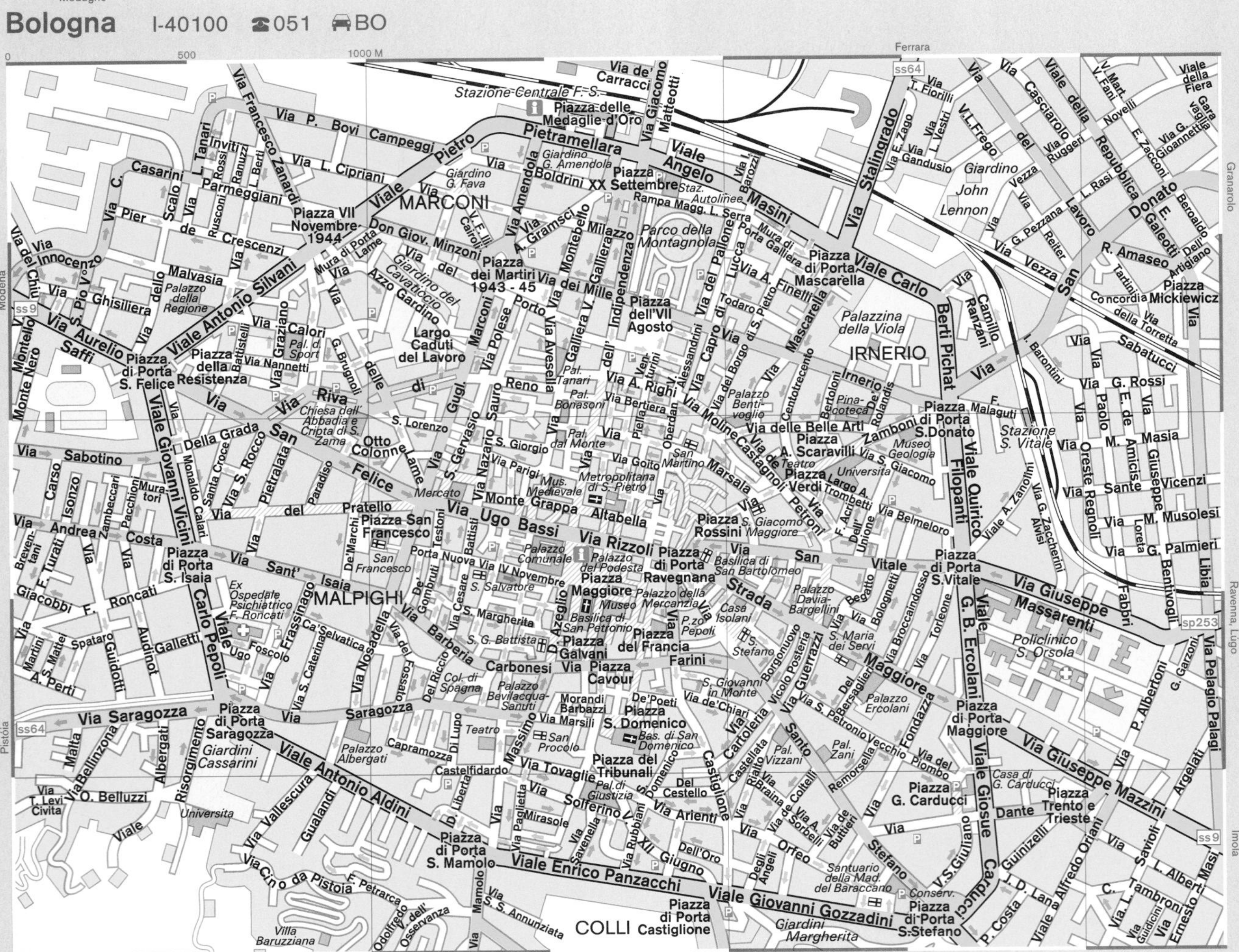

0
500
1000 M
Ferrara
Stazione Centrale F.S.
Piazza delle Medaglie d'Oro
Via Pietramellara
Viale Angelo Masini
Piazza XX Settembre
Parco della Montagnola
Giardino John Lennon
MARCONI
Piazza VII Novembre 1944
Piazza dei Martiri 1943 - 45
Piazza dell'VII Agosto
Piazza di Porta Mascarella
Viale Carlo Berti Pichat
Palazzina della Viola
IRNERIO
Piazza di Porta S. Felice
Piazza della Resistenza
Viale Antonio Silvani
Largo Caduti del Lavoro
Via Riva di Reno
Via Ugo Bassi
Via Rizzoli
Piazza di Porta Ravegnana
Piazza Maggiore
Piazza Galvani
Piazza San Francesco
MALPIGHI
Viale Giovanni Vicini
Viale Carlo Pepoli
Piazza di Porta S. Isaia
Via Saragozza
Piazza di Porta Saragozza
Giardini Cassarini
Viale Antonio Aldini
Piazza S. Domenico
Piazza del Tribunali
Piazza Cavour
Piazza Rossini
Piazza Verdi
Piazza A. Scaravilli
Piazza di Porta S.Donato
Viale Filopanti
Viale Quirico
Stazione S. Vitale
Piazza di Porta S.Vitale
Via Giuseppe Massarenti
Policlinico S. Orsola
Strada Maggiore
Piazza di Porta Maggiore
Viale G. B. Ercolani
Via Giuseppe Mazzini
Piazza G. Carducci
Casa di G. Carducci
Piazza Trento e Trieste
Viale Giosuè Carducci
Viale Enrico Panzacchi
Piazza di Porta S. Mamolo
Viale Giovanni Gozzadini
Piazza di Porta Castiglione
Piazza di Porta S.Stefano
Giardini Margherita
COLLI
Villa Baruzziana
Piazza Mickiewicz
Modena
Pistoia
Granarolo
Ravenna, Lugo
Imola
Firenze

CA ☎070 I-09100 **Cágliari**

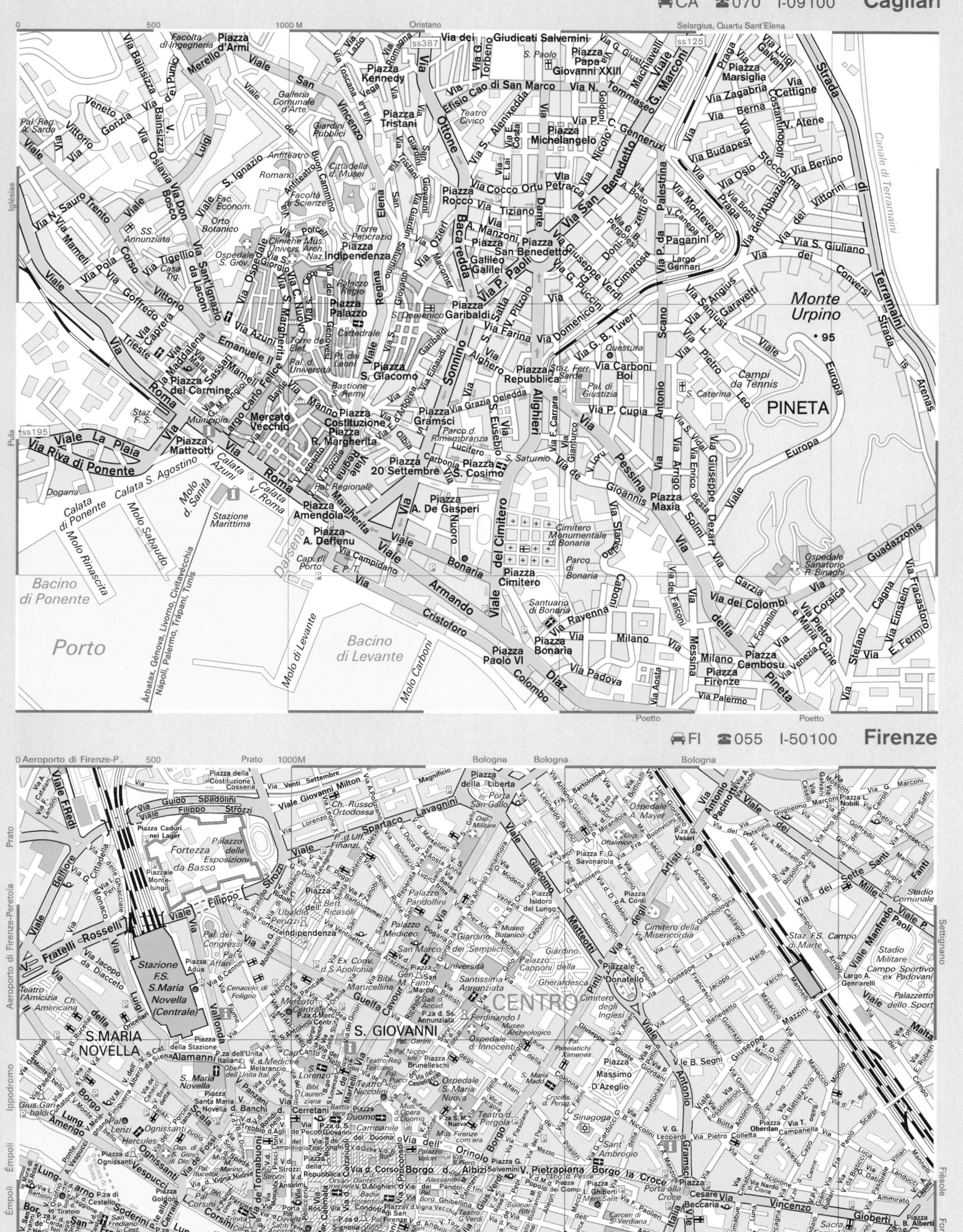
0
500
1000 M
Oristano
Selargius, Quartu Sant'Elena
Iglesias
Pula
Poetto
Porto
Bacino di Ponente
Bacino di Levante
Darsena
Molo Rinascita
Molo Sabaudo
Molo d. Sanità
Molo di Levante
Molo Carboni
Calata di Ponente
Calata S. Agostino
Stazione Marittima
Monte Urpino
PINETA
Canale di Terramaini
Piazza d'Armi
Piazza Kennedy
Piazza Tristani
Piazza Michelangelo
Piazza Papa Giovanni XXIII
Piazza Marsiglia
Piazza Indipendenza
Piazza Palazzo
Piazza Garibaldi
Piazza Galileo Galilei
Piazza San Benedetto
Piazza Repubblica
Piazza Costituzione
Piazza R. Margherita
Piazza Yenne
Piazza del Carmine
Piazza Matteotti
Piazza Amendola
Piazza A. Deffenu
Piazza Gramsci
Piazza 20 Settembre
Piazza S. Cosimo
Piazza A. De Gasperi
Piazza Cimitero
Piazza Bonaria
Piazza Paolo VI
Piazza Maxia
Piazza Cambosu
Piazza Milano
Piazza Firenze
Mercato Vecchio
Viale Buoncammino
Via Roma
Viale Trento
Viale Diaz
Viale Bonaria
Via Cristoforo Colombo
Via Dante
Via Sonnino
Via Pessina
Viale Europa
Via Riva di Ponente
Viale La Plaia
Santuario di Bonaria
Cimitero Monumentale di Bonaria
Parco di Bonaria
Ospedale Sanatorio R. Binaghi

FI ☎055 I-50100 **Firenze**

0 Aeroporto di Firenze-P.
500
Prato
1000M
Bologna
Siena
Fiesole
Forlì
Settignano
Villamagna
Empoli
Ippodromo
CENTRO
S. GIOVANNI
S.MARIA NOVELLA
SAN FREDIANO
S. SPIRITO
OLTRARNO
SAN NICCOLÒ
S. CROCE
Fiume Arno
Fortezza da Basso
Stazione F.S. S.Maria Novella (Centrale)
Piazza della Libertà
Piazza dell'Indipendenza
Piazza della Signoria
Piazza del Duomo
Piazza Santa Croce
Piazza de' Pitti
Palazzo Pitti
Giardino di Bòboli
Piazzale Michelangelo
Ponte Vecchio
Viale Giacomo Matteotti
Viale Fratelli Rosselli
Viale Spartaco Lavagnini
Lungarno d. Tempio
Lungarno Cristoforo
Campo di Marte

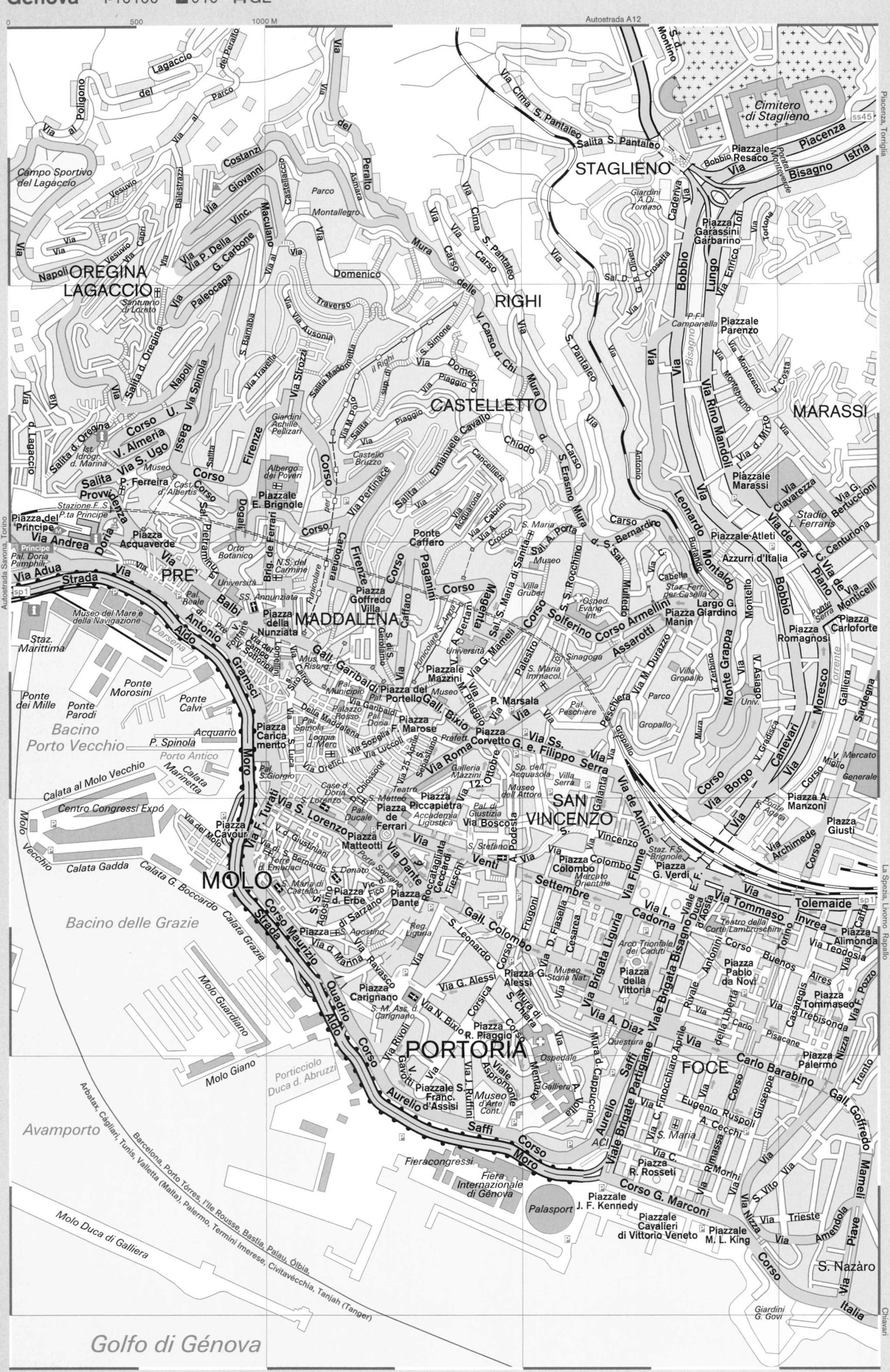
0
500
1000 M
Autostrada A12
STAGLIENO
Cimitero di Staglieno
OREGINA LAGACCIO
RIGHI
CASTELLETTO
MARASSI
PRE'
MADDALENA
SAN VINCENZO
MOLO
PORTORIA
FOCE
Bacino Porto Vecchio
Bacino delle Grazie
Avamporto
Golfo di Génova
Molo Duca di Galliera
Centro Congressi Expó
Fiera Internazionale di Genova
Palasport
S. Nazàro
Piacenza, Torriglia
La Spezia, Livorno, Rapallo
Chiavari
Autostrada Savona, Torino
Arbatax, Cagliari, Tunis, Valletta (Malta), Palermo, Termini Imerese, Civitavecchia, Tanjah (Tanger)
Barcelona, Porto Tórres, l'Ile Rousse, Bastia, Palau, Olbia

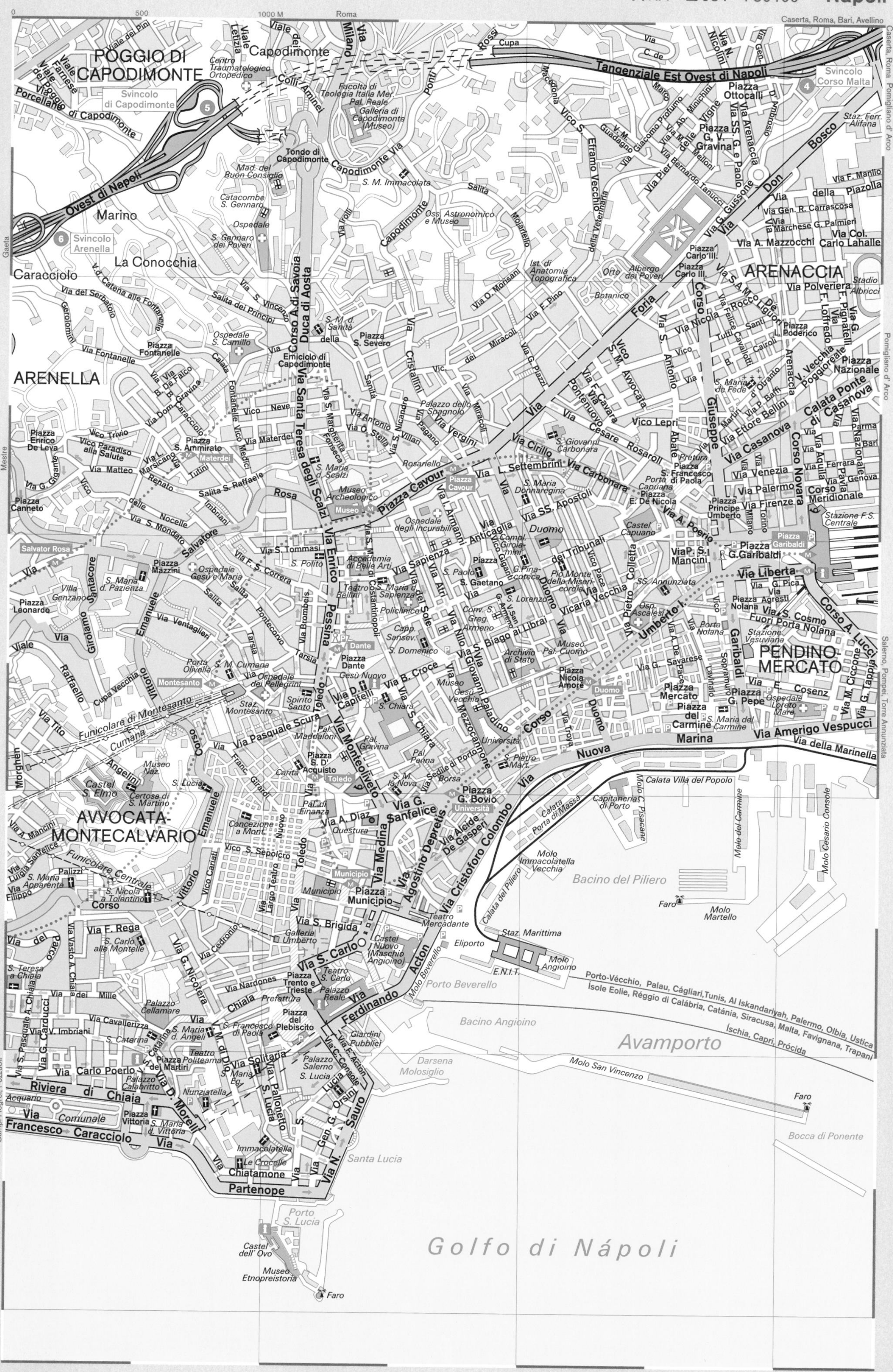
0
500
1000 M
Roma
Caserta, Roma, Bari, Avellino
POGGIO DI CAPODIMONTE
Capodimonte
Svincolo di Capodimonte
Tangenziale Est Ovest di Napoli
Svincolo Corso Malta
Piazza Ottocalli
Piazza G. V. Gravina
Tondo di Capodimonte
Marino
Svincolo Arenella
La Conocchia
Caracciolo
ARENACCIA
ARENELLA
Piazza Fontanelle
Emiciclo di Capodimonte
Piazza S. Severo
Orto Botanico
Albergo dei Poveri
Piazza Carlo III
Piazza Cavour
Museo Archeologico
Via Foria
Piazza Nazionale
Corso Meridionale
Stazione F.S. Centrale
Piazza Garibaldi
Duomo
Castel Capuano
Piazza Mazzini
Salvator Rosa
Piazza Dante
Montesanto
PENDINO-MERCATO
Piazza Mercato
Piazza del Carmine
Via Amerigo Vespucci
Via Marina
Castel S. Elmo
Certosa di S. Martino
AVVOCATA-MONTECALVARIO
Piazza G. Bovio
Piazza Municipio
Castel Nuovo (Maschio Angioino)
Stazione Marittima
Porto Beverello
Bacino del Piliero
Bacino Angioino
Avamporto
Piazza Trento e Trieste
Palazzo Reale
Piazza del Plebiscito
Riviera di Chiaia
Via Francesco Caracciolo
Via Partenope
Castel dell' Ovo
Santa Lucia
Golfo di Nápoli
Porto-Vecchio, Palau, Cágliari, Tunis, Al Iskandariyah, Palermo, Olbia, Ustica
Ísole Eolie, Réggio di Calábria, Catánia, Siracusa, Malta, Favignana, Trapani
Íschia, Capri, Prócida
Molo San Vincenzo
Bocca di Ponente
Campi Flegrei, Pozzuoli
Salerno, Pompei, Torre Annunziata
Pomigliano d' Arco

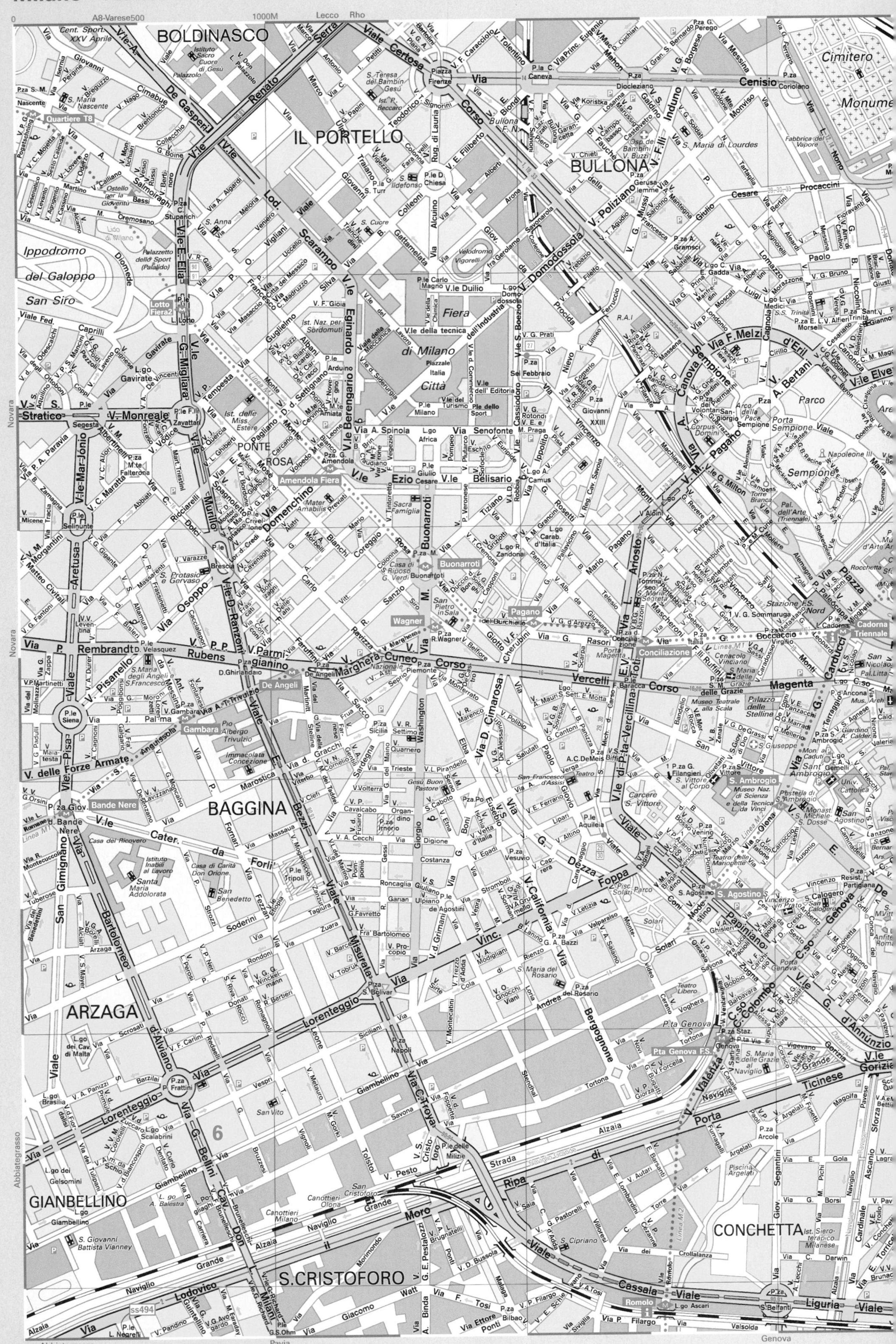
A8-Varese500
1000M
Lecco
Rho
Novara
Abbiategrasso
Pavia
Genova
BOLDINASCO
IL PORTELLO
BULLONA
Cimitero Monumentale
Ippodromo del Galoppo San Siro
Fiera di Milano
Piazzale Italia
Città
Parco Sempione
BAGGINA
ARZAGA
GIANBELLINO
S.CRISTOFORO
CONCHETTA
Quartiere T8
Lotto Fiera2
Amendola Fiera
Buonarroti
Pagano
Wagner
De Angeli
Gambara
Bande Nere
Conciliazione
Cadorna Triennale
S. Ambrogio
S. Agostino
P.ta Genova F.S.
Romolo
Viale Certosa
Corso Sempione
Cenisio
Procaccini
V. Domodossola
Viale Scarampo
V.le Berengario
V.le Eginardo
V.le Murillo
Via Rembrandt
Rubens
Corso Vercelli
Corso Magenta
Viale Misurata
Via Lorenteggio
Via Foppa
Alzaia Naviglio Grande
Ripa di Porta Ticinese
Viale Cassala
Viale Liguria
Stazione F.S. Nord
Piazza Firenze
Piazzale Lotto
Castello Sforzesco

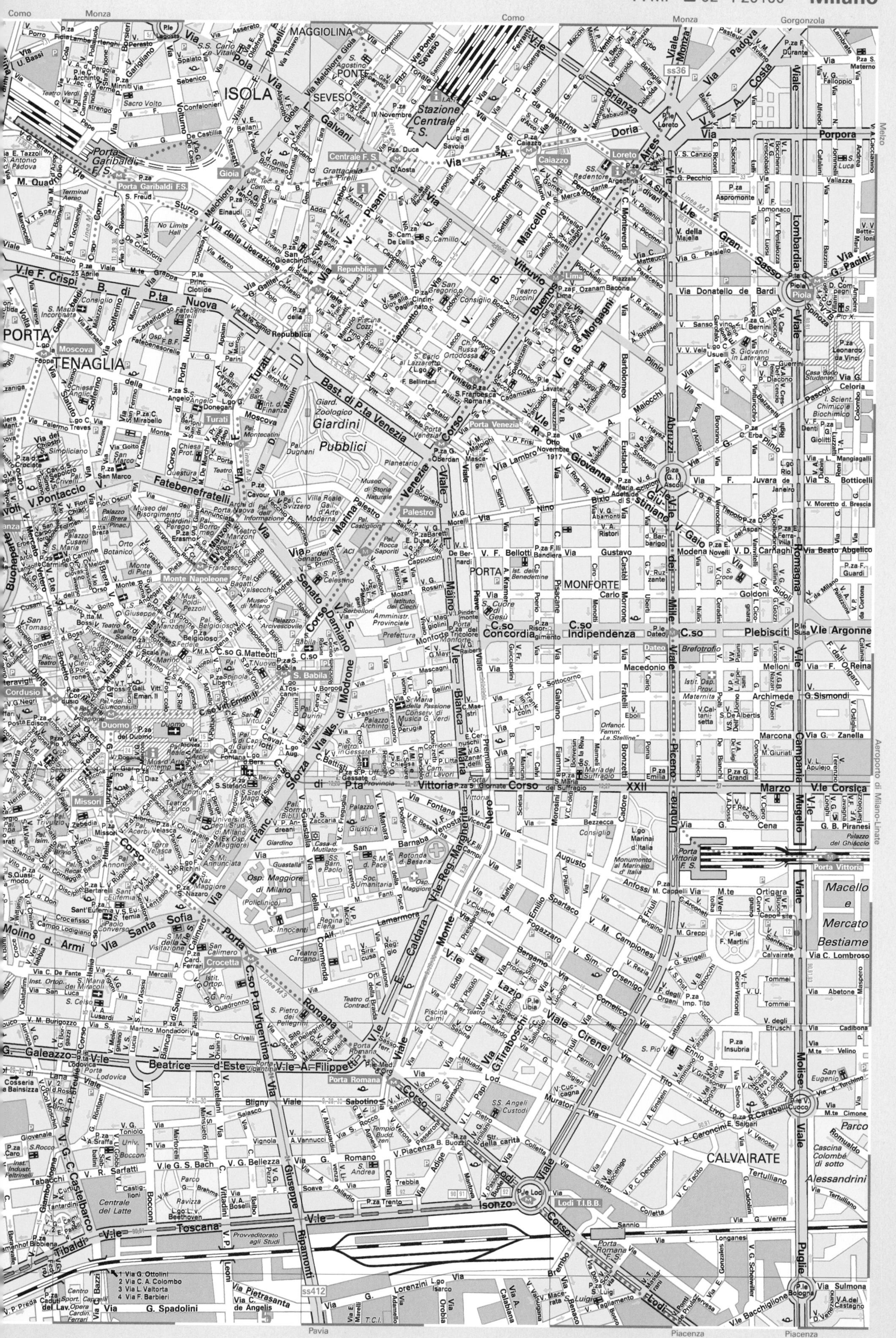
Como
Monza
Gorgonzola
Melzo
Aeroporto di Milano-Linate
Pavia
Piacenza
ISOLA
MAGGIOLINA
SEVESO
Stazione Centrale F. S.
Porta Garibaldi F. S.
PORTA TENAGLIA
Giardini Pubblici
PORTA MONFORTE
CALVAIRATE
Porta Vittoria F. S.
Porta Romana F. S.
Macello e Mercato Bestiame
Centrale del Latte
Duomo
Cordusio
Missori
Crocetta
Porta Romana
Lodi T.I.B.B.
Repubblica
Turati
Moscova
Monte Napoleone
S. Babila
Palestro
Porta Venezia
Lima
Caiazzo
Loreto
Piola
Dateo
Gioia
Centrale F. S.
Viale Monza
Via Padova
Via Porpora
Viale Lombardia
Viale Romagna
Viale Campania
Viale Mugello
Viale Molise
Viale Puglie
Viale Abruzzi
Viale Piceno
C.so Buenos Aires
C.so Venezia
C.so Vittorio Emanuele II
C.so di P.ta Vittoria
Corso XXII Marzo
C.so Concordia
C.so Indipendenza
C.so Plebisciti
V.le Argonne
V.le Corsica
Viale Regina Margherita
C.so di P.ta Romana
C.so Lodi
C.so P.ta Vigentina
Viale Beatrice d'Este
V.le A. Filippetti
Via Ripamonti
V.le Toscana
V.le Isonzo
Via Galvani
Via Pisani
Via Vitruvio
Via G. B. Morgagni
Fatebenefratelli
Bast. di P.ta Venezia
Via Santa Sofia
Molino d. Armi
Via Tibaldi
Via Castelbarco
1 Via G. Ottolini
2 Via C. A. Colombo
3 Via L. Valtorta
4 Via F. Barbieri

Pádova I-35100 ☎049 PD

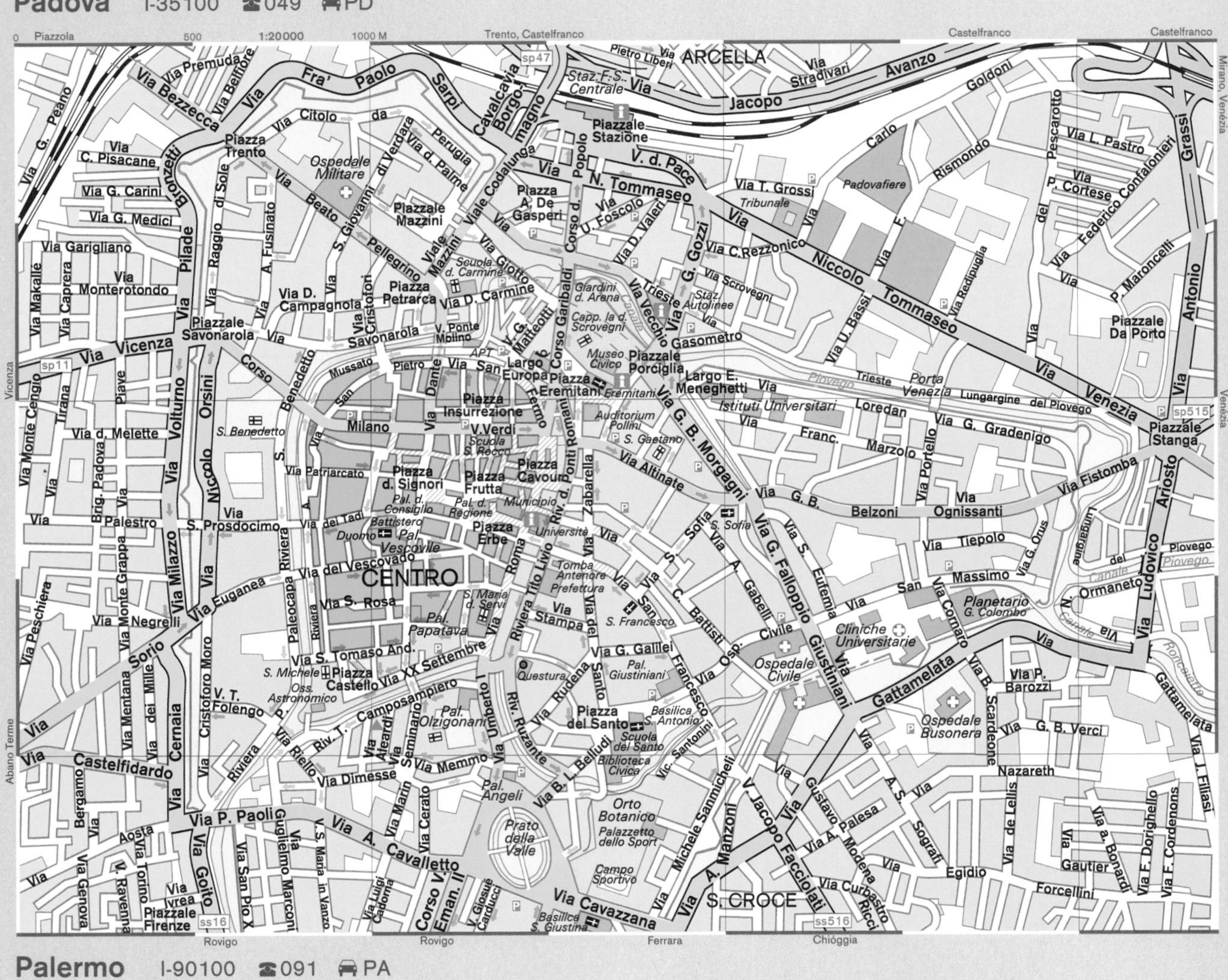

0 Piazzola 500 1:20000 1000 M
Trento, Castelfranco
Castelfranco
Castelfranco
Mirano, Venezia
Venezia
Vicenza
Abano Terme
Rovigo
Rovigo
Ferrara
Chióggia
ARCELLA
Staz. F.S. Centrale
Via Jacopo Avanzo
Via Stradivari
Goldoni
Pietro Liberi
sp47
Via Fra' Paolo Sarpi
Via Premuda
Via Belfiore
Via Bezzecca
Via G. Peano
Via C. Pisacane
Via G. Carini
Via G. Medici
Via Garigliano
Via Monterotondo
Via Makallè
Via Caprera
Piazza Trento
Via Citolo da Perugia
Ospedale Militare
Cavalcavia Borgomagno
Piazzale Stazione
Via Popolo
Via N. Tommaseo
V. d. Pace
Piazza A. De Gasperi
Piazzale Mazzini
Viale Codalunga
Via Beato Pellegrino
Piazza Petrarca
Via D. Carmine
Via D. Campagnola
Piazzale Savonarola
Via Vicenza
sp11
Via Volturno
Via Pilade Bronzetti
Via Raggio di Sole
Via Gasometro
Giardini d. Arena
Capp. la d. Scrovegni
Museo Civico
Piazzale Porciglia
Largo Europa
Piazza Eremitani
Largo E. Meneghetti
Istituti Universitari
Via Loredan
Via Franc. Marzolo
Via G. Gradenigo
Piazzale Stanga
sp515
Tribunale
Padovafiere
Via T. Grossi
Via C. Rezzonico
Via Niccolò Tommaseo
Via Venezia
Piazzale Da Porto
Via Antonio Grassi
Via L. Pastro
Via P. Cortese
Via Federico Confalonieri
Via P. Maroncelli
Via Rismondo
Piovego
Porta Venezia
Lungargine del Piovego
Piazza Insurrezione
V. Verdi
Via Milano
S. Benedetto
Piazza d. Signori
Piazza Frutta
Piazza Cavour
Piazza Erbe
Pal. d. Consiglio
Pal. d. Ragione
Municipio
Battistero
Duomo
Pal. Vescovile
Università
CENTRO
Via del Vescovado
Via S. Rosa
Via Patriarcato
S. Prosdocimo
Via Palestro
Via Euganea
Via Negrelli
Via Sorio
Via Monte Grappa
Via Mentana
Via Peschiera
Via d. Melette
Via Monte Cengio
Via Tirana
Via Niccolò Orsini
Via Cristoforo Moro
Via Milazzo
Via Cernaia
Via Castelfidardo
Via Altinate
Via Morgagni
Via G. B. Belzoni
Via Ognissanti
Via Fistomba
Via Tiepolo
Via S. Massimo
Planetario G. Colombo
Via Ormaneto
Via Lodovico Ariosto
Via S. Sofia
Via Gabelli
Via G. Falloppio
Via S. Eufemia
Via Giustiniani
Via Ospedale Civile
Cliniche Universitarie
Ospedale Civile
Via Gattamelata
Via P. Barozzi
Via B. Scardeone
Via G. B. Verci
Ospedale Busonera
Via Nazareth
Via Cornaro
Tomba Antenore
Prefettura
Via Stampa
S. Francesco
Via G. Galilei
Pal. Giustiniani
Questura
Via Rudena
Piazza del Santo
Basilica S. Antonio
Scuola del Santo
Biblioteca Civica
Orto Botanico
Palazzetto dello Sport
Campo Sportivo
Prato della Valle
Via Cavazzana
S. CROCE
ss516
Via Michele Sanmicheli
Via A. Manzoni
Via Jacopo Facciolati
Via A. Palesa
Via Gustavo Modena
Via Curbastro Ricci
Via Egidio Forcellini
Via Sografi
Via Gautier
Via de Lellis
Via F. Dorighello
Via F. Cordenons
Via I. Filiasi
Via Papafava
Via S. Tomaso And.
S. Michele
Piazza Castello
Oss. Astronomico
Via XX Settembre
Riv. T. Camposampiero
Pal. Olzignani
Via Umberto I
Via Seminario
Via Dimesse
Via Memmo
Via Rialto
Via V. T. Folengo
Via P. Paoli
Via A. Cavalletto
Via Goito
Via San Pio X
Via Guglielmo Marconi
Via Torino
Via Ravenna
Via Genova
Via Bergamo
Via Aosta
Via Ivrea
Piazzale Firenze
ss16
Via Luigi Cadorna
Corso V. Emanuele II
Via Giosuè Carducci
Basilica S. Giustina
Pal. Angeli
Via B. L. Belludi
Via Cerato
Via Marin
Via Aleardi

Palermo I-90100 ☎091 PA

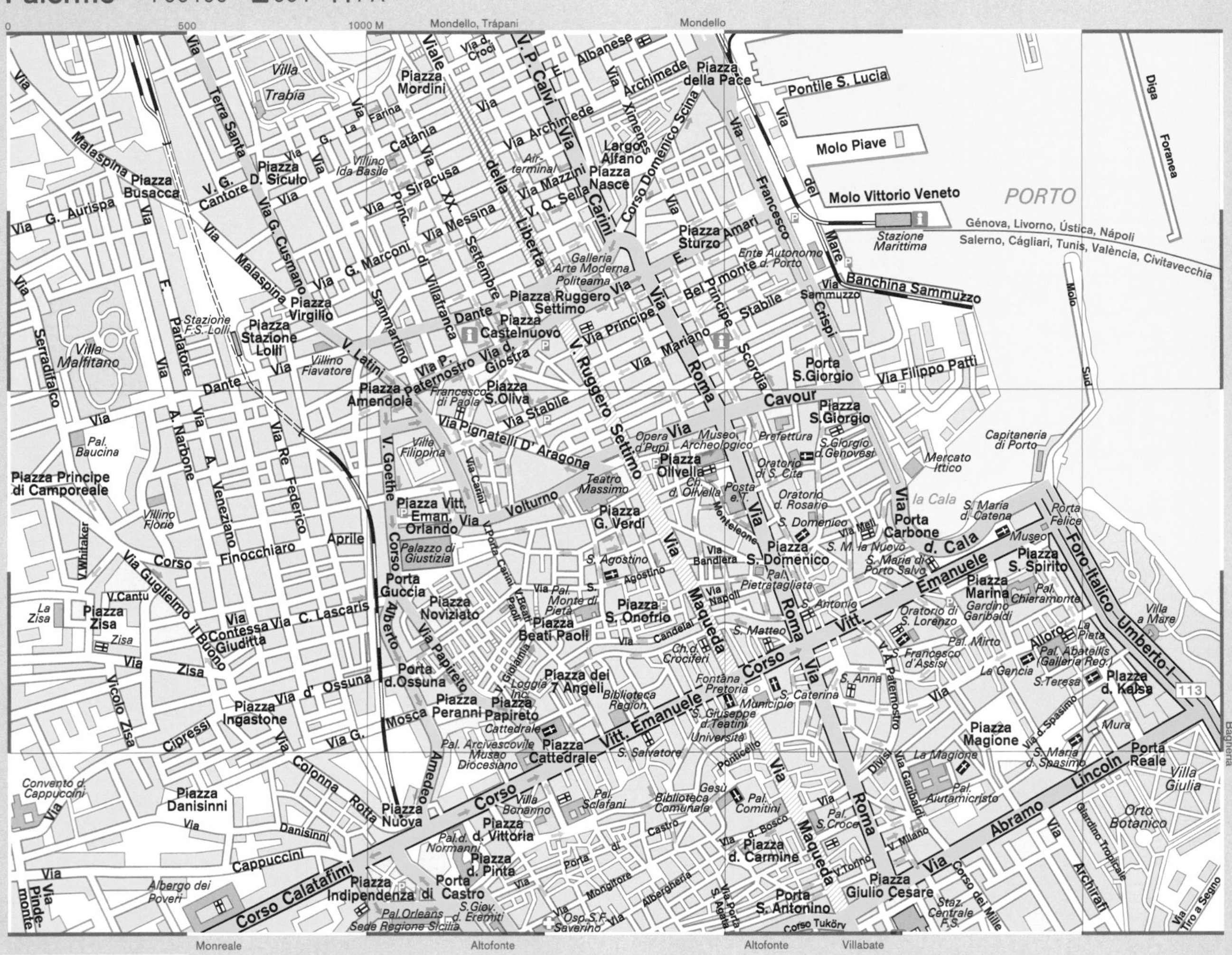

0 500 1000 M
Mondello, Trápani
Mondello
Bagheria
Monreale
Altofonte
Altofonte
Villabate
Villa Trabia
Piazza Mordini
Via Malaspina
Piazza Busacca
Via G. Aurispa
Piazza V. G. Cantore
Piazza D. Siculo
Via Terra Santa
Villino Ida Basile
Via Catania
Via Siracusa
Via Archimede
Albanese
Piazza della Pace
Pontile S. Lucia
Molo Piave
Molo Vittorio Veneto
PORTO
Stazione Marittima
Génova, Livorno, Ústica, Nápoli
Salerno, Cágliari, Tunis, València, Civitavecchia
Diga Foranea
Molo Sud
Largo Alfano
Piazza Nasce
Air-terminal
Via Mazzini
V. Q. Sella
Via Carini
Corso Domenico Scinà
Via Francesco Crispi
Via del Mare
Banchina Sammuzzo
Ente Autonomo d. Porto
Piazza Sturzo
Via Amari
Via della Libertà
Galleria Arte Moderna Politeama
Piazza Ruggero Settimo
Via G. Marconi
Via Messina
Via XX Settembre
Via di Villafranca
Via Sammartino
Piazza Virgilio
Piazza Stazione Lolli
Stazione F.S. Lolli
Via Serradifalco
Villa Malfitano
Via F. Parlatore
Via Dante
Piazza Dante
Piazza Castelnuovo
Via Principe di Belmonte
Via Stabile
Via Mariano
Via Roma
Via Scordia
Porta S. Giorgio
Via Filippo Patti
Piazza Cavour
Piazza S. Giorgio
Piazza Amendola
Piazza S. Oliva
Via Paternostro
Via Latini
Villino Fiavatore
Francesco di Paola
Villa Filippina
Via Pignatelli D'Aragona
Via Ruggero Settimo
Opera dei Pupi
Museo Archeologico
Prefettura
S. Giorgio d. Genovesi
Oratorio di S. Cita
Mercato Ittico
Capitaneria di Porto
Piazza Olivella
Teatro Massimo
Ch. d. Olivella
Oratorio d. Rosario
Pal. Baucina
Piazza Principe di Camporeale
Via A. Narbone
Via A. Veneziano
Via Re Federico
Villino Florio
Via Finocchiaro Aprile
Via V. Goethe
Piazza Vitt. Eman. Orlando
Via Volturno
Palazzo di Giustizia
Piazza G. Verdi
Via Maqueda
S. Domenico
Piazza S. Domenico
la Cala
Porta Carbone
S. Maria d. Catena
Porta Felice
Foro Italico Umberto I
Via Cala
Museo
Piazza S. Spirito
Piazza Marina
Giardino Garibaldi
Pal. Chiaramonte
Villa a Mare
Corso Vitt. Emanuele
Oratorio di S. Lorenzo
S. Francesco d'Assisi
Pal. Mirto
Pal. Abatellis (Galleria Reg.)
Piazza d. Kalsa
S. Teresa
La Gancia
113
V. Whitaker
Via Guglielmo il Buono
La Zisa
Piazza Zisa
Via Zisa
Via Vicolo Zisa
Via Contessa Giuditta
Via C. Lascaris
Corso Alberto Amedeo
Porta Guccia
Piazza Noviziato
Via Papireto
Piazza Beati Paoli
Piazza S. Onofrio
Porta d'Ossuna
Via d'Ossuna
Piazza Ingastone
Via Cipressi
Piazza Peranni
Piazza Papireto
Piazza dei 7 Angeli
Biblioteca Region.
Fontana Pretoria
Municipio
S. Caterina
S. Giuseppe d. Teatini
Università
S. Anna
Piazza Magione
La Magione
Pal. Aiutamicristo
S. Maria d. Spasimo
Mura
Porta Reale
Villa Giulia
Orto Botanico
Giardino Tropicale
Cattedrale
Piazza Cattedrale
Pal. Arcivescovile
Museo Diocesano
S. Salvatore
Via Colonna Rotta
Piazza Nuova
Corso Vitt. Emanuele
Convento d. Cappuccini
Piazza Danisinni
Via Danisinni
Via Cappuccini
Via Pindemonte
Albergo dei Poveri
Corso Calatafimi
Piazza Indipendenza
Porta di Castro
Pal. Orleans Sede Regione Sicilia
S. Giov. d. Eremiti
Pal. d. Normanni
Piazza d. Vittoria
Piazza d. Pinta
Pal. Sclafani
Biblioteca Comunale
Gesù
Pal. Comitini
Piazza d. Carmine
Porta S. Antonino
Corso Tukory
Piazza Giulio Cesare
Staz. Centrale F.S.
Via Lincoln
Via Abramo
Via Archirafi
Via Tiro a Segno
Corso dei Mille
Via Mongitore
Via Albergheria
Osp. S.F. Saverio

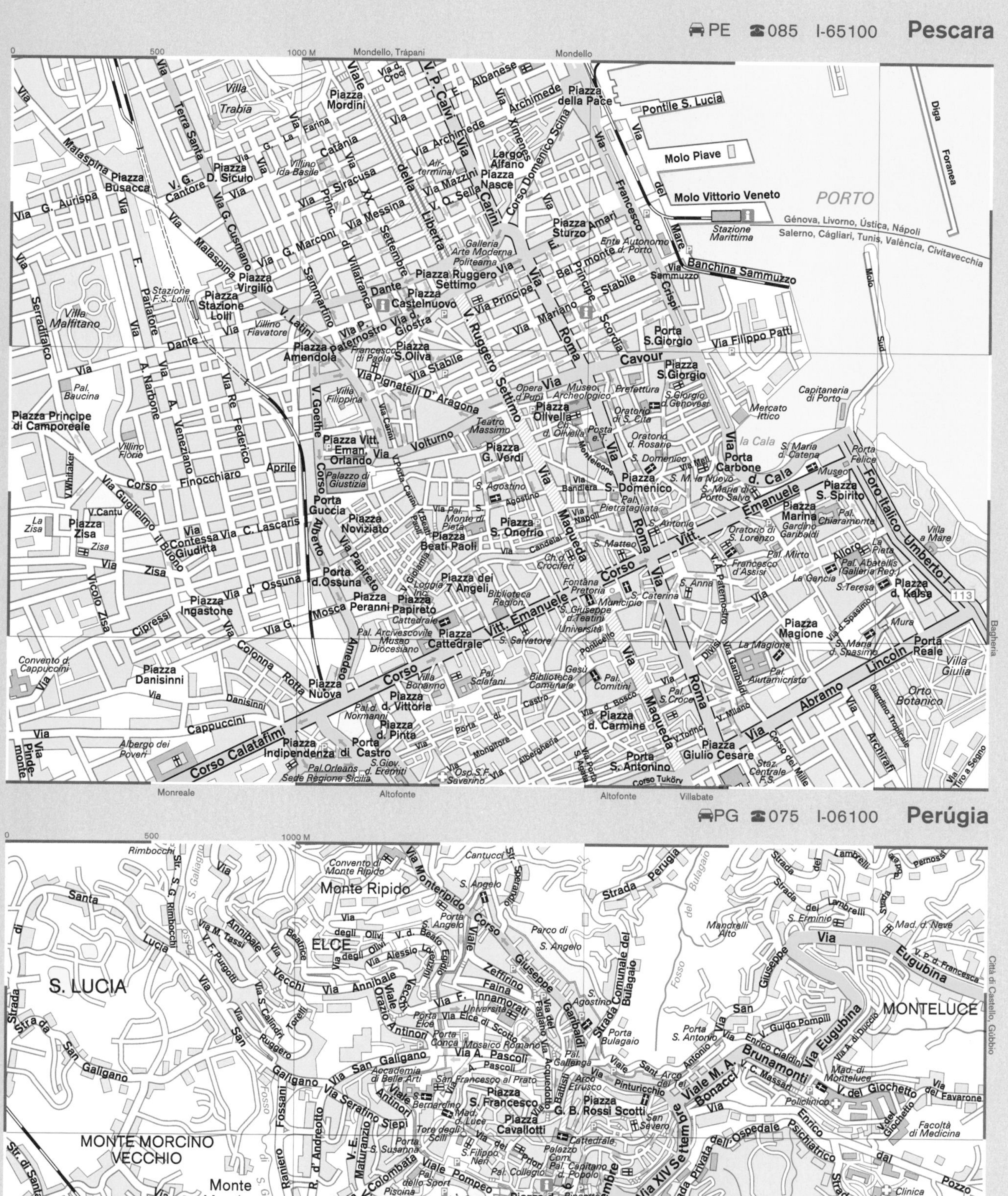

0
500
1000 M
Mondello, Trápani
Mondello
Monreale
Altofonte
Altofonte
Villabate
Bagheria
PORTO
Molo Piave
Molo Vittorio Veneto
Pontile S. Lucia
Diga Foranea
Stazione Marittima
Génova, Livorno, Ústica, Nápoli
Salerno, Cágliari, Tunis, Valência, Civitavecchia
Banchina Sammuzzo
Molo Sud
Piazza della Pace
Piazza Mordini
Villa Trabia
Piazza Busacca
Piazza D. Siculo
Via G. Aurispa
Villa Malfitano
Stazione F.S. Lolli
Piazza Stazione Lolli
Piazza Virgilio
Piazza Ruggero Settimo
Piazza Castelnuovo
Piazza Amendola
Piazza S.Oliva
Largo Alfano
Piazza Nasce
Piazza Sturzo
Piazza Amari
Galleria Arte Moderna
Politeama
Porta S.Giorgio
Piazza S.Giorgio
Via Filippo Patti
Capitaneria di Porto
Mercato Ittico
la Cala
Porta Felice
Porta Carbone
Piazza Principe di Camporeale
Pal. Baucina
Villa Filippina
Teatro Massimo
Piazza Vitt. Eman. Orlando
Piazza G. Verdi
Piazza Olivella
Museo Archeologico
Prefettura
Piazza S. Domenico
Piazza S. Spirito
Piazza Marina
Pal. Chiaramonte
Villa a Mare
Foro Italico Umberto I
La Zisa
Piazza Zisa
Porta Guccia
Piazza Noviziato
Piazza Beati Paoli
Piazza S. Onofrio
Porta d.Ossuna
Piazza dei 7 Angeli
Piazza Peranni
Piazza Papireto
Piazza Ingastone
Piazza Cattedrale
Pal. Arcivescovile
Museo Diocesiano
Biblioteca Region.
Municipio
Università
Piazza d. Kalsa
Piazza Magione
La Magione
Porta Reale
Villa Giulia
Orto Botanico
Convento d. Cappuccini
Piazza Danisinni
Piazza Nuova
Corso Calatafimi
Albergo dei Poveri
Piazza Indipendenza
Porta di Castro
Piazza d. Vittoria
Pal.d. Normanni
Piazza d. Pinta
Pal. Sclafani
Biblioteca Comunale
Pal. Comitini
Piazza d. Carmine
Porta S. Antonino
Piazza Giulio Cesare
Staz. Centrale F.S.
Corso Vitt. Emanuele
Via Maqueda
Via Roma
Corso Tukòry
Via Lincoln
113

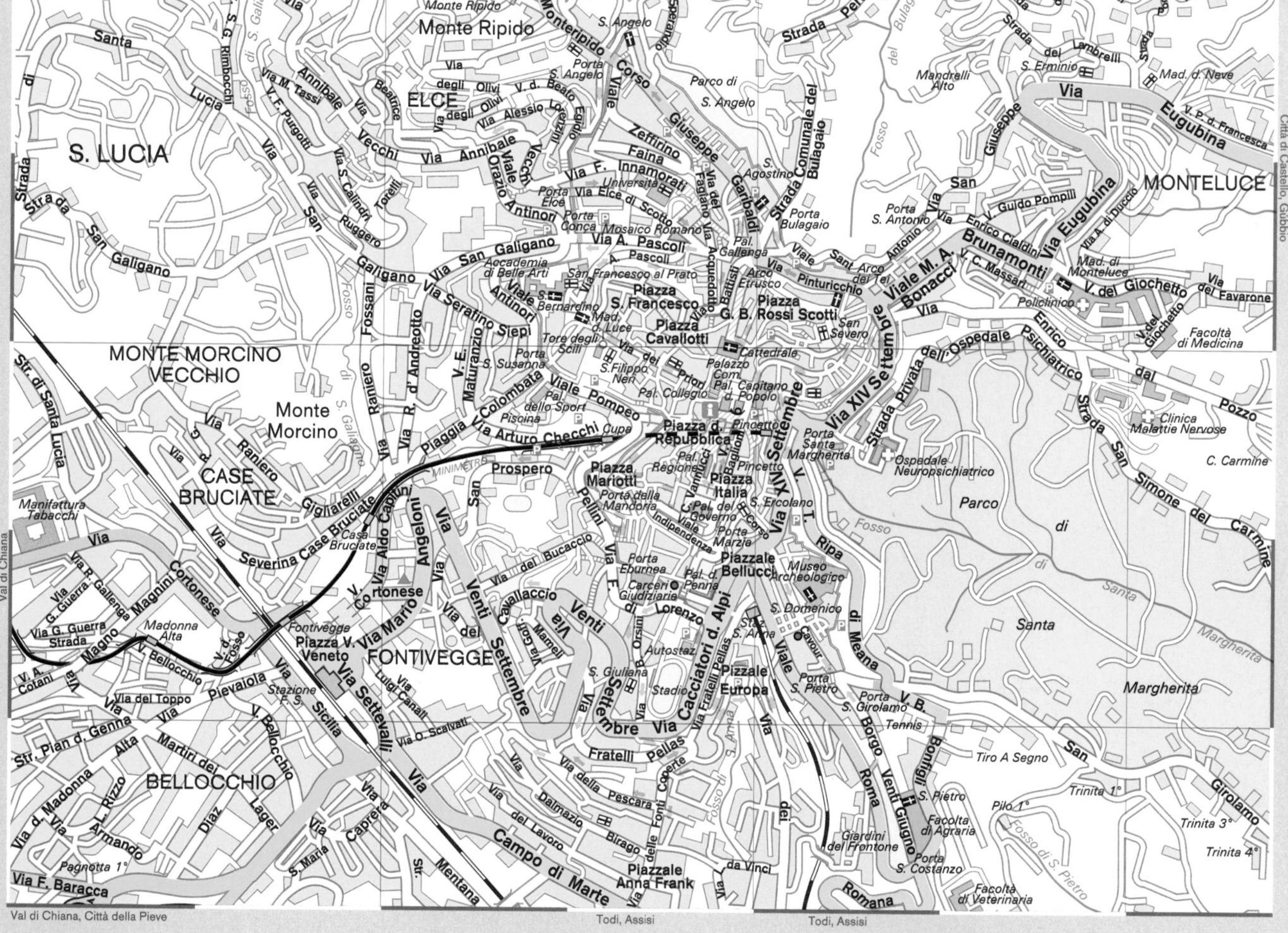

0
500
1000 M
Città di Castello, Gúbbio
Val di Chiana
Val di Chiana, Città della Pieve
Todi, Assisi
Todi, Assisi
Monte Ripido
Convento di Monte Ripido
ELCE
S. LUCIA
MONTELUCE
MONTE MORCINO VECCHIO
Monte Morcino
CASE BRUCIATE
FONTIVEGGE
BELLOCCHIO
Parco di S. Angelo
Piazza S. Francesco
Piazza G. B. Rossi Scotti
Piazza Cavallotti
Piazza d. Repubblica
Piazza Mariotti
Piazza Italia
Piazzale Bellucci
Piazzale Europa
Piazzale Anna Frank
Piazza V. Veneto
Stazione F.S.
Cattedrale
Pal. d. Priori
Università
Policlinico
Facoltà di Medicina
Clinica Malattie Nervose
Ospedale Neuropsichiatrico
Parco di Santa Margherita
Manifattura Tabacchi
Madonna Alta
Facoltà di Agraria
Facoltà di Veterinaria
Giardini del Frontone
Stadio
Tennis
Tiro A Segno
Via XIV Settembre
Viale Indipendenza
Via Cacciatori d. Alpi
Borgo XX Giugno
Campo di Marte
Via Settevalli
Strada Comunale del Bulagaio
Via Eugubina

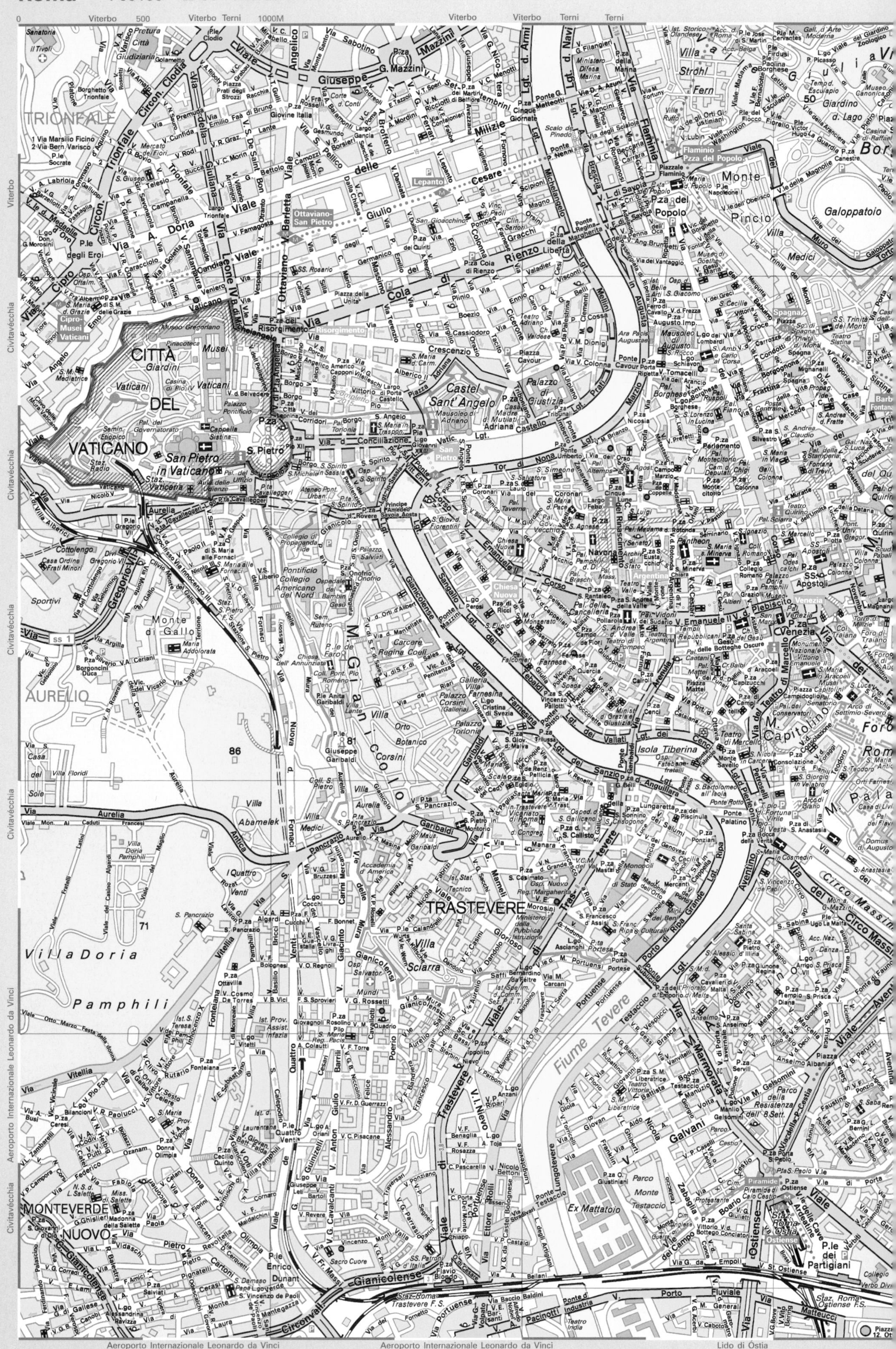

Viterbo
Terni
Civitavécchia
Aeroporto Internazionale Leonardo da Vinci
Lido di Óstia
CITTÀ DEL VATICANO
TRIONFALE
AURELIO
TRASTEVERE
MONTEVERDE NUOVO
Castel Sant'Angelo
San Pietro in Vaticano
Villa Doria Pamphili
Fiume Tevere
Isola Tiberina
Galoppatoio
Pincio
Ex Mattatoio

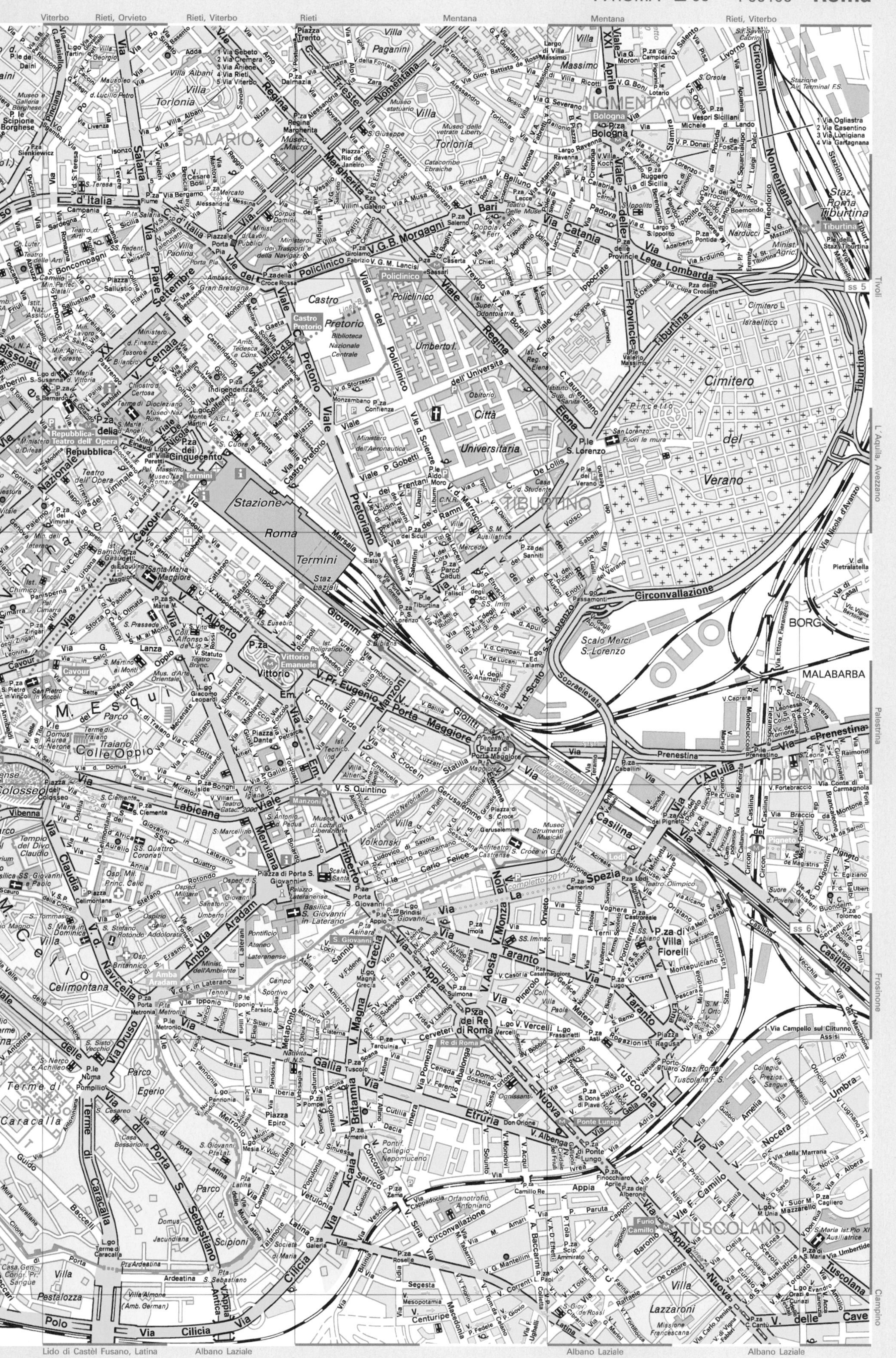
Viterbo
Rieti, Orvieto
Rieti, Viterbo
Rieti
Mentana
Mentana
Rieti, Viterbo
Tivoli
L'Aquila, Avezzano
Palestrina
Frosinone
Ciampino
Lido di Castèl Fusano, Latina
Albano Laziale
Albano Laziale
Albano Laziale
SALARIO
NOMENTANO
TIBURTINO
LABICANO
TUSCOLANO
MALABARBA
Villa Torlonia
Villa Paolina
Castro Pretorio
Policlinico
Policlinico Umberto I.
Città Universitaria
Cimitero del Verano
Cimitero Israelitico
Stazione Roma Termini
Staz. Roma Tiburtina
Scalo Merci S. Lorenzo
Repubblica
Colle Oppio
Colosseo
Terme di Caracalla
Villa Celimontana
Basilica S. Giovanni in Laterano
Porta Maggiore
Porta S. Sebastiano
Parco Scipioni
Villa Lazzaroni
Villa Fiorelli
Circonvallazione
Tiburtina
Prenestina
Casilina
Tuscolana
Via Appia Nuova
Via Nomentana
Viale Regina Margherita
Via Cilicia
Terme di Diocleziano
Piazza Vittorio Emanuele
Piazza di Porta S. Giovanni
P.le S. Lorenzo
ss 5
ss 6

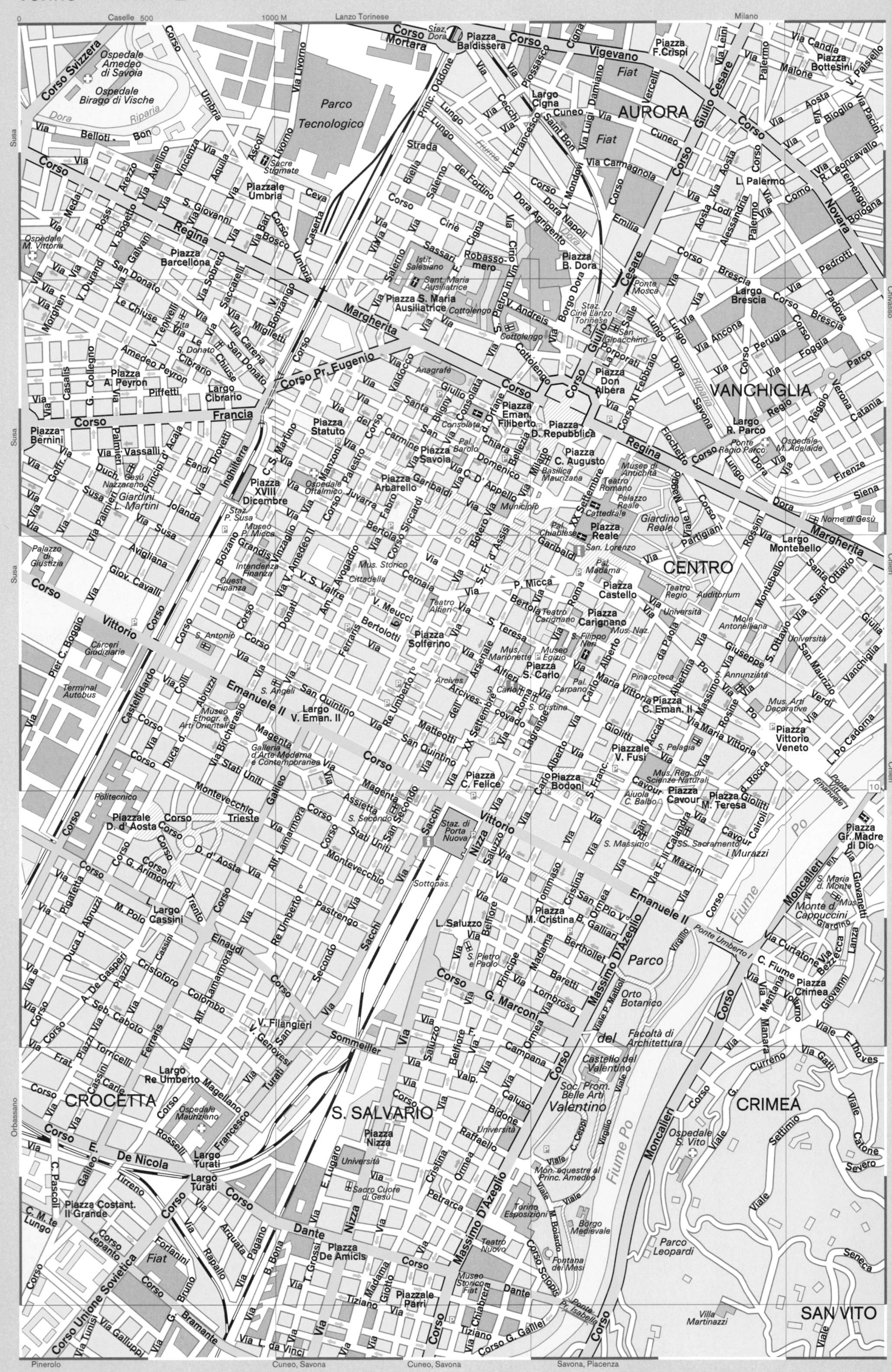

TS ☎040 I-34100 Trieste

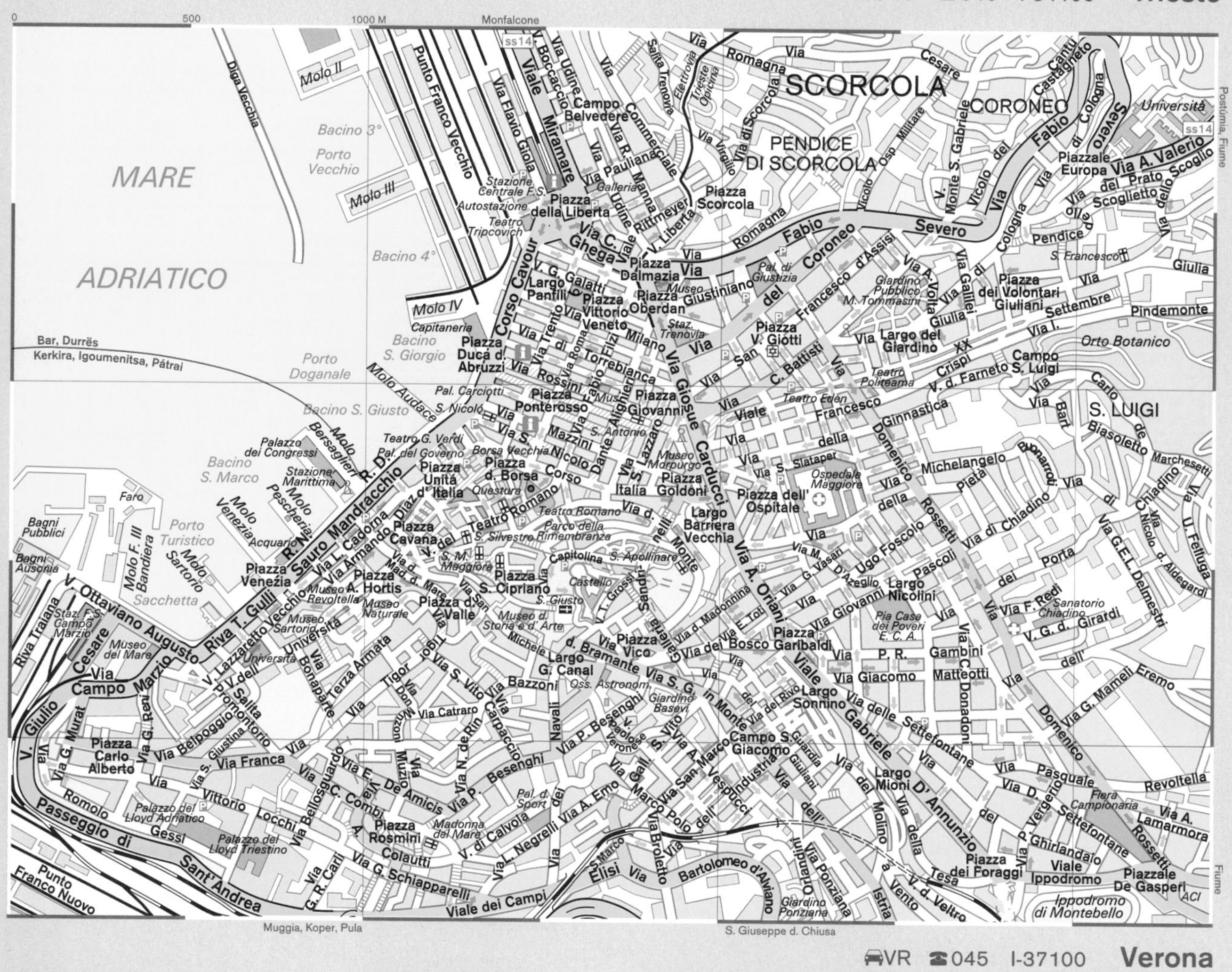

0
500
1000 M
Monfalcone
MARE
ADRIATICO
SCORCOLA
CORONEO
PENDICE
DI SCORCOLA
S. LUIGI
Bacino 3°
Porto Vecchio
Molo II
Molo III
Molo IV
Bacino 4°
Porto Doganale
Bacino S. Giorgio
Bacino S. Giusto
Bacino S. Marco
Porto Turistico
Sacchetta
Diga Vecchia
Bar, Durrës
Kerkira, Igoumenitsa, Pátrai
Stazione Centrale F.S.
Autostazione
Piazza della Libertà
Piazza Oberdan
Piazza Dalmazia
Piazza Vittorio Veneto
Piazza Scorcola
Piazza Unità d'Italia
Piazza della Borsa
Piazza Ponterosso
Piazza S. Giovanni
Piazza Goldoni
Piazza dell' Ospitale
Piazza Venezia
Piazza Cavana
Piazza A. Hortis
Piazza Garibaldi
Piazza Carlo Alberto
Piazza Rosmini
Piazza dei Foraggi
Piazza dei Volontari Giuliani
Piazzale Europa
Piazzale De Gasperi
Largo Barriera Vecchia
Campo S. Giacomo
Largo Sonnino
Largo Mioni
Largo Nicolini
Teatro Romano
Capitolina
Castello
S. Giusto
Ospedale Maggiore
Orto Botanico
Università
Ippodromo di Montebello
Fiera Campionaria
Sanatorio Chiadino
Riva T. Gulli
Passeggio di Sant'Andrea
Viale XX Settembre
Viale D'Annunzio
Via Carducci
Via Fabio Severo
Corso Italia
Viale Miramare
Punto Franco Vecchio
Punto Franco Nuovo
Muggia, Koper, Pula
S. Giuseppe d. Chiusa
Postumia, Fiume
Fiume

VR ☎045 I-37100 Verona

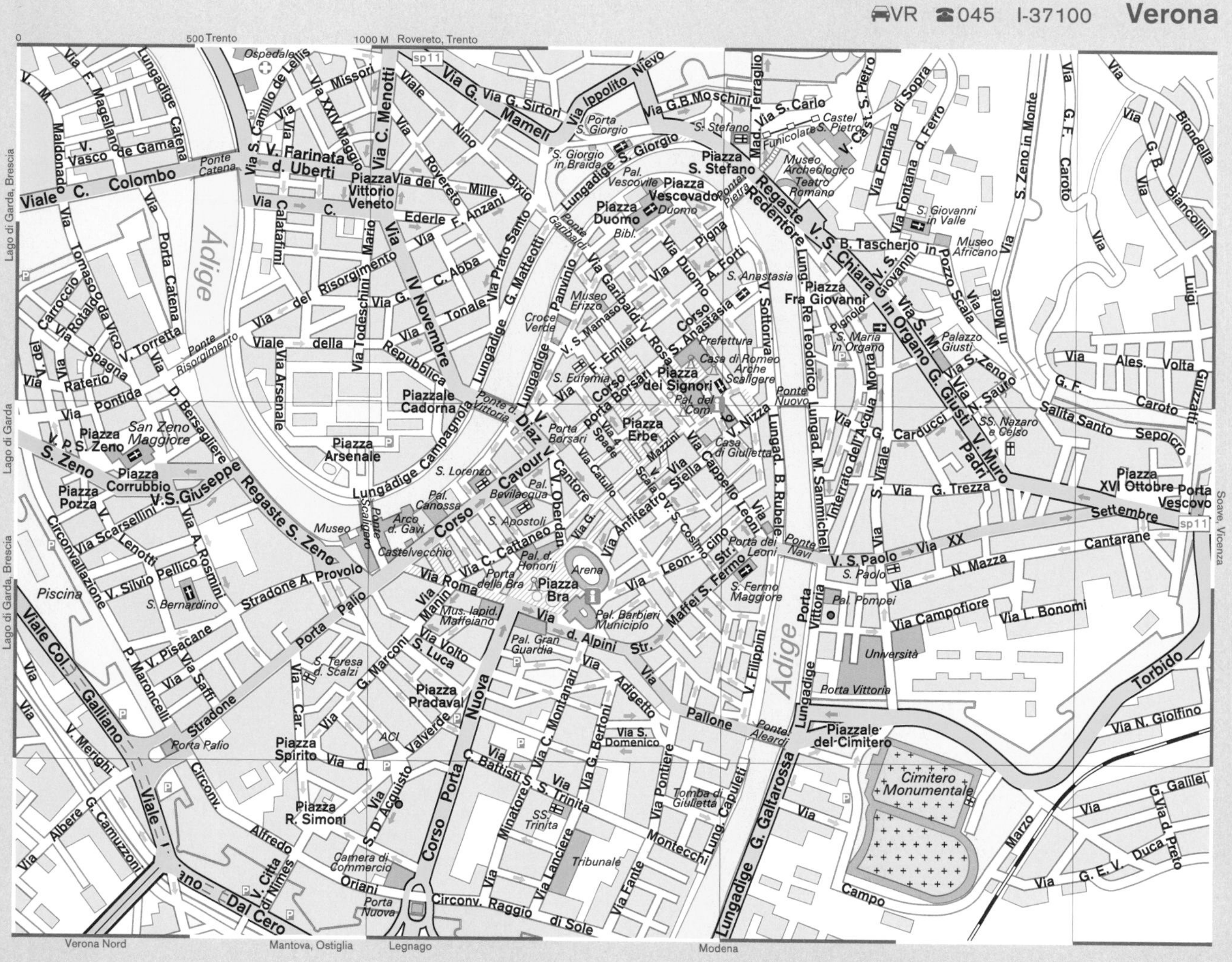

0
500 Trento
1000 M
Rovereto, Trento
Adige
Ospedale
Piazza Vittorio Veneto
Piazza S. Stefano
Piazza Vescovado
Piazza Duomo
Piazza Fra Giovanni
Piazza dei Signori
Piazza Erbe
Piazzale Cadorna
Piazza Arsenale
Piazza S. Zeno
Piazza Corrubbio
Piazza Pozza
Piazza Bra
Piazza Pradaval
Piazza Spirito
Piazza R. Simoni
Piazza XVI Ottobre
Piazzale del Cimitero
Cimitero Monumentale
Castel S. Pietro
Teatro Romano
Museo Archeologico
S. Anastasia
Casa di Giulietta
Arena
Castelvecchio
San Zeno Maggiore
Porta Nuova
Porta Palio
Porta Vescovo
Porta Vittoria
Università
Tribunale
Viale C. Colombo
Corso Porta Nuova
Corso Cavour
Regaste S. Zeno
Lungadige G. Galtarossa
Circonv. Raggio di Sole
Viale Col. Galliano
Torbido
Lago di Garda, Brescia
Lago di Garda
Soave, Vicenza
Verona Nord
Mantova, Ostiglia
Legnago
Modena

Venézia I-30100 ☎041 VE

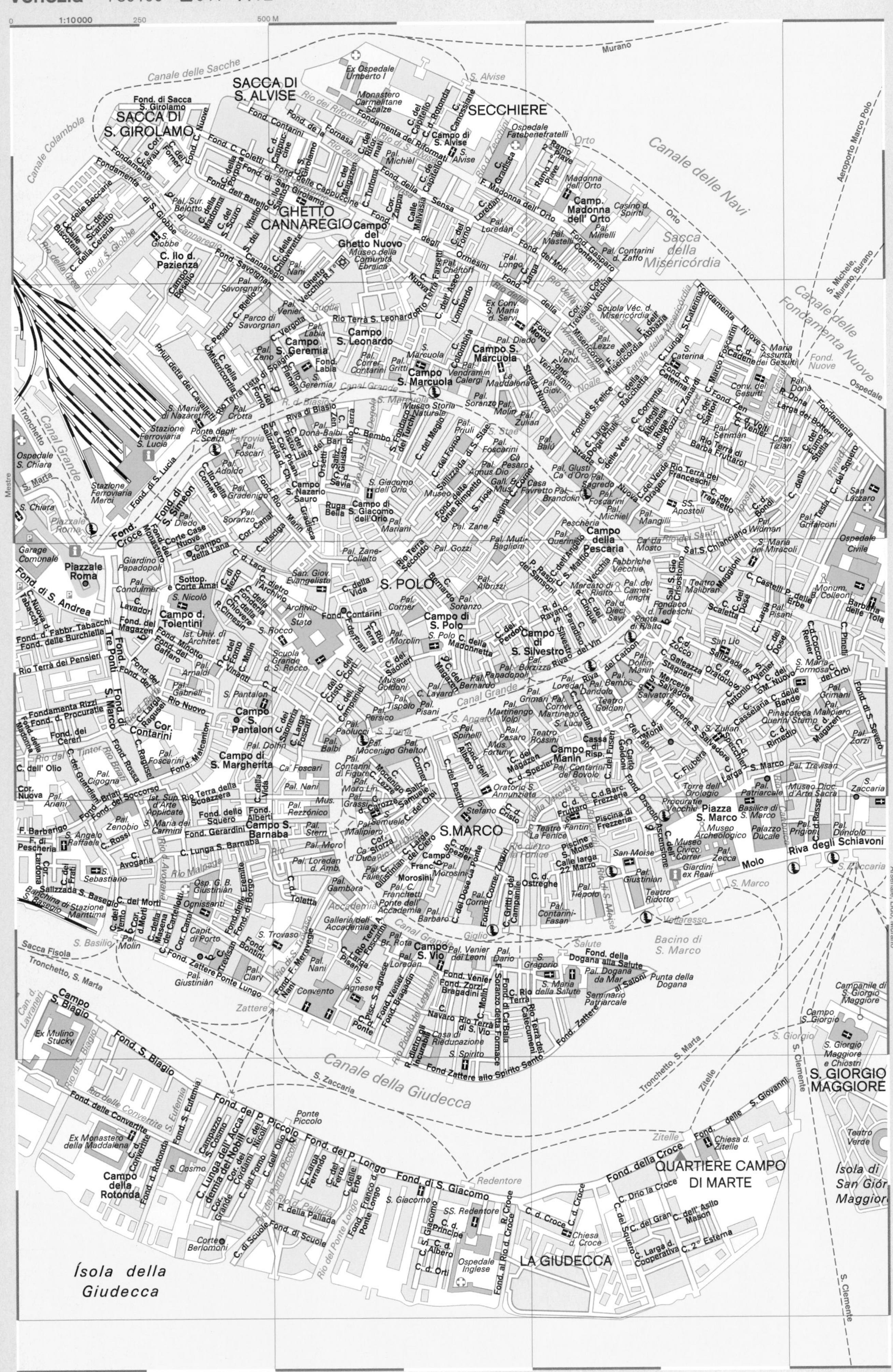

0 1:10000 250 500 M
Murano
Canale delle Sacche
SACCA DI S. ALVISE
SACCA DI S. GIROLAMO
SECCHIERE
Canale delle Navi
Sacca della Misericórdia
Canale delle Fondamenta Nuove
Aeroporto Marco Polo
S. Michele, Murano, Burano
GHETTO CANNAREGIO
Campo del Ghetto Nuovo
Museo della Comunità Ebraica
Camp. Madonna dell' Orto
Madonna dell' Orto
Campo S. Leonardo
Campo S. Geremia
Campo S. Marcuola
Rio Terrà S. Leonardo
Parco di Savorgnan
Stazione Ferroviaria S. Lucia
Stazione Ferroviaria Merci
Canal Grande
Tronchetto
Piazzale Roma
Garage Comunale
Giardino Papadopoli
Mestre
S. POLO
Campo di S. Polo
Campo d. Tolentini
Scuola Grande d. S. Rocco
Archivio di Stato
Campo S. Pantalon
Campo di S. Margherita
Campo S. Barnaba
Campo della Pescaria
Campo di S. Silvestro
Campo Manin
Teatro Malibran
Teatro Goldoni
Teatro Rossini
Museo Storia Naturale
Ospedale Civile
Monum. B. Colleoni
Pinacoteca Querini Stampalia
S.MARCO
Piazza S. Marco
Procuratie Vecchie
Torre dell' Orologio
Palazzo Ducale
Museo Archeologico
Museo Civico Correr
Giardini ex Reali
Teatro La Fenice
Riva degli Schiavoni
Molo
Bacino di S. Marco
Punta della Dogana
S. Maria della Salute
Seminario Patriarcale
Galleria dell' Accademia
Ponte dell' Accademia
Campo S. Vio
Stazione Marittima
Sacca Fisola
Zattere
Canale della Giudecca
Campo S. Biagio
Ex Mulino Stucky
Campo della Rotonda
Ex Monastero della Maddalena
SS. Redentore
Ospedale Inglese
QUARTIERE CAMPO DI MARTE
LA GIUDECCA
Ísola della Giudecca
S. GIORGIO MAGGIORE
S. Giorgio Maggiore e Chiostri
Campanile di S. Giorgio Maggiore
Teatro Verde
Ísola di San Gior Maggior
Arsenale, Lido, Murano
S. Zaccaria
S. Clemente

Elenco dei nomi di località | Index of place names | Ortsnamenverzeichnis | Index des localités
Register van plaatsnamen | Índice de topónimos | Índice dos topónimos | Helységnévjegyzek
Rejstřík sídel | Skorowidz miejscowości | Stednavnsfortegnelse | Ortnamnsförteckning

①	②	③	④	⑤	⑥
20100 *	Milano		(MI)	21	Kb 76
83100	Avellino		(AV)	71	Pe 103
00120	Città del Vaticano	◻	(SCV)	61	Nc 97
47890	San Marino	◻	(RSM)	47	Nc 85

①

*

Ⓘ	Codice postale	Codice di avviamento postale riferito a città comprendenti più codici di avviamento postale
ⒼⒷ	Postal code	Lowest postcode number for places having several postcodes
Ⓓ	Postleitzahl	Niedrigste Postleitzahl bei Orten mit mehreren Postleitzahlen
Ⓕ	Code postal	Code postal le plus bas pour les localités à plusieurs codes posteaux
Ⓔ	Código postal	Código postal más bajo en lugares con varios códigos postales
Ⓟ	Código postal	Código postal menor em caso de cidades com vários códigos postais
ⓅⓁ	Kod pocztowy	Najwyższy kod pocztowy w przypadku miejscowości z wieloma kodami pocztowymi
ⓃⓁ	Postcode	Laagste postcode bij gemeenten met meerdere postcodes
ⒸⓏ	Poštovní směrovací číslo	Nejnižší poštovní směrovací číslo v městech s vicenásobnými poštovními směrovacími čísly
Ⓗ	Iranyitoszám	Több irányítószámmal rendelkezö helységeknél a legalacsonyabb irányítószám
ⒹⓀ	Postnummer	Laveste postnummer ved byer med flere postnumre
Ⓢ	Postnummer	Lägsta postnumret vid uppgifter med flera postnummer

	②	④	⑤	⑥
Ⓘ	Località	Provincia	Numero di pagina	Riquadro nel quale si trova il nome
ⒼⒷ	Place name	Province	Page number	Grid search reference
Ⓓ	Ortsname	Provinz	Seitenzahl	Suchfeldangabe
Ⓕ	Localité	Province	Numéro de page	Coordonnées
Ⓔ	Topónimo	Provincia	Número de página	Coordenadas de localización
Ⓟ	Topónimo	Provincia	Número da página	Coordenadas de localização
ⓅⓁ	Nazwa miejscowości	Prowincja	Numer strony	Współrzędne skorowidzowe
ⓃⓁ	Plaatsnaam	Provincie	Paginanummer	Zoekveld-gegevens
ⒸⓏ	Městská jména	Provincie	Číslo strany	Údaje hledacího čtverce
Ⓗ	Helységnév	Tartomány	Oldalszám	Keresőhálózat megadása
ⒹⓀ	Stednavn	Provins	Sidetal	Kvadratangivelse
Ⓢ	Ortnamn	Provins	Sidnummer	Kartrutangivelse

	③ ◻	RSM	SCV
Ⓘ	Nazione	San Marino	Città del Vaticano
ⒼⒷ	Nation	San Marino	Vatican City
Ⓓ	Nation	San Marino	Vatikanstadt
Ⓕ	Nation	Saint-Marin	Cité du Vatican
Ⓔ	Nación	San Marino	Ciudad del Vaticano
Ⓟ	Nação	São Marinho	Cidade do Vaticano
ⓅⓁ	Naród	San Marino	Watykan
ⓃⓁ	Natie	San Marino	Vaticaanstad
ⒸⓏ	Národ	San Marino	Vatikánské město
Ⓗ	Nomzet	San Marino	Vatikánváros
ⒹⓀ	Folkeslag	San Marino	Vatikanstat
Ⓢ	Nation	San Marino	Vatikanstad

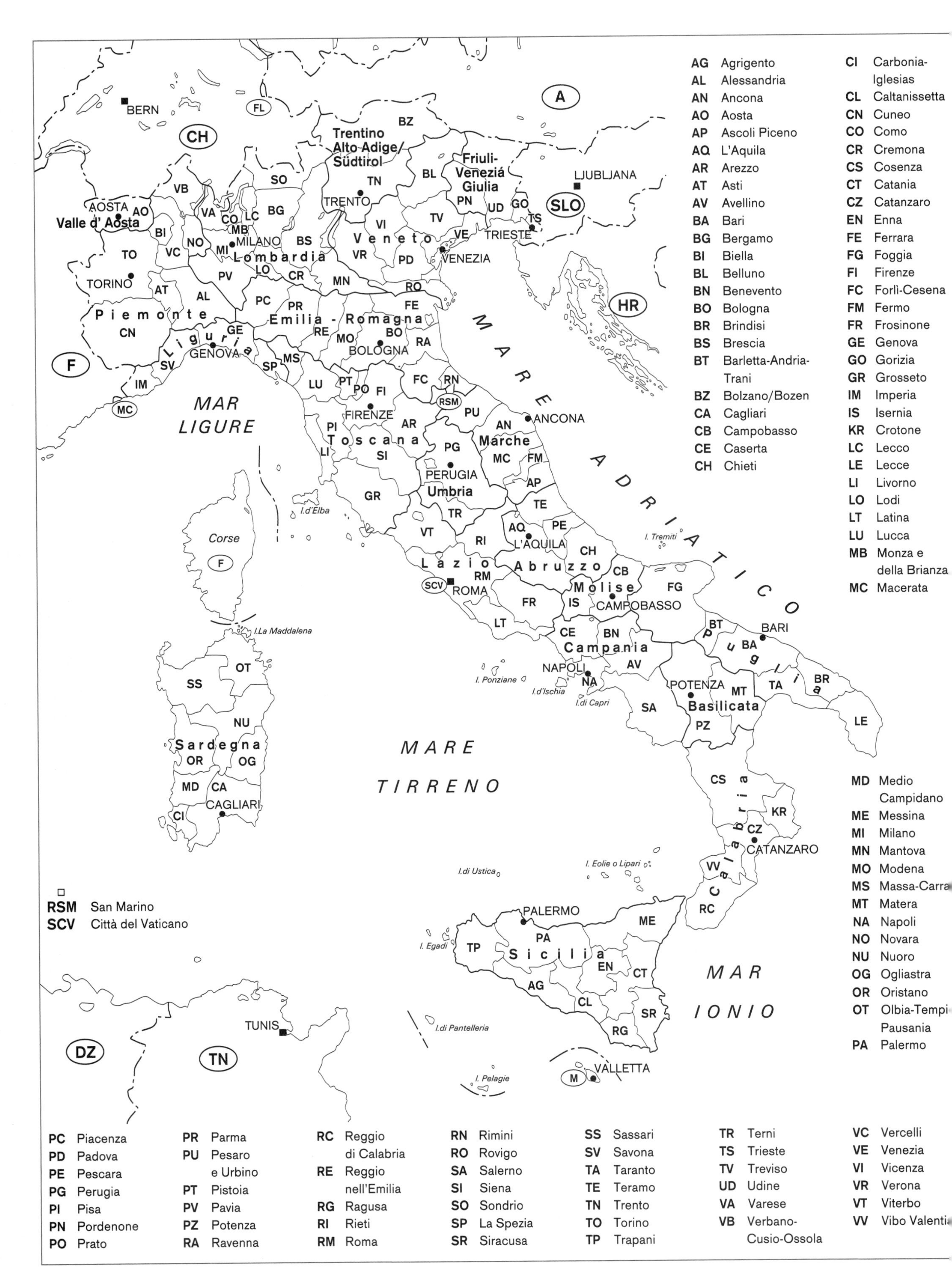

AG	Agrigento	**CI**	Carbonia-Iglesias
AL	Alessandria	**CL**	Caltanissetta
AN	Ancona	**CN**	Cuneo
AO	Aosta	**CO**	Como
AP	Ascoli Piceno	**CR**	Cremona
AQ	L'Aquila	**CS**	Cosenza
AR	Arezzo	**CT**	Catania
AT	Asti	**CZ**	Catanzaro
AV	Avellino	**EN**	Enna
BA	Bari	**FE**	Ferrara
BG	Bergamo	**FG**	Foggia
BI	Biella	**FI**	Firenze
BL	Belluno	**FC**	Forlì-Cesena
BN	Benevento	**FM**	Fermo
BO	Bologna	**FR**	Frosinone
BR	Brindisi	**GE**	Genova
BS	Brescia	**GO**	Gorizia
BT	Barletta-Andria-Trani	**GR**	Grosseto
BZ	Bolzano/Bozen	**IM**	Imperia
CA	Cagliari	**IS**	Isernia
CB	Campobasso	**KR**	Crotone
CE	Caserta	**LC**	Lecco
CH	Chieti	**LE**	Lecce
		LI	Livorno
		LO	Lodi
		LT	Latina
		LU	Lucca
		MB	Monza e della Brianza
		MC	Macerata

MD	Medio Campidano
ME	Messina
MI	Milano
MN	Mantova
MO	Modena
MS	Massa-Carrara
MT	Matera
NA	Napoli
NO	Novara
NU	Nuoro
OG	Ogliastra
OR	Oristano
OT	Olbia-Tempio Pausania
PA	Palermo

RSM San Marino
SCV Città del Vaticano

PC	Piacenza	**PR**	Parma	**RC**	Reggio di Calabria	**RN**	Rimini	**SS**	Sassari	**TR**	Terni
PD	Padova	**PU**	Pesaro e Urbino			**RO**	Rovigo	**SV**	Savona	**TS**	Trieste
PE	Pescara			**RE**	Reggio nell'Emilia	**SA**	Salerno	**TA**	Taranto	**TV**	Treviso
PG	Perugia	**PT**	Pistoia			**SI**	Siena	**TE**	Teramo	**UD**	Udine
PI	Pisa	**PV**	Pavia	**RG**	Ragusa	**SO**	Sondrio	**TN**	Trento	**VA**	Varese
PN	Pordenone	**PZ**	Potenza	**RI**	Rieti	**SP**	La Spezia	**TO**	Torino	**VB**	Verbano-Cusio-Ossola
PO	Prato	**RA**	Ravenna	**RM**	Roma	**SR**	Siracusa	**TP**	Trapani		

VC	Vercelli
VE	Venezia
VI	Vicenza
VR	Verona
VT	Viterbo
VV	Vibo Valentia

A

Abano Terme (PD) 24 Me76
Abate (TP) 90 Nc122
Abatemarco (SA) 78 Qc108
Abazia (AL) 34 Ic79
Abbadesse (RA) 39 Mf82
Abbadia Cerreto (LO) 21 Kd77
Abbadia Lariana (LC) 11 Kc73
Abbadia San Salvatore (SI) 55 Me91
Abbasanta (OR) 109 Ie108
Abbatéggio (PE) 63 Pa95
Abbazia (BG) 22 Kf74
Abbazia (BO) 38 Mc81
Abbiategrasso (MI) 21 If76
Abbiate Guazzone (CO) 21 If74
Abeto (PG) 57 Oa91
Abetone (PT) 45 Ld84
Abriola (PZ) 78 Qe105
Abtei = Badia (BZ) 4 Mf 69
Acaia (LE) 82 Tb107
Acate (RG) 100 Pc126
Accadia (FG) 72 Qc102
Accaria Rosaria (CZ) 86 Rc115
Acceglio (CN) 32 Gf82
Accettura (MT) 79 Ra106
Acciano (AQ) 63 Oe95
Acciarella (LT) 68 Ne100
Acciaroli (SA) 77 Qa107
Acconia (CZ) 86 Rb115
Accorneri (AT) 34 Ic79
Accumoli (RI) 58 Ob92
Acerenza (PZ) 73 Qf104
Acerno (SA) 77 Qa104
Acerra (NA) 70 Pc103
Aci Bonaccorsi (CT) 94 Qa123
Aci Castello (CT) 99 Qa123
Aci Catena (CT) 94 Qa123
Acilia (RM) 61 Nc98
Aci Platani (CT) 94 Qa123
Acireale (CT) 94 Qa123
Aci San Filippo (CT) 94 Qa123
Aci Santa Lucia (CT) 94 Qa123
Aci Sant'Antònio (CT) 94 Qa123
Aci Trezza (CT) 94 Qa123
Acone (RC) 95 Qe121
Acquabianca (SV) 34 Id82
Acquabona (BL) 5 Na 69
Acquabona (RE) 44 Lb82
Acquacadda (CA) 112 Ie113
Acquacalda (RC) 88 Qe119
Acquacalda 88 Pf117
Acquacanina (MC) 57 Ob90
Acqua dei Corsari (PA) 91 Oc120
Acquaficara (ME) 94 Qb120
Acquafondata (FR) 70 Of99
Acquaformosa (CS) 84 Ra110
Acquafredda (BS) 23 Lc77
Acquafredda (CZ) 86 Rb115
Acquafredda (GE) 35 Ka82
Acquafredda (PZ) 83 Qe108
Acquaiolo (BG) 22 La74
Acqualagna (PU) 52 Ne87
Acqualunga (BS) 22 Kf77
Acqualunga Badona (CR) 22 Kf77
Acquamela (SA) 77 Pe104
Acquanegra Cremonese (CR) 36 Kf78
Acquanegra sul Chiese (MN) 37 Lc78
Acquapendente (VT) 56 Mf92
Acquappesa (CS) 84 Qf112
Acquappesa Marina (CS) 84 Qf112
Acquaresi (CI) 111 Ic112
Acquarica del Capo (LE) 83 Tb109
Acquarica di Lecce (LE) 82 Tb107
Acquaro (RC) 88 Qf119
Acquaro (VV) 89 Rb117
Acquarola (SA) 77 Pe104
Acquarone (ME) 88 Qd119
Acquasanta (AN) 52 Ob87
Acquasanta (PA) 91 Oc120
Acquasanta Terme (AP) 58 Oc92
Acquaseria (CO) 11 Kb72
Acquasparta (TR) 57 Nd92
Acquavella (SA) 77 Qa107
Acquavena (SA) 83 Qc108
Acquaviva (SI) 51 Mf90
Acquaviva Collecroce (CB) 64 Pe97
Acquaviva delle Fonti (BA) 74 Rf103
Acquaviva d'Isérnia (IS) 63 Pa99
Acquaviva Picena (AP) 58 Oe91
93010 Acquaviva Platani (CL) 97 Oe123
98070 Acquedolci (ME) 93 Pd120
86095 Acquevive (IS) 64 Pc99
15011 Acqui Terme (AL) 34 Ic80
87041 Acri (CS) 84 Rc112
03010 Acuto (FR) 62 Ob98
88041 Adami (CZ) 86 Rb114
Addolorata (ME) 94 Qb119
Addolorata (TP) 90 Nc121
33010 Adegliacco (UD) 16 Ob72
70010 Adelfia (BA) 74 Rf103
89058 Adorno (RC) 88 Qe119
95031 Adrano (CT) 94 Pe122
24060 Adrara San Martino (BG) 22 Kf74
24060 Adrara San Rocco (BG) 22 Kf74
45011 Adria (RO) 39 Na78
25030 Adro (BS) 22 Kf75
37010 Affi (VR) 23 Le75
00021 Affile (RM) 62 Oa97
80021 Afragola (NA) 70 Pb103
89030 Africo (RC) 95 Ra120
89030 Africo Nuovo (RC) 95 Ra120
29010 Agazzano (PC) 35 Kd79
29011 Agazzino (PC) 35 Kd78
06063 Agello (PG) 51 Nb90
80051 Agerola (NA) 76 Pd105
06025 Aggi (PG) 52 Nf90
07020 Àggius (OT) 106 Ka103
94011 Agira (EN) 93 Pd122
51031 Agliana (PT) 45 Ma85
14041 Agliano Terme (AT) 34 Ib80
10011 Agliè (TO) 19 He76
07020 Aglientu (OT) 104 Ka102
13853 Aglietti (BI) 20 Ib75
35021 Agna (PD) 25 Mf77
26020 Agnadello (CR) 21 Kd76
89040 Agnana Calabra (RC) 89 Rb119
56017 Agnano (PI) 49 Lc86
80100 Agnano Terme (NA) 76 Pb104
23020 Agneda (SO) 12 Kf72
46025 Agnolo (MN) 38 Ma79
86081 Agnone (IS) 64 Pc98
84060 Agnone (SA) 77 Pf107
96011 Agnone Bagni (SR) 99 Qa124
25071 Agnosine (BS) 22 Lc75
26041 Agoiolo (CR) 37 Lc78
62030 Agolla (MC) 52 Nf90
32021 Agordo (BL) 15 Na71
00020 Agosta (RM) 62 Oa97
21010 Agra (VA) 10 Ie72
28887 Agrano (VB) 10 Ic73
28010 Agrate (NO) 20 Id74
20041 Agrate Brianza (MB) 21 Kc75
28010 Agrate-Contùrbia (NO) 20 Id74
06046 Agriano (PG) 57 Oa92
92100 Agrigento (AG) 97 Od124
89040 Agromastelli (RC) 89 Rc118
33025 Agrons (UD) 6 Nf 70
84043 Agropoli (SA) 77 Pf106
08020 Agrustos (OT) 107 Ke104
60020 Agugliano (AN) 53 Oc87
36020 Agugliaro (VI) 24 Md77
Agumes = Agums (BZ) 3 Ld 69
39030 Ahrntal = Valle Aurina (BZ) 4 Mf 67
20040 Aicurzio (MB) 21 Kc75
09070 Aidomaggiore (OR) 109 If107
94010 Aidone (EN) 98 Pc124
67041 Aielli (AQ) 63 Od96
67041 Aielli Stazione (AQ) 63 Od96
84083 Aiello (SA) 77 Pe104
84081 Aiello (SA) 77 Pe104
87031 Aiello Calabro (CS) 86 Ra114
33041 Aiello del Friuli (UD) 17 Oc73
83020 Aiello del Sabato (AV) 71 Pe103
87020 Aieta (CS) 83 Qe109
81010 Ailano (CE) 70 Pb100
13861 Ailoche (BI) 20 Ib74
10060 Airasca (TO) 33 Hc79
82011 Airola (BN) 71 Pd102
18030 Airole (IM) 41 Hd85
23881 Airuno (LC) 21 Kc74
12010 Aisone (CN) 40 Hb83
38061 Ala (TN) 23 Ma74
07020 Ala dei Sardi (OT) 106 Kc105
10070 Ala di Stura (TO) 18 Hb77
27020 Alagna (PV) 34 If77
13021 Alagna Valsésia (VC) 9 Hf 73
65020 Alanno (PE) 63 Of95
32031 Alano di Piave (BL) 15 Mf73
17021 Alassio (SV) 41 Ib84
03011 Alatri (FR) 62 Oc98
12051 Alba (CN) 33 Ia80
38032 Alba (TN) 4 Me 70
64011 Alba Adriatica (TE) 59 Of91
60044 Albacina (AN) 52 Oa88
09090 Albagiara (OR) 109 If110
20080 Albairate (MI) 21 If76
84044 Albanella (SA) 77 Qa106
02016 Albaneto (RI) 57 Oa93
85010 Albano di Lucania (PZ) 79 Ra105
00041 Albano Laziale (RM) 61 Nd98
24061 Albano Sant'Alessandro (BG) 22 Ke74
13030 Albano Vercellese (VC) 20 Ic76
31030 Albaredo (TV) 25 Na74
27040 Albaredo Arnaboldi (PV) 35 Kb78
37041 Albaredo d'Adige (VR) 24 Mb77
23010 Albaredo per San Marco (SO) 11 Kd72
41030 Albareto (MO) 37 Lf80
43051 Albareto (PR) 44 Ke82
12050 Albaretto della Torre (CN) 33 Ia81
37060 Albaria (VR) 37 Ma78
37050 Albaro (VR) 24 Mb76
22100 Albate (CO) 21 Ka74
22031 Albavilla (CO) 21 Kb74
17031 Albenga (SV) 42 Ib84
26010 Albera (CR) 22 Ke76
15060 Albera Ligure (AL) 35 Ka80
58010 Alberese (GR) 55 Ma92
Albergo Ghiacciaio dei Forni (SO) 13 Ld70
43025 Alberi (PR) 36 Lb80
40062 Alberino (BO) 38 Md81
70011 Alberobello (BA) 75 Sb104
71031 Alberona (FG) 71 Qa100
44042 Alberone (FE) 38 Mb80
44030 Alberone (FE) 39 Me79
27013 Alberone (PV) 35 Kd78
Albes = Albeins (BZ) 4 Md 68
22031 Albese (CO) 21 Kb74
22032 Albese con Cassano (CO) 21 Kb74
36020 Albettone (VI) 24 Md76
88055 Albi (CZ) 86 Rd114
38041 Albiano (TN) 14 Mb72
10010 Albiano d'Ivrea (TO) 19 Hf76
20042 Albiate (MB) 21 Kb75
87070 Albidona (CS) 84 Rc109
20060 Albignano (MI) 21 Kd75
35020 Albignasego (PD) 25 Mf76
42020 Albinea (RE) 37 Ld81
58015 Albinia (GR) 55 Mb93
24021 Albino (BG) 22 Ke74
22070 Albiolo (CO) 21 If74
37010 Albisano (VR) 23 Le75
17011 Albisola Superiore (SV) 42 Id82
17012 Albissola Marina (SV) 42 Id83
21041 Albizzate (VA) 20 Ie74
28853 Albogno (VB) 10 Ic72
27020 Albonese (PV) 20 Ie77
22010 Albónico (CO) 11 Kc71
84019 Albori (SA) 77 Pe104
23010 Albosaggia (SO) 12 Kf72
12078 Albra (CN) 41 Hf83
14022 Albugnano (AT) 33 Hf78
27010 Albuzzano (PV) 21 Kb77
91011 Àlcamo (TP) 91 Nf120
91011 Alcamo Marina (TP) 91 Nf120
98070 Alcara li Fusi (ME) 93 Pe120
39040 Aldein = Aldino (BZ) 14 Mc70
38060 Aldeno (TN) 13 Ma73
39040 Aldino = Aldein (BZ) 14 Mc70
09091 Ales (OR) 109 Ie110
15100 Alessandria (AL) 34 Id79
87070 Alessandria del Carretto (CS) 84 Rc109
92010 Alessandria della Rocca (AG) 96 Oc123
73031 Alessano (LE) 83 Tb109
33010 Alesso (UD) 16 Oa71
73011 Alezio (LE) 82 Ta108
84040 Alfano (SA) 78 Qc107
67030 Alfedena (AQ) 63 Pa98
47020 Alfero (FC) 47 Na85
25020 Alfianello (BS) 22 La77
15021 Alfiano Natta (AL) 34 Ib78
48011 Alfonsine (RA) 39 Na81
07041 Alghero (SS) 105 Ib105
24010 Algua (BG) 22 Ke74
39022 Algund = Lagundo (BZ) 3 Ma 68
98020 Alì (ME) 94 Qc120
90021 Alia (PA) 92 Oe122
75010 Alianello Nuovo (MT) 79 Rb107
75010 Aliano (MT) 79 Rb107
15066 Alice (AL) 34 Ie81
15010 Alice Bel Colle (AL) 34 Ic80
13040 Alice Castello (VC) 19 Ia76
10010 Alice Superiore (TO) 19 He76
98050 Alicudi (ME) 88 Pc117
81011 Alife (CE) 70 Pb101
90020 Alimena (PA) 92 Pa122
90020 Aliminusa (PA) 92 Oe121
98021 Alì Terme (ME) 94 Qc120
09080 Allai (OR) 109 If109
32022 Alleghe (BL) 15 Na70
11010 Allein (AO) 18 Hb74
05011 Allerona (TR) 56 Mf92
73040 Alliste (LE) 82 Ta109
98027 Allume (ME) 94 Qc120
00051 Allumiere (RM) 60 Mf96
15040 Alluvioni Cambio (AL) 34 Ie78
24011 Alme (BG) 21 Kd74
24030 Almenno-San Bartolomeo (BG) 21 Kd74
24031 Almenno San Salvatore (BG) 21 Kd74
10040 Almese (TO) 32 Hc78
36045 Almisano (VI) 24 Mc76
Alne (TV) 15 Na73
Alner (BZ) 4 Mb 68
33030 Alnicco (UD) 16 Oa72
25070 Alone (BS) 22 Lb74
36045 Alonte (VI) 24 Mc76
23026 Alpe Campiascio (SO) 12 La71
23038 Alpe Campo (SO) 12 Lb70
23010 Alpe Colina (SO) 12 Ke71
23038 Alpe del Gallo (SO) 2 Lb 69
28861 Alpe Dévero (VB) 10 Ib71
10080 Alpette (TO) 19 Hd76
10091 Alpignano (TO) 33 Hd78
37060 Alpo (VR) 23 Lf76
Alsago = Alsack (BZ) 3 Ld 68
29010 Alseno (PC) 36 Kf79
22040 Alserio (CO) 21 Kb74
Alta Badia (BZ) 4 Mf 69
70022 Altamura (BA) 74 Rd104
17041 Altare (SV) 42 Ic82
95018 Altarello (CT) 94 Qa122
83011 Altavilla Irpina (AV) 71 Pe102
87050 Altavilla Lappano (CS) 86 Rb113
90010 Altavilla Milicia (PA) 91 Od120
15041 Altavilla Monferrato (AL) 34 Ic79
84045 Altavilla Silentina (SA) 77 Qa105
36077 Altavilla Vicentina (VI) 24 Mc75
36075 Alte Ceccato (VI) 24 Mc76
40051 Altedo (BO) 38 Mc81
63017 Altidona (FM) 53 Oe90
88832 Altilia (KR) 87 Rf113
87040 Altilia (CS) 86 Rb114
66040 Altino (CH) 64 Pb96
36070 Altissimo (VI) 24 Mb75
31030 Altivole (TV) 25 Mf74
12070 Alto (CN) 41 Hf84
29027 Altoè (PC) 36 Ke79
90030 Altofonte (PA) 91 Ob120
28864 Altóggio (VB) 10 Ic71
98126 Altolia (ME) 94 Qc120
87042 Altomonte (CS) 84 Ra110
55011 Altopascio (LU) 45 Le86
39040 Altrei = Anterivo (BZ) 14 Mc71
05035 Altrocanto (TR) 57 Nd94
Alvera (BL) 5 Na 69
05020 Alviano (TR) 56 Nb93
81010 Alvignanello (CE) 70 Pc101
81012 Alvignano (CE) 70 Pc101
30025 Alvisopoli (VE) 16 Nf74
03041 Alvito (FR) 63 Oe98
24022 Alzano Lombardo (BG) 22 Ke74
15050 Alzano Scrivia (AL) 34 If78
28015 Alzate (NO) 20 Id75
22040 Alzate Brianza (CO) 21 Kb74
24030 Amagno (BG) 21 Kd74
84011 Amalfi (SA) 77 Pd105
63021 Amandola (FM) 58 Oc91
87032 Amantea (CS) 86 Ra114
33020 Amaro (UD) 16 Oa70
88050 Amaroni (CZ) 86 Rc116
03021 Amaseno (FR) 69 Oc100
20037 Amata (MI) 21 Ka75
88040 Amato (CZ) 86 Rc115
89029 Amato (RC) 88 Qf118
02012 Amatrice (RI) 58 Ob93
95048 Ambelia (CT) 99 Pe125
24030 Ambivere (BG) 21 Kd74
38011 Amblar (TN) 13 Ma70
52020 Ambra (AR) 50 Md88
24019 Ambria (BG) 22 Ke74
23020 Ambria (SO) 12 La72
44031 Ambrogio (FE) 39 Mf79
19031 Ameglia (SP) 44 Kf84
81048 Ameglio (CE) 70 Pa101
05022 Amelia (TR) 56 Nc93
71014 Amendola (FG) 66 Qe99
87071 Amendolara (CS) 84 Rd109
89030 Amendolea (RC) 95 Qf120
28010 Ameno (NO) 20 Ic74
48010 Ammonite (RA) 39 Na82
82031 Amorosi (BN) 70 Pc101
33021 Ampezzo (UD) 16 Ne70
80071 Anacapri (NA) 76 Pb105
03012 Anagni (FR) 62 Oa98
29029 Ancarano (PC) 35 Kd79
64010 Ancarano (TE) 58 Oe91
51019 Anchione (PT) 45 Le86
36066 Ancignano (VI) 24 Md75
60100* Ancona (AN) 53 Od87
36100 Anconetta (VI) 24 Md75
18010 Andagna (IM) 41 He85
88050 Andali (CZ) 87 Re114
38010 Andalo (TN) 13 Lf72
23014 Andalo Valtellino (SO) 11 Kc72
10020 Andezeno (TO) 33 Hf78
38070 Andogno (TN) 13 Lf72
12010 Andonno (CN) 40 Hc83
17051 Andora (SV) 41 Ia85
13811 Andorno Micca (BI) 19 Ia75
73032 Andrano (LE) 82 Tc109
10010 Andrate (TO) 19 Hf75
32020 Andraz (BL) 4 Mf 70
33024 Andrazza (UD) 15 Nd70
33080 Àndrèis (PN) 16 Nd71
83040 Andretta (AV) 72 Qb103
70031 Andria (BT) 73 Rb101
39010 Andrian = Andriano (BZ) 3 Mb 69
39010 Andriano = Andrian (BZ) 3 Mb 69
32020 Andrich (BL) 15 Mf70
33090 Anduins (PN) 16 Nf71
07010 Anela (SS) 106 Ka106
25070 Anfo (BS) 23 Lc74
60030 Angeli (AN) 52 Oa88
60021 Angeli (AN) 53 Od87
84078 Angellara (SA) 78 Qb107
21021 Angera (VA) 20 Id74
52031 Anghiari (AR) 51 Na87
37050 Angiari (VR) 24 Mb77
88040 Angoli (CZ) 86 Rc115
25040 Angolo Terme (BS) 12 La73
25041 Angone (BS) 12 Lb73
84012 Angri (SA) 76 Pd104
10060 Angrogna (TO) 32 Hb79
00061 Anguillara Sabazia (RM) 61 Nb96
35022 Anguillara Veneta (PD) 39 Mf78
Anna San Leonardo (RC) 95 Qe121
26021 Annicco (CR) 22 Kf77
Annichen (BZ) 4 Mc 67
23841 Annone di Brianza (LC) 21 Kc74
30020 Annone Véneto (VE) 16 Ne74
25052 Annunciata (BS) 12 Lb73
14055 Annunziata (AT) 33 Ia80
09040 Annunziata (CA) 113 Kd113
87033 Annunziata (CS) 86 Ra113
84013 Annunziata (SA) 77 Pe104
89020 Anòia (RC) 89 Ra118
89020 Anoia Inferiore (RC) 89 Ra118
89020 Anoia Superiore (RC) 89 Ra118
58015 Ansedonia (GR) 55 Mb94
11020 Antagnod (AO) 19 He74
24051 Antegnate (BG) 22 Ke76
39040 Anterivo = Altrei (BZ) 14 Mc71
39030 Antermoia = Untermoi (BZ) 4 Mf 68
39030 Anterselva di mezzo = Antholz Mittertal (BZ) 5 Na 67
Anterselva di sopra = Antholz Obertal (BZ) 5 Na 67
Anterselva di sotto = Antholz Niedertal (BZ) 5 Na 67
19020 Antessio (SP) 44 Ke83
11020 Antey-Saint-André (AO) 19 Hd74
00022 Anticoli Corrado (RM) 62 Nf96
14010 Antignano (AT) 33 Ia79
57128 Antignano (LI) 49 Lb88
98030 Antillo (ME) 94 Qb121
55032 Antisciana (LU) 45 Lc84
55034 Antognano (LU) 44 Lb83
89040 Antonimina (RC) 89 Ra119
52100 Antria (AR) 51 Mf88
02013 Antrodoco (RI) 57 Oa94
28873 Antrogna (VB) 9 Ia 72
28841 Antronapiana (VB) 9 Ia 72
28841 Antrona-Schieranco (VB) 9 Ia 72
67051 Antrosano (AQ) 62 Oc96
67030 Anversa degli Abruzzi (AQ) 63 Oe97
22040 Anzano del Parco (CO) 21 Kb74
71020 Anzano di Puglia (FG) 72 Qb102
85010 Anzi (PZ) 79 Qf105
00042 Ànzio (RM) 68 Nd100
40011 Anzola d'Emilia (BO) 38 Mb81
28877 Anzola d'Òssola (VB) 10 Ic73
81040 Aorivola (CE) 70 Pa101
11100 Aosta (AO) 18 Hb74
61042 Apecchio (PU) 51 Nc87
82021 Apice (BN) 71 Pf102
62021 Apiro (MC) 52 Oa88

87060 Apollinara (CS) 84 Rc110
82030 Apollosa (BN) 71 Pe102
52044 Appalto (AR) 51 Mf89
22070 Appiano Gentile (CO) 21 If74
39057 Appiano sulla Strada del Vino = Eppan (BZ) 14 Mb70
62010 Appignano (MC) 53 Oc88
63031 Appignano del Tronto (AP) 58 Od91
23031 Aprica (SO) 12 La72
18035 Apricale (IM) 41 Hd85
71011 Apricena (FG) 65 Qc98
88900 Apriglianello (KR) 87 Sa114
87051 Aprigliano (CS) 86 Rb113
04011 Aprilia (LT) 68 Nd99
33053 Aprilia Marittima (UD) 26 Oa74
84020 Aquara (SA) 78 Qb106
91022 Aquila (TP) 91 Ne122
Áquila (AG) 91 Nf122
67100 Áquila, L' (AQ) 58 Oc94
18020 Aquila di Arroscia (IM) 41 Ia84
55100 Aquilea (LU) 45 Ld85
33051 Aquileia (UD) 17 Oc74
25060 Aquilini (BS) 22 La75
83041 Aquilonia (AV) 72 Qc103
03031 Aquino (FR) 69 Oe100
Aquino (PA) 91 Ob120
32020 Arabba (BL) 4 Mf 69
73040 Aradeo (LE) 82 Ta108
02012 Arafranca Pinaco (RI) 58 Ob93
67010 Aragno (AQ) 58 Oc94
92021 Aragona (AG) 97 Od124
14020 Aramengo (AT) 33 Ia78
89100 Arasi (RC) 88 Qe120
33090 Arba (PN) 16 Ne72
08048 Arbatax (NU) 110 Ke109
Arbizzano (VR) 23 Lf76
09092 Arborea (OR) 108 Id110
13031 Arborio (VC) 20 Ic76
09031 Arbus (MD) 111 Id111
31030 Arcade (TV) 25 Nb74
26832 Arcagna (LO) 21 Kc76
87036 Arcavacata (CS) 86 Rb112
03032 Arce (FR) 69 Od99
37026 Arce (VR) 23 Lf76
24040 Arcene (BG) 21 Kd75
11022 Arcésaz (AO) 19 He74
42010 Arceto (RE) 37 Le81
60011 Arcevia (AN) 52 Nf87
66044 Archi (CH) 64 Pc96
89051 Archi (RC) 88 Qd120
58031 Arcidosso (GR) 55 Md91
00020 Arcinazzo Romano (RM) 62 Oa97
21051 Arcisate (VA) 10 If73
38062 Arco (TN) 13 Lf73
19021 Arcola (SP) 44 Kf84
37040 Arcole (VR) 24 Mb76
20020 Arconate (MI) 20 If75
20043 Arcore (MB) 21 Kb75
36057 Arcugnano (VI) 24 Md76
21030 Arcumeggia (VA) 10 Ie73
87050 Arcuri (CS) 86 Rc114
08040 Ardali (OG) 110 Kd108
07010 Ardara (SS) 106 Ie105
09081 Ardauli (OR) 109 If108
00040 Ardea (RM) 68 Nd99
23011 Ardenno (SO) 11 Kd71
57128 Ardenza (LI) 49 Lb87
24020 Ardesio (BG) 12 Kf73
43010 Ardola (PR) 36 La78
26030 Ardole Marino San (CR) 36 La78
89031 Ardore (RC) 89 Ra119
89031 Ardore Marina (RC) 89 Rb119
10014 Are (TO) 19 Hf77
89832 Arena (VV) 89 Rb117
84033 Arenabianca (SA) 78 Qe107
27040 Arena Po (PV) 35 Kc78
09015 Arenas (CI) 111 Id112
Arenella (PA) 91 Oc119
16011 Arenzano (GE) 42 Ie82
16011 Arenzano Pineta (GE) 42 Ie82
20020 Arese (MI) 21 Ka75
52100 Arezzo (AR) 51 Mf88
22010 Argegno (CO) 11 Ka73
40050 Argelato (BO) 38 Mc81
44011 Argenta (FE) 39 Me81
12010 Argentera (CN) 40 Gf82
07040 Argentiera (SS) 105 Ia104
53024 Argiano (SI) 55 Mc91
46030 Arginotto (MN) 37 Le78
12050 Arguello (CN) 33 Ia81
88060 Argusto (CZ) 89 Rc116
66010 Ari (CH) 59 Pb95
84062 Ariano (SA) 77 Qa105
44026 Ariano Ferrarese (FE) 39 Na79
83031 Ariano Irpino (AV) 71 Qa102
45012 Ariano nel Polesine (RO) 39 Na79
25010 Arias (BS) 23 Le74
00040 Ariccia (RM) 61 Ne98
66030 Arielli (CH) 64 Pb95
81021 Arienzo (CE) 71 Pc102
88050 Arietta (CZ) 87 Re114
10020 Arignano (TO) 33 Hf78
33050 Ariis (UD) 16 Oa73
32033 Arina (BL) 14 Me72
89831 Ariola (VV) 89 Rb117
67010 Arischia (AQ) 58 Oc94
08031 Aritzo (NU) 109 Kb109
09040 Arixi (CA) 112 Ka111
28811 Arizzano (VB) 10 Id73
01010 Arlena di Castro (VT) 56 Me94
Arlund (BZ) 3 Ld 68
20010 Arluno (MI) 21 If75
18011 Arma di Taggia (IM) 41 Hf85
53040 Armaiolo (SI) 50 Md89
28011 Armeno (NO) 20 Ic74
85010 Armento (PZ) 79 Ra107
06081 Armenzano (PG) 52 Ne90
21010 Ármio (VA) 10 Ie72
25080 Armo (BS) 23 Ld74
18026 Armo (IM) 41 Hf84
89100 Armo (RC) 95 Qe120
89042 Armo (RC) 89 Rb118
09040 Armungia (CA) 113 Kc111
11020 Arnad (AO) 19 He75
03020 Arnara (FR) 69 Oc99
17032 Arnasco (SV) 41 Ia84
73010 Arnesano (LE) 82 Ta106
23038 Arnoga (SO) 12 Lb70
81030 Arnone, Cancello- (CE) 70 Pa102
80069 Arola (NA) 76 Pc105
28899 Árola (VB) 20 Ic74
21038 Arolo (VA) 10 Id73
28041 Arona (NO) 20 Id74
22060 Arosio (CO) 21 Kb74
82011 Arpaia (BN) 71 Pd102
82010 Arpaise (BN) 71 Pe102
03033 Arpino (FR) 63 Od99
11100 Arpuilles (AO) 18 Hb74
35032 Arqua Petrarca (PD) 24 Me77
45031 Arqua Polesine (RO) 38 Me78
63043 Arquata del Tronto (AP) 58 Ob92
15061 Arquata Scrivia (AL) 34 If80
35020 Arre (PD) 25 Mf77
13885 Arro (BI) 19 Ia76
05031 Arrone (TR) 57 Ne93
21010 Arsago Seprio (VA) 20 Ie74
35010 Arsego (PD) 25 Mf75
32030 Arsie (BL) 14 Me73
36011 Arsiero (VI) 24 Mc74
64031 Arsita (TE) 58 Oe94
00023 Arsoli (RM) 62 Oa96
33022 Arta Terme (UD) 6 Oa 70
33011 Artegna (UD) 16 Oa71
32030 Arten (BL) 14 Me72
00031 Artena (RM) 62 Nf98
28894 Artó (VB) 20 Ic74
25040 Artogne (BS) 12 La73
25070 Arveaco (BS) 23 Lc74
11011 Arvier (AO) 18 Ha74
07021 Arzachena (OT) 104 Kc102
24040 Arzago d'Adda (BG) 21 Kd76
08040 Arzana (OG) 110 Kd109
80022 Arzano (NA) 70 Pb103
33098 Arzene (PN) 16 Nf72
33098 Arzenutto (PN) 16 Nf72
35020 Arzercavalli (PD) 25 Mf77
37021 Arzere (VR) 23 Ma75
35028 Arzerello (PD) 25 Na77
35020 Arzergrande (PD) 25 Na77
31040 Arzeri (TV) 25 Nd74
30031 Arzerini (VE) 25 Na76
36071 Arzignano (VI) 24 Mb75
89851 Arzona (VV) 89 Ra117
84046 Ascea (SA) 83 Qb108
67050 Aschi Alto (AQ) 63 Oe97
56017 Asciano (PI) 49 Lc86
53041 Asciano (SI) 50 Md89
84038 Ascolese (SA) 78 Qd106
63100 Ascoli Piceno (AP) 58 Od91
71022 Ascoli Satriano (FG) 72 Qd101
02020 Ascrea (RI) 62 Oa95
37053 Aselogna (VR) 24 Mb77
36012 Asiago (VI) 14 Md73
36020 Asigliano Veneto (VI) 24 Mc77
13032 Asigliano Vercellese (VC) 20 Ic77
07042 Asinara (SS) 105 Ib102
46041 Asola (MN) 23 Lc77
31011 Asolo (TV) 15 Mf74
89048 Aspalmo (RC) 89 Rb119
37050 Asparetto (VR) 24 Ma77
26010 Aspice (CR) 22 La77
90010 Aspra (PA) 91 Oc120
20090 Assago (MI) 21 Ka76
09032 Assemini (CA) 112 If113
67010 Assergi (AQ) 58 Od94
Assieni (TP) 90 Ne120
06081 Assisi (PG) 52 Nd90
22033 Asso (CO) 11 Kb73
09080 Assolo (OR) 109 If110
94010 Assoro (EN) 93 Pc123
42030 Asta (RE) 45 Lc83
14100 Asti (AT) 34 Ib79
14100 Asti (AT) 34 Ib79
Astorre (MN) 23 Ld76
32012 Astragal (BL) 15 Nb70
25043 Astrio (BS) 12 Lb73
08032 Asuai (NU) 109 Kb108
09080 Asuni (OR) 109 If109
67030 Ateleta (AQ) 63 Pb97
85020 Atella (PZ) 72 Qd103
84030 Atena Lucana (SA) 78 Qd106
84030 Atena Scalo (SA) 78 Qd106
83026 Aterrana (AV) 77 Pe104
66041 Atessa (CH) 64 Pc96
03042 Atina (FR) 63 Oe99
84010 Atrani (SA) 77 Pd105
64032 Atri (TE) 59 Of93
83042 Atripalda (AV) 71 Pf103
05012 Attigliano (TR) 56 Nb93
33040 Attimis (UD) 16 Ob71
08030 Atzara (NU) 109 Ka109
61020 Auditore (PU) 48 Nd86
39040 Auer = Ora (BZ) 14 Mb70
96011 Augusta (SR) 99 Qb125
84031 Auletta (SA) 78 Qc105
54011 Aulla (MS) 44 Kf83
39054 Auna di sopra = Oberinn (BZ) 4 Mc 69
39054 Auna di sotto = Unterinn (BZ) 4 Mc 69
32030 Aune (BL) 14 Me72
Aupa (UD) 6 Ob 69
28812 Aurano (VB) 10 Id72
33095 Aurava (PN) 16 Nf72
00053 Aurelia (RM) 60 Me96
18021 Aurigo (IM) 41 Hf85
34011 Aurisina, Duino- (TS) 17 Oe74
32041 Auronzo di Cadore (BL) 5 Nc 69
03040 Ausonia (FR) 69 Oe100
Außerpens (BZ) 4 Mc 68
08030 Austis (NU) 109 Ka108
60011 Avacelli (AN) 52 Nf88
33020 Avaglio (UD) 16 Nf70
33010 Avasinis (UD) 16 Oa71
33020 Avausa (UD) 6 Ne 69
16040 Aveggio (GE) 43 Kb82
16030 Avegno (GE) 43 Ka82
82030 Ave Gratia Plena (BN) 70 Pc102
39010 Avelengo = Hafling (BZ) 3 Mb 69
83021 Avella (AV) 71 Pd103
83100 Avellino (AV) 71 Pe103
87020 Avena (CS) 83 Qf109
62011 Avenale (MC) 53 Ob88
Avenes = Afens (BZ) 4 Mc 67
24010 Averara (BG) 11 Kd73
81031 Aversa (CE) 70 Pb103
37127 Avesa (VR) 23 Lf76
74020 Avetrana (TA) 81 Se106
67051 Avezzano (AQ) 62 Oc96
81037 Avezzano (CE) 70 Of101
33081 Aviano (PN) 15 Nd72
33081 Aviano Castello (PN) 15 Nd72
24020 Aviatico (BG) 22 Ke74
10051 Avigliana (TO) 32 Hc78
85021 Avigliano (PZ) 78 Qe104
05020 Avigliano Umbro (TR) 56 Nc93
Avigna = Afing (BZ) 4 Mc 69
Avilla (UD) 16 Oa71
38063 Avio (TN) 23 Lf74
11010 Avise (AO) 18 Ha74
96012 Ávola (SR) 99 Qa127
15050 Avolasca (AL) 35 If80
24010 Avolasio (BG) 11 Kd73
32020 Avoscan (BL) 15 Mf70
16015 Avosso (GE) 35 Ka81
11020 Ayas (AO) 19 He74
11010 Aymavilles (AO) 18 Hb74
10010 Azeglio (TO) 19 Hf76
13864 Azóglio (BI) 20 Ib74
Azzago (VR) 23 Ma75
07030 Azzagulta (SS) 106 If103
26010 Azzanello (CR) 22 Kf77
37060 Azzano (VR) 23 Lf76
14030 Azzano d'Asti (AT) 34 Ib79
33082 Azzano Decimo (PN) 16 Ne73
25020 Azzano Mella (BS) 22 La76
24052 Azzano San Paolo (BG) 22 Ke75
21022 Azzate (VA) 20 Ie74
33049 Azzida (UD) 17 Oc72
21030 Azzio (VA) 10 Ie73
24020 Azzone (BG) 12 La73
24010 Azzonica (BG) 22 Kd74

B

09043 Baccu Arrodas (CA) 113 Kd112
29014 Bacedasco (PC) 36 Kf79
28861 Baceno (VB) 10 Ib71
80070 Bacoli (NA) 76 Pa104
09010 Bacu Abis (CI) 111 Ic113
29013 Badagnano (PC) 36 Ke79
18010 Badalucco (IM) 41 Hf85
08011 Badde Salighes (NU) 106 If106
07030 Badesi (OT) 106 If103
53035 Badesse (SI) 50 Mb88
40030 Badi (BO) 45 Ma84
25050 Badia (BS) 22 La75
Badia (TP) 91 Ne120
89844 Badia (VV) 88 Qf117
39036 Badia = Abtei (BZ) 4 Mf 69
50018 Badia a Settimo (FI) 46 Ma86
37030 Badia Calavena (VR) 24 Ma75
67039 Badia Morronese (AQ) 63 Of96
27010 Badia Pavese (PV) 35 Kc78
45021 Badia Polesine (RO) 38 Mc78
52010 Badia Prataglia (AR) 47 Mf86
52032 Badia Tedalda (AR) 51 Nb86
Badiazza (ME) 88 Qc119
88060 Badolato (CZ) 89 Rd117
88060 Badolato Marina (CZ) 89 Rd117
Bad Schgums (BZ) 3 Ld 69
Bad Vals (BZ) 4 Md 68
Bae di sotto (CT) 99 Pf124
98053 Bafia (ME) 94 Qb120
89060 Bagaladi (RC) 95 Qe120
43031 Baganzola (PR) 36 Lb79
41015 Bagazzano (MO) 37 Ma81
36027 Baggi (VI) 24 Me74
20153 Baggio (MI) 21 Ka76
90011 Bagheria (PA) 91 Oc120
Baglionovo (TP) 91 Ne121
Baglio Rizzo (TP) 90 Ne121
48012 Bagnacavallo (RA) 47 Mf82
57039 Bagnaia (LI) 54 Lc92
53016 Bagnaia (SI) 50 Mb89
01031 Bagnaia (VT) 56 Na94
22025 Bagnana (CO) 11 Kb73
30020 Bagnara (VE) 16 Nf73
89011 Bagnara Calabra (RC) 88 Qe119
48010 Bagnara di Romagna (RA) 47 Me82
27050 Bagnaria (PV) 35 Ka80
33050 Bagnaria Arsa (UD) 16 Ob73
47042 Bagnarola (FC) 47 Nc83
33071 Bagnarola (PN) 16 Nf73
12071 Bagnasco (CN) 41 Ia83
24060 Bagnatica (BG) 22 Ke74
84021 Bagni Contursi (SA) 78 Qb104
23010 Bagni del Masino (SO) 11 Kd71
Bagni di Antermoia = Bad Untermoi (BZ) 4 Mf 68
23032 Bagni di Bormio (SO) 2 Lc 70
Bagni di Braies vecchia = Bad Altprags (BZ) 5 Na 68
Bagni di Caprite = Bad Gfrill (BZ) 3 Ma 69
Bagni di Gogna (BL) 5 Nc 69
89040 Bagni di Guida (RC) 89 Rc118
Bagni di Lavina Bianca = Wießlahnbad (BZ) 4 Md 70
55022 Bagni di Lucca (LU) 45 Ld84
33010 Bagni di Lusnizza (UD) 6 Oc 69
Bagni di mezzo = Mitterbad (BZ) 3 Ma 69
Bagni di Pervalle = Bad Bergfall (BZ) 4 Mf 68
Bagni di Pian di Maia = Bad Maistatt (BZ) 5 Nb 68
80053 Bagni di Pozzano (NA) 76 Pc104
38020 Bagni di Rabbi (TN) 13 Le70
Bagni di Salomone = Bad Salomonsbrunn (BZ) 5 Na 68
Bagni di Salto = Bad Salt (BZ) 3 Le 69
Bagni di San Giuseppe = Bad Moos (BZ) 5 Nc 68
07030 Bagni di San Martino (SS) 105 Ie104
00011 Bagni di Tivoli (RM) 61 Ne97
Bagni di Valgrande (BL) 5 Nc 69
00069 Bagni di Vicarello (RM) 61 Nb96
12010 Bagni di Vinadio (CN) 40 Ha83
Bagni Froi = Bad Froi (BZ) 4 Md 69
47023 Bagnile (FC) 47 Nb83
Bagni Mezzavalle = Stampfe[...] (BZ)
85051 Bagni San Cataldo (PZ) 7[...]
Bagni Serga = Schorgau Ba[...]
Bagnitelle (PA) 9[...]
89044 Bagni Termali (RC) 8[...]
50012 Bagno a Ripoli (FI) [...]
47021 Bagno di Romagna (FC) [...]
67100 Bagno Grande (AQ) [...]
58031 Bagnoli (GR) [...]
35010 Bagnoli (PD) [...]
86091 Bagnoli del Trigno (IS) [...]
35023 Bagnoli di Sopra (PD) [...]
83043 Bagnoli Irpino (AV) 7[...]
58037 Bagnolo (GR) [...]
29017 Bagnolo (PC) [...]
36045 Bagnolo (VI) [...]
37060 Bagnolo (VR) [...]
26010 Bagnolo Cremasco (CR) [...]
73020 Bagnolo del Salento (LE) 8[...]
45022 Bagnolo di Po (RO) [...]
42011 Bagnolo in Piano (RE) [...]
25021 Bagnolo Mella (BS) [...]
12031 Bagnolo Piemonte (CN) [...]
46031 Bagnolo San Vito (MN) [...]
54021 Bagnone (MS) [...]
01022 Bagnoregio (VT) [...]
53027 Bagno Vignoni (SI) [...]
25072 Bagolino (BS) [...]
80070 Baia (NA) 7[...]
81037 Baia Domizia (CE) 7[...]
81010 Baia e Latina (CE) 7[...]
83022 Baiano (AV) 7[...]
18031 Baiardo (IM) [...]
07026 Baia Sardinia (OT) 10[...]
23818 Baiedo (LC) [...]
40032 Baigno (BO) [...]
10010 Bairo (TO) [...]
42031 Baiso (RE) [...]
09098 Baita Mastino (OR) 1[...]
38058 Baita Segantini (TN) [...]
23032 Baite del Zebru (SO) [...]
23026 Baite Sant'Antonio (SO) [...]
38080 Baitoni (TN) [...]
10070 Balangero (TO) [...]
Balata di Baida (TP) 9[...]
97100 Balata di Módica (RG) 10[...]
20060 Balbiano (MI) [...]
56027 Balconevisi (PI) [...]
14011 Baldichieri d'Asti (AT) [...]
10080 Baldissero Canavese (TO) [...]
12040 Baldissero d'Alba (CN) [...]
10020 Baldissero Torinese (TO) [...]
90041 Balestrate (PA) [...]
17020 Balestrino (SV) [...]
23811 Ballabio (LC) [...]
09040 Ballao (CA) 11[...]
Ballata (TP) 9[...]
38075 Ballino (TN) [...]
Ballottella (TP) 9[...]
10060 Balma (TO) [...]
10070 Balme (TO) [...]
13020 Balmúccia (VC) [...]
13040 Balocco (VC) [...]
27030 Balossa Bigli (PV) [...]
67052 Balsorano (AQ) [...]
67052 Balsorano Nuovo (AQ) [...]
85050 Balvano (PZ) 7[...]
47020 Balze (FC) [...]
15031 Balzola (AL) [...]
15031 Balzola (AL) [...]
07040 Banari (SS) 1[...]
07040 Bancali (SS) 1[...]
10010 Banchette (TO) [...]
46040 Bande (MN) [...]
15070 Bandita (AL) [...]
12040 Bandito (CN) [...]
44010 Bando (FE) [...]
24020 Bani (BG) [...]
10088 Banni (TO) [...]
33080 Bannia (PN) [...]
28871 Bannio-Anzino (VB) [...]
07016 Bantine (SS) 10[...]
83026 Banzano (AV) 7[...]
85010 Banzi (PZ) 7[...]
35030 Baone (PD) [...]
98070 Baracche (ME) 9[...]
87054 Baracchella II (CS) 8[...]
09090 Baradili (OR) [...]
28019 Baraggia (NO) [...]
85050 Baragiano (PZ) 7[...]
86011 Baranello (CB) [...]
80070 Barano d'Ischia (NA) [...]
20021 Baranzate (MI) [...]

Barasso (VA) 10 Ie73
Baratili San Pietro (OR) 108 Id109
Barazzetto (UD) 16 Oa72
Barbaiana (MI) 21 Ka75
Barbania (TO) 19 Hd77
Barbara (AN) 52 Oa87
Barbarano (BS) 23 Ld75
Barbarano Romano (VT) 60 Na95
Barbarano Vicentino (VI) 24 Md76
Barbarasco (MS) 44 Kf83
Barbaresco (CN) 33 Ia80
Barbaricina 49 Lc86
Barbariga (BS) 22 La76
Barbassolo (MN) 37 Lf78
Barbata (BG) 22 Ke76
Barbeano (PN) 16 Nf72
Barberino di Mugello (FI) 46 Mb84
Barberino Val d'Elsa (FI) 50 Mb87
Barbian = Barbiano (BZ) 4 Md 69
Barbianello (PV) 35 Kb78
Barbiano (RA) 47 Mf82
Barbiano = Barbian (BZ) 4 Md 69
Barbona (PD) 38 Me78
Barbuglio (RO) 38 Md78
Barbusi (CI) 111 Id113
Barbuzzera (CR) 21 Kd76
Barcellona Pozzo di Gotto (ME) 94 Qb120
Barche (AO) 19 Hd74
Barche (TV) 15 Na73
Barchi (MN) 23 Lc77
Barchi (PU) 52 Nf87
Barcis (PN) 15 Nd71
Barco (PN) 16 Ne74
Barco (TN) 14 Mb72
Barco (VR) 24 Ma76
Barcola (TS) 27 Oe75
Barcon (TV) 25 Na74
Barcuzzi (BS) 23 Lc76
Bard (AO) 19 He75
Bardassano (TO) 33 Hf78
Bardelle (MN) 37 Lf78
Bardello (VA) 10 Ie73
Bardi (PR) 36 Ke81
Bardineto (SV) 41 Ia83
Bardolino (VR) 23 Le75
Bardonècchia (TO) 32 Ge78
Bareggio (MI) 21 Ka76
Barengo (NO) 20 Id75
Baressa (OR) 109 If110
Barete (AQ) 58 Ob94
Barga (LU) 45 Lc84
Bargagli (GE) 43 Ka82
Bargano (LO) 21 Kc77
Barge (CN) 32 Hb80
Barghe (BS) 23 Lc74
Bargnano (BS) 22 La76
Bari (BA) 74 Rf102
Bariano (BG) 22 Ke75
Baricella (BO) 38 Md81
Baricetta (RO) 39 Mf78
Barile (PZ) 72 Qe103
Barina (PD) 24 Me75
Barisano (FC) 47 Na83
Bari Sardo (OG) 110 Kd109
Barisciano (AQ) 58 Od95
Barisoni (OG) 110 Kd111
Barlassina (MB) 21 Ka75
Barletta (BT) 73 Rb101
Barni (CO) 11 Kb73
Barolo (CN) 33 Hf81
Barona (PV) 21 Kb77
Baroncino (SA) 77 Pf105
Barone Canavese (TO) 19 Hf77
Baronia (ME) 94 Qb119
Baronissi (SA) 77 Pe104
Barra (NA) 76 Pb103
Barrafranca (EN) 98 Pb124
Barrali (CA) 112 Ka112
Barrea (AQ) 63 Of98
Barriera Noce (CL) 97 Pa123
Barrittieri (RC) 88 Qe118
Barrua (CI) 111 Ie114
Bartoli (CT) 99 Qa124
Baruccio (AN) 52 Ne88
Baruchella (RO) 38 Mc78
Baruffini (SO) 12 Lb71
Barullo (AR) 51 Mf89
Barumini (MD) 109 If110
Barzago (LC) 21 Kb74
Barzana (BG) 21 Kd74
Barzaniga (CR) 22 Kf77
Barzano (LC) 21 Kb74
Barzesto (BG) 12 La72
Barzio (LC) 11 Kc73
Bàrzola (VA) 20 Id74
Basagliapenta (UD) 16 Oa73
33099 Basaldella (PN) 16 Ne72
33030 Basaldella (UD) 16 Ob72
15060 Basaluzzo (AL) 34 Ie80
27010 Bascape (PV) 21 Kb77
05023 Baschi (TR) 56 Nb92
64030 Basciano (TE) 58 Oe93
33083 Basedo (PN) 16 Ne73
33097 Baseglia (PN) 16 Nf72
38042 Baselga di Pine (TN) 14 Mb72
82020 Baselice (BN) 71 Pf100
24059 Basella (BG) 22 Ke75
20060 Basiano (MI) 21 Kc75
26825 Basiasco (LO) 21 Kd77
98060 Basico (ME) 94 Qa120
20080 Basiglio (MI) 21 Kb76
33031 Basiliano (UD) 16 Oa72
43020 Basilicagoiano (PR) 37 Lc80
Baslan (BZ) 3 Ma 69
34012 Basovizza (TS) 27 Of75
07029 Bassacutena (OT) 104 Kb102
25020 Bassano Bresciano (BS) 22 La77
36061 Bassano del Grappa (VI) 24 Me74
01030 Bassano in Teverina (VT) 56 Nb94
01030 Bassano Romano (VT) 61 Nb95
Bassette (RA) 39 Nb82
04010 Bassiano (LT) 68 Oa99
15042 Bassignana (AL) 34 Ie78
24023 Basso (BG) 12 Kf73
87045 Basso (CS) 86 Rb113
06030 Bastardo (PG) 57 Nd91
38080 Bastei (TN) 23 Ld74
44010 Bastia (FE) 39 Mf81
35030 Bastia (PD) 24 Md76
06083 Bastia (PG) 52 Nd90
17031 Bastia (SV) 41 Ib84
12060 Bastia Mondovì (CN) 41 Hf82
06083 Bastia Umbra (PG) 52 Nd90
27050 Bastida de' Dossi (PV) 35 If78
27050 Bastida Pancarana (PV) 35 Ka78
41030 Bastiglia (MO) 37 Lf80
98057 Bastione (ME) 94 Qb119
97013 Bastonaca (RG) 100 Pd126
19020 Bastremoli (SP) 44 Kf84
58041 Batignano (GR) 55 Ma91
97019 Battaglia (RG) 98 Pc127
84030 Battaglia (SA) 78 Qd108
64012 Battaglia (TE) 58 Od92
Battaglia (TP) 91 Ne120
35041 Battaglia Terme (PD) 24 Me77
12070 Battifollo (CN) 41 Ia83
84091 Battipaglia (SA) 77 Pf105
27020 Battuda (PV) 21 Ka77
09036 Bau (MD) 111 Ic112
90020 Baucina (PA) 91 Od121
10064 Baudenasca (TO) 32 Hc79
09070 Bauladu (OR) 108 Ie108
08040 Baunei (NU) 110 Ke108
44100 Baura (FE) 38 Me79
Bauso (ME) 88 Qc119
62038 Bavareto (MC) 52 Nf90
28831 Baveno (VB) 10 Id73
31020 Baver (TV) 15 Nc73
67010 Bazzano (AQ) 58 Oc94
40053 Bazzano (BO) 38 Ma81
06049 Bazzano Inferiore (PG) 57 Ne92
06049 Bazzano Superiore (PG) 57 Ne92
33030 Beano (UD) 16 Oa72
25050 Beata (BS) 12 La73
10056 Beaulard (TO) 32 Ge78
37060 Beccacivetta (VR) 23 Lf76
21039 Bedero Valcuvia (VA) 10 Ie73
21010 Bédero Valtravàglia (VA) 10 Ie73
25081 Bedizzole (BS) 23 Lc75
23010 Bedoglio (SO) 12 Kf71
Bedole (TN) 13 Ld71
38043 Bedollo (TN) 14 Mb71
43041 Bedonia (PR) 35 Kd81
24030 Bedulita (BG) 21 Kd74
43013 Beduzzo la Strada (PR) 36 La81
28813 Bée (VB) 10 Id73
67020 Beffi (AQ) 63 Oe95
37040 Begosso (VR) 38 Mc78
46020 Begozzo (MN) 37 Le79
10092 Beinasco (TO) 33 Hd78
12081 Beinette (CN) 41 Hd82
Beivars (UD) 16 Ob72
88050 Belcastro (CZ) 87 Re114
37050 Belfiore (VR) 24 Mb76
37050 Belfiore (VR) 16 Ne74
46010 Belforte (MN) 37 Ld78
53030 Belforte (SI) 49 Ma89
61026 Belforte all'Isauro (PU) 51 Nc86
62020 Belforte del Chienti (MC) 53 Ob89
15070 Belforte Monferrato (AL) 34 Id81
27011 Belgioioso (PV) 35 Kb78
28832 Belgirate (VB) 10 Id73
88046 Bella (CZ) 86 Rb115
85051 Bella (PZ) 78 Qd104
88100 Belladonna (CZ) 87 Rd115
22021 Bellágio (CO) 11 Kb73
38037 Bellamonte (TN) 14 Md71
23822 Bellano (LC) 11 Kb72
64020 Bellante (TE) 58 Oe92
89023 Bellantone (RC) 89 Ra117
41039 Bellaria (MO) 37 Lf79
61041 Bellaria (PU) 52 Nd87
47814 Bellaria-Igea Marina (RN) 47 Nc84
47900 Bellariva (RN) 48 Nd84
00030 Bellegra (RM) 62 Oa97
84047 Bellelli (SA) 77 Qa106
12020 Bellino (CN) 32 Ha81
20060 Bellinzago Lombardo (MI) 21 Kc75
28043 Bellinzago Novarese (NO) 20 Id75
61045 Bellisio Solfare (PU) 52 Ne87
18024 Bellissimi (IM) 41 Hf85
84092 Bellizzi (SA) 77 Pf105
83020 Bellizzi Irpino (AV) 71 Pe103
61030 Bellocchi (PU) 48 Nf86
45011 Bellombra (RO) 39 Na78
81041 Bellona (CE) 70 Pb102
37020 Bellori (VR) 23 Lf75
84020 Bellosguardo (SA) 78 Qb106
32100 Belluno (BL) 15 Nb72
37020 Belluno Veronese (VR) 23 Lf74
20040 Bellusco (MB) 21 Kc75
87033 Belmonte Calabro (CS) 86 Ra114
03040 Belmonte Castello (FR) 69 Oe99
86080 Belmonte del Sànnio (IS) 64 Pc98
02020 Belmonte in Sabina (RI) 62 Nf95
90031 Belmonte Mezzagno (PA) 91 Oc120
63029 Belmonte Piceno (AP) 53 Od90
95032 Belpasso (CT) 94 Pf123
25070 Belprato (BS) 22 Lc74
Belprato = Schonau (BZ) 3 Ma 67
48022 Belricetto (RA) 39 Mf81
87030 Belsito (CS) 86 Rb113
60044 Belvedere (AN) 52 Nf89
32030 Belvedere (BL) 14 Me72
58055 Belvedere (GR) 55 Md92
46048 Belvedere (MN) 23 Le77
96100 Belvedere (SR) 99 Qb126
38010 Belvedere (TN) 14 Ma70
33051 Belvedere (UD) 27 Oc74
88824 Belvedere di Spinello (KR) 87 Rf113
12060 Belvedere Langhe (CN) 33 Hf81
87021 Belvedere Marittimo (CS) 83 Qf111
60030 Belvedere Ostrense (AN) 52 Ob87
14040 Belveglio (AT) 34 Ib80
08030 Belvì (NU) 109 Kb109
23010 Bema (SO) 11 Kd72
55021 Benabbio (LU) 45 Ld85
25085 Benecco (BS) 23 Lc75
22010 Bene Lário (CO) 11 Kb72
89030 Benestare (RC) 89 Ra119
07010 Benetutti (SS) 106 Kb106
12041 Bene Vagienna (CN) 33 Hf81
12050 Benevello (CN) 33 Ia81
82100 Benevento (BN) 71 Pe102
13871 Benna (BI) 19 Ia75
10070 Benne (TO) 19 Hd77
40010 Bentivoglio (BO) 38 Mc81
24030 Berbenno (BG) 21 Kd74
23010 Berbenno di Valtellina (SO) 12 Ke71
43042 Berceto (PR) 36 Kf81
07022 Berchidda (OT) 106 Kb104
07026 Berchiddeddu (OT) 107 Kc104
22070 Beregazzo con Figliaro (CO) 21 If74
22070 Beregezzo (CO) 21 If74
27021 Bereguardo (PV) 21 Ka77
15022 Bergamasco (AL) 34 Ic79
24100* Bergamo (BG) 22 Ke74
45032 Bergantino (RO) 38 Mb78
17028 Bergeggi (SV) 42 Ic83
12074 Bergolo (CN) 33 Ib81
45027 Berguarina (RO) 38 Mc78
25030 Berlinghetto (BS) 22 La75
25030 Berlingo (BS) 22 La75
75012 Bernalda (MT) 80 Re106
20044 Bernareggio (MB) 21 Kc75
22070 Bernate (CO) 21 Ka74
21020 Bernate (VA) 20 Ie74
20010 Bernate Ticino (MI) 20 Ie76
12010 Bernezzo (CN) 40 Hc82
25089 Berniga (BS) 23 Lc75
36075 Bernuffi (VI) 24 Mc75
44033 Berra (FE) 39 Mf79
12064 Berri (CN) 33 Hf81
08020 Berruiles (OT) 107 Ke104
29010 Bersano (PC) 36 La79
12010 Bersezio (CN) 40 Gf82
38085 Bersone (TN) 13 Ld73
20060 Bertario (MI) 21 Kc76
10046 Berteri (TO) 33 Hf79
36100 Bertesina (VI) 24 Md75
36032 Bertigo (VI) 14 Md73
47032 Bertinoro (FC) 47 Na84
33032 Bertiolo (UD) 16 Oa73
31059 Bertoneria (TV) 25 Na75
26821 Bertonico (LO) 22 Ke77
28868 Bertónio (VB) 10 Ib71
14020 Berzano di San Pietro (AT) 33 Hf78
15050 Berzano di Tortona (AL) 35 If79
25040 Berzo-Demo (BS) 12 Lb72
25040 Berzo Inferiore (BS) 12 Lb73
24060 Berzo San Fermo (BG) 22 Kf74
32100 Bes (BL) 15 Na72
38065 Besagno (TN) 13 Lf73
20045 Besana in Brianza (MB) 21 Kb74
21050 Besano (VA) 10 If73
20080 Besate (MI) 21 If77
38060 Besenello (TN) 13 Ma73
29010 Besenzone (PC) 36 Kf79
21010 Besnate (VA) 20 Ie74
14022 Besolo (AT) 33 Hf78
21023 Besozzo (VA) 10 Ie73
31030 Bessica (TV) 24 Mf74
07040 Bessude (SS) 106 Ie105
18027 Bestagno (IM) 41 Hf85
20080 Bestazzo (MI) 21 Ka76
10034 Betlemme (TO) 19 Hf77
25026 Bettegno (BS) 22 La77
26043 Bettenesco (CR) 22 La77
25017 Bettola (BS) 23 Lc76
20080 Bettola (MI) 21 Ka77
20060 Bettola (MI) 21 Kc75
29021 Bettola (PC) 35 Kd80
13011 Bettole (VC) 20 Ib74
60019 Bettolelle (AN) 52 Ob87
53040 Bettolle (SI) 51 Me89
06084 Bettona (PG) 56 Nc90
28851 Béura-Cardezza (VB) 10 Ib72
35010 Bevadoro (PD) 24 Me75
06031 Bevagna (PG) 57 Nd91
19020 Beverino (SP) 44 Ke83
40014 Bevilacqua (BO) 38 Mb80
37040 Bevilacqua (VR) 24 Mc77
38060 Bezzecca (TN) 13 Le73
Bezzeti (MN) 23 Ld76
38060 Biacesa (TN) 13 Le73
Biacis (UD) 17 Oc72
29028 Biana (PC) 35 Kd80
00051 Bianca (RM) 60 Mf96
82030 Biancano (BN) 70 Pc102
07040 Biancareddu (SS) 105 Ib104
95033 Biancavilla (CT) 94 Pf122
87050 Bianchi (CS) 86 Rc114
89032 Bianco (RC) 89 Ra120
Biancolidda (TP) 90 Nd122
43010 Bianconese (PR) 36 Lb79
28061 Biandrate (NO) 20 Ic76
21024 Biandronno (VA) 20 Ie74
24060 Bianzano (BG) 22 Kf74
13041 Bianze (VC) 19 Ia77
23030 Bianzone (SO) 12 La71
86020 Biase San (CB) 64 Pd98
20046 Biassono (MB) 21 Kb75
33033 Biauzzo (UD) 16 Nf73
31010 Bibano (TV) 15 Nc73
42021 Bibbiano (RE) 37 Lc81
53022 Bibbiano (SI) 50 Mc90
52011 Bibbiena (AR) 50 Me86
57020 Bibbona (LI) 49 Ld89
10060 Bibiana (TO) 32 Hb80
30020 Bibione (VE) 26 Oa75
30020 Bibione Pineda (VE) 26 Oa75
71032 Biccari (FG) 72 Qb100
33050 Bicinicco (UD) 16 Ob73
09080 Bidoni (OR) 109 If108
21010 Biegno (VA) 10 Ie72
13900 Biella (BI) 19 Ia75
20020 Bienate (MI) 20 Ie75
25040 Bienno (BS) 12 Lb73
38050 Bieno (TN) 14 Md72
56031 Bientina (PI) 49 Ld86
46030 Bigarello (MN) 23 Lf77
12051 Biglini (CN) 33 Hf80
31030 Bigolino (TV) 15 Na73
29011 Bilegno (PC) 35 Kc79
22070 Binago (CO) 21 If74
06061 Binami (PG) 51 Mf90
26030 Binanuova, Gabbioneta- (CR) 22 La77
20082 Binasco (MI) 21 Ka77
70020 Binetto (BA) 74 Re102
38070 Binio (TN) 13 Le72
25071 Binzago (BS) 22 Lc75
13841 Bioglio (BI) 19 Ia75
11010 Bionaz (AO) 8 Hc 73
Bionde di Visegna (VR) 23 Ma77
25070 Bione (BS) 22 Lb74
22060 Birago (CO) 21 Ka74
Birgi Novo (TP) 90 Nc121
Birgi Vecchi (TP) 90 Nc121
08010 Birori (NU) 109 Ie107
83044 Bisaccia (AV) 72 Qc102
90032 Bisacquino (PA) 91 Ob122
16010 Biscaccia (GE) 42 Ie82
70052 Bisceglie (BT) 73 Rd101
30020 Bisciola (VE) 16 Ne74
67050 Bisegna (AQ) 63 Oe97
64033 Bisenti (TE) 58 Oe93
25070 Bisenzio (BS) 23 Lc74
87043 Bisignano (CS) 84 Rb111
15060 Bisio (AL) 34 Ie80
26839 Bisnate (LO) 21 Kc76
27010 Bissone, Santa Cristina- (PV) 35 Kc78
15012 Bistagno (AL) 34 Ic80
21050 Bisuschio (VA) 10 If73
70020 Bitetto (BA) 74 Re102
70032 Bitonto (BA) 74 Re102
70020 Bitritto (BA) 74 Re102
08021 Bitti (NU) 107 Kc106
50030 Bivigliano (FI) 46 Mb85
89049 Bivio Guardavalle (RC) 89 Rc118
Bivio Iazzotto (CT) 99 Qa124
84021 Bivio Palomonte (SA) 78 Qb105
Bivona (AG) 96 Nf123
92010 Bivona (AG) 96 Oc123
89040 Bivongi (RC) 89 Rc118
22020 Bizzarone (CO) 21 If74
46013 Bizzolano (MN) 37 Lc78
21046 Bizzozero (VA) 20 If74
38071 Bleggio Inferiore (TN) 13 Lf72
38071 Bleggio Superiore (TN) 13 Le72
24010 Blello (BG) 11 Kd73
01010 Blera (VT) 60 Na95
30020 Blessaglia (VE) 16 Ne74
22028 Blessagno (CO) 11 Ka73
33031 Blessano (UD) 16 Oa72
22020 Blevio (CO) 11 Ka73
90020 Blufi (PA) 92 Pa122
35040 Boara Pisani (PD) 38 Me78
45030 Boara Polesine (RO) 38 Me78
24020 Boario (BG) 12 Kf73
25041 Boario Terme (BS) 12 Lb73
25041 Boario Terme, Darfo- (BS) 12 Lb73
21100 Bobbiate (VA) 20 Ie74
29022 Bobbio (PC) 35 Kc80
10060 Bobbio Pellice (TO) 32 Ha80
50056 Bobolino (FI) 50 Mb86
28010 Boca (NO) 20 Ic74
89100 Bocale (RC) 95 Qd120
31042 Bocca Callalta (TV) 25 Nc74
Boccadifalco (PA) 91 Ob120
04014 Bocca di Fiume (LT) 68 Oa100
46031 Boccadiganda (MN) 37 Le78
87040 Bocca di Piazza (CS) 86 Rc114
31010 Bocca di Strada (TV) 15 Nb73
44011 Boccaleone (FE) 39 Me81
45018 Boccasette (RO) 39 Nc78
58026 Boccheggiano (GR) 55 Ma90
87060 Bocchigliero (CS) 85 Re112
80040 Boccia al Mauro (NA) 76 Pd104
13022 Boccioleto (VC) 19 Ia74
38080 Bocenago (TN) 13 Le72
43011 Boceto (PR) 36 Kf79
21020 Bódio Lomnago (VA) 20 Ie74
21020 Bódio-Lomnago (VA) 20 Ie74
26811 Boffalora d'Adda (LO) 21 Kc76
20010 Boffalora sopra Ticino (MI) 20 If76
25084 Bogliaco (BS) 23 Ld74
16031 Bogliasco (GE) 43 Ka82
28842 Bognanco (VB) 10 Ib72
28010 Bogogno (NO) 20 Id75
37013 Boi (VR) 23 Le75
30010 Boion (VE) 25 Na76
23020 Boirolo (SO) 12 Kf71
17054 Boissano (SV) 42 Ib84
86021 Bojano (CB) 70 Pc100
19020 Bolano (SP) 44 Kf83
38079 Bolbeno (TN) 13 Le72
37030 Bolca (VR) 24 Mb75
25020 Boldeniga (BS) 22 La76
28894 Boleto (VB) 20 Ic74
24060 Bolgare (BG) 22 Ke75
57022 Bolgheri (LI) 49 Ld89
14030 Bolla (AT) 34 Ib78
21050 Bolladello (VA) 20 If74
23033 Bolladore (SO) 12 Lb71
20021 Bollate (MI) 21 Ka75
10012 Bollengo (TO) 19 Hf76
25080 Bollone (BS) 23 Ld74

40100* Bologna (BO) 38 Mc81
65020 Bolognano (PE) 63 Of95
38062 Bolognano (TN) 13 Lf73
90030 Bolognetta (PA) 91 Oc121
62035 Bolognola (MC) 58 Ob91
08011 Bolotana (NU) 106 If107
01023 Bolsena (VT) 56 Mf93
24040 Boltiere (BG) 21 Kd75
16162 Bolzaneto (GE) 42 If82
39100 Bolzano = Bozen (BZ) 4 Mc 69
28010 Bolzano Novarese (NO) 20 Ic74
36050 Bolzano Vicentino (VI) 24 Md75
01020 Bomarzo (VT) 56 Nb94
66042 Bomba (CH) 64 Pc96
89031 Bombile (RC) 89 Ra119
80051 Bomerano (NA) 76 Pd105
67020 Bominaco (AQ) 63 Od95
93010 Bompensiere (CL) 97 Oe123
25030 Bompensiero (BS) 22 Kf76
90020 Bompietro (PA) 92 Pa122
41030 Bomporto (MO) 37 Ma80
37040 Bonaldo (VR) 24 Mb76
09070 Bonárcado (OR) 108 Id108
19011 Bonassola (SP) 43 Kd83
24040 Bonate Sopra (BG) 21 Kd74
24040 Bonate Sotto (BG) 21 Kd74
37050 Bonavicina (VR) 24 Mb77
37040 Bonavigo (VR) 24 Mb77
44012 Bondeno (FE) 38 Mc79
46023 Bondeno (MN) 37 Lf79
46023 Bondeno di Gonzaga (MN) 37 Lf79
Bondife (SR) 99 Qa125
24020 Bondo (BG) 12 Kf73
38081 Bondo (TN) 13 Le72
38080 Bondone (TN) 23 Ld74
24021 Bondo Petello (BG) 22 Ke74
82013 Bonea (BN) 71 Pd102
86041 Bonefro (CB) 65 Pf98
26040 Bonemerse (CR) 36 La78
37060 Bonferraro (VR) 23 Ma77
87020 Bonifati (CS) 83 Qf111
00054 Bonifica di Maccarese (RM) 61 Nb97
00054 Bonifica di Porto (RM) 61 Nb98
15030 Bonina (AL) 34 Ic78
31021 Bonisiolo (TV) 25 Nb75
83032 Bonito (AV) 71 Qa102
46020 Bonizzo (MN) 38 Mb78
07043 Bonnanaro (SS) 106 Ie105
07011 Bono (SS) 106 Ka106
07012 Bonorva (SS) 106 Ie106
92010 Bonsignore (AG) 96 Ob124
12060 Bonvicino (CN) 33 Ia81
33030 Bonzicco (UD) 16 Nf72
02010 Borbona (RI) 57 Oa93
12040 Borbore (CN) 33 Ia80
87050 Borboruso (CS) 86 Rc114
32040 Borca di Cadore (BL) 15 Nb70
33010 Bordano (UD) 16 Oa71
38022 Bordiana (TN) 13 Lf70
18012 Bordighera (IM) 41 Hd86
27031 Bordignana (PV) 34 Id77
24010 Bordogna (BG) 12 Ke73
26020 Bordolano (CR) 22 Kf77
Bordonchio (RN) 47 Nc84
43030 Bore (PR) 36 Ke80
47022 Borello (FC) 47 Nb84
42022 Boretto (RE) 37 Ld79
73026 Borgagne (LE) 82 Tc107
27010 Borgarello (PV) 21 Ka77
10092 Borgaretto (TO) 33 Hd78
10071 Borgaro Torinese (TO) 33 Hd78
Borgata Costiera (TP) 90 Nd122
32045 Borgata Mare (BL) 5 Nd 69
93017 Borgata Palo (CL) 97 Of123
08034 Borgata Pirastera (OR) 109 Ka109
72012 Borgata Serranova (BR) 75 Se104
12100 Borgetto (CN) 41 Hd82
90042 Borgetto (PA) 91 Oa120
29100 Borghetto (PC) 36 Ke78
48010 Borghetto (RA) 47 Na82
48100 Borghetto (RA) 47 Nb83
18020 Borghetto d'Arroscia (IM) 41 Hf84
15060 Borghetto di Borbera (AL) 35 If80
19020 Borghetto di Vara (SP) 44 Ke83
26812 Borghetto Lodigiano (LO) 21 Kc77
17052 Borghetto Santo Spirito (SV) 42 Ib84
47030 Borghi (FC) 47 Nc84
88021 Borgia (CZ) 86 Rc116
10080 Borgiallo (TO) 19 Hd76
62020 Borgiano (MC) 52 Ob90
17022 Borgio-Verezzi (SV) 42 Ib83
34071 Borgnano (GO) 17 Oc73
83025 Borgo (AV) 77 Pe103
13888 Borgo (BI) 19 Hf75
17024 Borgo (SV) 42 Ib83
51011 Borgo a Buggiano (PT) 45 Le85
52100 Borgo a Giovi (AR) 51 Mf87
52018 Borgo alla Collina (AR) 50 Me86
55023 Borgo a Mozzano (LU) 45 Ld85
Borgo Angelo Rizza (SR) 99 Pf125
Borgo Aquila (TP) 91 Ne122
04100 Borgo Bainsizza (LT) 68 Ne100
Borgo Braemi (EN) 98 Pa124
Borgo Calamita Nova (TP) 90 Nd122
04100 Borgo Carso (LT) 68 Nf99
Borgo Casale (TP) 91 Ne120
13040 Borgo d'Ale (VC) 19 Ia76
70020 Borgo dei Pini Mercadante (BA) 74 Re103
48010 Borgo delle Anime (RA) 39 Na82
Borgo di Buturro (TP) 91 Ne122
31100 Borgo di Fontane (TV) 25 Nb74
18028 Borgo di Ranzo (IM) 41 Ia84
47023 Borgo di Ronta (FC) 47 Nb83
62010 Borgo di Stazione Montecosaro (MC) 53 Od89
24060 Borgo di Terzo (BG) 22 Kf74
18100 Borgo d'Oneglia (IM) 41 Ia85
Borgo Elefante (TP) 90 Nd122
Borgo Eredita (TP) 91 Nf121
04019 Borgo Ermada (LT) 69 Ob101
Borgo Fazio (TP) 90 Nd121
Borgo Fodera (TP) 91 Ne120
16019 Borgo Fornari (GE) 35 If81
46030 Borgoforte (MN) 37 Le78
35022 Borgoforte (PD) 25 Mf78
95040 Borgo Franchetto (CT) 98 Pe123
10013 Borgofranco d'Ivrea (TO) 19 Hf75
46020 Borgofranco sul Po (MN) 38 Mb78
48010 Borgo Fusara (RA) 47 Na82
Borgo Genna (TP) 90 Nd122
Borgo Ghitarra (TP) 90 Nd121
73100 Borgo Grappa (LE) 82 Tb106
04010 Borgo Grappa (LT) 68 Nf100
Borgo Greco (PA) 91 Ob120
Borgo Guarine (TP) 90 Nd121
28071 Borgolavezzaro (NO) 20 Ie77
Borgo le Gambine (TP) 90 Nd122
83040 Borgo le Taverne (AV) 72 Qb103
71040 Borgo Liberta (FG) 72 Qe101
Borgo Iudeo (TP) 90 Nd122
Borgo Iudeo Maggiore (TP) 90 Nd122
12050 Borgomale (CN) 33 Ia81
28021 Borgomanero (NO) 20 Ic74
18021 Borgomaro (IM) 41 Hf85
10031 Borgomasino (TO) 19 Hf76
94010 Borgo Milletari (EN) 93 Pb122
Borgo Montalto (TP) 90 Nd122
04010 Borgo Montello (LT) 68 Ne99
04010 Borgo Montenero (LT) 68 Oa101
25050 Borgonato (BS) 22 La75
10050 Borgone Susa (TO) 32 Hb78
29011 Borgonovo Val Tidone (PC) 35 Kc78
Borgo Nuccio (TP) 90 Nd121
52044 Borgonuovo (AR) 51 Mf89
12042 Borgo Nuovo (CN) 33 Hf80
23020 Borgonuovo (SO) 11 Kc70
61040 Borgo Pace (PU) 51 Nb87
04014 Borgo Pasubio (LT) 68 Oa100
Borgo Piano Torre (ME) 94 Qa121
04010 Borgo Piave (LT) 68 Nf100
Borgo Pietrarenosa (TP) 91 Nf121
95044 Borgo Pietro Lupo (CT) 98 Pd124
04010 Borgo Podgora (LT) 68 Nf99
25020 Borgo Poncarale (BS) 22 Lb76
12075 Borgo Ponte (CN) 41 Ia83
27040 Borgo Priolo (PV) 35 Ka79
02032 Borgo Quinzio (RI) 61 Ne96
Borgo Ranchibile (TP) 91 Ne121
Borgo Ranchibilotto (TP) 91 Ne121
15013 Borgoratto Alessandrino (AL) 34 Id79
27040 Borgoratto Mormorolo (PV) 35 Kb79
10037 Borgoregio (TO) 19 Hf77
10038 Borgo Revel (TO) 19 Ia77
35010 Borgoricco (PD) 25 Mf75
Borgo Rinazzo (TP) 90 Nd121
62020 Borgo Ripe (MC) 53 Oc90
Borgo Roccella (PA) 91 Oa122
02021 Borgorose (RI) 62 Ob95
Borgo Sabotino (LT) 68 Ne100
12011 Borgo San Dalmazzo (CN) 41 Hc83
04016 Borgo San Donato (LT) 68 Oa100
25022 Borgo San Giacomo (BS) 22 Kf76
26851 Borgo San Giovanni (LO) 21 Kc77
Borgo San Giovanni (ME) 94 Qa121
71036 Borgo San Giusto (FG) 72 Qc100
50032 Borgo San Lorenzo (FI) 46 Mc85
35040 Borgo San Marco (PD) 24 Mc77
15032 Borgo San Martino (AL) 34 Id78
Borgo San Mauro (UD) 17 Oc72
27020 Borgo San Siro (PV) 21 If77
04100 Borgo Santa Maria (LT) 68 Ne100
61100 Borgo Santa Maria (PU) 48 Ne85
25010 Borgosatollo (BS) 22 Lb76
Borgo Schisina (ME) 94 Qa121
Borgo Segezia (FG) 72 Qc100
13011 Borgosesia (VC) 20 Ib74
Borgo Tavernola (FG) 72 Qe100
28040 Borgo Ticino (NO) 20 Id74
40021 Borgo Tossignano (BO) 46 Md83
43043 Borgo Val di Taro (PR) 36 Ke82
38051 Borgo Valsugana (TN) 14 Mc72
Borgo Vecchio (TP) 91 Nf122
02010 Borgo Velino (RI) 57 Oa94
13012 Borgo Vercelli (VC) 20 Ic76
04010 Borgo Vodice (LT) 68 Oa100
Borgo Zaffarana (TP) 90 Nd121
17040 Bormida (SV) 42 Ib83
17045 Bormida (SV) 42 Ib82
23032 Bormio (SO) 2 Lc 70
20060 Bornago (MI) 21 Kc75
27010 Bornasco (PV) 21 Kb77
25040 Bornato (BS) 22 La75
25042 Borno (BS) 12 Lb73
09080 Boroneddu (OR) 109 If108
08016 Borore (NU) 109 Ie107
66040 Borrello (CH) 64 Pb97
13872 Borriana (BI) 19 Ia75
21052 Borsano (VA) 20 If75
45030 Borsea (RO) 38 Me78
31030 Borso del Grappa (TV) 14 Me74
08012 Bortigali (NU) 109 If107
07030 Bortigiadas (OT) 106 Ka103
07040 Borutta (SS) 106 Ie105
38079 Borzago (TN) 13 Le72
42026 Borzano (RE) 37 Lc81
42010 Borzano (RE) 37 Ld81
16041 Borzonasca (GE) 43 Kc82
08013 Bosa (OR) 108 Ic107
08013 Bosa Marina (OR) 108 Ic107
45033 Bosaro (RO) 38 Me79
Boschetto (CT) 94 Pf122
Boschetto (PG) 52 Ne89
10034 Boschetto (TO) 19 Hf77
37040 Boschi Sant'Anna (VR) 24 Mc77
93017 Bosco (CL) 97 Of123
84070 Bosco (SA) 83 Qc108
38045 Bosco (TN) 14 Ma72
37021 Bosco Chiesanuova (VR) 23 Ma75
29100 Bosco dei Santi (PC) 36 Ke78
15062 Bosco Marengo (AL) 34 Ie80
44026 Bosco Mesola (FE) 39 Nb79
53030 Boscona (SI) 49 Ma88
29010 Boscone Cusani (PC) 35 Kd78
10080 Bosconero (TO) 19 He77
80041 Boscoreale (NA) 76 Pc104
80042 Boscotrecase (NA) 76 Pc104
21010 Bosco Valtravaglia (VA) 10 Ie73
38049 Bosentino (TN) 14 Mb73
12050 Bósia (CN) 33 Ia81
15060 Bosio (AL) 34 Ie81
23842 Bosisio Parini (LC) 21 Kb74
27040 Bosnasco (PV) 35 Kc78
12083 Bossea Fontane (CN) 41 Hf83
24060 Bossico (BG) 12 La73
16040 Bossola (GE) 19 Hf75
12060 Bossolasco (CN) 33 Ia81
88070 Botricello (CZ) 87 Rf115
73020 Botrugno (LE) 82 Tb108
24010 Botta (BG) 21 Kd74
26010 Bottaiano (CR) 22 Ke76
24040 Bottanuco (BG) 21 Kd75
27042 Bottarone, Bressana- (PV) 35 Ka78
95040 Botteghelle (CT) 100 Pd126
Botteghelle (ME) 94 Qc121
33040 Bottenicco (UD) 17 Oc72
25082 Botticino (BS) 22 Lb75
25082 Botticino-Mattina (BS) 22 Lb75
25082 Botticino-Sera (BS) 22 Lb75
07010 Bottidda (SS) 106 Ka106
45013 Bottrighe (RO) 39 Na78
89033 Bova (RC) 95 Qf120
89034 Bovalino (RC) 89 Rb120
89034 Bovalino Marina (RC) 89 Ra120
89034 Bovalino Superiore (RC) 89 Ra119
89035 Bova Marina (RC) 95 Qf121
25061 Bovegno (BS) 22 Lb74
12012 Boves (CN) 41 Hd83
25073 Bovezzo (BS) 22 Lb75
03022 Boville Érnica (FR) 62 Oc99
71023 Bovino (FG) 72 Qc101
20030 Bovisio-Masciago (MB) 21 Kb75
35024 Bovolenta (PD) 25 Mf77
37051 Bovolone (VR) 24 Ma77
39100 Bozen = Bolzano (BZ) 4 Mc 69
55050 Bozzano (LU) 45 Lc85
15040 Bozzole (AL) 34 Id78
46012 Bozzolo (MN) 37 Lc78
12042 Bra (CN) 33 Hf80
24010 Bracca (BG) 22 Ke74
28802 Bracchio (VB) 10 Ic73
00062 Bracciano (RM) 61 Nb96
84082 Bracigliano (SA) 77 Pe104
37013 Braga (VR) 23 Le75
32012 Bragarezza (BL) 15 Nb70
33078 Braida Bottari (PN) 16 Nf73
98065 Braidi (ME) 94 Pf120
39030 Bráies = Prags (BZ) 5 Na 68
Braies di dentro = Innerprags (BZ) 5 Na 68
27050 Brallo di Pregola (PV) 35 Kb80
14100 Bramairate (AT) 33 Ia79
Brancaccio (PA) 91 Oc120
89036 Brancaleone (RC) 95 Ra121
89036 Brancaleone Marina (RC) 95 Ra121
89036 Brancaleone Superiore (RC) 95 Ra121
37060 Brancon (VR) 37 Ma78
25030 Brandico (BS) 22 La76
10032 Brandizzo (TO) 19 Hf77
24010 Branzi (BG) 12 Ke72
39051 Branzoll = Bronzolo (BZ) 14 Mb70
25040 Braone (BS) 12 Lc73
89862 Brattiro (VV) 88 Qf117
24020 Bratto (BG) 12 La73
33010 Braulins (UD) 16 Oa71
29010 Bravi (PC) 36 Ke80
33030 Brazzacco (UD) 16 Oa72
34071 Brazzano (GO) 17 Oc73
21020 Brébbia (VA) 20 Id74
66010 Brecciarola (CH) 59 Pa95
46010 Breda Cisoni (MN) 37 Ld78
31030 Breda di Piave (TV) 25 Nb74
25028 Breda Libera (BS) 22 La76
46027 Brede (MN) 37 Lf78
85046 Brefaro (PZ) 83 Qe109
21020 Bregano (VA) 20 Ie74
36042 Breganze (VI) 24 Md74
22070 Bregnano (CO) 21 Ka74
38081 Breguzzo (TN) 13 Le72
13020 Bréia (VC) 20 Ib74
24041 Brembate (BG) 21 Kd75
24030 Brembate di Sopra (BG) 21 Kd74
24012 Brembilla (BG) 21 Kd74
26822 Brembio (LO) 21 Kd77
27020 Breme (PV) 34 Id78
36040 Brendola (VI) 24 Mc76
22040 Brenna (CO) 21 Kb74
53018 Brenna (SI) 50 Mb89
39041 Brenner = Brennero (BZ) 4 Mc 67
39041 Brennero = Brenner (BZ) 4 Mc 67
21051 Brenno Useria (VA) 10 If73
25043 Breno (BS) 12 Lb73
29011 Breno (PC) 35 Kc78
21030 Brenta (VA) 10 Ie73
35020 Brenta dell'Abba (PD) 25 Na77
35030 Brentelle di Sotto (PD) 24 Me76
37020 Brentino Belluno (VR) 23 Lf75
38060 Brentonico (TN) 13 Lf74
37010 Brenzone (VR) 23 Le74
37022 Breonio (VR) 23 Lf75
42041 Brescello (RE) 37 Ld79
25100* Brescia (BS) 22 Lb75
35040 Bresega (PD) 24 Md77
38020 Bresimo (TN) 13 Lf70
33030 Bressa (UD) 16 Oa72
27042 Bressana-Bottarone (PV) 35 Ka78
39042 Bressanone = Brixen (BZ) 4 Md 68
36050 Bressanvido (VI) 24 Md75
20091 Bresso (MI) 21 Kb75
11021 Breuil-Cervinia (AO) 9 Hd 73
38021 Brez (TN) 13 Ma70
81046 Brezza (CE) 70 Pa102
21010 Brezzo di Bedero (VA) 10 Ie73
12080 Briaglia (CN) 41 Hf82
25084 Briano (BS) 23 Ld74
89817 Briatico (VV) 86 Ra116
32036 Bribano (BL) 15 Na72
14020 Bricco (AT) 33 Ia78
10060 Bricherasio (TO) 32 Hb80
Brie = Breien (BZ) 4 Mc 70
22010 Brienno (CO) 11 Ka73
85050 Brienza (PZ) 78 Qd106
18025 Briga Alta (IM) 41 He84
98126 Briga Marina (ME) 94 Qc120
28010 Briga Novarese (NO)
15050 Brignano-Frascata (AL) 3
24053 Brignano Gera d'Adda (BG) 2
72100 Brindisi (BR) 8
85010 Brindisi Montagna (PZ) 79
21030 Brinzio (VA)
28072 Briona (NO)
25060 Brione (BS)
38083 Brione (TN)
20040 Briosco (MB)
31040 Brische (TV)
48013 Brisighella (RA) 4
21030 Brissago Valtravaglia (VA)
11020 Brissogne (AO)
65010 Brittoli (PE)
89866 Brivadi (VV) 88
23883 Brivio (LC)
39042 Brixen = Bressanone (BZ) 4
16041 Brizzolara (GE) 4
03030 Broccostella (FR)
36070 Brogliano (VI)
89822 Brognaturo (VV) 89
37032 Brognoligo (VR) 2
52043 Brollio (AR)
98061 Brolo (ME) 93
28891 Brolo (VB)
16026 Bromia (GE)
12030 Brondello (CN)
62022 Brondoleto (MC)
27043 Broni (PV)
95034 Bronte (CT) 93
39051 Bronzolo = Branzoll (BZ) 1
12020 Brossasco (CN)
10080 Brosso (TO)
28833 Brovello (VB)
28833 Brovello-Carpugnino (VB)
10020 Brozolo (TO)
Brozzi (FI)
25060 Brozzo (BS)
Bruca (TP) 9
96011 Brucoli (SR) 99
06089 Brufa (PG)
15050 Bruggi (AL)
20047 Brugherio (MB)
35020 Brugine (PD)
19020 Brugnato (SP)
33070 Brugnera (PN)
33070 Brugnera (PN)
42046 Brugneto (RE)
60019 Brugnetto (AN)
26036 Brugnolo (CR)
Brugnone (TP) 9
29022 Brugnoni (PC)
10090 Bruino (TO)
24037 Brumano (BG)
22034 Brunate (CO)
39031 Bruneck = Brunico (BZ)
08020 Brunella (NU) 10
21020 Brunello (VA)
39031 Brunico = Bruneck (BZ)
14046 Bruno (AT)
24018 Bruntino (BG)
32010 Brusadaz (BL)
38043 Brusago (TN)
24060 Brusaporto (BG)
15020 Brusaschetto (AL)
10020 Brusasco (TO)
46029 Brusatasso (MN)
87011 Bruscata (CS) 8
50057 Brusciana (FI)
80031 Brusciano (NA) 7
50030 Bruscoli (FI)
21050 Brusimpiano (VA)
13862 Brusnengo (BI)
30020 Brussa (VE)
11022 Brusson (AO)
10050 Bruzolo (TO)
89030 Bruzzano Vecchio (RC)
89030 Bruzzano Zeffirio (RC) 9
26842 Bruzzelle (LO)
20080 Bubbiano (MI)
14051 Bubbio (AT)
96010 Buccheri (SR) 10
88816 Bucchi (KR) 8
66011 Bucchiánico (CH)
82010 Bucciano (BN) 7
20090 Buccinasco (MI)
84021 Buccino (SA) 7
52021 Bucine (AR)
87037 Bucita (CS) 8
07020 Budduso (OT) 10
33070 Budoia (PN)
08020 Budoni (OT) 10
42015 Budrio (RE)
40054 Budrio (BO)
Bufalaro (SR) 9

Buggerru (CI) 111 Ic112
Buggiano (PT) 45 Le85
Buglio in Monte (SO) 12 Ke71
Bugnara (AQ) 63 Of96
Buguggiate (VA) 20 Ie74
Buia (UD) 16 Oa71
Bulciago (LC) 21 Kb74
Bulgarograsso (CO) 21 Ka74
Bulla = Pufels (BZ) .....4 Md 69
Bulliana (BI) 19 Ia75
Bultei (SS) 106 Ka106
Bulzi (SS) 106 If103
Buonabitacolo (SA) 78 Qd107
Buonalbergo (BN) 71 Pf101
Buonconvento (SI) 50 Mc90
Buonfornello (PA) 92 Oe121
Buon Signore (ME) 88 Qc119
Buonviaggio (SP) 44 Kf84
Buonvicino (CS) 83 Qf110
Burago di Molgora (MB) ..21 Kc75
Burano (VE) 25 Nc76
Burcei (CA) 112 Kc112
Bure (VR) 23 Lf75
Burgio (AG) 96 Ob123
Búrgio (SR) 100 Pf128
Burgos (SS) 106 If106
Burgstall = Postal (BZ) .3 Mb 69
Burgusio = Burgeis (BZ) .2 Ld 68
Buriano (GR) 55 Lf91
Buriasco (TO) 32 Hc79
Burligo (BG) 21 Kd74
Burolo (TO) 19 Hf76
Buronzo (VC) 20 Ib76
Busacca (RG) 98 Pc127
Busachi (OR) 109 If108
Busalla (GE) 35 If81
Busana (RE) 44 Lb82
Busano (TO) 19 Hd76
Busca (CN) 33 Hc81
Buscate (MI) 20 Ie75
Buscemi (SR) 100 Pf126
Busche (BL) 15 Mf72
Buseto Palizzolo (TP) ...91 Ne120
Buseto Superiore (TP) ...91 Ne120
Busiago (PD) 24 Me75
Busnago (MB) 21 Kc75
Busonengo (VC) 20 Ib76
Bussana (IM) 41 Hf86
Bussero (MI) 21 Kc75
Busseto (PR) 36 La79
Bussi sul Tirino (PE) ...63 Oe95
Busso (CB) 71 Pd99
Bussolengo (VR) 23 Lf76
Bussoleno (TO) 32 Ha78
Bussolino Gassinese (TO) 33 Hf78
Bustighera (MI) 21 Kc76
Busto Arsízio (VA) 20 If75
Busto Garolfo (MI) 20 If75
Butera (CL) 98 Pa125
Buti (PI) 49 Ld86
Buttapietra (VR) 23 Lf76
Buttigliera Alta (TO) ..32 Hc78
Buttigliera d'Asti (AT) 33 Hf78
Buttogno (VB) 10 Ic72
Buttrio (UD) 16 Ob72

C

Cabanne (GE) 35 Kc82
Cabella Ligure (AL) 35 Ka80
Ca' Bertacchi (RE) 37 Ld81
Cabiate (CO) 21 Kb74
Cabras (OR) 108 Id109
Caccamo (PA) 92 Od121
Cacchiamo (EN) 93 Pb122
Cacciana (NO) 20 Ic75
Cacciano (AN) 52 Nf89
Caccuri (KR) 87 Re113
Ca' Corniani (VE) 26 Nf75
Ca' d'Andrea (CR) 36 Lb78
Cade (MN) 37 Lf78
Cade (PV) 35 Ka79
Ca' de Fine (AL) 34 Ib78
Cadegliano Viconago (VA) .10 If73
Ca' degli Oppi (VR) 24 Ma77
Ca' dei Gatti (PC) 36 La78
Cadelbosco di Sopra (RE) 37 Ld80
Cadelbosco di Sotto (RE) 37 Ld80
Ca del Costa (BO) 46 Mb83
Cadenábbia (CO) 11 Kb79
Cadeo (PC) 36 Ke79
Caderzone (TN) 13 Le72
Ca' de'Soresini (CR) ...36 Lb78
Ca' di David (VR) 23 Lf76
Cadignano (BS) 22 La76

26834 Cadilana (LO) 21 Kd77
25020 Cadimarco (BS) 22 Lc77
38070 Cadine (TN) 13 Ma72
39030 Cadipietra = Steinhaus (BZ)
.................4 Mf 67
36027 Ca Dolze (VI) 24 Na74
35010 Cadoneghe (PD) 25 Mf76
22071 Cadorago (CO) 21 Ka74
21020 Cadrezzate (VA) 20 Id74
25080 Cadria (BS) 23 Ld74
31031 Caerano di San Marco (TV)
.................25 Na74
57021 Cafaggio (LI) 54 Ld90
50031 Cafaggiolo (FI) 46 Mb85
10070 Cafasse (TN) 19 Hd77
84030 Caggiano (SA) 78 Qc105
61043 Cagli (PU) 52 Nd87
09100* Cágliari (CA) 112 Ka113
22030 Caglio (CO) 11 Kb73
36026 Cagnano (VI) 24 Mc77
67012 Cagnano Amiterno (AQ) .58 Ob94
71010 Cagnano Varano (FG) .66 Qe98
22070 Cagno (CO) 21 If74
38028 Cagno (TN) 13 Ma70
23020 Cagnoletti (SO) 12 Kf71
81059 Caianello (CE) 70 Pa101
84084 Caiano (SA) 77 Pe104
81013 Caiazzo (CE) 70 Pc101
21040 Caidate (VA) 20 Ie74
25069 Cailina (BS) 22 Lb75
39010 Caines = Kuens (BZ) .3 Ma 68
25070 Caino (BS) 22 Lb75
23010 Caiolo (SO) 12 Ke72
25135 Caionvico (BS) 22 Lb75
03040 Cáira (FR) 69 Oe99
83040 Cairano (AV) 72 Qc103
21050 Cairate (VA) 20 If74
17014 Cairo Montenotte (SV) .42 Ib82
80023 Caivano (NA) 70 Pb103
Calabernardo (SR) 99 Qa127
30014 Ca' Labia (VE) 39 Na78
Calabretto (RC) 88 Qf119
88050 Calabricata (CZ) 87 Re115
83040 Calabritto (AV) 77 Qd104
08022 Cala Gonone (NU) ...110 Kd107
08028 Cala Liberotto (NU) .107 Ke106
32042 Calalzo di Cadore (BL) .5 Nc 70
14042 Calamandrana (AT) ...34 Ib80
56018 Calambrone (PI) 49 Ld87
Calamita Vecchia (TP) .90 Nd122
92010 Calamonaci (AG) 96 Ob123
07023 Calangianus (OT) ...106 Kb103
89050 Calanna (RC) 88 Qe119
28873 Calasca-Castiglione (VB) .10 Ib72
94010 Calascibetta (EN) ...98 Pb123
67020 Caláscio (AQ) 58 Oe95
09011 Calasetta (CI) 111 Ic114
95011 Calatabiano (CT) 94 Qb121
91013 Calatafimi-Segesta (TP) .91 Nf121
09010 Calaverde (CA) 112 If115
38072 Calavino (TN) 13 Lf72
40056 Calcara (BO) 38 Ma81
90020 Calcarelli (PA) 92 Pa122
01030 Calcata (VT) 61 Nc95
38050 Calceranica al Lago (TN) 14 Mb73
56011 Calci (PI) 49 Ld86
75010 Calciano (MT) 79 Rb105
56012 Calcinaia (PI) 49 Ld86
Calcinaro (VR) 23 Ma77
24050 Calcinate (BG) 22 Ke75
21100 Calcinate del Pesce (VA) .20 Ie74
25010 Calcinatello (BS) ...23 Lc76
25011 Calcinato (BS) 23 Lc76
61030 Calcinelli (PU) 48 Nf86
12034 Calcinere (CN) 32 Hb80
24054 Calcio (BG) 22 Kf75
23885 Calco (LC) 21 Kc74
58020 Caldana (GR) 55 Lf91
Caldana (LI) 54 Ld90
21034 Caldana (VA) 10 Ie73
62020 Caldarola (MC) 53 Ob90
39052 Caldaro sulla Strada del Vino = Kaltern (BZ) .14 Mb70
21010 Caldè (VA) 10 Id73
98050 Caldera (ME) 94 Qb119
40012 Calderara di Reno (BO) .38 Mb81
94100 Calderari (EN) 98 Pd123
95040 Calderaro (CT) 98 Pd123
38022 Caldes (TN) 13 Lf70
Caldierino (VR) 24 Ma76
37042 Caldiero (VR) 24 Mb76
15050 Caldirola (AL) 35 Ka80
36030 Caldogno (VI) 24 Mc75
38052 Caldonazzo (TN) 14 Mb73
32024 Caleipo (BL) 15 Nb72
29010 Calendasco (PC) 35 Kd78
50041 Calenzano (FI) 46 Ma85

20090 Caleppio (MI) 21 Kc76
42040 Calerno (RE) 37 Lc80
43030 Calestano (PR) 36 La81
33023 Calgaretto (UD) .....6 Nf 69
19020 Calice al Cornoviglio (SP) .44 Kf83
17020 Calice Ligure (SV) ..42 Ib83
73021 Calimera (LE) 82 Tb107
89842 Calimera (VV) 89 Qf117
25046 Calino (BS) 22 La75
47020 Calisese (FC) 47 Nb84
83045 Calitri (AV) 72 Qd103
17057 Calizzano (SV) 41 Ia83
13821 Callabiana (BI) 19 Ia75
75019 Calle (MT) 79 Ra104
14031 Calliano (AT) 34 Ib78
38060 Calliano (TN) 13 Ma73
37011 Calmasino (VR) 23 Le75
61034 Calmazzo (PU) 52 Ne86
23801 Calolziocorte (LC) ..21 Kc74
87060 Calopezzati (CS) 85 Re111
14052 Calosso (AT) 34 Ib80
87060 Caloveto (CS) 85 Re112
22010 Calozzo Miánico (CO) .11 Kb72
92010 Caltabellotta (AG) ..96 Ob123
Caltafalsa (PA) 91 Nf121
95041 Caltagirone (CT) 98 Pc125
30030 Caltana (VE) 25 Na76
93100 Caltanissetta (CL) ..97 Pa123
90022 Caltavuturo (PA) 92 Of121
28010 Caltignaga (NO) 20 Id75
45030 Calto (RO) 38 Mc79
36030 Caltrano (VI) 24 Mc74
24033 Calusco d'Adda (BG) .21 Kc74
10014 Caluso (TO) 19 Hf77
25080 Calvagese della Riviera (BS)
.................23 Lc75
84080 Calvanico (SA) 77 Pe104
26030 Calvatone (CR) 37 Lc78
30027 Calvecchia (VE) 26 Nd75
85010 Calvello (PZ) 78 Qf106
36030 Calvene (VI) 24 Md74
24040 Calvenzano (BG) 21 Kd75
85030 Calvera (PZ) 79 Ra108
82018 Calvi (BN) 71 Pf102
05032 Calvi dell'Umbria (TR) .57 Nd94
27040 Calvignano (PV) 35 Kb79
20080 Calvignasco (MI) 21 Ka77
81042 Calvi Risorta (CE) ..70 Pa101
25012 Calvisano (BS) 22 Lc76
81010 Calvisi (CE) 70 Pc101
81056 Calvi Vecchia (CE) ..70 Pa101
80012 Calvizzano (NA) 70 Pb103
15030 Camagna Monferrato (AL) .34 Ic78
55041 Camaiore (LU) 44 Lb85
26823 Camairago (LO) 22 Ke77
52014 Camaldoli (AR) 47 Me86
84022 Camaldoli (SA) 77 Qb105
31050 Camalo (TV) 25 Nb74
13821 Camandona (BI) 19 Ia75
67010 Camarda (AQ) 58 Oc94
97016 Camardemi (RG) 100 Pe128
97010 Camarina (RG) 100 Pc127
98151 Camaro (ME) 88 Qc119
92020 Camastra (AG) 97 Oe125
46027 Camatta (MN) 37 Lf78
23010 Cambiago (MI) 21 Kc75
50051 Cambiano (FI) 49 Lf87
10020 Cambiano (TO) 33 He79
28814 Cambiasca (VB) 10 Id73
27030 Cambio (PV) 34 Ie78
35020 Cambroso (PD) 25 Na77
13891 Camburzano (BI) 19 Ia75
88837 Camedda (KR) 87 Re114
45018 Ca' Mello (RO) 39 Nc79
12072 Camerana (CN) 41 Ia82
60021 Camerano (AN) 53 Od87
14020 Camerano (AT) 33 Ia78
14020 Camerano Casasco (AT) .33 Ia79
24010 Camerata (BG) 12 Kd73
24010 Camerata Cornello (BG) .12 Kd73
00020 Camerata Nuova (RM) .62 Oa96
60020 Camerata Picena (AN) .53 Oc87
28062 Cameri (NO) 20 Id75
28063 Cameriano (NO) 20 Id76
62032 Camerino (MC) 52 Oa90
22100 Camerlata (CO) 21 Ka75
84040 Camerota (SA) 83 Qc108
81050 Camigliano (CE) 70 Pb101
87058 Camigliatello Silano (CS)
.................86 Rc112
25050 Camignone (BS) 22 La75
29010 Caminata (PC) 35 Kb79
39049 Caminata = Kematen (BZ)
.................4 Md 67
Caminata di Tures = Kematen (BZ)
.................4 Mf 67

89040 Camini (RC) 89 Rc118
15020 Camino (AL) 34 Ib78
Camino (UD) 16 Oc72
33030 Camino al Tagliamento (UD)
.................16 Nf73
09040 Camisa (CA) 113 Kd113
26010 Camisano (CR) 22 Ke76
36043 Camisano Vicentino (VI) .24 Me75
92022 Cammarata (AG) 97 Od122
26041 Camminata (CR) 37 Lc78
29028 Camminata (PC) 36 Ke79
12050 Camo (CN) 33 Ib80
16032 Camogli (GE) 43 Ka82
24012 Camorone (BG) 21 Kd74
Campaglia Marittima (LI) .54 Ld90
33085 Campagna (PN) 16 Ne72
84022 Campagna (SA) 77 Qa105
13044 Campagna (VC) 19 Ia77
30010 Campagna Lupia (VE) .25 Na76
00063 Campagnano di Roma (RM)
.................61 Nc96
58042 Campagnatico (GR) ...55 Mb91
35020 Campagnola (PD) 25 Mf77
26010 Campagnola Cremasca (CR)
.................22 Ke76
42012 Campagnola Emilia (RE) .37 Le79
46040 Campagnolo (MN) 23 Ld76
37054 Campalano (VR) 23 Ma77
30030 Campalto (VE) 25 Nb76
67020 Campana (AQ) 63 Od95
87061 Campana (CS) 85 Re112
50022 Campana (FI) 50 Mb87
36070 Campanella (VI) 24 Mb75
20050 Camparada (MB) 21 Kb75
25026 Campazzo (BS) 22 La77
31050 Campea (TV) 15 Na73
43010 Campedello (PR) 36 Lb79
42040 Campégine (RE) 37 Ld80
33040 Campeglio (UD) 17 Oc72
06042 Campello sul Clitunno (PG)
.................57 Ne92
13023 Campertogno (VC) 19 Ia74
38030 Campestrin (TN) .....4 Me 70
06046 Campi (PG) 57 Oa91
48010 Campiano (RA) 47 Nb83
50013 Campi Bisenzio (FI) .46 Ma86
13812 Campiglia Cervo (BI) .19 Hf74
36020 Campiglia dei Berici (VI) .24 Md76
53023 Campiglia d'Orcia (SI) .55 Me91
57021 Campíglia Maríttima (LI) .54 Ld90
10060 Campiglione-Fenile (TO) .32 Hb80
31033 Campigo (TV) 25 Mf75
46031 Campione (MN) 37 Le78
25010 Campione del Garda (BS) 23 Le74
22060 Campione d'Italia (CO) .11 If73
73012 Campi Salentina (LE) .82 Ta106
46010 Campitello (MN) 37 Ld78
06027 Campitello (PG) 52 Ne88
38031 Campitello di Fassa (TN) .4 Me 70
86027 Campitello Matese (CB) .70 Pc100
64012 Campli (TE) 58 Oe92
32043 Campo (BL) ....5 Na 69
32035 Campo (BL) 15 Na72
56010 Campo (PI) 49 Lc86
23025 Campo (SO) 11 Kc71
23010 Campo (SO) 12 Kd72
86100 Campobasso (CB) 71 Pd99
92023 Campobello di Licata (AG)
.................97 Of125
91021 Campobello di Mazara (TP)
.................96 Nb123
89052 Campo Calabro (RC) .88 Qd119
38086 Campo Carlo Magno (TN) 13 Le71
60027 Campocavallo (AN) ...53 Oc88
31013 Campo Cervaro (TV) .15 Nc73
86020 Campochiaro (CB) 71 Pd100
35011 Campodarsego (PD) ...25 Mf75
Campodazzo = Atzwang (BZ)
.................4 Mc 69
74024 Campo dei Messapi (TA) 81 Sd107
38010 Campodenno (TN) 13 Ma71
60044 Campodiegoli (AN) ...52 Ne89
67030 Campo di Giove (AQ) .63 Pa96
04020 Campodimele (LT) 69 Od100
86010 Campodipietra (CB) ..71 Pe99
31040 Campo di Pietra (TV) .25 Nd74
39040 Campo di Trens = Freienfeld (BZ)
.................4 Mc 67
23021 Campodolcino (SO) ...11 Kc70
60044 Campodonico (AN) 52 Nf89
35010 Campodoro (PD) 24 Me75
90030 Campofelice di Fitalia (PA)
.................91 Oc121
90010 Campofelice di Roccella (PA)
.................92 Of120
27058 Campoferro (PV) 35 Ka78
63016 Campofilone (FM) 53 Oe90

90030 Campofiorito (PA) ...91 Ob122
33030 Campoformido (UD) ...16 Oa72
02100 Campoforogna (RI) ...57 Nf94
93010 Campofranco (CL) 97 Oe123
41011 Campogalliano (MO) ..37 Lf80
52028 Campogialli (AR) 50 Me87
25040 Campolaro (BS) 12 Lc73
Campolasta = Astfeld (BZ)
.................4 Mc 69
82020 Campolattaro (BN) ...71 Pe101
55020 Campolemisi (LU) 45 Lc84
89010 Campoli (RC) 95 Qd120
89040 Campoli (RC) 89 Rc118
03030 Cámpoli Appennino (FR) .63 Oe98
82030 Campoli del Monte Taburno (BN)
.................71 Pd102
86040 Campolieto (CB) 64 Pe99
16013 Campo Ligure (GE) ..34 Ie81
33050 Campolonghetto (UD) .16 Ob73
32045 Campolongo (BL) .....5 Nd 69
88841 Campolongo (KR) 87 Rf115
33040 Campolongo al Torre (UD)
.................17 Oc73
30010 Campolongo Maggiore (VE)
.................25 Na77
36020 Campolongo sul Brenta (VI)
.................14 Me73
85010 Campomaggiore (PZ) .79 Ra105
84083 Campomanfoli (SA) ...77 Pe104
86042 Campomarino (CB) 65 Qa97
74020 Campomarino (TA) 81 Sd107
31018 Campomolino (TV) 15 Nd73
33050 Campomolle (UD) 16 Oa73
16014 Campomorone (GE) 34 If81
32016 Campon (BL) 15 Nc72
33090 Campone (PN) 16 Nf71
Campo nell' Elba 54 La92
30010 Camponogara (VE) 25 Na76
80051 Campora (NA) 76 Pd105
84040 Campora (SA) 78 Qb107
54015 Camporaghena (MS) ...44 Lb83
87032 Campora San Giovanni (CS)
.................86 Ra114
90043 Camporeale (PA) 91 Oa121
06024 Camporeggiano (PG) .51 Nc88
55031 Camporgiano (LU) 44 Lc84
27010 Camporinaldo (PV) ...35 Kc78
18033 Camporosso (IM) 41 Hd86
33010 Camporosso in Valcanale (UD)
.................7 Od 69
62020 Camporotondo di Fiastrone (MC)
.................53 Ob90
95040 Camporotondo Etneo (CT)
.................99 Pf123
36010 Camporovere (VI) 14 Mc73
35012 Camposampiero (PD) .25 Mf75
35010 Campo San Martino (PD) 24 Me75
80030 Camposano (NA) 71 Pd103
32026 Campo San Pietro (BL) .15 Na72
41031 Camposanto (MO) 38 Ma80
27040 Campospinoso (PV) ...35 Kb78
Campo Staffi (FR) 62 Ob97
67013 Campotosto (AQ) 58 Oc93
44010 Campotto (FE) 38 Me81
39032 Campo Túres = Sand in Taufers (BZ) .4 Mf 67
07020 Campovaglio (OT) ...104 Kb102
64012 Campovalano (TE) 58 Od92
30010 Campoverardo (VE) ...25 Na76
23017 Campovico (SO) 11 Kd72
29010 Campremoldo Sopra (PC) 35 Kd78
29010 Campremoldo Sotto (PC) 35 Kd78
07034 Campudulimu (SS) ...106 If104
40032 Camugnano (BO) 46 Ma84
41036 Camurana (MO) 37 Ma79
32030 Can (BL) 15 Mf72
58053 Cana (GR) 55 Mc92
07040 Canaglia (SS) 105 Ib104
83028 Canale (AV) 77 Pf103
12043 Canale (CN) 41 Hd82
12043 Canale (CN) 33 Hf80
16023 Canale (GE) 35 Kb81
32020 Canale d'Agordo (BL) .15 Na72
00060 Canale Monterano (RM) .60 Na96
09070 Canales (OR) 109 If108
23036 Canali (SO) 12 Lb71
45030 Canalnuovo (RO) 39 Mf79
38050 Canal San Bovo (TN) .14 Me72
45034 Canaro (RO) 38 Me79
38032 Canazei (TN) ....4 Me 70
85010 Cancellara (PZ) 78 Qf104
50066 Cancelli (FI) 50 Md86
70020 Cancello (CE) 70 Pc103
81030 Cancello-Arnone (CE) .70 Pa102
32040 Cancia (BL) 15 Nb70
45020 Canda (RO) 38 Md78
51100 Candeglia (PT) 45 Lf85

71024 Candela (FG) 72 Qd102
61100 Candelara (PU) 48 Nf85
13878 Candelo (BI) 19 Ia75
31030 Candelu (TV) 25 Nc74
Candia (AN) 53 Oc87
10010 Candia Canavese (TO) 19 Hf77
27031 Candia Lomellina (PV) 34 Id77
35020 Candiana (PD) 25 Mf77
09010 Candiazzus (CI) 111 Ic112
83040 Candida (AV) 71 Pf103
32040 Candide Casamazzagno (BL) 5 Nd 69
89020 Candidoni (RC) 89 Ra117
10060 Candiolo (TO) 33 Hd79
46048 Canedole (MN) 23 Le77
20010 Canegrate (MI) 21 If75
14053 Canelli (AT) 34 Ib80
01030 Canepina (VT) 56 Nb94
33070 Caneva (PN) 15 Nc73
45010 Canevara (MS) 44 Lb84
27040 Canevino (PV) 35 Kb79
92024 Canicatti (AG) 97 Oe124
96010 Canicattini Bagni (SR) 99 Qa126
46010 Canicossa (MN) 37 Ld78
31034 Caniezza (TV) 15 Mf73
07100 Caniga (SS) 105 Id104
89016 Canino (RC) 89 Qf118
01011 Canino (VT) 55 Me94
54035 Caniparola (MS) 44 La84
10080 Canischio (TO) 19 Hd76
67050 Canistro (AQ) 62 Oc97
67050 Canistro Inferiore (AQ) 62 Oc97
67050 Canistro Superiore (AQ) 62 Oc97
87070 Canna (CS) 79 Rd108
71044 Cannafesca (BT) 73 Rb100
09017 Cannai (CI) 111 Ic114
06039 Cannaiola (PG) 57 Ne91
84040 Cannalonga (SA) 78 Qb107
06033 Cannara (PG) 57 Nd91
92100 Cannatello (AG) 97 Od125
Cannava (RC) 88 Qf118
Cannavo (RC) 95 Qe120
28821 Cánnero Riviera (VB) 10 Ie72
Canneto (ME) 93 Pc120
98072 Canneto (ME) 93 Pc120
98055 Canneto (ME) 88 Pf117
27044 Canneto Pavese (PV) 35 Kb78
46013 Canneto sull'Oglio (MN) 37 Lc78
07020 Cannigione (OT) 104 Kc102
Cannistra (ME) 94 Qb120
89018 Cannitello (RC) 88 Qd119
95021 Cannizzaro (CT) 99 Qa123
Cannizzo (PA) 91 Oa120
28822 Cannóbio (VB) 10 Ie72
73020 Cannole (LE) 82 Tc108
42015 Canolo (RE) 37 Le80
89040 Canolo (RC) 89 Rb119
89022 Canolo Nuovo (RC) 89 Ra118
20050 Canonica (MI) 21 Kb75
05018 Canonica (TR) 56 Na92
24040 Canonica d'Adda (BG) 21 Kd75
70053 Canosa di Puglia (BT) 73 Ra101
66010 Canosa Sannita (CH) 59 Pb95
12020 Canosio (CN) 40 Ha82
54026 Canossa (MS) 44 Kf83
42026 Canossa (RE) 37 Lc81
27040 Canova (PV) 35 Ka78
Canova = Neuhaus (BZ) 5 Na 66
12040 Canove (CN) 33 Ia80
37045 Canove (VR) 24 Mc77
36010 Canove di Roana (VI) 14 Mc73
67030 Cansano (AQ) 63 Pa96
Cant. (CT) 99 Pe124
Cant. (CT) 100 Pe125
Cant. (CT) 94 Pf123
Cant. (PA) 91 Nf121
Cant. (PA) 91 Oa120
Cant. (RC) 88 Qf118
Cant. (RC) 88 Qf119
Cant. (RC) 89 Ra118
Cant. (RC) 89 Ra118
89049 Cant. (RC) 89 Rc118
Cant. (SR) 99 Qa126
Cant. (TP) 90 Nd121
Cant. (TP) 90 Nd121
Cant. (TP) 91 Ne122
Cant. (TP) 91 Ne121
Cant. (TP) 91 Ne122
Cant. (TP) 91 Ne122
Cant. (TP) 91 Ne122
Cant. (TP) 91 Nf121
Cant. (TP) 91 Nf122
Cant. (TP) 91 Nf121
Cant. (TP) 91 Nf121
89823 Cant. (VV) 89 Rb118
Cant. 88 Pf118
Cant. Xiggiari (TP) 90 Nd121

59025 Cantagallo (PO) 46 Ma84
51030 Cantagrillo (PT) 45 Lf85
02014 Cantalice (RI) 57 Nf94
10060 Cantalupa (TO) 32 Hc79
15014 Cantalupo (AL) 34 Id79
16155 Cantalupo (GE) 42 Ie82
20023 Cantalupo (MI) 21 If75
06031 Cantalupo (PG) 57 Nd91
02040 Cantalupo in Sabina (RI) 61 Nd95
15060 Cantalupo Ligure (AL) 35 Ka80
86092 Cantalupo nel Sánnio (IS) 70 Pc99
14010 Cantarana (AT) 33 Ia79
30010 Cantarana (VE) 25 Na77
15020 Cantavenna (AL) 34 Ib78
21050 Cantello (VA) 21 Ie74
00020 Canterano (RM) 62 Oa97
61044 Cantiano (PU) 52 Nd88
87064 Cantinella (CS) 84 Rc111
10070 Cantoira (TO) 18 Hc76
29010 Cantone (PC) 35 Kc79
05010 Cantone (TR) 56 Na91
25081 Cantrina (BS) 23 Lc75
22063 Cantu (CO) 21 Ka74
33030 Canussio (UD) 16 Nf73
64020 Canzano (TE) 58 Oe93
22035 Canzo (CO) 11 Kb73
38050 Caoria di dentro (TN) 14 Me71
30021 Caorle (VE) 26 Nf75
29012 Caorso (PC) 36 Kf78
84047 Capáccio (SA) 77 Qa106
90040 Capaci (PA) 91 Ob119
58011 Capalbio (GR) 55 Mc94
58031 Capannelle (GR) 22 Ke75
52021 Capannole (AR) 50 Md88
56033 Capannoli (PI) 49 Le87
55012 Capannori (LU) 45 Ld85
26041 Capella (CR) 37 Lc78
82026 Capelletti (BN) 71 Pd100
00060 Capena (RM) 61 Nd96
26010 Capergnanica (CR) 22 Kd76
67022 Capestrano (AQ) 63 Oe95
84080 Capezzano (SA) 77 Pe104
22100 Capiago (CO) 21 Ka74
22070 Capiago Intimiano (CO) 21 Ka74
Capilungo (LE) 83 Ta109
89818 Capistrano (VV) 86 Rb116
67053 Capistrello (AQ) 62 Oc97
35020 Capitello (PD) 25 Mf77
84050 Capitello (SA) 83 Qd108
Capitello (VR) 24 Ma77
67015 Capitignano (AQ) 58 Ob93
84090 Capitignano (SA) 77 Pf104
98031 Capizzi (ME) 93 Pc121
84050 Capizzo (SA) 78 Qb106
24030 Capizzone (BG) 21 Kd74
84080 Capo Calvanico (SA) 77 Pf104
63040 Capodacqua (AP) 58 Ob92
06034 Capodacqua (PG) 57 Ne90
63023 Capodarco (FM) 53 Oe89
40057 Capo d'Argine (BO) 38 Mc81
30020 Capo d'Argine (VE) 25 Nc75
25014 Capodimonte (BS) 22 Lb76
80145 Capodimonte (NA) 76 Pb103
01010 Capodimonte (VT) 56 Mf93
25044 Capo di Ponte (BS) 12 Lb72
98071 Capo d'Orlando (ME) 93 Pe119
81020 Capodrise (CE) 70 Pb102
21100 Capolago (VA) 20 Ie74
Capolapiaggia (MC) 52 Oa90
57031 Capoliveri (LI) 54 Lc92
52010 Capolona (AR) 51 Mf87
Capo Mulini (CT) 94 Qa123
20040 Caponago (MI) 21 Kc75
67020 Caporciano (AQ) 63 Oe95
33010 Caporiacco (UD) 16 Oa72
88841 Capo Rizzuto (KR) 87 Sa115
Caporosa (CS) 86 Rd113
83040 Caposele (AV) 77 Qb104
30024 Caposile (VE) 25 Nd75
09012 Capoterra (CA) 112 If113
25070 Capovalle (BS) 23 Ld74
36030 Capovilla (VI) 24 Mc75
67060 Cappadocia (AQ) 62 Ob97
88813 Cappella (KR) 85 Sa112
74015 Cappella (TA) 80 Sb104
38046 Cappella (TN) 14 Mb73
30037 Cappella (VE) 25 Na75
26020 Cappella Cantone (CR) 22 Ke77
26030 Cappella de'Picenardi (CR) 36 Lb78
31012 Cappella Maggiore (TV) 15 Nc73
96010 Cappellano (SR) 99 Pf126
67068 Cappelle (AQ) 62 Oc96
81037 Cappelle (CE) 70 Of101
65010 Cappelle sul Tavo (PE) 59 Pa94
46030 Cappelletta (MN) 37 Le78
12075 Cappello (CN) 41 Hf83

06059 Cappuccini (PG) 56 Nc92
13100 Cappuccini (VC) 20 Ic77
86082 Capracotta (IS) 64 Pb98
02025 Capradosso (RI) 62 Oa95
15050 Capraglia (AL) 34 Ie78
50056 Capraia (FI) 49 Ma86
50050 Capráia e Limite (FI) 49 Ma86
57032 Capràia (LI) 54 Il
26010 Capralba (CR) 22 Kd76
01012 Capranica (VT) 61 Nb95
00030 Capranica Prenestina (RM) 62 Nf97
42040 Caprara (RE) 37 Lc80
65010 Caprara d'Abruzzo (PE) 59 Pa94
73039 Caprarica (LE) 82 Tc109
73010 Caprarica di Lecce (LE) 82 Tb107
75028 Caprarico (MT) 79 Rc107
01032 Caprarola (VT) 61 Nb95
12070 Capraúna (CN) 41 Hf84
61026 Caprazzino Strada (PU) 47 Nc86
84081 Caprecano (SA) 77 Pe104
52033 Caprese Michelangelo (AR) 51 Mf87
28815 Caprezzo (VB) 10 Id73
80073 Capri (NA) 76 Pb105
38030 Capriana (TN) 14 Mb71
20040 Capriano (MB) 21 Kb74
25020 Capriano del Colle (BS) 22 La76
15060 Capriata d'Orba (AL) 34 Ie80
24042 Capriate San Gervasio (BG) 21 Kd75
81014 Capriati a Volturno (CE) 70 Pa100
07021 Capriccioli (OT) 104 Kd102
10040 Caprie (TO) 32 Hc78
84080 Capriglia (SA) 77 Pe104
83010 Capriglia Irpina (AV) 71 Pe103
14014 Capriglio (AT) 33 Ia78
13864 Caprile (BI) 20 Ib74
32023 Caprile (BL) 15 Mf70
61040 Caprile (PU) 52 Ne88
Caprile = Gfrill (BZ) 3 Ma 69
98070 Capri Leone (ME) 93 Pe120
23036 Caprinale (SO) 12 La72
24030 Caprino Bergamasco (BG) 21 Kc74
37013 Caprino Veronese (VR) 23 Le75
84066 Caprioli (SA) 83 Qb108
25031 Capriolo (BS) 22 Kf75
34070 Capriva del Friuli (GO) 17 Od73
Caprone = Kapron (BZ) 3 Ld 68
64045 Capsano (TE) 58 Oe93
81043 Capua (CE) 70 Pb102
70010 Capurso (BA) 74 Rf102
89030 Caraffa del Bianco (RC) 95 Ra120
88050 Caraffa di Catanzaro (CZ) 86 Rc115
52032 Ca' Raffaello (AR) 47 Nb86
12023 Caraglio (CN) 40 Hc82
17057 Caragna (SV) 41 Ia83
32010 Caralte (BL) 15 Nc70
18100 Caramagna Ligure (IM) 41 Hf85
12030 Caramagna Piemonte (CN) 33 He80
65023 Caramánico Terme (PE) 63 Of96
81030 Carani (CE) 70 Of101
81037 Carano (CE) 70 Of101
38033 Carano (TN) 14 Mc71
15016 Caranzano (AL) 34 Id80
71041 Carapelle (FG) 72 Qe100
67020 Carapelle Calvísio (AQ) 63 Oe95
16042 Carasco (GE) 43 Kc82
63030 Carassai (AP) 53 Oe90
12084 Carassone (CN) 41 Hf82
20048 Carate Brianza (MB) 21 Kb74
22010 Carate-Urio (CO) 11 Ka73
24043 Caravaggio (BG) 22 Kd75
21032 Caravate (VA) 10 Id73
13044 Caravini (VC) 19 Ia77
10010 Caravino (TO) 19 Hf76
80040 Caravita (NA) 76 Pc103
18020 Caravonica (IM) 41 Hf85
01030 Carbognano (VT) 61 Nb95
81057 Carbonara (CE) 70 Pa101
89020 Carbonara (RC) 89 Ra118
27020 Carbonara al Ticino (PV) 35 Ka78
70012 Carbonara di Bari (BA) 74 Rf102
80030 Carbonara di Nola (NA) 71 Pd103
46020 Carbonara di Po (MN) 38 Mb78
15050 Carbonara Scrivia (AL) 34 If79
46020 Carbonarola (MN) 38 Mb78
22070 Carbonate (CO) 21 If74
85030 Carbone (PZ) 79 Ra108
89044 Carbone (RC) 89 Rb119
31030 Carbonera (TV) 25 Nb74
14026 Carboneri (AT) 33 Ia78
09013 Carbonia (CI) 111 Id113

Carbonin = Schluderbach (BZ) 5 Nb 69
17043 Carcare (SV) 42 Ib82
35040 Carceri (PD) 24 Md77
00030 Carchitti (RM) 61 Ne98
13026 Carcóforo (VC) 9 Ia 73
98040 Carda (ME) 88 Qc119
21023 Cardana (VA) 10 Id73
22010 Cardano (CO) 11 Kb72
21010 Cardano al Campo (VA) 20 Ie75
27040 Cardazzo (PV) 35 Kc78
12030 Carde (CN) 33 Hc80
08040 Cardedu (OG) 110 Kd110
89060 Cardeto (RC) 95 Qe120
28851 Cardezza, Béura- (VB) 10 Ib72
84056 Cardile (SA) 78 Qb107
91025 Cardilla (TP) 90 Nc122
88062 Cardinale (CZ) 89 Rc117
81055 Carditello (CE) 70 Pb102
80024 Cardito (NA) 70 Pb103
55027 Cardoso (LU) 45 Lc84
Caredia (RC) 95 Qe121
Careggi (FI) 46 Mb86
55030 Careggine (LU) 44 Lb84
10010 Carema (TO) 19 He75
13100 Carengo (VC) 20 Ic77
23802 Carenno (LC) 21 Kc74
22020 Careno (CO) 11 Ka73
15026 Carentino (AL) 34 Ic80
89030 Careri (RC) 89 Ra119
13010 Caresana (VC) 20 Id77
13030 Caresanablot (VC) 20 Ic76
10080 Caretto (TO) 19 He76
15051 Carezzano (AL) 34 If80
88817 Carfizzi (KR) 87 Rf113
07030 Cargeghe (SS) 105 Id104
33050 Cargnacco (UD) 16 Ob72
89862 Caria (VV) 88 Qf117
87062 Cariati (CS) 85 Rf112
83040 Carife (AV) 72 Qb102
58011 Carige (GR) 55 Mc94
87024 Cariglio (CS) 84 Ra112
43100 Carignano (PR) 36 Lb80
61032 Carignano (PU) 48 Nf86
10041 Carignano (TO) 33 He79
22060 Carimate (CO) 21 Ka74
81032 Carinaro (CE) 70 Pb103
90044 Carini (PA) 91 Ob120
29025 Carini (PC) 36 Ke80
81030 Carínola (CE) 70 Of101
97019 Cariota (RG) 98 Pc127
13040 Carisio (VC) 20 Ib76
38080 Carisolo (TN) 13 Le71
31020 Carita (TV) 25 Nb74
71030 Carlantino (FG) 65 Pf99
22010 Carlazzo (CO) 11 Ka72
96013 Carlentini (SR) 99 Pf125
33050 Carlino (UD) 16 Ob74
09014 Carloforte (CI) 111 Ib114
88040 Carlopoli (CZ) 86 Rc114
10022 Carmagnola (TO) 33 He79
73041 Carmiano (LE) 82 Ta106
29020 Carmiano (PC) 35 Kd79
35040 Carmignano (PD) 38 Md78
59015 Carmignano (PO) 45 Ma86
35010 Carmignano di Brenta (PD) 24 Me75
12060 Carmine (CN) 41 He82
89051 Carmine (RC) 88 Qd120
Carmito (SR) 99 Pf124
21040 Carnago (VA) 20 If74
05015 Carnaiola (TR) 56 Na91
20040 Carnate (MB) 21 Kc75
03030 Carnello (FR) 63 Od98
42030 Carniana (RE) 45 Lc82
Carnia Piani (UD) 16 Oa70
43028 Carobbio (PR) 36 La81
24060 Caróbbio degli Ángeli (BG) 22 Kf74
46025 Carobio (MN) 38 Ma79
87030 Carolei (CS) 86 Rb113
24010 Carona (BG) 12 Ke72
23036 Carona (SO) 12 La72
89844 Caroni (VV) 88 Qf117
98072 Caronia (ME) 93 Pc120
89863 Caroniti (VV) 88 Qf117
21042 Caronno-Pertusella (VA) 21 Ka75
21040 Caronno Varesino (VA) 20 If74
74021 Carosino (TA) 81 Sc106
38089 Ca Rossa (TN) 13 Ld73
72012 Carovigno (BR) 75 Sd104
86083 Carovilli (IS) 64 Pb98
33030 Carpacco (UD) 16 Nf72
35043 Carpanedo (PD) 24 Me77
29013 Carpaneto Piacentino (PC) 36 Ke79
87050 Carpanzano (CS) 86 Rb114

18010 Carpasio (IM)
61021 Carpegna (PU)
32030 Carpen (BL)
16155 Carpenara (GE)
31050 Carpenedo (TV)
25013 Carpenedolo (BS)
15071 Carpeneto (AL)
16020 Carpeneto (GE)
33050 Carpeneto (UD)
13041 Carpeneto (VC)
41012 Carpi (MO)
37040 Carpi (VR)
20080 Carpiano (MI)
83035 Carpignano (AV) 71
73020 Carpignano Salentino (LE) 82
28064 Carpignano Sesia (NO)
47100 Carpinello (FC)
42033 Carpineti (RE)
65010 Carpineto della Nora (PE)
00032 Carpineto Romano (RM)
66030 Carpineto Sinello (CH)
71010 Carpino (FG)
86093 Carpinone (IS)
28836 Carpugnino (VB)
28833 Carpugnino, Brovello- (VB)
Carrabba (CT) 94
48020 Carraie (RA)
54033 Carrara (MS)
35020 Carrara San Giorgio (PD)
35020 Carrara Santo Stefano (PD)
11010 Carre (AL)
36010 Carre (VI)
15060 Carrega Ligure (AL)
67050 Carrito (AQ)
19012 Carro (SP)
19020 Carródano (SP)
19020 Carrodano Inferiore (SP)
19020 Carrodano Superiore (SP)
10019 Carrone (TO)
15060 Carrosio (AL)
12061 Carru (CN)
95014 Carruba (CT) 94
Carruba Nuova (PA) 91
67061 Carsoli (AQ)
92019 Cartabubbo (AG)
15060 Cartasegna (AL)
36050 Cartigliano (VI)
12020 Cartignano (CN)
61030 Cartoceto (PU)
61030 Cartoceto (PU)
15015 Cartósio (AL)
35025 Cartura (PD)
95040 Carubbo (CT)
20061 Carugate (MI)
22060 Carugo (CO)
66050 Carúnchio (CH)
25079 Carvanno (BS)
32026 Carve (BL)
24030 Carvico (BG)
25080 Carzago della Riviera (BS)
38050 Carzano (TN)
43019 Carzeto (PR)
Casa Gavarra (SR) 10
Casa Maccari (SR) 10
Casa Agate (TP)
89022 Casa Agromalia (RC)
95048 Casa Albanazzo (CT)
07024 Casa Azara (OT) 10
55021 Casabasciana (LU)
Casa Battiati (CT)
Casa Beneventano (SR)
Casa Bernano (TP)
Casa Bertolino (AG)
63023 Casabianca (FM)
98166 Casa Bianca (ME)
10038 Casabianca (TO)
88822 Casabona (KR)
Casa Bonaiuto (CT)
Casa Bonano (CT)
97010 Casa Buffa (RG)
86043 Casacalenda (CB)
Casa Cambuca (PA)
66010 Casacanditella (CH)
95047 Casa Capitano (CT)
Casa Caramazza (TP)
Casa Catalano (TP)
25020 Casaccie (BS)
Casa Ceusa (SR)
Casa Conte (SR)
Casa Coppola (TP)
31050 Casacorba (TV)
Casa Cotrina (TP)
Casa Crocofisso (CT)

Casa Dagala (SR) 99 Pf125
Casa d'Angelo (CT) 99 Pe124
Casa della Marina (CA) 113 Kd113
Casa della Pietra (PA) 91 Nf121
Casa di Garibaldi (OT) 104 Kc101
Casa di Stefano (CT) 99 Pf124
Casa di Vita (TP) 90 Nc121
Casa Ferrato (CA) 113 Kd113
Casa Fiore (AG) 96 Nf123
Casa Fontana (TP) 91 Nf121
Casa Forada (RC) 89 Rb118
Casa Frassino (SR) 99 Pf125
Casa Gagliano (AG) 97 Of126
Casa Genn'e Spina (CA) 113 Kd113
Casa Giardino grande (RC) 95 Ra121
Casagiove (CE) 70 Pb102
Casaglia (BS) 22 La75
Caságlia, Tórbole (BS) 22 La75
Casaglio (BS) 22 La75
Casa Impolomeni (TP) 90 Nd120
Casa l'Abate (LE) 82 Ta106
Casa la Franca Messana (PA) 91 Oa120
Casa la Lenza (RC) 89 Ra120
Casa la Magara (RC) 89 Ra117
Casa Lanciana (RC) 89 Ra118
Casalánguida (CH) 64 Pd96
Casalappi Ruschi (LI) 54 Le90
Casa la Rocca (RG) 100 Pd127
Casaláttico (FR) 63 Oe99
Casalbagliano (AL) 34 Id79
Casalbarbato (PR) 36 La79
Casalbellotto (CR) 37 Lc79
Casalbeltrame (NO) 20 Ic76
Casal Bernocchi (RM) 61 Nc98
Casalbordino (CH) 64 Pd96
Casalbore (AV) 71 Qa101
Casalborgone (TO) 33 Hf78
Casal Borsetti (RA) 39 Nb81
Casalbuono (SA) 78 Qe107
Casalbusone (AL) 35 Ka81
Casalbuttano (CR) 22 Kf77
Casalbuttano ed Uniti (CR) 22 Kf77
Casalcassinese (FR) 70 Of99
Casal Cermelli (AL) 34 Id80
Casalciprano (CB) 64 Pd99
Casal di Principe (CE) 70 Pa102
Casalduni (BN) 71 Pe101
Casale (BG) 22 Kf74
Casale (CB) 64 Pc98
Casale (CE) 70 Pa101
Casale (MC) 52 Oa90
Casale (PO) 46 Ma85
Casale (PR) 37 Lc79
Casale (SA) 77 Pe104
Casale (TP) 90 Nd122
Casale Basso (CS) 86 Rb113
Casalecchio di Reno (BO) 38 Mb82
Casale Corte Cerro (VB) 10 Ic73
Casale Cremasco-Vidolasco (CR) 22 Ke76
Casale delle Palme (LT) 68 Nf99
Casale di Pari (GR) 55 Mb90
Casale di Scodosia (PD) 24 Mc77
Casaleggio Boiro (AL) 34 Ie81
Casaleggio Novara (NO) 20 Ic76
Casale Litta (VA) 20 Ie74
Casale Marittimo (PI) 49 Ld89
Casale Monferrato (AL) 34 Ic78
Casaleone (VR) 24 Mb77
Casale sul Sile (TV) 25 Nb75
Casaletto (VT) 60 Na95
Casaletto Ceredano (CR) 21 Kd77
Casaletto di Sopra (CR) 22 Ke76
Casaletto Lodigiano (LO) 21 Kc77
Casaletto Spartano (SA) 78 Qd108
Casaletto Vaprio (CR) 21 Kd76
Casalfiumanese (BO) 46 Md83
Casalgiate (NO) 20 Id76
Casalgrande (RE) 37 Le81
Casalgrande Alto (RE) 37 Le81
Casalgrasso (CN) 33 Hd80
Casali (PC) 36 Ke80
Casali (SA) 77 Pe104
Casali Franceschinis (UD) 16 Oa73
Casaliggio (PC) 35 Kd79
Casalina (PG) 56 Nc91
Casalincontrada (CH) 59 Pa95
Casalini (BR) 75 Sc104
Casalino (AL) 34 Ib78
Casalino (GE) 35 Ka81
Casalino (NO) 20 Id76
Casa Liuzze (ME) 88 Qc119
26041 Casalmaggiore (CR) 37 Lc79
26831 Casalmaiocco (LO) 21 Kc76
26020 Casalmorano (CR) 22 Kf77
00043 Casal Morena (RM) 61 Nd98
46040 Casalmoro (MN) 23 Lc77
15052 Casalnoceto (AL) 35 If79
80013 Casalnuovo di Napoli (NA) 70 Pc103
71033 Casalnuovo Monterotaro (FG) 65 Qa99
46040 Casaloldo (MN) 23 Lc77
00166 Casalotti (RM) 61 Nc97
Casalotto (RC) 95 Qd121
00124 Casal Palocco (RM) 61 Nb98
46042 Casalpoglio (MN) 23 Lc77
26841 Casalpusterlengo (LO) 22 Kd77
46040 Casalromano (MN) 22 Lc77
13030 Casalrosso (VC) 20 Ic77
35020 Casalserugo (PD) 25 Mf77
26010 Casalsigone (CR) 22 La77
84070 Casal Sottano (SA) 77 Qa107
04014 Casal Traiano (LT) 68 Oa100
97010 Casa Lucarella (RG) 100 Pc127
81030 Casaluce (CE) 70 Pb102
71030 Casalvecchio di Puglia (FG) 65 Qa99
98032 Casalvecchio Siculo (ME) 94 Qb121
84040 Casal Velino (SA) 77 Qa107
03034 Casalvieri (FR) 63 Oe99
28060 Casalvolone (NO) 20 Ic76
21030 Casalzuigno (VA) 10 Ie73
67045 Casamaina (AQ) 62 Oc95
Casa Maledetta (CT) 99 Pf123
Casa Maragani (AG) 96 Nf123
80032 Casamarciano (NA) 71 Pd103
73020 Casamassella (LE) 82 Tc108
70010 Casamássima (BA) 74 Rf103
Casa Melilli (SR) 99 Qa126
Casa Merlo (TP) 91 Nf121
80074 Casamicciola Terme (NA) 76 Of104
97019 Casa Migliori (RG) 100 Pc127
Casa Milia (CT) 94 Pf122
91023 Casa Mineo (TP) 90 Nb121
89017 Casa Monaci (RC) 89 Ra118
Casa Monte (AG) 96 Oc124
97010 Casa Mustille (RG) 100 Pc127
Casa Musumeci (CT) 94 Qa121
89851 Casa Muteri (VV) 89 Ra117
80025 Casandrino (NA) 70 Pb103
24010 Ca San Marco (BG) 11 Kd72
22070 Casanova (CO) 21 If74
02016 Casanova (RI) 57 Nf93
26028 Casanova del Morbasco (CR) 36 Kf78
26030 Casanova d'Offredi (CR) 36 Lb78
13030 Casanova Elvo (VC) 20 Ib76
17033 Casanova Lerrone (SV) 41 Ia84
27041 Casanova Lonati (PV) 35 Kb78
96010 Casa Pagliarazzi (SR) 99 Pf126
89852 Casa Pantano (VV) 89 Ra117
Casa Passavanti (VV) 89 Qf117
Casa Patera (TP) 91 Nf122
00010 Casape (RM) 62 Nf97
81030 Casapesenna (CE) 70 Pa103
Casa Piana dei Monaci (SR) 99 Pf125
Casa Pignatelli (TP) 96 Nf123
13866 Casapinta (BI) 20 Ib75
Casa Pioppo (PA) 91 Oa121
Casa Pizziferri (SR) 99 Pf125
Casa Placenti (SR) 99 Pe125
27050 Casa Ponte (PV) 35 Ka79
02030 Casaprota (RI) 61 Ne95
81020 Casapulla (CE) 70 Pb102
73042 Casarano (LE) 82 Ta108
96016 Casarano (SR) 99 Qa125
Casa Rappis (SR) 99 Pf125
22070 Casa Restelli (CO) 21 If74
23831 Casargo (LC) 11 Kc72
20080 Casarile (MI) 21 Ka77
Casa Risicone (CT) 99 Pe125
33072 Casarsa della Delizia (PN) 16 Nf73
Casa Russo (SR) 99 Pf125
Casa Russo (TP) 91 Nf122
16030 Casarza Ligure (GE) 43 Kc83
Casa Salemi (SR) 99 Pf125
92019 Casa San Bartolo (AG) 96 Oa123
Casa San Bastiano (SR) 99 Pf125
89017 Casa San Filippo (RC) 89 Ra118
Casa San Marco (BL) 5 Nb 69
Casa San Nicola (TP) 90 Nd121
Casa Sant'Agata (TP) 91 Ne122
89844 Casa Santa Maria (VV) 88 Qf117
Casa Sant'Elia (TP) 90 Nd122
Casa Santopoli (RC) 89 Qf118
09043 Casa Santu Perdu (CA) 113 Kd113
Casa Scardino (PA) 91 Oa121
Casa Schifazzo (SR) 99 Pf124
15050 Casasco (AL) 35 Ka80
14020 Casasco (AT) 33 Ia79
22022 Casasco d'Intelvi (CO) 11 Ka73
33080 Casasola (PN) 16 Ne71
Casa Solina (TP) 90 Nd121
97010 Casa Strasattata (RG) 100 Pc127
Casa Tafele (TP) 91 Ne121
Casa Targia (SR) 99 Qb126
Casa Taruddu (SR) 99 Pf125
91023 Casa Tedesco (TP) 90 Nb121
39040 Casateia = Gasteing (BZ) 4 Mc 67
23880 Casatenovo (LC) 21 Kb74
46010 Casatico (MN) 37 Ld78
27040 Casatisma (PV) 35 Ka78
Casa Toatra (RG) 100 Pe126
84010 Casatori (SA) 77 Pd104
89851 Casa Torre del Marchese (VV) 89 Ra117
38040 Casatta (TN) 14 Mb71
Casa Tumarello (SR) 99 Pf125
09049 Casa Umana (CA) 113 Kc114
Casa Valanga (TP) 91 Ne119
96010 Casa Valle Fame (SR) 99 Pf126
Casa Vallelupe (SR) 99 Pf125
80020 Casavatore (NA) 76 Pb103
67045 Casavecchia (AQ) 62 Oc95
92019 Casa Vento (AG) 96 Oa123
92019 Casa Vento (AG) 96 Oa123
Casa Ventura (SR) 99 Pf125
Casa Villaragut (TP) 91 Ne122
30010 Ca' Savio (VE) 25 Nc76
24060 Casazza (BG) 22 Kf74
81037 Cascano (CE) 70 Of101
06043 Cascia (PG) 57 Oa92
21020 Casciago (VA) 20 Ie74
56034 Casciana Alta (PI) 49 Ld87
56034 Casciana Terme (PI) 49 Ld87
Casciano (SI) 50 Mb90
56021 Cascina (PI) 49 Ld86
15100 Cascina Grossa (AL) 34 Ie79
20037 Cascina Nuova (MI) 21 Ka75
63019 Cascinare (FM) 53 Oe89
56031 Cascine (PI) 49 Ld86
10090 Cascine (TO) 19 Hf76
10010 Cascinette d'Ivrea (TO) 19 Hf76
56122 Cascine Vecchie (PI) 49 Lc86
27030 Cascinino (PV) 35 If78
27030 Cascinotto Mensa (PV) 35 If78
25135 Case (BS) 22 Lb75
Case Infante (SR) 100 Qa128
Case Agosta (TP) 91 Ne121
Case Belliemi (PA) 91 Oa120
29013 Case Bruciate (PC) 36 Ke79
Case Caruso (TP) 90 Nd122
89040 Case Catenanci (RC) 89 Rc118
42040 Case Cocconi (RE) 37 Ld80
89036 Case Cosmano (RC) 95 Ra121
Case Cucchiara (CT) 94 Pf122
Case delle Biviere (SR) 99 Pf125
Case del Pozzillo (TP) 91 Ne122
Case di Bucari (TP) 91 Ne122
Case di Viso (BS) 13 Ld71
Case Embrisi (RC) 95 Qe120
27050 Casei Gerola (PV) 35 If79
Case la Torre (SR) 99 Pf125
10040 Caselette (TO) 33 Hc78
16015 Casella (GE) 35 If81
31011 Casella (TV) 25 Mf74
40014 Caselle (BO) 38 Mb80
31030 Caselle (TV) 25 Mf74
Caselle (VR) 23 Ma77
37040 Caselle (VR) 24 Mc77
84030 Caselle in Pittari (SA) 78 Qd107
26842 Caselle Landi (LO) 36 Ke78
26853 Caselle Lurani (LO) 21 Kc77
10072 Caselle Torinese (TO) 19 Hd77
88041 Casenove (CZ) 86 Rc114
58045 Casenovole (GR) 55 Mc90
67020 Casentino (AQ) 62 Od95
60027 Casenuove (AN) 53 Oc88
50053 Casenuove (FI) 49 Lf86
50025 Case Nuove (FI) 49 Ma87
Case Olmolungo (RC) 88 Qf118
25012 Case Oriani (BS) 22 Lc76
07030 Case Pedrumalu (SS) 106 If103
Casera di fuori = Vorderkaser (BZ) 3 Lf 68
96010 Case Raviola (SR) 100 Pf126
39030 Casere = Kasern (BZ) 5 Na 66
Case Reciti (CT) 94 Pf122
89010 Caserio Alessio (RC) 89 Ra119
89823 Caserma Faggio del Re (VV) 89 Rb117
81100 Caserta (CE) 11 Kc73
81100 Caserta (CE) 70 Pc102
81100 Caserta Vecchia (CE) 70 Pc102
89040 Case Sala (RC) 89 Rc118
Case San Leo (SR) 99 Pe125
92019 Case San Marco (AG) 96 Oa123
Case Sant'Antonio (RC) 95 Qe120
Case Scuderi (TP) 91 Ne121
07026 Case sos Rueddos (OT) 107 Kc104
89040 Case Stefano (RC) 89 Rc118
Case Tomarchio (CT) 94 Qa122
63023 Casette (FM) 53 Oe90
63019 Casette d'Ete (FM) 53 Oe89
10080 Casetti (TO) 18 Hc76
23038 Case Val Viola (SO) 12 La70
Case Vattoni (RC) 89 Qf118
38010 Casez (TN) 13 Ma70
81057 Casi (CE) 70 Pa101
31030 Casier (TV) 25 Nb75
89030 Casignana (RC) 89 Ra120
80047 Casilli (NA) 76 Pd104
42034 Casina (RE) 37 Lc81
41041 Casinalbo (MO) 37 Lf81
60010 Casine (AN) 52 Oa87
25080 Casinette (BS) 22 Lc75
51039 Casini (PT) 45 Ma85
61020 Casinina (PU) 48 Nd86
Casino di Falcone (ME) 94 Qa120
24040 Casirate d'Adda (BG) 21 Kd76
20084 Casirate Olona (MI) 21 Kb77
22030 Caslino d'Erba (CO) 11 Kb73
22070 Casnate (CO) 21 Ka74
22070 Casnate con Bernate (CO) 21 Ka74
24020 Casnigo (BG) 22 Kf74
83020 Casola (AV) 71 Pd103
81020 Casola (CE) 70 Pc102
43028 Casola (PR) 36 La81
80069 Cásola (NA) 76 Pc105
40026 Casola Canina (BO) 46 Me82
80050 Casola di Napoli (NA) 76 Pd104
54014 Casola in Lunigiana (MS) 44 Lb83
48010 Casola Valsenio (RA) 46 Md83
87050 Casole Bruzio (CS) 86 Rb113
53031 Casole d'Elsa (SI) 49 Ma88
64030 Casoli (TE) 59 Of93
66043 Cásoli (CH) 64 Pb96
81029 Casolla (CE) 70 Pc102
32013 Casoni (BL) 15 Nb71
16023 Casoni (GE) 35 Kb81
27010 Casoni (PV) 35 Kc78
42045 Casoni (RE) 37 Le79
36060 Casoni (VI) 24 Me74
Casoni (VR) 24 Mb77
27022 Casorate Primo (PV) 21 Ka77
21011 Casorate Sempione (VA) 20 Ie74
20010 Casorezzo (MI) 20 If75
80026 Casoria (NA) 76 Pb103
14032 Casorzo (AT) 34 Ic78
37032 Casotti (VR) 24 Mb76
23010 Caspano (SO) 11 Kd71
02041 Casperia (RI) 61 Ne95
23020 Caspoggio (SO) 12 Kf71
10040 Cassa, La (TO) 19 Hd77
33010 Cassacco (UD) 16 Ob71
23893 Cassago Brianza (LC) 21 Kb74
00163 Cassa Mattei (RM) 61 Nc97
19020 Cassana (SP) 44 Ke83
83016 Cassano (AV) 71 Pe102
87011 Cassano Allo Iónio (CS) 84 Rb110
20062 Cassano d'Adda (MI) 21 Kd75
70020 Cassano delle Murge (BA) 74 Re103
83040 Cassano Irpino (AV) 71 Qa103
21012 Cassano Magnago (VA) 20 Ie74
15063 Cassano Spinola (AL) 34 If80
21030 Cassano Valcuvia (VA) 10 Ie73
96010 Cassaro (SR) 99 Pf126
34070 Cassegliano (GO) 17 Oc73
60018 Cassiano (AN) 53 Ob87
96010 Cassíbile (SR) 99 Qa127
24010 Cassiglio (BG) 11 Kd73
20090 Cassignanica (MI) 21 Kc76
20060 Cassina de'Pecchi (MI) 21 Kc75
29021 Cassinari (PC) 35 Kd80
22070 Cassina Rizzardi (CO) 21 Ka74
14050 Cassinasco (AT) 34 Ib80
23817 Cassina Valsassina (LC) 11 Kc73
15016 Cassine (AL) 34 Id80
15070 Cassinelle (AL) 34 Id81
20081 Cassinetta di Lugagnano (MI) 21 If76
03043 Cassino (FR) 70 Oe100
26837 Cassino d'Alberi (LO) 21 Kc76
43040 Cassio (PR) 36 La81
33080 Casso (PN) 15 Nb71
36022 Cassola (VI) 24 Me74
27023 Cassolnovo (PV) 20 Ie76
37018 Cassone (VR) 23 Le74
88040 Castagna (CZ) 86 Rc114
37043 Castagnaro (VR) 38 Mc78
37030 Castagne (VR) 23 Ma76
84096 Castagneto (SA) 77 Qa104
57022 Castagneto Carducci (LI) 49 Ld90
10090 Castagneto Po (TO) 33 Hf77
12050 Castagnito (CN) 33 Ia80
31038 Castagnole (TV) 25 Nb74
14054 Castagnole delle Lanze (AT) 33 Ia80
14030 Castagnole Monferrato (AT) 34 Ib79
10060 Castagnole Piemonte (TO) 33 Hd79
40010 Castagnolo Minore (BO) 38 Mc81
15027 Castagnone (AL) 34 Ib78
27040 Castana (PV) 35 Kb78
98155 Castanea delle Furie (ME) 88 Qc119
20022 Castano Primo (MI) 20 Ie75
23029 Castasegna (SO) 11 Kd70
27045 Casteggio (PV) 35 Ka78
25045 Castegnato (BS) 22 La75
36020 Castegnero (VI) 24 Md76
11020 Castel (AO) 19 He74
35040 Castelbaldo (PD) 38 Mc78
83040 Castel Baronia (AV) 72 Qb102
46032 Castelbelforte (MN) 23 Lf77
60030 Castelbellino (AN) 52 Oa88
39020 Castelbello = Kastelbell (BZ) 3 Lf 69
39020 Castelbello Ciardes = Kastelbell Tschars (BZ) 3 Lf 69
17030 Castelbianco (SV) 41 Ia84
14040 Castel Boglione (AT) 34 Ic80
48014 Castel Bolognese (RA) 47 Me83
86030 Castelbottáccio (CB) 64 Pe98
90013 Castelbuono (PA) 92 Pa121
81010 Castel Campagnano (CE) 70 Pc101
64030 Castel Castagna (TE) 58 Oe93
01022 Castel Cellesi (VT) 56 Na93
37038 Castelcerino (VR) 24 Mb76
15100 Castelceriolo (AL) 34 Ie79
00013 Castelchiodato (RM) 61 Ne96
84020 Castelcivita (SA) 78 Qb106
60010 Castel Colonna (AN) 52 Oa86
38082 Castel Condino (TN) 13 Ld73
25030 Castelcovati (BS) 22 Kf76
31030 Castelcucco (TV) 15 Mf73
90014 Casteldaccia (PA) 91 Od120
40034 Castel d'Aiano (BO) 45 Lf83
46033 Castel d'Ario (MN) 23 Lf77
39030 Casteldarne = Ehrenburg (BZ) 4 Me 68
37060 Castel d'Azzano (VR) 23 Lf76
56020 Castel del Bosco (PI) 49 Le87
10060 Castel del Bosco (TO) 32 Ha79
61010 Casteldelci (PU) 47 Na86
12020 Casteldelfino (CN) 32 Ha81
86080 Castel del Giúdice (IS) 64 Pb97
67023 Castel del Monte (AQ) 58 Oe94
70031 Castel del Monte (BT) 73 Rb102
58033 Castel del Piano (GR) 55 Md91
06070 Castel del Piano (PG) 56 Nb90
40022 Castel del Rio (BO) 46 Md83
Castel'd'Emilio (AN) 53 Oc87
40030 Castel di Cásio (BO) 45 Ma84
26030 Casteldidone (CR) 37 Lc78
67020 Castel di Ieri (AQ) 63 Oe96
63031 Castel di Lama (AP) 58 Oe91
98070 Castel di Lucio (ME) 93 Pb121
98070 Castel di Lúcio (ME) 93 Pb121
95040 Castel di Iudica (CT) 98 Pd123
67031 Castel di Sangro (AQ) 63 Pa98
81040 Castel di Sasso (CE) 70 Pb101
02020 Castel di Tora (RI) 62 Nf95
98079 Castel di Tusa (ME) 93 Pb120
50050 Castelfalfi (FI) 49 Lf87
66010 Castelferrato (CH) 59 Pb94
60020 Castelferretti (AN) 53 Oc87
15077 Castelferro (AL) 34 Id80
60022 Castelfidardo (AN) 53 Od88
50051 Castelfiorentino (FI) 49 Lf87
50051 Castel Fiorentino (FI) 49 Lf87
52016 Castel Focognano (AR) 50 Me87
38020 Castelfondo (TN) 3 Ma 70
04021 Castelforte (LT) 70 Oe101
83040 Castelfranci (AV) 71 Qa103
52020 Castelfranco di Sopra (AR) 50 Md87
56022 Castelfranco di Sotto (PI) 49 Le86

41013 Castelfranco Emilia (MO) .37 Ma81
82022 Castelfranco In Miscano (BN) 71 Qa101
31033 Castelfranco Veneto (TV) . 25 Mf74
66032 Castel Frentano (CH) 64 Pc95
26010 Castel Gabbiano (CR) 22 Ke76
00040 Castel Gandolfo (RM) 61 Nd98
05013 Castel Giorgio (TR) 56 Mf92
46042 Castel Goffredo (MN) 23 Lc77
36070 Castelgomberto (VI) 24 Mc75
25030 Castelgonelle (BS) 22 La76
85050 Castelgrande (PZ) 78 Qc104
46049 Castelgrimaldo (MN) 23 Ld77
43010 Castelguelfo (PR) 36 Lb80
40023 Castel Guelfo di Bologna (BO) 46 Me82
40023 Castelguelfo di Bologna (BO) 46 Me82
45020 Castelguglielmo (RO) 38 Md78
66040 Castelguidone (CH) 64 Pd98
84048 Castellabate (SA) 77 Pf107
03018 Castelláccio (FR) 62 Oa98
89014 Castellace (RC) 88 Qf119
67050 Castellafiume (AQ) 62 Oc97
85021 Castel Lagopesole (PZ) .78 Qe104
43017 Castell' Aicardi (PR) 36 Lb79
14033 Castell' Alfero (AT) 34 Ib79
14033 Castell 'Alfero (AT) 34 Ib79
64020 Castellalto (TE) 58 Oe92
91014 Castellammare del Golfo (TP) 91 Nf120
80053 Castellammare di Stabia (NA) 76 Pc104
Castellammare di Velia (SA) 83 Qa108
10081 Castellamonte (TO) 19 He76
Castellana (CT) 99 Pf124
70013 Castellana Grotte (BA) ... 74 Sa103
90020 Castellana Sicula (PA) 92 Pa122
74011 Castellaneta (TA) 80 Rf105
74010 Castellaneta Marina (TA) 80 Rf106
15051 Castellania (AL) 35 If80
21053 Castellanza (VA) 20 If75
12030 Castellar (CN) 32 Hc81
42014 Castellarano (RE) 37 Le81
15050 Castellar Guidobono (AL) ... 35 If79
60048 Castellaro (AN) 52 Oa88
18011 Castellaro (IM) 41 Hf85
18011 Castellaro (IM) 41 Ia84
Castellaro (MN) 23 Ld76
43047 Castellaro (PR) 36 Kf80
27057 Castellaro (PV) 35 Kb80
27030 Castellaro de'Giorgi (PV) ... 34 Ie78
29014 Castell 'Arquato (PC) 36 Kf79
32013 Castellavazzo (BL) 15 Nb71
58034 Castell'Azzara (GR) 55 Me92
42100 Castellazzo (RE) 37 Le80
15073 Castellazzo Bormida (AL) .. 34 Id79
28060 Castellazzo Novarese (NO) 20 Ic75
26012 Castelleone (CR) 22 Ke77
60010 Castelleone di Suasa (AN) 52 Nf87
14013 Castellero (AT) 33 Ia79
25020 Castelletto (BS) 22 Lb77
29010 Castelletto (PC) 35 Kd79
36010 Castelletto (VI) 14 Mc73
12010 Castelletto Busca (CN) 32 Hc82
13851 Castelletto Cervo (BI) 20 Ib75
15010 Castelletto d'Erro (AL) 34 Ic81
27040 Castelletto di Branduzzo (PV) 35 Ka78
37010 Castelletto di Brenzone (VR) 23 Le74
15060 Castelletto d'Orba (AL) 34 Ie80
15020 Castelletto Merli (AL) 34 Ib78
14040 Castelletto Molina (AT) 34 Ic80
15040 Castelletto Monferrato (AL) 34 Id79
27040 Castelletto Po (PV) 35 Ka78
28053 Castelletto Sopra Ticino (NO) 20 Id74
12040 Castelletto Stura (CN) 41 Hd82
12070 Castelletto Uzzone (CN) 34 Ib82
64041 Castelli (TE) 58 Oe94
24060 Castelli Calepio (BG) 22 Kf75
50053 Castellina (FI) 45 Lf86
53011 Castellina in Chianti (SI) . 50 Mb88
12050 Castellinaldo (CN) 33 Ia80
56040 Castellina Marittima (PI) .. 49 Ld88
53035 Castellina Scalo (SI) 50 Mb88
14036 Castellino (AT) 34 Ib78
86020 Castellino del Biferno (CB) 64 Pe98
12060 Castellino Tanaro (CN) 41 Hf82
03030 Castelliri (FR) 63 Od98
24055 Castel Liteggio (BG) 22 Ke75
25080 Castello (BS) 22 Lc75
12020 Castello (CN) 32 Ha81
Castello (FI) 46 Mb86
55041 Castello (LU) 44 Lb85
37030 Castello (VR) 24 Mb76
21030 Castello Cabiaglio (VA) 10 Ie73
27030 Castello d'Agogna (PV) 20 Ie77
40050 Castello d'Argile (BO) 38 Mb80
23030 Castello dell' Acqua (SO) 12 La72
23030 Castello dell'Acqua (SO) .. 12 La72
Castello della Madonnina (RE) 37 Ld80
61040 Castello della Pieve (PU) . 51 Nb87
06055 Castello delle Forme (PG) 56 Nc91
81016 Castello del Matese (CE) 70 Pc100
14034 Castello di Annone (AT) 34 Ib79
37010 Castello di Brenzone (VR) 23 Le74
23884 Castello di Brianza (LC) ... 21 Kc74
12087 Castello di Casotto (CN) ... 41 Hf83
80030 Castello di Cisterna (NA) 70 Pc103
31030 Castello di Godego (TV) .. 25 Mf74
40050 Castello di Serravalle (BO) 45 Ma82
62038 Castello di Serravalle (MC) 52 Nf90
32010 Castello Lavazzo (BL) 15 Nb71
38030 Castello Molina di Fiemme (TN) 14 Mc71
43042 Castellonchio (PR) 36 La81
86021 Castellone (CB) 70 Pc100
04023 Castellonorato (LT) 69 Oe101
38053 Castello Tesino (TN) 14 Md72
58010 Castell' Ottieri (GR) 55 Me92
46014 Castellucchio (MN) 37 Ld78
Castelluccio (SR) 99 Qa126
Castellúccio (SR) 99 Pf127
84029 Castelluccio Cosentino (SA) 78 Qc105
71025 Castellúccio dei Sáuri (FG) 72 Qc101
85040 Castelluccio-Inferiore (PZ) 84 Qf108
85040 Castelluccio-Superiore (PZ) 84 Qf108
71020 Castelluccio Valmaggiore (FG) 72 Qb100
98070 Castell 'Umberto (ME) 93 Pe120
98070 Castell' Umberto (ME) 93 Pe120
98070 Castell' Umberto Vecchio (ME) 93 Pe120
91010 Castelluzzo (TP) 91 Ne120
00024 Castel Madama (RM) 62 Nf97
40013 Castel Maggiore (BO) 38 Mc81
12020 Castelmagno (CN) 40 Ha82
22030 Castelmarte (CO) 11 Kb73
45035 Castelmassa (RO) 38 Mb78
86031 Castelmauro (CB) 64 Pe98
25030 Castel Mella (BS) 22 La76
02029 Castelmenardo (RI) 62 Ob95
85010 Castelmezzano (PZ) 79 Ra105
31023 Castelminio (TV) 25 Mf75
98030 Castelmola (ME) 94 Qb121
81020 Castel Morrone (CE) 70 Pc102
81020 Castelmorrone (CE) 70 Pc102
27030 Castelnovetto (PV) 20 Id77
36033 Castelnovo (VI) 24 Mc75
45030 Castelnovo Bariano (RO) 38 Mb78
33090 Castelnovo del Friuli (PN) . 16 Nf71
42024 Castelnovo di Sotto (RE) . 37 Ld80
42035 Castelnovo ne'Monti (RE) 45 Lc82
26024 Castelnuove del Zappa (CR) 22 Kf77
67020 Castelnuovo (AQ) 63 Od95
52010 Castelnuovo (AR) 51 Mf87
40038 Castelnuovo (BO) 46 Ma83
50050 Castelnuovo (FI) 49 Lf87
38050 Castelnuovo (TN) 14 Mc72
86070 Castelnuovo a Volturno (IS) 63 Pa99
14043 Castelnuovo Belbo (AT) 34 Ic80
53019 Castelnuovo Berardenga (SI) 50 Md88
26843 Castelnuovo Bocca d'Adda (LO) 36 Kf78
15017 Castelnuovo Bormida (AL) . 34 Id80
22070 Castelnuovo Bozzente (CO) 21 If74
14040 Castelnuovo Calcea (AT) ... 34 Ib80
84040 Castelnuovo Cilento (SA) 77 Qb107
37014 Castelnuovo del Garda (VR) 23 Le76
53024 Castelnuovo dell'Abate (SI) 55 Md91
71034 Castelnuovo della Daunia (FG) 65 Qa99
12070 Castelnuovo di Ceva (CN) . 41 Ia82
84020 Castelnuovo di Conza (SA) 72 Qb104
02031 Castelnuovo di Farfa (RI) . 61 Ne95
55032 Castelnuovo di Garfagnana (LU) 45 Lc84
00060 Castelnuovo di Porto (RM) 61 Nd96
56041 Castelnuovo di Val di Cécina (PI) 49 Lf89
14022 Castelnuovo Don Bosco (AT) 33 Hf78
29010 Castelnuovo Fogliani (PC) 36 Kf79
26010 Castelnuovo Gherardi (CR) 22 La77
19033 Castelnuovo Magra (SP) .. 44 La84
57016 Castelnuovo Misericordia (LI) 49 Lc88
10080 Castelnuovo Nigra (TO) ... 19 He76
03040 Castelnuovo Parano (FR) 69 Oe100
41051 Castelnuovo Rangone (MO) 37 Lf81
15053 Castelnuovo Scrivia (AL) 34 If79
64020 Castelnuovo Vomano (TE) 58 Of93
82024 Castelpagano (BN) 71 Pe100
86090 Castelpetroso (IS) 70 Pc99
86090 Castelpizzuto (IS) 70 Pb99
60031 Castelplanio (AN) 52 Oa88
26040 Castelponzone (CR) 36 Lb78
82030 Castelpoto (BN) 71 Pe102
62022 Castelraimondo (MC) 52 Oa89
06065 Castel Rigone (PG) 51 Nb89
06044 Castel Ritaldi (PG) 57 Ne92
14044 Castel Rocchero (AT) 34 Ic80
86170 Castelromano (IS) 63 Pb99
10034 Castelrosso (TO) 19 Hf77
39040 Castelrotto = Kastelruth (BZ) ....4 Md 69
24040 Castel Rozzone (BG) 21 Kd75
84077 Castèl Ruggero (SA) 78 Qc108
84083 Castel San Giorgio (SA) 77 Pe104
29015 Castel San Giovanni (PC) 35 Kc78
84049 Castel San Lorenzo (SA) 78 Qb106
52018 Castel San Niccolò (AR) . 50 Me86
00030 Castel San Pietro Romano (RM) 62 Nf97
40024 Castel San Pietro Terme (BO) 46 Md82
62022 Castel Santa Maria (MC) . 52 Oa89
06046 Castel Santa Maria (PG) . 57 Oa92
02010 Castel Sant'Angelo (RI) ... 57 Oa94
62039 Castelsantangelo sul Nera (MC) 57 Oa91
01030 Castel Sant'Elia (VT) 61 Nc95
62020 Castel San Venanzo (MC) 52 Oa89
86071 Castel San Vincenzo (IS) 63 Pa99
85031 Castelsaraceno (PZ) 79 Qf108
07031 Castelsardo (SS) 106 Ie103
21050 Castelseprio (VA) 20 If74
88834 Castelsilano (KR) 87 Re113
15070 Castelspina (AL) 34 Id80
92025 Casteltermini (AG) 97 Od123
05026 Casteltodino (TR) 57 Nd93
21010 Castelveccana (VA) 10 Id73
67067 Castelvecchio (AQ) 62 Ob96
51017 Castelvecchio (PT) 45 Le85
61040 Castelvecchio (PU) 52 Oa86
42031 Castelvecchio (RE) 37 Ld82
Castelvecchio = Altenburg (BZ) 14 Mb70
67020 Castelvécchio Calvísio (AQ) 63 Oe95
17034 Castelvecchio di Rocca Barbena (SV) 41 Ia84
67024 Castelvécchio Subéquo (AQ) 63 Oe96
82037 Castelvenere (BN) 71 Pd101
26022 Castelverde (CR) 22 Kf77
37030 Castelvero (VR) 24 Mb75
86080 Castelverrino (IS) 64 Pc98
82023 Castelvetere in Val Fortore (BN) 71 Pf100
83040 Castelvetere sul Calore (AV) 71 Pf103
91022 Castelvetrano (TP) 91 Ne122
41014 Castelvetro di Modena (MO) 37 Lf81
29010 Castelvetro Piacentino (PC) 36 Kf78
06073 Castelvieto (PG) 51 Nb90
05014 Castel Viscardo (TR) 56 Na92
26010 Castelvisconti (CR) 22 Kf77
18030 Castel Vittorio (IM) 41 He85
81030 Castel Volturno (CE) 70 Of102
81030 Castèl Volturno (CE) 70 Of102
40055 Castenaso (BO) 38 Mc81
25014 Castenedolo (BS) 22 Lb76
20087 Casterno (MI) 20 If76
09040 Castiadas (CA) 113 Kc113
57012 Castiglioncello (LI) 49 Lc88
60044 Castiglione (AN) 52 Nf89
73032 Castiglione (LE) 82 Tc109
65020 Castiglione a Casáuria (PE) 63 Of95
16030 Castiglione Chiavarese (GE) 43 Kd83
87040 Castiglione Cosentino (CS) 86 Rb112
26823 Castiglione d'Adda (LO) ... 22 Ke77
40035 Castiglione dei Pepoli (BO) 46 Ma84
84090 Castiglione del Genovesi (SA) 77 Pf104
06061 Castiglione del Lago (PG) 51 Na90
58043 Castiglione della Pescaia (GR) 55 Lf92
06055 Castiglione della Valle (PG) 56 Nb90
46043 Castiglione delle Stiviere (MN) 23 Lc76
48015 Castiglione di Cervia (RA) 47 Nb83
55033 Castiglione di Garfagnana (LU) 45 Lc84
22023 Castiglione d'Intelvi (CO) . 11 Ka73
48010 Castiglione di Ravenna (RA) 47 Nb83
95012 Castiglione di Sicilia (CT) 94 Qa121
53023 Castiglione d'Orcia (SI) ... 55 Md90
12060 Castiglione Falletto (CN) ... 33 Hf81
01024 Castiglione in Teverina (VT) 56 Nb93
88042 Castiglione Marittimo (CZ) 86 Ra115
66033 Castiglione Messer Marino (CH) 64 Pc97
64034 Castiglione Messer Raimondo (TE) 59 Of93
21043 Castiglione Olona (VA) 20 If74
12053 Castiglione Tinella (CN) 33 Ib80
10090 Castiglione Torinese (TO) 33 He78
52029 Castiglion Fibocchi (AR) .. 50 Me87
52043 Castiglion Fiorentino (AR) 51 Mf88
60041 Castiglioni (AN) 52 Ne88
60011 Castiglioni (AN) 52 Oa87
Castiglioni (SI) 50 Ma88
63032 Castignano (AP) 58 Od91
64035 Castilenti (TE) 59 Of93
84050 Castinatelli (SA) 78 Qb108
12050 Castino (CN) 33 Ib81
32024 Castion (BL) 15 Nb72
29028 Castione (PC) 36 Ke79
38060 Castione (TN) 13 Lf73
31037 Castione (TV) 24 Me74
23012 Castione Andevenno (SO) 12 Ke71
24020 Castione della Presolana (BG) 12 La73
43036 Castione Marchesi (PR) ... 36 La79
23030 Castionetto (SO) 12 Kf71
33080 Castions (PN) 16 Ne73
33050 Castions delle Mura (UD) 16 Ob73
33050 Castions di Strada (UD) ... 16 Ob73
37010 Castion Veronese (VR) 23 Le75
26866 Castiraga (LO) 21 Kc77
26866 Castiraga-Vidardo (LO) 21 Kc77
25070 Casto (BS) 22 Lb74
63030 Castorano (AP) 58 Oe91
25030 Castrezzato (BS) 22 Kf75
25080 Castrezzone (BS) 23 Lc75
73020 Castri di Lecce (LE) 82 Tb107
73020 Castrignano d'Greci (LE) 82 Tb107
73040 Castrignano del Capo (LE) 83 Tc110
24063 Castro (BG) 22 La74
73030 Castro (LE) 82 Tc108
47011 Castrocaro Terme (FC) 47 Mf83
47011 Castrocaro Terme e Terra del Sole (FC) 47 Mf83
03030 Castrocielo (FR) 69 Oe99
03020 Castro dei Volsci (FR) 69 Oc99
92020 Castrofilippo (AG) 97 Oe124
87040 Castrolibero (CS) 86 Rb113
73030 Castro Marina (LE) 82 Tc108
52043 Castroncello (AR) 51 Mf89
21040 Castronno (VA) 20 Ie74
85030 Castronuovo di Sant'Andrea (PZ) 79 Rb107
90030 Castronuovo di Sicilia (PA) 92 Od122
86010 Castropignano (CB) 64 Pd99
98053 Castroreale (ME) 94
Castroreale Terme (ME) 94
87070 Castroregio (CS) 84
50033 Castro San Martino (FI) .. 46
87012 Castrovíllari (CS) 84
44041 Casumaro (FE) 38
97017 Casuzze (RG) 100
Casuzze (TP) 91
23010 Cataeggio (SO) 11
89100 Cataforio (RC) 95
Catanesa (SR) 99
95100* Catània (CT) 99
88100 Catanzaro (CZ) 86
88100 Catanzaro Marina (CZ) .. 87
Catarratti (ME) 88
Catena (CT) 94
56027 Catena (PI) 49
94010 Catenanuova (EN) 93
50050 Catignano (FI) 4
65011 Catignano (PE) 59
60041 Catobagli (AN) 5
89053 Catona (RC) 88
84046 Catona (SA) 83
31056 Ca' Tron (TV) 25
61100 Cattabrighe (PU) 4
Cattafi (ME) 94
47841 Cattolica (RN) 48
92011 Cattolica Eraclea (AG) ... 96
81047 Caturano (CE) 70
30020 Ca' Turcata (VE) 26
89041 Caulonia (RC) 89
Cautali Grande (TP) 91
82030 Cautano (BN) 71
25070 Cavacca (BS) 2
26844 Cavacurta (LO) 22
97018 Cava d'Áliga (RG) 100
84013 Cava De'Tirreni (SA) 77
Cava di Tufo (TP) 91
13881 Cavaglia (BI) ....
28043 Cavagliano (NO) ....
28010 Cavaglietto (NO) ....
28010 Cavaglio d'Agogna (NO) ....
28825 Càvàglio San Donnino (VB) ....
28825 Caváglio Spóccia (VB) ....
21050 Cavagnano (VA) ....
10020 Cavagnolo (TO) ....
37010 Cavaion Veronese (VR) ... 2
37010 Cavalcaselle (VR) 2
38033 Cavalese (TN) 1
Cavaliere (CT) 94
67017 Cavallari (AQ) 5
98047 Cavallari (ME) 88
95047 Cavallaro (CT) 99
22020 Cavallasca (CO) 2
87040 Cavallerizzo (CS) 84
12030 Cavallerleone (CN) 3
12030 Cavallermaggiore (CN) 3
50030 Cavallina (FI) 4
73020 Cavallino (LE) 82
30013 Cavallino-Treporti (VE) 2
28010 Cavallirio (NO) ....
27051 Cava Manara (PV) 3
30023 Cavanella (VE) ....
45010 Cavanella Po (RO) ....
38011 Cavareno (TN) 1
22010 Cavargna (CO) ....
21044 Cavaria (VA) ....
21044 Cavária con Premezzo (VA) ....
32100 Cavarzano (BL) 1
30014 Cavarzere (VE) ....
31050 Cavasagra (TV) ....
31034 Cavaso del Tomba (TV) ...
33092 Cavasso Nuovo (PN) ....
15010 Cavatore (AL) ....
36010 Cavazzale (VI) ....
33020 Cavazzo Carnico (UD) .....
81044 Cave (CE) 7
00033 Cave (RM) ....
38010 Cavedago (TN) ....
33012 Cave del Predil (UD) ....
38073 Cavedine (TN) ....
45011 Cavedon (RO) ....
26824 Cavenago d'Adda (LO) .....
20040 Cavenago di Brianza (MB) ....
45018 Ca' Venier (RO) ....
33041 Cavenzano (UD) ....
24050 Cavernago (BG) ....
41032 Cavezzo (MO) ....
16030 Cavi (GE) ....
26824 Caviaga (LO) ....
43041 Cavignana (PR) ....
32020 Caviola (BL) ....
38022 Cavizzana (TN) ....
57030 Cavo (LI) ....

Cavo Diversivo (MN) 38 Mb78
Cavone (BO) 45 Le84
Cavoretto (TO) 33 He78
Cavour (TO) 32 Hc80
Cavriago (RE) 37 Ld80
Cavriana (MN) 23 Ld76
Cavriglia (AR) 50 Mc87
Ca' Zuliani (RO) 39 Nc79
Cazzago Brábbia (VA) 20 Ie74
Cazzago San Martino (BS) 22 La75
Cazzano (BO) 38 Mc81
Cazzano di Tramigna (VR) 24 Mb76
Cazzano Sant'Andrea (BG) 22 Kf74
Cecanibbi (PG) 56 Nc92
Ceccano (FR) 69 Oc99
Cecchina (RM) 61 Nd98
Cecchini (PN) 16 Nd73
Cécima (PV) 35 Ka79
Cecina (BS) 23 Ld75
Cecina (LI) 49 Ld89
Cécina (PT) 45 Lf85
Cedarchis (UD) 6 Oa 70
Cedegolo (BS) 12 Lc72
Cedrasco (SO) 12 Ke72
Cefala Diana (PA) 91 Oc121
Cefalino (SR) 99 Qa126
Cefalu (PA) 92 Pa120
Ceggia (VE) 26 Nd74
Ceglie del Campo (BA) 74 Rf102
Ceglie Messapica (BR) 81 Sd105
Celalba (PG) 51 Nb87
Celano (AQ) 63 Od96
Celatica (BS) 22 Lb75
Celenza sul Trigno (CH) 64 Pd97
Celenza Valfortore (FG) 71 Pf99
Célico (CS) 86 Rb113
Cella (FC) 47 Nc83
Cella (PV) 35 Kb80
Cella Dati (CR) 36 Lb78
Cellamare (BA) 74 Rf102
Cella Monte (AL) 34 Ic78
Cellara (CS) 86 Rb113
Cellarda (BL) 15 Mf72
Cellarengo (AT) 33 Hf79
Cellática (BS) 22 Lb75
Celle (FC) 47 Nc84
Celle di Bulgheria (SA) 83 Qc108
Celle di Macra (CN) 32 Hb82
Celle di San Vito (FG) 72 Qb101
Celledizzo (TN) 13 Le70
Celle Enomondo (AT) 33 Ia79
Celle Ligure (SV) 42 Id82
Cellena (GR) 55 Md92
Celleno (VT) 56 Na93
Cellentino (TN) 13 Le70
Cellere (VT) 56 Me93
Celleri (PC) 36 Ke79
Celle sul Rigo (SI) 56 Me91
Cellina (VA) 10 Id73
Cellino Attanasio (TE) 59 Of93
Cellino San Marco (BR) 82 Sf106
Céllio (VC) 20 Ib74
Cellole (CE) 70 Of101
Cellore (VR) 24 Mb76
Celpenchio (PV) 20 Id77
Celso (SA) 77 Qa107
Cembra (TN) 14 Mb71
Cenadi (CZ) 86 Rc116
Cenate (LE) 82 Sf108
Cenate Sopra (BG) 22 Ke74
Cenate Sotto (BG) 22 Ke74
Cencenighe Agordino (BL) 15 Mf70
Cencerate (PV) 35 Kb80
Cene (BG) 22 Kf74
Ceneselli (RO) 38 Mc78
Cenesi (SV) 41 Ia84
Cengio (SV) 41 Ib82
Cengles = Tschengls (BZ) 3 Ld 69
Cenova (IM) 41 Hf84
Centallo (CN) 33 Hd82
Centa San Nicolo (TN) 14 Mb73
Cento (FE) 38 Mb80
Centocelle (RM) 61 Nd97
Centola (SA) 83 Qb108
Centora (PC) 35 Kd78
Centovera (PC) 36 Ke79
Centrache (CZ) 86 Rc116
Centrale (VI) 24 Mc74
Centro Vélico (OT) 104 Kc101
Centuripe (EN) 93 Pe123
Ceolini (PN) 16 Nd73
Cepagatti (PE) 59 Pa94
Ceparana (SP) 44 Kf83
23030 Cepina (SO) 12 Lc70
33040 Cepletischis (UD) 17 Od71
82010 Ceppaloni (BN) 71 Pe102
28875 Ceppo Morelli (VB) 9 Ia 73
03024 Ceprano (FR) 69 Od99
37020 Ceraino (VR) 23 Le75
94010 Cerami (EN) 93 Pc122
89011 Ceramida (RC) 88 Qe119
16014 Ceranesi (GE) 34 If81
28065 Cerano (NO) 20 Ie76
22020 Cerano d'Intelvi (CO) 11 Ka73
27010 Ceranova (PV) 21 Kb77
61039 Cerasa (PU) 48 Oa86
89100 Cerasi (RC) 88 Qe119
84052 Ceraso (SA) 78 Qb107
47852 Cerasolo (RN) 48 Nd85
86070 Cerasuolo (IS) 70 Pa99
24062 Ceratello (BG) 12 La73
50026 Cerbaia (FI) 50 Ma86
86012 Cercemaggiore (CB) 71 Pe100
10060 Cercenasco (TO) 33 Hd79
86010 Cercepiccola (CB) 71 Pe100
Cerchiaia (SI) 50 Mc89
87070 Cerchiara di Calabria (CS) 84 Rc109
67044 Cérchio (AQ) 63 Od96
23016 Cercino (SO) 11 Kc71
33020 Cercivento (UD) 6 Nf 69
Cercivento Inferiore (UD) 6 Nf 69
Cercivento Superiore (UD) 6 Nf 69
80040 Cercola (NA) 76 Pc103
90010 Cerda (PA) 92 Oe121
02037 Cerdomare (RI) 61 Nf95
37053 Cerea (VR) 24 Mb77
36078 Cerealto (VI) 24 Mb75
36073 Cereda (VI) 24 Mc75
45010 Ceregnano (RO) 39 Mf78
20080 Cerello (MI) 21 If76
88833 Cerenzia (KR) 87 Re113
10070 Ceres (TO) 18 Hc77
46040 Ceresara (MN) 23 Ld77
89824 Ceresara (VV) 89 Rc118
46030 Cerese (MN) 37 Le78
15020 Cereseto (AL) 34 Ib78
12040 Ceresole Alba (CN) 33 He80
10080 Ceresole Reale (TO) 18 Hb76
24020 Cerete (BG) 12 Kf73
24020 Cerete-Alto (BG) 12 Kf73
25024 Cereto (BS) 22 Lb76
29018 Cereto (PC) 23 Lc75
27030 Ceretto Lomellina (PV) 20 Ie77
73020 Cerfignano (LE) 82 Tc108
27020 Cergnago (PV) 20 Ie77
32035 Cergnai (BL) 15 Na72
00052 Ceri (RM) 60 Na97
17023 Ceriale (SV) 42 Ib84
18034 Ceriana (IM) 41 He85
20020 Ceriano Laghetto (MB) 21 Ka75
29020 Cerignale (PC) 35 Kc80
71042 Cerignola (FG) 73 Qf101
12040 Ceriolo (CN) 33 He82
87044 Cerisano (CS) 86 Rb113
46040 Cerlongo (MN) 23 Ld77
22072 Cermenate (CO) 21 Ka74
39010 Cermes = Tscherms (BZ) 3 Ma 69
64037 Cermignano (TE) 58 Oe93
67017 Cermone (AQ) 58 Ob94
37020 Cerna (VR) 23 Lf75
32020 Cernadoi (BL) 4 Mf 70
33047 Cerneglons (UD) 16 Ob72
22012 Cernóbbio (CO) 11 Ka73
23870 Cernusco Lombardone (LC) 21 Kc74
20063 Cernusco sul Naviglio (MI) 21 Kc75
10019 Cerone (TO) 19 Hf76
06055 Cerqueto (PG) 56 Nb91
64044 Cerqueto (TE) 58 Od93
65019 Cerratina (PE) 59 Pa94
42030 Cerre (RE) 45 Lc82
86089 Cerreto (IS) 64 Pb98
13852 Cerreto Castello (BI) 19 Ia75
14020 Cerreto d'Asti (AT) 33 Ia78
42037 Cerreto dell'Alpi (RE) 44 Lb83
60043 Cerreto d'Esi (AN) 52 Nf89
06041 Cerreto di Spoleto (PG) 57 Nf92
67010 Cerreto Fonte (AQ) 58 Od94
15050 Cerreto Grue (AL) 35 If79
50050 Cerreto Guidi (FI) 45 Lf86
00020 Cerreto Laziale (RM) 62 Nf97
82032 Cerreto Sannita (BN) 71 Pd101
12050 Cerretto Langhe (CN) 33 Ia81
15020 Cerrina Monferrato (AL) 34 Ib78
13882 Cerrione (BI) 19 Ia76
88041 Cerrisi (CZ) 86 Rc114
21014 Cerro (VA) 10 Id73
20070 Cerro al Lambro (MI) 21 Kc77
86072 Cerro al Volturno (IS) 63 Pa99
20023 Cerro Maggiore (MI) 21 If75
14030 Cerro Tanaro (AT) 34 Ic79
37020 Cerro Veronese (VR) 23 Ma75
85030 Cersosimo (PZ) 84 Rc108
85046 Cersuta (PZ) 83 Qe108
50052 Certaldo (FI) 49 Ma87
16040 Certenoli (GE) 43 Kb82
16040 Certénoli, San Colombano- (GE) 43 Kc82
39020 Certosa = Karthaus (BZ) 3 Lf 68
27012 Certosa di Pavia (PV) 21 Ka77
88050 Cerva (CZ) 87 Re114
54027 Cervara (MS) 44 Ke82
43100 Cervara (PR) 36 Lb79
00020 Cervara di Roma (RM) 62 Oa97
35030 Cervarese Santa Croce (PD) 24 Me76
42032 Cervarezza (RE) 44 Lb82
03044 Cervaro (FR) 70 Of100
03044 Cervaro (FR) 70 Of100
64043 Cervaro (TE) 58 Oc93
42030 Cervarolo (RE) 10 Ib73
12010 Cervasca (CN) 40 Hc82
13025 Cervatto (VC) 9 Ia 73
25040 Cerveno (BS) 12 Lb72
12040 Cervere (CN) 33 He81
27050 Cervesina (PV) 35 Ka78
00052 Cerveteri (RM) 60 Na97
48015 Cervia (RA) 47 Nc83
87010 Cervicati (CS) 84 Ra111
26832 Cervignano d'Adda (LO) 21 Kc76
33052 Cervignano del Friuli (UD) 17 Oc74
83012 Cervinara (AV) 71 Pd102
11021 Cervinia, Breuil- (AO) 9 Hd 73
81023 Cervino (CE) 70 Pc102
18010 Cervo (IM) 41 Ia85
87040 Cerzeto (CS) 84 Ra111
32020 Cesa (BL) 15 Na72
81030 Cesa (CE) 70 Pb103
32020 Cesana (BL) 15 Mf72
23861 Cesana Brianza (LC) 21 Kb74
10054 Cesana Torinese (TO) 32 Ge79
00060 Cesano (RM) 61 Nc96
20090 Cesano Boscone (MI) 21 Ka76
20031 Cesano Maderno (MB) 21 Ka75
28891 Césara (VB) 10 Ic73
98033 Cesaro (ME) 93 Pe121
20020 Cesate (MI) 21 Ka75
67050 Cese (AQ) 58 Ob94
67051 Cese (AQ) 62 Oc96
47023 Cesena (FC) 47 Nb84
47042 Cesenatico (FC) 47 Nc83
62038 Cesi (MC) 57 Nf90
83020 Cesinali (AV) 71 Pe103
18022 Césio (IM) 41 Hf84
32030 Cesiomaggiore (BL) 15 Mf72
46030 Cesole (MN) 37 Ld78
62027 Cesolo (MC) 52 Ob89
31040 Cessalto (TV) 26 Nd74
89816 Cessaniti (VV) 89 Ra117
62020 Cessapalombo (MC) 53 Ob90
14050 Cessole (AT) 34 Ib81
28060 Cesto (NO) 20 Id75
36010 Cesuna (VI) 14 Mc73
84010 Cetara (SA) 77 Pe105
25040 Ceto (BS) 12 Lc72
53040 Cetona (SI) 56 Mf91
87022 Cetraro (CS) 84 Qf111
87022 Cetraro Marina (CS) 84 Qf111
12073 Ceva (CN) 41 Ia82
Cevas = Tschovas (BZ) 4 Md 69
39049 Ceves = Tschois (BZ) 4 Mc 67
25040 Cevo (BS) 12 Lc72
56035 Cevoli (PI) 49 Ld87
11020 Challand-Saint-Anselme (AO) 19 He74
11020 Challand-Saint-Victor (AO) 19 He74
11023 Chambave (AO) 19 Hd74
10060 Chambons (TO) 32 Ha78
11020 Chamois (AO) 9 Hd 73
11020 Champdepraz (AO) 19 Hd74
11020 Champoluc (AO) 9 He 73
11020 Champorcher (AO) 19 Hd75
11020 Charvensod (AO) 18 Hb74
11024 Châtillon (AO) 19 Hd74
Chelbi (TP) 90 Nd122
12062 Cherasco (CN) 33 Hf81
07040 Cheremule (SS) 106 Ie105
29013 Chero (PC) 36 Ke79
37050 Cherubine (VR) 24 Mb77
32020 Cherz (BL) 4 Mf 69
11020 Chevrère (AO) 19 Hd74
11010 Chezallet (AO) 18 Hb74
09010 Chia (CA) 112 If115
01038 Chia (VT) 56 Nb94
03030 Chiaiamari (FR) 63 Od99
80145 Chiaiano (NA) 76 Pb103
10070 Chialamberto (TO) 18 Hc76
36072 Chiampo (VI) 24 Mb75
52044 Chianacce (AR) 51 Mf89
12020 Chianale (CN) 32 Ha81
83010 Chianche (AV) 71 Pe102
98035 Chianchitti (ME) 94 Qb121
53042 Chianciano Terme (SI) 56 Me90
33024 Chiandarens (UD) 5 Nd 70
56034 Chianni (PI) 49 Ld88
10050 Chianocco (TO) 32 Hb78
32046 Chiapuzza (BL) 5 Nb 70
97012 Chiaramonte Gulfi (RG) 100 Pe126
07030 Chiaramonti (SS) 106 Ie104
Chiaranda (UD) 6 Ob 70
38062 Chiarano (TN) 13 Lf73
31040 Chiarano (TV) 25 Nd74
60033 Chiaravalle (AN) 53 Ob87
88064 Chiaravalle Centrale (CZ) 89 Rc116
29011 Chiaravalle della Colomba (PC) 36 Kf79
20139 Chiaravalle Milanese (MI) 21 Kb76
23023 Chiareggio (SO) 12 Ke71
25032 Chiari (BS) 22 Kf75
33050 Chiarmacis (UD) 16 Oa73
85032 Chiaromonte (PZ) 79 Rb108
61044 Chiaserna (PU) 52 Nd88
33050 Chiasiellis (UD) 16 Ob73
74016 Chiatona (TA) 80 Sa105
86097 Chiáuci (IS) 64 Pc98
16043 Chiavari (GE) 43 Kb83
13856 Chiavazza Valdengo (BI) 19 Ia75
32043 Chiave (BL) 5 Na 69
23022 Chiavenna (SO) 11 Kc71
29016 Chiavenna Landi (PC) 36 Kf78
10010 Chiaverano (TO) 19 Hf75
39030 Chienes = Kiens (BZ) 4 Me 68
38062 Chienis (TN) 13 Lf73
38060 Chienis, Ronzo- (TN) 13 Lf73
10023 Chieri (TO) 33 He78
12020 Chiesa (CN) 32 Ha81
38046 Chiesa (TN) 14 Mb73
28851 Chiesa (VB) 10 Ib72
43032 Chiesabianca (PR) 36 Ke81
23023 Chiesa in Valmalenco (SO) 12 Ke71
50026 Chiesanuova (FI) 50 Mb86
73017 Chiesanuova (LE) 82 Ta108
48017 Chiesanuova (RA) 39 Me81
10080 Chiesanuova (TO) 19 Hd76
91019 Chiesa Nuova (TP) 90 Nd120
62011 Chiesanuova di San Vito (MC) 53 Ob88
35040 Chiesazza (PD) 24 Md77
32010 Chies d'Alpago (BL) 15 Nc71
51013 Chiesina Uzzanese (PT) 45 Le86
25026 Chiesuola (BS) 22 La77
48026 Chiesuola (RA) 47 Na82
66100 Chieti (CH) 59 Pb94
71010 Chieuti (FG) 65 Qa97
26010 Chieve (CR) 21 Kd76
Chievo (VR) 23 Lf76
24020 Chignolo (BG) 12 Ke73
24040 Chignolo d'Isola (BG) 21 Kd74
27013 Chignolo Po (PV) 35 Kc78
07010 Chilivani (SS) 106 If105
50022 Chiocchio (FI) 50 Mb87
30015 Chioggia (VE) 25 Nb77
10050 Chiomonte (TO) 32 Gf78
12078 Chionea (CN) 41 Hf84
33083 Chions (PN) 16 Ne73
33048 Chiopris-Viscone (UD) 17 Oc73
30174 Chirignago (VE) 25 Nb76
52010 Chitignano (AR) 51 Mf87
24060 Chiuduno (BG) 22 Kf75
29020 Chiulano (PC) 35 Kd79
36010 Chiuppano (VI) 24 Mc74
23030 Chiuro (SO) 12 Kf71
39043 Chiusa (BZ) 89 Rb119
39043 Chiusa = Klausen (BZ) 4 Md 69
12013 Chiusa di Pesio (CN) 41 He83
10050 Chiusa di San Michele (TO) 32 Hb78
33010 Chiusaforte (UD) 6 Ob 70
18027 Chiusánico (IM) 41 Hf85
14025 Chiusano d'Asti (AT) 33 Ia79
83040 Chiusano di San Domenico (AV) 71 Pf103
90033 Chiusa Sclafani (PA) 91 Ob122
18027 Chiusavecchia (IM) 41 Hf85
43019 Chiusa Viarola (PR) 36 La79
53012 Chiusdino (SI) 49 Ma90
53043 Chiusi (SI) 56 Mf90
52010 Chiusi della Verna (AR) 51 Mf86
10034 Chivasso (TO) 19 Hf77
38061 Chizzola (TN) 23 Lf74
25080 Chizzoline (BS) 23 Ld75
Chorio (RC) 95 Qe121
07020 Ciabattu (OT) 104 Kb102
Ciaculli (PA) 91 Oc120
00043 Ciampino (RM) 61 Nd98
81040 Ciamprisco (CE) 70 Pa102
92012 Cianciana (AG) 96 Oc123
31035 Ciano (TV) 15 Na74
89831 Ciano (VV) 89 Rb117
42026 Ciano d'Enza (RE) 37 Lc81
Ciappi (RC) 95 Qe120
89866 Ciaramiti (VV) 88 Qf117
91025 Ciavolo (TP) 90 Nd122
Ciavolotto (TP) 90 Nd122
32040 Cibiana di Cadore (BL) 15 Nb70
16044 Cicagna (GE) 43 Kb82
88040 Cicala (CZ) 86 Rc114
80033 Cicciano (NA) 71 Pd103
15020 Cicengo (AL) 33 Ib78
84053 Cicerale (SA) 77 Qa106
45011 Cicese (RO) 39 Mf78
16040 Cichero (GE) 43 Kb82
00020 Ciciliano (RM) 62 Nf97
52028 Cicogna (AR) 50 Md87
28804 Cicogna (VB) 10 Ic72
29010 Cicogni (PC) 35 Kc79
26030 Cicognolo (CR) 36 Lb77
33034 Ciconicco (UD) 16 Oa72
10080 Ciconio (TO) 19 He76
88821 Cicoria (KR) 87 Rf113
42033 Cigarello (RE) 37 Ld82
52040 Ciggiano (AR) 50 Me88
13043 Cigliano (VC) 19 Ia77
12060 Ciglie (CN) 41 Hf82
15010 Ciglione (AL) 34 Ic81
25020 Cignano (BS) 22 La76
26020 Cignone (CR) 22 Kf77
27040 Cigognola (PV) 35 Kb78
25020 Cigole (BS) 22 Lb77
56027 Cigoli (PI) 49 Le86
27024 Cilavegna (PV) 20 Ie77
31010 Cimadolmo (TV) 25 Nc74
29013 Cimafava (PC) 36 Ke79
15010 Cimaferle (AL) 34 Ic81
23020 Cimaganda (SO) 11 Kc70
32041 Cima Gogna (BL) 5 Nc 69
32047 Cima Sappada (BL) 5 Ne 69
25050 Cimbergo (BS) 12 Lc72
21029 Cimbro (VA) 20 Ie74
38082 Cimego (TN) 13 Ld73
10034 Cimena (TO) 33 Hf77
89040 Cimina (RC) 89 Ra119
90023 Ciminna (PA) 92 Od121
80030 Cimitile (NA) 71 Pd103
25060 Cimmo (BS) 22 Lb74
33080 Cimolais (PN) 15 Nc71
38060 Cimone (TN) 13 Ma73
33080 Cimpello (PN) 16 Ne73
14020 Cinaglio (AT) 33 Ia79
Cinecitta (RM) 61 Nd97
00020 Cineto Romano (RM) 62 Nf96
26042 Cingia de'Botti (CR) 36 Lb78
62011 Cingoli (MC) 52 Ob88
58044 Cinigiano (GR) 55 Mc91
20092 Cinisello Balsamo (MI) 21 Kb75
90045 Cinisi (PA) 91 Oa119
23010 Cino (SO) 11 Kc71
40016 Cinquanta (BO) 38 Mc81
89021 Cinquefrondi (RC) 89 Ra118
95040 Cinquegrana (CT) 98 Pd124
10080 Cintano (TO) 19 He76
38050 Cinte Tesino (TN) 14 Md72
30020 Cinto Caomaggiore (VE) 16 Ne74
35030 Cinto Euganeo (PD) 24 Md77
50022 Cintoia (FI) 50 Mc87
51030 Cintolese (PT) 45 Lf85
10090 Cinzano (TO) 33 Hf78
84085 Ciorani (SA) 77 Pe104
81010 Ciorlano (CE) 70 Pa100
18017 Cipressa (IM) 41 Hf85
24024 Cirano (BG) 22 Kf74
82020 Circello (BN) 71 Pe100
28887 Ciréggio (VB) 10 Ic73
87023 Cirella (CS) 83 Qe110
89040 Cirella (RC) 89 Ra119
Cirello (RC) 88 Qf118
29013 Ciriano (PC) 36 Ke79
10073 Ciriè (TO) 19 Hd77
75010 Cirigliano (MT) 79 Rb106
22070 Cirimido (CO) 21 Ka74
39025 Cirlano = Tschirland (BZ) 3 Lf 69
88813 Ciro (KR) 85 Sa112
88811 Ciro Marina (KR) 85 Sa112
38020 Cis (TN) 13 Lf70
25010 Cisano (BS) 23 Le75

24034 Cisano Bergamasco (BG) 21 Kc74
17035 Cisano sul Neva (SV) 41 Ia84
24040 Ciserano (BG) 21 Kd75
29020 Cisiano (PC) 35 Kd79
21040 Cislago (VA) 21 If75
20080 Cisliano (MI) 21 If76
36020 Cismon del Grappa (VI) 14 Me73
31030 Cison di Valmarino (TV) 15 Na73
28842 Cisore (VB) 10 Ib72
12050 Cissone (CN) 33 Ia81
33030 Cisterna (UD) 16 Nf72
14010 Cisterna d'Asti (AT) 33 Ia80
04012 Cisterna di Latina (LT) 68 Ne99
72014 Cisternino (BR) 75 Sc104
06010 Citerna (PG) 51 Na88
40052 Cittadella (BO) 38 Md81
35013 Cittadella (PD) 24 Me75
87020 Cittadella del Capo (CS) 83 Qf111
06062 Città della Pieve (PG) 56 Mf91
06066 Città delle Pieve (PG) 56 Na91
Citta del Mare (PA) 91 Oa119
00120 Città del Vaticano ◘ (SCV) 61 Nc97
06012 Citta di Castello (PG) 51 Nb88
02015 Cittaducale (RI) 57 Nf94
89022 Cittanova (RC) 89 Ra118
Citta Povera (TP) 90 Ne120
02010 Cittareale (RI) 57 Oa93
65013 Città Sant'Angelo (PE) 59 Pa93
21033 Cittíglio (VA) 10 Ie73
23862 Civate (LC) 21 Kc74
35020 Cive (PD) 25 Na77
22030 Civenna (CO) 11 Kb73
18017 Civezza (IM) 41 Hf85
38045 Civezzano (TN) 14 Ma72
13010 Civiasco (VC) 20 Ib74
41037 Cividale (MO) 37 Ma79
33043 Cividale del Friuli (UD) 17 Oc72
46017 Cividale Mantovano (MN) 37 Lc78
24050 Cividate al Piano (BG) 22 Kf75
25040 Cividate Camuno (BS) 12 Lb73
87010 Civita (CS) 84 Rb110
06043 Civita (PG) 57 Oa92
86030 Civitacampomarano (CB) 64 Pe98
01033 Civita Castellana (VT) 61 Nc95
67050 Civita d'Antino (AQ) 62 Oc97
66040 Civitaluparella (CH) 64 Pb97
62012 Civitanova Alta (MC) 53 Oe89
86094 Civitanova del Sánnio (IS) 64 Pc99
62012 Civitanova Marche (MC) 53 Oe89
65010 Civitaquana (PE) 59 Of95
67020 Civitaretenga (AQ) 63 Oe95
00053 Civitavecchia (RM) 60 Me96
00026 Civitella (RM) 62 Nf96
67030 Civitella Alfedena (AQ) 63 Of98
65010 Civitella Casanova (PE) 59 Of94
01010 Civitella Cesi (VT) 60 Na95
01020 Civitella d'Agliano (VT) 56 Nb93
05010 Civitella de'Conti (TR) 56 Nb91
64010 Civitella del Tronto (TE) 58 Oe92
47012 Civitella di Romagna (FC) 47 Mf84
52041 Civitella in Val di Chiana (AR) 50 Me88
58045 Civitella Marittima (GR) 55 Mb91
66010 Civitella Messer Raimondo (CH) 63 Pb96
58045 Civitella Paganico (GR) 55 Mb91
67054 Civitella Roveto (AQ) 62 Oc97
00060 Civitella San Paolo (RM) 61 Nd95
23010 Civo (SO) 11 Kd72
47027 Civorio (FC) 47 Na85
25030 Cizzago, Comezzano- (BS) 22 Kf76
46030 Cizzolo (MN) 37 Ld78
22010 Claino con Ósteno (CO) 11 Ka72
33050 Clauiano (UD) 16 Ob73
33080 Claut (PN) 15 Nd71
33090 Clauzetto (PN) 16 Nf71
33025 Clavais (UD) 6 Nf 70
12060 Clavesana (CN) 33 Hf82
10050 Claviere (TO) 32 Ge79
38023 Cles (TN) 13 Ma70
87030 Cleto (CS) 86 Ra114
33026 Cleulis (UD) 6 Nf 69
25070 Clibbio (BS) 23 Lc75
Cliternia Nuova (CB) 65 Qa97
21050 Clivio (VA) 11 If73
38020 Cloz (TN) 13 Ma70
Cludinico (UD) 6 Nf 70
25049 Clusane sul Lago (BS) 22 La75
Clusio Schleis (BZ) 2 Ld 68
24023 Clusone (BG) 12 Kf73
21019 Coarezza (VA) 20 Id74
10070 Coassolo Torinese (TO) 19 Hc77
45030 Coatti (RO) 38 Mc79
10050 Coazze (TO) 32 Hb78
14054 Coazzolo (AT) 33 Ia80
25030 Coccaglio (BS) 22 Kf75
44030 Coccanile (FE) 39 Mf79
33018 Coccau di Sopra (UD) 7 Od 69
48100 Coccolia (RA) 47 Na83
14023 Cocconato (AT) 33 Ia78
89863 Coccorinello (VV) 88 Qf117
89863 Coccorino (VV) 88 Qf117
15045 Cocetta (AL) 34 Ie78
72015 Cocolicchio (BR) 75 Sb104
21034 Cócquio-Trevisago (VA) 10 Ie73
67030 Cocullo (AQ) 63 Oe96
73027 Cocumola (LE) 82 Tc108
32020 Coda (BL) 23 Lf75
33039 Coderno (UD) 16 Nf72
35020 Codevigo (PD) 25 Na77
12080 Codevilla (CN) 41 Hf83
27050 Codevilla (PV) 35 Ka79
44021 Codigoro (FE) 39 Na80
54014 Codiponte (MS) 44 La83
42045 Codisotto (RE) 37 Le79
31013 Codogne (TV) 15 Nc73
26845 Codogno (LO) 36 Ke77
33033 Codroipo (UD) 16 Nf73
07040 Codrongianos (SS) 105 Ie105
13863 Coggiola (BI) 20 Ib74
07027 Coghinas (OT) 106 Ka104
20020 Cogliate (MB) 21 Ka75
11012 Cogne (AO) 18 Hc75
25052 Cogno (BS) 12 Lb73
17019 Cogoleto (SV) 42 Id82
08020 Cogoli (NU) 107 Kc105
37039 Cogollo (VR) 24 Ma75
36010 Cogollo del Cengio (VI) 24 Mc74
38020 Cogolo (TN) 13 Le70
16030 Cogorno (GE) 43 Kc83
25081 Cogozzo (BS) 23 Lc75
46016 Cogozzo (MN) 37 Lc79
42024 Cogruzzo (RE) 37 Ld80
28853 Coímo (VB) 10 Ic72
28011 Coiromonte (NO) 20 Ic74
Col (TV) 15 Na73
37017 Cola (VR) 23 Le76
28010 Colazza (NO) 20 Ic74
31020 Colbertaldo (TV) 15 Na73
61022 Colbordolo (PU) 48 Ne86
14026 Colcavagno (AT) 33 Ia78
60040 Colcello (AN) 52 Nf88
60041 Coldellanoce (AN) 52 Ne88
32027 Col di Pra (BL) 15 Mf71
18038 Coldirodi (IM) 41 He86
39020 Coldrano = Goldrain (BZ) 3 Le 69
89050 Colelli (RC) 88 Qe119
24020 Colere (BG) 12 La73
Coletta (RC) 95 Qe121
03030 Colfelice (FR) 69 Od99
06034 Colfiorito (PG) 57 Nf90
31030 Colfosco (TV) 15 Nb73
39030 Colfosco = Kollfuschg (BZ) 4 Mf 69
31046 Colfrancui (TV) 15 Nc73
29020 Coli (PC) 35 Kc80
23823 Còlico (LC) 11 Kc72
24010 Colla (BG) 11 Kd73
18030 Collabassa (IM) 41 Hd85
42037 Collagna (RE) 44 Lb82
39054 Collalbo = Klobenstein (BZ) 4 Mc 69
53034 Collalto (SI) 50 Ma88
33017 Collalto (UD) 16 Ob71
02022 Collalto Sabino (RI) 62 Oa96
60044 Collamato (AN) 52 Nf89
67040 Collarmele (AQ) 63 Od96
06050 Collazzone (PG) 56 Nc91
67017 Colle (AQ) 58 Ob94
Colle (PG) 52 Ne89
33090 Colle (PN) 16 Ne71
33082 Colle (PN) 16 Ne73
Colle = Kohlern (BZ) 4 Mc 70
02043 Collebaccaro (RI) 57 Ne94
06066 Collebaldo (PG) 56 Nb91
25060 Collebeato (BS) 22 Lb75
Colle Bichl (BZ) 4 Mb 67
23886 Colle Brianza (LC) 21 Kc74
58052 Collécchio (GR) 55 Ma93
43044 Collecchio (PR) 36 Lb80
65010 Collecorvino (PE) 59 Pa94
86020 Colle d'Anchise (CB) 71 Pd99
64042 Colledara (TE) 58 Oe93
55062 Colle di Compito (LU) 45 Ld86
Colle di Dentro = Inner-Pichl (BZ) 5 Nb 68
00030 Colle di Fuori (RM) 61 Ne98
Colle di Fuori = Ausser-Pichl (BZ) 5 Na 68
66010 Colledimácine (CH) 63 Pb97
66040 Colledimezzo (CH) 64 Pc97
02020 Colle di Tora (RI) 62 Nf95
53034 Colle di Val D'Elsa (SI) 50 Ma88
00034 Colleferro (RM) 62 Oa98
02020 Collegiove (RI) 62 Oa95
10093 Collegno (TO) 33 Hd78
39040 Colle Isarco = Gossensaß (BZ) 4 Mc 67
67050 Collelongo (AQ) 63 Od97
05023 Collelungo (TR) 56 Nc92
06033 Collemancio (PG) 57 Nd91
73010 Collemeto (LE) 82 Ta107
57018 Collemezzano (LI) 49 Ld88
Colleo (TP) 90 Nd121
56036 Colleoli (PI) 49 Le87
03010 Collepardo (FR) 62 Oc98
73040 Collepasso (LE) 82 Ta108
39050 Collepietra = Steinegg (BZ) 4 Mc 70
67020 Collepietro (AQ) 63 Oe95
10080 Colleretto Castelnuovo (TO) 19 He76
10010 Colleretto Giacosa (TO) 19 He76
57014 Collesalvetti (LI) 49 Lc87
03030 Colle San Magno (FR) 69 Oe99
82024 Colle Sannita (BN) 71 Pf100
90016 Collesano (PA) 92 Of121
32020 Colle Santa Lucia (BL) 15 Na70
Collesanto (MC) 52 Oa90
86044 Colletorto (CB) 65 Pf99
67019 Collettara (AQ) 58 Ob94
31014 Colle Umberto (TV) 15 Nc73
02042 Collevecchio (RI) 61 Nd95
03035 Colli (FR) 69 Od99
84020 Colliano (SA) 78 Qb104
86073 Colli a Volturno (IS) 70 Pa99
67012 Collicello (AQ) 58 Ob94
63030 Colli del Tronto (AP) 58 Oe91
80065 Colli di Fontanelle (NA) 76 Pc105
67061 Colli di Montebove (AQ) 62 Oa96
67045 Collimento (AQ) 62 Oc95
60030 Collina (AN) 53 Ob88
33020 Collina (UD) 6 Nf 69
09020 Collinas (MD) 109 If111
25060 Collio (BS) 22 Lb74
02010 Colli sul Velino (RI) 57 Ne94
13030 Collobiano (VC) 20 Ic76
51017 Collodi (PT) 45 Ld85
33010 Colloredo di Monte Albano (UD) 16 Oa72
33030 Colloredo di Prato (UD) 16 Oa72
28803 Colloro (VB) 10 Ib72
Colma = Kollmann (BZ) 4 Md 69
21016 Colmegna (VA) 10 Ie72
62020 Colmurano (MC) 53 Oc90
20040 Colnago (MI) 21 Kc75
75021 Colobraro (MT) 79 Rc107
44033 Cologna (FE) 39 Mf79
64026 Cologna (TE) 59 Of92
38085 Cologna (TN) 13 Ld73
64026 Cologna Spiaggia (TE) 59 Of92
37044 Cologna Veneta (VR) 24 Mc77
25033 Cologne (BS) 22 Kf75
20093 Cologno (MI) 21 Kb75
24055 Cologno al Serio (BG) 22 Ke75
24060 Colognola (BG) 22 Kf74
37030 Colognola ai Colli (VR) 24 Mb76
45021 Colombano (RO) 38 Md78
61040 Colombara (PU) 52 Ne87
25019 Colombare (BS) 23 Ld76
25050 Colombaro (BS) 22 Kf75
10020 Colombaro (TO) 33 Hf78
26030 Colombarolo (CR) 36 Lb78
06100 Colombella Bassa (PG) 51 Nc90
89057 Colonia Franchetti (RC) 88 Qe119
09036 Colonia Marina Funtanazza (MD) 108 Ic111
00030 Colonna (RM) 61 Ne97
64010 Colonnella (TE) 58 Of91
22010 Colonno (CO) 11 Ka73
23020 Coloredo (SO) 11 Kc71
54029 Coloretta (MS) 44 Ke82
23010 Colorina (SO) 12 Ke72
43052 Colorno (PR) 37 Lc79
87050 Colosimi (CS) 86 Rc114
39020 Colsano = Galsaun (BZ) 3 Lf 69
43033 Coltaro (PR) 36 Lb79
33070 Coltura (PN) 15 Nc72
38070 Coltura (TN) 13 Le72
20060 Colturano (MI) 21 Kc76
20050 Colzano (MB) 21 Kb74
24020 Colzate (BG) 22 Kf74
21020 Comábbio (VA) 20 Ie74
44022 Comacchio (FE) 39 Nb80
54015 Comano (MS) 44 La83
38070 Comano (TN) 13 Lf72
38020 Comasine (TN) 13 Le71
26833 Comazzo (LO) 21 Kc76
10060 Combagarino (TO) 32 Ha79
59015 Comeana (PO) 46 Ma86
33023 Comeglians (UD) 6 Nf 69
32040 Comèlico Superiore (BL) 5 Nd 69
89844 Comerconi (VV) 88 Qf117
21025 Comério (VA) 10 Ie73
25030 Comezzano-Cizzago (BS) 22 Kf76
28060 Comignago (NO) 20 Id74
66016 Cómino (CH) 63 Pb95
97013 Cómiso (RG) 100 Pd127
92020 Comitini (AG) 97 Od124
80030 Comiziano (NA) 71 Pd103
46010 Commessaggio (MN) 37 Ld78
38020 Commezzadura (TN) 13 Le70
87046 Commicelle (CS) 84 Ra112
22100 Como (CO) 21 Ka74
Compaccio = Kompatsch (BZ) 3 Lf 69
89852 Comparni (VV) 89 Ra117
25040 Comparte (BS) 12 Lc72
43053 Compiano (PR) 36 Ke81
27040 Compospinoso (PV) 35 Kb78
46035 Comuna Bellis (MN) 38 Ma78
63044 Comunanza (AP) 58 Oc91
28060 Comune d'Enea (NO) 20 Ic75
24040 Comun Nuovo (BG) 22 Kd75
30010 Cona (VE) 25 Na77
86070 Conca Casale (IS) 70 Pa100
35020 Conca d'Albero (PD) 25 Na77
84010 Conca dei Marini (SA) 77 Pd105
81044 Conca della Campania (CE) 70 Of101
45020 Concadirame (RO) 38 Me78
22070 Concagno (CO) 21 If74
37050 Concamarise (VR) 24 Ma77
08020 Concas (NU) 107 Kd105
38060 Concei (TN) 13 Le73
02020 Concerviano (RI) 62 Nf95
25062 Concesio (BS) 22 Lb75
89100 Concessa (RC) 88 Qd119
36062 Conco (VI) 24 Md74
30023 Concordia Sagittaria (VE) 26 Nf74
41033 Concordia sulla Secchia (MO) 37 Lf79
20049 Concorezzo (MB) 21 Kc75
38083 Condino (TN) 13 Ld73
89030 Condofuri (RC) 95 Qf120
89030 Condofuri Marina (RC) 95 Qf121
89040 Condojanni (RC) 89 Ra119
10055 Condove (TO) 32 Hb78
98040 Condro (ME) 94 Qb119
31015 Conegliano (TV) 15 Nb73
30010 Conetta (VE) 25 Mf77
27030 Confienza (PV) 20 Id77
02040 Configni (RI) 57 Nd94
82014 Confini (BN) 71 Pe102
88040 Conflenti (CZ) 86 Rb114
88041 Conflenti Inferiore (CZ) 86 Rb114
88041 Conflenti Superiore (CZ) 86 Rb114
15030 Coniolo (AL) 34 Ic78
25030 Coniolo (BS) 22 Kf76
44013 Consandolo (FE) 38 Me81
16040 Conscenti (GE) 43 Kc82
48017 Conselice (RA) 39 Me81
35026 Conselve (PD) 25 Mf77
22010 Consiglio di Rumo (CO) 11 Kb72
50060 Consuma (FI) 46 Md86
45014 Contarina (RO) 39 Nb78
98168 Contemplazione (ME) 88 Qd119
20067 Contérico (MI) 21 Kc76
90030 Contessa Entellina (PA) 91 Ob122
98128 Contesse (ME) 88 Qd120
Contestabile (RC) 89 Qf118
89844 Conte Villa Gabrielli (VV) 88 Qf117
02043 Contigliano (RI) 57 Ne94
83020 Contrada (AV) 71 Pe103
12072 Contrada (CN) 41 Ia82
43011 Contrada della Chiesa (PR) 36 La79
15100 Contrada Ebrei (AL) 34 Ie79
64010 Controguerra (TE) 58 Oe91
84020 Controne (SA) 77 Qb105
28010 Contúrbia, Agrate- (NO) 20 Id75
84024 Contursi Terme (SA) 77 Qb105
48020 Conventello (RA) 39 Na81
70014 Conversano (BA) 74 Sa103
83040 Conza della Campania (AV) 72 Qc103
15030 Conzano (AL) 34 Ic78
84080 Coperchia (SA) 77 Pe104
73043 Copertino (LE) 82 Ta107
27010 Copiano (PV) 21 Kb77
62038 Copogna (MC) 52 Nf90
44034 Copparo (FE) 39 Me79
67010 Coppito (AQ) 58 Oc94
87050 Coraci (CS) 86 Rc114
Corallo Vecchio Cant. (TP) 90 Nd121
27050 Corana (PV) 35 If78
70033 Corato (BA) 73 Rc102
31020 Corbanese (TV)
84010 Corbara (SA) 7
05018 Corbara (TR)
20011 Corbetta (MI)
45015 Corbola (RO)
30029 Corbolone (VE)
43100 Corcagnano (PR)
01030 Corchiano (VT)
06023 Corcia (PG)
06073 Corciano (PG)
45011 Corcreva (RO)
67051 Corcumello (AQ)
33084 Cordenons (PN)
64024 Cordesco (TE)
31016 Cordignano (TV)
33075 Cordovado (PN)
38010 Coredo (TN)
70011 Coreggia (BA) 7
55025 Coreglia Antelminelli (LU)
16040 Coreglia Ligure (GE)
09010 Coremo (CI) 11
03040 Coreno Ausonio (FR) 6
52010 Corezzo (AR)
67030 Corfinio (AQ)
21029 Corgeno (VA)
33050 Corgnolo (UD)
04010 Cori (LT)
42030 Coriano (RE)
47853 Coriano (RN)
87032 Córica (CS) 8
81037 Corigliano (CE) 7
87064 Corigliano Calabro (CS) 84
73022 Corigliano d'Otranto (LE) 8
87065 Corigliano Scalo (CS) 84
60013 Corinaldo (AN)
10070 Corio (TO)
Coristeles (BZ)
90034 Corleone (PA) 9
71022 Corleto (FG) 7
84020 Corleto Monforte (SA) 7
85012 Corleto Perticara (PZ) 7
20032 Cormano (MI)
20021 Cormano Novate Milanese (
34071 Cormons (GO)
23020 Corna Bianca (SO)
50033 Cornacchiaia (FI)
43014 Cornaccina (PR)
39050 Cornaiano = Girlan (BZ)
24030 Corna Imagna (BG)
24017 Cornalba (BG)
15020 Cornale (AL)
27050 Cornale (PV)
14047 Cornalea (AT)
26020 Cornaleto (CR)
31040 Cornare (TV)
20010 Cornaredo (MI)
20040 Cornate d'Adda (MI)
45031 Corne (RO)
39053 Cornedo all'Isarco = Karneid
36073 Cornedo Vicentino (VI)
35020 Cornegliana (PD)
26854 Cornegliano Laudense (LO)
12040 Corneliano d'Alba (CN)
24010 Cornello (BG)
43040 Corniana (PR)
19020 Cornice (SP)
19010 Corniglia (SP)
16152 Cornígliano Ligure (GE)
43021 Corniglio (PR)
91015 Cornino (TP) 90
33030 Cornino (UD)
33040 Corno di Rosazzo (UD)
26846 Corno Giovine (LO)
26842 Cornovecchio (LO)
31041 Cornuda (TV)
34070 Corona (GO)
17044 Corona (SV)
44020 Coronella (FE) 3
84013 Corpo di Cava (SA) 7
47900 Corpolo (RN)
44042 Corpo-Reno (FE) 3
44020 Correggi (FE) 3
42015 Correggio (RE)
46030 Correggioli (MN)
46030 Correggio Verde (MN)
20050 Correzzana (MB)
37060 Correzzo (VR)
35020 Correzzola (PD)
22010 Corrido (CO)
62014 Corridonia (MC)
Corridore del Pero (SR) 9
Corriolo (ME) 94
64013 Corropoli (TE)
73033 Corsano (LE) 8

Corsano (SI) 50 Mc89
Corsico (MI) 21 Ka76
Corsignano (SI) 50 Mc88
Corsione (AT) 33 Ia78
Cort (TN) 13 Le72
Cortaccia = Kurtatsch (BZ) 14 Mb71
Cortàccia sulla Strada del Vino = Kurtatsch (BZ) 14 Mb71
Cortale (CZ) 86 Rc115
Cortale (UD) 16 Ob72
Cortandone (AT) 33 Ia79
Cortanze (AT) 33 Ia78
Cortazzone (AT) 33 Ia79
Corte (BL) 4 Mf 69
Corte Brugnatella (PC) 35 Kc80
Corte Centrale (FE) 39 Na80
Corte de'Cortesi (CR) 22 La77
Corte de'Frati (CR) 22 La77
Corte Franca (BS) 22 Kf75
Cortellazzo (VE) 26 Ne75
Cortemaggiore (PC) 36 Kf78
Cortemilia (CN) 33 Ib81
Cortenedolo (BS) 12 Lb71
Corteno Golgi (BS) 12 Lb72
Cortenova (LC) 11 Kc72
Cortenuova (BG) 22 Ke75
Cortenuova (FI) 49 Lf86
Corteolona (PV) 35 Kc78
Corte Palasio (LO) 21 Kd77
Cortetano (CR) 22 Kf77
Corti (BG) 12 La73
Corticella (BO) 38 Mc81
Corticelle Pieve (BS) 22 La76
Cortigliolo (TP) 90 Nd120
Cortiglione (AT) 33 Ia78
Cortiglione (AT) 34 Ic80
Cortile (MO) 37 Lf80
Cortina (TN) 13 Le71
Cortina d'Ampezzo (BL) 5 Na 69
Cortina sulla Strada del Vino = Kurtinig (BZ) 14 Mb71
Cortine (BS) 22 Lb75
Cortine (FI) 50 Mb87
Cortino (TE) 58 Od93
Cortiois (CI) 111 Id114
Corti Rosas (CA) 113 Kc111
Cortoghiana (CI) 111 Ic113
Cortona (AR) 51 Mf89
Corvara (PE) 63 Of95
Corvara (SP) 44 Ke83
Corvara = Corvara in Badia (BZ) 4 Mf 69
Corvara = Rabenstein (BZ) 4 Mc 68
Corvara in Badia = Corvara (BZ) 4 Mf 69
Corvara in Passiria (BZ) 3 Ma 67
Corvaro (RI) 62 Ob95
Corviale (RM) 61 Nc97
Corvino San Quirico (PV) 35 Ka78
Corvione (BS) 22 Lb77
Corzano (BS) 22 La76
Corzes = Kortsch (BZ) 3 Le 69
Cosa (PN) 16 Nf72
Cosa (VB) 10 Ib72
Coseano (UD) 16 Oa72
Cosentini (CT) 94 Qa122
Cosenza (CS) 86 Rb112
Cosio d'Arroscia (IM) 41 Hf84
Cosio Valtellino (SO) 11 Kd72
Cosoleto (RC) 88 Qf119
Cossano Belbo (CN) 34 Ib80
Cossano Canavese (TO) 19 Hf76
Cossato (BI) 20 Ib75
Cosséria (SV) 42 Ib82
Cossignano (AP) 58 Oe91
Cossogno (VB) 10 Id73
Cossoine (SS) 106 Ie106
Cossombrato (AT) 33 Ia79
Costa (BL) 5 Nd 69
Costa (BS) 23 Ld74
Costa (PC) 35 Kd79
Costa (PG) 52 Ne90
Costa (SV) 42 Ic83
Costa (TO) 32 Ha78
Costa (VI) 24 Mb75
Costabissara (VI) 24 Mc75
Costacciaro (PG) 52 Ne88
Costadedoi (BZ) 4 Mf 69
Costa de'Nobili (PV) 35 Kc78
Costa de Nóbili (PV) 35 Kc78
Costa di Mezzate (BG) 22 Ke75
Costa di Rovigo (RO) 38 Me78
Costa di Serina (BG) 12 Ke73
Costa d'Oneglia (IM) 41 Ia85
Costafontana (GE) 35 Kb81
Costalovara = Wolfsgruben (BZ) 4 Mc 69
53100 Costalpino (SI) 50 Mb89
32040 Costalta (BL) 5 Nd 69
37032 Costalunga (VR) 24 Mb76
23845 Costa Masnaga (LC) 21 Kb74
Costa Molini = Mühleck (BZ) 4 Mf 67
27040 Costa Montefedele (PV) 35 Kc78
06080 Costano (PG) 57 Nd90
13033 Costanzana (VC) 20 Ic77
43014 Costa Pavesi (PR) 36 La80
18017 Costarainera (IM) 41 Hf85
12060 Costa San Luigi (CN) 41 Ia82
26022 Costa Sant'Abramo (CR) 22 Kf77
24010 Costa Serina (BG) 12 Ke73
29014 Costa Stradivari (PC) 36 Kf79
24030 Costa Valle Imagna (BG) 21 Kd74
15050 Costa Vescovato (AL) 35 If80
24062 Costa Volpino (BG) 12 La73
31010 Coste (TV) 15 Mf74
37010 Costermano (VR) 23 Le75
14055 Costigliole d'Asti (AT) 33 Ib80
12024 Costigliole Saluzzo (CN) 33 Hc81
36071 Costo (VI) 24 Mc75
36023 Costozza (VI) 24 Md76
48010 Cotignola (RA) 47 Mf82
88836 Cotronei (KR) 87 Re114
02040 Cottanello (RI) 57 Ne94
Cottone (CT) 94 Qb122
11013 Courmayeur (AO) 18 Gf74
89011 Covala (RC) 88 Qe119
39028 Covelano = Goflan (BZ) 3 Le 69
38070 Covelo (TN) 13 Ma72
24050 Covo (BG) 22 Ke75
70040 Cozzana (BA) 75 Sb103
70042 Cozze (BA) 74 Sa102
51010 Cozzile (PT) 45 Le85
27030 Cozzo (PV) 20 Id77
31029 Cozzuolo (TV) 15 Nb73
28028 Crábbia (NO) 20 Ic74
75010 Craco (MT) 79 Rc106
28857 Crana (VB) 10 Ic72
23832 Crandola Valsassina (LC) 11 Kc72
89040 Crasto (RC) 89 Ra119
33050 Crauglio (UD) 17 Oc73
12047 Crava (CN) 41 He82
13020 Cravagliana (VC) 10 Ib73
12050 Cravanzana (CN) 33 Ia81
28852 Cravéggia (VB) 10 Ic72
28862 Cravegna (VB) 10 Ib71
36051 Creazzo (VI) 24 Mc75
66014 Crécchio (CH) 59 Pb95
24060 Credaro (BG) 22 Kf75
26010 Credera-Rubbiano (CR) 22 Kd77
26013 Crema (CR) 22 Ke76
23894 Cremella (LC) 21 Kb74
21030 Cremenaga (VA) 10 Ie73
23814 Cremeno (LC) 11 Kc73
25020 Cremezzano (BS) 22 La76
22010 Crémia (CO) 11 Kb72
22044 Cremnago (CO) 21 Kb74
15010 Cremolino (AL) 34 Id81
26100 Cremona (CR) 36 La78
26010 Cremosano (CR) 22 Kd76
13044 Crescentino (VC) 19 Ia77
36070 Crespadoro (VI) 24 Mb75
31017 Crespano del Grappa (TV) 14 Mf74
40056 Crespellano (BO) 38 Ma81
24041 Crespi (BG) 21 Kd75
26835 Crespiatica (LO) 21 Kd76
31010 Crespignaga (TV) 15 Mf74
56040 Crespina (PI) 49 Ld87
45030 Crespino (RO) 39 Mf79
28012 Cressa (NO) 20 Id75
29015 Creta (PC) 35 Kc78
52044 Creti (AR) 51 Mf89
38085 Creto (TN) 13 Ld73
21016 Creva (VA) 10 Ie73
13864 Crevacuore (BI) 20 Ib74
40014 Crevalcore (BO) 38 Ma80
28865 Crevoladossola (VB) 10 Ib72
13019 Crevola Sesia (VC) 20 Ib74
88050 Crichi, Símeri- (CZ) 87 Rd115
07020 Crisciuleddu (OT) 104 Kb102
80020 Crispano (NA) 70 Pb103
74012 Crispiano (TA) 80 Sb105
62022 Crispiero (MC) 52 Oa89
12030 Crissolo (CN) 32 Ha80
41030 Cristo (MO) 37 Ma80
40068 Croara (BO) 46 Md83
91019 Crocci (TP) 90 Nd120
47854 Croce (RN) 48 Nd85
30024 Croce (VE) 25 Nd75
Croce al Promontorio (ME) 94 Qb119
87058 Croce di Magara (CS) 86 Rc113
25042 Croce di Salven (BS) 12 La73
63025 Croce di Via (AP) 53 Od90
16040 Croce d'Orero (GE) 43 Kb82
16010 Crocefieschi (GE) 35 Ka81
04018 Croce Moschitto (LT) 68 Oa99
40023 Crocetta (BO) 38 Me82
45021 Crocetta (RO) 38 Mc78
31035 Crocetta del Montello (TV) 15 Na73
60022 Crocette (AN) 53 Od88
89100 Croce Valanidi (RC) 95 Qd120
Croce Verde (PA) 91 Oc120
91019 Crocevie (TP) 90 Nd120
Crociale di Man. (BS) 23 Ld75
45012 Crociarone (RO) 39 Na79
57014 Crocino (LI) 49 Lc87
28862 Crodo (VB) 10 Ib71
64043 Crognaleto (TE) 58 Oc93
87060 Cropalati (CS) 85 Re111
85030 Cropani (PZ) 84 Ra108
88051 Cropani (CZ) 87 Re115
88051 Cropani Marina (CZ) 87 Re115
13853 Crosa (BI) 20 Ib75
38060 Crosano (TN) 13 Lf74
45030 Crosara (RO) 38 Me78
36063 Crosara (VI) 24 Md74
87060 Crosia (CS) 85 Re111
21020 Crosio della Valle (VA) 20 Ie74
88900 Crotone (KR) 87 Sa114
26020 Crotta d'Adda (CR) 36 Kf78
10019 Crotte (TO) 19 Hf76
13040 Crova (VC) 20 Ib77
28861 Cróveo (VB) 10 Ib71
38027 Croviana (TN) 13 Lf70
88812 Crucoli (KR) 85 Sa112
21020 Crugnola (VA) 20 Ie74
21050 Cuasso al Monte (VA) 10 If73
21050 Cuasso al Piano (VA) 10 If73
15040 Cuccaro Monferrato (AL) 34 Ic79
84050 Cuccaro Vetere (SA) 78 Qb108
22060 Cucciago (CO) 21 Ka74
Cuccumella (SR) 99 Pf124
61031 Cuccurano (PU) 48 Nf86
10090 Cuceglio (TO) 19 He76
Cuddia soprana (TP) 90 Nd121
82026 Cuffiano (BN) 71 Pe100
20012 Cuggiono (MI) 20 Ie75
21030 Cugliate Fabiasco (VA) 10 Ie73
09073 Cuglieri (OR) 108 Id107
32014 Cugnan (BL) 15 Nb72
65020 Cúgnoli (PE) 63 Of95
Culzei (DU) 5 Ne 69
Cumia (ME) 88 Qc119
10040 Cumiana (TO) 32 Hc79
26020 Cumignano sul Naviglio (CR) 22 Kf76
Cuna (SI) 50 Mc89
21035 Cunardo (VA) 10 Ie73
94019 Cunazzo (EN) 98 Pc123
12100 Cuneo (CN) 41 Hd82
38010 Cunevo (TN) 13 Ma71
14026 Cunico (AT) 33 Ia78
10082 Cuorgne (TO) 19 Hd76
81037 Cupa (CE) 70 Of101
66051 Cupello (CH) 64 Pe96
62039 Cupi (MC) 57 Oa91
60044 Cupo (AN) 52 Ne88
63012 Cupra Marittima (AP) 53 Of90
60034 Cupramontana (AN) 52 Oa88
01019 Cura (VT) 60 Na95
27010 Cura Carpignano (PV) 21 Kb77
98100 Curcuraci (ME) 88 Qd119
09090 Curcuris (OR) 109 Ie110
28060 Cureggio (NO) 20 Ic74
45011 Curicchi (RO) 39 Na78
21010 Curiglia (VA) 10 Ie72
21010 Curìglia con Monteviasco (VA) 10 Ie72
88022 Curinga (CZ) 86 Rb116
13865 Curino (BI) 20 Ib75
24035 Curno (BG) 21 Kd74
39027 Curon Venosta = Graun im Vinschgau (BZ) 3 Ld 68
73020 Cursi (LE) 82 Tb108
28827 Cúrsolo-Orasso (VB) 10 Id72
35010 Curtarolo (PD) 24 Me75
46010 Curtatone (MN) 37 Le78
84085 Curteri (SA) 77 Pe104
81040 Curti (CE) 70 Pb102
84095 Curti (SA) 77 Pf104
84095 Curticelle (SA) 77 Pf104
20090 Cusago (MI) 21 Ka76
20095 Cusano Milanino (MI) 21 Kb75
82033 Cusano Mutri (BN) 71 Pd100
64046 Cusciano (TE) 58 Od93
47012 Cusercoli (FC) 47 Na84
38026 Cusiano (TN) 13 Le71
36027 Cusinati (VI) 24 Me74
22010 Cusino (CO) 11 Ka72
24010 Cusio (BG) 11 Kd72
09011 Cussorgia (CI) 111 Ic114
91015 Custonaci (TP) 90 Ne120
51024 Cutigliano (PT) 45 Le84
88842 Cutro (KR) 87 Rf114
73020 Cutrofiano (LE) 82 Tb108
21030 Cuvéglio (VA) 10 Ie73
21030 Cúvio (VA) 10 Ie73
28803 Cuzzago (VB) 10 Ic72
28851 Cúzzego (VB) 10 Ib72

D

89868 Daffina (VV) 88 Qf116
Dagala (CT) 94 Qa122
15060 Daglio (AL) 35 Ka81
38030 Daiano (TN) 14 Mc71
20020 Dairago (MI) 20 If75
24044 Dalmine (BG) 21 Kd75
38010 Dambel (TN) 13 Ma70
17043 Damonte (SV) 42 Ib83
32040 Danta di Cadore (BL) 5 Nd 69
38080 Daone (TN) 13 Ld73
Dara (TP) 90 Nd121
33070 Dardago (PN) 15 Nd72
38080 Dare (TN) 13 Le72
25047 Darfo-Boario Terme (BS) 12 Lb73
38089 Darzo (TN) 13 Ld73
89832 Dasa (VV) 89 Rb117
22010 Dáscio (CO) 11 Kc71
91027 Dattilo (TP) 90 Nd120
16022 Davagna (GE) 43 Ka82
21020 Daverio (VA) 20 Ie74
88060 Davoli (CZ) 89 Rc117
23010 Dazio (SO) 11 Kd71
36100 Debba (VI) 24 Md75
09033 Decimomannu (CA) 112 If113
09010 Decimoputzu (CA) 112 If113
88041 Decollatura (CZ) 86 Rb114
82024 Decorata (BN) 71 Pf100
17033 Degna (SV) 41 Ia84
17058 Dego (SV) 42 Ib82
19013 Deiva Marina (SP) 43 Kd83
23014 Delebio (SO) 11 Kc72
93010 Delia (CL) 97 Of124
89012 Delianuova (RC) 88 Qf119
71026 Deliceto (FG) 72 Qc101
25020 Dello (BS) 22 La76
12014 Demonte (CN) 40 Hb83
97010 Denaro (RG) 100 Pc127
15010 Denice (AL) 34 Ib81
38010 Denno (TN) 13 Ma71
44100 Denore (FE) 39 Me80
73039 Depressa (LE) 82 Tc109
11015 Derby (AO) 18 Ha74
16022 Dercogna (GE) 43 Ka82
15056 Dernice (AL) 35 Ka80
26040 Deróvere (CR) 36 Lb78
06053 Deruta (PG) 56 Nc91
23824 Dervio (LC) 11 Kb72
13034 Desana (VC) 20 Ic77
30174 Dese (VE) 25 Nb75
25015 Desenzano del Garda (BS) 23 Ld76
20033 Désio (MB) 21 Kb75
87066 Destro (CS) 85 Re112
08032 Desulo (NU) 109 Kb108
39050 Deutschnofen = Nova Ponente (BZ) 14 Mc70
24020 Dezzo (BG) 12 La73
50060 Diacceto (FI) 46 Md86
87023 Diamante (CS) 83 Qe110
Diana (CT) 94 Qb122
18013 Diano Arentino (IM) 41 Ia85
18013 Diano Castello (IM) 41 Ia85
12055 Diano d'Alba (CN) 33 Ia81
18013 Diano Marina (IM) 41 Ia85
18013 Diano San Pietro (IM) 41 Ia85
50062 Dicomano (FI) 46 Md85
55023 Diecimo (LU) 45 Ld85
33027 Dierico (UD) 6 Oa 69
07020 di Gallura (OT) 104 Ka102
91025 Digerbato (TP) 90 Nd122
62038 Dignano (MC) 57 Nf90
33030 Dignano (UD) 16 Nf72
32020 Digonera (BL) 4 Mf 70
38025 Dimaro (TN) 13 Lf71
89050 Diminniti (RC) 88 Qe119
89833 Dinami (VV) 89 Ra117
43019 Diolo (PR) 36 La79
87045 Dipignano (CS) 86 Rb113
73030 Diso (LE) 82 Tc108
41032 Disvetro (MO) 37 Lf79
Ditella 88 Qa117
28010 Divignano (NO) 20 Id75
22020 Dizzasco (CO) 11 Ka73
39034 Dobbiaco = Toblach (BZ) 5 Nb 68
39034 Dobbiaco Nuovo = Toblach Neu (BZ) 5 Nb 68
34070 Doberdo del Lago (GO) 17 Od73
13017 Dóccio (VC) 20 Ib74
30034 Dogaletto (VE) 25 Nb76
12063 Dogliani (CN) 33 Hf81
06057 Doglio (PG) 56 Nb92
66050 Dogliola (CH) 64 Pd97
32013 Dogna (BL) 15 Nb71
33010 Dogna (UD) 6 Ob 70
37020 Dolce (VR) 23 Lf75
18035 Dolceacqua (IM) 41 Hd85
70020 Dolcecanto (BA) 73 Rb103
18020 Dolcedo (IM) 41 Hf85
53044 Dolciano (SI) 56 Mf90
34070 Dolegna del Collio (GO) 17 Oc72
33048 Dolegnano (UD) 17 Oc73
09041 Dolianova (CA) 112 Kb112
30031 Dolo (VE) 25 Na76
23843 Dolzago (LC) 21 Kc74
87030 Domanico (CS) 86 Rb113
33095 Domanins (PN) 16 Ne72
22013 Domaso (CO) 11 Kb72
32040 Domegge di Cadore (BL) 5 Nc 70
37015 Domegliara (VR) 23 Le75
83020 Domicella (AV) 71 Pd103
60048 Domo (AN) 52 Oa88
28845 Domodóssola (VB) 10 Ib72
09010 Domus de Maria (CA) 112 If115
09015 Domusnovas (CI) 111 Id113
38011 Don (TN) 13 Ma70
45014 Donada (RO) 39 Nb78
13893 Donato (BI) 19 Hf75
22014 Dongo (CO) 11 Kb72
89050 Donica (RC) 88 Qe119
08040 Donigala (NU) 110 Ke109
09040 Donigala, Siúrgus- (CA) 112 Kb111
09170 Donigala Fenughedu (OR) 108 Id109
97013 Donnafugata (RG) 100 Pd127
97018 Donnalucata (RG) 100 Pd128
11020 Donnas (AO) 19 He75
57024 Donoratico (LI) 49 Ld90
09040 Donori (CA) 112 Ka112
Dordolla (UD) 6 Ob 70
39019 Dorf Tirol = Tirolo (BZ) 3 Ma 68
24020 Dorga (BG) 12 La73
08022 Dorgali (NU) 110 Kd107
87011 Doria (CS) 84 Rc110
16022 Doria (GE) 43 Ka82
23824 Dório (LC) 11 Kb72
28040 Dormelletto (NO) 20 Id74
27020 Dorno (PV) 35 If78
38070 Dorsino (TN) 13 Lf72
13881 Dorzano (BI) 19 Ia76
26043 Dosimo (CR) 22 La77
26043 Dosimo, Pérsico- (CR) 22 La77
32040 Dosoledo (BL) 5 Nc 69
46030 Dosolo (MN) 37 Ld79
24010 Dossena (BG) 12 Ke73
24020 Dosso (BG) 12 La73
44040 Dosso (FE) 38 Mc80
Dosso = Egg (BZ) 4 Mc 67
37062 Dossobuono (VR) 23 Lf76
26042 Dosso de'Frati (CR) 36 Lb78
22010 Dosso del Liro (CO) 11 Kb71
25060 Dosso di Marmentino (BS) 22 Lb74
31030 Dosson (TV) 25 Nb75
11010 Doues (AO) 8 Hb 74
47013 Dovadola (FC) 47 Mf84
38020 Dovena (TN) 13 Ma70
26010 Dovera (CR) 21 Kd76
40060 Dozza (BO) 46 Md82
46025 Dragoncello (MN) 38 Mb79
84019 Dragonea (SA) 77 Pe104
85020 Dragonetti (PZ) 78 Qe103
81010 Dragoni (CE) 70 Pb101
89862 Drapia (VV) 88 Qf117
Drauto 88 Qa117
38074 Drena (TN) 13 Lf73
33040 Drenchia (UD) 17 Od71
20070 Dresano (MI) 21 Kc76
28805 Drésio (VB) 10 Ib72
22020 Drezzo (CO) 21 If74
Driolassa (UD) 16 Oa73
26034 Drizzona (CR) 36 Lc78
38074 Dro (TN) 13 Lf73
12025 Dronero (CN) 40 Hc82
Drosi (RC) 88 Qf118
10040 Druento (TO) 33 Hd78

28853 Druogno (VB) 10 Ic72
08010 Dualchi (NU) 109 If107
23015 Dubino (SO) 11 Kc72
48020 Ducato di Fabriago (RA) ... 39 Mf82
81038 Ducenta, Tréntola- (CE) ..70 Pb103
44019 Ducentola (FE) 38 Me80
35020 Due Carrare (PD) ..24 Me77
21010 Due Cossani (VA) 10 Ie72
Due Maesta (RE) 37 Ld81
Due Torri (ME) 88 Qc119
36031 Dueville (VI) 24 Md75
82030 Dugenta (BN) 70 Pc102
87041 Duglia (CS) 84 Rc111
34011 Duino-Aurisina (TS) 17 Oe74
34011 Duíno-Aurisina (TS) 17 Od74
34013 Duíno-Devin (TS) 17 Od74
24060 Dumengoni (BG) 22 Kf74
21010 Dumenza (VA) 10 Ie72
21030 Duno (VA) 10 Ie73
25038 Duomo (BS) 22 La75
47100 Durazzanino (FC) 47 Na83
82015 Durazzano (BN) 70 Pc102
Durna di Selva = Durnwald (BZ) ...
............5 Na 68
86020 Durónia (CB) 64 Pc99
14010 Dusino-San Michele (AT) ..33 Hf79
32020 Dussoi (BL) 15 Nb72

E

29021 Ebbio (PC) 35 Kd80
84025 Eboli (SA) 77 Qa105
12078 Eca (CN) 41 Hf83
25048 Edolo (BS) 12 Lb71
06049 Eggi (PG) 57 Ne92
39044 Egna = Neumarkt (BZ) ... 14 Mb71
87010 Eianina (CS) 84 Rb109
23033 Eita (SO) 12 Lb70
62027 Elcito (MC) 52 Oa89
65010 Elice (PE) 59 Of93
08040 Elini (OG) 110 Kd109
23848 Ello (LC) 21 Kc74
09030 Elmas (CA) 112 Ka113
58010 Elmo (GR) 55 Me92
12020 Elva (CN) 32 Ha81
Elvas = Elvas (BZ) ..4 Md 68
11020 Emarese (AO) 19 He74
11020 Emareset Saint Anselme (AO) ...
............19 He74
50053 Empoli (FI) 49 Lf86
24060 Endine Gaiano (BG) 22 Kf74
36052 Enego (VI) 14 Me73
33020 Enemonzo (UD) 16 Nf70
Engazza (VR) 23 Ma77
94100 Enna (EN) 98 Pb123
39030 Enneberg = Marebbe (BZ) 4 Mf 68
39020 Ennewasser = Transacqua (BZ) ...
............3 Le 69
25079 Eno (BS) 23 Lc74
41038 Entra (MO) 38 Mb80
12010 Entracque (CN) 40 Hc83
24060 Entratico (BG) 22 Kf74
12030 Envie (CN) 32 Hc80
11012 Épinel (AO) 18 Hb75
85033 Episcopia (PZ) 84 Ra108
84080 Episcopio (SA) 77 Pd104
Epitaffio (LT) 68 Nf99
39057 Eppan = Appiano sulla Strada del Vino (BZ) 14 Mb70
23027 Era (SO) 11 Kc71
30020 Eraclea (VE) 26 Ne75
30020 Eraclea Mare (VE) 26 Ne75
22036 Erba (CO) 21 Kb74
50031 Erbaia (FI) 46 Mb84
25041 Erbanno (BS) 12 Lb73
37060 Erbe (VR) 23 Lf77
37020 Erbezzo (VR) 23 Lf75
25030 Erbusco (BS) 22 Kf75
72020 Erchie (BR) 81 Se106
80056 Ercolano (NA) 76 Pc104
84061 Eredita (SA) 77 Qa106
84050 Eremiti (SA) 78 Qb108
Eremiti (SR) 99 Pf125
91016 Erice (TP) 90 Nd120
17030 Erli (SV) 41 Ia84
33080 Erto (PN) 15 Nc71
33080 Erto e Casso (PN) 15 Nc71
07030 Erula (SS) 106 If104
23805 Erve (LC) 21 Kc74
62024 Esanatoglia (MC) 52 Nf89
08043 Escalaplano (CA) ..109 Kc111
Eschio = Aschl (BZ) ...3 Mb 69
08030 Escolca (NU) 109 Ka110
09090 Escovedu (OR) 109 If110
25017 Esenta (BS) 23 Lc76
25040 Esine (BS) 12 Lb73
23825 Ésino Lario (LC) 11 Kc72
25022 Esmate (BG) 22 La74
24060 Esmate (BG) 22 La74
03045 Espéria (FR) 69 Oe100
07010 Esporlatu (SS) ..106 If106
35042 Este (PD) 24 Md77
08030 Esterzili (NU) ..109 Kb110
11014 Etroubles (AO) ....8 Hb 74
22030 Eupilio (CO) 21 Kb74
11100 Excenex (AO) 18 Hb74
10050 Exilles (TO) 32 Gf78

F

06012 Fabbrecce (PG) 51 Nb88
50028 Fabbrica (FI) 50 Mb87
15050 Fabbrica Curone (AL) ..35 Ka80
16100 Fabbriche (GE) 42 Ie82
55021 Fabbriche (LU) ..45 Ld84
55020 Fabbriche di Vallico (LU) ..45 Lc85
42042 Fabbrico (RE) 37 Le79
15020 Fabiano (AL) 34 Ib78
60044 Fabriano (AN) 52 Nf88
01034 Fabrica di Roma (VT) ..61 Nb94
89823 Fabrizia (VV) ..89 Rb118
Fabrizio Grande (CS) ..84 Rd111
05015 Fabro (TR) 56 Na91
31029 Fadalto (TV) 15 Nc72
32013 Fae (BL) 15 Nb71
31046 Fae (TV) 25 Nc74
33040 Faedis (UD) 16 Oc72
38010 Faedo (TN) 14 Ma71
23020 Faedo Valtellino (SO) ..12 Kf72
52026 Faella (AR) 50 Md87
48018 Faenza (RA) 47 Mf83
47896 Faetano ◻ (RSM) ..48 Nc85
71020 Faeto (FG) 71 Qa101
33034 Fagagna (UD) 16 Oa72
02023 Fagge (RI) 62 Oa95
22020 Faggeto Lario (CO) ..11 Kb73
58037 Faggia (GR) 55 Md91
74020 Faggiano (TA) 81 Sc106
20083 Fagnano (MI) 21 Ka76
37060 Fagnano (VR) 23 Lf77
67020 Fagnano Alto (AQ) 63 Od95
87013 Fagnano Castello (CS) ..84 Ra111
21054 Fagnano Olona (VA) 20 If74
33080 Fagnigola (PN) 16 Ne73
87053 Fago del Soldato (CS) ..86 Rc112
84098 Faiano, Pontecagnano- (SA) ...
............77 Pf105
82030 Faicchio (BN) 70 Pc101
38010 Fai della Paganella (TN) ..13 Ma71
05010 Faiolo (TR) 56 Na91
Faiti (LT) 68 Nf100
32020 Falcade (BL) 14 Mf70
81030 Falciano del Massico (CE) ...
............70 Of102
93011 Falconara (CL) ..97 Pa126
87030 Falconara Albanese (CS) ...
............86 Ra113
60015 Falconara Marittima (AN) ..53 Oc87
98060 Falcone (ME) 94 Qa120
01030 Faleria (VT) 61 Nc95
88042 Falerna (CZ) ..86 Ra114
88042 Falerna Marina (CZ) ..86 Ra114
63020 Falerone (FM) 53 Oc90
38057 Falésina, Vignola- (TN) ..14 Mb72
Falesina Valsugana (TN) . 14 Mb72
12039 Falicetto (CN) 33 Hd81
66019 Fallascoso (CH) ..63 Pb96
20081 Fallavecchia (MI) 21 If77
66040 Fallo (CH) 64 Pb97
28827 Falmenta (VB) 10 Id72
22020 Faloppio (CO) 21 If74
03020 Falvaterra (FR) 69 Od99
31040 Falze (TV) 25 Na74
Falzeben (BZ) ....3 Mb 69
31020 Falze di Piave (TV) ..15 Nb73
39030 Falzes = Pfalzen (BZ) ..4 Mf 68
25070 Famea (BS) 22 Lb74
41021 Fanano (MO) 45 Le83
37020 Fane (VR) 23 Lf75
33092 Fanna (PN) 16 Ne71
61032 Fano (PU) 48 Oa85
64044 Fano Adriano (TE) ..58 Od93
40023 Fantuzza (BO) 38 Me82
31050 Fanzolo (TV) 25 Mf74
66010 Fara Filiorum Petri (CH) ..63 Pb95
24045 Fara Gera d'Adda (BG) ..21 Kd75
02032 Fara in Sabina (RI) ..61 Ne95
28073 Fara Novarese (NO) ..20 Ic75
24058 Fara Olivana con Sola (BG) ...
............22 Ke76
66015 Fara San Martino (CH) 63 Pb96

36030 Fara Vicentino (VI) 24 Md74
85034 Fardella (PZ) 79 Rb108
25022 Farfengo (BS) 22 Kf76
26028 Farfengo (CR) 22 Kf77
12060 Farigliano (CN) 33 Hf81
26010 Farinate (CR) 21 Kd76
65010 Farindola (PE) 58 Oe94
29023 Farini (PC) 35 Kd80
33030 Farla (UD) 16 Oa71
01010 Farnese (VT) 55 Me93
87070 Farneta (CS) 84 Rc108
06100 Farneto (PG) 51 Nc89
98158 Faro Superiore (ME) ..88 Qd119
32026 Farra (BL) 15 Na72
32016 Farra d'Alpago (BL) ..15 Nc72
31010 Farra di Soligo (TV) ..15 Na73
34072 Farra d'Isonzo (GO) ..17 Od73
88816 Fasana (KR) 87 Sa113
81037 Fasani (CE) 70 Of101
72015 Fasano (BR) 75 Sc104
90020 Fasano (PA) 92 Pa122
Fasano del Garda (BS) ..23 Ld75
16020 Fáscia (GE) 35 Kb81
01100 Fastello (VT) 56 Na93
25016 Fatt.Prandoni (BS) ..22 Lb76
Fattoria San Lorenzo (SR) ...
............100 Qa128
58051 Fattoria Colle Lupo (GR) ..55 Mc93
97017 Fattoria di Randello (RG) ...
............100 Pc127
56043 Fauglia (PI) 49 Ld87
33050 Fauglis (UD) 16 Ob73
33035 Faugnacco (UD) 16 Oa72
12030 Faule (CN) 33 Hd80
16040 Favale di Malvaro (GE) ..43 Kb82
92026 Favara (AG) 97 Od124
93010 Favarella (CL) ..97 Od124
30030 Favaro Veneto (VE) ..25 Nb76
89058 Favazzina (RC) ..88 Qe119
89816 Favelloni (VV) 86 Ra116
38030 Faver (TN) 14 Mb71
32100 Faverga (BL) 15 Nb72
25020 Faverzano (BS) 22 La76
91023 Favignana (TP) ..90 Nb121
Favogna di sopra = Ober Fennberg (BZ) 14 Mb71
Favogna di sotto = Unter Fennberg (BZ) 14 Mb71
10083 Favria (TO) 19 He77
42015 Fazzano (RE) 37 Le80
Federavecchia (BL) ..5 Nb 69
17024 Feglino, Orco- (SV) ..42 Ib83
12050 Feisoglio (CN) 33 Ia81
39040 Feldthurns = Velturno (BZ) ...
............4 Md 68
43040 Felegara (PR) 36 La80
33050 Felettis (UD) 16 Ob73
10080 Feletto (TO) 19 He77
33010 Feletto Umberto (UD) ..16 Ob72
43035 Felino (PR) 36 Lb80
84055 Felitto (SA) 78 Qb106
15023 Felizzano (AL) 34 Ic79
Fellamonica (PA) ..91 Oa121
36060 Fellette (VI) 24 Me74
73040 Felline (LE) 82 Ta109
46022 Felonica (MN) 38 Mc79
32032 Feltre (BL) 15 Mf72
22070 Fenegro (CO) 21 If74
32031 Fener (BL) 15 Mf73
10060 Fenestrelle (TO) 32 Ha78
26020 Fengo (CR) 22 Kf77
61045 Fenigli (PU) 52 Ne87
23010 Fenile (SO) 11 Kd72
10060 Fenile, Campiglione- (TO) 32 Hb80
11020 Fenis (AO) 19 Hc74
58045 Fercole (GR) 55 Mb90
89040 Ferdinandea (RC) ..89 Rc117
05034 Ferentillo (TR) 57 Ne93
03013 Ferentino (FR) 62 Ob98
26026 Ferie (CR) 22 Ke77
28831 Ferìolo (VB) 10 Ic73
96010 Ferla (SR) 99 Pf126
Fermata Latomie (TP) ..96 Ne123
07021 Fermata Marinella (OT) 107 Kd102
61033 Fermignano (PU) ..52 Nd86
63023 Fermo (FM) 53 Oe90
21010 Ferno (VA) 20 Ie75
88043 Feroleto Antico (CZ) ..86 Ra115
89050 Feroleto della Chiesa (RC) ...
............89 Ra118
16047 Ferrada (GE) 43 Kb82
75013 Ferrandina (MT) ..79 Rc106
17014 Ferrania (SV) 42 Ib82
44100 Ferrara (FE) 38 Md79
39030 Ferrara = Schmieden (BZ) 5 Na 68
37020 Ferrara di Monte Baldo (VR) ...
............23 Lf74

89048 Ferraro (RC) 89 Rb119
86010 Ferrazzano (CB) ..71 Pe99
21030 Ferrera di Varese (VA) ..10 Ie73
27032 Ferrera Erbognone (PV) ..34 If78
14012 Ferrere (AT) 33 Hf79
16024 Ferriere (GE) 43 Ka82
29024 Ferriere (PC) 35 Kc81
89030 Ferruzzano (RC) ..95 Ra120
07040 Fertilia (SS) ..105 Ib105
13022 Fervento (VC) ....9 Ia 73
24020 Festi Rasini (BG) ..12 Kf73
57034 Fetovaia (LI) 54 La92
80077 Fiaiano (NA) 76 Of104
06034 Fiamenga (PG) 57 Nd91
02023 Fiamignano (RI) 62 Oa95
02040 Fianello (RI) 61 Nd94
50052 Fiano (FI) 50 Ma87
55044 Fiano (LU) 45 Lc85
10070 Fiano (TO) 19 Hd77
00065 Fiano Romano (RM) ..61 Nd95
19032 Fiascherino (SP) 44 Kf84
62035 Fiastra (MC) 52 Oa90
38075 Fiave (TN) 13 Lf72
50056 Fibbiana (FI) 49 Lf86
95021 Ficarazzi (CT) ..99 Qa123
90010 Ficarazzi (PA) ..91 Oc120
Ficarella (TP) 91 Ne120
45036 Ficarolo (RO) 38 Mc79
98062 Ficarra (ME) ..93 Pe120
Fico (TP) 90 Nd120
Ficogrande 88 Qb116
05016 Ficulle (TR) 56 Na91
Ficuzza (PA) ..91 Oc121
43036 Fidenza (PR) 36 La79
39050 Fiè allo Sciliar = Völs am Schlern (BZ) ....4 Mc 69
39050 Fiè allo Sciliar = Vols am Schlern (BZ) ....4 Mc 69
Fielis (UD) ....6 Nf 70
38054 Fiera di Primiero (TN) ..14 Me71
38050 Fierozzo (TN) 14 Mb72
26010 Fiesco (CR) 22 Ke77
50014 Fiesole (FI) 46 Mb86
25020 Fiesse (BS) 22 Lb77
30032 Fiesso d'Artico (VE) ..25 Na76
45024 Fiesso Umbertiano (RO) ..38 Md79
31017 Fietta (TV) 14 Mf73
53040 Fighine (SI) 56 Mf91
15060 Figino (AL) 35 Ka80
20153 Figino (MI) 21 Ka76
22060 Figino Serenza (CO) ..21 Ka74
22070 Figliaro (CO) 21 If74
59100 Figline (PO) 46 Ma85
50063 Figline Valdarno (FI) ..50 Mc87
87050 Figline Vegliaturo (CS) ...86 Rb113
00090 Figu (OR) 109 If110
00060 Filacciano (RM) ..61 Nd95
89814 Filadelfia (VV) ..86 Rb116
90038 Filaga (PA) 91 Oc122
24040 Filago (BG) 21 Kd75
89841 Filandari (VV) ..89 Ra117
54023 Filattiera (MS) 44 Kf82
Filci (TP) 91 Ne121
84090 Filetta (SA) 77 Pf104
03010 Filettino (FR) 62 Ob97
60019 Filetto (AN) 52 Ob87
67100 Filetto (AQ) 58 Od94
66030 Filetto (CH) 63 Pb95
85020 Filiano (PZ) 78 Qe104
Filicudi Porto ..88 Pd117
27010 Filighera (PV) 35 Kb77
86074 Filignano (IS) 70 Pa99
88838 Filippa (KR) 87 Re114
15100 Filippona (AL) 34 Ie79
44010 Filo (FE) 39 Mf81
89843 Filogaso (VV) 86 Rb116
89040 Filottrano (RC) ..53 Oc88
90010 Finale (PA) 92 Pa120
44030 Finale di Rero (FE) ..39 Mf80
41034 Finale Emilia (MO) ..38 Mb79
17024 Finale Ligure (SV) ..42 Ic83
38013 Fino (TN) 1
28854 Finero (VB) 10 Id72
24050 Finiletti (BG) 22 Kf76
84061 Finocchito (SA) ..77 Qa106
24073 Fino Mornasco (CO) ..21 Ka74
24020 Fiorano al Serio (BG) ..22 Kf74
10010 Fiorano Canavese (TO) ..19 He76
41042 Fiorano Modenese (MO) ..37 Le81
62035 Fiordimonte (MC) ..57 Oa90
47897 Fiorentino ◻ (RSM) ..47 Nc85
29017 Fiorenzuola d'Arda (PC) ..36 Kf79
Fiorina (TP) ..90 Nc122
24023 Fiorine (BG) 12 Kf73
50100* Firenze (FI) ..50 Mb86
50033 Firenzuola (FI) ..46 Mc84
05021 Firenzuola (TR) ..57 Nd92

87010 Firmo (CS) 84
84084 Fisciano (SA) 77
28060 Fisrengo (NO) 2
38088 Fisto (TN) 13
89861 Fitili (VV) 88
47010 Fiuggi (FR) 62
41022 Fiumalbo (MO) 45
47010 Fiumana (FC) 47
89050 Fiumara (RC) ....88 C
21030 Fiumazzo (RA) 39
98022 Fiumedinisi (ME) ....94 C
87030 Fiumefreddo Bruzio (CS) ...
............86
95013 Fiumefreddo di Sicilia (CT) ...
............94 C
24020 Fiumenero (BG) 12
Fiumesino (AN) 53
55045 Fiumetto (LU) 44
33080 Fiume Veneto (PN) 16
85046 Fiumicello (PZ) ....83 C
33050 Fiumicello (UD) 17
00054 Fiumicino (RM) 61
62025 Fiuminata (MC) 52
54013 Fivizzano (MS) 44
Flading (BZ) 3
33030 Flagogna (UD) 16
33030 Flaibano (UD) 16
33030 Flambro (UD) 16
33050 Flambruzzo (UD) 16
Flanes = Flans (BZ) 4
Flanes = Flans (BZ) 4
38010 Flavon (TN) 13
Fléres Pflersch (BZ) 4
25020 Flero (BS) 22
98030 Floresta (ME) 94
96014 Florídia (SR) 99
07030 Florinas (SS) 105
39030 Floronzo = Pflaurenz (BZ) ..4
83040 Flumeri (AV) 72
33050 Flumignano (UD) 16
09045 Flumini (CA) 112
09010 Fluminimaggiore (CI) 111
08010 Flussio (OR) 108
13025 Fobello (VC) 9
89041 Foca (RC) 89
00054 Focene (RM) 61
32032 Foen (BL) 1
71100 Foggia (FG) 72
82030 Foglianise (BN) 71
42100 Fogliano (RE) 3
47831 Fogliano Marina (RN) 48
22070 Fogliano Redipuglia (GO) 17
10090 Foglizzo (TO) 1
51037 Fognano (PT) 45
39011 Foiana = Vollan (BZ) 3
52045 Foiano della Chiana (AR) 51
82020 Foiano di Val Fortore (BN) ...
............71
38064 Folgaria (TN) 14
38025 Folgarida (TN) 1
63040 Folignano (AP) 53
29028 Folignano (PC) 3
06034 Foligno (PG) 5
31051 Follina (TV) 1
19020 Follo (SP) 1
Follo (TV) 1
58022 Follonica (GR) 5
25010 Folzano (BS) 2
26861 Fombio (LO) 1
95044 Fondacazzo (CT) 98
Fondacazzo (PA) 91
Fondachelli (ME) 94
98050 Fondachelli Fantina (ME) ...
............94
95016 Fondachello (CT) 94
98040 Fondachello (ME) 88
Fondaconuovo (ME) 94
04022 Fondi (LT) 69
36010 Fondi (VI) 1
42030 Fondiano (RE) 3
38013 Fondo (TN) 1
81040 Fondola (CE) 70
28924 Fondotoce (VB) 2
36076 Fongara (VI) 2
08023 Fonni (NU) 109
11020 Fontainemore (AO) 2
Fontalcinaldo (GR) ....
25065 Fontana (BS) 2
26990 Fontana (LO) 2
97013 Fontana (RG) 100
Fontana (TV) 1
80070 Fontana, Serrara- (NA) ..7
00041 Fontana di Papa (RM) ..2
81035 Fontanafredda (CE) ..7
12060 Fontanafredda (CN) ..1
29010 Fontanafredda (PC) ..1
33074 Fontanafredda (PN) ..1

Fontana Liri (FR) 69 Od99
Fontana Liri Inferiore (FR) 69 Od99
Fontana Liri Superiore (FR) 69 Od99
Fontanamare (CI) 111 Ic113
Fontana Pradosa (PC) 35 Kc78
Fontanarosa (AV) 71 Qa102
Fontanasalsa (TP) 90 Nd121
Fontanazza (AG) 97 Oc124
Fontanazzo (TN) 4 Me 70
Fontane (MN) 23 Ld76
Fontane (PR) 36 Lb79
Fontane Bianche (SR) 99 Qa127
Fontanelice (BO) 46 Md83
Fontanella (BG) 22 Ke76
Fontanella (FI) 49 Lf87
Fontanella Grazioli (MN) 22 Lb77
Fontanellato (PR) 36 Lb79
Fontanelle (CE) 70 Pa101
Fontanelle (PR) 36 Lb79
Fontanelle (TV) 15 Nc73
Fontanelle (VI) 24 Md74
Fontaneto d'Agogna (NO) 20 Ic75
Fontanetto Po (VC) 20 Ib77
Fontanigorda (GE) 35 Kb81
Fontanile (AT) 34 Ic80
Fontanino di Celentino (TN) 13 Ld70
Fontaniva (PD) 24 Me75
Fontazzi (SI) 50 Mb89
Fonte (TV) 25 Mf74
Fonte alla Róccia = Trinkstein (BZ) 5 Na 66
Fonte Alto (TV) 15 Mf74
Fonteblanda (GR) 55 Mb93
Fontebuona (FI) 46 Mb85
Fontécchio (AQ) 63 Od95
Fontechiari (FR) 63 Oe98
Fontecorniale (PU) 48 Ne86
Fonte di Brescia (MC) 52 Nf90
Fontegreca (CE) 70 Pb100
Fonteno (BG) 22 La74
Fonte Nuova (RM) 61 Nd96
Fontevivo (PR) 36 Lb79
Fonti (VB) 10 Ib72
Fontiano (AR) 51 Mf88
Fontignano (PG) 56 Nb90
Fontigo (TV) 15 Na73
Fonzaso (BL) 14 Me72
Foppolo (BG) 12 Ke72
Forano (RI) 61 Nd95
Forcanello (RC) 88 Qf118
Force (AP) 58 Oc91
Forcella (FR) 63 Od98
Forcello (MO) 37 Lf79
Forchia (BN) 70 Pc102
Forchia (BN) 71 Pd102
Forcola (SO) 12 Ke71
Fordongianus (OR) 109 Ie108
Forenza (PZ) 73 Qf103
Foresta (KR) 87 Re114
Foresta = Forst (BZ) 3 Ma 68
Foresta di Burgos (SS) 106 If106
Foresto di Susa (TO) 32 Ha78
Foresto Sparso (BG) 22 Kf74
Forette San Martino (VR) 23 Lf76
Forgaria nel Friuli (UD) 16 Nf71
Foria (SA) 83 Qb108
Forino (AV) 71 Pe103
Forío (NA) 76 Of104
Forlì (FC) 47 Na83
Forlì del Sannio (IS) 63 Pb98
Forlimpopoli (FC) 47 Na83
Formazza = Pomat (VB) 10 Ic70
Forme (AQ) 62 Oc96
Formegan (BL) 15 Na72
Formello (RM) 61 Nc96
Formia (LT) 69 Od101
Formicola (CE) 70 Pb101
Formigara (CR) 22 Ke77
Formigine (MO) 37 Lf81
Formigliana (VC) 20 Ib76
Formignana (FE) 39 Mf79
Fornace (TN) 14 Mb72
Fornace di laterizi (MT) 79 Rb105
Fornaci (BS) 22 La75
Fornaci (LO) 21 Kd77
Fornaci (NO) 20 Id75
Fornaci (RC) 95 Qd120
Fornaci (TV) 25 Nc75
Fornaci di Barga (LU) 45 Lc84
Fornase (VE) 25 Na76
Fornelli (IS) 70 Pa99
Fornelli (SS) 105 Ib103
Fornelli (UD) 16 Ob73
Forni Avoltri (UD) 6 Ne 69
Fornico (BS) 23 Ld74
33024 Forni di Sopra (UD) 5 Nd 70
33020 Forni di Sotto (UD) 16 Ne70
43036 Fornio (PR) 36 La79
45010 Forno (MS) 44 Lb84
38035 Forno (TN) 14 Md70
28897 Forno (VB) 10 Ib73
25050 Forno Allione (BS) 12 Lb72
10070 Forno Alpi Graie (TO) 18 Hb76
10084 Forno Canavese (TO) 19 Hd76
40054 Forno della Gaiana (BO) 38 Md81
32012 Forno di Zoldo (BL) 15 Nb70
25070 Forno d'Ono (BS) 22 Lc74
54028 Fornoli (MS) 44 Kf83
55026 Fórnoli (LU) 45 Ld85
Forno Marina (ME) 93 Pe120
43045 Fornovo di Taro (PR) 36 La80
24040 Fornovo San Giovanni (BG) 22 Ke75
13862 Forte (BI) 20 Ib75
55042 Forte dei Marmi (LU) 44 Lb85
39045 Fortezza = Franzensfeste (BZ) 4 Md 68
32010 Fortogna (BL) 15 Nb71
27040 Fortunago (PV) 35 Kb79
98030 Forza D'Agro (ME) 94 Qb121
55020 Fosciandora (LU) 45 Lc84
54035 Fosdinovo (MS) 44 La84
42015 Fosdondo (RE) 37 Le80
67020 Fossa (AQ) 62 Oc95
41033 Fossa (MO) 37 Ma79
31040 Fossabiuba (TV) 15 Nd74
26041 Fossa Caprara (CR) 37 Lc79
66022 Fossacésia (CH) 64 Pc95
66022 Fossacésia Marina (CH) 64 Pd95
35010 Fossalta (PD) 37 Lf81
30020 Fossalta di Piave (VE) 25 Nd75
30025 Fossalta di Portogruaro (VE) 16 Nf74
31040 Fossalta Maggiore (TV) 25 Nd74
86020 Fossalto (CB) 64 Pd98
31050 Fossalunga (TV) 25 Na74
46030 Fossamana (MN) 23 Le77
12045 Fossano (CN) 33 He81
27100 Fossarmato (PV) 21 Kb77
Fossatello (RC) 95 Qe120
06022 Fossato di Vico (PG) 52 Ne89
Fossato Ionico (RC) 95 Qe120
88050 Fossato Serralta (CZ) 86 Rd115
Fossazzo (ME) 94 Qb119
37020 Fosse (VR) 23 Lf75
30030 Fosso (VE) 25 Na76
41012 Fossoli (MO) 37 Lf79
61034 Fossombrone (PU) 52 Ne86
25085 Fostaga (BS) 23 Lc75
36010 Foza (VI) 14 Md73
12082 Frabosa Soprana (CN) 41 He83
12083 Frabosa Sottana (CN) 41 He83
26016 Fracchia (CR) 21 Kc76
Fraccia (PA) 91 Oa121
23021 Fracíscio (SO) 11 Kc70
15060 Fraconalto (AL) 34 Ie80
33019 Fraelacco (UD) 16 Ob71
33030 Fraforeano (UD) 16 Nf73
74022 Fragagnano (TA) 81 Sc106
Fraginesi (TP) 91 Ne120
82020 Fragneto l'Abate (BN) 71 Pe101
82020 Fragneto Monforte (BN) 71 Pe101
84087 Fraina (SA) 77 Pd104
25055 Fraine (BS) 22 La74
66050 Fraíne (CH) 64 Pc97
19014 Framura (SP) 43 Kd83
66023 Francavilla al Mare (CH) 59 Pb94
89815 Francavilla Angitola (VV) 86 Rb116
15060 Francavilla Bisio (AL) 34 Ie80
63010 Francavilla d'Ete (FM) 53 Od89
98034 Francavilla di Sicilia (ME) 94 Qa121
72021 Francavilla Fontana (BR) 81 Sd105
85034 Francavilla in Sinni (PZ) 84 Rb108
87072 Francavilla Marittima (CS) 84 Rc110
31018 Francenigo (TV) 15 Nd73
15041 Franchini (AL) 34 Ic79
89851 Francica (VV) 89 Ra117
96015 Francofonte (SR) 99 Pf125
44036 Francolino (FE) 38 Md79
81050 Francolise (CE) 70 Pa101
93010 Franzarotta (CL) 97 Of123
39045 Franzensfeste = Fortezza (BZ) 4 Md 68
35021 Frapiero (PD) 25 Mf77
15010 Frascaro (AL) 34 Id80
27030 Frascarolo (PV) 34 Ie78
15050 Frascata, Brignano- (AL) 35 Ka80
00044 Frascati (RM) 61 Ne98
13876 Frascheo (BI) 19 Ia75
87010 Frascineto (CS) 84 Rb109
32020 Frassene (BL) 15 Mf71
38050 Frassilongo (TN) 14 Mb72
45030 Frassinelle Polésine (RO) 38 Me79
15035 Frassinello Monferrato (AL) 34 Ic78
40063 Frassineta (BO) 46 Mc83
52040 Frassineto (AR) 51 Mf88
39010 Frassineto = Verschneid (BZ) 4 Mb 69
15040 Frassineto Po (AL) 34 Id78
10080 Frassinetto (TO) 19 Hd76
12020 Frassino (CN) 32 Hb81
46100 Frassino (MN) 37 Le78
17057 Frassino (SV) 41 Ia83
41044 Frassinoro (MO) 45 Ld83
87064 Frasso (CS) 84 Rc111
02030 Frasso Sabino (RI) 61 Ne95
82030 Frasso Telesino (BN) 71 Pd102
31020 Fratta (TV) 15 Nb73
30025 Fratta (VE) 16 Nf74
80027 Frattamaggiore (NA) 70 Pb103
80020 Frattaminore (NA) 70 Pb103
45025 Fratta Polesine (RO) 38 Md78
47030 Fratta Terme (FC) 47 Na84
06054 Fratta Todina (PG) 56 Nc91
35010 Fratte (PD) 25 Mf75
61040 Fratte Rosa (PU) 52 Nf87
52044 Fratticciola (AR) 51 Mf89
33076 Frattina (PN) 16 Nd74
00040 Frattocchie (RM) 61 Nd98
98070 Frazzano (ME) 93 Pe120
00054 Fregene (RM) 61 Nb97
31010 Fregona (TV) 15 Nc72
39040 Freienfeld = Campo di Trens (BZ) 4 Mc 67
24010 Frerola (BG) 12 Ke73
66050 Fresagrandinária (CH) 64 Pd97
43011 Frescarolo (PR) 36 La79
15064 Fresonara (AL) 34 Ie80
83040 Frigento (AV) 71 Qa102
97015 Frigintini (RG) 100 Pe127
81030 Frignano (CE) 70 Pb103
73100 Frigole (LE) 82 Tb106
14030 Frinco (AT) 33 Ib78
36050 Friola (VI) 24 Me74
66030 Frisa (CH) 64 Pc95
33080 Frisanco (PN) 16 Ne71
16040 Frisolino (GE) 43 Kc82
10070 Front (TO) 19 Hd77
88046 Fronti (CZ) 86 Rb115
25030 Frontignano (BS) 22 La76
32028 Frontin (BL) 15 Na72
61021 Frontino (PU) 47 Nc86
61040 Frontone (PU) 52 Ne87
39020 Fror (BZ) 2 Lc 68
03100 Frosinone (FR) 62 Oc99
86095 Frosolone (IS) 64 Pc99
10060 Frossasco (TO) 32 Hc79
15065 Frugarolo (AL) 34 Ie79
15043 Fubine (AL) 34 Ic79
50054 Fucecchio (FI) 49 Le86
25041 Fucine (BS) 12 Lb73
24030 Fuipiano Valle Imagna (BG) 11 Kd73
91100 Fulgatore (TP) 91 Ne121
37022 Fumane (VR) 23 Lf75
23035 Fumero (SO) 12 Lc70
27045 Fumo (PV) 35 Ka78
03010 Fumone (FR) 62 Ob98
39030 Fundres = Pfunders (BZ) 4 Me 67
39040 Fúnes = Villnöß (BZ) 4 Md 69
40050 Funo (BO) 38 Mc81
84098 Fuorni (SA) 77 Pf105
66050 Furci (CH) 64 Pd96
98023 Furci Sículo (ME) 94 Qc121
98054 Furnari (ME) 94 Qa120
84010 Furore (SA) 76 Pd105
09040 Furtei (MD) 112 If111
84081 Fusara (SA) 77 Pe104
87024 Fuscaldo (CS) 84 Ra112
33028 Fusea (UD) 16 Nf70
48010 Fusignano (RA) 39 Mf82
32010 Fusine (BL) 15 Na70
23010 Fusine (SO) 12 Ke72
33010 Fusine in Valromana (UD) 7 Od 70
Fusine Laghi (UD) 7 Oe 70
23033 Fusino (SO) 12 Lb71
84050 Futani (SA) 78 Qb108

G

46014 Gabbiana (MN) 37 Ld78
26030 Gabbioneta-Binanuova (CR) 22 Lb77
57010 Gabbro (LI) 49 Lc88
60018 Gabella (AN) 53 Ob87
56011 Gabella (PI) 49 Ld86
88900 Gabella Grande (KR) 87 Sa114
15020 Gabiano (AL) 34 Ib78
61011 Gabicce Mare (PU) 48 Ne85
34070 Gabria (GO) 17 Od73
12072 Gabutti (CN) 41 Ia82
11020 Gaby (AO) 19 Hf74
10056 Gad (TO) 32 Gf78
26030 Gadesco (CR) 36 La78
26030 Gadesco-Pieve Delmona (CR) 36 La78
08030 Gadoni (NU) 109 Kb109
04024 Gaeta (LT) 69 Od101
98030 Gaggi (ME) 94 Qb121
20083 Gaggiano (MI) 21 Ka76
15010 Gaggina (AL) 34 Id80
41013 Gaggio (MO) 37 Ma81
30020 Gaggio (VE) 25 Nb75
21050 Gaggiolo (VA) 11 If73
40041 Gaggio Montano (BO) 45 Lf83
13894 Gaglianico (BI) 19 Ia75
88100 Gagliano (CZ) 86 Rd115
33043 Gagliano (UD) 17 Oc72
67020 Gagliano Aterno (AQ) 63 Oe96
94010 Gagliano Castelferrato (EN) 93 Pd122
73034 Gagliano del Capo (LE) 83 Tc109
88060 Gagliato (CZ) 89 Rc116
62022 Gagliole (MC) 52 Oa89
35010 Gaianigo (PD) 24 Me75
43030 Gaiano (PR) 36 Lb80
31018 Gaiarine (TV) 15 Nc73
45030 Gaiba (RO) 38 Mc79
44100 Gaibana (FE) 38 Md80
Gaifana (PG) 52 Ne89
25040 Gaina (BS) 22 La75
43030 Gainago (PR) 37 Lc79
30022 Gainiga (VE) 26 Nd74
25088 Gaino (BS) 23 Ld75
33097 Gaio (PN) 16 Nf72
12010 Gaiola (CN) 40 Hc83
53013 Gaiole in Chianti (SI) 50 Mc88
08040 Gáiro Taquisara (OG) 110 Kc109
39030 Gais (BZ) 4 Mf 67
85050 Galaino (PZ) 78 Qe106
89036 Galati (RC) 95 Ra121
98070 Galati Mamertino (ME) 93 Pe120
73013 Galatina (LE) 82 Tb107
98126 Galati Superiore (ME) 88 Qc120
73044 Galatone (LE) 82 Ta108
89054 Galatro (RC) 89 Ra118
23851 Galbiate (LC) 21 Kc74
84068 Galdo (SA) 77 Qa107
84029 Galdo (SA) 78 Qb105
47010 Galeata (FC) 47 Mf85
40014 Galeazza (BO) 38 Mb80
26832 Galgagnano (LO) 21 Kc76
21013 Gallarate (VA) 20 Ie75
14026 Gallareto (AT) 33 Ia78
50050 Galleno (FI) 45 Le86
33050 Galleriano (UD) 16 Oa73
01035 Gallese (VT) 61 Nc94
Galli (UD) 16 Ob74
13044 Galli (VC) 19 Ia77
27037 Gallia (PV) 34 If78
50031 Galliano (FI) 46 Mb84
28066 Galliate (NO) 20 Ie76
21020 Galliate Lombardo (VA) 20 Ie74
27034 Galliavola (PV) 34 Ie78
55027 Gallicano (LU) 45 Lc84
00010 Gallicano nel Lazio (RM) 61 Ne97
85010 Gallicchio (PZ) 79 Ra107
89030 Galliciano (RC) 95 Qf120
89100 Gallico (RC) 88 Qd119
89053 Gallico Marina (RC) 88 Qd119
40015 Galliera (BO) 38 Mc80
35015 Galliera Véneta (PD) 24 Me75
26020 Gallignano (CR) 22 Kf76
89100 Gallina (RC) 95 Qd120
03040 Gallinaro (FR) 63 Oe99
36032 Gallio (VI) 14 Md73
73014 Gallipoli (LE) 82 Sf108
67069 Gallo (AQ) 62 Ob96
61020 Gallo (PU) 48 Ne86
12060 Gallo d'Alba (CN) 33 Hf81
98030 Gallodoro (ME) 94 Qb121
81010 Gallo Matese (CE) 70 Pb100
81044 Galluccio (CE) 70 Of100
50125 Galluzzo (FI) 50 Mb86
08020 Galtelli (NU) 107 Kd106
73010 Galugnano (LE) 82 Tb107
43015 Galvana (PR) 36 La80
35030 Galzignano Terme (PD) 24 Me77
15010 Gamalero (AL) 34 Id80
25020 Gambara (BS) 22 Lb77
27030 Gambarana (PV) 34 Ie78
46030 Gambarara (MN) 23 Le77
30034 Gambarare (VE) 25 Na76
89057 Gambarie (RC) 88 Qe119
12030 Gambasca (CN) 32 Hc81
50050 Gambassi Terme (FI) 49 Lf87
86013 Gambatesa (CB) 71 Pf99
48010 Gambellara (RA) 47 Na82
36053 Gambellara (VI) 24 Mc76
66040 Gamberale (CH) 63 Pb97
47035 Gambettola (FC) 47 Nc84
27025 Gambolo (PV) 20 If77
36050 Gambugliano (VI) 24 Mc75
44010 Gambulaga (FE) 38 Me80
41100 Ganaceto (MO) 37 Lf80
29015 Ganaghello (PC) 35 Kc78
Ganda di Martello = Gand (BZ) 3 Le 69
24020 Gandellino (BG) 12 Kf72
24024 Gandino (BG) 22 Kf74
24060 Gandosso (BG) 22 Kf74
90024 Gangi (PA) 93 Pb122
21039 Ganna (VA) 10 Ie73
98100 Ganzirri (ME) 88 Qd119
37013 Gaon (VR) 23 Le75
21010 Garabiolo (VA) 10 Ie72
15050 Garadassi (AL) 35 Ka80
84070 Garagliano (SA) 83 Qc108
75010 Garaguso (MT) 79 Rb105
89841 Garavati (VV) 88 Qf117
15050 Garbagna (AL) 35 If80
28070 Garbagna Novarese (NO) 20 Id76
20024 Garbagnate Milanese (MI) 21 Ka75
23846 Garbagnate Monastero (LC) 21 Kb74
23842 Garbagnate Rota (LC) 21 Kb74
27025 Garbana (PV) 20 Ie77
Garbatella (RM) 61 Nc97
Garcia (CL) 98 Pa123
25050 Garda (BS) 12 Lc72
37016 Garda (VR) 23 Le75
Gardena Ponte = Waidbruck (BZ) 4 Md 69
30037 Gardigiano (VE) 25 Nb75
25080 Gardola (BS) 23 Le74
38014 Gardolo (TN) 13 Ma72
25083 Gardone Riviera (BS) 23 Ld75
25063 Gardone Val Trompia (BS) 22 Lb74
12075 Garessio (CN) 41 Ia83
41012 Gargallo (MO) 37 Lf80
28010 Gargallo (NO) 20 Ic74
39010 Gargazon = Gargazzone (BZ) 3 Mb 69
39010 Gargazzone = Gargazon (BZ) 3 Mb 69
25084 Gargnano (BS) 23 Ld74
52048 Gargonza (AR) 50 Me88
27026 Garlasco (PV) 21 If77
23852 Garlate (LC) 21 Kc74
17033 Garlenda (SV) 41 Ia84
32014 Garna (BL) 15 Nc72
38060 Garniga Terme (TN) 13 Ma72
81035 Garofali (CE) 70 Of101
64010 Garrufo (TE) 58 Oe92
35046 Garzara (PD) 39 Na79
22010 Garzeno (CO) 11 Kb72
10060 Garzigliana (TO) 32 Hc79
97019 Gaspanella (RG) 100 Pc127
88060 Gasperina (CZ) 86 Rc116
89862 Gasponi (VV) 88 Qf117
10090 Gassino Torinese (TO) 33 He78
61016 Gattara (PU) 47 Nb86
42043 Gattático (RE) 37 Lc80
47043 Gatteo (FC) 47 Nc84
47043 Gatteo a Mare (FC) 47 Nc83
28013 Gattico (NO) 20 Id74
13045 Gattinara (VC) 20 Ic75
16047 Gattorna (GE) 43 Kb82
25085 Gavardo (BS) 23 Lc75
24020 Gavarno (BG) 22 Ke74
42100 Gavasseto (RE) 37 Le81
15063 Gavazzana (AL) 34 If80
38060 Gavazzo (TN) 13 Lf73
36010 Gavelle (VI) 14 Md73
45010 Gavello (RO) 39 Mf78
38060 Gaverdina (TN) 13 Le73
24060 Gaverina- Terme (BG) 22 Kf74
15066 Gavi (AL) 34 Ie80
00030 Gavignano (RM) 62 Oa98
53036 Gavignano (SI) 50 Mb88
02044 Gavignano Sabino (RI) 61 Nd95
60041 Gaville (AN) 52 Ne88
51025 Gavinana (PT) 45 Le84
21026 Gavirate (VA) 10 Ie73
08020 Gavoi (NU) 109 Kb108
58023 Gavorrano (GR) 55 Lf91

46040 Gazzoldo degli Ippoliti (MN) 23 Ld77
21045 Gazzada (VA) 20 Ie74
21045 Gazzada Schianno (VA) 20 Ie74
25070 Gazzane (BS) 22 Lb75
25077 Gazzane (BS) 23 Lc75
24025 Gazzaniga (BG) 22 Kf74
42049 Gazzaro (RE) 37 Lc80
Gazzena (CT) 94 Qa123
98100 Gazzi (ME) 88 Qd119
26035 Gazzo (CR) 36 Lb78
18020 Gazzo (IM) 41 Hf84
35010 Gazzo (PD) 24 Me75
29010 Gazzola (PC) 35 Kd79
15050 Gazzolo (AL) 34 If78
16014 Gazzolo (GE) 34 If81
42030 Gazzolo (RE) 44 Lb82
37040 Gazzolo (VR) 24 Mb76
37060 Gazzo Veronese (VR) 37 Ma78
46010 Gazzuolo (MN) 37 Ld78
93012 Gela (CL) 98 Pb126
55023 Gello (LU) 45 Lc85
56017 Gello (PI) 49 Lc86
56025 Gello (PI) 49 Ld87
Gello (PI) 49 Le88
Gelso 88 Pf118
47855 Gemmano (RN) 48 Nd85
33013 Gemona del Friuli (UD) 16 Oa71
21036 Gemónio (VA) 10 Ie73
00030 Genazzano (RM) 62 Nf97
27054 Genestrello (PV) 35 Ka79
60040 Genga (AN) 52 Nf88
26020 Genivolta (CR) 22 Kf76
09036 Gennamari (MD) 111 Id112
12040 Genola (CN) 33 Hd81
08030 Genoni (NU) 109 Ka110
16100* Genova (GE) 43 If82
09020 Genuri (MD) 109 If110
85013 Genzano di Lucánia (PZ) 73 Ra103
00045 Genzano di Roma (RM) 61 Ne98
85010 Genzano Lucania (PZ) 73 Ra103
27014 Genzone (PV) 35 Kc77
06040 Geppa (PG) 57 Nf92
89040 Gerace (RC) 89 Rb119
90010 Geraci Siculo (PA) 92 Pa121
24040 Gera d'Adda (BG) 21 Kd76
22010 Gera Lário (CO) 11 Kc71
00025 Gerano (RM) 62 Nf97
14030 Gerba (AT) 34 Ic79
13046 Gerbidi (VC) 19 Ia77
Gerbini (CT) 99 Pe124
09045 Geremeas (CA) 113 Kc113
27010 Gerenzago (PV) 21 Kc77
21040 Gerenzano (VA) 21 Ka75
08030 Gergei (NU) 109 Ka110
Gericomio (RM) 61 Nf97
10070 Germagnano (TO) 19 Hc77
28887 Germagno (VB) 10 Ic73
87055 Germano (CS) 87 Rd113
22010 Germásino (CO) 11 Kb72
21010 Germignaga (VA) 10 Ie73
89831 Gerocarne (VV) 89 Rb117
23010 Gerola Alta (SO) 11 Kd72
25030 Gerolanuova (BS) 22 Kf76
24010 Gerosa (BG) 11 Kd73
26040 Gerre de'Caprioli (CR) 36 La78
26842 Gerrone (LO) 36 Ke78
09040 Gesico (CA) 109 Ka111
20060 Gessate (MI) 21 Kc75
98100 Gesso (ME) 88 Qc119
66010 Gessopalena (CH) 64 Pb96
09020 Gesturi (MD) 109 Ka110
83040 Gesualdo (AV) 71 Qa102
87030 Gesuiti (CS) 86 Ra112
25016 Ghedi (BS) 22 Lb76
28074 Ghemme (NO) 20 Ic75
39030 Gherardi (FE) 39 Mf79
40016 Gherghenzano (BO) 38 Mc80
28046 Ghévio (NO) 20 Id74
56010 Ghezzano (PI) 49 Lc86
27050 Ghiaie di Corana (PV) 35 If78
43042 Ghiare (PR) 36 Kf81
43022 Ghiare (PR) 36 Lc80
48010 Ghibullo (RA) 47 Na82
28823 Ghiffa (VB) 10 Id73
10060 Ghigo (TO) 32 Ha79
09074 Ghilarza (OR) 109 If108
33080 Ghirano (PN) 15 Nd73
21030 Ghirla (VA) 10 Ie73
24050 Ghisalba (BG) 22 Ke75
46020 Ghisione (MN) 38 Ma78
13030 Ghislarengo (VC) 20 Ic75
55053 Ghivizzano (LU) 45 Ld84
56037 Ghizzano (PI) 49 Le87
89060 Ghorio (RC) 95 Qf120
90046 Giacalone (PA) 91 Ob120
45020 Giacciano con Baruchella (RO) 38 Mc78
10050 Giaglione (TO) 32 Ha78
30020 Giai (VE) 16 Ne74
98040 Giammoro (ME) 94 Qb119
98126 Giampilieri Marina (ME) 94 Qc120
97015 Gianforma (RG) 100 Pe127
25040 Gianico (BS) 12 Lb73
06030 Giano dell'Umbria (PG) 57 Nd92
81042 Giano Vetusto (CE) 70 Pb101
37031 Giara (VR) 24 Mb76
92100 Giardina Gallotti (AG) 97 Oc124
90040 Giardinello (PA) 91 Oa120
90040 Giardinello (PA) 91 Oc121
71025 Giardinetto Vecchio (FG) 72 Qc101
89042 Giardini di Gioiosa (RC) 89 Rb119
98035 Giardini-Naxos (ME) 94 Qb121
15036 Giarole (AL) 34 Id78
97010 Giarratana (RG) 100 Pe126
95014 Giarre (CT) 94 Qa122
10070 Giasset (TO) 18 Ha77
34071 Giassico (GO) 17 Oc73
07010 Giave (SS) 106 Ie106
36015 Giavenale (VI) 24 Mc74
10094 Giaveno (TO) 32 Hc78
31040 Giavera del Montella (TV) 15 Nb74
31040 Giávera del Montello (TV) 15 Na74
33030 Giavons (UD) 16 Oa72
37030 Giazza (VR) 24 Ma75
09010 Giba (CI) 111 Id114
91024 Gibellina (TP) 91 Nf121
Giern (BZ) 2 Ld 68
13874 Gifflenga (BI) 20 Ib76
89020 Giffone (RC) 89 Ra118
84090 Giffoni sei Casali (SA) 77 Pf104
84095 Giffoni Valle Piana (SA) 77 Pf104
Gíglio Camnesa 54 III
Gíglio Castelo 54 III
44020 Gigliola (FE) 39 Nb79
Gíglio Porte 54 III
28836 Gignese (VB) 10 Id73
11010 Gignod (AO) 18 Hb74
86010 Gildone (CB) 71 Pe99
88045 Gimigliano (CZ) 86 Rd115
50018 Ginestra (FI) 49 Ma86
85020 Ginestra (PZ) 72 Qe103
82020 Ginestra degli Schiavoni (BN) 71 Qa101
61100 Ginestreto (PU) 48 Ne86
74013 Ginosa (TA) 80 Re105
98055 Ginostra (ME) 88 Qb116
84056 Gioi (SA) 78 Qb107
67055 Gióia dei Marsi (AQ) 63 Oe97
70023 Gioia del Colle (BA) 74 Rf104
89844 Gioia del Tirreno (VV) 88 Qf117
81010 Gioia Sannitica (CE) 70 Pc101
89013 Gioia Tauro (RC) 88 Qf118
89042 Gioiosa Ionica (RC) 89 Rb118
98063 Gioiosa Marea (ME) 94 Pf119
28100 Gionzana (NO) 20 Id76
54012 Giovagallo (MS) 44 Kf83
05024 Giove (TR) 56 Nb93
48022 Giovecca (RA) 39 Mf81
27010 Giovenzano (PV) 21 Ka77
55023 Gioviano (LU) 45 Ld84
70054 Giovinazzo (BA) 74 Re101
38030 Giovo (TN) 13 Ma72
32100 Gioz (BL) 15 Nb71
Giralba (BL) 5 Nc 69
08040 Girasole (NU) 110 Ke109
02024 Girgenti (RI) 62 Oa95
88024 Girifalco (CZ) 86 Rc116
22020 Girónico (CO) 21 If74
22020 Gironico al Monte (CO) 21 Ka74
66052 Gissi (CH) 64 Pd96
23828 Gittana (LC) 11 Kb72
73030 Giuggianello (LE) 82 Tc108
80014 Giugliano in Campania (NA) 70 Pb103
90030 Giuliana (PA) 91 Ob122
04010 Giulianello (LT) 62 Nf98
03020 Giuliano di Roma (FR) 69 Ob99
20077 Giuliano San Milanese (MI) 21 Kb76
66010 Giuliano Teatino (CH) 59 Pb95
64021 Giulianova (TE) 59 Of92
64021 Giulianova Lido (TE) 59 Of92
95040 Giumarra (CT) 98 Pd123
07030 Giuncana (SS) 106 If103
55030 Giuncugnano (LU) 44 Lb83
84050 Giungano (SA) 77 Qa106
73020 Giurdignano (LE) 82 Tc108
27010 Giussago (PV) 21 Ka77
30026 Giussago (VE) 26 Nf74
20034 Giussano (MB) 21 Kb74
17027 Giustenice (SV) 42 Ib83
38086 Giustino (TN) 13 Le72
17010 Giusvalla (SV) 42 Ic82
33020 Givigliana (UD) 6 Nf 69
10040 Givoletto (TO) 33 Hc78
88040 Gizzeria (CZ) 86 Rb115
88048 Gizzeria Lido (CZ) 86 Rb115
33030 Glaunicco (UD) 16 Nf73
Gleiten (BZ) 3 Mb 68
Gleno = Glen (BZ) 14 Mb71
33080 Glera (PN) 15 Nd72
Gliera = Glira (BZ) 4 Mf 69
39020 Glorenza = Glurns (BZ) 3 Ld 69
48020 Glorie (RA) 39 Na82
39020 Glurns = Glorenza (BZ) 3 Ld 69
27010 Gnignano (PV) 21 Kb77
38050 Gobbera (TN) 14 Me72
31010 Godega di Sant'Urbano (TV) 15 Nc73
29019 Godi (PC) 36 Ke79
Godia (UD) 16 Ob72
27052 Godiasco (PV) 35 Ka79
48010 Godo (RA) 47 Na82
90030 Godrano (PA) 91 Oc121
27035 Goido (PV) 34 Ie78
46044 Goito (MN) 23 Le77
61034 Gola del Furlo (PU) 52 Ne87
21010 Golasecca (VA) 20 Id74
27047 Golferenzo (PV) 35 Kb79
07020 Golfo Aranci (OT) 107 Kd103
Gomagoi (BZ) 3 Ld 69
25060 Gombio (BS) 22 La74
55041 Gombitelli (LU) 45 Lc85
26020 Gombito (CR) 22 Ke77
Gombo 49 Lb86
Gona (CT) 94 Qb122
33050 Gonars (UD) 16 Ob73
09040 Goni (CA) 112 Kb111
09010 Gonnesa (CI) 111 Ic113
09090 Gonnoscodina (OR) 109 If110
09035 Gonnosfanadiga (MD) 111 Id112
09090 Gonnosno (OR) 109 If110
09093 Gonnostramatza (OR) 109 If110
28824 Gonte (VB) 10 Id72
46023 Gonzaga (MN) 37 Le79
23020 Gordona (SO) 11 Kc71
55030 Gorfigliano (LU) 44 Lb84
00030 Gorga (RM) 62 Oa99
46027 Gorgo (MN) 37 Lf78
33053 Gorgo (UD) 26 Oa74
31040 Gorgo al Monticano (TV) 15 Nd74
31040 Gorgo della Chiesa (TV) 15 Nd74
70043 Gorgofreddo (BA) 75 Sb103
75010 Gorgoglione (MT) 79 Ra106
20064 Gorgonzola (MI) 21 Kc75
67020 Goriano (AQ) 63 Oe95
67030 Goriano Sicoli (AQ) 63 Oe96
33033 Goricizza (UD) 16 Nf73
34170 Gorizia (GO) 17 Od73
33033 Gorizzo (UD) 16 Nf73
24060 Gorlago (BG) 22 Ke74
21050 Gorla Maggiore (VA) 20 If74
21055 Gorla Minore (VA) 20 If75
24020 Gorle (BG) 22 Ke74
21040 Gornate Olona (VA) 20 If74
24020 Gorno (BG) 12 Kf73
44020 Goro (FE) 39 Nb79
12041 Gorra (CN) 33 He81
16020 Gorreto (GE) 35 Kb81
12070 Gorzegno (CN) 33 Ia81
25041 Gorzone (BS) 12 Lb73
32020 Gosaldo (BL) 15 Mf71
29020 Gossolengo (PC) 35 Kd79
12070 Gottasecca (CN) 41 Ia82
25023 Gottolengo (BS) 22 Lb77
46034 Governolo (MN) 37 Lf78
12040 Govone (CN) 33 Ia80
28024 Gozzano (NO) 20 Ic74
46043 Gozzolina (MN) 23 Lc76
24020 Grabiasca (BG) 12 Kf72
53040 Gracciano (SI) 51 Me90
61012 Gradara (PU) 48 Ne85
26025 Gradella (CR) 21 Kd76
33039 Gradisca (UD) 16 Nf72
33039 Gradisca (UD) 16 Nf72
34072 Gradisca d'Isonzo (GO) 17 Oc73
33030 Gradiscutta (UD) 16 Nf73
34073 Grado (GO) 27 Oc74
01010 Gradoli (VT) 56 Mf93
26813 Graffignana (LO) 21 Kc77
01020 Graffignano (VT) 56 Nb93
13895 Graglia (BI) 19 Hf75
45003 Gragnana (MS) 44 La84
29010 Gragnanino (PC) 35 Kd78
55010 Gragnano (LU) 45 Ld85
80054 Gragnano (NA) 76 Pd104
29010 Gragnano Trebbiense (PC) 35 Kd78
54020 Gragnola (MS) 44 La83
43018 Gramignazzo (PR) 36 Lb79
29026 Gramizzola (PC) 35 Kb81
95042 Grammichele (CT) 98 Pd125
55030 Gramolazzo (LU) 44 Lb84
14031 Grana (AT) 34 Ib79
40045 Granaglione (BO) 45 Lf84
48019 Granarolo (RA) 47 Mf82
40057 Granarolo dell'Emilia (BO) 38 Mc81
45030 Granarone (RO) 38 Mc78
Granatello (TP) 90 Nd121
60033 Grancetta (AN) 53 Oc87
36040 Grancona (VI) 24 Mc76
22070 Grandate (CO) 21 Ka74
22010 Grándola ed Uniti (CO) 11 Kb72
11020 Grand-Villaz (AO) 19 Hd74
89038 Grane (RC) 95 Qf121
28883 Granerolo (VB) 10 Ic73
Grangemello (SR) 99 Qa125
95041 Granieri (CT) 100 Pd126
98036 Graniti (ME) 94 Qb121
90120 Granitola-Toretta (PA) 96 Nd123
25059 Grano (BS) 12 Lc71
28060 Granozzo (NO) 20 Id76
21030 Grántola (VA) 10 Ie73
35010 Grantorto (PD) 24 Me75
35040 Granze (PD) 24 Me78
35040 Granze (PD) 38 Me78
92027 Grascuria (AG) 97 Oe126
75014 Grassano (MT) 79 Rb105
50012 Grassina (FI) 50 Mb86
24050 Grassobbio (BG) 22 Ke75
23038 Grasso Pra Grata (SO) 2 Lb 69
25055 Gratacasolo (BS) 12 La73
25061 Graticelle (BS) 22 Lb74
20142 Gratosoglio (MI) 21 Kb76
90010 Gratteri (PA) 92 Of121
39027 Graun im Vinschgau = Curon Venosta (BZ) 3 Ld 68
38030 Grauno (TN) 14 Mb71
Grauzaria (UD) 6 Ob 70
15040 Grava (AL) 34 Ie79
22015 Gravedona (CO) 11 Kb72
27020 Gravellona Lomellina (PV) 20 Ie77
28883 Gravellona Toce (VB) 10 Ic73
10050 Gravere (TO) 32 Ha78
95030 Gravina di Catania (CT) 99 Qa123
70024 Gravina in Puglia (BA) 73 Rc104
46010 Grazie (MN) 37 Le78
19025 Grazie, le (SP) 44 Kf84
81046 Grazzanise (CE) 70 Pa102
14035 Grazzano Badoglio (AT) 34 Ib78
29020 Grazzano Visconti (PC) 36 Ke79
32040 Grea (BL) 5 Nc 70
02045 Greccio (RI) 57 Ne94
83030 Greci (AV) 72 Qb101
13030 Greggio (VC) 20 Ic76
15056 Gremiasco (AL) 35 Ka80
11020 Gressan (AO) 18 Hb74
11020 Gressoney-la-Trinité (AO) 9 He 74
11025 Gressoney-Saint-Jean (AO) 19 He74
50022 Greve in Chianti (FI) 50 Mb87
20056 Grezzago (MI) 21 Kd75
37023 Grezzana (VR) 23 Ma75
50032 Grezzano (FI) 46 Mc84
37060 Grezzano (VR) 23 Lf77
22011 Griante (CO) 11 Kb72
81030 Gricignano di Aversa (CE) 70 Pb103
38032 Gries (TN) 4 Me 70
25055 Grignaghe (BS) 22 La74
Grignani (TP) 90 Nd121
24040 Grignano (BG) 21 Kd75
34014 Grignano (TS) 27 Oe74
45030 Grignano Polesine (RO) 38 Me78
28075 Grignasco (NO) 20 Ic74
38055 Grigno (TN) 14 Md72
33040 Grimacco (UD) 17 Od72
87034 Grimaldi (CS) 86 Rb114
89011 Grimoldo (RC) 88 Qe119
12060 Grinzane Cavour (CN) 33 Hf81
12040 Grinzano (CN) 33 He81
33039 Grions (UD) 16 Nf72
Grions (UD) 16 Ob72
33050 Gris (UD) 16 Ob73
90046 Grisì (PA) 91 Oa121
36040 Grisignano di Zocco (VI) 24 Me76
87020 Grisolia (CS) 83 Qf110
40030 Grizzana Morandi (BO) 46 Ma83
33086 Grizzo (PN) 16 Nd72
15010 Grognardo (AL) 34 Ic81
46043 Grole (MN) 23 Ld76
24020 Gromo (BG) 12 Kf73
84047 Gromola (SA) 77 Pf106
32037 Gron (BL) 15 Na72
54027 Grondola (MS) 44 Kf82
15060 Grondona (AL) 3
29024 Grondone (PC) 35
24060 Grone (BG) 22
26044 Grontardo (CR) 22
26021 Grontorto (CR) 22
27027 Gropello Cairoli (PV) 3
29025 Gropparello (PC) 36
20062 Groppello d'Adda (MI) 21
54012 Groppo (MS) 44
54026 Groppoli (MS) 44
10070 Groscavallo (TO) 18
23033 Grosio (SO) 12
23034 Grosotto (SO) 12
58100 Grosseto (GR) 55
10070 Grosso (TO) 19
98168 Grotta (ME) 88
00046 Grottaferrata (RM) 61
74023 Grottaglie (TA) 81
83035 Grotta-Minarda (AV) 71
63013 Grottammare (AP) 58
63024 Grottazzolina (FM) 53
92020 Grotte (AG) 97
01025 Grotte di Castro (VT) 56
89043 Grotteria (RC) 89
01026 Grotte Santo Stefano (VT) 56
92020 Grotte Torre Baeri (AG) 97
53014 Grotti (SI) 50
81048 Grottola (CE) 70
75010 Grottole (MT) 79
83010 Grottolella (AV) 71
30020 Gruaro (VE)
10095 Grugliasco (TO) 33
26023 Grumello Cremonese ed Unit 2
24064 Grumello del Monte (BG) 2
85050 Grumento Nova (PZ) 79
38030 Grumes (TN) 14
70025 Grumo Appula (BA) 74
36040 Grumolo delle Abbadesse (V 24
36030 Grumolo Pedemonte (VI) 24
80028 Grumo Nevano (NA) 70
39030 Gsies = Valle di Casies (BZ) 5
Guadagna (PA) 91
00030 Guadagnolo (RM) 6
73010 Guagnano (LE) 82
47014 Gualdo (FC) 4
62020 Gualdo (MC) 5
06035 Gualdo Cattaneo (PG) 5
06023 Gualdo Tadino (PG) 5
42044 Gualtieri (RE) 3
98040 Gualtieri Sicamino (ME) 94
09040 Guamaggiore (CA) 112
80046 Guantai (NA) 76
22070 Guanzate (CO) 2
03016 Guarcino (FR) 6
44030 Guarda (FE) 3
13010 Guardabosone (VC)
26862 Guardamiglio (LO) 3
88065 Guardavalle (CZ) 89
45030 Guarda Veneta (RO) 3
05025 Guardea (TR) 5
95024 Guardia (CT) 94
66050 Guardiabruna (CH) 6
09010 Guardia de is Morus (CA) 11
66016 Guardiagrele (CH) 6
86030 Guardialfiera (CB) 6
83040 Guardia Lombardi (AV) 72
85010 Guardia Perticara (PZ) 79
87020 Guardia Piemontese (CS) 84
86014 Guardiarégia (CB) 71
82034 Guardia Sanframondi (BN) 71
64024 Guardia Vomano (TE)
56040 Guardistallo (PI) 4
12050 Guarene (CN)
90020 Guarraia (PA) 9
91100 Guarrato (TP) 90
09040 Guasila (CA) 112
42016 Guastalla (RE)
66030 Guastaméroli (CH)
57010 Guasticce (LI)
53048 Guazzino (SI)
15020 Guazzolo (AL)
15050 Guazzora (AL)
06024 Gubbio (PG)
20090 Gudo Gambaredo (MI)
39043 Gudon = Gufidaun (BZ)
20088 Gudo Visconti (MI)
86034 Guglionesi (CB)
26852 Gugnano (LO)
46040 Guidizzolo (MN)

Guidomandri Inferiore (ME) 94 Qc120
Guidomandri Superiore (ME) 94 Qc120
Guidonia-Montecelio (RM) 61 Ne97
Guietta (TV) 15 Na73
Guiglia (MO) 45 Lf82
Guilmi (CH) 64 Pc97
Guinzano (PV) 21 Ka77
Guisa Pepoli (BO) 38 Mb80
Gullo (KR) 87 Rf114
Gurone (VA) 20 If74
Gurro (VB) 10 Id72
Guspini (MD) 111 Id111
Gussago (BS) 22 La75
Gussola (CR) 36 Lc78
Guzzafame (LO) 35 Kd78
Guzzano Inferiore (TE) 58 Oe93
Guzzona (CR) 22 Ke77
Guzzurra (NU) 107 Kd105

H

Hafling = Avelengo (BZ) 3 Mb 69
Hinterkirch (BZ) 3 Ld 67
Hofen (BZ) 4 Mb 67
Hône (AO) 19 He75
Hornanger (BZ) 4 Md 67
Horschwang (BZ) 4 Mf 68

I

Ialmicco (UD) 17 Oc73
Iamiano (TS) 17 Od74
Iano (FI) 49 Lf87
Iano (RE) 37 Ld81
Iavre (TN) 13 Le72
Idice (BO) 38 Mc82
Idro (BS) 23 Lc74
Iermanata (RC) 95 Ra121
i Fondi (BG) 12 Lb72
Igèa Marina, Bellária- (RN) 48 Nc84
i Giardini (CS) 84 Rd109
Iglesias (CI) 111 Id113
Igliano (CN) 41 Ia82
i Grazzi (MO) 38 Mb79
Ilbono (OG) 110 Kd109
il Borgo (MO) 37 Lf80
il Cardo 88 Pf118
il Casino (VV) 86 Rb116
il Castagno (FI) 49 Lf88
il Castello (CT) 94 Pf121
il Ferrone (FI) 50 Mb87
il Forno (MO) 37 Lf80
Ilistra = Ilstern (BZ) 4 Me 68
Illasi (VR) 24 Mb76
Illegio (UD) 6 Oa 70
Illorai (SS) 106 Ka106
il Pino (RM) 61 Nc96
il Punti (SS) 105 Id104
il Vittoriale (BS) 23 Ld75
Imbersago (LC) 21 Kc74
Imer (TN) 14 Me72
Ímola (BO) 46 Me82
Impalata (BA) 75 Sb103
Impéria (IM) 41 Ia85
Imponzo (UD) 6 Oa 70
Impruneta (FI) 50 Mb86
Inarzo (VA) 20 Ie74
Incirano (MI) 21 Ka75
Incisa in Val d'Arno (FI) 50 Mc87
Incisa Scapaccino (AT) 34 Ic80
Incoronata (FG) 72 Qd100
Incudine (BS) 12 Lc71
Induno Olona (VA) 10 If73
Infantino (CS) 87 Re113
Ingria (TO) 19 Hd76
Innichen = San Candido (BZ) 5 Nb 68
Intimiano (CO) 21 Ka74
Intra (VB) 10 Id73
Intragna (VB) 10 Id73
Intragna (VB) 10 Ie71
Introbio (LC) 11 Kc73
Introd (AO) 18 Hb74
Introdácqua (AQ) 63 Of97
Introzzo (LC) 11 Kc72
Inverigo (CO) 21 Kb74
Inverno-Monteleone (PV) 21 Kc77
Inverso Pinasca (TO) 32 Hb79
Inverso Porte (TO) 32 Hb79
Inveruno (MI) 20 If75
33029 Invillino (UD) 16 Nf70
28045 Invório (NO) 20 Ic74
28045 Invório Inferiore (NO) 20 Ic74
28045 Invório Superiore (NO) 20 Ic74
17019 Invrea (SV) 42 Id82
20065 Inzago (MI) 21 Kc75
25063 Inzino (BS) 22 Lb74
33041 Ioannis (UD) 17 Oc73
Iolo (PO) 45 Ma85
89851 Ionadi (VV) 89 Ra117
92010 Ioppolo Giancaxio (AG) 97 Od124
Io Spalmatóio 54 IV
Io Stallone (SR) 99 Pf125
07041 i Piani (SS) 105 Ib105
33040 Ipplis (UD) 17 Oc72
25011 i Prati (BS) 23 Lc76
08020 Irgoli (NU) 107 Kd106
98076 Iria (ME) 93 Pd120
Iriti (RC) 95 Qe120
25061 Irma (BS) 22 Lb74
54023 Irola (MS) 44 Kf82
31052 i Ronchi (TV) 25 Nb74
75022 Irsina (MT) 79 Rb104
09010 is Aios (CA) 112 Ie113
12020 Isasca (CN) 32 Hc81
88060 Isca Marina (CZ) 89 Rd117
09010 is Carillus (CA) 111 Ie114
88060 Isca sullo Ionio (CZ) 89 Rc117
38057 Ischia (TN) 14 Mb72
80077 Ischia (NA) 76 Of104
01010 Ischia di Castro (VT) 55 Me93
71010 Ischitella (FG) 66 Qf97
81030 Ischitella Lido (CE) 70 Pa103
28868 Iselle (VB) 10 Ib71
26029 Isengo (CR) 22 Kf76
25049 Iseo (BS) 22 La75
38060 Isera (TN) 13 Lf73
86170 Isérnia (IS) 70 Pb99
09010 is Fiascus (CI) 111 Id114
08033 Isili (NU) 109 Ka110
90010 Isnello (PA) 92 Of121
16028 Isola (GE) 35 Kb81
18025 Isola (IM) 41 He84
23024 Ísola (SO) 11 Kb70
19126 Isola (SP) 44 La84
10046 Isolabella (TO) 33 Hf79
18035 Isolabona (IM) 41 Hd85
23038 Isolaccia (SO) 2 Lb 70
53100 Isola d'Arbia (SI) 50 Mc89
14057 Isola d'Asti (AT) 34 Ib79
16017 Isola del Cantone (GE) 35 If81
58012 Ísola del Giglio (GR) 55 Lf94
64045 Ísola del Gran Sasso d'Italia (TE) 58 Od93
37063 Isola della Scala (VR) 23 Lf77
90040 Isola delle Femmine (PA) 91 Ob119
03036 Ísola del Liri (FR) 63 Od98
61030 Isola del Piano (PU) 48 Ne86
88841 Isola di Capo Rizzuto (KR) 87 Sa115
24010 Isola di Fondra (BG) 12 Ke73
26031 Isola-Dovarese (CR) 36 Lb77
00123 Isola Farnese (RM) 61 Nc96
06027 Isola Fossara (PG) 52 Ne88
35016 Isola Mantegna (PD) 24 Me75
37050 Isola Rizza (VR) 24 Mb77
07038 Isola Rossa (SS) 106 If102
15050 Isola Sant'Antonio (AL) 34 If78
36033 Isola Vicentina (VI) 24 Mc75
13011 Isolella (VC) 20 Ib74
71040 Ísole Trèmiti (FG) 65 Qc96
25010 Isorella (BS) 22 Lb77
16014 Isoverde (GE) 34 If81
84050 Ispani (SA) 83 Qd108
97014 Íspica (RG) 100 Pf128
09010 is Pillonis (CI) 111 Id115
09010 is Pillonis (CI) 111 Id114
09010 is Pistis (CI) 111 Id114
21027 Ispra (VA) 20 Id74
09010 is Scattas (CI) 111 Ie114
07040 Issi (SS) 105 Ib103
10080 Issiglio (TO) 19 He76
11020 Issime (AO) 19 Hf74
24040 Isso (BG) 22 Ke76
11020 Issogne (AO) 19 He75
58100 Istia d'Ombrone (GR) 55 Mb92
33097 Istrago (PN) 16 Nf72
31036 Istrana (TV) 25 Na74
98025 Itala (ME) 94 Qc120
44026 Italba (FE) 39 Na79
04020 Itri (LT) 69 Od101
07010 Ittireddu (SS) 106 If105
07044 Ittiri (SS) 105 Id105
33033 Iutizzo (UD) 16 Nf73
29100 i Vaccari (PC) 36 Ke79
38059 Ivano Fracena (TN) 14 Md72
10015 Ivrea (TO) 19 Hf76
26010 Izano (CR) 22 Ke76

J

88020 Jacurso (CZ) 86 Rc115
86015 Jelsi (CB) 71 Pe99
39050 Jenesien = San Genesio Atesino (BZ) 4 Mb 69
00020 Jenne (RM) 62 Ob97
21040 Jerago (VA) 20 Ie74
21040 Jerago-Orago (VA) 20 Ie74
08044 Jerzu (OG) 110 Kd110
60035 Jesi (AN) 53 Ob87
30016 Jesolo (VE) 26 Nd75
44037 Jolanda di Savoia (FE) 39 Mf79
89851 Jonadi (VV) 89 Ra117
89863 Joppolo (VV) 88 Qf117
11020 Jovencan (AO) 18 Hb74
11020 Jovençan (AO) 18 Hb74

K

39052 Kaltern = Caldaro sulla Strada del Vino (BZ) 14 Mb70
39053 Karneid = Cornedo all'Isarco (BZ) 14 Mc70
39020 Kastelbell-Tschars = Castelbello-Ciàrdes (BZ) 3 Lf 69
39040 Kastelruth = Castelrotto (BZ) 4 Md 69
Khamma (TP) 96 Na127
39030 Kiens = Chienes (BZ) 4 Me 68
39043 Klausen = Chiusa (BZ) 4 Md 69
39010 Kuens = Caines (BZ) 3 Ma 68
39040 Kurtatsch = Cortàccia sulla Strada del Vino (BZ) 14 Mb71
39040 Kurtinig = Cortina sulla Strada del Vino (BZ) 14 Mb71

L

39023 Laas = Lasa (BZ) 3 Le 69
41037 la Baia (MO) 38 Mb79
41028 la Berzigala (MO) 45 Le82
Labiata (SR) 99 Pf124
00030 Labico (RM) 62 Nf98
02010 Labro (RI) 57 Ne93
08020 la Caletta (NU) 107 Ke105
57020 la California (LI) 49 Ld89
58014 la Campigliola (GR) 55 Md93
la Cantina di Zaccanati (RC) 88 Qf118
55045 la Capannina (LU) 44 Lb85
80057 la Carita (NA) 76 Pd104
10040 La Cassa (TO) 19 Hd77
89041 la Catalana (RC) 89 Rc118
20084 Lacchiarella (MI) 21 Ka77
Lacco (RC) 95 Qe121
80076 Lacco Ameno (NA) 76 Of104
83046 Lacedonia (AV) 72 Qc102
39021 Laces = Latsch (BZ) 3 Lf 69
13036 Lachelle (VC) 20 Ib77
29016 la Chiusa (PC) 36 Kf79
39020 Lacinigo = Latschinig (BZ) 3 Lf 69
88065 la Colonia (CZ) 89 Rc117
08034 Laconi (OR) 109 Ka109
07021 Laconia (OT) 104 Kc102
07040 la Corte (SS) 105 Ib104
15061 la Costa (AL) 34 If81
43029 la Costa (PR) 37 Lc81
07040 la Crucca (SS) 105 Ic104
00055 Ladispoli (RM) 60 Na97
07030 Laerru (SS) 106 Ie104
07028 la Ficaccia (OT) 104 Kb101
61038 la Fornace (PU) 52 Nf86
48022 la Frascata (RA) 39 Mf81
53048 la Fratta (SI) 50 Me89
51020 Lagacci (PT) 45 Lf84
la Gala (ME) 94 Qb120
89050 Laganadi (RC) 88 Qe119
32040 Laggio di Cadore (BL) 5 Nc 70
Laghetti = Laag (BZ) 14 Mb71
23823 Laghetto (LC) 11 Kc72
36010 Laghi (VI) 14 Mb74
87011 Laghi di Sibari (CS) 84 Rd110
la Giarretta (TP) 91 Ne121
00123 la Giustiniana (RM) 61 Nc97
la Glesie San Leopoldo (UD) 6 Oc 69
22010 Laglio (CO) 11 Ka73
12030 Lagnasco (CN) 33 Hd81
87035 Lago (CS) 86 Ra113
36078 Lago (VI) 24 Mb75
31020 Lago, Revine- (TV) 15 Nb72
85042 Lagonegro (PZ) 78 Qe108
Lagoni del Sasso (PI) 49 Lf89
44023 Lagosanto (FE) 39 Na80
43028 Lagrimone (PR) 36 Lb82
39022 Lagundo = Algund (BZ) 3 Ma 68
Laiatico (PI) 49 Le88
17053 Laigueglia (SV) 41 Ia85
20020 Lainate (MI) 21 Ka75
22020 Laino (CO) 11 Ka73
87014 Laino Borgo (CS) 84 Qf109
87015 Laino Castello (CS) 84 Qf109
39040 Laion = Lajen (BZ) 4 Md 69
87021 Laise (CS) 83 Qf111
39055 Laives = Leifers (BZ) 14 Mb70
56030 Lajatico (PI) 49 Le88
39040 Lajen = Laion (BZ) 4 Md 69
74029 La Lama (TA) 80 Sb106
51020 la Lima (PT) 45 Le84
24040 Lallio (BG) 21 Kd74
10040 La Loggia (TO) 33 He79
19126 Lama (SP) 44 La84
07024 La Maddalena (OT) 104 Kc101
66010 Lama dei Peligni (CH) 63 Pb96
15027 la Madonnina (AL) 34 Ib78
11020 La Magdeleine (AO) 19 Hd74
33020 La Maina (UD) 5 Ne 70
Lamalesa (SI) 50 Mb90
41023 Lama Mocogno (MO) 45 Le83
70043 Lamandia (BA) 75 Sc103
45010 Lama Polesine (RO) 39 Mf78
75100 la Martella (MT) 79 Rd105
27010 Lambrinia (PV) 35 Kd78
22045 Lambrugo (CO) 21 Kb74
88046 Lamézia Terme (CZ) 86 Rb115
Lamia (RC) 88 Qf118
55013 Lammari (LU) 45 Ld85
32033 Lamon (BL) 14 Me72
12064 la Morra (CN) 33 Hf81
89866 Lampazone (VV) 88 Qf117
92010 Lampedusa (AG) 96 Nd135
51035 Lamporecchio (PT) 45 Lf86
13046 Lamporo (VC) 19 Ia77
32021 La Muda (BL) 15 Na71
07039 la Muddizza (SS) 106 Ie103
39011 Lana (BZ) 3 Ma 69
31020 Lancenigo (TV) 25 Nb74
Lanciaia (PI) 49 Lf89
66034 Lanciano (CH) 64 Pc95
28064 Landiona (NO) 20 Ic76
27015 Landriano (PV) 21 Kb77
Lanegg (BZ) 3 Ma 69
16014 Langasco (GE) 34 If81
43013 Langhirano (PR) 36 Lb81
27030 Langosco (PV) 20 Id77
l'Annunziatella (RM) 61 Nd97
Lanteri (SR) 99 Pf125
08045 Lanusei (OG) 110 Kd109
00040 Lanuvio (RM) 68 Ne99
38020 Lanza (TN) 13 Ma70
23020 Lanzada (SO) 12 Kf71
31057 Lanzago (TV) 25 Nb75
84083 Lanzara (SA) 77 Pe104
36050 Lanze (VI) 24 Md75
89069 Lanzena (RC) 95 Qe120
22024 Lanzo d'Intelvi (CO) 11 Ka73
10074 Lanzo Torinese (TO) 19 Hc77
63026 Lapedona (FM) 53 Oe90
07100 la Pedraia (SS) 105 Ib104
53100 la Pergola (TP) 90 Nd121
la Pesa (VR) 24 Mb77
la Piana (TP) 91 Ne122
36078 la Piana (VI) 24 Mb75
84091 la Picciola (SA) 77 Pf105
18038 La Pigna (IM) 41 He86
57034 la Pila (LI) 54 Lb92
36057 Lapio (VI) 24 Md76
83030 Lapio (AV) 71 Pf103
00163 la Pisana (RM) 61 Nc97
Lappago = Lappach (BZ) 4 Me 67
87050 Lappano (CS) 86 Rb113
67100 L'Aquila (AQ) 58 Oc94
Laranza = Laranz (BZ) 4 Md 69
07030 la Razzoni (SS) 106 If103
51036 Larciano (PT) 45 Lf85
38087 Lardaro (TN) 13 Ld73
56044 Larderello (PI) 49 Lf89
Larderia-Superiore (ME) 88 Qc120
27016 Lardirago (PV) 21 Kb77
56035 Lari (PI) 49 Ld87
00040 Lariano (RM) 62 Nf98
86035 Larino (CB) 65 Pf98
13100 Larizzate (VC) 20 Ic77
Larniano (SI) 49 Lf88
98070 la Rocca (ME) 93 Pe120
42023 la Rocca (RE) 37 Ld80
la Rotondella (CT) 99 Pf123
56020 la Rotta (PI) 49 Le87
29029 Larzano (PC) 35 Kd79
32020 Larzonei (BL) 4 Mf 70
39023 Lasa = Laas (BZ) 3 Le 69
11015 la Salle (AO) 18 Ha74
30020 la Salute di Livenza (VE) 26 Ne75
90010 Lascari (PA) 92 Of120
32032 Lasen (BL) 15 Mf72
56027 la Serra (PI) 49 Le87
38040 Lases (TN) 14 Mb72
38040 Lases, Lona- (TN) 14 Mb72
38076 Lasino (TN) 13 Lf72
22030 Lasnigo (CO) 11 Kb73
19100* La Spézia (SP) 44 Ke84
09020 las Plassas (MD) 109 If110
Lasta di Dentro = Innerast (BZ) 4 Me 68
36100 la Stanga (VI) 24 Md75
Laste = Asten (BZ) 4 Mc 68
36040 Lastebasse (VI) 14 Mb73
50055 Lastra a Signa (FI) 46 Ma86
33020 Lateis (UD) 5 Ne 70
01010 Latera (VT) 56 Me93
52020 Laterina (AR) 50 Me87
74014 Laterza (TA) 80 Re105
11016 la Thuile (AO) 18 Gf74
72022 Latiano (BR) 81 Se105
04100 Latina (LT) 68 Nf100
04013 Latina Scalo (LT) 68 Nf99
33053 Latisana (UD) 16 Oa74
33053 Latisanotta (UD) 16 Nf74
07030 la Tozza (SS) 106 If103
85043 Latronico (PZ) 79 Ra108
39021 Latsch = Laces (BZ) 3 Lf 69
87010 Lattarico (CS) 84 Ra112
18030 Latte (IM) 41 Hd86
48022 la Turchia (RA) 39 Mf81
la Tussia (TP) 91 Ne120
33029 Lauco (UD) 16 Nf70
Laudes = Laatsch (BZ) 3 Ld 68
84063 Laura (SA) 77 Pf106
84050 Laureana Cilento (SA) 77 Qa107
89023 Laureana di Borrello (RC) 89 Ra118
39040 Lauregno = Laurein (BZ) 13 Ma70
39040 Laurein = Lauregno (BZ) 13 Ma70
85014 Laurenzana (PZ) 79 Qf106
72015 Laureto (BR) 75 Sc104
85044 Lauria (PZ) 83 Qf108
10020 Lauriano (TO) 33 Hf78
84057 Laurino (SA) 78 Qc106
84050 Laurito (SA) 78 Qc107
81037 Lauro (CE) 70 Of101
89040 Lauro (RC) 89 Ra119
31011 Lauro (TV) 25 Mf74
83023 Lauro (AV) 71 Pd103
87010 Lauropoli (CS) 84 Rc110
80034 Lausdomini (NA) 71 Pc103
81040 Lautoni (CE) 70 Pb101
10060 Laux (TO) 32 Ha78
33050 Lauzacco (UD) 16 Ob73
33010 Lauzzana (UD) 16 Oa72
16033 Lavagna (GE) 43 Kc83
26833 Lavagna (LO) 21 Kc76
37030 Lavagno (VR) 24 Ma76
29022 la Valle (PC) 35 Kc80
29025 la Valle (PC) 36 Ke79
39030 la Valle = Wengen (BZ) 4 Mf 69
32020 La Valle Agordina (BL) 15 Na71
33050 Lavariano (UD) 16 Ob73
38046 Lavarone (TN) 14 Mb73
85024 Lavello (PZ) 72 Qe102
21050 Lavena (VA) 10 If73
21037 Lavena Ponte Tresa (VA) 10 If73
25040 Laveno (BS) 12 Lb73
21014 Laveno Mombello (VA) 10 Id73
25074 Lavenone (BS) 23 Lc74
62020 Laverino (MC) 52 Nf90
41045 la Verna (MO) 45 Ld82
48021 Lavezzola (RA) 39 Mf81
84020 Laviano (SA) 78 Qb104
la Villa (AR) 51 Nb87
40017 la Villa (BO) 38 Mb81
62020 la Villa (MC) 53 Ob90
42015 la Villa (RE) 37 Le80
la Villa (SR) 99 Qa126
la Villa 54 Vl
39030 La Villa = Stern (BZ) 4 Mf 69
18020 Lavina (IM) 41 Hf84
00042 Lavinio Lido di Enea (RM) 68 Nd99
40011 Lavino di Mezzo (BO) 38 Mb81
38015 Lavis (TN) 13 Ma72
25060 Lavone (BS) 22 Lb74
84080 Lavorate (SA) 77 Pd104

Lazfons = Latzfons (BZ) .. 4 Md 68
37017 Lazise (VR) 23 Le75
25080 Lazzaretto (BS) 22 Lc76
Lazzaro (RC) 95 Qd121
20020 Lazzate (MB) 21 Ka74
50050 Lazzeretto (FI) 45 Lf86
47014 le Aie di Formignano (FC) 47 Na84
17036 Leca (SV) 41 Ib84
29022 le Campore (PC) 35 Kc80
60024 le Casette (AN) 53 Oc88
88841 le Castella (KR) 87 Sa115
Le Cave = Grasstein (BZ) 4 Md 68
73100 Lecce (LE) 82 Tb106
67050 Lecce nei Marsi (AQ) ...63 Oe97
53036 Lecchi (SI) 50 Mb88
18024 Lecchiore (IM) 41 Hf85
50060 Leccio (FI) 50 Mc86
23900 Lecco (LC) 11 Kc73
61037 le Cento Croci (PU) ...48 Oa86
47023 le Chiaviche (FC) 47 Nb84
74020 le Conche (TA) 81 Sc107
88100 le Croci (CZ) 87 Rd115
24026 Leffe (BG) 22 Kf74
55045 le Focette (LU) 44 Lb85
21038 Leggiuno (VA) 10 Id73
36062 Leghe (VI) 14 Md74
37045 Legnago (VR) 24 Mb77
20025 Legnano (MI) 21 If75
35020 Legnaro (PD) 25 Mf76
19015 Legnaro (SP) 44 Kd83
56037 Legoli (PI) 49 Le87
38060 Legos (TN) 13 Le73
19025 le Grazie (SP) 44 Kf84
08010 Lei (NU) 106 If107
39055 Leifers = Laives (BZ) ...14 Mb70
10040 Leini (TO) 19 He77
16040 Léivi (GE) 43 Kb82
Le Laste = Schaldern (BZ)
......4 Me 67
10070 Lemie (TO) 18 Hd77
43030 Lemignano (PR) 36 Lb80
15060 Lemmi (AL) 35 Ka80
01027 le Mosse (VT) 56 Na93
64010 Lempa (TE) 58 Od92
25074 Lemprato (BS) 23 Lc74
45026 Lendinara (RO) 38 Md78
98050 Leni (ME) 88 Pe117
24010 Lenna (BG) 12 Ke73
22016 Lenno (CO) 11 Kb73
25024 Leno (BS) 22 Lb76
04025 Lenola (LT) 69 Oc100
13035 Lenta (VC) 20 Ic75
22060 Lentate sul Seveso (CO) ..21 Ka74
66050 Lentella (CH) 64 Pe96
32020 Lentiai (BL) 15 Na72
Lentina (TP) 90 Nd122
96016 Lentini (SR) 99 Pf125
84040 Lentiscosa (SA) 83 Qc108
91019 Lenzi (TP) 90 Nd120
38060 Lenzumo (TN) 13 Le73
64010 Leofara (TE) 58 Od92
02020 Leofreni (RI) 62 Oa95
33019 Leonacco (UD) 16 Ob72
02016 Leonessa (RI) 57 Nf93
94013 Leonforte (EN) 93 Pc123
80058 Leopardi (NA) 76 Pc104
74020 Leporano (TA) 81 Sb106
24017 Lepreno (BG) 12 Ke73
23035 le Prese (SO) 12 Lc70
73010 Lequile (LE) 82 Ta107
12050 Lequio Berria (CN) ...33 Ia81
12060 Lequio Tanaro (CN) ...33 Hf81
90025 Lercara Friddi (PA) ...92 Od122
10024 l'Eremo (TO) 33 He78
13036 Leri (VC) 20 Ib77
19032 Lerici (SP) 44 Kf84
36040 Lerino (VI) 24 Md75
15070 Lerma (AL) 34 Ie81
28040 Lesa (NO) 20 Id74
12076 Lesegno (CN) 41 Hf82
Les Granges
43037 Lesignano de'Bagni (PR) . 36 Lb81
43040 Lesignano Palmia (PR) ..36 La81
36014 Lesina (VI) 24 Mc74
71010 Lesina (FG) 65 Qc97
20050 Lesmo (MB) 21 Ka75
10010 Lessolo (TO) 19 He76
13853 Lessona (BI) 20 Ib75
33090 Lestans (PN) 16 Nf71
33050 Lestizza (UD) 16 Oa73
81010 Letino (CE) 70 Pb100
98037 Letojanni (ME) 94 Qb121
80050 Lettere (NA) 76 Pd104
65020 Lettomanoppello (PE) ...63 Pa95
66010 Lettopalena (CH) 63 Pa97
36030 Leva (VI) 24 Md75
35017 Levada (PD) 25 Na75

31040 Levada (TV) 15 Na73
33050 Levada (UD) 17 Oc74
81034 le Vagnole (CE) 70 Of102
12040 Levaldigi (CN) 33 Hd81
19015 Levanto (SP) 43 Kd83
91010 Lévanzo (TP) ......90 I
Lévanzo (TP) 90 Nb120
15062 Levata (AL) 34 Ie79
26044 Levata (CR) 22 La77
24040 Levate (BG) 21 Kd75
73045 Leverano (LE) 82 Sf107
12070 Levice (CN) 33 Ia81
38056 Levico Terme (TN) 14 Mb73
55040 Levigliani (LU) 44 La84
42014 le Ville (RE) 37 Le81
41014 Levizzano Rangone (MO) .37 Lf82
12075 le Volte (CN) 41 Ia83
10070 Levone (TO) 19 Hd77
16040 Lezzaruole (GE) 43 Ka82
30010 Lezze (VE) 39 Na78
22025 Lézzeno (CO) 11 Kb73
33025 Liariis (UD) ......6 Nf 70
83030 Libano (BL) 15 Na72
56045 Libbiano (PI) 49 Le89
Libbiano (SI) 49 Lf88
81040 Liberi (CE) 70 Pb101
95045 Libertinia (CT) 98 Pd123
46030 Libiola (MN) 37 Ma78
44020 Libolla (FE) 39 Mf80
74020 Librari (TA) 81 Sc107
98064 Librizzi (ME) 94 Pf120
90027 Librizzi (PA) 92 Pa122
92027 Licata (AG) 97 Of126
54016 Licciana Nardi (MS) ...44 La83
00026 Licenza (RM) 62 Nf96
80015 Licignano di Napoli (NA) 70 Pc103
Licinella (SA) 77 Qa106
95045 Licodia Eubea (CT) 100 Pd125
95040 Licodía Eubéa (CT) 100 Pd125
84040 Licusati (SA) 83 Qc108
13886 Lido (BI) 19 Ia76
Lido Arenella (SR) 99 Qb126
74019 Lido Azzurro (TA) 80 Sa105
73014 Lido Conchiglie (LE) ...82 Ta108
44024 Lido degli Estensi (FE) .39 Nb80
44022 Lido degli Scacchi (FE) .39 Nb80
44022 Lido delle Nazioni (FE) .39 Nb80
07026 Lido del Sole (OT) 107 Kd103
55043 Lido di Camaiore (LU) ..44 Lb85
Lido di Campomarino (CB)
......65 Qa97
66020 Lido di Casalbordino (CH) 64 Pd95
00121 Lido di Castel Fusano (RM)
......61 Nb98
48020 Lido di Classe (RA) ...47 Nc83
63023 Lido di Fermo (FM) ...53 Oe89
Lido di Foce Verde (LT) . 68 Ne100
30017 Lido di Jesolo (VE) ...26 Nd75
Lido di Latina (LT) 68 Ne100
75010 Lido di Metaponto (MT) .80 Rf106
80078 Lido di Napoli (NA) ...76 Pa103
96017 Lido di Noto (SR) 99 Qa127
00121 Lido di Ostia (RM) ...61 Nb98
Lido di Palmi (RC) 88 Qf118
75025 Lido di Policoro (MT) ...80 Re107
44022 Lido di Pomposa (FE) .39 Nb80
71019 Lido di Portonuovo (FG) . 66 Rb97
48020 Lido di Savio (RA) ...47 Nc83
71043 Lido di Scanzano (MT) .80 Re107
71043 Lido di Siponto (FG) ...66 Qf99
44022 Lido di Spina (FE) ...39 Nb81
91100 Lido Maráusa (TP) ...90 Nc121
Lido Marchesana (ME) ..94 Qa120
89024 Lidonnici (RC) 89 Ra118
Lido Ponticello (TP) ...90 Nc122
66026 Lido Ríccio (CH) 59 Pc94
73014 Lido San Giovanni (LE) .82 Ta108
87067 Lido Sant'Angelo (CS) ..85 Rd111
Lido Signorino (TP) ...90 Nc122
72012 Lido Specchiolla (BR) .75 Se104
75020 Lido Terzo Madonna (MT)
......80 Re107
31020 Liedolo (TV) 14 Me74
52014 Lierna (AR) 50 Me86
23827 Lierna (LC) 11 Kb73
30010 Liettoli (VE) 25 Na76
13034 Lignana (VC) 20 Ic77
33054 Lignano Pineta (UD) ...26 Oa74
33054 Lignano Riviera (UD) ...26 Oa74
33054 Lignano Sabbiadoro (UD) 26 Oa74
42039 Ligonchio (RE) 44 Lc83
33020 Ligosullo (UD) ......6 Oa 69
33078 Lignana (PN) 16 Nf73
11020 Lillianes (AO) 19 Hf75
53011 Lilliano (SI) 50 Mb88
32020 Limana (BL) 15 Na72
55021 Limano (LU) 45 Le84

82030 Limatola (BN) 70 Pc102
89844 Limbadi (VV) 88 Qf117
20051 Limbiate (MB) 21 Ka75
35010 Limena (PD) 25 Mf76
38085 Limes (TN) 13 Ld73
22070 Limido Comasco (CO) ..21 If74
98030 Limina (ME) 94 Qb121
50050 Limite (FI) 49 Lf86
02045 Limiti di Greccio (RI) ...57 Ne94
20096 Limito (MI) 21 Kc76
12015 Limone Piemonte (CN) ..41 Hd83
25010 Limone sul Garda (BS) ...23 Le74
23865 Limonta (LC) 11 Kb73
86022 Limosano (CB) 64 Pd98
08020 Limpiddu (OT) 107 Ke104
89832 Limpidi (VV) 89 Ra117
50021 Linari (FI) 50 Ma88
47025 Linaro (FC) 47 Na85
27010 Linarolo (PV) 35 Kb78
20068 Linate (MI) 21 Kb76
72020 Lindinuso (BR) 82 Ta105
95045 Linera (CT) 94 Qa122
98050 Lingua (ME) 88 Pf117
95015 Linguaglossa (CT) 94 Qa121
92010 Linosa (AG) 96 Ne133
Linziti (TP) 99 Pe125
35020 Lion (PD) 25 Mf76
83047 Lioni (AV) 72 Qb103
Liotta (TP) 91 Nf122
98055 Lipari (ME) 88 Pf118
22030 Lipomo (CO) 21 Ka74
06010 Lippiano (PG) 51 Na88
27040 Lirio (PV) 35 Kb79
20060 Liscate (MI) 21 Kc76
66050 Liscia (CH) 64 Pd97
07021 Liscia di Vacca (OT) ...104 Kd102
02100 Lisciano (RI) 57 Nf94
06060 Lisciano Niccone (PG) ...51 Na89
38030 Lisignago (TN) 14 Mb72
12070 Lisio (CN) 41 Hf83
35035 Lissaro (PD) 24 Me76
20035 Lissone (MB) 21 Kb75
32027 Listolade (BL) 15 Na71
07035 Littigheddu (SS) 106 Ie103
07038 li Vaccaggi (SS) 104 If102
45010 Livello (RO) 39 Mf78
25070 Livemmo (BS) 22 Lb74
80030 Liveri (NA) 71 Pd103
Livi (BZ) ......3 Le 69
23030 Livigno (SO) ......2 La 69
32020 Livinallongo del Col di Lana (BL)
......4 Mf 70
22010 Livo (CO) 11 Kb71
38020 Livo (TN) 13 Ma70
57100* Livorno (LI) 49 Lb87
13046 Livorno Ferraris (VC) ...19 Ia77
26814 Livraga (LO) 21 Kd77
26022 Livrasco (CR) 22 La77
73023 Lizzanello (LE) 82 Tb107
74020 Lizzano (TA) 81 Sc106
40042 Lizzano in Belvedere (BO) 45 Lf84
24060 Lizzola (BG) 12 La72
17025 Loano (SV) 42 Ib84
14051 Loazzolo (AT) 34 Id80
15100 Lobbi (AL) 34 Ie79
37047 Lobia (VR) 24 Mb76
98020 Locadi (ME) 94 Qb120
10080 Locana (TO) 19 Hc76
37040 Locara (VR) 24 Mb76
13010 Locarno (VC) 20 Ib74
20085 Locate di Triulzi (MI) ...21 Kb76
24030 Locatello (BG) 11 Kd73
22070 Locate Varesino (CO) ...21 If74
90020 Locati (PA) 92 Pa122
08040 Loceri (OG) 110 Kd109
16028 Loco (GE) 35 Kb81
91100 Locogrande (TP) 90 Nd121
70055 Loconia (BT) 73 Qf102
70010 Locorotondo (BA) 75 Sb104
89044 Locri (RC) 89 Rb119
08020 Loculi (NU) 107 Kd106
Loddini (RC) 95 Qe120
08020 Lode (NU) 107 Kd105
26900 Lodi (LO) 21 Kd77
08020 Lodine (NU) 109 Kb108
17058 Lodisio (SV) 34 Ib82
26855 Lodi Vecchio (LO) 21 Kc77
15100 Lodra (AL) 34 Ie79
25060 Lodrino (BS) 22 La74
38089 Lodrone (TN) 13 Ld73
10089 Loggia, la (TO) 19 Hd77
25030 Lograto (BS) 22 La76
40050 Loiano (BO) 46 Mb83
07020 Loiri (OT) 107 Kc103
07020 Lóiri-Porto San Paolo (OT)
......107 Kd103
08100 Lollove (NU) 106 Kb106

23871 Lomagna (LC) 21 Kc74
38070 Lomaso (TN) 13 Lf72
22074 Lomazzo (CO) 21 Ka74
Lombai (UD) 17 Od72
10040 Lombardore (TO) 19 He77
10040 Lombriasco (TO) 33 Hd79
55041 Lómbrici (LU) 44 Lb85
25040 Lombro (BS) 12 Lb71
27034 Lomello (PV) 34 Ie78
21020 Lomnago (VA) 20 Ie74
21020 Lomnago, Bódio- (VA) ...20 Ie74
37040 Lona (TN) 14 Mb72
38040 Lona-Lases (TN) 14 Mb72
21050 Lonate Ceppino (VA) ...20 If75
21015 Lonate Pozzolo (VA) ...20 Ie75
25017 Lonato (BS) 23 Lc76
33033 Lonca (UD) 16 Oa73
30020 Loncon (VE) 26 Ne74
50060 Londa (FI) 46 Md85
84011 Lone (SA) 77 Pd105
33017 Loneriacco (UD) 16 Ob71
36060 Longa (VI) 24 Md74
86090 Longano (IS) 70 Pb99
36100 Longara (VI) 24 Md75
26048 Longardore (CR) 36 La78
36023 Longare (VI) 24 Md76
32013 Longarone (BL) 15 Nb71
44014 Longastrino (FE) 39 Na81
Longega = Zwischenwasser (BZ) ..
......4 Mf 68
25030 Longhena (BS) 22 La76
31029 Longhere (TV) 15 Nb72
38046 Longhi (TN) 14 Mb73
98070 Longi (ME) 93 Pe120
47020 Longiano (FC) 47 Nb84
Longiaru = Campill (BZ) ..4 Mf 69
87030 Longobardi (CS) 86 Ra113
89811 Longobardi (VV) 86 Ra116
87030 Longobardi Marina (CS) .86 Ra113
87066 Longobucco (CS) 85 Rd112
Longomoso = Lengmoos (BZ)
......4 Mc 69
22030 Longone al Segrino (CO) .21 Kb74
02020 Longone Sabino (RI) ...62 Nf95
Longostagno = Lengstein (BZ)
......4 Mc 69
36045 Lonigo (VI) 24 Mc76
24027 Lonno (BG) 22 Ke74
36076 Lora (VI) 24 Md74
10010 Loranze (TO) 19 He76
35010 Loreggia (PD) 25 Mf75
35010 Loreggiola (PD) 25 Mf75
28893 Loréglia (VB) 10 Ic73
32040 Lorenzago di Cadore (BL) 5 Nc 70
56043 Lorenzana (PI) 49 Ld87
40017 Lorenzatico (BO) 38 Mb81
45017 Loreo (RO) 39 Nb78
60025 Loreto (AN) 53 Od88
28047 Loreto (NO) 20 Id75
Loreto Aprutino (PE) ...59 Of94
31037 Loria (TV) 25 Mf74
25040 Loritto (BS) 12 Lb72
53035 Lornano (SI) 50 Mb88
52024 Loro Ciuffenna (AR) ...50 Md87
62020 Loro Piceno (MC) 53 Oc89
16045 Lorsica (GE) 43 Kb82
27040 Losana, Mornico- (PV) ...35 Kb78
70020 Loseto (BA) 74 Rf102
25050 Losine (BS) 12 Lb73
Lotterbad (BZ) ......3 Ma 69
08040 Lotzorai (OG) 110 Kd109
31027 Lovadina (TV) 25 Nb74
36070 Lovara (VI) 24 Mc75
33040 Lovaria (UD) 16 Ob72
33022 Lovea (UD) ......6 Oa 70
25050 Loveno (BS) 12 Lb72
25050 Loveno, Paisco- (BS) ...12 Lb72
38010 Lover (TN) 13 Ma71
24065 Lovere (BG) 22 La74
23030 Lovero (SO) 12 Lb71
40057 Lovoleto (BO) 38 Mc81
25050 Lozio (BS) 12 Lb72
Lo Zucco (PA) 91 Oa120
21040 Lozza (VA) 20 If74
21020 Lozza (VA) 10 Ie72
35034 Lozzo Atestino (PD) ...24 Md77
32040 Lozzo di Cadore (BL) ...5 Nc 70
13045 Lozzolo (VC) 20 Ib75
15040 Lu (AL) 34 Ic79
07030 lu Bagnu (SS) 105 Ie103
37013 Lubiara (VR) 23 Le75
01020 Lubriano (VT) 56 Na93
Lubrichi (RC) 88 Qf119
55100 Lucca (LU) 45 Ld85
92010 Lucca Sicula (AG) 96 Ob123
Lucchina (RM) 61 Nc97
71036 Lucera (FG) 72 Qc99

56043 Luciana (PI) 49
84013 Lucia Santa (SA) ......77 F
55025 Lucignana (LU) 45
52046 Lucignano (AR) 50
53014 Lucignano d'Arbia (SI) ..50
53020 Lucignano in d'Asso (SI) .50
18020 Lucinasco (IM) 41
22070 Lucino, Montano- (CO) ...21
86030 Lucito (CB) 64
67056 Luco dei Marsi (AQ) ...62
50022 Lucolena (FI) 50
67045 Lúcoli (AQ) 62
61031 Lucrezia (PU) 48
73039 Lucugnano (LE) 82 1
Ludaria (UD) 6
25030 Ludriano (BS) 22
24020 Ludrigno (BG) 12
39040 Lüsen = Luson (BZ) ...4
43010 Lugagnano (PR) 44
37060 Lugagnano (VR) 23
29018 Lugagnano Val d'Arda (PC) ..
......36
10080 Lugnacco (TO) 19
06012 Lugnano (PG) 51
05020 Lugnano in Teverina (TR) 56
02040 Lugnola (RI) 57
48022 Lugo (RA) 47
42031 Lugo (RE) 45
37020 Lugo (VR) 23
36030 Lugo di Vicenza (VI) ...24
Lugo Grande (SR) 99
30020 Lugugnana (VE) 26
26028 Luignano (CR) 22
33025 Luincis (UD) 6
21016 Luino (VA) 10
22070 Luisago (CO) 21
08020 Lula (NU) 107
16024 Lumarzo (GE) 43
07034 Lumbaldu (SS) 106
89100 Lume (RC) 95
28060 Lumellogno (NO) 20
25065 Lumezzane (BS) 22
33050 Lumignacco (UD) 16
36023 Lumignano (VI) 24
09022 Lunamatrona (MD) 9
61026 Lunano (PU) 51
89042 lunchi (RC) 89
15100 Lungafame (AL) 3
27053 Lungavilla (PV) 35
33021 Lungis (UD) 16
87010 Lungro (CS) 84
83040 Luogosano (AV) 71
07020 Luogosanto (OT) 104
40062 Lupara (BO) 23
86030 Lupara (CB) 64
87057 Lupia (CS) 86
36066 Lupia (VI) 24
55020 Lupinaia (LU) 4
Luppino (TP) 91
22040 Lurago d'Erba (CO) ...21
22070 Lurago Marinone (CO) ..
24050 Lurano (BG) 2
07025 Luras (OT) 106
22075 Lurate Caccivio (CO) ...2
Luricazzo (SR) 99
81030 Lusciano (CE) 70
38040 Luserna (TN) 14
10062 Luserna San Giovanni (TO)
......3
10060 Lusernetta (TO) 3
33010 Lusévera (UD) 15
45020 Lusia (RO) 38
36046 Lusiana (VI) 24
10080 Lusiglie (TO) 1
54027 Lusignana (MS) 4
17031 Lusignano (SV) ......
39040 Luson = Lüsen (BZ) ...4
39040 Luson = Lusen (BZ) ...4
84050 Lustra (SA) 77
29010 Lusurasco (PC) ......
39030 Lutago = Luttach (BZ) ...4
Lutago di Sopra = Oberluttac...
31043 Lutrano (TV) 1
21020 Luvinate (VA) ......
24069 Luzzana (BG) 2
82010 Luzzano (BN) 71
42045 Luzzara (RE) 3
87040 Luzzi (CS) 84
28897 Luzzogno (VB) ......

M

91010 Macari (TP) 91
70045 Macario (BA) 7

Maccacari (VR) 38 Ma78
Maccagno (VA) 10 Ie72
Maccarese (RM) 61 Nb97
Maccaretolo (BO) 38 Mc80
Maccastorna (LO) 36 Kf78
Macchia (CS) 84 Rc111
Macchia (CT) 94 Qa122
Macchia (FG) 66 Qf98
Macchia di Monte (BA) 75 Sb103
Mácchia d'Isérnia (IS) 70 Pa99
Macchiagódena (IS) 70 Pc99
Macchiareddu (CA) 112 Ka113
Macchiariello (AV) 71 Qa102
Macchiaroli (SA) 78 Qd106
Macchia Valfortore (CB) 65 Pf99
Macchie (BA) 74 Re101
Macchie (PG) 56 Na90
Macchina- Lagana (RC) 89 Qf118
Macellara (RC) 95 Qd120
Macello (TO) 32 Hc79
Macerata (MC) 53 Oc89
Macerata Campania (CE) 70 Pb102
Macerata Feltria (PU) 47 Nc86
Macerone (FC) 47 Nb84
Machério (MI) 21 Kb75
Maciano (PU) 47 Nb85
Macina (MC) 53 Od89
Macine (AN) 52 Oa88
Maclodio (BS) 22 La76
Macomer (NU) 109 Ie107
Macra (CN) 32 Hb82
Macugnaga (VB) 9 Hf 73
Maddalena, La (OT) 104 Kc101
Maddalena Spiaggia (CA) 112 Ka114
Maddaloni (CE) 70 Pc102
Maderno, Toscolano- (BS) 23 Ld75
Madésimo (SO) 11 Kc70
Madignano (CR) 22 Ke76
Madone (BG) 21 Kd75
Madonna (AT) 34 Ic80
Madonna (VI) 24 Mc76
Madonna Buona (TP) 91 Ne122
Madonna dei Boschi (FE) 38 Mc80
Madonna dei Fornelli (BO) 46 Mb83
Madonna del Bosco (RA) 39 Na81
Madonna della Cava (TP) 90 Nd121
Madonna dell Acqua 49 Lc86
Madonna del Piano (PU) 52 Nf87
Madonna del Ponte (PU) 48 Oa86
Madonna del Sasso (VB) 20 Ib74
Madonna di Baiano (PG) 57 Ne92
Madonna di Campiglio (TN) 13 Le71
Madonna di Montegridolfo (RN) 48 Ne85
Madonna di Senales = Unserfrau in Schnals (BZ) 3 Lf 68
Madonna Pozzo Guacito (BR) 75 Sc104
Madonna San Zeno (AL) 34 Ie79
Madrignano (SP) 44 Kf83
Madrisio (UD) 16 Nf73
Madrisio (UD) 16 Oa72
Maéggio (SR) 99 Qa126
Maenza (LT) 69 Ob99
Maerne (VE) 25 Na75
Maestrello (PG) 51 Nb89
Mafalda (CB) 64 Pe97
Maffiotto (TO) 32 Hb78
Magasa (BS) 23 Ld74
Magazzino (MO) 37 Ma81
Magdeleine, la (AO) 19 Hd74
Magenta (MI) 20 If76
Maggianico (LC) 11 Kc73
Maggiano (LU) 45 Lc85
Maggiate Inferiore (NO) 20 Ic74
Maggiate Superiore (NO) 20 Ic74
Maggio (LC) 11 Kc73
Maggiora (NO) 20 Ic74
Magherno (PV) 21 Kb77
Magioncalda (AL) 35 Ka81
Magione (BO) 46 Md82
Magione (PG) 51 Nb90
Magisano (CZ) 87 Rd114
Magli (CS) 86 Rb113
Magliacane (CZ) 87 Rf115
Maglianello Alto (RI) 57 Nf94
Magliano (LE) 82 Ta106
Magliano Alfieri (CN) 33 Ia80
Magliano Alpi (CN) 33 He82
Magliano de'Marsi (AQ) 62 Oc96
Magliano di Tenna (FM) 53 Od90
58051 Magliano in Toscana (GR) 55 Mb93
84050 Magliano Nuovo (SA) 78 Qb106
00060 Magliano Romano (RM) 61 Nc96
02046 Magliano Sabina (RI) 61 Nc94
84050 Magliano Vetere (SA) 78 Qb106
73024 Maglie (LE) 82 Tb108
35015 Maglio (PD) 24 Me74
17020 Magliolo (SV) 42 Ib83
10030 Maglione (TO) 19 Ia76
46020 Magnacavallo (MN) 38 Mb78
20020 Magnago (MI) 20 Ie75
13887 Magnano (BI) 19 Ia76
85043 Magnano (PZ) 84 Ra108
33010 Magnano in Riviera (UD) 16 Ob71
25063 Magno (BS) 22 Lb74
13882 Magnonevolo (BI) 19 Ia76
70037 Magno San (BA) 73 Rc102
28838 Magognino (VB) 10 Id73
08010 Magomadas (NU) 108 Id107
42035 Magonfia (RE) 45 Lc82
38027 Magras (TN) 13 Lf70
15050 Magrassi (AL) 35 If80
36015 Magre (VI) 24 Mc74
33040 Magredis (UD) 16 Ob72
22030 Magréglio (CO) 11 Kb73
25080 Magrena (BS) 23 Lc75
39040 Magre sulla Strada del Vino = Margreid (BZ) 14 Mb71
41010 Magreta (MO) 37 Le81
01026 Magugnano (VT) 56 Nb93
Mahder (BZ) 3 Le 69
06049 Maiano (PG) 57 Ne92
48010 Maiano Monti (RA) 39 Mf82
88025 Maida (CZ) 86 Rc115
88025 Maida Marina (CZ) 86 Rb115
87020 Maiera (CS) 83 Qf110
89843 Maierato (VV) 86 Rb116
Máio (NA) 76 Of104
60030 Maiolati Spontini (AN) 52 Oa88
61010 Maiolo (PU) 47 Nb85
87040 Maione (CS) 86 Rb114
81040 Maiorano di Monte (CE) 70 Pb101
84010 Maiori (SA) 77 Pd105
26825 Mairago (LO) 21 Kd77
25030 Mairano (BS) 22 La76
27045 Mairano (PV) 35 Ka78
22039 Maisano (CO) 11 Kb73
19010 Maissana (SP) 43 Kd82
33030 Majano (UD) 16 Oa71
09016 Malacalzetta (CI) 111 Id112
26030 Malagnino (CR) 36 La78
00054 Malagrotta (RM) 61 Nb97
40051 Malalbergo (BO) 38 Md80
30010 Malamocco (VE) 25 Nb76
14100 Malandroni (AT) 33 Ia79
Malaspina (PA) 91 Ob120
46040 Malavicina (MN) 23 Le77
33010 Malborghetto-Valbruna (UD) 7 Oc 69
46028 Malcantone (MN) 47 Mf82
37018 Malcesine (VR) 23 Le74
34013 Malchina (TS) 17 Od74
30030 Malcontenta (VE) 25 Nb76
38027 Male (TN) 13 Lf70
25053 Malegno (BS) 12 Lb73
26847 Maleo (LO) 36 Ke77
28854 Malesco (VB) 10 Ic72
95035 Maletto (CT) 94 Pf121
98050 Malfa (ME) 88 Pe117
38020 Malga Cercena Alta (TN) 13 Le70
39010 Malgasot (BZ) 3 Ma 70
21020 Malgesso (VA) 20 Ie74
23033 Malghera (SO) 12 La70
38010 Malgolo (TN) 13 Ma70
23864 Malgrate (LC) 11 Kc73
54028 Malgrate (MS) 44 Kf83
Malignano (SI) 50 Mb89
33050 Malisana (UD) 16 Ob74
87030 Malito (CS) 86 Rb114
17045 Mallare (SV) 42 Ib83
39024 Mälles Venosta = Mals (BZ) 3 Ld 68
39024 Malles Venosta = Mals im Vinschgau (BZ) 3 Ld 68
50055 Malmantile (FI) 46 Ma86
21046 Malnate (VA) 20 If74
33086 Malnisio (PN) 16 Nd72
98070 Malo (ME) 93 Pe120
36034 Malo (VI) 24 Mc75
25017 Malocco (BS) 23 Lc76
25040 Malonno (BS) 12 Lb72
38013 Malosco (TN) 13 Ma70
24050 Malpaga (BG) 22 Ke75
25070 Malpaga (BS) 22 Lb74
25012 Malpaga (BS) 22 Lb76
Malpasso (PA) 91 Ob120
21019 Malpensa (VA) 20 Ie75
39024 Mals = Mälles Venosta (BZ) 3 Ld 68
63040 Maltignano (AP) 58 Oe91
06043 Maltignano (PG) 57 Oa92
20020 Malvaglio (MI) 20 Ie75
98030 Malvagna (ME) 94 Qa121
60037 Malviano (AN) 53 Ob87
15015 Malvicino (AL) 34 Ic81
98070 Malvigino Piscittina (ME) 93 Pe120
87010 Malvito (CS) 84 Ra111
83034 Malvizza (AV) 71 Qa101
92028 Malvizzo (AG) 97 Oe125
29010 Mamago (PC) 35 Kd78
43029 Mamiano (PR) 36 Lc80
89045 Mammola (RC) 89 Rb118
08024 Mamoiada (NU) 109 Kb107
08020 Mamone (NU) 107 Kc105
09037 Mamusa (MD) 112 Ie111
07026 Mamusi (OT) 107 Kc104
19010 Manarola (SP) 44 Ke84
85033 Manca di Sopra (PZ) 84 Ra108
52043 Manciano (AR) 51 Mf89
58014 Manciano (GR) 55 Md93
85030 Mancine (PZ) 84 Rb108
98020 Mandanici (ME) 94 Qb120
89844 Mandaradoni (VV) 88 Qf117
09040 Mandas (CA) 109 Ka111
87060 Mandatoriccio (CS) 85 Re112
00020 Mandela (RM) 62 Nf96
23826 Mandello del Lario (LC) 11 Kb73
28060 Mandello Vitta (NO) 20 Ic76
84046 Mandia (SA) 78 Qb108
25045 Mandolossa (BS) 22 La75
48010 Mandriole (RA) 39 Nb81
15100 Mandrogne (AL) 34 Ie79
74024 Manduria (TA) 81 Sd106
25080 Manerba del Garda (BS) 23 Ld75
25025 Manerbio (BS) 22 La76
71043 Manfredonia (FG) 66 Qf99
95024 Mangano (CT) 94 Qa122
39020 Mangitzer Alm (BZ) 2 Lc 69
12056 Mango (CN) 33 Ia80
87050 Mangone (CS) 86 Rb113
95030 Maniace (CT) 93 Pe121
95030 Maniace (CT) 93 Pe121
33085 Maniago (PN) 16 Ne71
10060 Maniglia (TO) 32 Ha79
83030 Manocalzati (AV) 71 Pf103
65024 Manoppello (PE) 63 Pa95
31040 Mansue (TV) 15 Nd74
12030 Manta (CN) 33 Hc81
Mantana = Montal (BZ) 4 Mf 68
20010 Mantegazza (MI) 21 If75
23016 Mantello (SO) 11 Kc72
Mantena = Welschmontal (BZ) 4 Mf 68
50142 Mantignano (FI) 46 Mb86
89816 Mantineo (VV) 86 Ra116
46100 Mantova (MN) 37 Le78
33044 Manzano (UD) 17 Oc73
00066 Manziana (RM) 60 Na96
33044 Manzinello (UD) 17 Oc73
41013 Manzolino (MO) 38 Ma81
24030 Mapello (BG) 21 Kd74
10070 Mappano (TO) 33 He78
07010 Mara (SS) 105 Id106
09040 Maracalagonis (CA) 112 Kb113
36042 Maragnole (VI) 24 Md74
67015 Marana (AQ) 58 Ob94
67039 Maráne (AQ) 63 Of96
41053 Maranello (MO) 37 Lf81
40055 Marano (BO) 38 Mc81
43100 Marano (PR) 37 Lc80
30030 Marano (VE) 25 Na76
Marano dei Marsi (AQ) 62 Ob96
80016 Marano di Napoli (NA) 76 Pb103
37020 Marano di Valpolicella (VR) 23 Lf75
00020 Marano Equo (RM) 62 Oa97
04020 Maranola (LT) 69 Od101
33050 Marano Lagunare (UD) 16 Oa74
87040 Marano Marchesato (CS) 86 Ra113
87040 Marano Principato (CS) 86 Ra113
41054 Marano sul Panaro (MO) 45 Lf82
28040 Marano Ticino (NO) 20 Id75
36035 Marano Vicentino (VI) 24 Mc74
39037 Maranza = Meransen (BZ) 4 Md 68
14040 Maranzana (AT) 34 Ic80
85046 Maratea (PZ) 83 Qe109
85046 Maratea Castrocucco (PZ) 83 Qe109
91100 Marausa (TP) 90 Nc121
20010 Marcallo con Casone (MI) 20 If76
46010 Marcaria (MN) 37 Ld78
Marcato d'Arrigo (CL) 97 Pa124
09098 Marceddi (OR) 108 Id110
88050 Marcedusa (CZ) 87 Re114
60026 Marcelli (AN) 53 Od88
87020 Marcellina (CS) 83 Qe110
00010 Marcellina (RM) 61 Ne96
88044 Marcellinara (CZ) 86 Rc115
Marcellise (VR) 23 Ma76
Marcemigo (VR) 24 Ma75
52100 Marcena (AR) 51 Mf87
38020 Marcena (TN) 13 Ma70
02020 Marcetelli (RI) 62 Oa95
25060 Marcheno (BS) 22 Lb74
Marchesana Marina (ME) 94 Qa120
37060 Marchesino (VR) 23 Lf76
21030 Marchirolo (VA) 10 Ie73
50052 Marcialla (FI) 50 Ma87
57030 Marciana (LI) 54 Lb92
56021 Marciana (PI) 49 Ld87
57033 Marciana Marina (LI) 54 Lb92
81025 Marcianise (CE) 70 Pb102
52047 Marciano della Chiana (AR) 50 Me89
54035 Marciaso (MS) 44 La84
27020 Marcignago (PV) 21 Ka77
50050 Marcignana (FI) 49 Lf86
38060 Marco (TN) 13 Ma73
39030 Marcon (VE) 25 Nb75
75020 Marconia (MT) 80 Re106
45030 Mardimago (RO) 39 Mf78
39044 Marebbe = Enneberg (BZ) 4 Mf 68
47900 Marebello (RN) 48 Nd84
80100 Marechiaro (NA) 76 Pb104
37040 Marega (VR) 24 Mc77
Maregge (VR) 23 Ma75
12030 Marene (CN) 33 He80
12055 Marengo (CN) 33 Ia81
46045 Marengo (MN) 23 Le77
31010 Mareno di Piave (TV) 15 Nc73
10020 Marentino (TO) 33 Hf78
32010 Mareson (BL) 15 Na70
Mareta = Mareit (BZ) 4 Mc 67
29023 Mareto (PC) 35 Kd80
91010 Maréttimo (TP) 90 I
Maréttimo (TP) 90 Na120
14018 Maretto (AT) 33 Ia79
39030 Marga = Margen (BZ) 4 Me 68
12040 Margarita (CN) 41 He82
30175 Marghera (VE) 25 Nb76
29021 Margherita (PC) 35 Kd80
71044 Margherita di Savoia (BT) 73 Ra100
09045 Margine Rosso (CA) 112 Kb113
Margione (RG) 99 Pf127
23832 Margno (LC) 11 Kc72
10070 Margone (TO) 18 Hb77
39040 Margreid = Magre sulla Strada del Vino (BZ) 14 Mb71
46010 Mariana Mantovana (MN) 23 Lc77
24040 Mariano al Brembo (BG) 21 Kd75
22066 Mariano Comense (CO) 21 Kb74
34070 Mariano del Friuli (GO) 17 Oc73
93010 Marianopoli (CL) 97 Of123
73048 Maria Santa al Bagno (LE) 82 Sf108
27047 Maria Santa della Versa (PV) 35 Kb79
80030 Mariglianella (NA) 70 Pc103
80034 Marigliano (NA) 71 Pc103
38020 Marilleva (TN) 13 Le71
30020 Marina (VE) 26 Nf74
54039 Marina dei Ronchi (MS) 44 La84
58010 Marina di Alberese (GR) 55 Ma93
87071 Marina di Amendolara (CS) 84 Rd109
17051 Marina di Andora (SV) 41 Ia85
09036 Marina di Arbus (MD) 111 Ic111
84046 Marina di Ascea (SA) 83 Qb108
Marina di Ávola (SR) 99 Qa127
87030 Marina di Belmonte (CS) 86 Ra113
84059 Marina di Camerota (SA) 83 Qc108
57034 Marina di Campo (LI) 54 Lb92
Marina di Caronia (ME) 93 Pc120
54036 Marina di Carrara (MS) 44 La84
84040 Marina di Casal Velino (SA) 77 Qa107
57024 Marina di Castagneto Donoratico (LI) 49 Ld89
89041 Marina di Caulonia (RC) 89 Rc118
57023 Marina di Cecina (LI) 49 Lc89
88060 Marina di Davoli (CZ) 89 Rd117
87020 Marina di Fuscaldo (CS) 84 Ra112
74025 Marina di Ginosa (TA) 80 Rf106
89046 Marina di Gioiosa Ionica (RC) 89 Rb119
58046 Marina di Grosseto (GR) 55 Lf92
Marina di Lésina (FG) 65 Qc97
Marina di Leuca (LE) 83 Tc110
73057 Marina di Mancaversa (LE) 82 Ta109
85046 Marina di Maratea (PZ) 83 Qe109
73030 Marina di Marittima (LE) 82 Tc109
54039 Marina di Massa (MS) 44 La84
Marina di Melilli (SR) 99 Qb126
04020 Marina di Minturno (LT) 69 Oe101
60018 Marina di Montemarciano (AN) 53 Oc87
88042 Marina di Nocera (CZ) 86 Ra114
Marina di Novaglie (LE) 83 Tc109
75020 Marina di Nova Siri (MT) 80 Rd108
08028 Marina di Orosei (NU) 107 Ke106
72017 Marina di Ostuni (BR) 75 Sd104
92020 Marina di Palma (AG) 97 Oe125
89015 Marina di Palmi (RC) 88 Qe118
87027 Marina di Paola (CS) 86 Ra112
98060 Marina di Patti (ME) 94 Pf119
Marina di Pescoluse (LE) 83 Tb109
55044 Marina di Pietrasanta (LU) 44 Lb85
56013 Marina di Pisa (PI) 49 Lb87
Marina di Posciotta (SA) 83 Qb108
74026 Marina di Pulsano (TA) 81 Sc106
97010 Marina di Ragusa (RG) 100 Pd128
48023 Marina di Ravenna (RA) 39 Nb82
Marina di San Lorenzo (RC) 95 Qe121
88060 Marina di Sant'Antonio (CZ) 89 Rd117
89040 Marina di Sant'Ilario (RC) 89 Rb119
87011 Marina di Sibari (CS) 84 Rc110
07037 Marina di Sorso (SS) 105 Id104
88815 Marina di Stróngoli (KR) 87 Sa113
55049 Marina di Torre del Lago (LU) 44 Lb86
09170 Marina di Torre Grande (OR) 108 Id109
66010 Marina di Vasto (CH) 64 Pe96
84019 Marina di Vietri (SA) 77 Pe104
34074 Marina Júlia (GO) 17 Od74
63023 Marina Palmense (AP) 53 Oe90
48100 Marina Romea (RA) 39 Nb81
87070 Marina Roseto (CS) 85 Rd109
73039 Marina Serra (LE) 82 Tc109
91022 Marinella (TP) 96 Ne123
91022 Marinella (TP) 96 Ne123
30020 Marinella (VE) 26 Oa74
19038 Marinella di Sarzana (SP) 44 La84
90035 Marineo (PA) 91 Oc121
Marini (LE) 83 Tb109
00047 Marino (RM) 61 Nd98
91027 Marino (TP) 90 Nc120
70032 Mariotto (BA) 74 Rd102
60044 Marischio (AN) 52 Nf88
07041 Maristella (SS) 105 Ib105
73030 Marittima (LE) 82 Tc109
39020 Marlengo = Marling (BZ) 3 Ma 69
55014 Marlia (LU) 45 Ld85
51010 Marliana (PT) 45 Le85
39020 Marling = Marlengo (BZ) 3 Ma 69
25060 Marmentino (BS) 22 Lb74
46045 Marmirolo (MN) 23 Le77
12020 Marmora (CN) 32 Ha82
14020 Marmorito (AT) 33 Ia78
40050 Marmorta (BO) 38 Me81
21050 Marnate (VA) 20 If75
37010 Marniga (VR) 23 Le74
31021 Marocco (TV) 25 Nb75
25054 Marone (BS) 22 La74
89020 Maropati (RC) 89 Ra118
36063 Marostica (VI) 24 Md74
61035 Marotta (PU) 48 Oa86
50034 Marradi (FI) 46 Md84
44040 Marrara (FE) 38 Me80
87040 Marri (CS) 84 Ra112
09094 Marrubiu (OR) 108 Id110
29020 Marsaglia (PC) 35 Kc80
12060 Marsaglia (CN) 41 Hf82
91025 Marsala (TP) 90 Nc122
35010 Marsango (PD) 24 Mf75
06055 Marsciano (PG) 56 Nc91
67069 Marsia (AQ) 58 Oc91
85052 Marsico Nuovo (PZ) 78 Qe106
85050 Marsico Vetere (PZ) 78 Qe106
33080 Marsure (PN) 15 Nd72
01010 Marta (VT) 56 Mf93
73025 Martano (LE) 82 Tb107
39020 Martell = Martello (BZ) 3 Le 69
30030 Martellago (VE) 25 Na75
39020 Martello = Martell (BZ) 3 Le 69
38050 Marter (TN) 14 Mc72
Marterthal (BZ) 4 Mc 69

56020 Marti (PI) 49 Le87
33035 Martignacco (UD) 16 Oa72
26040 Martignana di Po (CR) 37 Lc78
73020 Martignano (LE) 82 Tb107
74015 Martina Franca (TA) 75 Sc104
30010 Martinelle (VE) 25 Na78
24057 Martinengo (BG) 22 Ke75
98069 Martini (ME) 93 Pe120
12030 Martiniana Po (CN) 32 Hc81
64014 Martinsicuro (TE) 59 Of91
88040 Martirano (CZ) 86 Rb114
88040 Martirano Lombardo (CZ) 86 Rb114
07030 Martis (SS) 106 Ie104
89040 Martone (RC) 89 Rb118
26866 Marudo (LO) 21 Kc77
74020 Maruggio (TA) 81 Sd107
Marza (RG) 100 Pf128
40043 Marzabotto (BO) 46 Mb82
28060 Marzalesco (NO) 20 Ic75
Marzamémi (SR) 100 Qa128
Marzana (VR) 23 Ma75
81058 Marzanello (CE) 70 Pa101
16029 Marzano (GE) 35 Ka81
27010 Marzano (PV) 21 Kb77
81035 Marzano Appio (CE) 70 Pa101
83020 Marzano di Nola (AV) 71 Pd103
84010 Marzano San sul Sarno (SA) 77 Pd104
87050 Marzi (CS) 86 Rb113
32020 Marziai (BL) 15 Mf73
33080 Marzinis (PN) 16 Ne73
21030 Marzio (VA) 10 If73
60019 Marzocca (AN) 53 Ob86
32025 Mas (BL) 15 Na72
09010 Masainas (CI) 111 Id114
24043 Masano (BG) 22 Ke75
20060 Masate (MI) 21 Kc75
95016 Mascali (CT) 94 Qb122
95030 Mascalucia (CT) 94 Qa123
85020 Maschito (PZ) 73 Qf103
20030 Masciago, Bovísio- (MI) 21 Ka75
21030 Masciago Primo (VA) 10 Ie73
67013 Mascioni (AQ) 58 Oc93
89064 Masella (RC) 95 Qe121
31010 Maser (TV) 15 Mf74
28855 Masera (VB) 10 Ib72
31052 Maserada sul Piave (TV) 25 Nb74
35020 Masera di Padova (PD) 25 Mf77
46020 Masi (MN) 38 Mb78
35040 Masi (PD) 38 Mc78
38033 Masi di Cavalese (TN) 14 Mc71
23011 Masino (SO) 11 Kd71
15024 Masio (AL) 34 Ic79
44020 Masi Torello (FE) 38 Me80
22026 Masliánico (CO) 11 Ka73
30010 Maso (VE) 25 Na76
Maso del Castello (BZ) 3 Le 69
16010 Masone (GE) 34 Ie82
42029 Masone (RE) 37 Le80
09040 Masone Pardu (CA) 113 Kd113
36064 Mason Vicentino (VI) 24 Md74
62020 Massa (MC) 52 Nf89
54100 Massa (MS) 44 La84
61043 Massa (PU) 52 Nd87
85046 Massa (PZ) 83 Qe109
48100 Massa (RA) 47 Na83
42010 Massa (RE) 45 Ld82
95030 Massa Annunziata (CT) 94 Qa123
67050 Massa d'Albe (AQ) 62 Oc96
80040 Massa di Somma (NA) 76 Pc103
51010 Massa e Cozzile (PT) 45 Le85
63020 Massa Fermana (FM) 53 Oc90
41035 Massa Finalese (MO) 38 Mb79
44025 Massa Fiscaglia (FE) 39 Na80
74016 Massafra (TA) 80 Sa105
26815 Massalengo (LO) 21 Kc77
48024 Massa Lombarda (RA) 39 Me82
80061 Massa Lubrense (NA) 76 Pc105
09170 Massama (OR) 108 Id109
58024 Massa Marittima (GR) 55 Lf90
06056 Massa Martana (PG) 57 Nd92
54100 Massa Montignoso (MS) 44 La84
35010 Massanzago (PD) 25 Na75
55054 Massarosa (LU) 45 Lc85
98155 Massa-San Giórgio (ME) 88 Qd119
98155 Massa-San Giovanni (ME) 88 Qd119
98155 Massa-San Nicolo (ME) 88 Qd119
98155 Massa-Santa Lucia (ME) 88 Qd119
84052 Massascusa (SA) 78 Qb107
13873 Massazza (BI) 19 Ib76
10060 Massello (TO) 32 Ha79
44020 Massenzatica (FE) 39 Na79
13866 Masserano (BI) 20 Ib75
Masseria = Maiern (BZ) 3 Mb 67
Masseria Abbandonata (CT) 99 Pe124
Masseria Antalbo (TP) 91 Ne122
Masseria Arcimusa (SR) 99 Pe124
Masseria Ardizzonello (CT) 99 Pe124
Masseria Badia (SR) 99 Pf125
Masseria Bonvicino (SR) 99 Pf124
Masseria Bruga (CT) 99 Pf124
Masseria Casazza (SR) 99 Pf125
Masseria Castellana (CT) 99 Pf124
Masseria Cavallaro (SR) 99 Qa126
73028 Masseria Cerra (LE) 82 Tc108
Masseria Cisina (CT) 99 Pf124
Masseria Conigliara (SR) 99 Qa125
Masseria Cucco (SR) 99 Pf124
Masseria Cusmano (CT) 99 Pf124
Masseria della Piccola (SR) 99 Qa125
Masseria di Mauro (CT) 99 Pf124
95040 Masseria di Stefano (CT) 99 Pe123
Masseria Facchini (CT) 99 Pf123
Masseria Falcone (TP) 91 Nf121
Masseria Favotto (CT) 99 Pf124
83041 Masseria Giurazzi (AV) 72 Qd103
Masseria Magazzinazzo (CT) 99 Pf124
Masseria Mazza (CT) 99 Pf124
Masseria Mondello (PA) 91 Oa121
Masseria Morghella (SR) 99 Qa126
Masseria Ogliastro (SR) 99 Qa125
Masseria Palma (CT) 99 Qa124
Masseria Passanetella (CT) 100 Pe125
Masseria Pericello (CT) 99 Pf123
Masseria Pesce (CT) 99 Pe124
Masseria Pezza del Medico (CT) 99 Pe124
Masseria Ponte Roano (PA) 91 Oa121
Masseria Radoana (SR) 99 Pf125
Masseria Ravanusa (PA) 91 Oa121
Masseria San Calogero (SR) 99 Qa125
Masseria San Leonardo sottino (SR) 99 Qa124
Masseria Spinasanta (CT) 99 Pf124
Masseria Spinelli (SR) 99 Qa125
Masseria Stimpato (CT) 99 Pe124
Masseria Vecchia (TP) 90 Nd122
89020 Masseria Vilardi (RC) 89 Ra118
84060 Massicelle (SA) 78 Qc108
63010 Massignano (AP) 53 Oe90
38086 Massimeno (TN) 13 Le72
00166 Massimina (RM) 61 Nc97
12071 Massimino (CN) 41 Ia83
28040 Massino Visconti (NO) 20 Id74
28895 Massiola (VB) 10 Ib73
38062 Massone (TN) 13 Lf73
25070 Mastanico (BS) 23 Lc74
09010 Masua (CI) 111 Ic112
09090 Masullas (OR) 109 Ie110
Matarocco (TP) 90 Nd121
62024 Matelica (MC) 52 Oa89
75100 Matera (MT) 79 Rd104
10075 Mathi (TO) 19 Hd77
84044 Matinella (SA) 77 Qa105
73046 Matino (LE) 82 Ta108
84050 Matonti (SA) 77 Qa107
86030 Matrice (CB) 64 Pe99
19020 Mattarana (SP) 43 Kd83
38060 Mattarello (TN) 13 Ma72
10050 Mattie (TO) 32 Ha78
71030 Mattinata (FG) 66 Ra98
83040 Mattinella (AV) 72 Qb103
09010 Matzaccara (CI) 111 Ic114
Maucini (SR) 100 Qa128
12020 Maurengo (CN) 32 Ha82
91026 Mazara del Vallo (TP) 90 Nd122
39024 Mazia = Matsch (BZ) 3 Ld 68
Mazzaglia (CT) 94 Pf123
25080 Mazzano (BS) 22 Lc75
00060 Mazzano Romano (RM) 61 Nc95
93013 Mazzarino (CL) 98 Pb125
98056 Mazzarra Sant' Andrea (ME) 94 Qa120
95040 Mazzarrone (CT) 100 Pd126
10035 Mazze (TO) 19 Hf77
38030 Mazzin (TN) 4 Me 70
23030 Mazzo di Valtellina (SO) 12 Lb71
24038 Mazzoleni (BG) 21 Kd74
45011 Mazzorno Sinistro (RO) 39 Na78
45014 Mea (RO) 39 Nb78
10050 Meana di Susa (TO) 32 Ha78
08030 Meana Sardo (NU) 109 Ka109
32030 Meano (BL) 15 Na72
25030 Meano (BS) 22 La76
38040 Meano (TN) 13 Ma72
38023 Mechel (TN) 13 Ma70
20036 Meda (MB) 21 Ka75
36010 Meda (VI) 24 Mc74
27058 Medassino (PV) 35 If79
09010 Medau-Mesau (CA) 112 If115
27035 Mede (PV) 34 Ie78
34076 Medea (GO) 17 Oc73
44020 Medelana (FE) 39 Mf80
43014 Medesano (PR) 36 La80
33048 Medeuzza (UD) 17 Oc73
40059 Medicina (BO) 38 Md82
51017 Medicina (PT) 45 Le85
20060 Mediglia (MI) 21 Kc76
33021 Mediis (UD) 16 Ne70
24030 Medolago (BG) 21 Kc74
46046 Medole (MN) 23 Ld77
41036 Medolla (MO) 37 Ma79
31040 Meduna di Livenza (TV) 16 Nd74
33092 Meduno (PN) 16 Ne71
35040 Megliadino San Fidenzio (PD) 24 Md77
35040 Megliadino San Vitale (PD) 24 Md77
28886 Mégolo (VB) 10 Ib73
35010 Meianiga (PD) 25 Mf76
28046 Méina (NO) 20 Id74
32026 Mel (BL) 15 Na72
Melago (BZ) 3 Ld 67
60044 Melano (AN) 52 Nf88
45037 Melara (RO) 38 Mb78
15010 Melazzo (AL) 34 Ic81
47014 Meldola (FC) 47 Na84
16010 Mele (GE) 42 Ie82
36040 Meledo (VI) 24 Mc76
20077 Melegnano (MI) 21 Kb76
73026 Melendugno (LE) 82 Tc107
26843 Meleti (LO) 36 Ke78
52022 Meleto (AR) 50 Mc87
42024 Meletole (RE) 37 Ld79
03038 Melfa (FR) 69 Od99
85025 Melfi (PZ) 72 Qd102
98030 Melia (ME) 94 Qb121
89058 Melia (RC) 88 Qe119
89832 Melicucca (VV) 89 Ra117
89020 Melicucca (RC) 88 Qf119
89020 Melicucco (RC) 89 Ra118
96010 Melilli (SR) 99 Qa125
08047 Melisenda (OG) 110 Kd111
88817 Melissa (KR) 87 Sa113
73040 Melissano (LE) 82 Ta109
88050 Melitello (CZ) 86 Rd114
80017 Melito di Napoli (NA) 70 Pb103
89063 Melito di Porto Salvo (RC) 95 Qe121
83030 Melito Irpino (AV) 71 Qa102
82030 Melizzano (BN) 71 Pd102
12020 Melle (CN) 32 Hb81
23010 Mello (SO) 11 Kd72
26014 Melotta (CR) 22 Ke76
73020 Melpignano (LE) 82 Tb108
33030 Mels (UD) 16 Oa71
39010 Mèltina = Mölten (BZ) 3 Mb 69
20066 Melzo (MI) 21 Kc75
25060 Memmo (BS) 22 Lb74
37043 Mena (VR) 38 Mc78
22017 Menággio (CO) 11 Kb72
23020 Menarola (SO) 11 Kb71
38020 Menas (TN) 13 Le70
44014 Menata (FE) 39 Na81
27050 Menconico (PV) 35 Kb80
18025 Mendatica (IM) 41 He84
87040 Mendicino (CS) 86 Rb113
Mendola (TP) 90 Nd121
25063 Menegotto (BS) 22 Lb74
92013 Menfi (AG) 96 Nf123
48015 Mensa (RA) 47 Nb83
53034 Mensanello (SI) 50 Ma88
00013 Mentana (RM) 61 Nd96
10060 Mentoulles (TO) 32 Ha78
30020 Meolo (VE) 25 Nc75
39012 Meran = Merano (BZ) 3 Ma 69
15010 Merana (AL) 34 Ib81
81040 Merangeli (CE) 70 Pb101
39012 Merano = Meran (BZ) 3 Ma 69
23807 Merate (LC) 21 Kc74
21020 Mercallo (VA) 20 Ie74
52044 Mercatale (AR) 51 Na89
50026 Mercatale (FI) 50 Mb87
61028 Mercatale (PU) 48 Nc86
06055 Mercatello (PG) 56 Nb91
61040 Mercatello sul Metauro (PU) 51 Nc87
61013 Mercatino Conca (PU) 48 Nc85
61012 Mercato (PU) 48 Ne85
84090 Mercato (SA) 77 Pf104
84085 Mercato San Severino (SA) 77 Pe104
47025 Mercato Saraceno (FC) 47 Nb85
10010 Mercenasco (TO) 19 Hf76
83013 Mercogliano (AV) 71 Pe103
28040 Mercurago (NO) 20 Id74
33036 Mereto di Tomba (UD) 16 Oa72
60030 Mergo (AN) 52 Oa88
28802 Mergozzo (VB) 10 Ic73
98040 Meri (ME) 94 Qb119
73023 Merine (LE) 82 Tb107
54028 Merizzo (MS) 44 Kf83
33050 Merlana (UD) 16 Ob73
35040 Merlara (PD) 24 Mc77
31050 Merlengo (TV) 25 Nb74
26833 Merlino (LO) 21 Kc76
22046 Merone (CO) 21 Kb74
33040 Merso di sopra (UD) 17 Od72
72023 Mesagne (BR) 81 Se105
31016 Mescolino (TV) 15 Nc73
23020 Mese (SO) 11 Kc71
21030 Mesenzana (VA) 10 Ie73
20010 Mesero (MI) 20 If75
89851 Mesiano (VV) 88 Qf117
44026 Mesola (FE) 39 Nb79
88838 Mesoraca (KR) 87 Re114
81020 Messercola (CE) 70 Pc102
89014 Messignadi (RC) 89 Qf119
98100* Messina (ME) 88 Qd119
30175* Mestre (VE) 25 Nb76
35035 Mestrino (PD) 24 Me76
67054 Meta (AQ) 62 Oc97
80062 Meta (NA) 76 Pc105
20097 Metanopoli (MI) 21 Kb76
75010 Metaponto (MT) 80 Re106
80069 Meta Ticcino (NA) 76 Pc105
61032 Metaurilia (PU) 48 Oa86
80061 Metrano (NA) 76 Pc105
10080 Meugliano (TO) 19 He76
20050 Mezzago (MB) 21 Kc75
56010 Mezzana (PI) 49 Lc86
38020 Mezzana (TN) 13 Le71
27030 Mezzana Bigli (PV) 34 If78
26865 Mezzana Casati (LO) 36 Ke78
27051 Mezzana Corti (PV) 35 Ka78
85030 Mezzana Frido (PZ) 84 Rb109
13831 Mezzana Mortigliengo (BI) 20 Ib75
27030 Mezzana Rabattone (PV) 35 Ka78
85030 Mezzana Salice (PZ) 84 Rb109
25012 Mezzane (BS) 23 Lc76
37030 Mezzane di Sotto (VR) 24 Ma76
16046 Mezzanego (GE) 43 Kc82
43055 Mezzani (PR) 37 Lc79
27040 Mezzanino (PV) 34 Ie79
27040 Mezzanino (PV) 35 Kb78
26100 Mezzano (CR) 36 Kf78
48010 Mezzano (RA) 39 Na82
38050 Mezzano (TN) 14 Me72
26842 Mezzano di Sotto (LO) 36 Ke78
27020 Mezzano Siccomario (PV) 35 Ka78
43055 Mezzano Superiore (PR) 37 Lc79
39045 Mezzaselva (BZ) 14 Mc73
39045 Mezzaselva = Mittewald (BZ) 4 Md 68
20068 Mezzate (MI) 21 Kb76
22010 Mezzegra (CO) 11 Ka73
10070 Mezzenile (TO) 18 Hc77
88825 Mezzocampo (KR) 85 Re112
89853 Mezzocasale (VV) 89 Ra117
38016 Mezzo-corona (TN) 13 Ma71
44020 Mezzogoro (FE) 39 Na79
90030 Mezzojuso (PA) 91 Oc121
38060 Mezzolago (TN) 13 Le73
40050 Mezzolara (BO) 38 Md81
24010 Mezzoldo (BG) 12 Kd72
38017 Mezzolombardo (TN) 13 Ma71
28040 Mezzomerico (NO) 20 Id75
Mezzomonreale (PA) 91 Ob120
33070 Mezzomonte (PN) 15 Nc72
13816 Miagliano (BI) 19 Ia75
31050 Miane (TV) 15 Na73
80145 Miano (NA) 76 Pb103
28010 Miasino (NO) 20 Ic74
28817 Miazzina (VB) 10 Id73
56045 Micciano (PI) 49 Le89
02010 Micigliano (RI) 57 Oa94
33023 Mieli (UD) 6 Nf 69
Miemo (PI) 49 Le88
73035 Miggiano (LE) 82 Tb109
28877 Migiandone (VB) 10 Ic73
66010 Migliánico (CH) 59 Pb94
83023 Migliano (AV) 71 Pd103
06055 Migliano (PG) 56
42034 Migliara (RE) 37
Migliardo (ME) 94 Q
41012 Migliarina (MO) 37
44027 Migliarino (FE) 39
56010 Migliarino (PI) 49
44020 Migliaro (FE) 39
88040 Miglierina (CZ) 86 R
75010 Miglionico (MT) 79 R
88040 Migliuso (CZ) 86 R
31030 Mignagola (TV) 25
16018 Mignanego (GE) 3
81049 Mignano Monte Lungo (CE) 70
26839 Mignete (LO) 21
89100 Milanesi (RC) 88 C
20100* Milano (MI) 21
48015 Milano Marittima (RA) 47
20090 Milano San Felice (MI) 21
98057 Milazzo (ME) 94 C
93010 Milena (CL) 97
85043 Mileo (PZ) 84 F
89852 Mileto (VV) 89
09070 Milis (OR) 108
Mili San Pietro (ME) 88
95043 Militello in Val di Catania (CT) 99
98070 Militello Rosmarino (ME) 93
Milland = Millan (BZ) 4
17017 Millesimo (SV) 4
Millicucco (CT) 94
95010 Milo (CT) 94
91019 Milo (TP) 90
25024 Milzanello (BS) 22
25020 Milzano (BS) 22
12075 Mindino (CN) 4
95044 Mineo (CT) 98
37046 Minerbe (VR) 24
40061 Minerbio (BO) 38
73027 Minervino di Lecce (LE) 82
70055 Minervino Murge (BT) 73
22070 Minoprio (CO) 21
84010 Minori (SA) 77
92028 Mintina (AG) 97
04026 Minturno (LT) 69
55034 Minucciano (LU) 44
17040 Mioglia (SV) 3
33025 Mione (UD) 6
30034 Mira (VE) 25
36042 Mirabella (VI) 24
83036 Mirabella Eclano (AV) 71
95040 Mirabella Imbaccari (CT) 98
44043 Mirabello (FE) 38
26020 Mirabello Ciria (CR) 2
27100 Mirabello di Pavia (PV) 2
15040 Mirabello Monferrato (AL) 3
26856 Mirabello San Bernardino (LC 35
86010 Mirabello Sannítico (CB) 7
27010 Miradolo Terme (PV) 3
47831 Miramare (RN) 4
86080 Miranda (IS) 6
25030 Mirandola (BS) 2
41037 Mirandola (MO) 3
30035 Mirano (VE) 2
46027 Mirasole (MN)
40062 Miravalle (BO) 38
12083 Miroglio (CN) 4
98070 Mirto (ME) 93
87060 Mirto Crosia (CS) 85
89048 Mirto di Siderno (RC) 89
32037 Mis (BL) 1
38050 Mis, Sagron- (TN)
47843 Misano Adriatico (RN) 4
24040 Misano di Gera d'Adda (BG) 2
47843 Misano Monte (RN) 4
Misci = Mischi (BZ)
90036 Misilmeri (PA) 91
20020 Misinto (MI) 2
23873 Missaglia (LC) 2
85010 Missanello (PZ) 79
98020 Misserio (ME) 94
06064 Missiano (PG) 5
Missiano = Missian (BZ) 3
Misterbianco (CT) 9
95045 Misterbianco (CT) 9
98073 Mistretta (ME) 93
Misurina (BL)
Mitterberger (BZ) 3
14050 Moasca (AT)
25080 Mocasina (BS)
87058 Moccone (CS) 86
16047 Moconesi (GE) 4
54028 Mocrone (MS)
07034 Modditonalza (SS) 1
41100 Modena (MO)

Módica (RG) 100 Pe127
Modigliana (FC) 47 Me84
Modignano (LO) 21 Kc76
Modolo (OR) 108 Id107
Modugno (BA) 74 Re102
Mölten = Mèltina (BZ) 3 Mb 69
Moena (TN) 14 Md70
Moerna (BS) 23 Ld74
Moggio (LC) 11 Kc73
Moggiona (AR) 47 Me86
Moggio Udinese (UD) 6 Ob 70
Moglia (BS) 23 Lc75
Moglia (MN) 38 Mb78
Moglia (MN) 37 Lf79
Mogliano (MC) 53 Oc89
Mogliano Veneto (TV) 25 Nb75
Mogorella (OR) 109 If109
Mogoro (OR) 109 Ie110
Moia (SO) 12 Kf72
Moia (UD) 16 Nf70
Moiano (BN) 71 Pd102
Moiano (NA) 76 Pc105
Moiano (PG) 56 Na90
Moie (AN) 52 Oa87
Moimacco (UD) 17 Oc72
Mòio Alcántara (ME) 94 Qa121
Mòio de'Calvi (BG) 12 Ke73
Mòio della Civitella (SA) 78 Qb107
Moiola (CN) 40 Hc83
Moladi (VV) 88 Qf117
Mola di Bari (BA) 74 Sa102
Molare (AL) 34 Id81
Molaro (RC) 95 Qe121
Molassana (GE) 43 If82
Molazzana (LU) 45 Lc84
Moldeto (IM) 41 Hf85
Molella (LT) 68 Oa101
Moleto (AL) 34 Ic78
Molfetta (BA) 74 Rd101
Moliciara (SP) 44 La84
Molina (CO) 11 Ka73
Molina (TN) 14 Mc71
Molina Aterno (AQ) 63 Oe96
Molina di Ledro (TN) 13 Le73
Molinara (BN) 71 Pf101
Molinella (BO) 38 Me81
Molinetto (BS) 22 Lc75
Molini (AL) 34 If81
Molini (PV) 21 If77
Molini di Triora (IM) 41 He85
Molini di Tures = Muhlen (BZ) 4 Mf 67
Molino (ME) 94 Qc120
Molino del Piano (FI) 46 Mc86
Molino de'Torti (AL) 34 If78
Molino Ferriato (TP) 91 Nf122
Molino Nuovo (PT) 45 Le85
Molino Salti (RC) 89 Rc118
Molino Zaccaria (CZ) 89 Rd117
Molise (CB) 64 Pc99
Moliterno (PZ) 78 Qf107
Mollaro (TN) 13 Ma71
Móllia (VC) 19 Ia74
Molochio (RC) 89 Ra119
Molteno (LC) 21 Kb74
Moltrasio (CO) 11 Ka73
Molvena (VI) 24 Md74
Molveno (TN) 13 Lf72
Mombaldone (AT) 34 Ib81
Mombarcaro (CN) 41 Ia82
Mombaroccio (PU) 48 Nf86
Mombarone (AT) 33 Ia79
Mombaruzzo (AT) 34 Ic80
Mombasiglio (CN) 41 Hf82
Mombello (VA) 10 Id73
Mombello di Torino (TO) 33 Hf78
Mombello Monferrato (AL) 34 Ib78
Mombercelli (AT) 34 Ib80
Mombisaggio (AL) 34 If79
Mommio Piano (LU) 44 Lb85
Momo (NO) 20 Id75
Mompantero (TO) 32 Ha78
Mompeo (RI) 61 Ne95
Momperone (AL) 35 Ka79
Monacilioni (CB) 64 Pe99
Monacizzo (TA) 81 Sc107
Monale (AT) 33 Ia79
Monasterace (RC) 89 Rd118
Monasterace Marina (RC) 89 Rd118
Monastero (SO) 12 Ke71
Monastero Bormida (AT) 34 Ib81
Monastero di Lanzo (TO) 18 Hc77
Monastero di Vasco (CN) 41 He82
Monasterolo (CR) 22 La77
Monasterolo (TO) 19 Hd77
Monasterolo Casotto (CN) 41 Hf83
24060 Monasterolo del Castello (BG) 22 Kf74
12030 Monasterolo di Savigliano (CN) 33 Hd80
31050 Monastier di Treviso (TV) 25 Nc75
35018 Monastiero (PD) 25 Mf75
09023 Monastir (CA) 112 Ka112
21020 Monate (VA) 20 Id74
21028 Monate, Travedona- (VA) 20 Ie74
10024 Moncalieri (TO) 33 He78
14036 Moncalvo (AT) 34 Ib78
10050 Moncenisio (TO) 18 Gf77
15020 Moncestino (AL) 33 Ia78
12060 Monchiero (CN) 33 Hf81
43010 Monchio delle Corti (PR) 44 La82
42026 Monchio delle Olle (RE) 37 Lc81
38020 Monclassico (TN) 13 Lf70
13040 Moncrivello (VC) 19 Hf77
20080 Moncucco (MI) 21 Ka77
14024 Moncucco Torinese (AT) 33 Hf78
47836 Mondaino (RN) 48 Ne85
48020 Mondaniga (RA) 39 Mf82
61040 Mondavio (PU) 52 Nf86
61037 Mondolfo (PU) 48 Oa86
14022 Mondonio San Domenico Savio (AT) 33 Hf78
73048 Mondonuovo (LE) 82 Ta108
12084 Mondovì (CN) 41 He82
81034 Mondragone (CE) 70 Of102
10070 Mondrone (TO) 18 Hb77
16030 Moneglia (GE) 43 Kc83
18025 Monesi (IM) 41 He84
12077 Monesiglio (CN) 41 Ia82
44040 Monestirolo (FE) 38 Me80
07024 Moneta (OT) 104 Kc101
34074 Monfalcone (GO) 17 Od74
14034 Monfallito (AT) 34 Ib79
12065 Monforte d'Alba (CN) 33 Hf81
98041 Monforte Marina (ME) 88 Qb119
98041 Monforte San Giorgio (ME) 94 Qc119
31010 Monfumo (TV) 15 Mf73
14040 Mongardino (AT) 34 Ib79
40037 Mongardino (BO) 46 Mb82
40063 Monghidoro (BO) 46 Mb83
89823 Mongiana (VV) 89 Rb117
15060 Mongiardino Ligure (AL) 35 Ka81
98030 Mongiuffi (ME) 94 Qb121
98030 Mongiùffi Melia (ME) 94 Qb121
13888 Mongrando (BI) 19 Ia75
87040 Mongrassano (CS) 84 Ra111
39035 Monguelfo-Tesido = Welsberg-Taisten (BZ) 5 Na 68
22040 Monguzzo (CO) 21 Kb74
25080 Moniga del Garda (BS) 23 Ld75
15059 Monleale (AL) 35 If79
25040 Monno (BS) 12 Lb71
70043 Monopoli (BA) 75 Sb103
09037 Monreale (MD) 112 Ie111
90046 Monreale (PA) 91 Ob120
34016 Monrupino (TS) 27 Oe74
55064 Monsagrati (LU) 45 Lc85
63029 Monsampietro Morico (FM) 53 Od90
63030 Monsampolo del Tronto (AP) 58 Oe91
60030 Monsano (AN) 53 Ob87
35043 Monsélice (PD) 24 Me77
09042 Monserrato (CA) 112 Ka113
52044 Monsigliolo (AR) 51 Mf89
89833 Monsoreto (VV) 89 Ra117
51015 Monsummano Terme (PT) 45 Le85
12046 Monta (CN) 33 Hf80
14040 Montabone (AT) 34 Ic80
15050 Montacuto (AL) 35 Ka80
14014 Montafia (AT) 33 Ia79
86023 Montágano (CB) 64 Pe99
17047 Montagna (SV) 42 Ic83
39040 Montagna = Montan (BZ) 14 Mb71
38042 Montagnaga (TN) 14 Mb72
23020 Montagna in Valtellina (SO) 12 Kf71
35044 Montagnana (PD) 24 Mc77
52048 Montagnano (AR) 51 Me88
98060 Montagnareale (ME) 94 Pf120
38070 Montagne (TN) 13 Le72
48010 Montagnola (RA) 39 Na82
25065 Montagnone (BS) 22 Lb75
83030 Montaguto (AV) 72 Qb101
50050 Montaione (FI) 49 Lf87
72015 Montalbano (BR) 75 Sc104
Montalbano (PA) 91 Oa121
98065 Montalbano Elicona (ME) 94 Pf120
75023 Montalbano Jónico (MT) 80 Rd107
29010 Montalbo di Ziano (PC) 35 Kc79
53024 Montalcino (SI) 55 Mc90
15060 Montaldeo (AL) 34 Ie80
15020 Montaldo (AL) 34 Ib78
15018 Montaldo (AL) 34 Ib81
15010 Montaldo Bormida (AL) 34 Id80
15060 Montaldo di Cosola (AL) 35 Kb81
12080 Montaldo di Mondovì (CN) 41 Hf83
12040 Montaldo Roero (CN) 33 Hf80
14048 Montaldo Scarampi (AT) 34 Ib80
10020 Montaldo Torinese (TO) 33 Hf78
60011 Montale (AN) 52 Nf87
41051 Montale (MO) 37 Lf81
51037 Montale (PT) 45 Ma85
10090 Montalenghe (TO) 19 Hf76
15020 Montalero (AL) 34 Ib78
05013 Montalfina (TR) 56 Mf92
61047 Montalfoglio (PU) 52 Nf87
52044 Montalla (AR) 51 Na89
92010 Montallegro (AG) 96 Ob124
86087 Montalto (IS) 63 Pa98
63034 Montalto delle Marche (AP) 58 Od91
01014 Montalto di Castro (VT) 60 Md94
10016 Montalto Dora (TO) 19 Hf76
18010 Montalto Lígure (IM) 41 Hf85
27040 Montalto Pavese (PV) 35 Kb79
61034 Montalto Tarugo (PU) 52 Ne87
87046 Montalto Uffugo (CS) 84 Ra112
39040 Montan = Montagna (BZ) 14 Mb71
26039 Montanara (CR) 36 La78
46010 Montanara (MN) 37 Le78
81040 Montanaro (CE) 70 Pa101
29010 Montanaro (PC) 36 Ke79
10017 Montanaro (TO) 19 Hf77
26836 Montanaso Lombardo (LO) 21 Kc76
12040 Montanera (CN) 41 Hd82
22070 Montano (CO) 21 Ka74
84060 Montano Antilia (SA) 78 Qc108
22070 Montano-Lucino (CO) 21 Ka74
Montaperti (SI) 50 Mc89
92100 Montaperto (AG) 97 Od124
83038 Montaperto (AV) 71 Pf102
63020 Montappone (FM) 53 Oc90
86070 Montaquila (IS) 70 Pa99
41028 Montardone (MO) 37 Le82
02040 Montasola (RI) 57 Ne94
88060 Montauro (CZ) 86 Rc116
53037 Montauto (SI) 49 Ma88
66030 Montázzoli (CH) 64 Pc97
15048 Monte (AL) 34 Id78
23030 Monte (SO) 12 Lc70
37010 Monte (VR) 23 Lf75
40042 Monteacuto dell'Alpi (BO) 45 Lf84
40030 Monteacuto Ragazza (BO) 46 Ma83
61020 Monte Altavellio (PU) 48 Nd85
58019 Monte Argentário (GR) 55 Ma94
27054 Montebello della Battaglia (PV) 35 Ka78
65010 Montebello di Bertona (PE) 59 Of94
89064 Montebello Ionico (RC) 95 Qe121
66040 Montebello sul Sangro (CH) 64 Pb97
36054 Montebello Vicentino (VI) 24 Mc76
31044 Montebelluna (TV) 25 Na74
06049 Montebibico (PG) 57 Ne93
41028 Montebonello (MO) 45 Le82
16025 Montebruno (GE) 35 Kb81
28881 Montebúglio (VB) 10 Ic73
58014 Montebuono (GR) 55 Md92
02040 Montebuono (RI) 61 Nd94
01100 Montecalvello (VT) 56 Nb93
61020 Montecalvo in Foglia (PU) 48 Nd86
83037 Montecalvo Irpino (AV) 71 Qa101
27047 Montecalvo Versíggia (PV) 35 Kb79
09010 Montecani (CI) 111 Ic112
15050 Montecapraro (AL) 35 Ka80
50031 Montecarelli (FI) 46 Mb84
55015 Montecarlo (LU) 45 Le85
60036 Montecarotto (AN) 52 Oa87
62010 Montecassiano (MC) 53 Oc88
06019 Montecastelli (PG) 51 Nb88
Montecastelli (PI) 49 Lf89
15040 Montecastello (AL) 34 Ie79
56025 Montecastello (PI) 49 Le87
06057 Monte Castello di Vibio (PG) 56 Nc91
05026 Montecastrilli (TR) 57 Nc93
51016 Montecatini Terme (PT) 45 Le85
56040 Montecatini Val di Cecina (PI) 49 Le88
40026 Monte Catone (BO) 46 Md82
62036 Monte Cavallo (MC) 57 Nf91
37030 Montecchia di Crosara (VR) 24 Mb76
52044 Montecchio (AR) 51 Mf89
25041 Montecchio (BS) 12 Lb73
56037 Montecchio (PI) 49 Le87
61020 Montecchio (PU) 48 Ne85
53030 Montecchio (SI) 49 Ma88
Montecchio (SI) 50 Mb89
05020 Montecchio (TR) 56 Nb93
42027 Montecchio Emilia (RE) 37 Lc80
36075 Montecchio Maggiore (VI) 24 Mc75
36030 Montecchio Precalcino (VI) 24 Md74
00014 Montecèlio (RM) 61 Ne96
00012 Montecèlio, Guidònia- (RM) 61 Ne96
56040 Montecerboli (PI) 49 Lf89
61010 Monte Cerignone (PU) 47 Nc85
15010 Montechiaro d'Acqui (AL) 34 Ic81
14025 Montechiaro d'Asti (AT) 33 Ia78
Montechiaro Lichtenberg (BZ) 3 Ld 69
61024 Monteciccardo (PU) 48 Ne86
84053 Monte Cicerale (SA) 77 Qa106
86032 Montecilfone (CB) 64 Pf97
47854 Monte Colombo (RN) 48 Nd85
00040 Montecompatri (RM) 61 Ne98
53041 Montecontieri (SI) 50 Md89
61014 Montecopiolo (PU) 47 Nc85
84060 Montecorice (SA) 77 Pf107
41059 Montecorone (MO) 45 Lf82
84090 Montecorvino Pugliano (SA) 77 Pf104
84096 Montecorvino Rovella (SA) 77 Pf104
62010 Montecosaro (MC) 53 Od89
26010 Monte Cremasco (CR) 21 Kd76
28864 Montecrestese (VB) 10 Ib72
41025 Montecreto (MO) 45 Le83
74026 Monte d'Arena (TA) 81 Sc106
Monte di Funes = Munt (BZ) 4 Me 69
36030 Monte di Malo (VI) 24 Mc75
24022 Monte di Nese (BG) 22 Ke74
63034 Montedinove (AP) 58 Od91
80070 Monte di Procida (NA) 76 Pa104
Monte Donato (BO) 38 Mc82
93010 Montedoro (CL) 97 Oe124
83030 Montefalcione (AV) 71 Pf103
06036 Montefalco (PG) 57 Nd91
63028 Montefalcone Appennino (FM) 58 Oc91
82025 Montefalcone di Val Fortore (BN) 71 Qa101
86033 Montefalcone nel Sánnio (CB) 64 Pd97
62010 Montefano (MC) 53 Oc88
55021 Montefegatesi (LU) 45 Ld84
61030 Montefelcino (PU) 48 Ne86
66040 Monteferrante (CH) 64 Pc97
01027 Montefiascone (VT) 56 Na93
64030 Montefino (TE) 59 Of93
47834 Montefiore Conca (RN) 48 Nd85
63010 Montefiore dell'Aso (AP) 53 Oe90
41045 Montefiorino (MO) 45 Ld82
50026 Montefiridolfi (FI) 50 Mb87
00010 Monteflavio (RM) 61 Nf96
53049 Montefollonico (SI) 50 Me90
07040 Monteforte (SS) 105 Ib104
84060 Monteforte Cilento (SA) 77 Qb106
37032 Monteforte d'Alpone (VR) 24 Mb76
83024 Monteforte Irpino (AV) 71 Pe103
63044 Montefortino (FM) 58 Oc91
56036 Montefoscoli (PI) 49 Le87
05030 Montefranco (TR) 57 Ne93
83030 Montefredane (AV) 71 Pe103
40048 Montefredente (BO) 46 Mb83
83030 Montefusco (AV) 71 Pf102
05010 Montegabbione (TR) 56 Na91
36047 Montegalda (VI) 24 Me76
36047 Montegaldella (VI) 24 Md76
63040 Montegallo (AP) 58 Ob91
61020 Montegaudio (PU) 48 Ne86
47030 Montegelli (FC) 47 Nb85
55045 Monteggiori Pianore (LU) 44 Lb85
61045 Monte Gherardo (PU) 52 Ne87
63020 Monte Giberto (AP) 53 Od90
15050 Montegioco (AL) 35 If79
87070 Montegiordano (CS) 84 Rd108
87070 Montegiordano Marina (CS) 84 Rd108
63025 Montegiorgio (FM) 53 Od90
05010 Montegiove (TR) 56 Na91
52010 Montegiovi (AR) 51 Mf87
58033 Montegiovi (GR) 55 Md91
52022 Montegonzi (AR) 50 Mc88
63014 Montegranaro (FM) 53 Od89
18100 Montegrazie (IM) 41 Hf85
47837 Montegridolfo (RN) 48 Ne85
61010 Montegrimano (PU) 47 Nc85
61010 Montegrimano Terme (PU) 48 Nc85
21010 Montegrino Valtravàglia (VA) 10 Ie73
14100 Montegrosso (AT) 33 Ia79
70031 Montegrosso (BA) 73 Ra101
14048 Montegrosso d'Asti (AT) 34 Ib80
18025 Montegrosso Pian Latte (IM) 41 He84
35036 Montegrotto Terme (PD) 24 Me77
64037 Montegualtieri (TE) 58 Oe93
53031 Monteguidi (SI) 49 Ma89
61020 Monteguiduccio (PU) 48 Ne86
74020 Monteiasi (TA) 81 Sc106
25050 Monte Isola (BS) 22 La74
06085 Montelabate (PG) 51 Nc89
61025 Montelabbate (PU) 48 Ne85
95036 Montelaguàrdia (CT) 94 Pf121
00030 Montelanico (RM) 62 Oa99
66040 Montelapiano (CH) 64 Pb97
58027 Monte Lattaia (GR) 55 Ma91
27010 Monteleone (PV) 21 Kc77
63029 Monteleone di Fermo (FM) 53 Od90
71020 Monteleone di Puglia (FG) 72 Qb101
06045 Monteleone di Spoleto (PG) 57 Nf93
05017 Monteleone d'Orvieto (TR) 56 Na91
07010 Monteleone Rocca Doria (SS) 105 Id106
02033 Monteleone Sabino (RI) 62 Nf95
90040 Montelepre (PA) 91 Oa120
06024 Monteleto (PG) 51 Nd88
00010 Montelibretti (RM) 61 Ne96
61010 Montelicciano (PU) 47 Nc85
53020 Montelifre (SI) 50 Md89
83048 Montella (AV) 77 Qa103
24060 Montello (BG) 22 Ke74
86040 Montelongo (CB) 65 Pf98
63020 Montelparo (FM) 58 Od90
12050 Montelupo Albese (CN) 33 Ia81
50056 Montelupo Fiorentino (FI) 49 Ma86
62010 Montelupone (MC) 53 Od88
00010 Montemaggiore (RM) 61 Ne96
33040 Montemaggiore (UD) 17 Od71
61030 Montemaggiore al Metauro (PU) 52 Nf86
90020 Montemaggiore Belsito (PA) 92 Oe121
14030 Montemagno (AT) 34 Ib79
12025 Montemale di Cuneo (CN) 40 Hc82
83040 Montemarano (AV) 71 Pf103
19030 Montemarcello (SP) 44 Kf84
60018 Montemarciano (AN) 53 Ob87
52028 Montemarciano (AR) 50 Md87
Monte Mare (TN) 13 Ld70
23804 Monte Marenzo (LC) 21 Kc74
Monte Mario (RM) 61 Nc97
06049 Montemartano (PG) 57 Nd92
61041 Monte Martello (PU) 52 Ne87
15050 Montemarzino (AL) 35 If79
14100 Montemarzo (AT) 34 Ib79
58036 Montemassi (GR) 55 Ma91
06063 Monte Melino (PG) 51 Nb90
58014 Montemerano (GR) 55 Mc93
74020 Montemesola (TA) 81 Sc105
22010 Montemezzo (CO) 11 Kc71
52010 Montemignaio (AR) 50 Md86
83038 Montemiletto (AV) 71 Pf102
85020 Montemilone (PZ) 73 Qf102
86030 Montemitro (CB) 64 Pd97
16041 Montemoggio (GE) 43 Kc82
63048 Montemonaco (AP) 58 Ob91
59013 Montemurlo (PO) 45 Ma85
85053 Montemurro (PZ) 79 Qf107
09043 Monte Nai (CA) 113 Kd113
33010 Montenars (UD) 16 Ob71
58033 Montenero (GR) 55 Mc91
57128 Montenero (LI) 49 Lc88
86036 Montenero di Bisáccia (CB) 64 Pe97
66010 Montenerodomo (CH) 64 Pb97
02040 Montenero Sabino (RI) 61 Ne95
86080 Montenero Val Cocchiara (IS) 63 Pa98
17014 Montenotte Superiore (SV) 42 Ic82
66050 Monteodorísio (CH) 64 Pd96
41059 Monte Ombraro (MO) 45 Ma82
35031 Monteortone (PD) 24 Me76
64026 Montepagano (TE) 59 Of92
88060 Montepaone (CZ) 86 Rc116
88060 Montepaone Lido (CZ) 86 Rd116
74020 Monteparano (TA) 81 Sc106
40050 Montepastore (BO) 46 Ma82

96011 Monte Pergola (SR) 99 Qb125
58100 Montepescali (GR) 55 Ma91
53016 Montepescini (SI) 50 Mc90
07026 Monte Petrosu (OT) 107 Kd103
Monteplair Dorfl (BZ) 3 Ld 68
09016 Monteponi (CI) 111 Id113
61040 Monte Porzio (PU) 52 Oa86
00040 Monte Porzio Catone (RM) 61 Ne98
63033 Monteprandone (AP) 58 Oe91
53045 Montepulciano (SI) 50 Me90
53040 Montepulciano Stazione (SI) 51 Mf90
60010 Monterado (AN) 52 Oa86
50050 Monterappoli (FI) 49 Lf86
29010 Monteraschio (PC) 35 Kd79
52035 Monterchi (AR) 51 Na88
67015 Montereale (AQ) 58 Ob93
33086 Montereale Valcellina (PN) 16 Nd71
54026 Montereggio (MS) 44 Kf83
40050 Monterenzio (BO) 46 Mc83
53035 Monteriggioni (SI) 50 Mb88
63020 Monte Rinaldo (AP) 53 Od90
60030 Monte Roberto (AN) 52 Oa88
86075 Monteroduni (IS) 70 Pb99
61045 Monterolo (PU) 52 Nf87
01010 Monte Romano (VT) 60 Mf95
Monterone (NA) 76 Of104
53014 Monteroni d'Arbia (SI) 50 Mc89
73047 Monteroni di Lecce (LE) 82 Ta107
01030 Monterosi (VT) 61 Nb95
60041 Monterosso (AN) 52 Nf88
19016 Monterosso al Mare (SP) 44 Kd84
97010 Monterosso Almo (RG) 100 Pe126
89819 Monterosso Calabro (VV) 86 Rb116
12020 Monterosso Grana (CN) 40 Hb82
25050 Monterotondo (BS) 22 La75
00015 Monterotondo (RM) 61 Nd96
58025 Monterotondo Marittimo (GR) 49 Lf90
63026 Monterubbiano (FM) 53 Oe90
05014 Monte Rubiaglio (TR) 56 Na92
Monte Sacro (RM) 61 Nd97
04020 Monte San Biagio (LT) 69 Oc100
84030 Monte San Giacomo (SA) 78 Qd106
40050 Monte San Giovanni (BO) 46 Ma82
03025 Monte San Giovanni Campano (FR) 69 Od99
02040 Monte San Giovanni in Sabina (RI) 61 Ne95
62015 Monte San Giusto (MC) 53 Od89
62020 Monte San Martino (MC) 58 Oc90
73030 Montesano Salentino (LE) 82 Tb109
84033 Montesano Scalo (SA) 78 Qd107
84033 Montesano Sulla Marcellana (SA) 78 Qe107
63010 Monte San Pietrangeli (FM) 53 Od89
40050 Monte San Pietro (BO) 46 Ma82
39050 Monte San Pietro = Monte Petersberg (BZ) 14 Mc70
52048 Monte San Savino (AR) 50 Me89
06010 Monte Santa Maria Tiberina (PG) 51 Nb88
71037 Monte Sant'Angelo (FG) 66 Qf98
60037 Monte San Vito (AN) 53 Ob87
82016 Montesarchio (BN) 71 Pd102
Montesardo (LE) 83 Tc109
75024 Montescaglioso (MT) 80 Rd105
27040 Montescano (PV) 35 Kb78
28843 Montescheno (VB) 10 Ib72
56040 Montescudaio (PI) 49 Ld89
47854 Montescudo (RN) 48 Nd85
41055 Montese (MO) 45 Lf83
27052 Montesegale (PV) 35 Ka79
65015 Montesilvano (PE) 59 Pa93
65015 Montesilvano Marina (PE) 59 Pa93
20045 Montesiro (MB) 21 Kb74
89814 Montesoro (VV) 86 Rb116
Montespaccato (RM) 61 Nc97
06063 Monte Sperello (PG) 51 Nb90
50025 Montespertoli (FI) 49 Ma87
10020 Monteu da Po (TO) 33 Ia78
63015 Monte Urano (FM) 53 Oe89
12040 Monteu Roero (CN) 33 Hf80
92010 Montevago (AG) 91 Nf122
52025 Montevarchi (AR) 50 Md87
23874 Montevecchia (LC) 21 Kc74
09036 Montevecchio (MD) 111 Id111
61045 Montevecchio (PU) 52 Nf87
40050 Montevéglio (BO) 38 Ma82
27044 Monteveneroso (PV) 35 Kb78
83049 Monteverde (AV) 72 Qd102
86021 Monteverde (CB) 70 Pc99
56040 Monteverdi Marittimo (PI) 49 Le89
Montevergine Chiáia (NA) 76 Of104
36050 Monteviale (VI) 24 Mc75
21010 Monteviasco (VA) 10 Ie72
06055 Monte Vibiano Vecchio (PG) 56 Nb91
63027 Monte Vidon Combatte (FM) 53 Od90
63020 Monte Vidon Corrado (FM) 53 Oc90
00060 Montevirginio (RM) 60 Na96
12070 Montezemolo (CN) 41 Ia82
24060 Monti (BG) 12 La73
07020 Monti (OT) 106 Kb104
53013 Monti (SI) 50 Mc88
47020 Montiano (FC) 47 Nb84
58051 Montiano (GR) 55 Mb93
28897 Monti Campello (VB) 10 Ib73
53026 Monticchiello (SI) 50 Me90
67020 Montícchio (AQ) 58 Oc95
25030 Monticelle (BS) 22 Kf75
72017 Monticelli (BR) 75 Sd104
44020 Monticelli (FE) 39 Nb79
03045 Monticelli (FR) 69 Od100
26821 Monticelli (LO) 22 Kd77
84062 Monticelli (SA) 77 Qa105
25040 Monticelli Brusati (BS) 22 La75
29010 Monticelli d'Ongina (PC) 36 Kf78
27010 Monticelli Pavese (PV) 35 Kd78
26030 Monticelli Ripa d'Oglio (CR) 22 Lb77
43022 Monticelli Terme (PR) 37 Lc80
28060 Monticello (NO) 20 Id76
58044 Monticello Amiata (GR) 55 Mc91
23876 Monticello Brianza (LC) 21 Kb74
36010 Monticello Conte Otto (VI) 24 Md75
12066 Monticello d'Alba (CN) 33 Hf80
25018 Montichiari (BS) 23 Lc76
53015 Monticiano (SI) 50 Mb90
Monticolo = Montiggl (BZ) 14 Mb70
42014 Monti di Cadiroggio (RE) 37 Le81
58026 Montieri (GR) 49 Ma90
14026 Montiglio Monferrato (AT) 33 Ia78
60019 Montignano (AN) 53 Ob87
54038 Montignoso (MS) 44 Lb84
25080 Montinelle (BS) 23 Ld75
57028 Montioni (LI) 54 Le90
25010 Montirone (BS) 22 Lb76
53020 Montisi (SI) 50 Md90
11020 Montjovet (AO) 19 Hd74
26010 Montodine (CR) 22 Ke77
16026 Montoggio (GE) 35 Ka81
06014 Montone (PG) 51 Nb88
64021 Montone (TE) 59 Of92
02034 Montopoli di Sabina (RI) 61 Ne95
56020 Montopoli in Val d'Arno (PI) 49 Le87
22030 Montorfano (CO) 21 Ka74
58054 Montorgiali (GR) 55 Mb92
64046 Montorio al Vomano (TE) 58 Od93
86040 Montorio nei Frentani (CB) 65 Pf98
00010 Montorio Romano (RM) 61 Ne96
Montorio Veronese (VR) 23 Ma76
60024 Montoro (AN) 53 Oc88
83025 Montoro Inferiore (AV) 77 Pe104
83026 Montoro Superiore (AV) 77 Pe104
58042 Montorsaio (GR) 55 Mb91
36050 Montorso Vicentino (VI) 24 Mc76
63023 Montotto (FM) 53 Oe90
63026 Montotto (FM) 53 Oe90
63020 Montottone (FM) 53 Od90
08010 Montresta (NU) 105 Id106
28041 Montrigiasco (NO) 20 Id74
27040 Montu Beccaria (PV) 35 Kb78
21020 Monvalle (VA) 10 Id73
20052 Monza (MB) 21 Kb75
46040 Monzambano (MN) 23 Le76
38030 Monzon (TN) 14 Me70
54013 Monzone (MS) 44 La84
40036 Monzuno (BO) 46 Mb83
39013 Moos in Passeier = Moso in Passiria (BZ) 3 Ma 68
36100 Moracchino (VI) 24 Md75
87050 Morachi (CS) 86 Rc114
87016 Morano Calabro (CS) 84 Ra109
15025 Morano sul Po (AL) 34 Ic78
14023 Moransengo (AT) 33 Ia78
34070 Moraro (GO) 17 Oc73
21040 Morazzone (VA) 20 If74
23017 Morbegno (SO) 11 Kd72
15010 Morbello (AL) 34 Ic81
15010 Morbello Caldasio (AL) 34 Ic81
06055 Morcella (PG) 56 Nb91
73040 Morciano di Léuca (LE) 83 Tb109
47833 Morciano di Romagna (RN) 48 Nd85
82026 Morcone (BN) 71 Pd100
40027 Mordano (BO) 47 Me82
63027 Moregnano (AP) 53 Od90
60041 Morello (AN) 52 Ne88
24050 Morengo (BG) 22 Ke75
98066 Moreri (ME) 94 Pf120
07013 Mores (SS) 106 If105
63026 Moresco (FM) 53 Oe90
12033 Moretta (CN) 33 Hd80
29020 Morfasso (PC) 36 Ke80
31050 Morgano (TV) 25 Na75
11017 Morgex (AO) 18 Ha74
28010 Morghengo (NO) 20 Id75
09090 Morgongiori (OR) 109 Ie110
38065 Mori (TN) 13 Lf73
61044 Moria (PU) 52 Nd87
31010 Moriago della Battaglia (TV) 15 Na73
62020 Morico (MC) 53 Ob90
00010 Moricone (RM) 61 Ne96
84030 Morigerati (SA) 78 Qd108
20081 Morimondo (MI) 21 If76
67050 Morino (AQ) 62 Oc97
10020 Moriondo Torinese (TO) 33 Hf78
38065 Mori Vecchio (TN) 13 Lf73
00067 Morlupo (RM) 61 Nd96
87026 Mormanno (CS) 84 Qf109
21020 Mornago (VA) 20 Ie74
15075 Mornese (AL) 34 Ie81
24050 Mornico al Serio (BG) 22 Ke75
27040 Mornico-Losana (PV) 35 Kb78
03017 Morolo (FR) 62 Ob99
12040 Morozzo (CN) 41 He82
06012 Morra (PG) 51 Na88
12064 Morra, La (CN) 33 Hf81
83040 Morra de Sanctis (AV) 72 Qb103
05018 Morrano Nuovo (TR) 56 Na92
67050 Morrea (AQ) 62 Od97
06034 Morro (MC) 52 Oa90
60030 Morro d'Alba (AN) 52 Ob87
64020 Morro d'Oro (TE) 59 Of93
86040 Morrone del Sánnio (CB) 64 Pe98
02010 Morro Reatino (RI) 57 Nf93
62010 Morrovalle (MC) 53 Od89
05023 Morruzze (TR) 56 Nb92
33075 Morsano al Tagliamento (PN) 16 Nf73
33050 Morsano di Strada (UD) 16 Ob73
15010 Morsasco (AL) 34 Id80
27029 Morsella (PV) 20 Ie77
25080 Morsone (BS) 23 Lc75
27036 Mortara (PV) 20 Ie77
38088 Mortaso (TN) 13 Le72
33050 Mortegliano (UD) 16 Ob73
98164 Mortelle (ME) 88 Qd119
39020 Morter (BZ) 3 Le 69
23811 Morterone (LC) 11 Kc73
90040 Mortillaro (PA) 91 Ob119
29100 Mortizza (PC) 36 Ke78
41037 Mortizzuolo (MO) 38 Ma79
64039 Mortola (TE) 41 Hd86
33030 Moruzzo (UD) 16 Oa72
26010 Moscazzano (CR) 22 Ke77
83020 Moschiano (AV) 71 Pd103
64023 Mosciano Sant'Angelo (TE) 59 Of92
65010 Moscufo (PE) 59 Pa94
28060 Mosezzo (NO) 20 Id76
46011 Mosio (MN) 37 Lc78
31010 Mosnigo (TV) 15 Na73
39013 Moso in Passiria = Moos in Passeier (BZ) 3 Ma 68
89100 Mosorrofa (RC) 95 Qe120
34070 Mossa (GO) 17 Od73
36024 Mossano (VI) 24 Md76
13822 Mosso (BI) 19 Ia75
36010 Mosson (VI) 24 Mc74
13822 Mosso Santa Maria (BI) 19 Ia75
00128 Mostacciano (RM) 61 Nc98
25022 Motella (BS) 22 La76
55023 Motrone (LU) 45 Lc84
14055 Motta (AT) 33 Ia80
Motta (MO) 37 Lf80
43010 Motta (PR) 36 La78
36030 Motta (VI) 24 Mc75
26045 Motta Baluffi (CR) 36 Lb78
98030 Motta Camastra (ME) 94 Qa121
98070 Motta d'Affermo (ME) 93 Pb120
13010 Motta de'Conti (VC) 20 Id77
31045 Motta di Livenza (TV) 26 Nd74
89844 Motta Filocastro (VV) 88 Qf117
87010 Mottafollone (CS) 84 Ra111
13874 Mottalciata (BI) 20 Ib75
88041 Motta Lucia Santa (CZ) 86 Rb114
71030 Motta Montecorvino (FG) 71 Qa99
89065 Motta San Giovanni (RC) 95 Qe120
88040 Motta Santa Lucia (CZ) 86 Rb114
95040 Motta Sant' Anastasia (CT) 99 Pf123
20086 Motta Visconti (MI) 21 If77
29011 Mottaziana (PC) 35 Kd78
46020 Motteggiana (MN) 37 Le78
89030 Motticella (RC) 95 Ra120
36028 Mottinello Nuovo (VI) 24 Me74
35015 Mottinello Vecchio (PD) 24 Me74
74017 Mottola (TA) 80 Sa105
10060 Mottura (TO) 33 Hd80
66030 Mozzagrogna (CH) 64 Pc95
24050 Mozzanica (BG) 22 Ke76
22076 Mozzate (CO) 21 If74
37060 Mozzecane (VR) 23 Le77
28862 Mózzio (VB) 10 Ib71
24030 Mozzo (BG) 21 Kd74
25048 Mu (BS) 12 Lc71
62034 Muccia (MC) 52 Oa90
21010 Muceno (VA) 10 Ie73
39037 Mühlbach = Rio di Pusteria (BZ) 4 Me 68
39030 Mühlwald = Selva dei Molini (BZ) 4 Mf 67
15042 Mugarone (AL) 34 Ie78
34015 Muggia (TS) 27 Oe75
20053 Muggio (MB) 21 Kb75
23827 Mugiasco (LC) 11 Kb73
94010 Muglia (EN) 93 Pe123
06100 Mugnano (PG) 56 Nb90
83027 Mugnano del Cardinale (AV) 71 Pd103
80018 Mugnano di Napoli (NA) 70 Pb103
33025 Muina (UD) 6 Nf 70
08012 Mulargia (NU) 109 Ie107
26837 Mulazzano (LO) 21 Kc76
47040 Mulazzano (RN) 48 Nd85
54026 Mulazzo (MS) 44 Kf83
Mules = Mauls (BZ) 4 Md 67
55040 Mulina (LU) 44 Lb85
Mulino Cillepi (SR) 99 Pf125
07035 Multeddu (SS) 106 Ie103
62011 Mummuiola (MC) 52 Ob88
07030 Muntiggioni (SS) 106 If103
25070 Mura (BS) 23 Lc75
25070 Mura (BS) 22 Lc74
50050 Mura (FI) 49 Lf87
29010 Muradolo (PC) 36 Kf78
30141 Murano (VE) 25 Nc76
25075 Muratello (BS) 22 Lb75
09043 Muravera (CA) 113 Kd112
12060 Murazzano (CN) 33 Ia82
95036 Murazzo Rotto (CT) 94 Pf121
58054 Murci (GR) 55 Mc92
12030 Murello (CN) 33 Hd80
Murfi (TP) 91 Ne120
17013 Murialdo (SV) 41 Ia83
17057 Murialdo Piano (SV) 41 Ia83
33030 Muris (UD) 16 Nf71
15020 Murisengo (AL) 33 Ia78
53016 Murlo (SI) 50 Mc90
98064 Murmari (ME) 94 Pf120
73036 Muro Leccese (LE) 82 Tc108
85054 Muro Lucano (PZ) 78 Qc104
07030 Muros (SS) 105 Id104
12075 Mursecco (CN) 41 Ia83
Musa (RC) 95 Qe121
21010 Musadino (VA) 10 Ie73
31040 Musano (TV) 25 Na74
94014 Musa Soprana (EN) 93 Pc122
94014 Musa Sottana (EN) 93 Pc122
Muscletto (UD) 16 Oa73
25080 Muscoline (BS) 23 Lc75
Muse (UD) 6 Nf 69
09010 Musei (CI) 111 Ie113
65020 Musellaro (PE) 63 Of95
21010 Musignano (VA) 10 Ie72
01011 Musignano (VT) 55 Me94
30024 Musile di Piave (VE) 25 Nd75
25084 Muslone (BS) 23 Le74
08020 Mussingiua (NU) 109 Ka107
22010 Musso (CO) 11 Kb72
36065 Mussolente (VI) 24 Me74
93014 Mussomeli (CL) 97 Oe123
33075 Mussons (PN) 16 Nf73
12051 Mussotto (CN) 33 Ia80
64025 Mutignano (TE) 59 Pa93
33055 Muzzana del Turgnano (UD) 16 Oa74
13895 Muzzano (BI) 19 Hf75

N

22010 Nággio (CO) 11
38060 Nago-Torbole (TN) 1
39010 Nalles = Nals (BZ) 3
39010 Nals = Nàlles (BZ) 3
38010 Nanno (TN) 13
36024 Nanto (VI) 24
89851 Nao (VV) 89
Napola (TP) 90
80100* Napoli (NA) 76
09036 Naracauli (MD) 111
09070 Narbolia (OR) 108
09010 Narcao (CI) 111
73048 Nardo (LE) 82
89824 Nardodipace (VV) 89
89824 Nardodipace Vecchio (VV) 89
05035 Narni (TR) 57
92028 Naro (AG) 97
12068 Narzole (CN) 3
21010 Nasca (VA)
16040 Nascio (GE) 4
98064 Nasidi (ME) 94
17030 Nasino (SV)
98074 Naso (ME) 93
24020 Nasolino (BG)
89030 Natile Nuovo (RC) 89
89030 Natile Vecchio (RC) 89
39025 Naturno = Naturns (BZ)
39025 Naturns = Naturno (BZ)
39040 Natz = Naz (BZ) 4
39040 Natz-Schabs = Naz-Sciáves 4
33026 Naunina (UD) 6
18020 Nava (IM) 4
23886 Nava (LC) 2
56023 Navacchio (PI) 4
25084 Navazzo (BS) 2
25075 Nave (BS) 2
55100 Nave (LU) 4
67020 Navelli (AQ) 6
38010 Nave San Rocco (TN) 1
25064 Navezze (BS) 2
41100 Navicello (MO)
25070 Navono (BS) 2
98035 Naxos, Giardini- (ME) 94
39040 Naz = Natz (BZ)
39040 Naz-Sciáves = Natz-Schabs
00060 Nazzano (RM) 6
16040 Ne (GE)
60044 Nebbiano (AN)
13040 Nebbione (VC)
32044 Nebbiu (BL)
28010 Nebbiuno (NO)
09016 Nebida (CI) 1
37020 Negarine (VR)
37024 Negrar (VR)
31047 Negrisia (TV) 2
16040 Neirone (GE)
12052 Neive (CN)
24027 Nembro (BG)
00040 Nemi (RM)
85040 Nemoli (PZ) 8
16010 Nenno (GE)
09080 Neoneli (OR) 1
01036 Nepi (VT)
64015 Nereto (TE)
64043 Nerito (TE)
00017 Nerola (RM)
31040 Nervesa della Battaglia (TV
16167 Nervi (GE)
20014 Nerviano (MI)
33050 Nespoledo (UD)
02020 Nespolo (RI)
22020 Nesso (CO)
87058 Neto Valente (CS) 8
13896 Netro (BI)
00048 Nettuno (RM) 6
39020 Neue Pforzheimer Hutte (B
39044 Neumarkt = Egna (BZ)
73040 Neviano (LE) 8
43024 Neviano degli Arduini (PR)
43045 Neviano de'Rossi (PR)
12050 Neviglie (CN)
25050 Niardo (BS)
28060 Nibbia (NO)
29010 Nibbiano (PC)
28070 Nibbiola (NO)
23895 Nibionno (LC)
88046 Nicastro (CZ) 8

A B C D E F G H I J K L M N O P Q R S T U V W X Y Z

Nichelino (TO) 33 Hd78
Nicolosi (CT) 94 Pf123
Nicorvo (PV) 20 Ie77
Nicosia (EN) 93 Pc122
Nicotera (VV) 88 Qf117
Nicotera Marina (VV) 88 Qf117
Nidastore (AN) 52 Nf87
Niederdorf = Villabassa (BZ) ....5 Na 68
Niella Belbo (CN) 33 Ia81
Niella Tanaro (CN) 41 Hf82
Niella Tánaro (CN) 41 Hf82
Nigoline Bonomelli (BS) 22 Kf75
Nimis (UD) 16 Ob71
Ninfo (VV) 89 Rb117
Nirasca (IM) 41 Hf84
Nirone (PR) 44 Lb82
Niscemi (CL) 98 Pc125
Nissoria (EN) 93 Pc122
Niviano (PC) 35 Kd79
Nizza di Sicilia (ME) 94 Qc120
Nizza Monferrato (AT) 34 Ic80
Noale (VE) 25 Na75
Noasca (TO) 18 Hb76
Nocara (CS) 79 Rc108
Nocchi (LU) 45 Lc85
Nocciano (PE) 59 Of94
Nocelle (SA) 86 Rc115
Nocelleto (CE) 70 Pa101
Nocera Inferiore (SA) 77 Pd104
Nocera Superiore (SA) 77 Pe104
Nocera Terinese (CZ) 86 Ra114
Nocera Umbra (PG) 52 Ne90
Noceto (PR) 36 Lb80
Noci (BA) 74 Sa104
Noci (GE) 35 Ka82
Nociazzi (PA) 92 Pa122
Nociglia (LE) 82 Tb108
Nodica (PI) 49 Lc86
Nodiggheddu (SS) 105 Ib103
Noepoli (PZ) 79 Rb108
Nogara (VR) 23 Ma77
Nogaredo (TN) 13 Ma73
Nogaredo (UD) 17 Oc73
Nogaredo di Corno (UD) 16 Oa72
Nogaredo di Prato (UD) 16 Oa72
Nogaro (UD) 16 Ob74
Nogarole Rocca (VR) 23 Lf77
Nogarole Vicentino (VI) 24 Mb75
Noha (LE) 82 Ta108
Noiaris (UD) ....6 Nf 70
Noicattaro (BA) 74 Rf102
Nola (NA) 71 Pd103
Nole (TO) 19 Hd77
Noli (SV) 42 Ic83
Nomaglio (TO) 19 Hf75
Nomi (TN) 13 Ma73
Nona (BG) 12 La72
Nonantola (MO) 37 Ma80
None (TO) 33 Hd79
Nónio (VB) 10 Ic73
Noragugume (NU) 109 If107
Norbello (NU) 109 If108
Norcia (PG) 57 Oa92
Norma (LT) 68 Nf99
Nortiddi (NU) 107 Kc105
Nosadello (CR) 21 Kd76
Nosate (MI) 20 Ie75
Nosedole (MN) 37 Lf78
Notara (CT) 94 Qa122
Notaresco (TE) 59 Of93
Noto (SR) 99 Qa127
Novafeltria (PU) 47 Nb85
Novagli (BS) 23 Lc76
Novagli-Campagna (BS) 23 Lc76
Novagli-Mattina (BS) 23 Lc76
Novagli-Sera (BS) 23 Lc76
Novalba di Cardinale (CZ) 89 Rc117
Novale = Ried (BZ) ....4 Mc 67
Novale = Ried (BZ) ....5 Na 68
Novaledo (TN) 14 Mc72
Novalesa (TO) 18 Ha77
Nova Levante = Welschnofen (BZ) 14 Md70
Nova Milanese (MB) 21 Kb75
Nova Ponente = Deutschnofen (BZ) 14 Mc70
Novara (NO) 20 Id76
Novara di Sicilia (ME) 94 Qa120
Nova Siri (MT) 79 Rd108
Novate Mezzola (SO) 11 Kc71
Novate Milanese (MI) 21 Ka75
Nove (VI) 24 Me74
Novedrate (CO) 21 Ka74
Novellara (RE) 37 Le79
Novello (CN) 33 Hf81

30020 Noventa di Piave (VE) 25 Nd75
35027 Noventa Padovana (PD) 25 Mf76
36025 Noventa Vicentina (VI) 24 Md77
41016 Novi di Modena (MO) 37 Lf79
20082 Novíglio (MI) 21 Ka76
61100 Novilara (PU) 48 Nf85
15067 Novi Ligure (AL) 34 Ie80
84060 Novi Velia (SA) 78 Qb107
36030 Novoledo (VI) 24 Md75
73051 Nòvoli (LE) 82 Ta106
25078 Nozza (BS) 22 Lc74
55100 Nozzano Castello (LU) 45 Lc85
91027 Nubia (TP) 90 Nc120
91025 Nuccio (TP) 90 Nc121
12070 Nucetto (CN) 41 Ia82
07029 Nuchis (OT) 106 Ka103
07010 Nughedu di San Nicolo (SS) 106 Ka105
09080 Nughedu Santa Vittoria (OR) 109 If108
07010 Nule (SS) 106 Kb106
07032 Nulvi (SS) 106 Ie104
60026 Numana (AN) 53 Od87
95016 Nunziata (CT) 94 Qa122
Nunziatella (ME) 88 Qc119
08100 Nuoro (NU) 109 Kb107
22010 Nuova (CO) 11 Kc71
83044 Nuova Bisaccia (AV) 72 Qc102
09070 Nurachi (OR) 108 Id109
08030 Nuragus (NU) 109 Ka110
08030 Nurallao (NU) 109 Ka110
09024 Nuraminis (CA) 112 Ka112
09010 Nuraxi Figus (CI) 111 Ic113
09170 Nuraxinieddu (OR) 108 Id109
09080 Nureci (OR) 109 If110
08035 Nurri (NU) 109 Kb110
11020 Nus (AO) 19 Hc74
83051 Nusco (AV) 71 Qa103
53013 Nusenna (SI) 50 Md88
46026 Nuvolato (MN) 37 Ma78
25080 Nuvolento (BS) 23 Lc75
25080 Nuvolento (BS) 23 Ld75
25080 Nuvolera (BS) 22 Lc75
09010 Nuxis (CI) 112 Ie114

O

Ober Fennberg = Favogna di sopra (BZ) 14 Mb71
Oberluttach = Lutago di Sopra (BZ) ....4 Mf 67
39030 Obervintl = Vandòies di Sopra (BZ) ....4 Me 68
39030 Obervintl = Vandòies di Sopra (BZ) ....4 Me 68
22220 Occagno (CO) 11 Ka73
13897 Occhieppo inferiore (BI) 19 Ia75
13898 Occhieppo superiore (BI) 19 Ia75
45030 Occhiobello (RO) 38 Md79
84096 Occiano (SA) 77 Pf104
15040 Occimiano (AL) 34 Id78
67040 Ocre (AQ) 62 Oc95
02016 Ocre (RI) 57 Nf93
15020 Odalengo Grande (AL) 33 Ib78
15020 Odalengo Piccolo (AL) 34 Ib78
31046 Oderzo (TV) 25 Nc74
25076 Odolo (BS) 22 Lc75
67025 Ofena (AQ) 63 Oe95
60020 Offagna (AN) 53 Oc87
26010 Offanengo (CR) 22 Ke76
63035 Offida (AP) 58 Oe91
25020 Offlaga (BS) 22 La76
23030 Oga (SO) 12 Lc70
28824 Oggebbio (VB) 10 Id73
21040 Oggiona Santo Stefano (VA) 20 Ie74
23848 Oggiono (LC) 21 Kc74
10080 Oglianico (TO) 19 He76
31015 Ogliano (TV) 15 Nb73
84100 Ogliara (SA) 77 Pe104
84061 Ogliastro Cilento (SA) 77 Qa106
84048 Ogliastro Marina (SA) 77 Pf107
25030 Ognato (BS) 22 La76
96100 Ognina (SR) 99 Qb126
37060 Ognissanti (VR) 23 Lf76
28865 Òira (VB) 10 Ib71
75029 Olaca (MT) 79 Rc107
39030 Olang = Valdàora (BZ) ....4 Na 68
07026 Olbia (OT) 107 Kc103
15074 Olbicella (AL) 34 Id81
13047 Olcenengo (VC) 20 Id76
23826 Olcio (LC) 11 Kb73
24010 Olda Taleggio (BG) 11 Kd73
13030 Oldenico (VC) 20 Ic76
28047 Oleggio (NO) 20 Id75

28040 Oleggio Castello (NO) 20 Id74
89020 Oleificio (RC) 89 Ra118
33044 Oleis (UD) 17 Oc72
50021 Olena (FI) 50 Mb87
28100 Olengo (NO) 20 Id76
24022 Olera (BG) 21 Ka76
27020 Olevano di Lomellina (PV) 20 Ie77
00035 Olevano Romano (RM) 62 Oa97
84062 Olévano sul Tusciano (SA) 77 Qa105
05016 Olevole (TR) 56 Na91
46040 Olfino (MN) 23 Le76
28856 Ólgia (VB) 10 Id72
00123 Olgiata (RM) 61 Nc96
22077 Olgiate Comasco (CO) 21 If74
23887 Olgiate Molgora (LC) 21 Kc74
21057 Olgiate Olona (VA) 20 If75
23854 Olginate (LC) 21 Kc74
09040 Olia Speciosa (CA) 113 Kd113
08025 Oliena (NU) 110 Kc107
37014 Oliosi (VR) 23 Le76
88067 Olivadi (CZ) 86 Rc116
27050 Oliva Gessi (PV) 35 Kb79
98040 Olivarella (ME) 94 Qb119
98060 Oliveri (ME) 94 Qa120
52040 Oliveto (AR) 50 Me88
40050 Oliveto (RC) 38 Ma82
89100 Oliveto (RC) 95 Qe120
02030 Oliveto (RI) 62 Nf95
84020 Oliveto Citra (SA) 77 Qb104
23865 Oliveto Lario (LC) 11 Kb73
75010 Oliveto Lucano (MT) 79 Rb105
18030 Olivetta San Michele (IM) 41 Hd85
15030 Olivola (AL) 34 Ic78
09088 Ollastra (OR) 108 Ie109
08030 Ollolai (NU) 109 Kb107
11010 Ollomont (AO) ....8 Hb 73
31021 Olme (TV) 25 Nb75
07040 Olmedo (SS) 105 Ic105
26010 Olmeneta (CR) 22 La77
51039 Olmi (PT) 45 Lf85
31030 Olmi (TV) 25 Nb74
52040 Olmo (AR) 51 Mf88
14054 Olmo (AT) 33 Ia80
35023 Olmo (PD) 25 Mf77
31030 Olmo (TV) 14 Me74
36051 Olmo (VI) 24 Mc75
24010 Olmo al Brembo (BG) 12 Kd73
14050 Olmo Gentile (AT) 34 Ib81
23016 Olonio Dubino (SO) 11 Kc72
25070 Olsano (BS) 22 Lb74
24013 Oltre il Colle (BG) 12 Kd73
24020 Oltressenda Alta (BG) 12 Kf73
19020 Oltre Vara (SP) 44 Ke83
21026 Oltrona al Lago (VA) 20 Ie74
22070 Oltrona di San Mamette (CO) 21 If74
29010 Olza (PC) 36 Kf78
08020 Olzai (NU) 109 Ka107
20041 Omate (MI) 21 Kc75
25050 Ome (BS) 22 La75
28887 Omegna (VB) 10 Ic73
84060 Omignano (SA) 77 Qa107
84020 Omignano Scalo (SA) 77 Qa107
08020 Onani (NU) 107 Kc106
01010 Onano (VT) 56 Me92
35019 Onara (PD) 24 Me75
12030 Oncino (CN) 32 Hb80
18100 Onéglia (IM) 41 Ia85
24020 Oneta (BG) 12 Ke73
37040 Oni (VR) 24 Mc77
Onies = Onach (BZ) ....4 Mf 68
08020 Onifai (NU) 107 Kd106
08020 Oniferi (NU) 109 Kb107
31040 Onigo (TV) 15 Mf73
67100 Onna (AQ) 58 Oc95
25070 Ono Degno (BS) 22 Lc74
24020 Onore (BG) 12 La73
25040 Ono San Pietro (BS) 12 Lb72
33050 Ontagnano (UD) 16 Ob73
17037 Onzo (SV) 41 Ia84
20090 Opera (MI) 21 Kb76
67020 Opi (AQ) 63 Oe98
37050 Oppeano (VR) 24 Mb77
07013 Oppia Nuova (SS) 106 If105
84022 Oppido (SA) 77 Qa105
85015 Oppido Lucano (PZ) 79 Qf104
89014 Oppido Mamertina (RC) 88 Qf119
Oppioli (VR) 24 Mb78
39040 Ora = Auer (BZ) 14 Mb70
21040 Orago (VA) 20 Ie74
08026 Orani (NU) 109 Kb107
28825 Orasso (VB) 10 Id72
28827 Orasso, Cúrsolo- (VB) 10 Id72
86010 Oratino (CB) 64 Pd99
09010 Orbai (CI) 112 Ie113
10043 Orbassano (TO) 33 Hd78

58015 Orbetello (GR) 55 Mb94
58015 Orbetello Scalo (GR) 55 Mb94
33080 Orcenico Inferiore (PN) 16 Ne73
33080 Orcenico Superiore (PN) 16 Ne73
81044 Orchi (CE) 70 Of101
61038 Orciano di Pesaro (PU) 52 Nf86
56040 Orciano Pisano (PI) 49 Ld88
56030 Orciatico (PI) 49 Le88
17024 Orco-Feglino (SV) 42 Ib83
71040 Ordona (FG) 72 Qd101
32037 Oregne (BL) 15 Na72
56020 Orentano (PI) 45 Ld86
16040 Orero (GE) 43 Kb82
28060 Orfengo (NO) 20 Id76
53018 Orgia (SI) 50 Mb89
36040 Orgiano (VI) 24 Mc76
33031 Orgnano (UD) 16 Oa72
30038 Orgnano (VE) 25 Na76
33090 Orgnese (PN) 16 Ne71
08027 Orgosolo (NU) 109 Kc107
72024 Oria (BR) 81 Sd105
30030 Oriago (VE) 25 Na76
67063 Oricola (AQ) 62 Oa96
21040 Origgio (VA) 21 Ka75
21030 Orino (VA) 10 Ie73
24050 Orio al Serio (BG) 22 Ke74
10010 Orio Canavese (TO) 19 Hf77
26863 Orio Litta (LO) 35 Kd78
87073 Oriolo (CS) 84 Rc108
27058 Oriolo (PV) 35 Kd78
01010 Oriolo Romano (VT) 60 Na96
Oris = Eyrs (BZ) ....3 Ld 69
09170 Oristano (OR) 108 Id109
12078 Ormea (CN) 41 Hf84
31024 Ormelle (TV) 25 Nc74
20060 Ornago (MB) 21 Kc75
Ornaro (RI) 61 Nf95
28877 Ornavasso (VB) 10 Ic73
24010 Ornica (BG) 11 Kd73
84090 Ornito (SA) 77 Pf104
06066 Oro (PG) 56 Na91
13900 Oropa (BI) 19 Hf75
08028 Orosei (NU) 107 Ke106
08020 Orotelli (NU) 109 Ka107
84060 Orria (SA) 77 Qb107
08030 Orroli (NU) 109 Kb110
31010 Orsago (TV) 15 Nc73
15010 Orsara Bórmida (AL) 34 Id80
71027 Orsara di Puglia (FG) 72 Qb101
33040 Orsaria (UD) 17 Oc72
22030 Orsenigo (CO) 21 Kb74
88041 Orsi (CZ) 86 Rc114
99866 Orsigliadi (VV) 88 Qf117
66036 Orsogna (CH) 64 Pb95
87020 Orsomarso (CS) 83 Qf110
09040 Ortacesus (CA) 112 Ka111
81030 Orta di Atella (CE) 70 Pb103
71045 Orta Nova (FG) 72 Qe100
28016 Orta San Giulio (NO) 20 Ic74
01028 Orte (VT) 56 Nc94
73030 Ortelle (LE) 82 Tc108
01028 Orte Scalo (VT) 56 Nc94
63020 Ortezzano (FM) 53 Od90
89100 Orti (RC) 88 Qe120
37040 Orti (VR) 24 Mb77
Ortigia (SR) 99 Qb126
52010 Ortignano-Raggiolo (AR) 50 Me86
50025 Ortimino (FI) 49 Ma87
39046 Ortisei = Sankt Ulrich (BZ) ....4 Md 69
84060 Ortodonico (SA) 77 Qa107
Orto Liuzzo (ME) 88 Qc119
66026 Ortona (CH) 59 Pc94
67050 Ortona dei Marsi (AQ) 63 Oe97
19034 Ortonovo (SP) 44 La84
17037 Ortovero (SV) 41 Ia84
67050 Ortúcchio (AQ) 63 Od97
08036 Ortueri (NU) 109 If108
08020 Orune (NU) 107 Kc106
05018 Orvieto (TR) 56 Na92
02035 Orvinio (RI) 62 Nf96
33047 Orzano (UD) 16 Oc72
25034 Orzinuovi (BS) 22 Kf76
25030 Orzivecchi (BS) 22 Kf76
Osais (UD) ....6 Ne 69
10060 Osasco (TO) 32 Hc79
10040 Osasio (TO) 33 Hd79
26020 Oscasale (CR) 22 Ke77
83044 Oscata (AV) 72 Qb102
07027 Oschiri (OT) 106 Ka104
08020 Osidda (NU) 106 Kb105
17010 Osiglia (SV) 41 Ib83
07033 Osilo (SS) 105 Ie104
60028 Osimo Stazione (AN) 53 Od88
08040 Ósini (OG) 110 Kc110
08040 Osini Nuovo (OG) 110 Kc110

08040 Osini Vecchio (OG) 110 Kc110
24040 Osio Sopra (BG) 21 Kd75
24046 Osio Sotto (BG) 21 Kd75
21018 Osmate (VA) 20 Id74
23875 Osnago (LC) 21 Kc74
33010 Osoppo (UD) 16 Oa71
18014 Ospedaletti (IM) 41 He86
56100 Ospedaletto (PI) 49 Lc86
47040 Ospedaletto (RN) 48 Nd85
38050 Ospedaletto (TN) 14 Md72
31036 Ospedaletto (TV) 25 Na75
36050 Ospedaletto (VI) 24 Md75
83014 Ospedaletto d'Alpinolo (AV) 71 Pe103
35045 Ospedaletto Euganeo (PD) 24 Md77
26864 Ospedaletto Lodigiano (LO) 35 Kd78
06083 Ospedalicchio (PG) 52 Nd90
20021 Ospiate (MI) 21 Ka75
44012 Ospitale (FE) 38 Mc79
32010 Ospitale di Cadore (BL) 15 Nb70
25035 Ospitaletto (BS) 22 La75
25020 Ospitaletto (MN) 37 Ld78
41040 Ospitaletto (MO) 45 Lf82
26816 Ossago Lodigiano (LO) 21 Kd77
52044 Ossaia (AR) 51 Na89
38026 Ossana (TN) 13 Le71
Ossario (TP) 91 Ne121
37014 Ossario (VR) 23 Le76
37020 Ossenigo (VR) 23 Lf74
07045 Ossi (SS) 105 Id104
25050 Ossimo (BS) 12 Lb73
26024 Ossolaro (CR) 22 Kf77
20010 Ossona (MI) 20 If75
05020 Ossúccio (CO) 11 Kb73
12030 Ostana (CN) 32 Hb80
44020 Ostellato (FE) 39 Mf80
89010 Ostello (RC) 89 Ra119
22030 Osteno (CO) 11 Ka72
60030 Osteria (CO) 52 Oa87
47025 Osteria di Piavola (FC) 47 Na84
40024 Osteria Grande (BO) 46 Md82
61025 Osteria Nuova (PU) 48 Ne85
00119 Ostia Antica (RM) 61 Nc98
26032 Ostiano (CR) 22 Lb77
46035 Ostiglia (MN) 38 Ma78
84060 Ostigliano (SA) 77 Qa107
60010 Ostra (AN) 52 Oa87
60010 Ostra Vetere (AN) 52 Oa87
72017 Ostuni (BR) 75 Sd104
73028 Otranto (LE) 82 Tc108
05030 Otricoli (TR) 57 Nc94
08020 Ottana (NU) 109 Ka107
84020 Ottati (SA) 78 Qb106
07100 Ottava (SS) 105 Ic104
Ottavia (RM) 61 Nc97
80044 Ottaviano (NA) 76 Pc103
15038 Ottiglio (AL) 34 Ic78
08020 Ottiolu (OT) 107 Ke104
27030 Ottobiano (PV) 34 Ie78
29026 Ottone (PC) 35 Kb81
10056 Oulx (TO) 32 Gf78
15076 Ovada (AL) 34 Id81
25034 Ovanengo (BS) 22 Kf76
33025 Ovaro (UD) ....6 Nf 70
33025 Ovasta (UD) ....6 Nf 70
15026 Oviglio (AL) 34 Ic79
67046 Ovindoli (AQ) 62 Od96
08020 Ovodda (NU) 109 Ka108
33080 Ovoledo (PN) 16 Ne73
11010 Oyace (AO) ....8 Hc 73
10080 Ozegna (TO) 19 He76
07014 Ozieri (SS) 106 Ka105
40064 Ozzano dell'Emilia (BO) 38 Mc82
15039 Ozzano Monferrato (AL) 34 Ic78
43045 Ozzano Taro (PR) 36 La80
20080 Ozzero (MI) 21 If76

P

09030 Pabillonis (MD) 112 Ie111
98168 Pace (ME) 88 Qd119
Paceca (SR) 99 Pf125
91027 Paceco (TP) 90 Nd120
98042 Pace del Mela (ME) 94 Qb119
37017 Pacengo (VR) 23 Le76
67030 Pacentro (AQ) 63 Of96
96018 Pachino (SR) 100 Qa128
06060 Paciano (PG) 56 Na90
25080 Padenghe sul Garda (BS) 23 Lc75
38070 Padergnone (TN) 13 Lf72
15050 Paderna (AL) 34 If80
29010 Paderna (PC) 36 Ke79
25022 Padernello (BS) 22 Kf76
31038 Padernello (TV) 25 Na74

32030 Paderno (BL) 15 Na72
31050 Paderno (TV) 25 Nb74
23877 Paderno d'Adda (LC) 21 Kc74
31017 Padernodel Grappa (TV) 15 Mf73
31017 Paderno del Grappa (TV) 15 Mf74
20037 Paderno Dugnano (MI) 21 Ka75
25050 Paderno Franciacorta (BS) 22 La75
26024 Paderno Ponchielli (CR) 22 Kf77
32040 Padola (BL) 5 Nc 69
52035 Padonchia (AR) 51 Na88
35100* Padova (PD) 25 Mf76
07015 Padria (SS) 105 Id106
34016 Padriciano (TS) 27 Of75
07020 Padru (OT) 107 Kd104
08011 Padru Mannu (NU) 106 Ie106
84034 Padula (SA) 78 Qd106
06024 Padule (PG) 52 Nd89
82020 Paduli (BN) 71 Pf102
40010 Padulle (BO) 38 Mb81
12034 Paesana (CN) 32 Hb80
31038 Paese (TV) 25 Na74
84016 Pagani (SA) 77 Pd104
67016 Pagánica (AQ) 58 Oc94
58048 Paganico (GR) 55 Mb91
02020 Paganico Sabino (RI) 62 Oa95
24040 Pagazzano (BG) 22 Ke75
25040 Paghera (BS) 13 Lc73
Pagliaia (TP) 90 Ne120
67060 Pagliara (AQ) 62 Ob96
98020 Pagliara (ME) 94 Qc120
63036 Pagliare (AP) 58 Oe91
67018 Pagliare (AQ) 58 Ob94
88837 Pagliarelle (KR) 87 Re114
24010 Pagliaro (BG) 12 Ke73
28100 Pagliate (NO) 20 Id76
66020 Paglieta (CH) 64 Pd95
33010 Pagnacco (UD) 16 Ob72
31011 Pagnano (TV) 15 Mf74
12030 Pagno (CN) 32 Hc81
23833 Pagnona (LC) 11 Kc72
83020 Pago del Vallo di Lauro (AV) 71 Pd103
82020 Pago Veiano (BN) 71 Pf101
37010 Pai (VR) 23 Le75
10090 Paiere (TO) 32 Hc78
20034 Paina (MB) 21 Kb74
27015 Pairana (PV) 21 Kb77
25050 Paisco (BS) 12 Lb72
25050 Paisco-Loveno (BS) 12 Lb72
25080 Paitone (BS) 23 Lc75
24030 Paladina (BG) 21 Kd74
41046 Palagano (MO) 45 Ld83
74018 Palagianello (TA) 80 Rf105
74019 Palagiano (TA) 80 Sa105
95046 Palagonia (CT) 99 Pe124
56036 Palaia (PI) 49 Le87
43025 Palanzano (PR) 44 Lb82
40014 Palata (BO) 38 Mb80
86037 Palata (CB) 64 Pe97
07020 Palau (OT) 104 Kc101
40023 Palazza (BO) 38 Me82
24030 Palazzago (BG) 21 Kd74
Palazzelli (SR) 99 Pf124
87010 Palazzello (CS) 84 Ra112
56121 Palazzi (PI) 49 Lc87
75018 Palazzine Santa Maria (MT) 79 Rb106
60011 Palazzo (AN) 52 Nf87
90030 Palazzo Adriano (PA) 91 Oc122
10010 Palazzo Canavese (TO) 19 Hf76
20037 Palazzolo (MI) 21 Ka75
37010 Palazzolo (VR) 23 Le76
96010 Palazzolo Acréide (SR) 99 Pf126
33056 Palazzolo dello Stella (UD) 16 Oa74
25036 Palazzolo Sull'oglio (BS) 22 Kf75
13040 Palazzolo Vercellese (VC) 20 Ib77
07015 Palazzo Minerva (SS) 105 Id106
53040 Palazzone (SI) 56 Mf91
26020 Palazzo Pignano (CR) 21 Kd76
85026 Palazzo San Gervasio (PZ) 73 Qf103
50035 Palazzuolo sul Senio (FI) 46 Md84
34070 Palchisce (GO) 17 Od73
66017 Palena (CH) 63 Pa97
88050 Palermiti (CZ) 86 Rc116
90100* Palermo (PA) 91 Oc120
Palermo (TP) 90 Nd122
70057 Palese (BA) 74 Re102
Palesella (VR) 24 Mb77
00036 Palestrina (RM) 62 Nf97
27030 Palestro (PV) 20 Id77
03018 Paliano (FR) 62 Oa98
46020 Palidano (MN) 37 Le79
00054 Palidoro (RM) 61 Nb97
87050 Palinudo (CS) 86 Rc114
84051 Palinuro (SA) 83 Qb108
89030 Palizzi (RC) 95 Qf121
89038 Palizzi Marina (RC) 95 Qf121
88818 Pallagorio (KR) 87 Rf113
28900* Pallanza (VB) 10 Id73
28884 Pallanzeno (VB) 10 Ib72
17043 Pallare (SV) 42 Ib82
15060 Pallavicino (AL) 35 Ka80
90040 Pallavicino (PA) 91 Ob119
91100 Palma (TP) 90 Nd121
80036 Palma Campania (NA) 71 Pd103
92020 Palma di Montechiaro (AG) 97 Oe125
07040 Palmadula (SS) 105 Ib104
33057 Palmanova (UD) 16 Ob73
73020 Palmariggi (LE) 82 Tc108
Palmarola Nuova (RM) 61 Nc97
09010 Palmas (CI) 111 Id114
09090 Palmas Arborea (OR) 108 Id109
89015 Palmi (RC) 88 Qe118
63049 Palmiano (AP) 58 Oc91
66050 Pálmoli (CH) 64 Pd97
00055 Palo (RM) 60 Na97
17040 Palo (SV) 34 Id82
70027 Palo del Colle (BA) 74 Re102
70036 Palombaio (BA) 74 Rd102
Palombara (LE) 83 Tb109
00018 Palombara Sabina (RM) 61 Ne96
66010 Palombaro (CH) 63 Pb96
Palombina Nuova (AN) 53 Oc87
Palombina Vecchia (AN) 53 Oc87
84020 Palomonte (SA) 78 Qb104
24050 Palosco (BG) 22 Kf75
25055 Palotto (BS) 22 Lb74
33080 Palse (PN) 16 Nd73
37050 Palu (VR) 24 Ma77
38050 Palu del Fersina (TN) 14 Mc72
87060 Paludi (CS) 85 Re111
33053 Paludo di Latisano (UD) 16 Oa74
32020 Palue (BL) 15 Mf70
74029 Palumbo (TA) 81 Sb106
33026 Paluzza (UD) 6 Oa 69
12087 Pamparato (CN) 41 Hf83
Pampuro (VR) 23 Ma77
89864 Panaia (VV) 88 Qf117
45010 Panarella (RO) 39 Na79
10060 Pancalieri (TO) 33 Hd80
27050 Pancarana (PV) 35 Ka78
38030 Panchia (TN) 14 Md71
58054 Pancole (GR) 55 Mb92
26025 Pandino (CR) 21 Kd76
84085 Pandola (SA) 77 Pe104
16042 Panesi (GE) 43 Kc82
87050 Panettieri (CS) 86 Rc114
38037 Paneveggio (TN) 14 Me71
06064 Panicale (PG) 56 Na90
06061 Panicarola (PG) 56 Na90
89816 Pannaconi (VV) 86 Ra116
82017 Pannarano (BN) 71 Pe102
71020 Panni (FG) 72 Qb101
43010 Panocchia (PR) 36 Lb80
09010 Pantaleo (CI) 112 Ie114
61045 Pantana (PU) 52 Nf87
87030 Pantanolungo (CS) 86 Rb113
18020 Pantasina (IM) 41 Hf85
91017 Pantelleria (TP) 96 Mf127
33036 Pantianicco (UD) 16 Oa72
20090 Pantigliate (MI) 21 Kc76
Panza (NA) 76 Of104
50022 Panzano (FI) 50 Mb87
87027 Paola (CS) 86 Ra112
64016 Paolantonio (TE) 58 Oe92
91025 Paolini (TP) 90 Nd121
82011 Paolisi (BN) 71 Pd102
89867 Papaglionti (VV) 88 Qf117
88843 Papanice (KR) 87 Sa114
Paparella (TP) 90 Nd120
33050 Papariano (UD) 17 Oc74
33100 Paparotti (UD) 16 Ob72
87020 Papasídero (CS) 83 Qf109
06055 Papiano (PG) 56 Nc91
45010 Papozze (RO) 39 Na79
20015 Parabiago (MI) 21 If75
73052 Parabita (LE) 82 Ta108
Paradiso (ME) 94 Qb119
98168 Paradiso (ME) 88 Qd119
89043 Paradiso (RC) 89 Rb118
Paradiso (UD) 16 Oa73
89817 Paradisoni (VV) 86 Ra116
44100 Parasacco (FE) 39 Mf80
27026 Parasacco (PV) 21 If77
25030 Paratico (BS) 22 Kf75
89852 Paravati (VV) 89 Ra117
39020 Parcines = Partschins (BZ) 3 Ma 68
89032 Pardesca (RC) 89 Ra120
09036 Pardu Atzei (MD) 108 Id111
22020 Pare (CO) 21 Ka74
10010 Parella (TO) 19 He76
87040 Parenti (CS) 86 Rc114
81030 Parete (CE) 70 Pa103
15010 Pareto (AL) 34 Ic81
89861 Parghelia (VV) 88 Qf116
58045 Pari (GR) 55 Mb90
09010 Paringianu (CI) 111 Ic113
23837 Parlasco (LC) 11 Kc72
43100 Parma (PR) 36 Lb80
43055 Parmetta (PR) 37 Lc79
15060 Parodi Ligure (AL) 34 Ie80
43030 Parola (PR) 36 La79
12070 Paroldo (CN) 41 Ia82
43012 Paroletta (PR) 36 La79
83050 Parolise (AV) 71 Pf103
27020 Parona (PV) 20 Ie77
13010 Parone (VC) 20 Ib74
05010 Parrano (TR) 56 Na91
24020 Parre (BG) 12 Kf73
Parrinelle (TP) 90 Nd121
Parrini (TP) 90 Nc122
Parrino (TP) 96 Nf123
91028 Partanna (TP) 91 Nf122
90040 Partanna-Mondello (PA) 91 Ob119
55023 Partigliano (LU) 45 Lc85
90047 Partinico (PA) 91 Oa120
39020 Partschins = Parcines (BZ) 3 Ma 68
28040 Paruzzaro (NO) 20 Id74
24060 Parzanica (BG) 22 La74
27020 Parzano (PV) 34 Ie78
32036 Pasa (BL) 15 Na72
10064 Pascaretto (TO) 32 Hc79
80023 Pascarola (NA) 70 Pb103
Pasciuta (AG) 97 Oc124
32100 Pascoli (BL) 15 Nb71
33037 Pasian di Prato (UD) 16 Ob72
33087 Pasiano di Pordenone (PN) 16 Nd73
25050 Paspardo (BS) 12 Lc72
43040 Pasquali (PR) 36 La80
06084 Passaggio (PG) 57 Nd90
06081 Passaggio d'Assisi (PG) 57 Nd90
80040 Passanti (NA) 76 Pd104
30020 Passarella (VE) 26 Nd75
30016 Passarella di Sotto (VE) 26 Nd75
70040 Passarello (BA) 75 Sb103
26010 Passarera (CR) 22 Kd77
33033 Passariano (UD) 16 Oa73
60024 Passatempo (AN) 53 Oc88
14020 Passerano Marmorito (AT) 33 Ia78
06065 Passignano sul Trasimeno (PG) 51 Na89
20017 Passirana (MI) 21 Ka75
25050 Passirano (BS) 22 La75
Passo Cannelli (CT) 94 Qa122
83036 Passo di Mirabella (AV) 71 Qa102
Passo di Rigano (PA) 91 Ob120
60010 Passo di Ripe (AN) 52 Oa87
36031 Passo di Riva (VI) 24 Md75
62010 Passo di Treia (MC) 53 Ob89
89030 Passomasseria (RC) 95 Qf121
33037 Passons (UD) 16 Ob72
95012 Passopisciaro (CT) 94 Qa121
62020 Passo Sant'Angelo (MC) 53 Oc90
03020 Pastena (FR) 69 Oc100
82010 Pastene (BN) 71 Pe102
56040 Pastina (PI) 49 Ld88
81050 Pastorano (CE) 70 Pb101
81050 Pastorano (CE) 71 Pd102
43013 Pastorello (PR) 36 Lb81
37010 Pastrengo (VR) 23 Le76
15060 Pasturana (AL) 34 Ie80
23818 Pasturo (LC) 11 Kc73
Paterno (AN) 53 Oc87
67051 Paterno (AQ) 62 Oc96
62029 Paterno (MC) 53 Ob89
85050 Paterno (PZ) 78 Qe106
95047 Paterno (CT) 99 Pf123
87040 Paterno Calabro (CS) 86 Rb113
83052 Paternopoli (AV) 71 Qa103
54029 Patigno (MS) 44 Ke82
38060 Patone (TN) 13 Lf73
03010 Patrica (FR) 69 Ob99
07016 Pattada (SS) 106 Ka105
84078 Pattano (SA) 78 Qb107
98066 Patti (ME) 94 Pf120
73053 Patu' (LE) 83 Tb109
09090 Pau (OR) 109 Ie110
33027 Paularo (UD) 6 Oa 69
09020 Pauli Arbarei (MD) 109 If111
09070 Paulilatino (OR) 109 Ie108
20067 Paullo (MI) 21 Kc76
82030 Paupisi (BN) 71 Pd101
10020 Pavarolo (TO) 33 Hf78
27100 Pavia (PV) 21 Ka77
33050 Pavia di Udine (UD) 16 Ob72
13842 Pavignano (BI) 19 Ia75
00040 Pavona (RM) 61 Nd98
10018 Pavone Canavese (TO) 19 Hf76
15040 Pavone d'Alessandria (AL) 34 Ie79
25020 Pavone del Mella (BS) 22 Lb77
41026 Pavullo nel Frignano (MO) 45 Lf82
41028 Pazzano (MO) 45 Le82
89040 Pazzano (RC) 89 Rc118
Pazze (LE) 83 Ta109
51036 Pazzere (PT) 45 Lf86
Pazzin = Patzin (BZ) 3 Ld 68
56037 Peccioli (PI) 49 Le87
10080 Pecco (TO) 19 He76
28876 Pecetto (VB) 9 Hf 73
15040 Pecetto di Valenza (AL) 34 Ie79
10020 Pecetto Torinese (TO) 33 He78
32010 Pecol (BL) 15 Na70
29010 Pecorara (PC) 35 Kc79
42030 Pecorile (RE) 37 Ld81
Pecorini 88 Pd117
87050 Pedace (CS) 86 Rb113
96013 Pedagaggi (SR) 99 Pf125
85040 Pedali (PZ) 84 Ra108
97013 Pedalino (RG) 100 Pd126
63049 Pedara (AP) 58 Oc91
95030 Pedara (CT) 94 Qa123
63016 Pedaso (FM) 53 Of90
32034 Pedavena (BL) 15 Mf72
31051 Pedeguarda (TV) 15 Na73
16010 Pedemonte (GE) 35 If81
36040 Pedemonte (VI) 14 Mb73
37020 Pedemonte (VR) 23 Lf75
25030 Pedergnano (BS) 22 Kf75
39030 Pederoa (BZ) 4 Mf 69
31040 Pederobba (TV) 15 Mf73
38060 Pederzano (TN) 13 Lf73
23010 Pedesina (SO) 11 Kd72
87050 Pedivigliano (CS) 86 Rb114
36040 Pedocchio (VI) 24 Mc76
39036 Pedraces = Petratsches (BZ) 4 Mf 69
24066 Pedrengo (BG) 22 Ke74
47040 Pedrolara (RN) 48 Nd85
Pedros (BZ) 3 Ld 68
16155 Pegli (GE) 42 Ie82
22010 Péglio (CO) 11 Kb72
61049 Péglio (PU) 51 Nc86
46020 Pegognaga (MN) 37 Lf79
30010 Pegolotte (VE) 25 Na77
24020 Peia (BG) 22 Kf74
38024 Péio (TN) 13 Ld70
38024 Péio Terme (TN) 13 Ld70
38020 Pejo (TN) 13 Ld70
Pejo Terme (TN) 13 Ld70
50060 Pelago (FI) 50 Md86
28010 Pella (NO) 20 Ic74
84060 Pellare (SA) 78 Qb107
89100 Pellaro (RC) 95 Qd120
32026 Pellegai (BL) 15 Na72
89011 Pellegrina (RC) 88 Qe119
37060 Pellegrina (VR) 23 Ma77
98041 Pellegrino (ME) 94 Qc120
43047 Pellegrino Parmense (PR) 36 Kf80
84080 Pellezzano (SA) 77 Pe104
22020 Péllio Intelvi (CO) 11 Ka73
38020 Pellizzano (TN) 13 Le71
43050 Pelosa (PR) 43 Kd82
32040 Pelos di Cadore (BL) 5 Nc 70
38079 Pelugo (TN) 13 Le72
14030 Penango (AT) 34 Ib78
38032 Penia (TN) 4 Me 70
61016 Pennabilli (PU) 47 Nb86
66040 Pennadomo (CH) 64 Pb96
05028 Penna in Teverina (TR) 56 Nc94
66010 Pennapiedimonte (CH) 63 Pb96
62020 Penna San Giovanni (MC) 53 Oc90
64039 Pènna Sant'Andrèa (TE) 58 Oe93
65017 Penne (PE) 59 Of94
Pennes = Pens (BZ) 4 Mc 68
95024 Pennisi (CT) 94 Qa122
Penone = Penon (BZ) 14 Mb71
84084 Penta (SA) 77 Pe104
Pentedattilo (RC) 95 Qe121
89051 Pentimele (RC) 88 Qd120
53012 Pentolina (SI) 50 Mb89
88050 Pentone (CZ) 86 Rc115
33010 Peonis (UD) 16 Oa71
40027 Pera (BO) 46 Me82
66040 Perano (CH) 64 Pc96
35010 Perarolo (PD) 25 Mf76
32010 Perarolo di Cadore (BL) 15 Nc70
39030 Perca = Percha (BZ) 4 Mf 68
39030 Percha = Perca (BZ) 4 Mf 68
00020 Percile (RM) 62 Nf96
33050 Percoto (UD) 16 Ob73
08046 Perdasdefogu (OG) 110
09010 Perdaxius (CI) 11
09018 Perd 'e Sali (CA) 112
84060 Perdifumo (SA) 77
09015 Perdu Carta (CI) 11
20040 Peregallo (MI) 2
23888 Perego (LC) 2
58051 Pereta (GR) 5
67064 Pereto (AQ) 6
07034 Perfugas (SS) 10
52020 Pergine Valdarno (AR) 5
38057 Pergine Valsugana (TN) 1
85052 Pergola (PZ) 78
61045 Pergola (PU) 5
94100 Pergusa (EN) 98
37020 Peri (VR) 2
18032 Perinaldo (IM) 4
29021 Perino (PC) 3
Perino (TP) 90
84060 Perito (SA) 77
23828 Perledo (LC) 1
12070 Perletto (CN)
12070 Perlo (CN)
11020 Perloz (AO) 1
89100 Pernasiti (RC) 95
28067 Pernate (NO)
12065 Perno (CN) 3
89841 Pernocari (VV) 88
35020 Pernumia (PD) 2
20016 Pero (MI) 2
31030 Pero (TV) 2
10063 Perosa Argentina (TO) 3
10010 Perosa Canavese (TO) 1
10060 Perrero (TO) 3
33030 Pers (UD) 1
84044 Persano (SA) 77
33050 Persereano (UD) 1
15060 Persi (AL)
30020 Persiana (VE) 1
26043 Pérsico-Dosimo (CR) 3
25080 Persone (BS) 2
33050 Pertegada (UD) 2
13030 Pertengo (VC)
33040 Perteole (UD) 1
25070 Pértica Alta (BS) 2
25078 Pértica Bassa (BS) 2
60041 Perticano (AN) 5
61015 Perticara (PU) 4
84030 Pertosa (SA) 78
21042 Pertusella, Caronno- (VA) 2
10080 Pertusio (TO) 1
29024 Pertuso (PC) 3
06100* Perugia (PG) 5
Perwarg (BZ)
37059 Perzacco (VR) 2
33020 Pesariis (UD)
61100 Pesaro (PU) 4
55064 Pescaglia (LU) 4
52047 Pescaia (AR) 5
37026 Pescantina (VR)
65100* Pescara (PE) 5
26033 Pescarolo (CR) 2
26033 Pescarolo ed Uniti (CR) 2
25043 Pescarzo (BS) 1
67032 Pescasséroli (AQ) 6
23855 Pescate (LC) 1
86090 Pesche (IS) 6
71010 Peschici (FG) 6
75010 Peschiera (MT) 79
20068 Peschiera Borromeo (MI) 2
37019 Peschiera del Garda (VR) 2
51017 Pescia (PT) 4
58011 Pescia Fiorentina (GR) 5
01010 Pescia Romana (VT) 6
67057 Pescina (AQ) 6
33080 Pescincanna (PN) 1
87024 Pesco (CS) 84
67033 Pescocostanzo (AQ)
86097 Pescolanciano (IS) 6
85020 Pescopagano (PZ) 7
86080 Pescopennataro (IS)
02024 Pescorocchiano (RI)
82020 Pesco Sannita (BN) 7
65020 Pescosansonesco (PE)
03030 Pescosólido (FR)
32020 Pescul (BL)
30030 Peseggia (VE)
37013 Pesina (VR)
20060 Pessano (MI)
20060 Pessano con Bornago (MI)
26030 Pessina Cremonese (CR)
10070 Pessinetto (TO)
10023 Pessione (TO)
28875 Pestarena (VB)
09010 Pesus (CI) 1
86038 Petacciato (CB)

Petilia Policastro (KR) 87 Re114
Petina (SA) 78 Qc105
Petralia Soprana (PA) 92 Pa122
Petralia Sottana (PA) 92 Pa121
Petrazzi (FI) 49 Ma87
Petrella Liri (AQ) 62 Ob96
Petrella Salto (RI) 62 Oa95
Petrella Tifernina (CB) 64 Pe98
Petriano (PU) 48 Ne86
Petricci (GR) 55 Md92
Petrignano (PG) 51 Mf90
Petrignano (PG) 52 Nd90
Petriolo (MC) 53 Oc89
Petritoli (FM) 53 Od90
Petrizzi (CZ) 86 Rc116
Petrognano (FI) 46 Md85
Petroio (SI) 50 Mb88
Petrona (CZ) 87 Re114
Petrosino (TP) 90 Nc122
Petruro (AV) 71 Pe103
Petruro Irpino (AV) 71 Pe102
Petschied (BZ) 4 Me 68
Pettenasco (NO) 20 Ic74
Pettinengo (BI) 19 Ia75
Pettineo (ME) 93 Pb121
Pettogallico (RC) 88 Qe119
Pettoranello del Molise (IS) 70 Pb99
Pettorano sul Gizio (AQ) 63 Of97
Pettorazza Grimani (RO) 39 Mf78
Peveragno (CN) 41 Hd83
Peveranza (VA) 20 If74
Pez (BL) 15 Mf72
Pezzan (TV) 25 Na74
Pezzana (VC) 20 Ic77
Pezzano (SA) 77 Pf104
Pezzaze (BS) 22 Lb74
Pezze di Greco (BR) 75 Sc104
Pezzo (BS) 13 Ld71
Pezzoli (RO) 39 Mf78
Pezzolo (ME) 94 Qc120
Pezzolo (RA) 47 Na82
Pezzolo Valle Uzzone (CN) 34 Ib81
Pezzoro (BS) 22 Lb74
Pfalzen = Falzes (BZ) 4 Mf 68
Pfatten = Vadena (BZ) 14 Mb70
Pfitsch = Val di Vizze (BZ) 4 Md 67
Pfitscher Tal = Val di Vizze (BZ) 4 Mc 67
Pia (SV) 42 Ic83
Piacenza (PC) 36 Ke78
Piacenza d'Adige (PD) 38 Md78
Piadena (CR) 36 Lc78
Piagge (PU) 52 Nf86
Piaggine (SA) 78 Qc106
Piai (TV) 15 Nc72
Piammartino (MC) 53 Ob88
Pian (BL) 15 Na70
Piana (LU) 70 Pc99
Piana (PG) 51 Na90
Pianaccio (BO) 45 Lf84
Piana Crixia (SV) 34 Ib82
Piana Degli Albanesi (PA) 91 Ob120
Piana di Monte Verna (CE) 70 Pc101
Piana di San Raffaele (TO) 33 Hf78
Pianasca (VA) 20 If74
Pianavia (IM) 41 Hf85
Piancada (UD) 16 Oa74
Piancaldoli (FI) 46 Mc83
Pian Camuno (BS) 12 La73
Piancasale (PC) 35 Kc80
Piancastagnaio (SI) 55 Me91
Piancavallo (PN) 15 Nd72
Piancogno (BS) 12 Lb73
Pian d. Cavalli (SO) 12 La71
Pian dei Ratti (GE) 43 Kb82
Piandelagotti (MO) 45 Ld83
Pian de'Valli (RI) 57 Nf94
Pian di Barca (SP) 44 Ke83
Pian di Macina (BO) 46 Mc82
Pian di Mázzes = Matzenboden (BZ) 5 Nc 68
Piandimeleto (PU) 51 Nc86
Pian di Sco (AR) 50 Md87
Pian di Spille (VT) 60 Me95
Piane Crati (CS) 86 Rb113
Piane di Falerone (FM) 53 Oc90
Pianella (PE) 59 Pa94
Pianella (SI) 50 Mc88
Pianelle (SA) 78 Qb104
Pianello (AN) 52 Oa87
Pianello (AN) 52 Oa88
90026 Pianello (PA) 92 Pa122
61043 Pianello (PU) 52 Nd87
22010 Pianello del Lario (CO) 11 Kb72
29010 Pianello Val Tidone (PC) 35 Kc79
26010 Pianengo (CR) 22 Ke76
47010 Pianetto (FC) 47 Mf85
16044 Pianezza (GE) 43 Kb82
02016 Pianezza (RI) 57 Oa93
10044 Pianezza (TO) 33 Hd78
32040 Pianezze (BL) 15 Nb70
36060 Pianezze (VI) 24 Md74
12080 Pianfei (CN) 41 He82
18010 Piani (IM) 41 Hf85
24060 Pianico (BG) 22 La74
Piani di Luzza (UD) 5 Ne 69
30030 Pianiga (VE) 25 Na76
80051 Pianillo (NA) 76 Pd105
Pianizza = Planitzing (BZ) 14 Mb70
Pianlargo = Breitleben (BZ) 3 Mb 68
14057 Piano (AT) 33 Ib80
24060 Piano (BG) 22 Kf74
53049 Piano (SI) 50 Me89
38020 Piano (TN) 13 Le71
Piano Alastre (TP) 90 Ne120
Pianoconte di Calogero 88 Pf118
95024 Piano d'Api (CT) 94 Qa123
33022 Piano d'Arta (UD) 6 Oa 70
51020 Piano degli Ontani (PT) 45 Le84
66052 Piano dell'Ospedale (CH) 64 Pd96
55028 Piano di Coreglia (LU) 45 Lc84
19020 Piano di Follo (SP) 44 Kf83
80063 Piano di Sorrento (NA) 76 Pc105
67100 Pianola (AQ) 58 Oc95
Piano Mezzapelle (TP) 90 Nd122
83036 Pianopantano (AV) 71 Pf102
88040 Pianopoli (CZ) 86 Rc115
40065 Pianoro (BO) 46 Mc82
40060 Pianoro Vecchio (BO) 46 Mc82
Pianosa 54 La93
Pianosa 54 V
51024 Pianosinatico (PT) 45 Le84
95032 Piano Tavola (CT) 99 Pf123
84060 Piano-Vetrale (SA) 77 Qb107
01010 Piansano (VT) 56 Me93
40023 Pianta (BO) 46 Md82
23010 Piantedo (SO) 11 Kc72
80046 Pianura (NA) 76 Pb103
24020 Piario (BG) 12 Kf73
12026 Piasco (CN) 32 Hc81
51100 Piastre (PT) 45 Lf84
23020 Piateda (SO) 12 Kf72
23030 Piatta (SO) 12 Lc70
13844 Piatto (BI) 19 Ia75
39024 Piavenna = Plaven (BZ) 3 Ld 68
31046 Piavon (TV) 25 Nd74
15010 Piazza (AL) 34 Id81
24060 Piazza (BG) 12 La73
25081 Piazza (BS) 23 Lc75
80050 Piazza (NA) 76 Pd104
43022 Piazza (PR) 37 Lc80
53011 Piazza (SI) 50 Mb87
23030 Piazza (SO) 12 Lc70
19020 Piazza (SP) 44 Ke83
55035 Piazza al Serchio (LU) 44 Lb83
94015 Piazza Armerina (EN) 98 Pc124
24014 Piazza Brembana (BG) 12 Ke73
84083 Piazza del Galdo (SA) 77 Pe104
83025 Piazza di Pandola (AV) 77 Pe104
15020 Piazzano (AL) 34 Ib78
55100 Piazzano (LU) 45 Lc85
Piazza Nuova (RE) 37 Ld79
24010 Piazzatorre (BG) 12 Ke73
53040 Piazze (SI) 56 Mf91
10020 Piazzo (TO) 33 Hf78
35016 Piazzola sul Brenta (PD) 24 Me75
85050 Piazzolla (PZ) 78 Qe106
24010 Piazzolo (BG) 12 Ke73
09036 Piccalinna (MD) 111 Id111
65010 Piccianello (PE) 59 Of94
65010 Picciano (PE) 59 Of94
81044 Piccilli (CE) 70 Pa100
06080 Piccione (PG) 52 Nd89
29021 Piccoli (PC) 35 Kd80
39030 Piccolino = Piccolein (BZ) 4 Mf 68
85055 Picerno (PZ) 78 Qd105
03040 Picinisco (FR) 63 Of99
03020 Pico (FR) 69 Od100
14020 Piea (AT) 33 Ia78
Piè del Pecol (UD) 6 Nf 69
02016 Piedelpoggio (RI) 57 Nf93
62030 Pie del Sasso (MC) 57 Nf91
13812 Piedicavallo (BI) 19 Hf74
62033 Pie di Colle (MC) 57 Ob90
06046 Pié di Colle (PG) 57 Oa91
28866 Piedilago (VB) 10 Ic71
05100 Piediluco (TR) 57 Ne93
02100 Pie di Moggio (RI) 57 Ne93
80070 Piedimonte (NA) 76 Of104
95017 Piedimonte Etneo (CT) 94 Qa122
81037 Piedimonte Massicano (CE) 70 Of101
81016 Piedimonte Matese (CE) 70 Pc100
03030 Piedimonte San Germano (FR) 69 Oe99
28885 Piedimulera (VB) 10 Ib72
62010 Piediripa (MC) 53 Oc89
06066 Piegaro (PG) 56 Na91
53026 Pienza (SI) 50 Me90
15028 Piepasso (AL) 34 Ic79
Pierabec (UD) 6 Ne 69
26017 Pieranica (CR) 21 Kd76
06015 Pierantónio (PG) 51 Nc89
34075 Pieris (GO) 17 Oc74
35021 Pietra (PD) 25 Mf77
89040 Pietra (RC) 89 Rc118
86085 Pietrabbondante (IS) 64 Pc98
16017 Pietrabissara (GE) 35 If81
18010 Pietrabruna (IM) 41 Hf85
64047 Pietracamela (TE) 58 Od93
86040 Pietracatella (CB) 64 Pf99
86020 Pietracupa (CB) 64 Pd98
83030 Pietradefusi (AV) 71 Pf102
27040 Pietra de'Giorgi (PV) 35 Kb78
66040 Pietraferrazzana (CH) 64 Pc97
87050 Pietrafitta (CS) 86 Rc113
03040 Pietrafitta (FR) 63 Oe99
06066 Pietrafitta (PG) 56 Nb91
53011 Pietrafitta (SI) 50 Mb88
16019 Pietrafraccia (GE) 35 If81
85016 Pietragalla (PZ) 78 Qf104
52044 Pietraia (AR) 51 Mf89
16014 Pietralavezzara (GE) 34 If81
Pietralba = Weissenstein (BZ) 14 Mc70
17027 Pietra Ligure (SV) 42 Ib84
95047 Pietralunga (CT) 99 Pe123
06026 Pietralunga (PG) 51 Nc88
50030 Pietramala (FI) 46 Mc84
15040 Pietra Marazzi (AL) 34 Ie79
81051 Pietramelara (CE) 70 Pb101
71038 Pietramontecorvino (FG) 65 Qa99
38074 Pietramurata (TN) 13 Lf72
65020 Pietranico (PE) 63 Of95
82033 Pietraoia (BN) 71 Pd100
87060 Pietrapaola (CS) 85 Re112
89030 Pietrapennata (RC) 95 Qf121
85010 Pietrapertosa (PZ) 79 Ra105
94016 Pietraperzia (EN) 98 Pa124
50066 Pietrapiana (FI) 50 Md86
12010 Pietraporzio (CN) 40 Ha82
82030 Pietrarója (BN) 71 Pd100
61023 Pietrarubbia (PU) 47 Nc86
55045 Pietrasanta (LU) 44 Lb85
67061 Pietrasecca (AQ) 62 Oa96
83015 Pietrastornina (AV) 71 Pe103
33016 Pietratagliata (UD) 6 Ob 70
81040 Pietravairano (CE) 70 Pa101
42035 Pietre (RE) 37 Lc82
82020 Pietrelcina (BN) 71 Pf101
89015 Pietrenere (RC) 88 Qf118
Pietretagliate (TP) 90 Nd121
88050 Pietro San a Magisano (CZ) 86 Rd114
Pievalle = Bewaller (BZ) 14 Md70
19020 Pieve (SP) 44 Ke83
27030 Pieve Albignola (PV) 35 If78
51018 Pieve a Nievole (PT) 45 Le85
52020 Pieve a Presciano (AR) 50 Me88
36030 Pievebelvicino (VI) 24 Mb74
62035 Pievebovigliana (MC) 52 Oa90
50065 Pievecchia (FI) 46 Mc86
32010 Pieve d'Alpago (BL) 15 Nc71
27037 Pieve del Cairo (PV) 34 Ie78
26030 Pieve Delmona, Gadesco- (CR) 36 La77
38085 Pieve di Bono (TN) 13 Ld73
55100 Pieve di Brancoli (LU) 45 Ld85
40054 Pieve di Budrio (BO) 38 Md81
32044 Pieve di Cadore (BL) 5 Nc 70
40066 Pieve di Cento (BO) 38 Mb80
52043 Pieve di Chio (AR) 51 Mf88
06023 Pieve di Compresseto (PG) 52 Ne89
25062 Pieve di Concesio (BS) 22 Lb75
46020 Pieve di Coriano (MN) 38 Ma78
38060 Pieve di Ledro (TN) 13 Le73
32020 Pieve di Livinallongo (BL) 4 Mf 70
Pieve di Marebbe = Plaiken (BZ) 4 Mf 68
54016 Pieve di Monti (MS) 44 La83
50022 Pieve di Panzano (FI) 50 Mb87
56040 Pieve di Santa Luce (PI) 49 Ld88
10060 Pieve di Scalenghe (TO) 33 Hc79
31053 Pieve di Soligo (TV) 15 Nb73
18026 Pieve di Teco (IM) 41 Hf84
25030 Pievedizio (BS) 22 La76
26040 Pieve d'Olmi (CR) 36 La78
29029 Pieve Dugliara (PC) 35 Kd79
20090 Pieve Emanuele (MI) 21 Kb76
62020 Pievefavera (MC) 52 Ob90
26854 Pieve Fissiraga (LO) 21 Kc77
55036 Pieve Fosciana (LU) 45 Lc84
16030 Pieve Ligure (GE) 43 Ka82
05010 Pievelunga (TR) 56 Na91
43010 Pieve Ottoville (PR) 36 La78
41027 Pievepelago (MO) 45 Ld83
27017 Pieve Porto Morone (PV) 35 Kc78
42011 Pieve Rossa (RE) 37 Le80
47013 Pieve Salutare (FC) 47 Mf84
26035 Pieve San Giacomo (CR) 36 Lb78
52010 Pieve San Giovanni (AR) 50 Me87
52036 Pieve Santo Stefano (AR) 51 Na86
52016 Pieve Socana (AR) 51 Me87
26033 Pieve Terzagni (CR) 22 Lb77
38050 Pieve Tesino (TN) 14 Md72
62036 Pieve Torina (MC) 52 Oa90
12070 Pievetta (CN) 41 Ia83
25074 Pieve Vecchia (BS) 23 Lc74
25080 Pieve Vecchia (BS) 23 Ld75
56040 Pieve Vecchia (PI) 49 Lc88
28886 Pieve Vergonte (VB) 10 Ib72
29020 Pigazzano (PC) 35 Kd79
03010 Piglio (FR) 62 Oa98
18037 Pigna (IM) 41 Hd85
33030 Pignano (UD) 16 Nf71
03040 Pignataro Interamna (FR) 69 Oe100
81052 Pignataro Maggiore (CE) 70 Pb101
85010 Pignola (PZ) 78 Qe105
19020 Pignone (SP) 44 Ke83
22020 Pigra (CO) 11 Ka73
06070 Pila (PG) 56 Nb90
45018 Pila (RO) 39 Nc79
13020 Pila (VC) 19 Ia74
44010 Pilastri (FE) 38 Mb79
46010 Pilastro (MN) 37 Ld78
36040 Pilastro (VI) 24 Mc76
Pilati (RC) 95 Qe121
38061 Pilcante (TN) 23 Lf74
13887 Piletta (BI) 19 Ia76
62020 Pilotti (MC) 53 Oc90
25049 Pilzone (BS) 22 La74
09020 Pimentel (CA) 112 Ka112
89014 Piminoro (RC) 89 Qf119
80050 Pimonte (NA) 76 Pc104
27040 Pinarolo Po (PV) 35 Kb78
10060 Pinasca (TO) 32 Hb79
45020 Pincara (RO) 38 Md79
10064 Pinerolo (TO) 32 Hc79
23035 Pineta di Sortenna (SO) 12 Lb70
81030 Pineta Grande (CE) 70 Of102
64025 Pineto (TE) 59 Pa93
31016 Pinidello (TV) 15 Nc73
32040 Pinie (BL) 5 Nc 69
53049 Pino (SI) 50 Me89
14020 Pino d'Asti (AT) 33 Hf78
88825 Pino Grande (KR) 87 Re113
21010 Pino sulla Sponda del Lago Maggiore (VA) 10 Ie72
10025 Pino Torinese (TO) 33 He78
70015 Pin-Pen (BA) 74 Sa104
33094 Pinzano al Tagliamento (PN) 16 Nf71
38086 Pinzolo (TN) 13 Le72
61046 Piobbico (PU) 51 Nd87
12040 Piobesi d'Alba (CN) 33 Hf80
10040 Piobesi Torinese (TO) 33 Hd79
13020 Piode (VC) 19 Ia74
20096 Pioltello (MI) 21 Kb75
57025 Piombino (LI) 54 Ld91
35017 Piombino Dese (PD) 25 Mf75
84068 Pioppi (SA) 77 Qa107
90046 Pioppo (PA) 91 Ob120
62025 Pioraco (MC) 52 Nf89
06012 Piosina (PG) 51 Nb88
10045 Piossasco (TO) 33 Hc79
14026 Piova Massaia (AT) 33 Ia78
35028 Piove di Sacco (PD) 25 Na77
36013 Piovene-Rocchette (VI) 24 Mc74
15040 Piovera (AL) 34 Ie79
25080 Piovere (BS) 23 Le74
33010 Pioverno (UD) 16 Oa72
29010 Piozzano (PC) 35 Kc79
12060 Piozzo (CN) 33 Hf81
98060 Piraino (ME) 94 Pf119
95036 Pirao (CT) 94 Pf121
89041 Pirarelli (RC) 89 Rc118
87010 Piretto (CS) 84 Ra112
87040 Pirillo (CS) 86 Rc114
09042 Pirri (CA) 112 Ka113
56100* Pisa (PI) 49 Lc86
35047 Pisana (PD) 24 Me77
95012 Pisano (CT) 94 Qa122
28010 Pisano (NO) 20 Id74
10060 Piscina (TO) 32 Hc79
09010 Piscinas (CA) 111 Ie114
38048 Piscine (TN) 14 Mb71
80145 Piscinola (NA) 76 Pb103
84066 Pisciotta (SA) 83 Qb108
Piscita 88 Qb116
89900 Piscopio (VV) 89 Ra116
73029 Pisignano (LE) 82 Tb107
48015 Pisignano (RA) 47 Nb83
25055 Pisogne (BS) 22 La74
00020 Pisoniano (RM) 62 Nf97
06039 Pissignano (PG) 57 Ne91
75015 Pisticci (MT) 79 Rd106
75010 Pisticci Scalo (MT) 79 Rd106
51100 Pistoia (PT) 45 Lf85
13822 Pistolesa (BI) 19 Ia75
06010 Pistrino (PG) 51 Na87
98128 Pistunina (ME) 88 Qd120
51100 Piteccio (PT) 45 Lf84
51020 Piteglio (PT) 45 Le84
19137 Pitelli (SP) 44 Kf84
60011 Piticchio (AN) 52 Nf87
58017 Pitigliano (GR) 55 Me93
06016 Pitigliano (PG) 51 Nb87
87050 Pittarella (CS) 86 Rb114
07026 Pittulongu (OT) 107 Kd103
46040 Piubega (MN) 23 Ld77
41010 Piumazzo (MO) 37 Ma81
23020 Piuro (SO) 11 Kc70
15060 Piuzzo (AL) 35 Ka80
10010 Piverone (TO) 19 Ia76
Pizzago = Pitzack (BZ) 4 Me 69
27050 Pizzale (PV) 35 Ka78
74010 Pizziferro Monsignore (TA) 80 Sa104
26026 Pizzighettone (CR) 22 Ke77
89851 Pizzinni (VV) 89 Ra117
24010 Pizzino (BG) 11 Kd73
89812 Pizzo (VV) 86 Ra116
66040 Pizzoferrato (CH) 64 Pb97
Pizzolato (TP) 90 Nc122
37060 Pizzoletta (VR) 23 Le77
67017 Pizzoli (AQ) 58 Ob94
91016 Pizzolungo (TP) 90 Nd120
81040 Pizzone (CE) 70 Pa102
86071 Pizzone (IS) 63 Pa99
89834 Pizzoni (VV) 89 Rb117
89040 Placanica (RC) 89 Rc118
89023 Plaesano (RC) 89 Ra118
23030 Plaghera Alta (SO) 13 Lc70
33010 Plaino (UD) 16 Ob72
Plan (BZ) 4 Me 69
39013 Plan = Pfelders (BZ) 3 Ma 68
Planca di Sopra = Oberplanken (BZ) 5 Nb 68
Planca di Sotto = Unterplanken (BZ) 5 Nb 68
39024 Planol = Planeil (BZ) 3 Ld 68
09010 Planu Sartu (CI) 111 Ic112
Plars (BZ) 3 Ma 68
33030 Plasencis (UD) 16 Oa72
39010 Plata = Platt (BZ) 3 Mb 68
87070 Plataci (CS) 84 Rc109
07100 Platamona Lido (SS) 105 Ic104
88040 Platania (CZ) 86 Rb114
89039 Plati (RC) 89 Ra119
33040 Platischis (UD) 17 Oc71
39025 Plaus (BZ) 3 Ma 69
Plaus Rio di Lagundo = Aschbach (BZ) 3 Ma 69
Plazzoles = Platzers (BZ) 3 Ma 69
13011 Plello (VC) 20 Ib74
25040 Plemo (BS) 12 Lb73
22010 Plésio (CO) 11 Kb72
07017 Ploaghe (SS) 106 Ie104
17043 Plódio (SV) 42 Ib82
12060 Pocapaglia (CN) 33 Hf80
33050 Pocenia (UD) 16 Oa73
32043 Pocol (BL) 5 Na 69
89100 Podargoni (RC) 88 Qe119
54010 Podenzana (MS) 44 Kf83
29027 Podenzano (PC) 36 Ke79
84040 Poderia (SA) 83 Qc108
12041 Podio (CN) 33 Hf81
09126 Poetto (CA) 112 Ka113
33080 Poffabro (PN) 16 Ne71
03026 Pofi (FR) 69 Oc99
67069 Poggetello (AQ) 62 Ob96
53024 Poggia alle Mura (SI) 55 Mc91
31039 Poggiana (TV) 25 Mf74
73037 Poggiardo (LE) 82 Tc108

53036 Poggibonsi (SI) 50 Ma88
58044 Poggi del Sasso (GR) 55 Mb91
60044 Poggio (AN) 52 Oa88
60131 Poggio (AN) 53 Od87
40024 Poggio (BO) 46 Md82
47100 Poggio (FC) 47 Na83
18038 Poggio (IM) 41 He85
57030 Poggio (LI) 54 Lb92
55031 Poggio (LU) 45 Lc84
59016 Poggio a Caiano (PO) 46 Ma86
47824 Poggio Berni (RN) 47 Nc84
02018 Poggio Bustone (RI) 57 Nf94
67013 Poggio Cancelli (AQ) 58 Ob93
02040 Póggio Catino (RI) 61 Ne95
58054 Poggio Cavallo (GR) 55 Mb92
67061 Poggio Cinolfo (AQ) 62 Oa96
52010 Poggio d'Acona (AR) 51 Mf87
06100 Poggio delle Corti (PG) 56 Nb90
64037 Poggio delle Rose (TE) 58 Oe93
Poggio di Chiesanuova ◘ (RSM) 47 Nc85
06040 Poggiodomo (PG) 57 Nf92
58054 Poggioferro (GR) 55 Mc92
02100 Poggio Fidoni (RI) 57 Ne94
67069 Poggio Filippo (AQ) 62 Ob96
66030 Poggiofiorito (CH) 64 Pb95
71010 Poggio Imperiale (FG) 65 Qc98
52100 Poggiola (AR) 50 Me88
Poggiolo (BO) 46 Mc83
80040 Poggiomarino (NA) 76 Pd104
02047 Poggio Mirteto (RI) 61 Ne95
02037 Poggio Moiano (RI) 62 Nf95
64027 Poggio Morello (TE) 58 Of92
58050 Poggio Murella (GR) 55 Md92
02030 Poggio Nativo (RI) 61 Ne95
67026 Póggio Picenze (AQ) 58 Od95
06043 Poggio Primocaso (PG) 57 Nf92
Poggioreale (NA) 76 Pb103
91020 Poggioreale (TP) 91 Oa122
44028 Poggio Renatico (FE) 38 Mc80
70020 Poggiorsini (BA) 73 Rb103
46025 Poggio Rusco (MN) 38 Ma79
02030 Poggio San Lorenzo (RI) 61 Nf95
60030 Poggio San Marcello (AN) 52 Oa87
86086 Póggio Sannita (IS) 64 Pc98
62021 Poggio San Vicino (MC) 52 Oa88
02048 Poggio Sommavilla (RI) 61 Nd95
23020 Poggiridenti (SO) 12 Kf71
12073 Poggi San Siro (CN) 41 Ia82
12073 Poggi Santo Spirito (CN) 41 Ia82
52021 Pogi (AR) 50 Md88
20010 Pogliano (MI) 21 If75
20010 Pogliano Milanese (MI) 21 Ka75
54013 Pognana (MS) 44 La83
22020 Pognana Lario (CO) 11 Ka73
24040 Pognano (BG) 22 Kd75
28076 Pogno (NO) 20 Ic74
36026 Poiana Maggiore (VI) 24 Mc77
37030 Poiano (VR) 23 Ma76
10046 Poirino (TO) 33 Hf79
23010 Polaggia (SO) 12 Ke71
25060 Polaveno (BS) 22 La74
25060 Polaveno P. so del Tre Termini (BS) 22 La74
33070 Polcenigo (PN) 15 Nc72
36100 Polegge (VI) 24 Md75
26024 Polengo (CR) 22 Kf77
32020 Polentes (BL) 15 Nb72
36015 Poleo (VI) 24 Mb74
45038 Polesella (RO) 38 Me79
46020 Polesine (MN) 37 Le79
45018 Polesine Camerini (RO) 39 Nc79
43010 Polesine Parmense (PR) 36 La78
00010 Poli (RM) 62 Nf97
89813 Polia (VV) 86 Rb116
87010 Policastrello (CS) 84 Ra110
84070 Policastro Bussentino (SA) 83 Qd108
75025 Policoro (MT) 80 Re107
29010 Polignano (PC) 36 Kf78
70044 Polignano a Mare (BA) 75 Sb103
41040 Polinago (MO) 45 Le82
05030 Polino (TR) 57 Nf93
89024 Polistena (RC) 89 Ra118
90028 Polizzi Generosa (PA) 92 Of122
84035 Polla (SA) 78 Qc105
98050 Pollara (ME) 88 Pe117
15062 Pollastra (AL) 34 Ie79
11020 Pollein (AO) 18 Hc74
80040 Pollena-Trocchia (NA) 76 Pc103
62010 Pollenza (MC) 53 Oc89
12060 Pollenzo (CN) 33 Hf80
84068 Pollica (SA) 77 Qa107
88821 Polligrone (KR) 87 Rf113
90010 Pollina (PA) 92 Pa120
28818 Pollino (VB) 10 Id73
13814 Pollone (BI) 19 Hf75
66020 Pollutri (CH) 64 Pd96
12030 Polonghera (CN) 33 Hd80
25080 Polpenazze del Garda (BS) 23 Ld75
32014 Polpet (BL) 15 Nb71
58054 Polveraia (GR) 55 Mb92
35020 Polverara (PD) 25 Mf77
60020 Polverigi (AN) 53 Oc87
Polverina (MC) 52 Oa90
84010 Polvica (SA) 77 Pd104
56045 Pomarance (PI) 49 Lf89
10063 Pomaretto (TO) 32 Hb79
75016 Pomarico (MT) 79 Rd105
38060 Pomarolo (TN) 13 Ma73
15040 Pomaro Monferrato (AL) 34 Id78
28863 Pomat = Formazza (VB) 10 Ic70
28050 Pombia (NO) 20 Id75
00040 Pomezia (RM) 61 Nd98
80038 Pomigliano D'Arco (NA) 76 Pc103
57030 Pomonte (LI) 54 La92
06049 Pompagnano (PG) 57 Ne92
80045 Pompei (NA) 76 Pd104
18015 Pompeiana (IM) 41 Hf85
25030 Pompiano (BS) 22 Kf76
46030 Pomponesco (MN) 37 Ld79
44026 Pomposa (FE) 39 Nb79
09093 Pompu (OR) 109 Ie110
25020 Poncarale (BS) 22 La76
13875 Ponderano (BI) 19 Ia75
60010 Pongelli (AN) 52 Oa87
22020 Ponna (CO) 11 Ka73
56038 Ponsacco (PI) 49 Ld87
35040 Ponso (PD) 24 Md77
25055 Pontasio (BS) 22 La74
50065 Pontassieve (FI) 46 Mc86
11020 Pontboset (AO) 19 He75
10085 Pont Canavese (TO) 19 Hd76
82030 Ponte (BN) 71 Pe101
25050 Ponte (BS) 13 Lc72
81037 Ponte (CE) 70 Of101
28863 Ponte = Zumstäg (VB) 10 Ic70
50050 Ponte a Cappiano (FI) 49 Le86
33049 Ponteacco (UD) 17 Oc72
56024 Ponte a Egola (PI) 49 Le86
56027 Ponte a Elsa (PI) 49 Lf86
04019 Ponte Alto (LT) 57 Oa94
55029 Ponte a Moriano (LU) 45 Ld85
38070 Ponte Arche (TN) 13 Lf72
84047 Ponte Barizzo (SA) 77 Qa106
33016 Pontebba (UD) 6 Ob 69
Ponte Biddusa (TP) 91 Ne121
Ponte Binuara (TP) 91 Ne121
Ponte Biro (TP) 91 Ne120
51019 Ponte Buggianese (PT) 45 Le85
51019 Ponte Buggianese (PT) 45 Le85
25070 Ponte Caffaro (BS) 13 Ld74
84098 Pontecagnano-Faiano (SA) 77 Pf105
Ponte Capocorso (SR) 99 Qa126
61023 Ponte Cappuccini (PU) 47 Nc86
35020 Pontecasale (PD) 25 Mf77
45030 Pontecchio Polesine (RO) 38 Me78
43041 Ponteceno (PR) 35 Kd81
12020 Pontechianale (CN) 32 Ha81
Pontechiusita (MC) 57 Nf91
03037 Pontecorvo (FR) 69 Od100
30020 Ponte Crepaldo (VE) 26 Ne75
15055 Pontecurone (AL) 35 If79
18027 Pontedassio (IM) 41 Ia85
61044 Pontedazzo (PU) 52 Nd88
16100 Pontedecimo (GE) 34 If82
29028 Ponte dell'Olio (PC) 36 Kd79
56025 Pontedera (PI) 49 Ld87
36020 Ponte di Castagnero (VI) 24 Md76
Ponte di Cuddia (TP) 90 Nd121
06035 Ponte di Ferro (PG) 57 Nd91
41040 Ponte di Gombola (MO) 45 Le82
25056 Ponte di Legno (BS) 13 Ld71
Ponte di Lentina (TP) 90 Ne120
50050 Ponte di Masino (FI) 45 Lf86
12078 Ponte di Nava (CN) 41 Hf84
31047 Ponte di Piave (TV) 25 Nc74
Ponte Dragonara (AG) 91 Nf122
06077 Ponte Felcino (PG) 51 Nc90
00050 Ponte Galeria (RM) 61 Nb98
39040 Ponte Gardena = Waidbruck (BZ) 4 Md 69
25020 Pontegatello (BS) 22 La76
88100 Pontegrande (CZ) 86 Rd115
28871 Pontegrande (VB) 9 Ia 73
23026 Ponte in Valtellina (SO) 12 Kf71
44038 Pontelagoscuro (FE) 38 Md79
22037 Ponte Lambro (CO) 21 Kb74
82027 Pontelandolfo (BN) 71 Pe101
81040 Pontelatone (CE) 70 Pb101
Pontelatrave (MC) 52 Oa90
35029 Pontelongo (PD) 25 Na77
00019 Ponte Lucano (RM) 61 Ne97
28865 Pontemáglio (VB) 10 Ib71
61031 Ponte Murello (PU) 48 Nf86
32014 Ponte nelle Alpi (BL) 15 Nb71
27050 Ponte Nizza (PV) 35 Ka79
24028 Ponte Nossa (BG) 12 Kf73
Ponte Nova = Birchabruck (BZ) 14 Mc70
20013 Ponte Nuovo (MI) 20 If76
28078 Ponte Nuovo (NO) 20 Ic75
29010 Pontenure (PC) 36 Ke78
06085 Ponte Pattoli (PG) 51 Nc89
51028 Pontepetri (PT) 45 Lf84
37060 Pontepossero (VR) 23 Lf77
84010 Ponteprimario (SA) 77 Pd104
31040 Ponte Priula (TV) 15 Nb74
07028 Ponte Quadro (OT) 104 Kb101
24010 Ponteranica (BG) 22 Ke74
61044 Ponterìccioli (PU) 52 Nd88
44012 Ponte Rodoni (FE) 38 Mc79
40069 Ponte Ronca (BO) 38 Mb81
25012 Ponte Rosso (BS) 22 Lb76
25010 Ponte San Marco (BS) 23 Lc76
35020 Ponte San Nicolò (PD) 25 Mf76
41038 Ponte San Pellegrino (MO) 38 Ma79
24036 Ponte San Pietro (BG) 21 Kd74
33043 Ponte San Quirino (UD) 17 Oc72
Ponte Santo Stefano (ME) 88 Qc120
24028 Ponte Selva (BG) 12 Kf73
15027 Pontestura (AL) 34 Ic78
32031 Ponte Tegorzo (BL) 15 Mf73
46018 Ponteterra (MN) 37 Lc79
21037 Ponte Tresa, Lavena- (VA) 10 If73
28864 Pontetto (VB) 10 Ib72
20013 Ponte Vecchio (MI) 20 If76
25026 Pontevico (BS) 22 La77
11024 Pontey (AO) 19 Hd74
25068 Ponte Zanano (BS) 22 Lb74
15010 Ponti (AL) 34 Ic81
80147 Ponticelli (NA) 76 Pb103
02030 Ponticelli (RI) 61 Ne95
52020 Ponticino (AR) 50 Me88
Ponticino = Bundschen (BZ) 4 Mc 69
24030 Pontida (BG) 21 Kd74
04014 Pontinia (LT) 68 Oa100
17042 Pontinvrea (SV) 42 Ic82
24040 Pontirolo Nuovo (BG) 21 Kd75
46040 Ponti sul Mincio (MN) 23 Ld76
25037 Pontoglio (BS) 22 Kf75
54027 Pontremoli (MS) 44 Kf82
11026 Pont-Saint-Martin (AO) 19 He75
04027 Ponza (LT) 68 Nf103
50038 Ponzalla (FI) 46 Mc84
54035 Ponzanello (MS) 44 La83
40050 Ponzano (BO) 46 Ma82
64010 Ponzano (TE) 58 Oe92
63020 Ponzano di Fermo (AP) 53 Od90
19035 Ponzano Magra (SP) 44 Kf84
15020 Ponzano Monferrato (AL) 34 Ib78
00060 Ponzano Romano (RM) 61 Nd95
31050 Ponzano Veneto (TV) 25 Nb74
15010 Ponzone (AL) 34 Ic81
13834 Ponzone (BI) 20 Ib75
89041 Popelli (RC) 89 Rc118
51020 Popiglio (PT) 45 Le84
65026 Pópoli (PE) 63 Of95
15030 Popolo (AL) 34 Ic78
52014 Poppi (AR) 50 Me86
21016 Poppino (VA) 10 Ie72
57025 Populonia (LI) 54 Lc91
38085 Por (TN) 13 Ld73
27050 Porana (PV) 35 Ka78
05010 Porano (TR) 56 Na92
55016 Porcari (LU) 45 Ld85
31040 Porcellengo (TV) 25 Na74
63034 Porchia (AP) 58 Od91
05022 Porchiano (TR) 56 Nc93
33080 Porcia (PN) 16 Nd73
33170 Pordenone (PN) 16 Nd73
06049 Poreta (PG) 57 Ne92
25080 Porle (BS) 22 Lc75
22018 Porlezza (CO) 11 Ka72
12078 Pornassino (CN) 41 He84
18024 Pornassio (IM) 41 Hf84
05010 Pornello (TR) 56 Nb91
44044 Porotto (FE) 38 Md79
33050 Porpetto (UD) 16 Ob73
Porrazzito (SR) 99 Qa125
40046 Porretta Terme (BO) 45 Lf84
14037 Portacomaro (AT) 34 Ib79
27040 Portalbera (PV) 35 Kb78
10060 Porte (TO) 32 Hb79
30020 Portegrandi (VE) 25 Nc75
90036 Portella di Mare (PA) 91 Oc120
25010 Portese (BS) 23 Ld75
95030 Porticelle Soprane (CT) 93 Pe121
95030 Porticelle Sottane (CT) 93 Pe121
90017 Porticello (PA) 91 Od120
Porticello 88 Pf117
22070 Portichetto (CO) 21 Ka74
24050 Portici (BG) 22 Kf76
80055 Portici (NA) 76 Pc104
24060 Portico (BG) 22 Ke76
81050 Portico di Caserta (CE) 70 Pb102
47010 Portico di Romagna (FC) 47 Me84
47010 Portico e San Benedetto (FC) 46 Me84
89040 Portigliola (RC) 89 Rb119
41010 Portile (MO) 37 Lf81
46027 Portiolo (MN) 37 Lf78
06061 Porto (PG) 56 Mf90
85046 Porto (PZ) 83 Qe109
09079 Porto Alabe (OR) 108 Ic107
57036 Porto Azzurro (LI) 54 Lc92
09010 Porto Botte (CI) 111 Id114
31040 Portobuffole (TV) 15 Nd73
86045 Portocannone (CB) 65 Qa97
21050 Porto Ceresio (VA) 10 If73
07021 Porto Cervo (OT) 104 Kd102
73010 Porto Cesareo (LE) 81 Sf107
48100 Porto Corsini (RA) 39 Nb81
20040 Porto d'Adda (MI) 21 Kc75
63037 Porto d'Ascoli (AP) 59 Of91
98055 Porto di Levante (ME) 88 Pf118
92014 Porto Empedocle (AG) 97 Od125
58018 Porto Ercole (GR) 55 Mb94
57037 Portoferraio (LI) 54 Lb92
16034 Portofino (GE) 43 Kb83
09018 Porto Foxi (CA) 112 Ka114
48100 Porto Fuori (RA) 47 Nb82
44029 Porto Garibaldi (FE) 39 Nb80
30026 Portogruaro (VE) 26 Nf74
44015 Portomaggiore (FE) 39 Me80
09070 Porto Mandriola (OR) 108 Ic108
46047 Porto Mantovano (MN) 23 Le77
30175 Porto Marghera (VE) 25 Nb76
18100 Porto Maurizio (IM) 41 Ia85
43017 Portone del Pizzo (PR) 36 Lb79
40059 Portonovo (BO) 38 Me81
09010 Porto Paglia (CI) 111 Ic113
09031 Porto Palma (MD) 108 Ic110
92013 Porto Palo (AG) 96 Nf123
96010 Portopalo di Capo Pássero (SR) 100 Qa128
62016 Porto Potenza Picena (MC) 53 Oe88
07028 Porto Pozzo (OT) 104 Kb101
07020 Porto Puddu (OT) 104 Kb101
62017 Porto Recanati (MC) 53 Od88
07026 Porto Rotondo (OT) 104 Kd102
98053 Portosalvo (ME) 94 Qb120
63017 Porto San Giorgio (FM) 53 Oe89
07020 Porto San Paolo, Loiri- (OT) 107 Kd103
63018 Porto Sant'Elpidio (FM) 53 Oe89
58019 Porto Santo Stefano (GR) 55 Ma94
09010 Portoscuso (CI) 111 Ic113
45018 Porto Tolle (RO) 39 Nb79
07046 Porto Torres (SS) 105 Ic103
21010 Porto Valtraváglia (VA) 10 Ie73
19025 Portovenere (SP) 44 Kf84
44015 Portoverrara (FE) 39 Me80
45014 Porto Viro (RO) 39 Nb78
13833 Portula (BI) 19 Ia75
25024 Porzano (BS) 22 Lb76
08020 Posada (NU) 107 Ke105
24019 Poscante (BG) 22 Ke74
Posillesi (TP) 91 Ne121
80100 Posillipo (NA) 76 Pb104
36010 Posina (VI) 24 Mb74
84017 Positano (SA) 76 Pc105
31054 Possagno (TV) 15 Mf73
02019 Posta (RI) 57 Oa93
03030 Posta Fibreno (FR) 63 Oe98
39014 Postal = Burgstall (BZ) 3 Mb 69
23010 Postalesio (SO) 12 Ke71
75025 Posta Nuova delle Pecore (MT) 80 Re107
70055 Posta Piana (BT) 73 Qf102
84026 Postiglione (SA) 77 Qb105
26010 Postino (CR) 21 Kd76
31040 Postioma (TV) 25 Na74
Posto Rosso (LE) 83 ta109
33098 Postoncicco (PN) 16 Nf72
73040 Posto Racale (LE) 82 Ta109
13010 Postua (VC) 20 Ib74
85100 Potenza (PZ) 78 Qe105
62018 Potenza Picena (MC) 53 Od88
89817 Potenzoni (VV) 86 Qf116
36020 Pove del Grappa (VI)
31050 Povegliano (TV)
37064 Povegliano Veronese (VR)
87054 Poverella (CS) 8
42028 Poviglio (RE)
36030 Povolaro (VI)
33040 Povoletto (UD)
81040 Poza (CE) 7
38036 Pozza di Fassa (TN)
02030 Pozzaglia Sabino (RI)
26010 Pozzaglio (CR)
26010 Pozzáglio ed Uniti (CR)
97016 Pozzallo (RG) 10
33032 Pozzecco (UD)
15020 Pozzengo (AL)
Pozzi (RC) 9
86077 Pozzilli (IS)
95024 Pozzillo (CT) 9
Pozzillo (TP) 9
52047 Pozzo (AR)
33087 Pozzo (PN)
33095 Pozzo (PN)
33033 Pozzo (UD)
Pozzo (VR)
61020 Pozzo Alto (PU)
26038 Pozzo Baronzio (CR)
31050 Pozzobon (TV)
20060 Pozzo d'Adda (MI)
25010 Pozzolengo (BS)
36050 Pozzoleone (VI)
15050 Pozzol Groppo (AL)
46040 Pozzolo (MN)
15068 Pozzolo Formigaro (AL)
07018 Pozzomaggiore (SS) 1
35020 Pozzonovo (PD)
52043 Pozzo Nuovo (AR)
81020 Pozzovetere (CE) 7
80078 Pozzuoli (NA) 7
06067 Pozzuolo (PG)
33050 Pozzuolo del Friuli (UD)
20060 Pozzuolo Martesana (MI)
12083 Pra (CN)
35042 Pra (PD)
25080 Prabione (BS)
51100 Pracchia (PT)
Praciadelan (BL)
Pracupola = Kuppelwies (B
39026 Prad am Stilfserjoch = Prat
Stèlvio (BZ)
26834 Prada (LO)
48018 Prada (RA)
38060 Prada (TN)
24020 Pradalunga (BG)
33040 Pradamano (UD)
37060 Pradelle (VR)
46039 Pradello (MN)
33010 Pradielis (UD)
23037 Pradil (SO)
30026 Pradipozzo (VE)
12027 Pradleves (CN)
40053 Pragatto (BO)
10060 Pragelato (TO)
39030 Prags = Bráies (BZ)
87028 Praia a Mare (CS) 8
84010 Praiano (SA) 7
25020 Pralboino (BS)
10060 Prali (TO)
10040 Pralormo (TO)
13899 Pralungo (BI)
30020 Pramaggiore (VE)
10065 Pramollo (TO)
25089 Prandaglio (BS)
32028 Pranolz (BL)
Prantago = Prantach (BZ)
37020 Praole (VR)
13012 Prarolo (VC)
10060 Prarostino (TO)
15010 Prasco (AL)
10080 Prascorsano (TO)
38080 Praso (TN)
23020 Prasomaso (SO)
85040 Prastio (PZ)
58024 Prata (GR)
23020 Prata Camportáccio (SO)
67020 Prata d'Ansidónia (AQ)
33080 Prata di Pordenone (PN)
83030 Prata di Principato Ultra (A
33080 Prata di Sotto (PN)
52100 Pratantico (AR)
81010 Prata Sannita (CE)
81010 Pratella (CE)
16046 Prati (GE)
39049 Prati = Wiesen (BZ)
42043 Praticello (RE)

Prati di Tesido = Wiesen (BZ) ...... 5 Na 68
Prati di Tivo (TE) 58 Od94
Prati Gaggio (SO) 12 Ke71
Pratiglione (TO) 19 Hd76
Prati Nuovi (VE) 26 Nf74
Pratissolo (RE) 37 Le81
Prato (PO) 46 Ma85
Prato (RE) 37 Le80
Prato alla Drava = Winnebach (BZ) ...... 5 Nc 68
Prato all' Isarco = Blumau (BZ) ...... 4 Mc 70
Prato allo Selvio = Prad am Stilfserjoch (BZ) ...... 3 Ld 69
Prato allo Stèlvio = Prad am Stilfserjoch (BZ) ...... 3 Ld 69
Pratobello (NU) 109 Kb108
Prato Carnico (UD) ...... 6 Ne 69
Prato di Strada (AR) 50 Me86
Pratoferro (TO) 19 Hf76
Prátola Peligna (AQ) 63 Of96
Pratola Serra (AV) 71 Pf103
Pratolino (FI) 46 Mb85
Pratomagno = Prastmann (BZ) ...... 5 Na 66
Pratomorone (AT) 33 Ia79
Prato Perillo (SA) 78 Qd106
Prato Ranieri (GR) 54 Le91
Prato San Pietro (LC) 11 Kc73
Prato Sesia (NO) 20 Ic75
Pratovecchio (AR) 46 Me86
Pratrivero (BI) 20 Ib75
Praturlone (PN) 16 Ne73
Pravisdomini (PN) 16 Ne74
Pray (BI) 20 Ib74
Prazzo (CN) 32 Ha82
Pre (TN) 13 Le73
Prea (CN) 41 He83
Preara (VI) 24 Md74
Preazzano (NA) 76 Pc105
Pre Campo (SO) 12 Lb71
Precenicco (UD) 16 Oa74
Preci (PG) 57 Oa91
Predappio (FC) 47 Mf84
Preda Rossa (SO) 12 Ke71
Predazzo (TN) 14 Md71
Predda Niedda (SS) 105 Id104
Prediera (RE) 37 Ld81
Predoi = Prettau (BZ) ...... 5 Na 66
Predonico = Perdonig (BZ) ...... 3 Mb 70
Predore (BG) 22 La74
Predosa (AL) 34 Id80
Preganziol (TV) 25 Nb75
Pregasina (TN) 13 Le73
Preggio (PG) 51 Nb89
Preghena (TN) 13 Ma70
Pregiato (SA) 77 Pe104
Préglia (VB) 10 Ib72
Pregnana Milanese (MI) 21 Ka75
Pregola (PV) 35 Kb80
Preitoni (VV) 88 Qf117
Prelà (IM) 41 Hf85
Premana (LC) 11 Kc72
Premariacco (UD) 17 Oc72
Premeno (VB) 10 Id73
Premenugo (MI) 21 Kc76
Premezzo (VA) 20 Ie74
Prémia (VB) 10 Ic71
Premilcuore (FC) 47 Me85
Premolo (BG) 12 Kf73
Premosello Chiovenda (VB) 10 Ib72
Pren (BL) 15 Mf72
Preone (UD) 16 Nf70
Preore (TN) 13 Le72
Preottone (BS) 12 Lb74
Prepotto (UD) 17 Oc72
Presa (CT) 94 Qa122
Pré-Saint-Didier (AO) 18 Gf74
Presciano (SI) 50 Mc89
Preseglie (BS) 12 Lc75
Presegno (BS) 23 Lc74
Presezzo (BG) 21 Kd74
Presicce (LE) 83 Tb109
Presinaci (VV) 88 Qf117
Pressana (VR) 24 Mc77
Pressano (TN) 13 Ma72
Prestento (UD) 17 Oc72
Prestine (BS) 12 Lb73
Prestone (SO) 11 Kc70
Presule = Prösels (BZ) ...... 4 Mc 69
Pretare (AP) 58 Ob92
Pretoro (CH) 63 Pa95
Prettau = Predoi (BZ) ...... 5 Na 66

67010 Preturo (AQ) 58 Ob94
83025 Preturo (AV) 77 Pe103
25080 Prevalle (BS) 23 Lc75
67030 Prezza (AQ) 63 Oe96
38085 Prezzo (TN) 13 Ld73
12070 Priero (CN) 41 Ia82
84060 Prignano Cilento (SA) 77 Qa107
41048 Prignano sulla Secchia (MO) 45 Le82
23819 Primaluna (LC) 11 Kc73
00188 Prima Porta (RM) 61 Nc96
Primavalle (RM) 61 Nc97
02032 Prime Case (RI) 61 Ne95
Principe Serra-Gerace (RC) 88 Qf118
38010 Prio (TN) 13 Ma71
12040 Priocca (CN) 33 Ia80
12070 Priola (CN) 41 Ia83
33020 Priola (UD) ...... 6 Nf 70
96010 Priolo Gargallo (SR) 99 Qa125
00030 Priora Rocca (RM) 61 Ne98
89042 Prisdarello (RC) 89 Rb118
Prissiano = Prissian (BZ) . 3 Mb 69
33021 Priuso (UD) 16 Ne70
04015 Priverno (LT) 69 Ob100
90038 Prizzi (PA) 91 Oc122
10070 Procaria (TO) 18 Hc77
12070 Procchio (LI) 54 Lb92
01020 Proceno (VT) 56 Me92
80079 Procida (NA) 76 Pa104
84040 Procoio (SA) 77 Qb107
05018 Prodo (TR) 56 Nb92
33078 Prodolone (PN) 16 Nf73
16027 Propata (GE) 35 Kb81
34016 Prosecco (TS) 27 Oe74
22030 Proserpio (CO) 21 Kb74
04010 Prossedi (LT) 69 Ob99
Prossenicco (UD) 17 Oc71
23020 Prosto (SO) 11 Kc70
98053 Protonotaro (ME) 94 Qb120
37047 Prova (TN) 24 Mb76
25050 Provaglio d'Iseo (BS) 22 La75
25070 Provaglio Val Sabbia (BS) 23 Lc74
39040 Proveis = Proves (BZ) ...... 3 Ma 70
39040 Proves = Proveis (BZ) ...... 3 Ma 70
33095 Provesano (PN) 16 Nf72
86040 Provvidenti (CB) 64 Pe98
30010 Prozzolo (VE) 25 Na76
37020 Prun (VR) 23 Lf75
Prunella (RC) 95 Qe121
51020 Prunetta (PT) 45 Le84
12077 Prunetto (CN) 33 Ia82
Pruno = Elzenbaum (BZ) . 4 Mc 67
06061 Pucciarelli (PG) 51 Na90
25020 Pudiano (BS) 22 La74
25080 Puegnago del Garda (BS) 23 Ld75
52100 Puglia (AR) 51 Mf88
29010 Puglia (PC) 36 Kd78
82030 Puglianello (BN) 70 Pc101
81057 Pugliano (CE) 70 Pa101
84090 Pugliano (SA) 77 Pf104
84022 Puglietta (SA) 77 Qa105
71019 Pugnochiuso (FG) 66 Rb98
26040 Pugnolo (CR) 36 Lb78
33080 Puia (PN) 15 Nd73
09010 Pula (CA) 112 Ka114
04026 Pulcherini (LT) 69 Oe101
33066 Pulfero (UD) 17 Oc71
52100 Puliciano (AR) 51 Mf88
32030 Pullir (BL) 15 Mf72
74026 Pulsano (TA) 81 Sc106
24050 Pumenengo (BG) 22 Kf76
58043 Punta Ala (GR) 54 Le92
95016 Puntalazzo (CT) 94 Qa122
48100 Punta Marina (RA) 39 Nb82
90045 Punta Ràisi (PA) 91 Oa119
30010 Punta Sabbioni (VE) 25 Nc76
32015 Puos d'Alpago (BL) 15 Nc72
91015 Purgatorio (TP) 91 Ne120
22030 Pusiano (CO) 21 Kb74
32030 Pusterno (BL) 14 Me73
07040 Putifigari (SS) 105 Ic105
70017 Putignano (BA) 74 Sa103
56023 Putignano (PI) 49 Lc86
09070 Putzu Idu (OR) 108 Ic108

Q

37060 Quaderni (VR) 23 Le77
Quadraro (RM) 61 Nd97
83020 Quadrelle (AV) 71 Pd103
66040 Quadri (CH) 64 Pb97
83040 Quaglietta (AV) 77 Qb104
97013 Quáglio (RG) 100 Pd126
10010 Quagliuzzo (TO) 19 He76

80019 Qualiano (NA) 70 Pa103
33010 Qualso (UD) 16 Ob71
Quarantano Inferiore (RC) 88 Qf118
14040 Quaranti (AT) 34 Ic80
41037 Quarantoli (MO) 38 Ma79
52040 Quarata (AR) 51 Me88
13854 Quaregna (BI) 19 Ia75
15044 Quargnento (AL) 34 Ic79
28898 Quarna Sopra (VB) 10 Ic73
28896 Quarna Sotto (VB) 10 Ic73
13017 Quarona (VC) 20 Ib74
51039 Quarrata (PT) 45 Lf85
11020 Quart (AO) 18 Hc74
53030 Quartaia (SI) 49 Ma88
15027 Quarti (AL) 34 Ic78
26837 Quartiano (LO) 21 Kc76
14042 Quartino (AT) 34 Ib80
14100 Quarto (AT) 34 Ib79
80010 Quarto (NA) 76 Pa103
29100 Quarto (PC) 36 Kd78
30020 Quarto d'Altino (VE) 25 Nc75
40057 Quarto Inferiore (BO) 38 Mc81
09044 Quartúcciu (CA) 112 Kb113
09045 Quartu Sant'Élena (CA) 112 Kb113
12078 Quarzina (CN) 41 Hf84
70020 Quasano (BA) 74 Rd103
10010 Quassolo (TO) 19 He75
15028 Quattordio (AL) 34 Ic79
15062 Quattro Cascine (AL) 36 Ke79
26041 Quattro Case (CR) 37 Lc79
46025 Quattrocase (MN) 38 Ma79
42020 Quattro Castella (RE) 37 Lc81
Quattropani 88 Pf117
92021 Quattro Strade (AG) 97 Od124
56031 Quattro Strade (PI) 49 Ld86
56040 Querceto (PI) 49 Le89
57015 Quercianella (LI) 49 Lc88
32030 Quero (BL) 15 Mf73
17047 Quiliano (SV) 42 Ic83
10010 Quincinetto (TO) 19 He75
11022 Quincod (AO) 19 He74
83020 Quindici (AV) 77 Pd103
46020 Quingentole (MN) 37 Ma78
Quinis (UD) 16 Nf70
26017 Quintano (CR) 21 Kd76
20089 Quinto de'Stampi (MI) 21 Ka76
31055 Quinto di Treviso (TV) 25 Na75
37034 Quinto di Valpantena (VR) 23 Ma76
20153 Quinto Romano (MI) 21 Ka76
13030 Quinto Vercellese (VC) 20 Ic76
36050 Quinto Vicentino (VI) 24 Md75
25027 Quinzanello (BS) 22 La76
25027 Quinzano d'Oglio (BS) 22 La77
09040 Quirra (CA) 113 Kd111
46026 Quistello (MN) 37 Lf78
13812 Quittengo (BI) 19 Ia75

R

38020 Rabbi (TN) 13 Le70
29020 Rabbini (PC) 36 Ke80
Rabla = Rabland (BZ) . 3 Ma 68
73055 Racale (LE) 82 Ta109
92020 Racalmuto (AG) 97 Oe124
45038 Raccano (RO) 38 Me79
33040 Racchiuso (UD) 16 Ob71
33010 Raccolana (UD) ...... 6 Ob 70
12035 Racconigi (CN) 33 He80
98067 Raccuja (ME) 94 Pf120
39040 Racines = Ratschings (BZ) ...... 4 Mb 67
53017 Radda in Chianti (SI) 50 Mc88
95040 Raddusa (CT) 98 Pd124
53014 Radi (SI) 50 Mc89
53040 Radicofani (SI) 55 Me91
53040 Radicondoli (SI) 49 Ma89
71025 Radogna (FG) 72 Qc101
25080 Raffa (BS) 23 Ld75
92015 Raffadali (AG) 97 Od124
Ragada (TN) 13 Ld71
95030 Ragalna (CT) 94 Pf123
Ragalna Est (CT) 94 Pf123
Ragalna Ovest (CT) 94 Pf123
43030 Ragazzola (PR) 36 Lb78
Raggiano (MC) 52 Oa90
52010 Raggiolo (AR) 50 Me86
33030 Ragogna (UD) 16 Nf71
38070 Ragoli (TN) 13 Le72
89824 Ragona (VV) 89 Rb118
97100 Ragusa (RG) 100 Pe127
31020 Rai (TV) 15 Nc74
67027 Raiano (AQ) 63 Oe96

90038 Raia Striccatore (PA) 91 Oc122
37050 Raldon (VR) 23 Ma76
95040 Ramacca (CT) 98 Pd124
13039 Ramezzana (VC) 20 Ib77
42030 Ramiseto (RE) 44 Lb82
31037 Ramon (TV) 25 Mf74
Rampingallotto (TP) 91 Ne122
Rampinzeri (TP) 91 Nf122
22020 Ramponio (CO) 11 Ka73
22020 Rampònio Verna (CO) 11 Ka73
33070 Ramuscello (PN) 16 Nf73
47027 Ranchio (FC) 47 Na85
21030 Rancio Valcuvia (VA) 10 Ie73
21020 Ranco (VA) 20 Id74
95036 Randazzo (CT) 94 Pf121
31010 Rane (TV) 15 Nc72
24020 Ranica (BG) 22 Ke74
24060 Ranzanico (BG) 22 Kf74
33080 Ranzano (PN) 15 Nd72
43025 Ranzano (PR) 44 Lb82
18020 Ranzo (IM) 41 Hf84
38070 Ranzo (TN) 13 Lf72
38060 Raossi (TN) 23 Ma74
63025 Rapagnano (FM) 53 Od90
16035 Rapallo (GE) 43 Kb82
Rapano (ME) 88 Qc119
66010 Rapino (CH) 63 Pb95
53040 Rapolano Terme (SI) 50 Md89
85027 Rapolla (PZ) 72 Qe103
85020 Rapone (PZ) 72 Qd103
Rappareddi (TP) 90 Nc122
21100 Rasa di Varese (VA) 10 Ie73
32030 Rasai (BL) 14 Mf72
39030 Rasen Antholz = Rasun Anterselva (BZ) ...... 5 Na 68
33010 Raspano (UD) 16 Ob71
13020 Rassa (VC) 19 Ia74
52016 Rassina (AR) 51 Mf87
62024 Rastia (MC) 52 Oa89
40067 Rastignano (BO) 46 Mc82
39030 Rasun Anterselva = Rasen Antholz (BZ) ...... 5 Na 68
Rasun di Sopra = Ober Rasen (BZ) ...... 5 Na 68
Rasun di Sotto = Nieder Rasen (BZ) ...... 5 Na 68
23010 Rasura (SO) 11 Kd72
Rateis (BZ) ...... 3 Ma 69
39040 Ratschings = Racines (BZ) ...... 4 Mb 67
Rattisio = Rateis (BZ) ...... 3 Lf 68
33095 Rauscedo (PN) 16 Ne72
89100 Ravagnese (RC) 95 Qd120
92029 Ravanusa (AG) 97 Of125
41017 Ravarino (MO) 38 Ma80
33020 Ravascletto (UD) ...... 6 Nf 69
23886 Ravellino (LC) 21 Kc74
84010 Ravello (SA) 77 Pd105
48100 Ravenna (RA) 39 Nb82
33029 Raveo (UD) 16 Nf70
58023 Ravi (GR) 55 Lf91
81017 Raviscanina (CE) 70 Pb100
33040 Ravosa (UD) 16 Ob72
89036 Razza (RC) 95 Ra121
28856 Re (VB) 10 Id72
27040 Rea (PV) 35 Ka78
92010 Realmonte (AG) 97 Oc124
33010 Reana del Roiale (UD) 16 Ob72
32041 Reane (BL) ...... 5 Nc 69
10090 Reano (TO) 32 Hc78
07012 Rebeccu (SS) 106 Ie106
81020 Recale (CE) 70 Pb102
62019 Recanati (MC) 53 Od88
Recattivo (PA) 92 Of123
16036 Recco (GE) 43 Ka82
28060 Recetto (NO) 20 Ic76
36076 Recoaro Terme (VI) 24 Mb74
75023 Recoleta (MT) 80 Kd107
26030 Recorfano (CR) 36 Lc78
27050 Redavalle (PV) 35 Kc78
87047 Redipiano (CS) 86 Rb112
34070 Redipuglia (GO) 17 Oc73
46010 Redondesco (MN) 23 Ld77
14030 Refrancore (AT) 34 Ic79
31020 Refróntolo (TV) 15 Nb73
94017 Regalbuto (EN) 93 Pd122
90020 Regalgioffoli (PA) 92 Od121
50066 Reggello (FI) 50 Md86
Reggente (FG) 72 Qc100
89100* Reggio di Calabria (RC) 95 Qd120
42046 Reggiolo (RE) 37 Le79
42100 Reggio nell'Emilia (RE) 37 Ld80
87010 Regina (CS) 84 Ra112
Regio (SR) 99 Qa124
23828 Regoledo (LC) 11 Kb72
26026 Régona (CR) 22 Ke77
82020 Reino (BN) 71 Pe101

Rein-Taufers = Riva di Túres (BZ) . 5 Na 67
98070 Reitano (ME) 93 Pb121
33047 Remanzacco (UD) 16 Ob72
25010 Remedello (BS) 22 Lc77
25010 Remedello di Sopra (BS) . 22 Lc77
25010 Remedello di Sotto (BS) . 23 Lc77
27025 Remondo (PV) 20 Ie77
07020 Rena Majore (OT) 104 Kb102
20055 Renate (MB) 21 Kb74
44045 Renazzo (FE) 38 Mb80
53035 Rencine (SI) 50 Mb88
87036 Rende (CS) 86 Rb113
67050 Rendinara (AQ) 62 Oc97
21038 Reno (VA) 10 Id73
44042 Reno Centese (FE) 38 Mb80
41034 Reno Finalese (MO) 38 Mb79
39054 Renon = Ritten (BZ) ...... 4 Mc 69
14057 Repergo (AT) 34 Ib80
31023 Resana (TV) 25 Mf75
20027 Rescalda (MI) 21 If75
20027 Rescaldina (MI) 21 If75
33010 Resia (UD) 16 Ob70
39027 Resia = Reschen (BZ) ...... 2 Ld 68
32040 Resinego (BL) ...... 5 Nb 70
33010 Resiutta (UD) 16 Ob70
15050 Restegassi (AL) 35 Ka80
90040 Resuttana (PA) 91 Ob119
93010 Resuttano (CL) 92 Pa122
27050 Retorbido (PV) 35 Ka79
15077 Retorto (AL) 34 Id80
12036 Revello (CN) 32 Hc81
46036 Revere (MN) 38 Ma78
10024 Revigliasco (TO) 33 He78
14010 Revigliasco d'Asti (AT) 33 Ia79
31020 Revine-Lago (TV) 15 Nb72
28010 Revislate (NO) 20 Id74
38028 Revo (TN) 13 Ma70
22030 Rezzago (CO) 11 Kb73
29010 Rezzanello (PC) 35 Kd79
29013 Rezzano (PC) 36 Ke79
25086 Rezzato (BS) 22 Lb75
18026 Rezzo (IM) 41 Hf84
16048 Rezzoaglio (GE) 35 Kc81
11010 Rhêmes-Notre-Dame (AO) 18 Ha75
11010 Rhêmes-Saint-Georges (AO) 18 Ha75
20017 Rho (MI) 21 Ka75
89040 Riace (RC) 89 Rc118
89063 Riace Capo Stino (RC) 95 Qe121
89040 Riace Marina (RC) 89 Rd118
17020 Rialto (SV) 42 Ib83
00060 Riano (RM) 61 Nd96
81053 Riardo (CE) 70 Pa101
92016 Ribera (AG) 96 Ob123
58027 Ribolla (GR) 55 Ma91
10080 Ribordone (TO) 19 Hc76
Ribottoli (AV) 77 Pf103
89866 Ricadi (VV) 88 Qf117
Ricalcata (TP) 90 Ne121
15010 Ricaldone (AL) 34 Ic80
40054 Riccardina (BO) 38 Md81
86016 Riccia (CB) 71 Pe100
52044 Riccio (AR) 51 Na89
47838 Riccione (RN) 48 Nd84
43045 Ricco (PR) 36 La80
19020 Ricco del Golfo di Spezia (SP) 44 Ke84
26010 Ricengo (CR) 22 Ke76
84020 Ricigliano (SA) 78 Qc104
Ricota Grande (CS) 84 Rd110
39040 Ridanna = Ridnaun (BZ) . 4 Mb 67
36100 Riello (VI) 24 Md75
31039 Riese Pio X (TV) 25 Mf74
93016 Riesi (CL) 97 Pa125
02100 Rieti (RI) 57 Nf94
39020 Rifair (BZ) ...... 2 Lc 69
39010 Riffian = Rifiano (BZ) . 3 Mb 68
39010 Rifiano = Riffian (BZ) . 3 Mb 68
12030 Rifreddo (CN) 32 Hc81
23819 Rif.Bocca di Biandino (LC) 11 Kc72
Rif.Branca (SO) 13 Ld70
Rif.Corno d'Aola (BS) 13 Ld71
23030 Rif.Costa Sobretta (SO) 13 Lc70
23030 Rif.Gavia (SO) 13 Lc70
Rif.Pizzini (SO) 13 Ld70
Rigali (PG) 52 Ne89
02020 Rigatti (RI) 62 Oa95
29021 Ríglio (PC) 36 Ke80
56023 Riglione (PI) 49 Lc86
00068 Rignano Flaminio (RM) 61 Nc95
71010 Rignano Garganico (FG) 66 Qd98
50067 Rignano sull'Arno (FI) 50 Mc86
33020 Rigolato (UD) ...... 6 Nf 69
96010 Rigolizia (SR) 99 Pf126

53048 Rigomagno (SI) 50 Me89
24020 Rigosa (BG) 22 Ke74
43010 Rigoso (PR) 44 La82
Rilevo (SR) 99 Qa125
91100 Rilievo (TP) 90 Nd121
13020 Rima (VC) ....9 Hf 73
43036 Rimale (PR) 36 La79
13026 Rima-San Giuseppe (VC) ..9 Hf 73
13026 Rimasco (VC) ....9 Ia 73
13020 Rimella (VC) 10 Ib73
Rimigliano (LI) 54 Ld90
47900 Rimini (RN) 48 Nd84
Rina = Welschellen (BZ) ..4 Mf 68
Rinazzo (CT) 94 Qa122
14026 Rinco (AT) 33 Ia78
98050 Rinella (ME) 88 Pe117
25050 Rino (BS) 12 Lc72
39030 Riobianco = Weissenbach (BZ)
.........4 Mf 67
39058 Riobianco = Wießenbach (BZ)
.........4 Mc 68
39037 Rio di Pusteria = Mühlbach (BZ)
.........4 Me 68
00020 Riofreddo (RM) 62 Oa96
33012 Riofreddo (UD) ....7 Od 70
40030 Riola di Vergato (BO) ..45 Ma83
09070 Riola Sardo (OR) 108 Id109
26900 Riolo (LO) 21 Kd76
41013 Riolo (MO) 38 Ma81
48025 Riolo Terme (RA) 46 Me83
41020 Riolunato (MO) 45 Ld83
19017 Riomaggiore (SP) 44 Ke84
57038 Rio Marina (LI) 54 Lc92
Riomolino = Muhlbach (BZ)
.........3 Ma 68
Riomolino = Muhlbach (BZ)
.........4 Mf 67
09010 Riomurtas (CA) 111 Ie113
57039 Rio nell'Elba (LI) 54 Lc92
85028 Rionero in Vulture (PZ) ..72 Qe103
86087 Rionero Sannitico (IS) ..63 Pe98
80049 Rione Trieste (NA) 76 Pc103
42010 Rio Saliceto (RE) 37 Le80
57020 Riotorto (LI) 54 Le91
67020 Ripa (AQ) 63 Od95
86040 Ripabottoni (CB) 64 Pe98
85020 Ripacandida (PZ) 72 Qe103
27040 Ripaldina (PV) 35 Kc78
86025 Ripalimosani (CB) 64 Pd99
60011 Ripalta (AN) 52 Nf87
Ripalta (FG) 65 Qb97
26010 Ripalta Arpina (CR) 22 Ke77
26010 Ripalta Cremasca (CR) ..22 Kd77
26010 Ripalta Guerina (CR) 22 Ke77
26010 Ripalta Nova (CR) 22 Ke77
05010 Ripalvella (TR) 56 Nb91
56046 Riparbella (PI) 49 Ld88
66010 Ripa Teatina (CH) 59 Pb94
63038 Ripatransone (AP) 58 Oe90
60010 Ripe (AN) 52 Oa86
62020 Ripe San Ginesio (MC) ..53 Oc90
03027 Ripi (FR) 69 Oc99
56023 Ripoli (PI) 49 Lc86
95018 Riposto (CT) 94 Qb122
33050 Risano (UD) 16 Ob73
Riscone = Reischach (BZ) 4 Mf 68
58010 Rispescia (GR) 55 Ma92
12010 Rittana (CN) 40 Hc82
39054 Ritten = Renon (BZ) ....4 Mc 69
25050 Riva (BS) 22 La75
18011 Riva (IM) 41 Hf85
18010 Riva (IM) 41 Ia85
29020 Riva (PC) 35 Kd79
10064 Riva (TO) 32 Hc79
40069 Rivabella (BO) 38 Mb82
40051 Rivabella (BO) 38 Mc81
47900 Rivabella (RN) 48 Nd84
74010 Riva dei Tessali (TA) ..80 Rf106
38066 Riva del Garda (TN) 13 Lf73
22020 Riva di Faggeto (CO) ..11 Ka73
24060 Riva di Solto (BG) 22 La74
Riva di Túres = Rein-Taufers (BZ)
.........5 Na 67
15040 Rivalba (AL) 34 Id78
10090 Rivalba (TO) 33 Hf78
18015 Riva Lígure (IM) 41 Hf85
15010 Rivalta Bormida (AL) ..34 Id80
10040 Rivalta di Torino (TO) ..33 Hd78
46040 Rivalta sul Mincio (MN) ..23 Le77
32020 Rivamonte Agordino (BL) ..15 Na71
27055 Rivanazzano (PV) 35 Ka79
10020 Riva presso Chieri (TO) ..33 Hf79
41038 Rivara (MO) 38 Ma79
10080 Rivara (TO) 19 Hd76
10086 Rivarolo Canavese (TO) ..19 He77
26036 Rivarolo del Re ed Uniti (CR)
.........37 Lc78

16159 Rivarolo Ligure (GE) ..42 If82
46017 Rivarolo Mantovano (MN) 37 Lc78
15040 Rivarone (AL) 34 Ie79
10040 Rivarossa (TO) 19 He77
33050 Rivarotta (UD) 16 Oa74
36055 Rivarotta (VI) 24 Me74
13020 Riva Valdóbbia (VC) ..9 Hf 73
Riva Verde (RA) 39 Nb82
47831 Rivazzurra (RN) 48 Nd84
13030 Rive (VC) 20 Ic77
33030 Rive d'Arcano (UD) 16 Oa72
85040 Rivello (PZ) 83 Qe108
10040 Rivera (TO) 32 Hc78
29029 Rivergaro (PC) 35 Kd79
11020 Rives (AO) 18 Hc74
33050 Rivignano (UD) 16 Oa73
33039 Rivis (UD) 16 Nf72
67036 Rivisondoli (AQ) 63 Pa97
05100 Rivo (TR) 57 Nd93
33026 Rivo (UD) ....6 Nf 69
02010 Rivodutri (RI) 57 Nf93
10098 Rivoli (TO) 33 Hd78
37010 Rivoli Veronese (VR) ..23 Le75
26027 Rivolta d'Adda (CR) ..21 Kd76
25015 Rivoltella (BS) 23 Ld76
27030 Rivoltella (PV) 20 Id77
33033 Rivolto (UD) 16 Oa73
31050 Rizzardina (TV) 25 Na74
89016 Rizziconi (RC) 88 Qf118
32042 Rizzios (BL) ....5 Nc 70
29019 Rizzolo (PC) 36 Ke79
33010 Rizzolo (UD) 16 Ob72
89168 Rizzotti (ME) 88 Qd119
87050 Rizzuti (CS) 86 Rc114
87040 Rizzuto (CS) 86 Ra113
25012 Ro (BS) 22 Lc76
44030 Ro (FE) 38 Me79
36010 Roana (VI) 14 Mc73
12010 Roaschia (CN) 40 Hc83
12073 Roascio (CN) 41 Ia82
13060 Roasio (VC) 20 Ib75
12044 Roata Chiusani (CN) ..41 Hd82
12080 Roatta (CN) 41 Hf82
14018 Roatto (AT) 33 Ia79
10070 Robassomero (TO) 19 Hd77
23899 Robbiate (LC) 21 Kc74
27038 Robbio (PV) 20 Id77
20020 Robecchetto con Induno (MI)
.........20 Ie75
26010 Robecco d'Oglio (CR) ..22 La77
27042 Robecco Pavese (PV) ..35 Ka78
20087 Robecco sul Naviglio (MI) ..20 If76
14020 Robella (AT) 33 Ia78
13039 Robella (VC) 20 Ib77
12017 Robilante (CN) 41 Hd83
15010 Roboaro (AL) 34 Ic81
12080 Roburent (CN) 41 Hf83
73026 Roca Vecchia (LE) 82 Tc107
15100 Rocca (AL) 34 Id79
32030 Rocca (BL) 14 Me73
Rocca (CT) 94 Pf122
43038 Rocca (PR) 36 Lb80
83016 Roccabascerana (AV) ..71 Pe102
88835 Roccabernarda (KR) ..87 Rf114
43010 Roccabianca (PR) 36 Lb78
12020 Roccabruna (CN) 32 Hb82
10070 Rocca Canavese (TO) ..19 Hd77
00020 Rocca Canterano (RM) ..62 Oa97
67030 Roccacasale (AQ) 63 Of96
12060 Rocca Ciglie (CN) 41 Hf82
84050 Rocca Cilento (SA) 77 Qa107
67031 Roccacinquemiglia (AQ) ..63 Pa98
14030 Rocca d'Arazzo (AT) ..34 Ib79
03030 Rocca d'Arce (FR) 69 Od99
84069 Roccadaspide (SA) 77 Qb106
12047 Rocca de'Baldi (CN) ..41 He82
27040 Rocca de'Giorgi (PV) ..35 Kb79
81040 Rocca d'Evandro (CE) ..70 Of100
67066 Rocca di Botte (AQ) ..62 Oa96
67047 Rocca di Cámbio (AQ) ..62 Oc95
00030 Rocca di Cave (RM) 62 Nf97
67048 Rocca di Mezzo (AQ) ..62 Od95
88821 Rocca di Neto (KR) 87 Rf113
00040 Rocca di Papa (RM) 61 Ne98
53023 Rocca d'Orcia (SI) 55 Md90
65017 Roccafinadamo (PE) ..58 Oe94
98030 Roccafiorita (ME) 94 Qb121
63049 Roccafluvione (AP) 58 Oc91
89060 Roccaforte del Greco (RC)
.........95 Qf120
15060 Roccaforte Ligure (AL) ..35 Ka80
12088 Roccaforte Mondovì (CN) 41 He83
74020 Roccaforzata (TA) 81 Sc106
25030 Roccafranca (BS) 22 Kf76
00020 Roccagiovine (RM) 62 Nf96
84060 Roccagloriosa (SA) 83 Qc108
04010 Roccagorga (LT) 69 Oa99

15078 Rocca Grimalda (AL) ..34 Id80
03037 Roccaguglielma (FR) ..69 Oe100
87074 Rocca Imperiale (CS) ..80 Rd108
87074 Rocca Imperiale Marina (CS)
.........80 Rd108
58053 Roccalbegna (GR) 55 Md92
96010 Roccalta (SR) 99 Pf126
98027 Roccalumera (ME) 94 Qc121
86092 Roccamandolfi (IS) 70 Pc100
04010 Rocca Massima (LT) ..62 Nf98
90040 Roccamena (PA) 91 Oa121
81035 Roccamonfina (CE) 70 Of101
66010 Roccamontepiano (CH) ..63 Pa95
65020 Roccamorice (PE) 63 Pa95
85036 Roccanova (PZ) 79 Rb107
02040 Roccantica (RI) 61 Ne95
90020 Roccapalumba (PA) 92 Od122
67030 Rocca Pia (AQ) 63 Of97
84013 Roccapiemonte (SA) ..77 Pe104
32020 Rocca Pietore (BL) 15 Mf70
13010 Roccapietra (VC) 20 Ib74
00040 Rocca Priora (AN) 53 Oc87
00040 Rocca Priora (RM) 61 Ne98
80030 Roccarainola (NA) 71 Pd103
67037 Roccaraso (AQ) 63 Pa97
81051 Roccaromana (CE) 70 Pb101
02011 Roccasalli (RI) 58 Ob93
47017 Rocca San Casciano (FC) ..47 Mf84
83050 Rocca San Felice (AV) ..72 Qa103
66020 Rocca San Giovanni (CH) ..64 Pc95
64010 Rocca Santa Maria (TE) ..58 Oc92
00030 Rocca Santo Stefano (RM)
.........62 Oa97
66040 Roccascalegna (CH) ..64 Pb96
03038 Roccasecca (FR) 69 Oe99
04010 Roccasecca dei Volsci (LT)
.........69 Ob100
86080 Roccasicura (IS) 64 Pb98
02026 Rocca Sinibalda (RI) ..62 Nf95
12010 Roccasparvera (CN) ..40 Hc82
66050 Roccaspinalveti (CH) ..64 Pc97
58036 Roccastrada (GR) 55 Mb90
27052 Rocca Susella (PV) 35 Ka79
16040 Roccatagliata (GE) 35 Kb82
58028 Roccaderighi (GR) 55 Ma90
98040 Roccavaldina (ME) 88 Qc119
14050 Roccaverano (AT) 34 Ib81
17017 Roccavignale (SV) 41 Ib82
12018 Roccavione (CN) 41 Hc83
86020 Roccavivara (CB) 64 Pd98
67050 Roccavivi (AQ) 63 Od98
Roccazzello (TP) 90 Nd122
89047 Roccella Ionica (RC) ..89 Rc119
98030 Roccella Valdemone (ME)
.........94 Pf121
88021 Roccelletta (CZ) 86 Rd116
15027 Rocchetta (AL) 34 Ib78
Rocchetta (TP) 91 Ne122
86070 Rocchetta a Volturno (IS) 63 Pa99
12050 Rocchetta Belbo (CN) ..33 Ib81
17010 Rocchetta Cairo (SV) ..42 Ib82
19020 Rocchetta di Vara (SP) ..44 Ke83
81042 Rocchetta e Croce (CE) ..70 Pa101
15060 Rocchetta Ligure (AL) ..35 Ka80
18030 Rocchetta Nervina (IM) ..41 Hd85
86070 Rocchetta Nuova (IS) ..63 Pa99
14042 Rocchetta Palafea (AT) ..34 Ic80
71020 Rocchetta Sant'Antonio (FG)
.........72 Qc102
14030 Rocchetta Tanaro (AT) ..34 Ic79
58055 Rocchette (GR) 55 Md92
36013 Rocchette, Piovene- (VI) ..24 Mc74
87036 Rocchi (CS) 86 Rb112
Roccolino Soprano (TP) ..91 Ne122
10014 Rodallo (TO) 19 Hf77
20090 Rodano (MI) 21 Kc76
12060 Roddi (CN) 33 Hf80
12050 Roddino (CN) 33 Ia81
33030 Rodeano (UD) 16 Oa72
12050 Rodello (CN) 33 Ia81
39037 Rodeneck = Rodengo (BZ)
.........4 Me 68
25050 Rodengo (BS) 22 La75
39037 Rodengo = Rodeneck (BZ)
.........4 Me 68
25050 Rodengo-Saiano (BS) ..22 La75
22070 Rodero (CO) 21 If74
71012 Rodi Garganico (FG) ..66 Qf97
46040 Rodigo (MN) 23 Ld77
98059 Rodi-Milici (ME) 94 Qa120
84066 Rodio (SA) 83 Qb108
25077 Roe-Volciano (BS) 23 Lc75
84070 Rofrano (SA) 78 Qc107
23849 Rogeno (LC) 21 Ka76
87017 Roggiano Gravina (CS) ..84 Ra111
89060 Roghudi (RC) 95 Qf120
87054 Rogliano (CS) 86 Rb113

27010 Rognano (PV) 21 Ka77
24060 Rogno (BG) 12 La73
23010 Rogolo (SO) 11 Kc72
39020 Roia = Rojen (BZ) ....2 Lc 68
00030 Roiate (RM) 62 Oa97
66040 Roio del Sangro (CH) ..64 Pc97
11010 Roisan (AO) 18 Hb74
10060 Roletto (TO) 32 Hc79
13836 Rolino (BI) 20 Ib75
10054 Rollieres (TO) 32 Gf79
15027 Rollini (AL) 34 Ic78
42047 Rolo (RE) 37 Lf79
00100* Roma (RM) 61 Nc97
Roma (RM) 61 Nd97
38100 Romagnano (TN) 13 Ma72
Romagnano (VR) 23 Ma75
84020 Romagnano al Monte (SA)
.........78 Qc105
28078 Romagnano Sesia (NO) ..20 Ic75
27050 Romagnese (PV) 35 Kb79
Romagnolo (PA) 91 Oc120
38028 Romallo (TN) 13 Ma70
07010 Romana (SS) 105 Id106
26014 Romanengo (CR) 22 Ke76
20094 Romano Banco (MI) ..21 Ka76
22044 Romano Brianza (CO) ..21 Kb74
10090 Romano Canavese (TO) ..19 Hf76
36060 Romano d'Ezzelino (VI) ..14 Me74
24058 Romano di Lombardia (BG)
.........22 Ke75
46030 Romanore (MN) 37 Le78
34033 Romans (UD) 16 Oa73
34076 Romans d'Isonzo (GO) ..17 Oc73
30020 Romanziol (VE) 25 Nd74
89841 Rombiolo (VV) 88 Qf117
38010 Romeno (TN) 13 Ma70
28068 Romentino (NO) 20 Ie76
98043 Rometta (ME) 88 Qc119
54013 Rometta (MS) 44 La83
98043 Rometta Marea (ME) ..88 Qc119
50028 Romita (FI) 50 Mb87
19032 Romito (SP) 44 Kf84
50026 Romola (FI) 50 Ma86
22027 Ronago (CO) 21 If73
37030 Ronca (VR) 24 Mb76
Roncaccio = Rungatsch (BZ)
.........4 Mf 68
31056 Roncade (TV) 25 Nc75
25030 Roncadelle (BS) 22 La75
31024 Roncadelle (TV) 25 Nc74
26041 Roncadello (CR) 37 Lc79
29100 Roncaglia (PC) 36 Ke78
35020 Roncaglia (PD) 25 Mf76
35020 Roncaiette (PD) 25 Mf76
48010 Roncalceci (RA) 47 Na82
37060 Roncanova (VR) 38 Ma78
27010 Roncaro (PV) 21 Kb77
29012 Roncarolo (PC) 36 Kf78
38050 Roncegno (TN) 14 Mc72
38050 Roncegno Terme (TN) ..14 Mc72
20040 Roncello (MI) 21 Kc75
26020 Ronche (CR) 22 Kf76
40014 Ronchi (BO) 38 Ma80
38035 Ronchi (TN) 14 Me70
34077 Ronchi dei Legionari (GO)
.........17 Oc74
33040 Ronchis (UD) 16 Ob72
33050 Ronchis (UD) 16 Nf74
38050 Ronchi Valsugana (TN) ..14 Mc72
01037 Ronciglione (VT) 61 Nb95
60019 Roncitelli (AN) 52 Oa86
13853 Ronco (BI) 20 Ib75
25064 Ronco (BS) 22 La75
25040 Ronco (BS) 12 Lb71
25080 Ronco (BS) 22 Lc75
47100 Ronco (FC) 47 Na83
29013 Ronco (PC) 36 Ke79
37055 Ronco all'Adige (VR) ..24 Mb76
24010 Roncobello (BG) 12 Ke73
13845 Ronco Biellese (BI) 19 Ia75
40035 Roncobilaccio (BO) 46 Mb84
20050 Ronco Briantino (MB) ..21 Kc75
43010 Ronco Campo Canneto (PR)
.........36 Lb79
10080 Ronco Canavese (TO) ..19 Hd75
46037 Roncoferraro (MN) 37 Lf78
47020 Roncofreddo (FC) 47 Nb84
24030 Roncola (BG) 21 Kd74
37060 Roncoleva (VR) 23 Lf77
43010 Roncole Verdi (PR) ..36 La79
38087 Roncone (TN) 13 Ld73
16019 Ronco Scrivia (GE) 35 If81
16025 Rondanina (GE) 35 Kb81
58022 Rondelli (GR) 54 Le91
10030 Rondissone (TO) 19 Hf77
81037 Rongolise (CE) 70 Of101
13036 Ronsecco (VC) 20 Ib77

38062 Ronzo (TN) 1
38060 Ronzo-Chienis (TN) ..1
38010 Ronzone (TN) 14
33024 Roppa (UD) 5
13883 Roppolo (BI) 1
10060 Rora (TO) 32
12020 Rore (CN) 32
12062 Roreto (CN) 33
36027 Rosa (VI) 24
89100 Rosali (RC) ....88 C
72017 Rosa Marina (BR) ..75 3
15060 Rosano (AL) 25
45010 Rosapineta (RO) 25
63100 Rosara (AP) 58
35020 Rosara (PD) 25
Rosario Valle ....95 *
89025 Rosarno (RC) 88
27030 Rosasco (PV) 2
20088 Rosate (MI) 21
13815 Rosazza (BI) 1
65020 Rosciano (PE) 5
84020 Roscigno (SA) 78
84070 Roscigno-Nuovo (SA) ..78
84070 Roscigno-Vécchio (SA) ..7
67062 Rosciolo dei Marsi (AQ) ..62
87040 Rose (CS) 84
37060 Rosegaferro (VR) 2
66040 Rosello (CH) 6
87070 Roseto Capo Spulico (CS)
.........84
64026 Roseto degli Abruzzi (TE) ..5
71039 Roseto Valfortore (FG) ..71
53010 Rosia (SI) 50
57016 Rosignano Marittimo (LI) ..4
15030 Rosignano Monferrato (AL)
57016 Rosignano Solvay (LI) ..4
88841 Rosito (KR) 87
45010 Rosolina (RO) 3*
96019 Rosolini (SR) 100
10080 Rosone (TO) 1
60030 Rosora (AN) 5
25034 Rossa (BS) 1
13020 Rossa (VC) 1
12020 Rossana (CN) 3
87067 Rossano (CS) 85
54029 Rossano (MS) 1
87068 Rossano Stazione (CS) ..85
36028 Rossano Veneto (VI) ..1
39030 Rossellina (RC) 89
48012 Rossetta (RA) 3
16010 Rossiglione (GE) ....
89023 Rosso (RC) 89
10090 Rosta (TO) 3
24037 Rota d'Imagna (BG) ..3
87010 Rota Greca (CS) 84
42014 Roteglia (RE) 3
63030 Rotella (AP) 5
86040 Rotello (CB) 6
85048 Rotonda (PZ) 84
75026 Rotondella (MT) 79
75026 Rotondella (MT) 79
83017 Rotondi (AV) 71
30020 Rotta (VE) 3
30010 Rottanova (VE) 2
29010 Rottofreno (PC) 3
36010 Rotzo (VI) 1
10060 Roure (TO) 3
23888 Rovagnate (LC) 3
31048 Rovare (PT) 1
13040 Rovasenda (VC) 3
21040 Rovate (VA) 2
25038 Rovato (BS) 3
16028 Rovegno (GE) 3
28804 Rovegro (VB) 3
29029 Roveleto Landi (PC) ..3
87040 Rovella (CS) 8
22069 Rovellasca (CO) 3
22070 Rovello Porro (CO) ..3
16010 Roveraza (GE) 3
31013 Roverbasso (TV) 3
46048 Roverbella (MN) 3
37060 Roverchiara (VR) 3
37050 Roverchiaretta (VR) ..3
45010 Roverdicre (RO) 3
67048 Róvere (AQ) 3
38030 Roverè della Luna (TN) ..3
33030 Roveredo (UD) 3
37040 Roveredo di Gua (VR) ..3
33080 Roveredo in Piano (PN) ..3
26010 Rovereto (BO) 3
44020 Rovereto (FE) 3
38068 Rovereto (TN) 3
37028 Rovere Veronese (VR) ..3
27040 Rovescala (PV) 3
24060 Rovetta (BG) 3
00027 Roviano (RM) ....

Roviasca (SV) 42 Ic83
Rovigo (RO) 38 Me78
Rovito (CS) 86 Rb113
Rovizza (BS) 23 Ld76
Rovolon (PD) 24 Md76
Rozzano (MI) 21 Ka76
Ruata (TO) 32 Hb79
Rubano (PD) 24 Me76
Rubbianello (AP) 53 Oe90
Rubbiano (CR) 22 Kd77
Rubbiano, Credera- (CR) 22 Kd77
Rubbio (VI) 14 Md74
Rubiana (TO) 32 Hc78
Rubiera (RE) 37 Le81
Rubino (ME) 94 Qa120
Rubizzano (BO) 38 Mc80
Rucce (AN) 52 Ne88
Ruda (UD) 17 Oc73
Ruderi di Gibellina (TP) 91 Nf122
Ruderi di Poggioreale (TP) 91 Oa122
Ruderi di Salaparuta (TP) 91 Nf122
Rudiano (BS) 22 Kf76
Rueglio (TO) 19 He76
Ruffano (LE) 82 Tb109
Ruffia (CN) 33 Hd80
Ruffio (FC) 47 Nb84
Ruffré-Mendola (TN) 14 Ma70
Rufina (FI) 46 Mc86
Ruinas (OR) 109 If109
Ruino (PV) 35 Kb79
Rumianca (VB) 10 Ib73
Rumo (TN) 13 Lf70
Runci (RC) 88 Qe119
Ruota (LU) 45 Ld86
Ruoti (PZ) 78 Qe104
Rupingrande (TS) 27 Oe74
Rupinpiccolo (TS) 27 Oe74
Ruscello (AR) 50 Me88
Russi (RA) 47 Na82
Rustico (AN) 53 Oc87
Rutigliano (BA) 74 Sa102
Rutino (SA) 77 Qa107
Ruviano (CE) 70 Pc101
Ruviera (ME) 40 Ha83
Ruvo del Monte (PZ) 72 Qd103
Ruvo di Puglia (BA) 73 Rc102

S

Sabadi (CA) 113 Kc113
Sabaudia (LT) 68 Oa101
Sàbbia (VC) 10 Ib73
Sabbio Chiese (BS) 23 Lc75
Sabbionara (TN) 23 Lf74
Sabbioncello San Vittore (FE) 39 Me79
Sabbioneta (MN) 37 Lc79
Sabbioni (VI) 24 Mc77
Sabbio Sopra (BS) 23 Lc74
sa Castanza (OT) 107 Kc104
Sacca (BS) 12 Lb73
Sacca (MN) 23 Ld77
Sacchello (PC) 35 Kd78
Sacco (SA) 78 Qc106
Sacco (TN) 13 Ma73
Sacco = Sack (BZ) 4 Md68
Saccolongo (PD) 24 Me76
Sacconago (VA) 20 If75
Sacile (PN) 15 Nc73
Saciletto (UD) 17 Oc73
Sacra (RM) 61 Nb98
Sacrofano (RM) 61 Nc96
Sacudello (PN) 16 Nf73
Sadali (NU) 109 Kb110
sa Duchessa (CI) 111 Id112
Sagama (OR) 108 Id107
Sagliano Micca (BI) 19 Ia75
Sagrado (GO) 17 Oc73
Sagron Mis (TN) 15 Mf71
Sagron-Mis (TN) 15 Mf71
sa Grux 'e Marmuri (CA) 112 Ka114
Saiano (FC) 22 La75
Saiano, Rodengo- (BS) 22 La75
Sailetto (MN) 37 Le78
Saint-Anselme, Challand- (AO) 19 He74
Saint-Christophe (AO) 18 Hc74
Saint-Denis (AO) 19 Hd74
Saint-Marcel (AO) 19 Hc74
Saint-Nicolas (AO) 18 Hb74
Saint-Oyen (AO) 8 Hb74
Saint-Pierre (AO) 18 Hb74

11010 Saint-Rhémy-en-Bosses (AO) 8 Hb73
11020 Saint-Victor, Challand- (AO) 19 He74
11027 Saint-Vincent (AO) 19 Hd74
27030 Sairano (PV) 35 Ka78
83028 Sala (AV) 77 Pf103
32100 Sala (BL) 15 Nb71
47042 Sala (FC) 47 Nc84
43010 Sala (PR) 36 Lb79
31036 Sala (TV) 25 Na74
43038 Sala Baganza (PR) 36 Lb80
13884 Sala Biellese (BI) 19 Hf75
40010 Sala Bolognese (BO) 38 Mb81
22010 Sala Comacina (CO) 11 Kb73
84036 Sala Consilina (SA) 78 Qd106
72015 Salamina (BR) 75 Sc104
15030 Sala Monferrato (AL) 34 Ic78
75017 Salandra (MT) 79 Rb105
91020 Salaparuta (TP) 91 Nf122
45030 Salara (RO) 38 Mc79
13040 Salasco (VC) 20 Ib77
10080 Salassa (VC) 19 He76
10050 Salbertrand (TO) 32 Gf78
35124 Salboro (PD) 25 Mf76
32100 Salce (BL) 15 Nb72
36040 Salcedo (VI) 24 Md74
86026 Salcito (CB) 64 Pd98
08020 Salcra (NU) 107 Kc105
15045 Sale (AL) 34 Ie79
12070 Sale delle Langhe (CN) 41 Ia82
88060 Salella (CZ) 89 Rc117
25057 Sale Marasino (BS) 22 La74
91018 Salemi (TP) 91 Ne121
84070 Salento (SA) 77 Qb107
10010 Salerano Canavese (TO) 19 Hf76
26857 Salerano sul Lambro (LO) 21 Kc77
14041 Salere (AT) 34 Ib80
84100* Salerno (SA) 77 Pe105
34010 Sales (TS) 17 Oe74
12070 Sale San Giovanni (CN) 41 Ia82
13033 Saletta (VC) 20 Ic77
Saletto (BZ) 4 Md67
35046 Saletto (PD) 24 Md77
35046 Saletto (PD) 25 Mf76
31030 Saletto di Piave (TV) 25 Nc74
31040 Salgareda (TV) 25 Nc74
88900 Salica (KR) 87 Sa114
87033 Salice (CS) 86 Ra113
98100 Salice (ME) 88 Qc119
89100 Salice Calabro (RC) 88 Qd119
73015 Salice Salentino (LE) 82 Sf106
27056 Salice Terme (PV) 35 Ka79
12079 Saliceto (CN) 41 Ia82
29010 Saliceto (PC) 36 Kf79
Saliceto Panaro (MO) 37 Lf81
98060 Salina (ME) 94 Pf120
98060 Salina (ME) 88 Pf117
91100 Salina Grande (TP) 90 Nc121
36025 Saline (VI) 24 Md77
56048 Saline di Volterra (PI) 49 Le88
Saline Ioniche (RC) 95 Qe121
33020 Salino (UD) 6 Oa69
02040 Salisano (RI) 61 Ne95
84096 Salitto (SA) 77 Qa104
13040 Sali Vercellese (VC) 20 Ic77
37056 Salizzole (VR) 23 Ma77
65020 Salle (PE) 63 Of95
11015 Salle, La (AO) 18 Ha74
12040 Salmour (CN) 33 He81
25087 Salo (BS) 23 Ld75
39010 Salonetto = Schlaneid (BZ) 3 Mb69
39040 Salorno = Salurn (BZ) 14 Mb71
10022 Salsasio (TO) 33 He79
43039 Salsomaggiore Terme (PR) 36 Kf80
33040 Salt (UD) 16 Ob72
61030 Saltara (PU) 48 Nf86
38010 Salter (TN) 13 Ma70
13027 Salterana (VC) 19 Ia74
50066 Saltino (FI) 50 Md86
10082 Salto (VE) 19 Hd76
31052 Saltore (TV) 25 Nb74
21050 Saltrio (VA) 11 If73
39010 Saltusio = Saltaus (BZ) 3 Mb68
47835 Saludecio (RN) 48 Nd85
13040 Saluggia (VC) 19 Ia77
13885 Salussola (BI) 19 Ia76
12037 Saluzzo (CN) 33 Hd81
Salva Candida (RM) 61 Nc97
31033 Salvarosa (TV) 25 Mf74
98168 Salvatore dei Greci (ME) 88 Qd119
31033 Salvatronda (TV) 25 Mf74
73050 Salve (LE) 83 Tb109

89048 Salvi (RC) 89 Rb119
Salviano 49 Lc87
26010 Salvirola (CR) 22 Ke76
84020 Salvitelle (SA) 78 Qc105
10060 Salza di Pinerolo (TO) 32 Ha79
83050 Salza Irpina (AV) 71 Pf103
30030 Salzano (VE) 25 Na75
32030 Salzen (BL) 14 Me72
21017 Samarate (VA) 20 Ie75
09070 sa Marigosa (OR) 108 Ic108
09030 Samassi (MD) 112 If112
09020 Samatzai (CA) 112 Ka112
88048 Sambiase (CZ) 86 Rb115
43011 Samboseto (PR) 36 La79
50028 Sambuca (FI) 50 Mb87
92017 Sambuca di Sicilia (AG) 96 Oa122
51020 Sambuca Pistoiese (PT) 45 Ma84
66020 Sambuceto (CH) 59 Pb94
62010 Sambucheto (MC) 53 Oc88
00020 Sambuci (RM) 62 Nf97
12010 Sambuco (CN) 40 Ha82
31022 Sambughe (TV) 25 Nb75
33050 Sammardenchia (UD) 16 Ob73
70010 Sammichele di Bari (BA) 74 Rf103
89030 Samo (RC) 95 Ra120
23027 Samólaco (SO) 11 Kc71
38059 Samone (TN) 14 Md72
10010 Samone (TO) 19 Hf76
Samperone (PV) 21 Ka77
12020 Sampeyre (CN) 32 Hb81
97018 Sampieri (RG) 100 Pe128
Sampolo (PA) 91 Oc119
09086 Samugheo (OR) 109 If109
San Lorenzo Vecchio (SR) 100 Qa128
22010 San Abbóndio (CO) 11 Kb72
San Àngelo (RI) 57 Oa93
12040 San Antonio (CN) 19 Ia77
San Antonio (PA) 91 Oa120
38086 San Antonio di Mavignola (TN) 13 Le71
73030 Sanarica (LE) 82 Tc108
61030 San Bartolo (PU) 52 Nf86
14054 San Bartolomeo (AT) 33 Ia80
24017 San Bartolomeo (BG) 12 Ke73
12013 San Bartolomeo (CN) 41 Hd83
31030 San Bartolomeo (TV) 25 Nc74
18016 San Bartolomeo al Mare (IM) 41 Ia85
44040 San Bartolomeo in Bosco (FE) 38 Md80
82028 San Bartolomeo in Galdo (BN) 71 Qa100
22010 San Bartolomeo Val Cavargna (CO) 11 Ka72
28822 San Bartolomeo Valmara (VB) 10 Ie72
87010 San Basile (CS) 84 Ra110
74010 San Basilio (TA) 80 Rf104
09040 San Basilio (CA) 112 Kb111
26020 San Bassano (CR) 22 Ke77
45020 San Bellino (RO) 38 Md78
09016 San Benedetto (CI) 111 Id112
19020 San Benedetto (SP) 44 Ke84
San Benedetto = Nauders (BZ) 4 Me68
12050 San Benedetto Belbo (CN) 33 Ia82
67058 San Benedetto dei Marsi (AQ) 63 Od97
63039 San Benedetto del Tronto (AP) 58 Of91
47010 San Benedetto in Alpe (FC) 46 Me85
67020 San Benedetto in Perillis (AQ) 63 Oe95
46027 San Benedetto Po (MN) 37 Lf78
87040 San Benedetto Ullano (CS) 84 Ra112
40048 San Benedetto Val di Sambro (BO) 46 Mb83
10080 San Benigno Canavese (TO) 19 He77
48022 San Bernardino (RA) 39 Mf81
28804 San Bernardino Verbano (VB) 10 Id73
17100 San Bernardo (SV) 42 Ic82
38020 San Bernardo (TN) 13 Lf70
10022 San Bernardo (TO) 33 He79
San Biago (AV) 77 Pf103
25085 San Biagio (BS) 23 Lc75
98050 San Biagio (ME) 94 Qa120
41038 San Biagio (MO) 38 Ma79
27026 San Biagio (PV) 21 If77
85046 San Biagio (PZ) 83 Qe109
18036 San Biagio della Cima (IM) 41 Hd86

06055 San Biagio della Valle (PG) 56 Nb90
31048 San Biagio di Callalta (TV) 25 Nc74
92020 San Biagio Platani (AG) 97 Od123
03040 San Biágio Saracinisco (FR) 63 Of99
86020 San Biase (CB) 64 Pd98
84052 San Biase (SA) 78 Qb107
89041 San Blasio (RC) 89 Rc118
29110 San Bonico (PC) 36 Ke78
37047 San Bonifacio (VR) 24 Mb76
37030 San Bríccio (VR) 24 Ma76
66050 San Buono (CH) 64 Pd97
89842 San Calogero (VV) 89 Ra117
39038 San Candido = Innichen (BZ) 5 Nb68
34075 San Canzian d'Isonzo (GO) 17 Oc74
14011 San Carlo (AT) 34 Ic79
81037 San Carlo (CE) 70 Of101
22010 San Carlo (CO) 11 Kb72
47020 San Carlo (FC) 47 Nb84
44040 San Carlo (FE) 38 Mc80
57020 San Carlo (LI) 54 Ld90
San Carlo (PA) 96 Ob123
89030 San Carlo (RC) 95 Qf121
28879 San Carlo (VB) 9 Ia73
10070 San Carlo Canavese (TO) 19 Hd77
San Carlo d'Ascoli (FG) 72 Qe102
53040 San Casciano dei Bagni (SI) 56 Mf91
50026 San Casciano In Val di Pesa (FI) 50 Mb87
73020 San Cassiano (LE) 82 Tc108
39030 San Cassiano = Sankt Kassian (BZ) 4 Mf69
23028 San Cassiano Valchiavenna (SO) 11 Kc71
81037 San Castrese (CE) 70 Of101
93017 San Cataldo (CL) 97 Of123
73100 San Cataldo (LE) 82 Tb106
46031 San Cataldo (MN) 37 Le78
85051 San Cataldo (PZ) 78 Qe104
00030 San Cesareo (RM) 61 Ne98
84044 San Cesareo (SA) 77 Qa105
73016 San Cesario di Lecce (LE) 82 Ta107
41018 San Cesario sul Panaro (MO) 37 Ma81
12020 San Chiaffredo (CN) 33 Hd82
85010 San Chirico Nuovo (PZ) 79 Ra104
85030 San Chirico Raparo (PZ) 79 Ra107
90040 San Cipirello (PA) 91 Oa121
31056 San Cipriano (TV) 25 Nc75
39050 San Cipriano = Sankt Cyprian (BZ) 4 Md70
81036 San Cipriano d'Aversa (CE) 70 Pa102
84099 San Cipriano Picentino (SA) 77 Pf104
27043 San Cipriano Po (PV) 35 Kb78
81045 San Clemente (CE) 70 Of100
81023 San Clemente (CE) 70 Pc102
47832 San Clemente (RN) 48 Nd85
84013 San Clemente (SA) 77 Pe104
25060 San Colombano (BS) 22 Lc74
47014 San Colombano (FC) 47 Na84
50018 San Colombano (FI) 46 Ma86
16040 San Colombano (GE) 43 Kc82
27010 San Colombano Al Lambro (PV) 21 Kc77
10080 San Colombano Belmonte (TO) 19 Hd76
16040 San Colombano-Certénoli (GE) 43 Kc82
95040 San Cono (CT) 98 Pc125
98043 San Cono (ME) 88 Qc119
89816 San Cono (VV) 86 Qf116
San Cosmo (CT) 94 Qa123
87060 San Cosmo Albanese (CS) 84 Rc111
98060 San Costantino (ME) 94 Pf120
89817 San Costantino (VV) 86 Qf116
39050 San Costantino = Sankt Konstantin (BZ) 4 Md69
85030 San Costantino Albanese (PZ) 84 Rb108
89851 San Costantino Calabro 89 Ra117
61039 San Costanzo (PU) 48 Oa86
San Cristoforo (TN) 14 Mb72
15060 San Cristoforo (AL) 34 Ie80
San Cusumano (SR) 99 Qa125
39032 Sand in Taufers = Campo Tures (BZ) 4 Mf67
56045 San Dalmazio (PI) 49 Lf89

53035 San Dalmázio (SI) 50 Mb88
47025 San Damiano (FC) 47 Nb85
20047 San Damiano (MI) 21 Kb75
29019 San Damiano (PC) 36 Ke79
27040 San Damiano al Colle (PV) 35 Kc78
14015 San Damiano d'Asti (AT) 33 Ia79
12029 San Damiano Macra (CN) 32 Hb82
33038 San Daniele del Friuli (UD) 16 Oa72
26046 San Daniele Po (CR) 36 Lb78
87069 San Demetrio Corone (CS) 84 Rc111
67028 San Demétrio ne'Vestini (AQ) 63 Od95
14031 San Desiderio (AT) 34 Ib79
10050 San Didero (TO) 32 Hb78
13876 Sandigliano (BI) 19 Ia75
03036 San Doménico (FR) 63 Od98
72025 San Donaci (BR) 81 Sf106
30027 San Dona di Piave (VE) 25 Nd75
60044 San Donato (AN) 52 Nf88
32033 San Donato (BL) 14 Me72
81030 San Donato (CE) 70 Of101
50021 San Donato (FI) 50 Mb87
50066 San Donato (FI) 50 Md86
58015 San Donato (GR) 55 Mb93
55023 San Donato (LU) 45 Lc85
74100 San Donato (TA) 81 Sb106
73010 San Donato di Lecce (LE) 82 Tb107
87010 San Donato di Ninea (CS) 84 Ra110
20097 San Donato Milanese (MI) 21 Kb76
03046 San Donato Val di Comino (FR) 63 Of98
58015 San Donato Vecchio (GR) 55 Mb93
50013 San Donnino (FI) 46 Ma86
41100 San Donnino (MO) 37 Lf81
34018 San Dorligo della Valle (TS) 27 Of75
37014 Sandra (VR) 23 Le76
36066 Sandrigo (VI) 24 Md75
Sandulli (PC) 88 Qf118
02024 San Elpidio (RI) 62 Ob95
San Erasmo (PA) 91 Oc120
88841 San Fantino (KR) 87 Sa115
06061 Sanfatucchio (PG) 51 Na90
25070 San Faustino (BS) 22 Lc74
17031 San Fedele (SV) 41 Ib84
22028 San Fedele Intelvi (CO) 11 Ka73
85020 San Fele (PZ) 78 Qd104
83010 San Felice (AV) 71 Pe103
39010 San Felice = Sankt Felix (BZ) 3 Ma70
39010 San Felice, Senale- = Sankt Felix, Unsere liebe Frau im Walde- (BZ) 3 Ma69
81027 San Felice a Cancello (CE) 71 Pc102
24060 San Felice al Lago (BG) 22 Kf74
04017 San Felice Circeo (LT) 68 Oa101
25010 San Felice del Benaco (BS) 23 Ld75
86030 San Felice del Molise (CB) 64 Pe97
41038 San Felice sul Panaro (MO) 38 Ma79
06063 San Feliciano (PG) 51 Nb90
89026 San Ferdinando (RC) 88 Qf118
71046 San Ferdinando di Puglia (BT) 73 Ra101
32036 San Fermo (BL) 15 Na72
46040 San Fermo (MN) 23 Ld77
22020 San Fermo della Battaglia (CO) 21 Ka74
87037 San Fili (CS) 86 Ra113
87022 San Filippo (CS) 84 Qf111
50021 San Filippo (FI) 50 Mb87
89100 San Filippo (RC) 95 Qd120
98044 San Filippo del Mela (ME) 94 Qb119
San Filippo-Inferiore (ME) 88 Qc119
San Filippo-Superiore (ME) 88 Qc119
31020 San Fior (TV) 15 Nc73
26848 San Fiorano (LO) 36 Ke78
31020 San Fior di Sopra (TV) 15 Nc73
31020 San Fior di Sotto (TV) 15 Nc73
33072 San Floriano (PN) 16 Nf73
31020 San Floriano (TV) 25 Mf74
37020 San Floriano (VR) 23 Lf75
San Floriano = Obereggen (BZ) 14 Md70

34070 San Floriano del Collio (GO) 17 Od73
88021 San Floro (CZ) 86 Rc115
73026 San Foca (LE) 82 Tc107
33080 San Foca (PN) 16 Ne72
36030 San Fortunato (VI) 24 Md74
98060 San Francesco (ME) 94 Pf120
37028 San Francesco (VR) 23 Ma75
10070 San Francesco al Campo (TO) 19 Hd77
98075 San Fratello (ME) 93 Pd120
12040 Sanfre (CN) 33 He80
12030 Sanfront (CN) 32 Hb81
24010 San Gallo (BG) 12 Ke73
25082 San Gallo (BS) 22 Lb75
10090 Sangano (TO) 32 Hc78
27050 San Gaudenzio (PV) 35 Ka78
09037 San Gavino Monreale (MD) 112 Ie111
05029 San Gemini (TR) 57 Nd93
39050 San Genesio Atesino = Jenesien (BZ) ...... 4 Mb 69
27010 San Genésio ed Uniti (PV) 21 Kb77
55010 San Gennaro (LU) 45 Ld85
80040 San Gennaro Vesuviano (NA) 76 Pd103
13040 San Genuario (VC) 19 Ia77
15040 San Germano (AL) 34 Ic78
10065 San Germano Chisone (TO) 32 Hb79
36040 San Germano dei Berici (VI) 24 Mc76
13047 San Germano Vercellese (VC) 20 Ib76
25020 San Gervasio Bresciano (BS) 22 La77
13878 San Giacomo (BI) 19 Ia75
12080 San Giacomo (CN) 41 Hf83
87040 San Giacomo (CS) 84 Ra111
06048 San Giacomo (PG) 57 Ne92
27011 San Giacomo (PV) 35 Kb78
42016 San Giacomo (RE) 37 Ld79
64032 San Giacomo (TE) 59 Of93
66020 San Giacomo (CH) 64 Pd96
San Giacomo = Sankt Jakob (BZ) 14 Mb70
San Giacomo = Sankt Jakob (BZ) ...... 4 Me 69
39049 San Giacomo = Sankt Jakob in Pfitsch (BZ) ...... 4 Md 67
39030 San Giácomo = Sankt Jakob im Ahrntal (BZ) ...... 4 Mf 66
20080 San Giácomo, Zibido- (MI) 21 Ka76
87060 San Giacomo d'Acri (CS) 84 Rc111
12034 San Giacomo d'Agliasco (CN) 32 Hb80
86030 San Giacomo degli Schiavoni (CB) 65 Pf97
46020 San Giacomo delle Segnate (MN) 37 Ma79
87060 San Giacomo di Chiesa (CS) 85 Re111
23038 San Giacomo di Fraéle (SO) ...... 2 Lb 69
31020 San Giácomo di Véglia (TV) 15 Nb73
23020 San Giácomo Filippo (SO) 11 Kc70
41037 San Giacomo Roncole (MO) 37 Ma79
13030 San Giacomo Vercellese (VC) 20 Ic76
21038 Sangiano (VA) 10 Id73
10040 San Gillio (TO) 33 Hd78
53037 San Gimignano (SI) 49 Ma88
62026 San Ginesio (MC) 53 Ob90
87020 Sangineto (CS) 83 Qf111
87020 Sangineto Lido (CS) 83 Qf111
40050 San Giobbe (BO) 38 Mc81
15050 San Giorgio (AL) 35 Ka80
70045 San Giorgio (BA) 74 Rf102
94010 San Giorgio (EN) 93 Pc122
47023 San Giorgio (FC) 47 Nb83
San Giorgio (ME) 94 Qc120
San Giorgio (TP) 90 Nd122
33010 San Giorgio (UD) 16 Ob70
13060 San Giorgio (VC) 20 Ib75
98060 San Giórgio (ME) 94 Pf119
39031 San Giorgio = Sankt Georgen (BZ) ...... 4 Mf 68
80046 San Giorgio a Cremano (NA) 76 Pb103
87060 San Giorgio Albanese (CS) 84 Rc111

03047 San Giorgio a Liri (FR) 69 Oe100
30020 San Giorgio al Tagliamento (VE) 16 Nf74
10090 San Giorgio Canavese (TO) 19 He76
33095 San Giorgio della Richinvelda (PN) 16 Nf72
35010 San Giorgio delle Pertiche (PD) 25 Mf75
82018 San Giorgio del Sannio (BN) 71 Pf102
30020 San Giorgio di Livenza (VE) 26 Ne75
27020 San Giorgio di Lomellina (PV) 34 Ie77
46030 San Giórgio di Mántova (MN) 23 Le77
33058 San Giorgio di Nogaro (UD) 16 Ob73
61030 San Giorgio di Pesaro (PU) 52 Nf86
40016 San Giorgio di Piano (BO) 38 Mc81
35010 San Giorgio in Bosco (PD) 24 Me75
35014 San Giorgio in Brenta (PD) 24 Me75
37060 San Giorgio in Salici (VR) 23 Le76
74027 San Giorgio Ionico (TA) 81 Sc106
82020 San Giorgio La Molara (BN) 71 Pf101
75027 San Giorgio Lucano (MT) 79 Rc108
15020 San Giorgio Monferrato (AL) 34 Ic78
89017 San Giorgio Morgeto (RC) 89 Ra118
29019 San Giórgio Piacentino (PC) 36 Ke79
San Giorgio Pieve (RE) 37 Ld79
14059 San Giórgio Scarampi (AT) 34 Ib81
20010 San Giorgio su Legnano (MI) 21 If75
10050 San Giorio di Susa (TO) 32 Hb78
67012 San Giovanni (AQ) 58 Ob94
67067 San Giovanni (AQ) 62 Ob96
67028 San Giovanni (AQ) 63 Od95
82014 San Giovanni (BN) 71 Pe102
12062 San Giovanni (CN) 33 He81
22021 San Giovanni (CO) 11 Kb73
88050 San Giovanni (CZ) 86 Rd114
44020 San Giovanni (FE) 39 Na80
San Giovanni (ME) 94 Qb119
28047 San Giovanni (NO) 20 Id75
08020 San Giovanni (NU) 107 Ke105
90026 San Giovanni (PA) 92 Pa122
33070 San Giovanni (PN) 15 Nd72
33072 San Giovanni (PN) 16 Nf73
89050 San Giovanni (RC) 88 Qe119
84070 San Giovanni (SA) 77 Qa107
53019 San Giovanni (SI) 50 Mc88
07037 San Giovanni (SS) 105 Id104
10062 San Giovanni (TO) 32 Hb80
10010 San Giovanni (TO) 19 He76
89868 San Giovanni (VV) 88 Qf116
89852 San Giovanni (VV) 89 Ra117
39030 San Giovanni = Sankt Johann (BZ) ...... 4 Mf 67
56016 San Giovanni alla Vena (PI) 49 Ld86
33048 San Giovanni al Natisone (UD) 17 Oc73
84070 San Giovanni a Piro (SA) 83 Qc108
24015 San Giovanni Bianco (BG) 12 Kd73
53020 San Giovanni d'Asso (SI) 50 Md90
46020 San Giovanni del Dosso (MN) 37 Ma79
58010 San Giovanni delle Contee (GR) 55 Me92
33077 San Giovanni del Tempio (PN) 15 Nd73
34013 San Giovanni di Duino (TS) 17 Od74
89040 San Giovanni di Gerace (RC) 89 Rb118
San Giovanni di Galermo (CT) 99 Qa123
92020 San Giovanni Gémini (AG) 97 Od123
37035 San Giovanni Ilarione (VR) 24 Mb75
03028 San Giovanni Incárico (FR) 69 Od99
26037 San Giovanni in Croce (CR) 37 Lc78

87055 San Giovanni in Fiore (CS) 87 Re113
86010 San Giovanni in Galdo (CB) 64 Pe99
47842 San Giovanni in Marignano (RN) 48 Ne85
40017 San Giovanni in Persiceto (BO) 38 Mb81
40061 San Giovanni in Triario (BO) 38 Md81
95037 San Giovanni La Punta (CT) 99 Qa123
66050 San Giovanni Lipioni (CH) 64 Pd97
37057 San Giovanni Lupatoto (VR) 23 Ma76
San Giovanni Montebello (CT) 94 Qa122
02100 San Giovanni Reatino (RI) 57 Nf94
71013 San Giovanni Rotondo (FG) 66 Qe98
09010 San Giovanni Suergiu (CI) 111 Id114
66020 San Giovanni Teatino (CH) 59 Pb94
52027 San Giovanni Valdarno (AR) 50 Md87
02016 San Giovenale (RI) 57 Oa93
29010 San Giuliano (PC) 36 Kf78
San Giuliano (SR) 99 Qa125
30030 San Giuliano (VE) 25 Nb76
47900 San Giuliano a Mare (RN) 48 Nd84
86010 San Giuliano del Sánnio (CB) 71 Pd100
86040 San Giuliano di Puglia (CB) 65 Pf98
20098 San Giuliano Milanese (MI) 21 Kb76
15100 San Giuliano Nuovo (AL) 34 Ie79
56017 San Giuliano Terme (PI) 45 Lc86
25038 San Giuseppe (BS) 22 Kf75
44022 San Giuseppe (FE) 39 Nb80
53045 San Giuseppe (SI) 56 Mf90
13020 San Giuseppe (VC) ...... 9 Ia 73
San Giuseppe = Moos (BZ) ...... 5 Nc 68
13026 San Giuseppe, Rima- (VC) ...... 9 Ia 73
90048 San Giuseppe Jato (PA) 91 Oa120
80047 San Giuseppe Vesuviano (NA) 76 Pd103
06016 San Giustino (PG) 51 Nb87
52020 San Giustino Valdarno (AR) 50 Me87
53019 San Giusto alle Monache (SI) 50 Mc88
10090 San Giusto Canavese (TO) 19 He77
09072 San Givanni di Sinis (OR) 108 Ic109
50060 San Godenzo (FI) 46 Md85
San Gottardo (UD) 16 Ob72
26900 San Grato (LO) 21 Kc77
24034 San Gregorio (BG) 21 Kc74
09045 San Gregorio (CA) 112 Kc113
89068 San Gregorio (RC) 95 Qd120
37040 San Gregorio (VR) 24 Mb76
67020 San Gregório (AQ) 58 Oc95
22010 San Gregório (CO) 11 Kb72
00010 San Gregório da Sassola (RM) 62 Nf97
89853 San Gregorio d'Ippona (VV) 89 Ra117
84020 San Gregorio Magno (SA) 78 Qc105
81010 San Gregorio Matese (CE) 70 Pc100
32030 San Gregorio nelle Alpi (BL) 15 Na72
37058 Sanguinetto (VR) 24 Ma77
81030 San Ianni (CE) 70 Pa101
Sanico (BS) 23 Ld75
39047 Sankt Christina in Gröden = Santa Cristina Valgardena (BZ) ...... 4 Me 69
39049 Sankt Jakob in Pfitsch = San Giacomo (BZ) ...... 4 Md 67
39015 Sankt Leonhard in Passeier = San Leonardo in Passiria (BZ) ...... 3 Mb 68
39010 Sankt Martin in Passeier = San Martino in Passiria (BZ) ...... 3 Mb 68
39030 Sankt Martin in Thurn = San Martino in Badia (BZ) ...... 4 Mf 68
39010 Sankt Pankraz in Ulten = San Pancràzio (BZ) ...... 3 Ma 69
39010 Sankt Felix, Unsere liebe Frau im Walde- = San Felice, Senale- (BZ) ...... 3 Ma 69

Sankt Jakob = San Giácomo (BZ) 14 Mc70
Sankt Jakob im Ahrntal = San Giácomo (BZ) ...... 4 Mf 66
Sankt Johann (BZ) ...... 4 Mb 68
Sankt Katharina = Santa Caterina (BZ) ...... 3 Mb 69
39030 Sankt Lorenzen = San Lorenzo di Sebato (BZ) ...... 4 Mf 68
39046 Sankt Ulrich = Ortisei (BZ) ...... 4 Md 69
39030 Sankt Vigil = San Vigilio (BZ) ...... 4 Mf 68
Sankt Wendelin (BZ) ...... 3 Ld 68
26020 San Latino (CR) 22 Ke77
87013 San Lauro (CS) 84 Ra111
61034 San Lazzaro (PU) 52 Ne86
40068 San Lázzaro di Sávena (BO) 38 Mc82
61018 San Leo (PU) 47 Nc85
89100 San Leo (RC) 95 Qd120
52021 San Leolino (AR) 50 Md88
86035 San Leonardo (CB) 65 Pf98
27010 San Leonardo (PV) 35 Kb78
San Leonardo (TP) 90 Nc121
33040 San Leonardo (UD) 17 Od72
San Leonardo = Sankt Leonhard (BZ) ...... 4 Me 68
39036 San Leonardo = Sankt Leonhard (BZ) ...... 4 Mf 69
09075 San Leonardo de Siete Fuentes (OR) 108 Id107
88842 San Leonardo di Cutro (KR) 87 Rf115
39015 San Leonardo in Passiria = Sankt Leonhard in Passeier (BZ) ...... 3 Mb 68
33080 San Leonardo Valcellina (PN) 16 Ne72
92100 San Leone (AG) 97 Od125
82010 San Leucio del Sannio (BN) 71 Pe102
30020 San Liberale (VE) 25 Nc75
82030 San Lorenzello (BN) 71 Pd101
67017 San Lorenzo (AQ) 58 Ob94
24023 San Lorenzo (BG) 12 Kf73
58031 San Lorenzo (GR) 55 Md91
04021 San Lorenzo (LT) 70 Oe101
20015 San Lorenzo (MI) 21 If75
San Lorenzo (MO) 37 Lf81
08020 San Lorenzo (OT) 107 Ke104
29014 San Lorenzo (PC) 36 Kf79
33090 San Lorenzo (PN) 16 Ne73
48022 San Lorenzo (RA) 39 Mf82
89069 San Lorenzo (RC) 95 Qe120
84016 San Lorenzo (SA) 77 Pd104
07033 San Lorenzo (SS) 105 Id104
10046 San Lorenzo (TO) 33 Hf80
31029 San Lorenzo (TV) 15 Nb73
33039 San Lorenzo (UD) 16 Nf72
33044 San Lorenzo (UD) 17 Oc73
18017 San Lorenzo al Mare (IM) 41 Hf85
53015 San Lorenzo a Merse (SI) 50 Mb90
56026 San Lorenzo a Pagnatico (PI) 49 Lc86
87070 San Lorenzo Bellizzi (CS) 84 Rb109
16038 San Lorenzo della Costa (GE) 43 Kb82
87040 San Lorenzo del Vallo (CS) 84 Rb111
26038 San Lorenzo de'Picenardi (CR) 36 Lb78
39030 San Lorenzo di Sebato = Sankt Lorenzen (BZ) ...... 4 Mf 68
38078 San Lorenzo in Banale (TN) 13 Lf72
61047 San Lorenzo in Campo (PU) 52 Nf87
34070 San Lorenzo Isontino (GO) 17 Od73
82034 San Lorenzo Maggiore (BN) 71 Pd101
01020 San Lorenzo Nuovo (VT) 56 Mf92
81043 San Iorio (CE) 70 Pb102
06036 San Luca (PG) 57 Ne91
89030 San Luca (RC) 89 Ra120
87038 San Lucido (CS) 86 Ra113
82034 San Lupo (BN) 71 Pd101
09025 Sanluri (MD) 112 If111
21017 San Macario (VA) 20 Ie75
55100 San Macario in Piano (LU) 45 Lc85
84074 San Mango (SA) 77 Qa107
88040 San Mango d'Aquino (CZ) 86 Rb114

84090 San Mango Piemonte (SA) 7
83050 San Mango sul Calore (AV) 7
81030 San Marcellino (CE) 7C
60030 San Marcello (AN) 5
San Marcello (MC) 5
51028 San Marcello Pistoiese (PT)
67017 San Marco (AQ) 5
24019 San Marco (BG) 2
81057 San Marco (CE) 7C
81027 San Marco (CE) 7C
San Marco (CT) 94
35030 San Marco (PD) 5
06100 San Marco (PG) 5
84048 San Marco (SA) 7
84039 San Marco (SA) 78
07041 San Marco (SS) 10
San Marco (TP) 9C
31023 San Marco (TV) 5
33036 San Marco (UD) 1
13030 San Marco (VC) 5
89816 San Marco (VV) 8
87018 San Marco Argentano (CS) 84
98070 San Marco d'Alunzio (ME) 9
82029 San Marco dei Cavoti (BN) 7
81020 San Marco Evangelista (CE) 7C
71014 San Marco in Lamis (FG) 6
71030 San Marco la Catola (FG)
San Maria di Licodia (CT) 9
06070 San Mariano (PG) 5
60030 San Maria Nuova (AN) 5
22010 San Maria Rezzónico (CO) 1
41010 San Marino (MO)
47890 San Marino □ (RSM)
05010 San Marino (TR) 5
15030 San Martino (AL)
67026 San Martino (AQ)
82018 San Martino (BN) 7
40023 San Martino (BO)
25079 San Martino (BS)
26856 San Martino (LO)
98048 San Martino (ME) 88
28069 San Martino (NO)
27030 San Martino (PV)
89020 San Martino (RC) 8C
02020 San Martino (RI) 6
84096 San Martino (SA) 7
San Martino (SI) 5
23010 San Martino (SO)
17044 San Martino (SV)
33033 San Martino (UD)
San Martino = Sankt Martin
39030 San Martino = Sankt Martin
San Martino = Sankt Martin
01030 San Martino al Cimino (VT)
14010 San Martino Alfieri (AT)
33098 San Martino al Tagliamento
53013 San Martino al Vento (SI)
37036 San Martino Buon Albergo
10010 San Martino Canavese (TO)
85030 San Martino d'Agri (PZ) 7
46010 San Martino dall'Argine (MN)
32010 San Martino d'Alpago (BL)
San Martino del Battaglia (B)
26040 San Martino del Lago (CR)
33081 San Martino di Campagna (
38058 San Martino di Castrozza (T
87010 San Martino di Finita (CS) 8
35018 San Martino di Lupari (PD)
San Martino di Terzo (UD)
45030 San Martino di Venezze (RC

San Martino in Argine (BO) 38 Md81
San Martino in Badia = Sankt Martin in Thurn (BZ) 4 Mf 68
San Martino in Beliseto (CR) 22 Kf77
San Martino in Casies = Sankt Martin in Gsies (BZ) 5 Nb 68
San Martino in Passiria = Sankt Martin in Passeier (BZ) 3 Mb 68
San Martino in Pensilis (CB) 65 Qa97
San Martino in Rio (RE) 37 Le80
San Martino in Soverzano (BO) 38 Md81
San Martino in Strada (FC) 47 Na83
San Martino in Strada (LO) 21 Kd77
San Martino in Tremoleto (AR) 50 Me86
San Martino Sannita (BN) 71 Pe102
San Martino Siccomario (PV) 35 Ka78
San Martino Sopr'Arno (AR) 51 Mf87
San Martino Spino (MO) 38 Mb79
San Martino sul Fiora (GR) 55 Md92
San Martino sulla Marrucina (CH) 63 Pb95
San Martino Valle Caudina (AV) 71 Pd102
San Marzano di San Giuseppe (TA) 81 Sd106
San Marzano Oliveto (AT) 34 Ib80
San Marzano sul Sarno (SA) 77 Pd104
San Marzanotto (AT) 34 Ib79
San Massimo (GE) 43 Kb82
San Mássimo (CB) 70 Pc100
San Massimo all'Adige (VR) 23 Lf76
San Matteo (CN) 33 Hf80
San Matteo delle Chiaviche (MN) 37 Ld78
San Matteo della Decima (BO) 38 Mb80
San Mattia (SA) 77 Pf105
San Maurizio (VC) 20 Ib75
San Maurizio Canavese (TO) 19 Hd77
San Maurízio d'Opaglio (NO) 20 Ic74
San Mauro (FI) 46 Ma86
San Mauro (MC) 52 Oa89
San Mauro (SA) 77 Pd104
San Mauro (TE) 58 Oe92
San Mauro a Mare (FC) 47 Nc84
San Mauro Castelverde (PA) 92 Pa121
San Mauro Cilento (SA) 77 Qa107
San Mauro di Saline (VR) 23 Ma75
San Mauro Forte (MT) 79 Rb106
San Mauro la Bruca (SA) 83 Qb108
San Mauro Marchesato (KR) 87 Rf114
San Mauro Pascoli (FC) 47 Nc84
San Mauro Torinese (TO) 33 He78
San Menaio (FG) 66 Qf97
San Miceli (CS) 84 Ra112
San Michele (CZ) 86 Rc115
San Michele (LT) 68 Nf100
San Michele (PU) 52 Nf87
San Michele (RA) 47 Na82
San Michele (VE) 25 Nc76
San Michele, Dusino- (AT) 33 Hf79
San Michele = Sankt Michael i. E. (BZ) 14 Mb70
San Michele all'Adige (TN) 13 Ma71
San Michele al Tagliamento (VE) 26 Nf74
San Michele de'Gatti (PR) 36 Lb80
San Michele dei Mucchietti (MO) 37 Le81
San Michele delle Badesse (PD) 25 Mf75
San Michele di Ganzaria (CT) 98 Pc125
San Michele di Piave (TV) 15 Nc74
San Michele di Plaianu (SS) 105 Id104
83020 San Michele di Serino (AV) 71 Pf103
43030 San Michele di Tiorre (PR) 36 Lb80
San Michele Extra (VR) 23 Ma76
46010 San Michele in Bosco (MN) 37 Ld78
01020 San Michele in Teverina (VT) 56 Nb93
12080 San Michele Mondovì (CN) 41 Hf82
72018 San Michele Salentino (BR) 81 Sd105
56028 San Miniato (PI) 49 Lf86
56028 San Miniato Basso (PI) 49 Lf86
87060 San Morello (CS) 85 Rf112
54016 Sannaco (MS) 44 La83
84082 San Nazario (SA) 77 Pe104
84070 San Nazario (SA) 78 Qb108
36020 San Nazário (VI) 14 Me73
82018 San Nazzaro (BN) 71 Pf102
29010 San Nazzaro (PC) 36 Kf78
43018 San Nazzaro (PR) 36 Lb79
27039 Sannazzaro de'Burgondi (PV) 34 If78
28060 San Nazzaro Sesia (NO) 20 Ic76
22010 San Nazzaro Val Cavargna (CO) 11 Ka72
70028 Sannicandro di Bari (BA) 74 Re102
71015 Sannicandro Garganico (FG) 65 Qd97
71015 San Nicandro Gargànico (FG) 65 Qd97
67049 San Nicola (AQ) 62 Ob95
73017 Sannicola (LE) 82 Ta108
San Nicola (ME) 88 Qc119
89050 San Nicola (RC) 88 Qe119
89030 San Nicola (RC) 89 Ra119
89041 San Nicola (RC) 89 Rc118
84051 San Nicola (SA) 83 Qb108
87020 San Nicola Arcella (CS) 83 Qe109
83050 San Nicola Baronia (AV) 72 Qb102
89821 San Nicola da Crissa (VV) 89 Rb117
89844 San Nicola de Legistis (VV) 88 Qf117
88817 San Nicola dell'Alto (KR) 87 Rf113
90019 San Nicola l'Arena (PA) 92 Od120
81020 San Nicola la Strada (CE) 70 Pb102
82010 San Nicola Manfredi (BN) 71 Pe102
San Nicola Varano (FG) 66 Qe97
95022 San Nicolò (CT) 94 Qa123
44011 San Nicolò (FE) 38 Me80
29010 San Nicolò (PC) 35 Kd78
23030 San Nicolò (SO) 13 Lc70
89865 San Nicolò (VV) 88 Qe117
39016 San Nicolò = Sankt Nikolaus (BZ) 3 Lf 69
64020 San Nicolò a Tordino (TE) 58 Oe92
09097 San Nicolò d'Arcidano (OR) 108 Id110
39050 San Nicolòd'Ega = Sankt Nikolaus-Eggen (BZ) 14 Mc70
06053 San Nicolò di Celle (PG) 56 Nc90
32040 San Nicolò di Comelico (BL) 5 Nd 69
09040 San Nicolò Gerrei (CA) 112 Kb112
46031 San Nicolò Po (MN) 37 Le78
20080 San Novo (MI) 21 Ka76
38065 Sano (TN) 13 Lf73
25036 San Pancrazio (BS) 22 Kf75
50020 San Pancrazio (FI) 50 Ma87
48020 San Pancrazio (RA) 47 Na82
10044 San Pancrazio (TO) 33 Hd78
39010 San Pancrazio = Sankt Pankraz (BZ) 3 Ma 69
72026 San Pancrazio Salentino (BR) 81 Sf106
67020 San Pánfilo d'Ocre (AQ) 62 Oc95
07026 San Pantaleo (OT) 104 Kc102
07030 San Pantaleo (SS) 106 Ie104
89069 San Pantaleone (RC) 95 Qe120
San Paolo (ME) 94 Qb120
33075 San Paolo (PN) 16 Nf73
27030 San Paolo (PV) 20 Id77
74015 San Paolo (TA) 81 Sb105
25020 San Paolo (BS) 22 La76
85030 San Paolo Albanese (PZ) 84 Rc108
80030 San Paolo Bel Sito (NA) 71 Pd103
13812 San Paolo Cervo (BI) 19 Ia75
24060 San Paolo d'Argon (BG) 22 Ke74
71010 San Paolo di Civitate (FG) 65 Qb98
60038 San Paolo di Jesi (AN) 52 Ob88
San Paolo Monte = Sankt Pauls Berg (BZ) 14 Mb70
14010 San Paolo Solbrito (AT) 33 Hf79
14010 San Páolo-Solbrito (AT) 33 Hf79
07020 San Pasquale (OT) 104 Kb101
60027 San Paterniano (AN) 53 Oc87
67051 San Pelino (AQ) 62 Oc96
50033 San Pellegrino (FI) 46 Mc84
06023 San Pellegrino (PG) 52 Ne89
24016 San Pellegrino Terme (BG) 12 Kd73
37024 San Peretto (VR) 23 Lf75
89050 San Peri (RC) 88 Qe119
34070 San Pier d'Isonzo (GO) 17 Oc73
98045 San Pier Niceto (ME) 94 Qb120
San Piero a Ema (FI) 50 Mb86
50013 San Piero a Ponti (FI) 46 Ma86
50037 San Piero a Sieve (FI) 46 Mb85
47026 San Piero in Bagno (FC) 47 Mf85
57034 San Piero in Campo (LI) 54 Lb92
52010 San Piero in Frassino (AR) 50 Me86
98068 San Piero Patti (ME) 94 Pf120
60011 San Pietro (AN) 52 Nf87
83026 San Pietro (AV) 77 Pe104
25032 San Pietro (BS) 22 Kf75
San Pietro (BS) 23 Ld76
12040 San Pietro (CN) 33 Ia80
22018 San Pietro (CO) 11 Ka72
26030 San Pietro (CR) 36 La77
88841 San Pietro (KR) 87 Sa115
23817 San Pietro (LC) 11 Kc73
98057 San Pietro (ME) 94 Qb119
46041 San Pietro (MN) 23 Lc77
41030 San Pietro (MO) 37 Ma80
08020 San Pietro (NU) 107 Kd104
84010 San Pietro (SA) 76 Pd104
84013 San Pietro (SA) 77 Pe104
23027 San Pietro (SO) 11 Kc71
17051 San Pietro (SV) 41 Ia85
San Pietro (TV) 15 Na73
33030 San Pietro (UD) 16 Nf71
33033 San Pietro (UD) 16 Nf73
30010 San Pietro (VE) 25 Na76
San Pietro (VR) 24 Ma77
San Pietro (VR) 24 Mb77
San Pietro 88 Qa117
39040 San Pietro = Sankt Peter (BZ) 4 Md 69
39040 San Pietro = Sankt Peter (BZ) 4 Me 69
39030 San Pietro = Sankt Peter (BZ) 5 Na 66
33049 San Pietro al Natisone (UD) 17 Oc72
20010 San Pietro all' Olmo (MI) 21 Ka76
84030 San Pietro al Tanagro (SA) 78 Qc106
88025 San Pietro A Maida (CZ) 86 Rb115
88025 San Pietro a Maida Scalo (CZ) 86 Rb115
88040 San Pietro Apostolo (CZ) 86 Rc114
86088 San Pietro Avellana (IS) 63 Pb98
56033 San Pietro Belvedere (PI) 49 Le87
95030 San Pietro Clarenza (CT) 99 Pf123
32040 San Pietro di Cadore (BL) 5 Nd 69
89020 San Pietro di Carida (RC) 89 Ra117
31020 San Pietro di Feletto (TV) 15 Nb73
37050 San Pietro di Morubio (VR) 24 Mb77
24010 San Pietro d'Orzio (BG) 12 Ke73
87030 San Pietro in Amantea (CS) 86 Ra114
74024 San Pietro in Bevagna (TA) 81 Se107
48100 San Pietro in Campiano (RA) 47 Nb83
37029 San Pietro in Cariano (VR) 23 Lf75
40018 San Pietro in Casale (BO) 38 Mc80
29010 San Pietro in Cerro (PC) 36 Kf78
29010 San Pietro in Corte (PC) 36 Kf78
03037 San Pietro in Curolis (FR) 69 Oe100
81049 San Pietro Infine (CE) 70 Of100
35010 San Pietro in Gu (PD) 24 Md75
87047 San Pietro in Guarano (CS) 86 Rb112
73010 San Pietro in Lama (LE) 82 Ta107
86090 San Pietro in Valle (IS) 64 Pc99
48020 San Pietro in Vincoli (RA) 47 Na83
28060 San Pietro Mosezzo (NO) 20 Id76
36070 San Pietro Mussolino (VI) 24 Mb75
45030 San Pietro Polesine (RO) 38 Mb78
36010 San Pietro Valdastico (VI) 14 Mc73
10060 San Pietro Val Lemina (TO) 32 Hb79
72027 San Pietro Vernotico (BR) 82 Sf106
35020 San Pietro Viminario (PD) 24 Me77
67020 San Pio delle Cámere (AQ) 63 Od95
81016 San Polito Sannitico (CE) 70 Pc100
00010 San Polo dei Cavalieri (RM) 61 Nf97
00010 San Polo del Cavalieri (RM) 61 Nf96
42020 San Polo d'Enza (RE) 37 Lc81
31020 San Polo di Piave (TV) 15 Nc74
50020 San Polo in Chianti (FI) 50 Mc86
86020 San Polo Matese (CB) 70 Pc100
10080 San Ponso (TO) 19 He76
41039 San Possidonio (MO) 37 Lf79
48022 San Potito (RA) 47 Mf82
81016 San Potito Sannítico (CE) 70 Pc100
83050 San Potito Ultra (AV) 71 Pf103
81054 San Prisco (CE) 70 Pb102
89020 San Procopio (RC) 88 Qf119
41030 San Prospero (MO) 37 Ma80
29017 San Protaso (PC) 36 Kf79
58010 San Quirico (GR) 55 Me92
51017 San Quirico (PT) 45 Le85
53027 San Quirico d'Orcia (SI) 55 Md90
33080 San Quirino (PN) 16 Ne72
10090 San Raffaele (TO) 33 Hf78
10090 San Raffaele Cimena (TO) 33 Hf78
18038 San Remo (IM) 41 He86
89050 San Roberto (RC) 88 Qe119
15010 San Rocco (AL) 34 Id80
25018 San Rocco (BS) 23 Lc76
66010 San Rocco (CH) 59 Pb95
12046 San Rocco (CN) 33 Hf79
55064 San Rocco (LU) 45 Lc85
46026 San Rocco (MN) 37 Ma79
43011 San Rocco (PR) 36 Kf79
51036 San Rocco (PT) 45 Lf86
23030 San Rocco (SO) 2 La 69
23036 San Rocco (SO) 12 La71
28885 San Rocco (VB) 10 Ib72
37020 San Rocco (VR) 23 Lf75
26865 San Rocco al Porto (LO) 36 Ke78
53010 San Rocco a Pilli (SI) 50 Mb89
28866 San Rocco Cadarese (VB) 10 Ic71
56020 San Romano (PI) 49 Le86
55038 San Romano in Garfagnana (LU) 45 Lc84
60044 San Romualdo (AN) 52 Oa88
48100 San Romualdo (RA) 39 Nb82
64030 San Romualdo (TE) 59 Of93
San Ruffillo (BO) 38 Mc82
84030 San Rufo (SA) 78 Qc106
35040 San Salvaro (PD) 24 Mc77
26048 San Salvatore (CR) 36 Lb78
09072 San Salvatore (OR) 108 Ic109
29022 San Salvatore (PC) 35 Kc80
98070 San Salvatore di Fitalia (ME) 93 Pe120
15046 San Salvatore Monferrato (AL) 34 Id79
82030 San Salvatore Telesino (BN) 71 Pc101
66050 San Salvo (CH) 64 Pe96
29023 San Savino (PC) 35 Kd80
06063 San Savino (PG) 51 Nb90
48010 San Savino (RA) 39 Mf82
47040 San Savino (RN) 48 Nd85
53045 San Savino (SI) 56 Mf90
67050 San Sebastiano (AQ) 63 Oe97
80040 San Sebastiano al Vesuvio (NA) 76 Pc103
15056 San Sebastiano Curone (AL) 35 Ka80
10020 San Sebastiano da Po (TO) 33 Hf78
81052 San Secondino (CE) 70 Pb101
13885 San Secondo (BI) 19 Ia76
10060 San Secondo di Pinerolo (TO) 32 Hb79
43017 San Secondo Parmense (PR) 36 Lb79
52037 Sansepolcro (AR) 51 Na87
00058 San Severa (RM) 60 Mf96
85030 San Severino Lucano (PZ) 84 Ra108
62027 San Severino Marche (MC) 52 Ob89
71016 San Severo (FG) 65 Qc98
48010 San Severo (RA) 47 Mf82
39030 San Sigismondo = Sankt Sigmund (BZ) 4 Me 68
46010 San Silvestro (MN) 37 Le78
24010 San Simone (BG) 12 Ke72
09040 San Simone (CA) 109 Ka111
22010 San Siro (CO) 11 Kb72
20153 San Siro (MI) 21 Ka76
46027 San Siro (MN) 37 Lf78
35023 San Siro (PD) 25 Mf77
61026 San Sisto (PU) 51 Nc86
87030 San Sisto dei Valdesi (CS) 84 Ra112
San Sossio (AV) 77 Pf103
83050 San Sossio Baronia (AV) 72 Qb102
88060 San Sostene (CZ) 89 Rc117
87010 San Sosti (CS) 84 Ra111
09026 San Sperate (CA) 112 Ka112
89100 San Sperato (RC) 95 Qd120
San Stefano Medio (ME) 88 Qc120
05014 Santa Allerona (TR) 56 Na92
23019 Santa Apollonia (SO) 13 Lc71
93100 Santa Barbara (CL) 97 Pa123
87033 Santa Barbara (CS) 86 Ra113
Santa Barbara (ME) 94 Qa120
97017 Santa Barbara (RG) 100 Pc128
84052 Santa Barbara (SA) 78 Qb107
22010 Sant'Abbòndio (CO) 11 Kb72
50065 Santa Brigida (FI) 46 Mc85
24010 Santa Brígida (BG) 11 Kd73
52044 Santa Caterina (AR) 51 Mf89
Santa Caterina (BL) 5 Nc 69
58053 Santa Caterina (GR) 55 Mc92
73048 Santa Caterina (LE) 82 Sf108
41033 Santa Caterina (MO) 37 Lf79
Santa Caterina (UD) 6 Oc 69
36046 Santa Caterina (VI) 24 Md74
Santa Caterina = Katharinaberg (BZ) 3 Lf 68
Santa Caterina = Sankt Katharina (BZ) 3 Mb 69
87010 Santa Caterina Albanese (CS) 84 Ra111
88060 Santa Caterina dello Ionio (CZ) 89 Rc117
88060 Santa Caterina dello Ionio-Marina (CZ) 89 Rd117
09073 Santa Caterina di Pittinuri (OR) 108 Ic108
23030 Santa Caterina Valfurva (SO) 13 Lc70
93018 Santa Caterina Villarmosa (CL) 97 Pa123
73020 Santa Cesarea Terme (LE) 82 Tc108
09080 Santa Chiara (OR) 109 If108
Santa Chiara (TP) 96 Mf127
28021 Santa Cristina (NO) 20 Ic74
27057 Santa Cristina (PV) 35 Kb80
23036 Santa Cristina (SO) 12 La71
89056 Santa Cristina d'Aspromonte (RC) 88 Qf119
27010 Santa Cristina e Bissone (PV) 35 Kc78
90030 Santa Cristina Gela (PA) 91 Ob120
39047 Santa Cristina Valgardena = Sankt Christina in Gröden (BZ) 4 Me 69
24016 Santa Croce (BG) 12 Ke73
81030 Santa Croce (CE) 70 Of101
81050 Santa Croce (CE) 70 Pb101
23020 Santa Croce (SO) 11 Kc70
38071 Santa Croce (TN) 13 Le72
34011 Santa Croce (TS) 27 Oe74
97017 Santa Croce Camerina (RG) 100 Pc127
82020 Santa Croce del Sannio (BN) 71 Pe100
86047 Santa Croce di Magliano (CB) 65 Pf98
56029 Santa Croce sull'Arno (PI) 49 Le86
09010 Santadi (CI) 112 Ie114
09010 Santadi Basso (CI) 111 Ie114
89865 Santa Domenica (VV) 88 Qf116
87020 Santa Domenica Talao (CS) 83 Qf110
98030 Santa Domenica Vittoria (ME) 94 Pf121
92020 Santa Elisabetta (AG) 97 Od124
65100 Santa Filomena (PE) 59 Pb94
58037 Santa Fiora (GR) 55 Md91
52100 Santa Firmina (AR) 51 Mf88
90017 Santa Flavia (PA) 91 Od120
Santa Foca (SR) 99 Qa125
31056 Santa Fosca (TV) 25 Nc75

86070 Sant'Agápito (IS) 70 Pb99
52044 Sant'Agata (AR) 51 Mf89
83029 Sant'Agata (AV) ...77 Pe103
50038 Sant'Agata (FI) 46 Mc84
98166 Sant'Agata (ME) 88 Qd119
29010 Sant'Agata (PC) 36 La78
22010 Sant'Agata (CO) 11 Kc72
40019 Sant'Agata Bolognese (BO) 38 Ma81
82019 Sant'Ágata de' Goti (BN) 71 Pc102
89030 Sant'Agata del Bianco (RC) 89 Ra120
89030 Sant'Ágata del Bianco (RC) 95 Ra120
87010 Sant'Agata di Esaro (CS) 84 Qf111
98076 Sant'Agata di Militello (ME) 93 Pd120
71028 Sant'Agata di Puglia (FG) 72 Qc102
61019 Sant'Agata Feltria (PU) 47 Nb85
15050 Sant'Agata Fossili (AL) 35 If80
Sant'Ágata li Batt (CT) .99 Qa123
95030 Sant'Ágata li Battiati (CT) 99 Qa123
80061 Sant'Agata sui Due Golfi (NA) 76 Pc105
48020 Sant'Agata sul Santerno (RA) 39 Mf82
Santa Geltrude = Sankt Gertraud (BZ) ....3 Ld 69
39016 Santa Gertrude = Sankt Gertraud (BZ) ....3 Lf 70
Santa Giorgia (RC) 88 Qf119
27046 Santa Giulietta (PV) 35 Kb78
45018 Santa Giulia (RO) 39 Nc79
09096 Santa Giusta (OR) 108 Id109
32035 Santa Giustina (BL) 15 Na72
25014 Santa Giustina (BS) 22 Lb76
47821 Santa Giustina (RN) 47 Nc84
36045 Santa Giustina (VI) 24 Mc76
35010 Santa Giustina in Colle (PD) 25 Mf75
80065 Sant'Agnello (NA) ...76 Pc105
44047 Sant'Agostino (FE) 38 Mc80
27050 Sant'Albano (PV) 35 Kb79
12040 Sant'Albano Stura (CN) 33 He81
40018 Sant'Alberto (BO) 38 Mc80
48020 Sant'Alberto (RA) 39 Na81
31059 Sant'Alberto (TV) 25 Na75
27016 Sant'Alessio con Vialone (PV) 21 Kb77
89050 Sant'Alessio in Aspromonte (RC) 88 Qe119
98030 Sant'Alessio Siculo (ME) 94 Qb121
95010 Sant'Alfio (CT) 94 Qa122
56040 Santa Luce (PI) 49 Ld88
70043 Santa Lucia (BA) 75 Sb103
Santa Lucia (ME) 88 Qc119
46026 Santa Lucia (MN) 37 Lf78
75024 Santa Lucia (MT) 79 Rd105
08029 Santa Lucia (NU) 107 Ke105
06012 Santa Lucia (PG) 51 Nb88
84090 Santa Lucia (SA) 77 Pf105
23030 Santa Lucia (SO) 12 Lc70
64020 Santa Lucia (TE) 58 Of92
98046 Santa Lucia del Mela (ME) 94 Qb120
33070 Santa Lucia di Budoia (PN) 15 Nd72
31025 Santa Lucia di Piave (TV) 15 Nb73
83020 Santa Lucia di Serino (AV) 71 Pf103
Santa Lucia Marina (ME) 93 Pe119
Santa Maddalena = Sankt Magdalena (BZ) ....4 Me 69
Santa Maddalena Vallalta = Sankt Magdalena i Gsies (BZ) ....5 Nb 67
09010 Santa Margherita (CA) .112 If115
43036 Santa Margherita (PR) 36 La79
07030 Santa Margherita (SS) .105 Id105
64032 Santa Margherita (TE) 59 Of93
38061 Santa Margherita (TN) 23 Ma74
10024 Santa Margherita (TO) 33 He78
35040 Santa Margherita d'Adige (PD) 24 Md77
92018 Santa Margherita di Belice (AG) 91 Oa122
27050 Santa Margherita di Staffora (PV) 35 Kb80
16038 Santa Margherita Ligure (GE) 43 Kb83
88100 Santa Maria (CZ) 86 Rd115
Santa Maria (PO) 46 Ma85
33050 Santa Maria (UD) 16 Oa73
13060 Santa Maria (VC) 20 Ib75

36035 Santa Maria (VI) 24 Mc74
36043 Santa Maria (VI) 24 Me75
37059 Santa Maria (VR) 23 Ma76
89866 Santa Maria (VV) 88 Qe117
Santa Maria Ammalati (CT) 94 Qa123
56020 Santa Maria a Monte (PI) 49 Le86
81028 Santa Maria a Vico (CE) 71 Pc102
81055 Santa Maria Capua Vetere (CE) 70 Pb102
07030 Santa Maria Coghinas (SS) 106 If103
06081 Santa Maria degli Angeli (PG) 52 Nd90
26020 Santa Maria dei Sabbioni (CR) 22 Kf77
09030 Santa Maria de is Acquas (MD) 112 Ie111
87020 Santa Maria del Cedro (CS) 83 Qf110
87020 Santa Maria del Credo (CS) 83 Qe110
61100 Santa Maria dell'Arzilla (PU) 48 Nf85
27047 Santa Maria della Versa (PV) 35 Kb79
Santa Maria delle Grazie (ME) 94 Qb119
86096 Santa Maria del Molise (IS) 70 Pc99
21100 Santa Maria del Monte (VA) 10 Ie73
29019 Santa Maria del Rivo (PC) 36 Ke79
Santa Maria del Soccorso (RM) 61 Nd97
43059 Santa Maria del Taro (PR) 43 Kc82
31040 Santa Maria di Campagna (TV) 26 Nd74
84072 Santa Maria di Castellabate (SA) 77 Pf107
00060 Santa Maria di Galeria (RM) 61 Nb96
95038 Santa Maria di Licodia (CT) 94 Pf123
Santa Maria di Lugana (BS) 23 Ld76
75022 Santa Maria d'Irsi (MT) .79 Rc104
30036 Santa Maria di Sala (VE) .25 Na75
35030 Santa Maria di Veggiano (PD) 24 Me76
23889 Santa Maria Hoe (LC) .21 Kc74
66030 Santa Maria Imbaro (CH) 64 Pc95
66054 Santa Maria Incoronata (CH) 64 Pe96
04026 Santa Maria Infante (LT) 69 Oe101
Santa Maria in Stelle (VR) 23 Ma75
80058 Santa Maria la Bruna (NA) 76 Pc104
80050 Santa Maria la Carità (NA) 76 Pc104
87046 Santa Maria la Castagna (CS) 84 Ra112
81050 Santa Maria la Fossa (CE) 70 Pa102
33050 Santa Maria la Longa (UD) 16 Ob73
07041 Santa Maria la Palma (SS) 105 Ib105
80040 Santa Maria la Scala (NA) 76 Pc104
87010 Santa Maria le Grotte (CS) 84 Ra112
45030 Santa Maria Maddalena (RO) 38 Md79
28857 Santa Maria Maggiore (VB) 10 Ic72
08040 Santa Maria Navarrese (NU) 110 Ke109
47023 Santa Maria Nova (FC) .47 Nb83
60030 Santa Maria Nuova (AN) ..61 Nc97
60030 Santa Maria Nuova (AN) ..53 Ob87
Santa Maria Pietrafitta (RN) 48 Ne85
22010 Santa Maria Rezzónico (CO) 11 Kb72
98057 Santa Marina (ME) 94 Qb119
84070 Santa Marina (SA) .83 Qd108
98050 Santa Marina Salina (ME) 88 Pf117
00058 Santa Marinella (RM) .60 Mf96
33030 Santa Marizza (UD) .16 Nf73
35010 Sant'Ambrogio (PD) .25 Na75
21100 Sant'Ambrogio (VA) 10 Ie73

10057 Sant'Ambrogio di Torino (TO) 32 Hc78
37015 Sant'Ambrogio di Valpolicella (VR) 23 Le75
03040 Sant'Ambrogio sul Garigliano (FR) 70 Of100
81050 San Tammaro (CE) 70 Pb102
80048 Sant'Anastasia (NA) .76 Pc103
31040 Sant'Anastasio (TV) 26 Ne74
06043 Sant'Anatolia (PG) 62 Ob96
06040 Sant'Anatolia di Narco (PG) 57 Nf92
31050 Santandra (TV) 25 Nb74
Sant'Andrat (UD) 16 Oa73
33048 Sant'Andrat (UD) 17 Oc73
09045 Sant'Andrea (CA) 112 Kb113
81040 Sant'Andrea (CE) 70 Pa102
47034 Sant'Andrea (FC) 47 Na83
98043 Sant'Andrea (ME) 88 Qc119
33087 Sant'Andrea (PN) 16 Nd73
43011 Sant'Andrea (PR) 36 La79
85020 Sant'Andrea (PZ) 72 Qd103
31033 Sant'Andrea (TV) 25 Mf75
21034 Sant'Andrea (VA) 10 Ie73
Sant'Andrea (VR) 24 Ma75
43030 Sant'Andrea a Mane (PR) 36 Lb79
83028 Sant'Andrea Aposti (AV) 77 Pe103
88060 Sant'Andrea Apostolo dello Ionio (CZ) 89 Rd117
43040 Sant'Andrea Bagni (PR) .36 La80
Sant'Andrea Bonagia (TP) 90 Nd120
81055 Sant'Andrea de'Lagni (CE) 70 Pb102
03040 Sant'Andrea del Garigliano (FR) 70 Of100
83053 Sant'Andrea di Conza (AV) 72 Qc103
16035 Sant'Andrea di Foggia (GE) 43 Kb82
09040 Sant'Andrea Frius (CA) .112 Kb112
Sant'Andrea in Monte = Sankt Andra (BZ) ....4 Me 68
Sant'Andrea Maiorani (ME) 88 Qc119
60019 Sant'Angelo (AN) 52 Ob86
87022 Sant'Angelo (CS) 84 Qf111
47030 Sant'Angelo (FC) 47 Nc84
Sant Angelo (NA) 76 Of104
85021 Sant'Angelo (PZ) 78 Qe104
02016 Sant'Angelo (RI) 57 Oa93
30036 Sant'Angelo (VE) 25 Na75
01100 Sant'Angelo (VT) 56 Nb93
89831 Sant'Angelo (VV) 89 Ra117
82010 Sant'Angelo a Cupolo (BN) 71 Pe102
84027 Sant'Angelo a Fasanella (SA) 78 Qc106
83050 Sant'Angelo all'Esca (AV) 71 Pf102
83010 Sant'Angelo a Scala (AV) 71 Pe103
81017 Sant'Angelo d'Alife (CE) 70 Pb100
83054 Sant'Angelo dei Lombardi (AV) 72 Qb103
86080 Sant'Angelo del Pesco (IS) 64 Pb97
98060 Sant'Angelo di Brolo (ME) 94 Pf120
35020 Sant'Angelo di Piove di Sacco (PD) 25 Na76
53024 Sant'Angelo in Colle (SI) .55 Mc91
81043 Sant'Angelo in Formis (CE) 70 Pb102
61020 Sant'Angelo in Lizzola (PU) 48 Ne86
62020 Sant'Angelo in Pontano (MC) 53 Oc90
03043 Sant'Angelo in Theodice (FR) 70 Oe100
61048 Sant'Angelo in Vado (PU) 51 Nc87
85050 Sant'Angelo le Fratte (PZ) 78 Qd105
86020 Sant'Angelo Limosano (CB) 64 Pd98
26866 Sant'Angelo Lodigiano (LO) 21 Kc77
27030 Sant'Angelo Lomellina (PV) 20 Id77
92020 Sant'Angelo Muxaro (AG) 97 Od123
00010 Sant'Angelo Romano (RM) 61 Ne96
91029 Santa Ninfa (TP) 91 Nf122
92020 Sant'Anna (AG) 97 Oe124
88841 Sant'Anna (KR) 87 Sa114
Sant'Anna (RC) 88 Qf119

09010 Sant'Anna Arresi (CI) ...111 Id114
37020 Sant'Anna d'Alfaedo (VR) .23 Lf75
30020 Sant'Anna di Boccafossa (VE) 26 Ne75
12010 Sant'Anna di Valdieri (CN) 40 Hb83
50059 Sant'Ansano (FI) 45 Lf86
47835 Sant'Ansovino (RN) 48 Nd85
80029 Sant'Antimo (NA) 70 Pb103
09017 Sant'Antioco (CI) 111 Ic114
07010 Sant'Antioco di Bisarcio (SS) 106 If105
12040 Sant'Antonino (CN) 33 He81
31030 Sant'Antonino (TV) 25 Nb75
10050 Sant'Antonino di Susa (TO) 32 Hb78
21015 Sant'Antonino Ticino (VA) .20 Ie75
32028 Sant'Antonio (BL) 15 Na72
Sant'Antonio (BL) ....5 Nc 69
40059 Sant'Antonio (BO) 38 Me81
12050 Sant'Antonio (CN) 33 Ia80
43047 Sant'Antonio (PR) 36 Kf80
23035 Sant'Antonio (SO) 13 Lc70
23030 Sant Antonio (SO) 12 Lc70
33050 Sant'Antonio (UD) 17 Oc74
Sant'Antonio (VR) 24 Mb78
37040 Sant'Antonio (VR) 24 Mc77
80057 Sant'Antonio Abate (NA) 76 Pd104
84098 Sant'Antonio a Picenzia (SA) 77 Pf105
07030 Sant'Antonio di Gallura (OT) 106 Kb103
09031 Sant'Antonio di Santadi (MD) 108 Ic110
41016 Sant'Antonio in Mercadello (MO) 37 Lf79
26030 Sant'Antonio Negri (CR) .22 Lb77
Santa Panagia (SR) .99 Qb126
83030 Santa Paolina (AV) .71 Pf102
66038 Sant'Apollinare (CH) 59 Pc95
03048 Sant'Apollinare (FR) .70 Oe100
25065 Sant'Apollonio (BS) 22 Lb75
85037 Sant'Arcangelo (PZ) .79 Rb107
47822 Santarcangelo di Romagna (RN) 47 Nc84
82021 Sant'Arcangelo Trimonte (BN) 71 Pf101
07028 Santa Reparata (OT) .104 Kb101
81030 Sant'Arpino (CE) 70 Pb103
84037 Sant'Arsenio (SA) 78 Qc106
02010 Santa Rufina (RI) 57 Nf94
72012 Santa Sabina (BR) 75 Se104
88832 Santa Severina (KR) 87 Rf114
47018 Santa Sofia (FC) 47 Mf85
87048 Santa Sofia d'Epiro (CS) 84 Rb111
95024 Santa Tecla (CT) 94 Qa123
84090 Santa Tecla (SA) 77 Pf104
98028 Santa Teresa di Riva (ME) 94 Qc121
07028 Santa Teresa Gallura (OT) 104 Kb101
06043 Santa Trinita (PG) 15 Nd73
Santa Valburga = Sankt Walburg (BZ) ....3 Lf 69
Santa Valentino alla Muta = Sankt Valentin auf der Haide (BZ) ....3 Ld 68
09100 Sant'Avendrace (CA) .112 Ka113
Santa Venera (CT) 94 Qa122
Santa Venera (TP) 90 Nc121
61100 Santa Veneranda (PU) .48 Nf85
95010 Santa Venerina (CT) .94 Qa122
Santa Verena (ME) 94 Qb120
42044 Santa Vittoria (RE) 37 Ld79
07033 Santa Vittoria (SS) .105 Ie104
12069 Santa Vittoria d'Alba (CN) 33 Hf80
63028 Santa Vittoria in Matenano (FM) 58 Oc90
47023 Sant'Egidio (FC) 47 Nb84
06080 Sant'Egidio (PG) 51 Nc90
64016 Sant'Egidio alla Vibrata (TE) 58 Oe92
84010 Sant'Egidio del Monte Albino (SA) 77 Pd104
62027 Sant'Elena (MC) 52 Oa89
35040 Sant'Elena (PD) 24 Me77
86095 Sant'Elena Sánnita (IS) 64 Pc99
09126 Sant'Elia (CA) 112 Ka113
88100 Sant'Elia (CZ) 86 Rd115
90017 Sant'Elia (PA) 91 Od120
89100 Sant'Elia (RC) 88 Qd120
Sant'Elia (RC) 95 Qd121
Sant'Elia (RC) 95 Qe121
86048 Sant'Elia a Pianisi (CB) .64 Pf99
03049 Sant'Elia Fiumerápido (FR) 70 Of99
50066 Sant'Ellero (FI) 50 Mc86

63019 Sant'Elpidio a Mare (FM) .53
63020 Sant'Elpidio Morico (AP) .53
67067 Sante Marie (AQ) 62
10026 Santena (TO) 33
95036 San Teodoro (CT) 94
98030 San Teodoro (ME) 93
08020 San Teodoro (OT) 107
70029 Santeramo in Colle (BA) 74
62032 Sant'Erasmo (MC) 52
30170 Sant'Erasmo (VE) 25
48020 Santerno (RA) 39
65020 Sant'Eufémia a Maiella (PE) 63
89027 Sant'Eufemia D'Aspromonte (.........88
25100 Sant'Eufemia del Fonte (BS) 22
88040 Sant'Eufemia Lamezia (CZ) 86
88040 Sant'Eufemia Lamezia (CZ) 86
31030 Sant'Eulalia (TV) 14
66037 Sant'Eusánio del Sangro (CH 64
66037 Sant'Eusánio del Sangro (CH 64
67020 Sant'Eusánio Forconese (AQ) 62
Sant'Eusebio (MO) 3
04020 Santi Cosma e Damiano (LT) 70
Santi Filippo e Giacomo (TP) 90
81013 Santi Giovanni e Paolo (CE) 70
20014 Sant'Ilario (MI) 78
85020 Sant'Ilario (PZ) 78
89040 Sant'Ilario dello Ionio (RC) 89
42049 Sant'Ilario d'Enza (RE) 5
Sant Ilario in Campo 5
02012 Santi Lorenzo e Flaviano (RI) 5
29010 Sant'Imento (PC) 5
87100 Sant'Ippolito (CS) 86
61040 Sant'Ippolito (PU) 5
09044 Sant'Isidoro (CA) 112
73045 Sant'Isidoro (LE) 8
Santissimo Salvatore (ME) 88
89824 San Todaro (VV) 89
33030 Sant'Odorico (UD) 5
67046 Santo Iona (AQ) 6
16010 Sant'Olcese (GE) 5
03037 Sant'Oliva (FR) 69
25081 San Tomaso (BS) 5
33030 San Tomaso (UD) 5
32020 San Tomaso Agordino (BL) 5
84020 Santomenna (SA) 78
64027 Sant'Omero (TE) 5
36033 San Tomio (VI) 5
88049 San Tommaso (CZ) 8
42011 San Tommaso (RE) 5
24038 Sant'Omobono Imagna (BG) 5
24038 Sant'Omobono Terme (BG) 5
Sant'Onofrio (RM) 5
64012 Sant'Onofrio (TE) 5
89843 Sant'Onofrio (VV) 8
03030 Santopadre (FR) 5
Santo Padre delle Perriere (.........9
Santo Pietro (CT) 9
00060 Sant'Oreste (RM) 5
36014 Santorso (VI) 5
39010 Sant'Órsola = Schweinsteg
38050 Sant'Orsola Terme (TN) 5
60011 Santo Stefano (AN) 5
67067 Santo Stefano (AQ) 5
86100 Santo Stefano (IS) 5
48020 Santo Stefano (RA) 5
38080 Santo Stefano (TN) 5
Santo Stefano (UD) 5
37040 Santo Stefano (VR) 5
21040 Santo Stefano (VA) 5
39030 Santo Stefano = Sankt Ste
18010 Santo Stefano al Mare (IM)
12058 Santo Stefano Belbo (CN) 5
16049 Santo Stefano d'Aveto (GE 5
83050 Santo Stefano del Sole (AV 5

Santo Stefano di Briga (ME) 88 Qc120
Santo Stefano di Cadore (BL) 5 Nd 69
Santo Stefano di Camastra (ME) 93 Pb120
Santo Stéfano di Magra (SP) 44 Kf84
Santo Stefano di Rogliano (CS) 86 Rb113
Santo Stéfano di Sessánio (AQ) 58 Od94
Santo Stefano in Aspromonte (RC) 88 Qe119
Santo Stefano Lodigiano (LO) 36 Ke78
Santo Stefano Quisquina (AG) 97 Oc123
Santo Stefano Roero (CN) 33 Hf80
Santo Stefano Ticino (MI) 21 If76
Santo Stefano Udinese (UD) 16 Ob73
Santo Stino di Livenza (VE) 26 Ne74
San Trovaso (TV) 25 Nb75
Santuario (SV) 42 Ic82
Sant'Ulderico (VI) 24 Mb74
Santu Lussurgiu (OR) 108 Id108
Sant'Urbano (PD) 38 Md78
Sant'Urbano (VI) 24 Mc75
San Valentino (RE) 37 Le81
San Valentino (UD) 17 Oc74
San Valentino in Abruzzo Citeriore (PE) 63 Of95
San Valentino in Campo = Gummer (BZ) 14 Mc70
San Valentino Torio (SA) 77 Pd104
San Varano (FC) 47 Na83
San Venanzio (BO) 38 Mc80
San Venanzio (MO) 37 Lf82
San Venanzo (TR) 56 Nb91
San Vendemiano (TV) 15 Nc73
San Vero Congius (OR) 108 Ie109
San Vero Milis (OR) 108 Id108
San Vidotto (UD) 16 Nf73
San Vigilio (BS) 22 Lb75
San Vigilio = Sankt Vigil (BZ) 3 Ma 69
San Vigilio = Sankt Vigil (BZ) 4 Mf 68
San Vincenzo (BO) 38 Mc80
San Vincenzo (LI) 54 Ld90
San Vincenzo 88 Qb116
San Vincenzo a Torri (FI) 49 Ma86
San Vincenzo la Costa (CS) 86 Ra112
San Vincenzo Nuovo (AQ) 62 Od98
San Vincenzo Valle Roveto (AQ) 63 Od97
San Vitaliano (NA) 71 Pc103
San Vito (AV) 71 Qa101
San Vito (CA) 113 Kd112
San Vito (MI) 21 Ka76
San Vito (MO) 37 Lf81
San Vito (RI) 57 Oa93
San Vito (TP) 96 Mf127
San Vito (TV) 15 Mf73
San Vito (TV) 25 Mf74
San Vito = Sankt Veit (BZ) 5 Na 68
San Vito Al Tagliamento (PN) 16 Nf73
San Vito al Torre (UD) 17 Oc73
San Vito Chietino (CH) 64 Pc95
San Vito dei Normanni (BR) 81 Se105
San Vito di Cadore (BL) 5 Nb 70
San Vito di Fagagna (UD) 16 Oa72
San Vito di Leguzzano (VI) 24 Mc74
San Vito in Monte (TR) 56 Nb91
San Vito lo Capo (TP) 91 Ne119
San Vito Romano (RM) 62 Nf97
San Vito sul Cesano (PU) 52 Nf87
San Vito sullo Iónio (CZ) 86 Rc116
San Vittore (FC) 47 Nb84
San Vittore (SO) 11 Kc71
San Vittore (VR) 24 Mb76
San Vittore del Lázio (FR) 70 Of100
San Vittore delle Chiuse (AN) 52 Nf88
San Vittore Olona (MI) 21 If75
San Vittorino (AQ) 58 Ob94
San Vivaldo (FI) 49 Lf87
Sanza (SA) 78 Qd107
Sanzeno (TN) 13 Ma70
37030 San Zeno (VR) 24 Mb76
37010 San Zeno di Montagna (VR) 23 Le75
25010 San Zeno Naviglio (BS) 22 Lb76
25060 San Zenone (BS) 22 La75
37046 San Zenone (VR) 24 Mb77
20070 San Zenone al Lambro (MI) 21 Kc77
27010 San Zenone al Po (PV) 35 Kc78
31020 San Zenone degli Ezzelini (TV) 24 Mf74
37060 San Zenone in Mozzo (VR) 23 Le77
35020 Saonara (PD) 25 Mf76
38079 Saone (TN) 13 Le72
07020 sa Pedrabianca (OT) 107 Kd105
98047 Saponara (ME) 88 Qc119
32047 Sappada (BL) 5 Nd 69
Sappanico (AN) 53 Oc87
84073 Sapri (SA) 83 Qd108
87010 Saracena (CS) 84 Ra110
00020 Saracinesco (RM) 62 Nf96
53040 Saragiolo (SI) 55 Md91
Saramico (SR) 99 Qa125
36030 Sarcedo (VI) 24 Md74
38072 Sarche (TN) 13 Lf72
85050 Sarconi (PZ) 79 Qf107
38040 Sardagna (TN) 13 Ma72
09030 Sardara (MD) 112 Ie111
15060 Sardigliano (AL) 34 If80
36040 Sarego (VI) 24 Mc76
39058 Sarentino = Sarntal (BZ) 4 Mc 69
39058 Sarentino = Sarnthein (BZ) 4 Mc 69
15050 Sarezzano (AL) 35 If79
25068 Sarezzo (BS) 22 Lb75
46014 Sarginesco (MN) 23 Ld77
29025 Sariano (PC) 36 Ke79
45020 Sariano (RO) 38 Mc78
21010 Sarigo (VA) 10 Ie73
Saring (BZ) 3 Ma 69
29028 Sármata (PC) 36 Ke79
29010 Sarmato (PC) 35 Kc78
37032 Sarmazza (VR) 24 Mb76
31026 Sarmede (TV) 15 Nc73
36040 Sarmego (VI) 24 Md75
35030 Sarmeola (PD) 24 Me76
62028 Sarnano (MC) 53 Ob90
Sarnes = Sarns (BZ) 4 Md 68
24067 Sarnico (BG) 22 Kf74
84087 Sarno (SA) 77 Pd104
38011 Sarnonico (TN) 13 Ma70
39058 Sarntal = Sarentino (BZ) 4 Mc 69
33070 Sarone (PN) 15 Nc73
21047 Saronno (VA) 21 Ka75
11010 Sarre (AO) 18 Hb74
09018 Sarroch (CA) 112 Ka114
88056 Sarrottino (CZ) 86 Rd115
47027 Sarsina (FC) 47 Na85
87010 Sartano (CS) 84 Rb111
53047 Sarteano (SI) 56 Mf91
27020 Sartirana Lomellina (PV) 34 Id78
29011 Sarturano (PC) 35 Kd79
08020 Sarule (NU) 109 Kb107
19038 Sarzana (SP) 44 Kf84
45100 Sarzano (RO) 39 Me78
56040 Sassa (PI) 49 Le89
54010 Sassalbo (MS) 44 Lb83
84038 Sassano (SA) 78 Qd107
07100 Sassari (SS) 105 Id104
17046 Sassello (SV) 34 Ic82
59024 Sasseta (PO) 46 Ma84
57020 Sassetta (LI) 49 Ld90
55020 Sassi (LU) 45 Lc84
82026 Sassinoro (BN) 71 Pd100
36010 Sasso (VI) 14 Md73
39049 Sasso = Stein (BZ) 4 Md 67
61028 Sassocorvaro (PU) 48 Nc86
85050 Sasso di Castalda (PZ) 78 Qe106
61013 Sassoféltrio (PU) 48 Nd85
60041 Sassoferrato (AN) 52 Nf88
58029 Sassofortino (GR) 55 Ma90
40020 Sassoleone (BO) 46 Mc83
40037 Sasso Marconi (BO) 46 Mb82
09094 Sassu (OR) 108 Id110
41049 Sassuolo (MO) 37 Le81
88060 Satriano (CZ) 89 Rc116
85050 Satriano di Lucania (PZ) 78 Qd105
58014 Saturnia (GR) 55 Md93
74020 Saturo (TA) 81 Sb106
33020 Sauris (UD) 5 Ne 70
33020 Sauris di Sopra (UD) 5 Ne 70
33020 Sauris di Sotto (UD) 5 Ne 70
10054 Sauze di Cesana (TO) 32 Gf79
10050 Sauze d'Oulx (TO) 32 Gf78
74028 Sava (TA) 81 Sd106
13878 Savagnasco (BI) 19 Ia75
51100 Savaiana (PT) 45 Lf84
48020 Savarna (RA) 39 Na81
72010 Savelletri (BR) 75 Sc103
88825 Savelli (KR) 87 Re113
06046 Savelli (PG) 57 Oa92
14019 Savi (AT) 33 Hf79
80039 Saviano (NA) 71 Pd103
12038 Savigliano (CN) 33 Hd81
61010 Savignano (PU) 47 Nc85
38060 Savignano (TN) 13 Ma73
83030 Savignano Irpino (AV) 72 Qb101
41056 Savignano sul Panaro (MO) 37 Ma82
47039 Savignano sul Rubicone (FC) 47 Nc84
40060 Savigno (BO) 46 Ma82
16010 Savignone (GE) 35 If81
48015 Savio (RA) 47 Nb83
25050 Saviore dell' Adamello (BS) 13 Lc72
98038 Savoca (ME) 94 Qb121
33040 Savogna (UD) 17 Od72
34070 Savogna d'Isonzo (GO) 17 Od73
85050 Savoia di Lucania (PZ) 78 Qd105
17100 Savona (SV) 42 Ic83
41046 Savoniero (MO) 45 Ld82
33070 Savorgnano (PN) 16 Nf73
33040 Savorgnano del Torre (UD) 16 Ob71
10056 Savoulx (TO) 32 Ge78
88050 Savuci (CZ) 86 Rd114
87030 Savuto (CS) 86 Ra114
23026 Sazzo (SO) 12 Kf72
95012 Scacchieri (CT) 94 Qa122
47046 Scacciano (RN) 48 Nd85
65027 Scafa (PE) 63 Pa95
84018 Scafati (SA) 76 Pd104
00053 Scaglia (RM) 60 Me96
12070 Scagnello (CN) 41 Hf82
02012 Scai (RI) 58 Ob93
Scala (ME) 94 Qa120
98040 Scala (ME) 88 Qb119
98168 Scala (ME) 88 Qd119
56028 Scala (PI) 49 Lf86
84010 Scala (SA) 77 Pd105
87060 Scala Coeli (CS) 85 Rf112
Scala Greca (SR) 99 Qb126
27020 Scaldasole (PV) 35 If78
87029 Scalea (CS) 83 Qe110
10060 Scalenghe (TO) 33 Hd79
Scaleres = Bad Schalders (BZ) 4 Md 68
Scaleres = Hinterschalders (BZ) 4 Md 68
98029 Scaletta Superiore (ME) 94 Qc120
98029 Scaletta Zanclea (ME) 94 Qc120
71043 Scalo dei Saraceni (FG) 66 Qf99
30030 Scaltenigo (VE) 25 Na76
83050 Scampitella (AV) 72 Qb102
88831 Scandale (KR) 87 Rf114
14020 Scandeluzza (AT) 33 Ia78
42019 Scandiano (RE) 37 Le81
50018 Scandicci (FI) 50 Mb86
26040 Scandolara Ravara (CR) 36 Lb78
26047 Scandolara Ripa d'Oglio (CR) 22 La77
06034 Scandolaro (PG) 57 Ne91
02038 Scandriglia (RI) 61 Nf96
26020 Scannabue (CR) 21 Kd76
67038 Scanno (AQ) 63 Of97
09078 Scano di Montiferro (OR) 108 Id107
58054 Scansano (GR) 55 Mc92
67067 Scanzano (AQ) 62 Ob96
06034 Scanzano (PG) 57 Ne91
75020 Scanzano Jónico (MT) 80 Re107
24020 Scanzorosciate (BG) 22 Ke74
12051 Scaparone (CN) 33 Hf80
60019 Scapezzano (AN) 52 Ob86
86070 Scapoli (IS) 63 Pa99
87024 Scarcelli (CS) 84 Ra112
96011 Scardina (SR) 99 Qb125
45018 Scardovari (RO) 39 Nc79
22024 Scaria (CO) 11 Ka73
84070 Scario (SA) 83 Qc108
58020 Scarlino (GR) 54 Lf91
10010 Scarmagno (TO) 19 Hf76
12030 Scarnafigi (CN) 33 Hd80
85040 Scarpaleggia (PZ) 84 Ra109
50038 Scarperia (FI) 46 Mc85
25020 Scarpizzolo (BS) 22 La76
04028 Scauri (LT) 69 Oe101
Scáuri (TP) 96 Mf128
61016 Scavolino (PU) 47 Nb86
27040 Scazzolino (PV) 35 Kb78
39017 Scena = Schenna (BZ) 3 Mb 68
64025 Scerne (TE) 59 Pa93
66020 Scerni (CH) 64 Pd96
39042 Scezze = Tschotsch (BZ) 4 Md 68
39040 Schabs, Natz- = Sciáves, Naz- (BZ) 4 Me 68
06027 Scheggia (PG) 52 Nd88
06027 Schéggia e Pascelupo (PG) 52 Nd88
06040 Scheggino (PG) 57 Ne92
39017 Schenna = Scena (BZ) 3 Mb 68
06025 Schiagni (PG) 52 Ne90
21045 Schianno (VA) 20 If74
80030 Schiava (NA) 71 Pd103
66045 Schiavi di Abruzzo (CH) 64 Pc98
89031 Schiavo (RC) 89 Ra119
33077 Schiavoi (PN) 15 Nd73
36060 Schiavon (VI) 24 Md74
28841 Schieranco, Antrona- (VB) 9 Ia 72
61029 Schieti (PU) 48 Nd86
22020 Schignano (CO) 11 Ka73
24020 Schilpario (BG) 12 La72
36015 Schio (VI) 24 Mc74
98035 Schiso (ME) 94 Qb121
46020 Schivenoglia (MN) 37 Ma78
39028 Schlanders = Silandro (BZ) 3 Le 69
39020 Schluderns = Sluderno (BZ) 3 Ld 69
39020 Schnals = Senales (BZ) 3 Lf 68
39010 Schweinsteg = Sant'Òrsola (BZ) 3 Mb 68
92019 Sciacca (AG) 96 Oa123
91025 Sciacca (TP) 90 Nd122
25051 Scianica (BS) 12 Lc72
90020 Sciara (PA) 92 Oe121
39040 Sciáves, Naz- = Schabs, Natz- (BZ) 4 Me 68
Sciaves = Schabs (BZ) 4 Md 68
97018 Scicli (RG) 100 Pd128
89817 Sciconi (VV) 86 Ra116
89010 Scido (RC) 88 Qf119
87057 Scigliano (CS) 86 Rb114
98027 Sciglio (ME) 94 Qc120
89058 Scilla (RC) 88 Qe119
90020 Scillato (PA) 92 Of121
95024 Scillichenti (CT) 94 Qa122
10090 Sciolze (TO) 33 Hf78
06028 Scirca (PG) 52 Ne88
80030 Scisciano (NA) 71 Pc103
90020 Sclafani Bagni (PA) 92 Oe121
33050 Sclaunicco (UD) 16 Oa73
33084 Sclavons (PN) 16 Ne73
97010 Scoglitti (RG) 100 Pc127
31015 Scomigo (TV) 15 Nb73
67030 Scontrone (AQ) 63 Pa98
13027 Scopa (VC) 19 Ia74
91014 Scopello (TP) 91 Ne120
13028 Scopello (VC) 19 Ia74
67019 Scoppito (AQ) 58 Ob94
66020 Scorciosa (CH) 64 Pc95
95048 Scordia (CT) 99 Pe125
53031 Scorgiano (SI) 50 Ma88
73020 Scorrano (LE) 82 Tb108
46031 Scorzarolo (MN) 37 Le78
30037 Scorze (VE) 25 Na75
84029 Scorzo (SA) 78 Qb105
45018 Scovetta (RO) 39 Nb79
89030 Scrisa (RC) 95 Ra120
Scurati (TP) 90 Nd120
67068 Scurcola Marsicana (AQ) 62 Oc96
38050 Scurelle (TN) 14 Md72
14030 Scurzolengo (AT) 34 Ib79
38063 Sdruzzina (TN) 23 Lf74
18039 Sealza (IM) 41 Hd86
59011 Seano (PO) 45 Ma86
18012 Seborga (IM) 41 He85
92010 Seccagrande (AG) 96 Ob124
97017 Secca Punta (RG) 100 Pc128
61043 Secchiano (PU) 52 Nd87
67029 Secinaro (AQ) 63 Oe96
73050 Secli (LE) 82 Ta108
80144 Secondigliano (NA) 70 Pb103
26826 Secugnago (LO) 21 Kd77
09010 Seddas Moddizzis (CI) 111 Id113
33039 Sedegliano (UD) 16 Nf72
25017 Sedena (BS) 23 Lc76
32036 Sedico (BL) 15 Na72
09076 Sédilo (OR) 109 If107
07035 Sedini (SS) 106 Ie103
33080 Sedrano (PN) 16 Ne72
20018 Sedriano (MI) 21 If76
24010 Sedrina (BG) 21 Kd74
62025 Sefro (MC) 52 Nf90
37010 Sega (VR) 23 Le75
32040 Sega Digon (BL) 5 Nd 69
09040 Segariu (MD) 112 If111
91013 Segesta, Calatafimi- (TP) 91 Nf121
58038 Seggiano (GR) 55 Md91
36010 Seghe (VI) 24 Mc74
89833 Segheria di B.Reggio (VV) 89 Rb117
33017 Segnacco (UD) 16 Ob71
00037 Segni (RM) 62 Oa98
17047 Segno (SV) 42 Ic83
38010 Segno (TN) 13 Ma71
38047 Segonzano (TN) 14 Mb71
20090 Segrate (MI) 21 Kb76
31040 Segusino (TV) 15 Mf73
09047 Selargius (CA) 112 Kb113
06017 Selci (PG) 51 Nb87
02040 Selci (RI) 61 Nd95
09040 Selegas (CA) 112 Ka111
39040 Sella = Soll (BZ) 14 Mb70
67019 Sella di Corno (AQ) 58 Ob94
06030 Sellano (PG) 57 Nf91
24060 Sellere (BG) 22 La74
25050 Sellero (BS) 12 Lb72
88050 Sellia (CZ) 87 Rd115
88050 Sellia Marina (CZ) 87 Re115
24060 Selva (BG) 22 Kf74
40054 Selva (BO) 38 Md81
66044 Selva (CH) 64 Pc96
58037 Selva (GR) 55 Md92
33086 Selva (PN) 16 Nd72
38056 Selva (TN) 14 Mb72
39030 Selva dei Molini = Mühlwald (BZ) 4 Mf 67
Selva dei Molini = Muhlwald (BZ) 4 Mf 67
Selva dell Montello (TV) 25 Na74
32020 Selva di Cadore (BL) 15 Na70
72015 Selva di Fasano (BR) 75 Sb104
37030 Selva di Progno (VR) 24 Ma75
36070 Selva di Trissino (VI) 24 Mb75
39048 Selva di Val Gardena = Wolkenstein in Gröden (BZ) 4 Me 69
35030 Selvazzano Dentro (PD) 24 Me76
13841 Selve Marcone (BI) 19 Ia75
24020 Selvino (BG) 22 Ke74
07010 Semestene (SS) 106 Ie106
27020 Semiana (PV) 34 Ie78
89028 Seminara (RC) 88 Qf118
16012 Semino (GE) 35 If81
29010 Semino (PC) 35 Kc78
66010 Semivicoli (CH) 63 Pb95
23038 Semogo (SO) 2 Lb 70
24029 Semonte (BG) 52 Nd88
31030 Semonzetto (TV) 14 Me74
58055 Semproniano (GR) 55 Md92
20030 Senago (MI) 21 Ka75
39010 Senale = Unsere liebe Frau im Walde (BZ) 3 Ma 69
39020 Senales = Schnals (BZ) 3 Lf 68
39010 Senale-San Felice = Unsere liebe Frau im Walde-Sankt Felix (BZ) 3 Ma 69
70031 Senarico (BT) 73 Rb102
09070 Seneghe (OR) 108 Id108
83050 Senerchia (AV) 77 Qb104
25020 Seniga (BS) 22 Lb77
60019 Senigallia (AN) 52 Ob86
09080 Senis (OR) 109 If110
85038 Senise (PZ) 79 Rb108
22070 Senna Comasco (CO) 21 Ka74
26856 Senna Lodigiana (LO) 35 Kd78
09078 Sennariolo (OR) 108 Id107
07036 Sennori (SS) 105 Id104
89040 Senoli (RC) 89 Ra119
09040 Senorbi (CA) 112 Ka111
38070 Seo (TN) 13 Lf72
86017 Sepino (CB) 71 Pd100
28843 Seppiana (VB) 10 Ib72
62025 Seppio (MC) 52 Oa89
33090 Sequals (PN) 16 Nf71
38055 Serafini (TN) 14 Me72
55047 Seravezza (LU) 44 Lb85
32040 Serdes (BL) 5 Nb 70
09040 Serdiana (CA) 112 Ka112
20038 Seregno (MB) 21 Kb75
32030 Seren del Grappa (BL) 14 Mf73
26010 Sergnano (CR) 22 Ke76
24068 Seriate (BG) 22 Ke74
24017 Serina (BG) 12 Ke73
83028 Serino (AV) 77 Pf103
46041 Seriola (MN) 22 Lc77
25080 Serle (BS) 22 Lc75
46028 Sermide (MN) 38 Mb78
04013 Sermoneta (LT) 68 Nf99
01024 Sermugnano (VT) 56 Nb93
31020 Sernaglia della Battaglia (TV) 15 Na73
23030 Sernio (SO) 12 Lb71
14050 Serole (AT) 34 Ib81
15020 Serra (AL) 34 Ib78
15028 Serra (AL) 34 Ic79

Serra (AV) 71 Pf103
83038 Serra (AV) 71 Pf102
47833 Serra (RN) 48 Nd85
71010 Serracapriola (FG) 65 Qa98
87030 Serra d'Aiello (CS) 86 Ra114
84022 Serradarce (SA) 77 Qa105
60030 Serra de'Conti (AN) 52 Oa87
75018 Serra della Croce (MT) 79 Rc106
70024 Serra della Stella (BA) 79 Rc104
60044 Serradica (AN) 52 Nf89
93010 Serradifalco (CL) 97 Of124
87050 Serradipiro (CS) 86 Rc114
13844 Serralunga (BI) 34 Id81
12050 Serralunga d'Alba (CN) 33 Hf81
15020 Serralunga di Crea (AL) 34 Ib78
09038 Serramanna (MD) 112 If112
41028 Serramazzoni (MO) 45 Le82
84070 Serramezzana (SA) 77 Qa107
65025 Serramonacesca (PE) 63 Pa95
73020 Serrano (LE) 82 Tc107
87050 Serra Pedace (CS) 86 Rc113
62020 Serrapetrona (MC) 52 Ob89
80070 Serrara-Fontana (NA) 76 Of104
16010 Serra Ricco (GE) 35 If81
89822 Serra San Bruno (VV) 89 Rb117
60048 Serra San Quírico (AN) 52 Oa88
61040 Serra Sant'Abbondio (PU) 52 Ne88
88040 Serrastretta (CZ) 86 Rc114
89020 Serrata (RC) 89 Ra117
14100 Serravalle (AT) 33 Ia79
44030 Serravalle (FE) 39 Na79
47899 Serravalle ◻ (RSM) 47 Nc85
53022 Serravalle (SI) 50 Mc90
38061 Serravalle all'Adige (TN) 13 Ma74
46030 Serravalle a Po (MN) 37 Ma78
61042 Serravalle di Carda (PU) 51 Nc87
62038 Serravalle di Chienti (MC) 52 Nf90
12050 Serravalle Langhe (CN) 33 Ia81
51030 Serravalle Pistoiese (PT) 45 Le85
15069 Serravalle Scrivia (AL) 34 Id80
13037 Serravalle Sesia (VC) 20 Ib74
84028 Serre (SA) 77 Qb105
09027 Serrenti (MD) 112 If112
08030 Serri (NU) 109 Ka110
98049 Serro (ME) 88 Qc119
62020 Serronchia (MC) 52 Oa88
87030 Serrone (CS) 86 Ra113
03010 Serrone (FR) 62 Oa97
61030 Serrungarina (PU) 48 Nf86
88054 Sersale (CZ) 87 Re114
63029 Servigliano (FM) 53 Oc90
32030 Servo (BL) 14 Me72
81037 Sessa Aurunca (CE) 70 Of101
84074 Sessa Cilento (SA) 77 Qa107
14058 Sessame (AT) 34 Ic80
86097 Sessano del Molise (IS) 64 Pb99
19020 Sesta Godáno (SP) 44 Ke83
52038 Sestino (AR) 51 Nb86
39030 Sesto = Sexten (BZ) .....5 Nc 68
33079 Sesto al Reghena (PN) 16 Ne73
21018 Sesto Calende (VA) 20 Id74
86078 Sesto Campano (IS) 70 Pa100
26028 Sesto Cremonese (CR) 22 Kf77
26028 Sesto ed Uniti (CR) 22 Kf77
50019 Sesto Fiorentino (FI) 46 Mb86
40026 Sesto Imolese (BO) 38 Me82
41029 Sestola (MO) 45 Le83
20099 Sesto San Giovanni (MI) 21 Kb75
20098 Sesto Ulteriano (MI) 21 Kb76
10058 Sestriere (TO) 32 Gf79
16039 Sestri Levante (GE) 43 Kc83
09028 Sestu (CA) 112 Ka113
20090 Settala (MI) 21 Kc76
00131 Settecamini (RM) 61 Nd97
03040 Settefrati (FR) 63 Of98
90015 Settefrati (PA) 92 Of120
39018 Settequerce = Siebeneich (BZ)
.....4 Mb 69
50135 Settignano (FI) 46 Mb86
29020 Settima (PC) 36 Kd79
14020 Settime (AT) 33 Ia79
50041 Settimello (FI) 46 Mb85
30020 Settimo (VE) 16 Ne73
37026 Settimo (VR) 23 Lf76
20019 Settimo Milanese (MI) 21 Ka76
10010 Settimo Rottaro (TO) 19 Hf76
09040 Séttimo San Pietro (CA)
.....112 Kb113
10036 Settimo Torinese (TO) 33 He78
10010 Settimo Vittone (TO) 19 He75
88040 Settingiano (CZ) 86 Rc115
09029 Setzu (MD) 109 If110
08037 Seui (OG) 109 Kb109
08030 Seulo (NU) 109 Kb109
09040 Seuni (CA) 112 Ka111
33050 Sevegliano (UD) 16 Ob73
20030 Seveso (MB) 21 Ka75

39030 Sexten = Sesto (BZ) .....5 Nc 68
Sezza (UD) .....6 Oa 70
15079 Sezzadio (AL) 34 Id80
04018 Sezze (LT) 68 Oa100
90040 Sferracavallo (PA) 91 Ob119
95040 Sferro (CT) 99 Pa123
62010 Sforzacosta (MC) 53 Oc89
24044 Sforzatica (BG) 21 Kd75
27029 Sforzesca (PV) 20 If77
38010 Sfruz (TN) 13 Ma70
27054 Sgarbina (PV) 35 Ka79
34010 Sgonico (TS) 27 Oe74
95027 S.Gregorio di Catania (CT)
.....94 Qa123
03010 Sgurgola (FR) 62 Oa98
09070 Siamaggiore (OR) 108 Id109
09080 Siamanna (OR) 109 Ie109
88100 Siano (CZ) 86 Rd115
84088 Siano (SA) 77 Pe104
09080 Siapiccia (OR) 109 Ie109
87011 Sibari (CS) 84 Rc110
84029 Sicignano degli Alburni (SA)
.....78 Qb105
38040 Sicina (TN) 14 Mc71
92010 Siculiana (AG) 96 Oc124
Siculiana Marina (AG) 96 Oc124
09020 Siddi (MD) 109 If110
89048 Siderno (RC) 89 Rb119
89048 Siderno Superiore (RC) 89 Rb119
89038 Sideroni (RC) 95 Qf121
50065 Sieci (FI) 46 Mc86
53030 Siena (SI) 50 Mb89
72017 Sierre (BR) 75 Sc104
84090 Sieti (SA) 77 Pf104
Sigilletto (UD) .....6 Ne 69
06028 Sigillo (MD) 52 Ne89
06028 Sigillo (PG) 57 Oa94
50058 Signa (FI) 46 Ma86
10056 Signols (TO) 32 Ge78
31040 Signoressa (TV) 25 Na74
Sigona Grande (SR) 99 Pf124
39028 Silandro = Schlanders (BZ)
.....3 Le 69
08017 Silanus (NU) 109 If107
31057 Silea (TV) 25 Nb75
09170 Sili (OR) 108 Id109
07040 Siligo (SS) 106 Ie105
09010 Siliqua (CA) 112 Ie113
09040 Silius (CA) 112 Kb111
84038 Silla (SA) 78 Qd106
55030 Sillano (LU) 44 Lb83
28064 Sillavengo (NO) 20 Ic75
55036 Sillico (LU) 45 Lc84
87050 Silvana Mansio (CS) 86 Rd113
15060 Silvano d'Orba (AL) 34 Ie80
27050 Silvano Pietra (PV) 35 If78
33030 Silvella (UD) 16 Oa72
64028 Silvi (TE) 59 Pa93
64028 Silvi Marina (TE) 59 Pa93
09090 Simala (OR) 109 Ie110
09088 Simaxis (OR) 108 Ie109
89822 Simbario (VV) 89 Rb117
88050 Simeri-Crichi (CZ) 87 Rd115
04020 Simonelli (LT) 69 Oe101
39040 Sinablana = Tanna (BZ) .....3 Ma 70
98069 Sinagra (ME) 93 Pe120
53048 Sinalunga (SI) 50 Me89
30023 Sindacale (VE) 26 Nf74
Sindaro Marina (ME) 88 Qc119
08018 Sindia (NU) 108 Id107
09090 Sini (OR) 109 If110
Sinigo = Sinich (BZ) .....3 Ma 69
12050 Sinio (AT) 33 Ia81
08029 Siniscola (NU) 107 Ke105
09048 Sinnai (CA) 112 Kb113
89020 Sinopoli (RC) 88 Qf119
89020 Sinopoli (RC) 88 Qf119
81037 Sipicciano (CE) 70 Of101
01020 Sipicciano (VT) 56 Nb93
96100 Siracusa (SR) 99 Qb126
09010 Sirai (CI) 111 Ic113
83020 Sirignano (AV) 91 Nf121
83020 Sirignano (AV) 71 Pd103
09090 Siris (OR) 109 Ie110
25019 Sirmione (BS) 23 Ld76
60020 Sirolo (AN) 53 Od87
23844 Sirone (LC) 21 Kb74
38054 Siror (TN) 14 Me71
09013 Sirri (CI) 111 Id113
23896 Sirtori (LC) 21 Kb74
09040 Sisini (CA) 112 Ka111
15060 Sisola (AL) 35 Ka80
43018 Sissa (PR) 36 Lb79
34011 Sistiana (TS) 17 Od74
32015 Sitran (BL) 15 Nc72
09040 Siurgus-Donigala (CA) 112 Kb111

Siusi = Seis (BZ) .....4 Md 69
27010 Siziano (PV) 21 Kb77
28070 Sizzano (NO) 20 Ic75
39020 Slingia = Schlinig (BZ) .....2 Lc 68
39020 Sluderno = Schluderns (BZ)
.....3 Ld 68
38010 Smarano (TN) 13 Ma70
63020 Smerillo (FM) 58 Oc90
Snodres = Schnauders (BZ)
.....4 Md 68
61016 Soanne (PU) 47 Nb85
29010 Soarza (PC) 36 La78
46047 Soave (MN) 23 Le77
37038 Soave (VR) 24 Mb76
80046 Soccavo (NA) 76 Pb103
32011 Soccher (BL) 15 Nb71
33020 Socchieve (UD) 16 Nf70
Soccorso (ME) 94 Qb119
52010 Soci (AR) 50 Me86
09080 Soddi (OR) 109 If108
52044 Sodo (AR) 51 Mf89
32013 Soffranco (BL) 15 Nb71
47030 Sogliano al Rubicone (FC)
.....47 Nb84
73010 Sogliano Cavour (LE) 82 Tb108
14020 Soglio (AT) 33 Ia79
56030 Soiana (PI) 49 Ld87
25080 Soiano del Lago (BS) 23 Ld75
32100 Sois (BL) 15 Na72
24058 Sola (BG) 22 Ke76
36020 Solagna (VI) 14 Me74
09048 Solanas (CA) 113 Kc114
09072 Solanas (OR) 108 Id109
89011 Solano Inferiore (RC) 88 Qe119
89058 Solano Superiore (RC) 88 Qe119
41030 Solara (MO) 38 Ma80
96010 Solarino (SR) 99 Qa126
20020 Solaro (MI) 21 Ka75
29024 Solaro (PC) 35 Kc80
25080 Solarolo (BS) 23 Ld75
46040 Solarolo (MN) 23 Ld77
48027 Solarolo (RA) 47 Mf82
26045 Solarolo Monasterolo (CR)
.....36 Lb78
26030 Solarolo Rainerio (CR) 36 Lc78
09077 Solarussa (OR) 108 Ie109
52021 Solata (AR) 50 Md88
22070 Solbiate (CO) 21 If74
21048 Solbiate Arno (VA) 20 Ie74
21058 Solbiate Olona (VA) 20 If75
14010 Solbrito, San Páolo- (AT) 33 Hf79
28040 Solcio (NO) 20 Id74
39029 Solda (BZ) .....3 Ld 69
39029 Solda = Sulden (BZ) .....3 Ld 69
Solda di fuori = Außersulden (BZ)
.....3 Ld 69
18036 Soldano (IM) 41 Hd85
09040 Soleminis (CA) 112 Kb112
15029 Solero (AL) 34 Id79
35047 Solesino (PD) 24 Me77
73010 Soleto (LE) 82 Tb107
46040 Solferino (MN) 23 Ld76
95012 Solicchiata (CT) 94 Qa121
41019 Soliera (MO) 37 Lf80
54013 Soliera (MS) 44 La83
43040 Solignano (PR) 36 Kf81
41014 Solignano Nuovo (MO) 37 Lf81
31010 Soligo (TV) 15 Na73
33090 Solimbergo (PN) 16 Ne71
08020 Solita (OT) 107 Ke104
31030 Soller (TV) 15 Nb73
83029 Solofra (AV) 77 Pf104
28010 Sologno (NO) 20 Id75
42030 Sologno (RE) 45 Lc82
15020 Solonghello (AL) 34 Ib78
82036 Solopaca (BN) 71 Pd101
24060 Solto Collina (BG) 22 La74
24030 Solza (BG) 21 Kc74
23028 Somággia (SO) 11 Kc71
26867 Somaglia (LO) 36 Kd78
12060 Somano (CN) 33 Ia81
24030 Sombreno (BG) 22 Ke74
24019 Somendenna (BG) 22 Ke74
28838 Someraro (VB) 10 Id73
37066 Sommacampagna (VR) 23 Lf76
21019 Somma Lombardo (VA) 20 Ie74
12048 Sommariva del Bosco (CN)
.....33 He80
12040 Sommariva Perno (CN) 33 Hf80
93019 Sommatino (CL) 97 Of124
80049 Somma Vesuviana (NA) 76 Pc103
37010 Sommavilla (VR) 23 Le74
27048 Sommo (PV) 35 Ka78
55051 Sommocolonia (LU) 45 Lc84
Somplago (UD) 16 Oa70
38020 Somrabbi (TN) 13 Le70
37060 Sona (VR) 23 Le76

26029 Soncino (CR) 22 Kf76
23035 Sondalo (SO) 12 Lb70
23100 Sondrio (SO) 12 Kf71
24020 Songavazzo (BG) 12 Kf73
25048 Sonico (BS) 12 Lc71
04010 Sonnino (LT) 69 Ob100
Sonvigo = Aberstuckl (BZ)
.....4 Mb 68
Soprabolzano = Oberbozen (BZ)
.....4 Mc 69
38070 Sopra- monte (TN) 13 Ma72
13834 Soprana (BI) 20 Ib75
25085 Sopraponte (BS) 23 Lc75
03030 Sora (FR) 63 Od98
Sorafurcia = Geiselsberg (BZ)
.....4 Mf 68
38030 Soraga (TN) 14 Md70
43019 Soragna (PR) 36 La79
12060 Sorano (CN) 33 Hf81
58010 Sorano (GR) 55 Me92
41030 Sorbara (MO) 37 Ma80
67069 Sorbo (AQ) 62 Ob96
83050 Sorbo (MC) 57 Oa91
43058 Sorbolo (PR) 37 Lc79
88050 Sorbo San Basile (CZ) 86 Rd114
83050 Sorbo Serpico (AV) 71 Pf103
13817 Sordevolo (BI) 19 Hf75
26858 Sordio (LO) 21 Kc76
26015 Soresina (CR) 22 Kf77
37060 Sorga (VR) 23 Lf77
36020 Sorgono (NU) 109 Ka108
16030 Sori (GE) 43 Ka82
89831 Sorianello (VV) 89 Rb117
89831 Soriano Calabro (VV) 89 Rb117
01038 Soriano Nel Cimino (VT) 56 Nb94
22010 Sórico (CO) 11 Kc71
36053 Sorio (VI) 24 Mc76
28010 Soriso (NO) 20 Ic74
24010 Sorisole (BG) 22 Ke74
22030 Sormano (CO) 11 Kb73
09080 Sorradile (OR) 109 If108
98066 Sorrentini (ME) 94 Pf120
80067 Sorrento (NA) 76 Pc105
32020 Sorriva (BL) 14 Me72
16010 Sorrivi (GE) 35 Ka81
47020 Sorrivoli (FC) 47 Nb84
07037 Sorso (SS) 105 Id104
62030 Sorti (MC) 57 Oa91
96010 Sortino (SR) 99 Pf125
25080 Sorzana (BS) 22 Lc75
26048 Sospiro (CR) 36 La78
32037 Sospirolo (BL) 15 Na72
36040 Sossano (VI) 24 Mc76
07020 sos Sonorcolos (OT) 107 Kc105
13868 Sostegno (BI) 20 Ib75
32030 Sospese (PV) 35 Kc78
56020 Sottili (PI) 49 Le86
25070 Sottocastello (BS) 15 Nc70
24010 Sottochiesa (BG) 11 Kd73
24039 Sotto il Monte Giovanni XXIII (BG)
.....21 Kc74
30015 Sottomarina (VE) 25 Nb77
33092 Sottomonte (PN) 16 Ne71
58010 Sovana (GR) 55 Md93
28011 Sovazza (NO) 20 Ic74
38048 Sover (TN) 14 Mb71
88068 Soverato (CZ) 86 Rd116
88068 Soverato Marina (CZ) 86 Rd116
88068 Soverato Superiore (CZ) 86 Rd116
24060 Sovere (BG) 22 La74
70038 Sovereto (BA) 74 Rd102
Sovereto (RC) 88 Qf118
88049 Soveria Mannelli (CZ) 86 Rc114
88050 Soveria Simeri (CZ) 87 Rd115
Sovernigo (TV) 25 Na74
32010 Soverzene (BL) 15 Nb71
53018 Sovicille (SI) 50 Mb89
20050 Sovico (MB) 21 Kb75
20035 Sovico Macherio (MB) 21 Kb75
36050 Sovizzo (VI) 24 Mc75
32030 Sovramonte (BL) 14 Me72
28060 Sozzago (NO) 20 Ie76
41019 Sozzigalli (MO) 37 Lf80
30020 Spadacenta (VE) 16 Ne74
98048 Spadafora (ME) 88 Qc119
40034 Spadarolo (RN) 48 Nd84
89822 Spadola (VV) 89 Rb117
Spano (TP) 90 Nc122
81056 Sparanise (CE) 70 Pa101
10080 Sparone (TO) 19 Hd76
98100 Sparta (ME) 88 Qd119
73040 Specchia (LE) 82 Tb109
73027 Specchiagallone (LE) 82 Tc108
74024 Specchiarica (TA) 81 Se107
Spedaletto (PI) 49 Le88
02029 Spedino (RI) 62 Ob95
06038 Spello (PG) 57 Ne91

63043 Spelonga (AP) 58
38059 Spera (TN) 14
31050 Spercenigo (TV) 25
58100 Spergolaia (GR) 55
94010 Sperlinga (EN) 93
04029 Sperlonga (LT) 69
Sperone (AV) 63
83020 Sperone (AV) 71
12060 Sperone (CN) 33
Sperone (TP) 90
32016 Spert (BL) 15
35010 Spessa (PD) 24
27010 Spessa (PV) 35
19100* Spézia, La (SP) 44
72015 Speziale (BR) 75
87019 Spezzano Albanese (CS)
.....84
87019 Spezzano Albanese Terme (C
.....84
87058 Spezzano della Sila (CS)
.....86
87050 Spezzano Piccolo (CS) 86
71019 Spiaggia Scialmarino (FG)
.....6
84085 Spiano (SA) 77
37013 Spiazzi (VR) 2
38088 Spiazzo (TN) 1
38088 Spiazzo Montagne (TN) 1
50028 Spicciano (FI) 50
15018 Spigno Monferrato (AL) 3
04020 Spigno Saturnia (LT) 69
04020 Spigno Saturnia Superiore (L
.....69
41057 Spilamberto (MO) 37
33097 Spilimbergo (PN) 1
89864 Spilinga (VV) 88
06055 Spina (PG) 56
00128 Spinaceto (RM) 6
26020 Spinadesco (CR) 3
70058 Spinazzola (BT) 73
30038 Spinea (VE) 2
26030 Spineda (CR) 3
31039 Spineda (TV) 2
24020 Spinelli (BG) 1
95038 Spinelli (CT) 94
88824 Spinello (KR) 87
84091 Spineta Nuova (SA) 77
86020 Spinete (CB) 7
63036 Spinetoli (AP) 58
15050 Spineto Scrivia (AL) .....
15100 Spinetta Marengo (AL) .....
39037 Spinga = Spinges (BZ) 4
37040 Spinimbecco (VR) 2
Spinn (BZ) .....
26016 Spino d'Adda (CR) 3
24060 Spinone al Lago (BG) 2
85039 Spinoso (PZ) 79
24050 Spirano (BG) 2
28825 Spóccia (VB) .....
Spodigna = Spondinig (BZ)
06049 Spoleto (PG) 5
65010 Spoltore (PE) 5
73038 Spongano (LE) 82
43041 Spora (PR) 3
38010 Spormaggiore (TN) 1
38010 Sporminore (TN) 1
10050 Sportinia (TO) .....
17028 Spotorno (SV) .....
38045 Spre (TN) 1
31027 Spresiano (TV) 2
23020 Spriana (SO) .....
89036 Spropolo (RC) 95
88069 Squillace (CZ) 86
83016 Squillani (AV) 71
73018 Squinzano (LE) 82
32020 Stabie (BL) .....
89822 Stabilimento di Santa Maria
.....89
89054 Stabilimento Termale (RC)
.....89
Stabingrande (BL) .....
Stabiziane (BL) .....
56020 Staffoli (PI) .....
60039 Staffolo (AN) 5
41030 Staggia (MO) .....
53035 Staggia (SI) 5
07024 Stagnali (OT) 104
26049 Stagno Lombardo (CR) .....
89030 Staiti (RC) 95
88069 Staletti (CZ) 86
37020 Stallavena (VR) .....
24020 Stalle Moschel (BG) .....
Stanga = Stange (BZ) .....
35048 Stanghella (PD) .....
34079 Staranzano (GO) .....
16040 Statale (GE) .....

Statigliano (CE) 70 Pb101
Statte (TA) 80 Sb105
Stava = Staben (BZ) 3 Lf 69
Stàval (AO) 9 He 73
Staz.di Spagnuola (TP) 90 Nc121
Staz.Marina di Strongoli (KR) 87 Sa113
Stazione di Carini (PA) 91 Ob119
Staz. Di San Nicola di Mazara (TP) 96 Nd123
Stazione-Terontola (AR) 51 Na89
Stazioni di Milo (TP) 90 Nd120
Stazzano (AL) 34 If80
Stazzema (LU) 44 Lb85
Stazzo (CT) 94 Qa122
Stazzona (CO) 11 Kb72
Steccato (RI) 87 Rf115
Stefanaconi (VV) 89 Ra116
Stefano Santo di Magra (SP) 44 Kf83
Stella (SV) 42 Ic82
Stella Cilento (SA) 77 Qa107
Stellanello (SV) 41 Ia85
Stellata (FE) 38 Mc79
Stellatanone (RC) 89 Ra118
Stelvio = Stilfs (BZ) 3 Ld 69
Stenico (TN) 13 Lf72
Sternatia (LE) 82 Tb107
Sterzing = Vipiteno (BZ) 4 Mc 67
Stevani (AL) 34 Ic78
Stevena (PN) 15 Nc73
Stezzano (BG) 22 Kd75
Stia (AR) 46 Me86
Stiava (LU) 44 Lb85
Sticciano (GR) 55 Ma91
Sticciano Scalo (GR) 55 Ma91
Stienta (RO) 38 Md79
Stigliano (MC) 52 Oa89
Stigliano (MT) 79 Rb106
Stigliano (SI) 50 Mb89
Stignano (RC) 89 Rc118
Stilfs = Stelvio (BZ) 3 Ld 69
Stilo (RC) 89 Rc118
Stilo de'Mariani (CR) 36 Lb77
Stilves = Stilfes (BZ) 4 Mc 67
Stimigliano (RI) 61 Nd95
Stinco (MC) 58 Ob90
Stintino (SS) 105 Ib103
Stio (SA) 78 Qb107
Stornara (FG) 72 Qe101
Stornarella (FG) 72 Qe101
Storo (TN) 13 Ld73
Stra (PC) 35 Kc79
Stra (VE) 25 Mf76
Stracia (RC) 95 Qf121
Straconcolo (CR) 36 La78
Strada (MC) 53 Ob88
Strada (SV) 41 Ia83
Strada di Salemi (TP) 90 Nd122
Strada in Chianti (FI) 50 Mb87
Stradella (PV) 35 Kb78
Stradona (VE) 25 Na76
Stradone (VR) 24 Mc77
Strambinello (TO) 19 He76
Strambino (TO) 19 Hf76
Strangolagalli (CE) 70 Pb101
Strangolagalli (FR) 69 Oc99
Strano (RC) 89 Rc118
Straorini (RC) 88 Qe120
Strasatti (TP) 90 Nd122
Strassoldo (UD) 16 Ob73
Straulas (OT) 107 Kd104
Stravino (TN) 13 Lf72
Stregna (UD) 17 Od72
Strembo (TN) 13 Le72
Stresa (VB) 10 Id73
Stretti (VE) 26 Ne75
Strettoia (LU) 44 Lb84
Strevi (AL) 34 Id80
Striano (NA) 76 Pd104
Strigno (TN) 14 Md72
Strimmhof (BZ) 3 Le 69
Stromboli (ME) 88 Qb116
Strona (BI) 19 Ib75
Stroncone (TR) 57 Ne94
Strongoli (KR) 87 Sa113
Stroppari (VI) 24 Me74
Stroppiana (VC) 20 Ic77
Stroppo (CN) 32 Ha81
Strovina (MD) 112 If111
Strozza (BG) 21 Kd74
Struda (LE) 82 Tb107
Stuerda (TO) 33 Hf79
Stuffione (MO) 38 Ma80
Stulles = Stuls (BZ) 3 Mb 68
Stupinigi (TO) 33 Hd79
Stupizza (UD) 17 Oc71
83055 Sturno (AV) 71 Qa102
27030 Suardi (PV) 34 Ie78
08020 Suaredda (OT) 107 Kd104
52010 Subbiano (AR) 51 Mf87
00028 Subiaco (RM) 62 Oa97
67020 Succiano (AQ) 63 Oe95
42030 Succiso (RE) 44 Lb82
81030 Succivo (CE) 70 Pb103
25040 Sucinva (BS) 12 Lb73
23835 Suéglio (LC) 11 Kc72
09040 Suelli (CA) 112 Ka111
23867 Suello (LC) 21 Kb74
05018 Sugano (TR) 56 Na92
50050 Sughera (FI) 49 Lf87
04021 Suio (LT) 70 Of101
24040 Suisio (BG) 21 Kd75
20050 Sulbiate (MB) 21 Kc75
20050 Sulbiate Inferiore (MI) 21 Kc75
20050 Sulbiate Superiore (MI) 21 Kc75
67039 Sulmona (AQ) 63 Of96
25058 Sulzano (BS) 22 La74
21040 Sumirago (VA) 20 Ie74
30020 Summaga (VE) 16 Ne74
83010 Summonte (AV) 71 Pe103
08010 Suni (OR) 108 Id107
28019 Suno (NO) 20 Id75
10020 Superga (TO) 33 He78
73040 Supersano (LE) 82 Tb108
03019 Supino (FR) 69 Ob99
73030 Surano (LE) 82 Tc108
73010 Surbo (LE) 82 Ta106
07041 Surigheddu (SS) 105 Ic105
38057 Susa (TN) 14 Mb72
10059 Susa (TO) 32 Ha78
33030 Susans (UD) 16 Oa71
31058 Susegana (TV) 15 Nb73
04018 Suso (LT) 68 Oa99
46030 Sustinente (MN) 37 Ma78
37052 Sustinenza (VR) 24 Mb78
93010 Sutera (CL) 97 Oe123
01015 Sutri (VT) 61 Nb95
33020 Sutrio (UD) 6 Nf 69
Suvarita (ME) 93 Pc120
57028 Suvereto (LI) 54 Le90
19020 Suvero (SP) 44 Ke83
Suvignano (SI) 50 Mc89
46029 Suzzara (MN) 37 Le79

T

Tabaccaro (TP) 90 Nc121
73040 Tabarono (LE) 82 Ta109
46030 Tabellano (MN) 37 Le78
43014 Tabiano Bagni (PR) 36 La80
Tabla = Tabland (BZ) 3 Lf 69
75022 Taccone (MT) 73 Ra104
23837 Taceno (LC) 11 Kc72
09080 Tadasuni (OR) 109 If108
18018 Taggia (IM) 41 Hf85
67069 Tagliacozzo (AQ) 62 Ob96
24010 Tagliata (BG) 12 Ke73
35022 Taglio (PD) 25 Mf78
45019 Taglio di Po (RO) 39 Nb78
15070 Tagliolo Monferrato (AL) 34 Id81
24060 Tagliuno (BG) 22 Kf75
39040 Tagusa = Tagusens (BZ) 4 Md 69
32027 Taibon Agordino (BL) 15 Na71
32040 Tai di Cadore (BL) 5 Nc 70
20082 Tainate (MI) 21 Ka76
21020 Taino (VA) 20 Id74
38012 Taio (TN) 13 Ma71
33040 Taipana (UD) 16 Oc71
39035 Taisten = Tèsido (BZ) 5 Na 68
Talacchio (PU) 48 Ne86
61015 Talamello (PU) 47 Nb85
23018 Talamona (SO) 11 Kd72
58010 Talamone (GR) 55 Ma93
08040 Talana (NU) 110 Kc108
81027 Talanico (CE) 71 Pc102
53036 Talciona (SI) 50 Mb88
24010 Taléggio (BG) 11 Kd73
24010 Taleggio Peghera (BG) 11 Kd73
52010 Talla (AR) 50 Me87
33030 Talmassons (UD) 16 Oa73
31040 Talponada (TV) 25 Nc75
74029 Talsano (TA) 81 Sb106
33070 Tamai (PN) 15 Nd73
44030 Tamara (FE) 38 Me79
08020 Tamarispa (OT) 107 Ke104
32010 Tambre (BL) 15 Nc72
39023 Tanas (BZ) 3 Ld 69
08020 Tanaunella (OT) 107 Ke104
09070 Tanca Regia (OR) 109 Ie108
98039 Taormina (ME) 94 Qb121
28010 Tapigliano (NO) 20 Id74
33040 Tapogliano (UD) 17 Oc73
02040 Tarano (RI) 61 Nd94
66018 Taranta Peligna (CH) 63 Pb96
12020 Tarantasca (CN) 33 Hd82
74100 Taranto (TA) 80 Sb106
33017 Tarcento (UD) 16 Ob71
39024 Tarces = Tartsch (BZ) 3 Ld 68
Tarderia (CT) 94 Qa122
37063 Tarmassia (VR) 23 Ma77
01016 Tarquinia (VT) 60 Me95
01016 Tarquinia Lido (VT) 60 Me95
39020 Tarres = Tarsch (BZ) 3 Lf 69
87040 Tarsia (CS) 84 Rb111
43050 Tarsogno (PR) 43 Kd82
23010 Tartano (SO) 12 Ke72
33018 Tarvisio (UD) 7 Od 69
31020 Tarzo (TV) 15 Nb73
29010 Tassara (PC) 35 Kc79
15060 Tassarolo (AL) 34 Ie80
38010 Tassullo (TN) 13 Ma70
58024 Tatti (GR) 55 Ma90
39020 Taufers im Münstertal = Tubre (BZ) 2 Lc 69
83020 Taurano (AV) 71 Pd103
83030 Taurasi (AV) 71 Pf102
33090 Tauriano (PN) 16 Nf72
89029 Taurianova (RC) 89 Qf118
73056 Taurisano (LE) 82 Tb109
33010 Tavagnacco (UD) 16 Ob72
10010 Tavagnasco (TO) 19 He75
50028 Tavarnelle Val di Pesa (FI) 50 Mb87
26838 Tavazzano (LO) 21 Kc77
26838 Tavazzano con Villavesco (LO) 21 Kc77
86030 Tavenna (CB) 64 Pe97
66045 Taverna (CH) 64 Pc98
88055 Taverna (CZ) 86 Rd114
47854 Taverna (RN) 48 Nd85
Taverna (SR) 99 Qa126
83051 Taverna di Frasca (AV) 71 Qa103
29010 Tavernago (PC) 35 Kc79
62038 Taverne (MC) 57 Nf90
54016 Tavernelle (MS) 44 La83
06068 Tavernelle (PG) 56 Na90
61030 Tavernelle (PU) 48 Nf86
40011 Tavernelle d'Emilia (BO) 38 Mb81
22038 Tavernerio (CO) 21 Ka74
10040 Tavernette (TO) 32 Hc79
24060 Tavernola Bergamasca (BG) 22 La74
25060 Tavernole sul Mella (BS) 22 Lb74
73057 Taviano (LE) 82 Ta109
13811 Tavigliano (BI) 19 Ia75
59014 Tavola (PO) 46 Ma85
61020 Tavoleto (PU) 48 Nd85
38010 Tavon (TN) 13 Ma70
61010 Tavullia (PU) 48 Ne85
85032 Teana (PZ) 79 Ra108
81057 Teano (CE) 70 Pa101
84039 Teggiano (SA) 78 Qd106
84021 Teglia (SA) 78 Qc104
28877 Teglià (VB) 10 Ic73
25079 Teglie (BS) 23 Lc74
23036 Teglio (SO) 12 La71
30025 Teglio Veneto (VE) 16 Nf74
Tel = Toll (BZ) 3 Ma 68
82037 Telese Terme (BN) 71 Pd101
24060 Telgate (BG) 22 Kf75
19032 Tellaro (SP) 44 Kf84
07020 Telti (OT) 106 Kc103
38050 Telve (TN) 14 Mc72
38050 Telve di Sopra (TN) 14 Mc72
Telves = Telfes (BZ) 4 Mc 67
31010 Tempio (TV) 15 Nc74
07029 Tempio Pausania (OT) 106 Ka103
25050 Temu (BS) 13 Lc71
05020 Tenaglie (TR) 56 Nb93
35030 Tencarola (PD) 24 Me76
38050 Tenna (TN) 14 Mb72
38060 Tenno (TN) 13 Le73
Teodone = Dietenheim (BZ) 4 Mf 68
47014 Teodorano (FC) 47 Na84
35037 Teolo (PD) 24 Md76
33050 Teor (UD) 16 Oa73
83056 Teora (AV) 72 Qb103
64100 Teramo (TE) 58 Oe93
16029 Tercesi (GE) 35 Ka82
28070 Terdobbiate (NO) 20 Ie76
55020 Tereglio (LU) 45 Ld84
03040 Terelle (FR) 69 Oe99
39030 Terenten = Terento (BZ) 4 Me 68
39030 Terento = Terenten (BZ) 4 Me 68
Terenzano (UD) 16 Ob72
43040 Terenzo (PR) 36 La81
07030 Tergu (SS) 106 Ie103
38070 Terlago (TN) 13 Ma72
39018 Terlan = Terlano (BZ) 3 Mb 69
39018 Terlano = Terlan (BZ) 3 Mb 69
70038 Terlizzi (BA) 74 Rd102
92019 Terme (AG) 96 Oa123
Terme di Brennero = Brennerbad (BZ) 4 Mc 67
02010 Terme di Cotilia (RI) 57 Oa94
Terme di Firenze (FI) 50 Mb86
41049 Terme di Salvarola (MO) 37 Le81
87020 Terme Luigiane (CS) 84 Qf112
38020 Termenago (TN) 13 Le71
39040 Termeno sulla Strada del Vino = Tramin (BZ) 14 Mb70
Terme Segestane (TP) 91 Nf120
98050 Terme Vigliatore (ME) 94 Qa120
67012 Termine (AQ) 58 Ob94
80061 Termini (NA) 76 Pc105
90018 Termini Imerese (PA) 92 Oe120
02100 Terminillo (RI) 57 Nf94
19020 Termo (SP) 44 Kf84
86039 Termoli (CB) 65 Pf96
38010 Termon (TN) 13 Ma71
21020 Ternate (VA) 20 Ie74
10046 Ternavasso (TO) 33 Hf79
13844 Ternengo (BI) 19 Ia75
05100 Terni (TR) 57 Nd93
24030 Terno d'Isola (BG) 21 Kd74
52040 Terontola (AR) 51 Na89
04019 Terracina (LT) 69 Ob101
81059 Terracorpo (CE) 70 Pa101
47011 Terra del Sole (FC) 47 Mf83
84046 Terradura (SA) 83 Qb108
38060 Terragnolo (TN) 14 Ma73
09098 Terralba (OR) 108 Id110
67048 Terranera (AQ) 62 Od95
15030 Terranova (AL) 34 Id78
84029 Terranova (SA) 78 Qb105
87010 Terranova Da Sibari (CS) 84 Rc111
26827 Terranova dei Passerini (LO) 22 Kd77
85030 Terranova di Pollino (PZ) 84 Rb109
89010 Terranova Sappo Minulio (RC) 89 Qf119
52028 Terranuova Bracciolini (AR) 50 Md87
16011 Terrarossa (GE) 42 Ie82
27031 Terrasa (PV) 20 Id77
09010 Terraseo (CI) 111 Id113
90049 Terrasini (PA) 91 Oa119
35020 Terrassa Padovana (PD) 25 Mf77
87035 Terrati (CS) 86 Ra114
87060 Terravecchia (CS) 85 Rf112
37040 Terrazzo (VR) 24 Mc77
Terrenove (TP) 90 Nc122
38010 Terres (TN) 13 Ma71
89100 Terreti (RC) 88 Qe120
56030 Terricciola (PI) 49 Le87
37030 Terrossa (VR) 24 Mb76
09010 Terrubia (CA) 112 Ie113
15030 Terruggia (AL) 34 Ic78
08047 Tertenia (OG) 110 Kd110
71032 Tertiveri (FG) 72 Qb100
80040 Terzigno (NA) 76 Pd104
15010 Terzo (AL) 34 Ic80
33028 Terzo (UD) 6 Oa 70
30174 Terzo (VE) 25 Nb75
33050 Terzo d'Aquileia (UD) 17 Oc74
38027 Terzolas (TN) 13 Lf70
02016 Terzone San Pietro (RI) 57 Oa93
18010 Terzorio (IM) 41 Hf85
38038 Tesero (TN) 14 Md71
39035 Tesido = Taisten (BZ) 5 Na 68
39010 Tesimo = Tisens (BZ) 3 Ma 69
33099 Tesis (PN) 16 Ne72
87045 Tessano (CS) 86 Rb113
01010 Tessennano (VT) 56 Me94
Testa d'Acqua (SR) 99 Pf127
17020 Testico (SV) 41 Ia84
08030 Teti (NU) 109 Ka108
12025 Tetti (CN) 32 Hb82
10098 Tetti (TO) 33 Hd78
12100 Tetti Pesio (CN) 41 Hd82
23032 Tettoia del Palone (SO) 2 Lc 69
09019 Teulada (CA) 112 Ie115
24020 Teveno (BG) 12 La72
81030 Teverola (CE) 70 Pb103
81031 Teverola Carinaro (CE) 70 Pb103
25080 Tezze (BS) 22 Lc75
31028 Tezze (TV) 15 Nc74
36071 Tezze (VI) 24 Mc75
36056 Tezze sul Brenta (VI) 24 Me74
Thalerhof (BZ) 4 Mb 68
36016 Thiene (VI) 24 Mc74
07047 Thiesi (SS) 106 Ie105
11016 Thovex (AO) 18 Gf74
11016 Thuile, La (AO) 18 Gf74
10054 Thures (TO) 32 Gf79
87011 Thurio (CS) 84 Rc110
08020 Tiana (NU) 109 Ka108
38060 Tiarno di Sopra (TN) 13 Ld73
38060 Tiarno di Sotto (TN) 13 Le73
26020 Ticengo (CR) 22 Ke76
15040 Ticineto (AL) 34 Id78
38065 Tierno (TN) 13 Lf73
39050 Tiers = Tires (BZ) 4 Md 70
33088 Tiezzo (PN) 16 Ne73
Tiggiano (LE) 83 Tc109
73030 Tiggiano (LE) 83 Tc109
16010 Tiglieto (GE) 34 Id81
14016 Tigliole (AT) 33 Ia79
25080 Tignale (BS) 23 Le74
40033 Tignano (BO) 46 Mb82
50021 Tignano (FI) 50 Mb87
26020 Tigozzi Cava (CR) 36 Kf78
39042 Tiles = Tils (BZ) 4 Md 68
33020 Timau (UD) 6 Nf 69
75100 Timmari (MT) 79 Rc105
36014 Timonchio (VI) 24 Mc74
Timpone (CT) 94 Pf122
84073 Timpone (SA) 83 Qd108
Timpone (TP) 91 Ne119
10030 Tina (TO) 19 Hf76
75010 Tinchi (MT) 80 Rd106
98066 Tindari (ME) 94 Qa120
08010 Tinnura (OR) 108 Id107
23033 Tiolo (SO) 12 Lb71
67020 Tione degli Abruzzi (AQ) 63 Od95
38079 Tione di Trento (TN) 13 Le72
98076 Tiranni (ME) 93 Pd120
23037 Tirano (SO) 12 La71
23030 Tirano di Villa (SO) 12 La71
39050 Tires = Tiers (BZ) 4 Md 70
88056 Tiriolo (CZ) 86 Rc115
58040 Tirli (GR) 55 Lf91
46049 Tirolo (MN) 23 Ld77
39019 Tirolo = Dorf Tirol (BZ) 3 Ma 68
56018 Tirrenia (PI) 49 Lb87
39010 Tisens = Tesimo (BZ) 3 Ma 69
32020 Tiser (BL) 15 Na71
Tiso = Teis (BZ) 4 Md 69
33050 Tissano (UD) 16 Ob73
07040 Tissi (SS) 105 Id104
32020 Titele (BL) 15 Mf71
85050 Tito (PZ) 78 Qe105
00019 Tivoli (RM) 61 Ne97
43028 Tizzano Val Parma (PR) 36 Lb81
42010 Toano (RE) 45 Ld82
36020 Toara (VI) 24 Md76
51037 Tobbiana (PT) 45 Ma85
01100 Tobia (VT) 56 Na94
39034 Toblach = Dobbiaco (BZ) 5 Nb 68
82030 Tocco Caudio (BN) 71 Pd102
65028 Tocco da Casáuria (PE) 63 Of95
32021 Toccol (BL) 15 Na71
28858 Toceno (VB) 10 Ic72
06059 Todi (PG) 56 Nc92
02039 Toffia (RI) 61 Ne95
32020 Toffol (BL) 15 Na70
11020 Toffoz (AO) 19 He74
33040 Togliano (UD) 17 Oc72
50059 Toiano (FI) 45 Lf86
56036 Toiano (PI) 49 Le87
Toiano (SI) 50 Mb89
17055 Toirano (SV) 42 Ib84
23030 Tola (SO) 12 Lc70
40038 Tole (BO) 45 Ma82
62029 Tolentino (MC) 53 Ob89
00059 Tolfa (RM) 60 Mf96
29019 Tollara (PC) 36 Ke79
13818 Tollegno (BI) 19 Ia75
66010 Tollo (CH) 59 Pb94
33028 Tolmezzo (UD) 16 Oa70
85017 Tolve (PZ) 79 Ra104
88041 Tomaini (CZ) 86 Rb114
33036 Tomba (UD) 16 Oa72
Tomba di Nerone (RM) 61 Nc97
Tombazosana (VR) 24 Mb77
35019 Tombolo (PD) 24 Me75
90040 Tommaso Natale (PA) 91 Ob119
32032 Tomo (BL) 15 Mf72
38010 Ton (TN) 13 Ma71
38054 Tonadico (TN) 14 Mf71
08039 Tonara (NU) 109 Kb108
14039 Tonco (AT) 34 Ib78
14023 Tonengo (AT) 33 Ia78
10030 Tonengo (TO) 19 Hf77
36040 Tonezza del Cimone (VI) 14 Mb73
Tonnara del Secco (TP) 91 Ne119
Tonnara di Bonagia (TP) 90 Nd120
09014 Tonnare (CI) 111 Ib113
98054 Tonnarella (ME) 94 Qa120

Tonnarella dell'Uzzo (TP) 91 Ne120
02024 Tonnicoda (RI) 62 Oa95
16010 Tonno (GE) 35 Ka81
Tono (ME) 94 Qb119
33090 Toppo (PN) 16 Ne71
81044 Tora e Piccilli (CE) 70 Pa100
02029 Torano (RI) 62 Ob96
87010 Torano Castello (CS) 84 Ra111
64010 Torano Nuovo (TE) 58 Oe92
25030 Torbole (BS) 22 La75
38069 Torbole (TN) 13 Lf73
38069 Tórbole, Nago- (TN) 13 Lf73
25030 Torbole-Casaglia (BS) 22 La75
80061 Torca (NA) 76 Pc105
38050 Torcegno (TN) 14 Mc72
30142 Torcello (VE) 25 Nc75
84076 Torchiara (SA) 77 Qa107
63013 Torchiaro (AP) 53 Oe90
72020 Torchiarolo (BR) 82 Ta106
83026 Torchiati (AV) 77 Pe104
25026 Torchiera (BS) 22 La77
38045 Torchio (TN) 14 Mb72
55041 Torcigliano (LU) 45 Lc85
06081 Tor d'Andrea (PG) 57 Nd90
64010 Tordinia (TE) 58 Od93
83057 Torella dei Lombardi (AV) 71 Qa103
86028 Torella del Sánnio (CB) 64 Pd99
84090 Torello (SA) 77 Pf104
06089 Torgiano (PG) 56 Nc90
11020 Torgnon (AO) 19 Hd74
10100* Torino (TO) 33 Hd78
66020 Torino di Sangro (CH) 64 Pd95
66020 Torino di Sangro Marina (CH) 64 Pd95
70020 Toritto (BA) 74 Re102
Torlano di Sopra (UD) 16 Ob71
26017 Torlino Vimercati (CR) 21 Kd76
00010 Torlupara di Mentana (RM) 61 Nd96
36100 Tormeno (VI) 24 Md75
37060 Tormine (VR) 23 Le77
28070 Tornaco (NO) 20 Ie76
66046 Tornareccio (CH) 64 Pc96
26030 Tornata (CR) 37 Lc78
60024 Tornazzano (AN) 53 Oc88
67049 Tornimparte (AQ) 62 Ob95
22020 Torno (CO) 11 Ka73
85040 Torno (PZ) 84 Ra109
43059 Tórnolo (PR) 35 Kd82
86018 Toro (CB) 71 Pe99
08020 Torpe (NU) 107 Ke105
84030 Torraca (SA) 78 Qd108
07048 Torralba (SS) 106 Ie105
18100 Torrazza (IM) 41 Hf85
27025 Torrazza (PV) 20 If77
27050 Torrazza Coste (PV) 35 Ka79
10037 Torrazza Piemonte (TO) 19 Hf77
13884 Torrazzo (BI) 19 Hf75
Torrazzo (TP) 91 Ne119
52021 Torre (AR) 50 Md88
25080 Torre (BS) 23 Lc75
62011 Torre (MC) 53 Ob88
75010 Torre Áccio (MT) 80 Rd106
Torre Alba (PA) 91 Oa119
01021 Torre Alfina (VT) 56 Mf92
70045 Torre a Mare (BA) 74 Rf102
80058 Torre Annunziata (NA) 76 Pc104
33040 Torreano (DU) 16 Oa72
33040 Torreano (UD) 17 Oc72
09018 Torre Antigori (CA) 112 Ka114
95018 Torre Archirafi (CT) 94 Qb122
09079 Torre Argentina (OR) 105 Ic107
10010 Torre Balfredo (TO) 19 Hf76
07041 Torre Bantine Sale (SS) 105 Ib104
36036 Torrebelvicino (VI) 24 Mb74
Torre Bennisti (TP) 91 Ne120
27030 Torre Beretti (PV) 34 Ie78
27030 Torre Beretti e Castellaro (PV) 34 Ie78
24020 Torre Boldone (BG) 22 Ke74
12050 Torre Bórmida (CN) 33 Ia81
66050 Torrebruna (CH) 64 Pd97
Torre Busala (TP) 90 Nd122
03010 Torre Cajetani (FR) 62 Ob98
09045 Torre Cala Regina (CA) 112 Kb113
10010 Torre Canavese (TO) 19 He76
98076 Torrecandele (ME) 93 Pd120
09017 Torre Cannai (CI) 111 Ic115
72015 Torre Canne (BR) 75 Sc103
74026 Torre Castelluccia (TA) 81 Sc106
43010 Torrechiara (PR) 36 Lb81
Torre Cillea (RC) 88 Qf119
74024 Torre Colimena (TA) 81 Se107
09079 Torre Columbárgia (OR) 108 Ic107
82030 Torrecuso (BN) 71 Pe101
27010 Torre d'Arese (PV) 21 Kb77
23806 Torre de' Busi (LC) 21 Kc74
09031 Torre dei Corsari (MD) 108 Ic110
09010 Torre del Diávolo (CA) 112 Ka114
80059 Torre del Greco (NA) 76 Pc104
07040 Torre della Finanza (SS) 105 Ib103
55049 Torre del Lago Puccini (LU) 44 Lb85
Torre dell'Impiso (TP) 91 Ne120
73026 Torre dell'Orso (LE) 82 Tc107
09043 Torre del Saline (CA) 113 Kd112
73028 Torre del Serpe (LE) 82 Td108
27011 Torre de'Negri (PV) 35 Kc78
65029 Torre de' Pásseri (PE) 63 Of95
26038 Torre de'Picenardi (CR) 36 Lb78
24060 Torre de' Roveri (BG) 22 Ke74
09048 Torre de su Fenugu (CA) 112 Kc114
Torre di Balsamo (TP) 90 Nd122
08042 Torre di Bari (NU) 110 Ke110
89030 Torre di Capo Bruzzano (RC) 95 Ra120
09043 Torre Dieci Cavalli (CA) 113 Kd112
30020 Torre di Fine (VE) 26 Ne75
09031 Torre di Flumentórgiu (MD) 108 Ic110
89040 Torre di Gerace (RC) 89 Rb119
27010 Torre di Mangano (PV) 21 Ka77
97013 Torre di Mastro (RG) 100 Pd127
91100 Torre di Mezzo (TP) 90 Nc121
30020 Torre di Mosto (VE) 26 Ne74
09040 Torre di Múrtas (CA) 113 Kd111
97010 Torre di Piombo (RG) 100 Pc127
88060 Torre di Ruggiero (CZ) 89 Rc117
09049 Torre diruta (CA) 113 Kd114
09049 Torre di San Luigi (diruta) (CA) 113 Kd114
23020 Torre di Santa Maria (SO) 12 Kf71
27020 Torre d'Isola (PV) 21 Ka77
02024 Torre di Taglio (RI) 62 Ob95
89040 Torre Ellera (RC) 89 Rd118
07040 Torre Falcone (SS) 105 Ib103
98164 Torre Faro (ME) 88 Qd119
00133 Torre Gaia (RM) 61 Nd97
35038 Torreglia (PD) 24 Me76
Torre Granatelli (TP) 90 Nd122
98040 Torregrotta (ME) 88 Qb119
73010 Torre Lapillo (LE) 81 Sf107
83030 Torre le Nocelle (AV) 71 Pf102
71017 Torremaggiore (FG) 65 Qb98
Torre Marcubbo (TP) 90 Nd122
88900 Torre Mariedda (KR) 87 Sb114
88814 Torre Melissa (KR) 87 Sa113
27058 Torremenapace (PV) 35 If78
Torre Mendolia (TP) 91 Nf122
73020 Torre Miggiano (LE) 82 Tc108
73020 Torre Minervino (LE) 82 Tc108
Torre Molinazzo (PA) 91 Oa119
12080 Torre Mondovi (CN) 41 Hf82
09045 Torre Mortório (CA) 112 Kb113
09040 Torre Motta (CA) 113 Kd112
Torre Mozza (LE) 83 Ta109
98070 Torremuzza (ME) 93 Pb120
90044 Torre Muzza (PA) 91 Oa119
07041 Torre Negra (SS) 105 Ib104
53028 Torrenieri (SI) 50 Md90
98070 Torrenova (ME) 93 Pd120
00133 Torrenova (RM) 61 Nd97
91027 Torre Nubia (TP) 90 Nc120
09031 Torre Nuova (MD) 108 Ic110
07041 Torre Nuova (SS) 105 Ib105
Torre Nuova Scalo 54 I
Torre Nuova Scalo 49 Kf88
04017 Torre Olevola (LT) 69 Oa101
84077 Torre Orsaia (SA) 78 Qc108
73049 Torrepaduli (LE) 82 Tb109
Torre Pali (LE) 83 Tb109
24050 Torre Pallavicina (BG) 22 Kf76
47812 Torre Pedrera (RN) 48 Nc84
10066 Torre Pellice (TO) 32 Hb80
07040 Torre Pelosa (SS) 105 Ib103
09073 Torre Pittinuri (OR) 108 Ic108
07041 Torre Pöglina (SS) 105 Ib106
15060 Torre Ratti (AL) 35 If80
89041 Torre San Fili (RC) 89 Rc118
08040 Torre San Gemiliano (NU) 110 Ke109
72020 Torre San Gennaro (BR) 82 Ta105
12030 Torre San Giorgio (CN) 33 Hd80
08047 Torre San Giovanni di Sárrala (OG) 110 Ke111
61040 Torre San Marco (PU) 52 Nf87
63010 Torre San Patrizio (FM) 53 Od89
Torre Sant'Anna (CT) 94 Qa123
72028 Torre Santa Susanna (BR) 81 Se106
73028 Torre Sant'Emiliano (LE) 82 Td108
73028 Torre Santo Stéfano (LE) 82 Tc107
09014 Torre San Vittório (CI) 111 Ib114
Torre Scibiliana (TP) 90 Nc122
30026 Torresella (VE) 26 Nf74
35017 Torreselle (PD) 25 Na75
12070 Torresina (CN) 41 Ia82
72015 Torre Spaccata (BR) 75 Sc104
73020 Torre Specchialaguardia (LE) 82 Tc108
73026 Torre Spécchia Ruggeri (LE) 82 Tc107
73040 Torre Suda (LE) 82 Ta109
09018 Torre su Loi (CA) 112 Ka114
09073 Torre su Pattu (OR) 108 Ic108
Torre Triglia (TP) 90 Nd122
88812 Torretta (KR) 85 Sa112
57014 Torretta (LI) 49 Lc87
90040 Torretta (PA) 91 Ob120
37045 Torretta (VR) 38 Mb78
60131 Torrette (AN) 53 Oc87
Torre Vado (LE) 83 Tb109
87020 Torrevecchia (CS) 83 Qf111
Torrevecchia (RM) 61 Nc97
27010 Torrevecchia Pia (PV) 21 Kb77
66010 Torrevécchia Teatina (CH) 59 Pb94
07020 Torre Vignola (OT) 104 Ka102
09010 Torre Zavorra (CA) 112 Ka114
48010 Torri (RA) 39 Na82
53018 Torri (SI) 50 Mb89
18023 Torria (IM) 41 Hf84
46030 Torriana (MN) 37 Ma78
47825 Torriana (RN) 47 Nc85
03020 Tórrice (FR) 69 Oc99
87065 Torricella (CS) 84 Rd111
46020 Torricella (MN) 37 Le78
33098 Torricella (PN) 16 Nf73
43018 Torricella (PR) 36 Lb79
61030 Torricella (PU) 52 Ne87
74020 Torricella (TA) 81 Sc106
26040 Torricella del Pizzo (CR) 36 Lb78
02030 Torricella in Sabina (RI) 62 Nf95
66019 Torricella Peligna (CH) 64 Pb96
64010 Torricella Sicura (TE) 58 Od93
27050 Torricella Verzate (PV) 35 Kb78
27050 Torricella-Verzate (PV) 35 Kb78
37010 Torri del Benaco (VR) 23 Le75
36040 Torri di Quartesolo (VI) 24 Md75
16029 Torriglia (GE) 35 Ka81
02049 Torri in Sabina (RI) 61 Nd94
43056 Torrile (PR) 36 Lb79
00054 Torrimpietra (RM) 61 Nb97
28060 Torrione (NO) 20 Ic77
83010 Torrioni (AV) 71 Pe102
53049 Torrita di Siena (SI) 50 Me90
00060 Torrita Tiberina (RM) 61 Nd95
33050 Torsa (UD) 16 Oa73
36062 Tortima (VI) 24 Md74
08048 Tortoli (OG) 110 Kd109
15057 Tortona (AL) 34 If79
87020 Tortora (CS) 83 Qe109
84030 Tortorella (SA) 78 Qd108
84030 Tortorella San Basile (SA) 78 Qd108
91025 Tortorelle (TP) 90 Nc122
64018 Tortoreto (TE) 59 Of92
64019 Tortoreto Lido (TE) 59 Of92
98078 Tortorici (ME) 93 Pe120
90032 Tortorici (PA) 91 Ob122
27035 Tortorolo (PV) 34 Ie78
04100 Tor Tre Ponti (LT) 68 Nf99
00040 Tor Vaianica (RM) 68 Nc99
33050 Torviscosa (UD) 16 Ob74
40050 Toscanella (BO) 46 Md82
95030 Toscano (CT) 94 Qa123
25088 Toscolano-Maderno (BS) 23 Ld75
64049 Tossícia (TE) 58 Od93
64043 Tottea (TE) 58 Oc93
07040 Tottubella (SS) 105 Ic104
31030 Tovena (TV) 15 Nb73
32030 Tovio (BL) 14 Me73
23030 Tovo di Sant'Agata (SO) 12 Lb71
17020 Tovo San Giacomo (SV) 42 Ib83
90019 Trabia (PA) 92 Od120
24010 Trabuchello (BG) 12 Ke73
Trácino (TP) 96 Na127
21049 Tradate (VA) 20 If74
24020 Trafficanti (BG) 22 Ke74
28822 Traffiume (VB) 10 Ie72
39020 Trafoi = Trafo (BZ) 2 Lc 69
80050 Tralia (NA) 76 Pd104
07041 Tramariglio (SS) 105 Ia105
09070 Tramatza (OR) 108 Id108
38068 Trambileno (TN) 13 Ma73
39040 Tramin = Termeno sulla Strada del Vino (BZ) 14 Mb70
15060 Tramontana (AL) 34 Ie81
84010 Tramonti (SA) 77 Pd104
33090 Tramonti di Sopra (PN) 16 Ne71
33090 Tramonti di Sotto (PN) 16 Ne71
41037 Tramuschio (MO) 37 Ma79
85057 Tramutola (PZ) 78 Qe107
10090 Trana (TO) 32 Hc78
70059 Trani (BT) 73 Rc101
38054 Transacqua (TN) 14 Me71
39020 Transacqua = Ennewasser (BZ) 3 Le 69
23019 Traona (SO) 11 Kd72
91100 Trapani (TP) 90 Nd120
Trappeto (CT) 99 Qa123
90040 Trappeto (PA) 91 Oa120
89024 Trappeto Bambino (RC) 89 Ra118
28826 Trárego-Viggiona (VB) 10 Id72
47859 Trarivi (RN) 48 Nd85
67059 Trasacco (AQ) 63 Od97
33010 Trasaghis (UD) 16 Oa71
16021 Traso (GE) 43 Ka82
28868 Trasquera (VB) 10 Ib71
55020 Trassilico (LU) 45 Lc84
09010 Tratalias (CI) 111 Id114
10080 Trausella (TO) 19 He76
33020 Trava (UD) 16 Nf70
27020 Travacò Siccomário (PV) 35 Ka78
25039 Travagliato (BS) 22 La75
21028 Travedona-Monate (VA) 20 Ie74
50030 Traversa (FI) 46 Mb84
10080 Traversella (TO) 19 He75
10060 Traverses (TO) 32 Gf78
43029 Traversetolo (PR) 37 Lc81
10070 Tráves (TO) 18 Hc77
33090 Travesio (PN) 16 Nf71
36027 Travettore (VI) 24 Me74
29020 Travo (PC) 35 Kd79
35010 Trebaseleghe (PD) 25 Na75
Trebbia (MC) 52 Oa90
40100 Trebbo di Reno (BO) 38 Mb81
34016 Trebiciano (TS) 27 Oe74
87075 Trebisacce (CS) 84 Rd109
Tre Cancelli (RM) 68 Ne100
43010 Trecasali (PR) 36 Lb79
80040 Trecase (NA) 76 Pc104
95039 Trecastagni (CT) 94 Qa123
28069 Trecate (NO) 20 Ie76
85049 Trecchina (PZ) 83 Qe108
20060 Trecella (MI) 21 Kc75
45027 Trecenta (RO) 38 Mc78
Tre Chiese = Dreikirchen (BZ) 4 Md 69
06065 Trecine (PG) 51 Nb89
01010 Tre Croci (VT) 60 Na95
47019 Tredozio (FC) 46 Me84
43010 Trefiumi (PR) 44 La82
91021 Tre Fontane (TP) 96 Ne123
20050 Tregasio (MB) 21 Kb74
38028 Tregiovo (TN) 13 Ma70
81050 Treglia (CE) 70 Pb101
66030 Tréglio (CH) 64 Pc95
37039 Tregnago (VR) 24 Ma75
53011 Tregole (SI) 50 Mb88
62010 Treia (MC) 53 Ob89
12050 Tréiso (CN) 33 Ia80
33027 Trelli (UD) 6 Oa 70
23836 Treménico (LC) 11 Kc72
04026 Tremensuoli (LT) 69 Oe101
98128 Tremestieri (ME) 88 Qd120
95030 Tremestieri Etneo (CT) 94 Qa123
Treme- stieri Etneo (CT) 94 Qa123
22019 Tremezzo (CO) 11 Kb73
67069 Tremonti (AQ) 62 Ob96
25010 Tremósine (BS) 23 Le74
Trens (BZ) 4 Mc 67
87050 Trenta (CS) 86 Rb113
84070 Trentinara (SA) 77 Qa106
38100 Trento (TN) 13 Ma72
38100 Trento = Trient (TN) 14 Ma72
47023 Trentola (FC) 47 Nb84
81038 Trentola-Ducenta (CE) 70 Pb103
25030 Trenzano (BS) 22 La76
23030 Trepalle (SO) 2 La 69
30013 Treporti, Cavallino- (VE) 25 Nc76
51020 Treppio (PT) 45 Ma84
33020 Treppo Carnico (UD) 6 Oa 69
33010 Treppo Grande (UD) 16 Oa71
73019 Trepuzzi (LE) 82 Ta106
53020 Trequanda (SI) 50 Me89
27051 Tre Re (PV) 35 Ka78
38010 Tres (TN) 13 Ma71
54012 Tresana (MS) 44 Kf83
24069 Trescore Balneario (BG) 22 Kf74
26017 Trescore Cremasco (CR) 21 Kd76
23030 Tresenda (SO) 2 La 70
23036 Tresenda (SO) 12
44039 Tresigallo (FE) 3
23020 Tresivio (SO) 1
09079 Tresnuraghes (OR) 108
42014 Tressano (RE) 3
06018 Trestina (PG) 51
38013 Tret (TN) 3
24027 Trevasco (BG) 22
37060 Trevenzuolo (VR) 2
06039 Trevi (PG) 57
83058 Trevico (AV) 72
24047 Treviglio (BG) 21
43025 Trevignano (PR) 4
31040 Trevignano (TV) 2
00069 Trevignano Romano (RM) 61
15030 Treville (AL) 3
31033 Treville (TV) 2
03010 Trevi nel Lazio (FR) 62
24048 Treviolo (BG) 21
21034 Trevisago, Cócquio- (VA)
31100 Treviso (TV) 2
25070 Treviso Bresciano (BS) 2
29010 Trevozzo (PC) 3
20060 Trezzano Rosa (MI) 2
20090 Trezzano sul Naviglio (MI) 2
26010 Trezzolasco (CR) 22
22010 Trezzone (CO) 1
20056 Trezzo Sull'Adda (MI) 21
12050 Trezzo Tinella (CN) 3
58053 Triana (GR) 55
23100 Triangia (SO) 1
35020 Tribano (PD) 2
20067 Tribiano (MI) 2
Tribil di Sopra (UD) 17
16030 Tribogna (GE) 4
75019 Tricarico (MT) 79
Tricas Porto (LE) 83
73039 Tricase (LE) 82
73039 Tricase Porto (LE) 82
13038 Tricerro (VC) 2
33019 Tricesimo (UD) 1
32028 Trichiana (BL) 1
08040 Triei (OG) 110
38100 Trient = Trento (TN) 14
34100* Trieste (TS) 2
81041 Triflisco (CE) 70
70044 Triggianello (BA) 74
70019 Triggiano (BA) 74
84070 Triglio (SA) 78
64045 Trignano (TE) 5
26018 Trigolo (CR) 2
42026 Trinita (RE) 3
84036 Trinita (SA) 78
12049 Trinita (CN) 3
07038 Trinita d'Agultu e Vignola (OT 10
71049 Trinitapoli (BT) 73
13039 Trino (VC) 2
18010 Triora (IM) 4
89900 Triparni (VV) 86
98060 Tripi (ME) 94
06040 Triponzo (PG) 5
91022 Triscina (TP) 96
15070 Trisobbio (AL) 3
36070 Trissino (VI) 2
89020 Tritanti (RC) 89
70010 Trito (BA) 75
20050 Triuggio (MB) 2
26845 Triulza (LO) 3
86029 Trivento (CB) 6
13835 Trivero (BI) 1
03010 Trivigliano (FR) 6
30174 Trivignano (VE) 2
33050 Trivignano Udinese (UD) 1
85018 Trivigno (PZ) 1
85018 Trivigno (PZ) 79
04023 Trivio (LT) 69
98155 Trivio (ME) 88
06045 Trivio (PG) 5
27020 Trivolzio (PV) 2
89100 Trizzino (RC) 88
28819 Trobaso (VB)
80040 Trócchia, Póllena- (NA) 76
39040 Trodena = Truden (BZ) 1
62010 Trodica (MC) 5
10028 Trofarello (TO) 3
27010 Trognano (PV) 2
71029 Troia (FG) 72
94018 Troina (EN) 93
27020 Tromello (PV)
45030 Trona di Sopra (RO) 3
28859 Trontano (VB)
21010 Tronzano Lago Maggiore (VA
13049 Tronzano Vercellese (VC)
89861 Tropea (VV) 8
62011 Troviggiano (MC) 5

Trovo (PV) 21 Ka77
Truccazzano (MI) 21 Kc76
Trucchi (CN) 41 Hd82
Truden = Trodena (BZ) 14 Mc71
Truglione (TA) 81 Sc107
Tscherms = Cermes (BZ) 3 Ma 69
Tu (BS) 13 Lc71
Tualis (UD) 6 Nf 69
Tubre = Taufers im Münstertal (BZ) 2 Lc 69
Tudia (PA) 92 Of122
Tuenno (TN) 13 Ma71
Tufara (CB) 71 Pf100
Tufello (RM) 61 Nd97
Tufillo (CH) 64 Pd97
Tufino (NA) 71 Pd103
Tufo (AV) 71 Pe102
Tufo (LT) 69 Oe101
Tufo Alto (AQ) 62 Oa96
Tufo Basso (AQ) 62 Oa96
Tuglie (LE) 82 Ta108
Tuili (MD) 109 If110
Tula (SS) 106 If104
Tuoro (CE) 70 Pa101
Tuoro (CE) 70 Pc102
Tuoro sul Trasimeno (PG) 51 Na89
Turago Bordone (PV) 21 Kb77
Turania (RI) 62 Oa96
Turano (BS) 23 Ld74
Turano Lodigiano (LO) 21 Kd77
Turate (CO) 21 Ka75
Turbigo (MI) 20 Ie75
Turcio (VI) 14 Md73
Tures = Taufers (BZ) 4 Mf 67
Turi (BA) 74 Sa103
Turo (VA) 10 Id73
Turonio (RC) 89 Rc118
Turri (MD) 109 If110
Turriaco (GO) 17 Oc74
Turrida (UD) 16 Nf72
Turripiano (SO) 2 Lc 70
Turrivalignani (PE) 63 Pa95
Turro (PC) 36 Ke79
Tursi (MT) 79 Rc107
Tusa (ME) 93 Pb120
Tuscania (VT) 56 Mf94
Tússio (AQ) 63 Od95
Tutino (LE) 82 Tc109
Tuturano (BR) 81 Sf105

U

Ubiale-Clanezzo (BG) 21 Kd74
Uboldo (VA) 21 Ka75
Ucria (ME) 94 Pf120
Udine (UD) 16 Ob72
Uditore (PA) 91 Ob120
Ugento (LE) 82 Ta109
Uggiano la Chiesa (LE) 82 Tc108
Uggiano Montefusco (TA) 81 Sd106
Uggiate Trevano (CO) 21 If74
Ugliano (MC) 52 Oa89
Ugovizza (UD) 6 Oc 69
Ulassai (OG) 110 Kd110
Ula Tirso (OR) 109 If108
Ulfas = Ulfaß (BZ) 3 Mb 68
Uliveto Terme (PI) 49 Ld86
Ulmi (TP) 91 Ne121
Ulten = Ultimo (BZ) 3 Lf 69
Último = Ulten (BZ) 3 Lf 69
Umbertide (PG) 51 Nb89
Umbriatico (KR) 85 Rf112
Umes = Ums (BZ) 4 Md 69
Unsere liebe Frau im Walde-Sankt Felix = Senale-San Felice (BZ) 3 Ma 69
Unter Fennberg = Favogna di sotto (BZ) 14 Mb71
Untergasse (BZ) 5 Na 68
Urago d'Oglio (BS) 22 Kf75
Uras (OR) 108 Ie110
Urbana (PD) 24 Mc77
Urbania (PU) 51 Nd87
Urbe (SV) 34 Id82
Urbignacco (UD) 16 Oa71
Urbino (PU) 48 Nd86
Urbisaglia (MC) 53 Oc89
Urgnano (BG) 22 Ke75
Uri (SS) 105 Ic105
Urio, Carate- (CO) 11 Ka73
Urni (ME) 88 Qc119
Ursini (RC) 89 Rc118
Ururi (CB) 65 Qa98
Urzano (PR) 36 Lb81
08040 Urzulei (OG) 110 Kd108
33090 Usago (PN) 16 Nf71
16030 Uscio (GE) 43 Ka82
09090 Usellus (OR) 109 If110
06012 Userna (PG) 51 Nb88
58053 Usi (GR) 55 Mc92
56035 Usigliano (PI) 49 Ld87
07049 Usini (SS) 105 Id105
20040 Usmate Velate (MB) 21 Kc75
09020 Ussana (CA) 112 Ka112
09020 Ussaramanna (MD) 109 If110
08040 Ussassai (OG) 109 Kc110
10060 Usseaux (TO) 32 Ha78
10070 Usseglio (TO) 18 Hb77
11024 Ussel (AO) 19 Hd74
62039 Ússita (MC) 57 Oa91
90010 Ústica (PA) 90 II
09010 Uta (CA) 112 If113
51010 Uzzano (PT) 45 Le85

V

27010 Vaccarizza (PV) 35 Kb78
87046 Vaccarizzo (CS) 84 Ra112
95100 Vaccarizzo (CT) 99 Qa124
87060 Vaccarizzo Albanese (CS) 84 Rc111
Vaccarolo (BS) 23 Ld76
31030 Vacil (TV) 25 Nb74
33097 Vacile (PN) 16 Nf72
02040 Vacone (RI) 57 Nd94
66010 Vacri (CH) 59 Pb95
57018 Vada (LI) 49 Lc88
38086 Vadaione (TN) 13 Le72
39051 Vadena = Pfatten (BZ) 14 Mb70
87033 Vadi (CS) 86 Ra114
40040 Vado (BO) 46 Mb83
55040 Vado (LU) 44 Lb85
17047 Vado Ligure (SV) 42 Ic83
53022 Vadossi (SI) 50 Mc90
37020 Vaggimal (VR) 23 Lf75
50036 Vaglia (FI) 46 Mb85
53019 Vagliagli (SI) 50 Mc88
81045 Vaglie (CE) 70 Of100
42039 Vaglie (RE) 44 Lb83
14010 Vaglierano (AT) 33 Ia79
85010 Vaglio Basilicata (PZ) 78 Qf104
14049 Vaglio Serra (AT) 34 Ic80
55030 Vagli Sopra (LU) 44 Lb84
55030 Vagli Sotto (LU) 44 Lb84
39040 Vahrn = Varna (BZ) 4 Md 68
26833 Vaiano (LO) 21 Kc76
59021 Vaiano (PO) 46 Ma85
26010 Vaiano Cremasco (CR) 21 Kd76
10050 Vaie (TO) 32 Hb78
26019 Vailate (CR) 21 Kd76
27018 Vairano (PV) 21 Kb77
81058 Vairano Patenora (CE) 70 Pa100
81059 Vairano Scalo (CE) 70 Pa101
43025 Vairo (PR) 44 Lb82
33080 Vajont (PN) 16 Ne72
Valas = Flaas (BZ) 4 Mb 69
Valasuso (TP) 91 Nf122
35034 Valbona (PD) 24 Md77
24020 Valbondione (BG) 12 Kf72
24030 Valbrembo (BG) 21 Kd74
16010 Valbrevenna (GE) 35 Ka81
22039 Valbrona (CO) 11 Kb73
33010 Valbruna, Malborghetto- (UD) 6 Oc 69
24020 Valcanale (BG) 12 Kf73
12087 Valcasotto (CN) 41 Hf83
23806 Valcava (LC) 21 Kd74
38047 Valcava (TN) 14 Mb71
29010 Valconasso (PC) 36 Ke79
Valcorrente (CT) 99 Pf123
38030 Valda (TN) 14 Mb71
36078 Valdagno (VI) 24 Mb75
39030 Valdàora = Olang (BZ) 4 Na 68
Valdaora di Mezzo = Mitter Olang (BZ) 5 Na 68
Valdaora di Sopra = Ober Olang (BZ) 5 Na 68
Valdaora di Sotto = Nieder Olang (BZ) 4 Na 68
12078 Valdarmella (CN) 41 Hf83
36040 Valdastico (VI) 14 Mc73
10040 Val della Torre (TO) 32 Hc78
13855 Valdengo (BI) 19 Ia75
91019 Valderice (TP) 90 Nd120
Valdibella (PA) 91 Oa121
55045 Valdicastello Carducci (LU) 44 Lb85
23038 Valdidentro (SO) 2 Lb 69
12010 Valdieri (CN) 40 Hc83
Val di Mezzo = Mittertal (BZ) 4 Mc 67
36075 Valdimolino (VI) 24 Mc75
98040 Valdina (ME) 88 Qc119
12078 Valdinferno (CN) 41 Hf83
27050 Val di Nizza (PV) 35 Kb79
37021 Valdiporro (VR) 23 Ma75
Val di Sopra = Oberthal (BZ) 4 Mc 67
23030 Valdisotto (SO) 12 Lb70
43010 Valditacca (PR) 44 La82
39049 Val di Vizze = Pfitscher Tal (BZ) 4 Md 67
28863 Valdo = Wald (VB) 10 Ic70
11025 Valdóbbia (AO) 19 He74
31049 Valdobbiadene (TV) 15 Mf73
55023 Valdottavo (LU) 45 Lc85
13018 Valduggia (VC) 20 Ib74
Valdurna = Durnholz (BZ) 4 Mc 68
27020 Valeggio (PV) 34 If78
37067 Valeggio Sul Mincio (VR) 23 Le76
01018 Valentano (VT) 56 Me93
15048 Valenza (AL) 34 Id78
14100 Valenzani (AT) 34 Ib79
52038 Valenzano (AR) 51 Nb86
70010 Valenzano (BA) 74 Rf102
26859 Valera Fratta (LO) 21 Kc77
33090 Valeriano (PN) 16 Nf71
06029 Valfabbrica (PG) 52 Nd90
14017 Valfenera (AT) 33 Hf79
38040 Valfloriana (TN) 14 Mc71
23030 Valfurva (SO) 2 Lc 70
21039 Valganna (VA) 10 Ie73
10094 Valgióie (TO) 32 Hc78
24020 Valgoglio (BG) 12 Kf73
12020 Valgrana (CN) 40 Hc82
23857 Valgreghentino (LC) 21 Kc74
11010 Valgrisenche (AO) 18 Ha75
94019 Valguarnera Caropepe (EN) 98 Pc123
53045 Valiano (SI) 51 Mf90
06034 Válico Colfiorito (PG) 57 Ne90
31039 Valla (TV) 25 Mf74
32020 Vallada Agordina (BL) 15 Mf70
24021 Vall'Alta (BG) 22 Kf74
41033 Vallalta (MO) 37 Lf79
13847 Vallanzengo (BI) 19 Ia75
39030 Vallarga = Weitental (BZ) 4 Me 67
38060 Vallarsa (TN) 23 Ma74
83059 Vallata (AV) 72 Qb102
62028 Vallato (MC) 53 Ob90
15100 Valle (AL) 34 Id79
83012 Valle (AV) 71 Pd102
32040 Valle (BL) 5 Nd 69
25050 Valle (BS) 13 Lc72
23010 Valle (SO) 12 Ke72
23010 Valle (SO) 12 Ke72
33022 Valle (UD) 6 Oa 70
33010 Valle (UD) 16 Ob72
36040 Valle (VI) 24 Mc76
Valle = Tal (BZ) 3 Le 69
32020 Valle Agordina, La (BL) 15 Na71
81010 Valle Agricola (CE) 70 Pb100
39030 Valle Aurina = Ahrntal (BZ) 4 Mf 66
18012 Vallebona (IM) 41 Hd86
64020 Valle Canzano (TE) 58 Oe93
64010 Valle Castellana (TE) 58 Od92
55045 Vallecchia (LU) 44 Lb85
50025 Vallecchio (FI) 49 Ma87
03020 Vallecorsa (FR) 69 Oc100
18019 Vallecrosia (IM) 41 Hd86
02026 Vallecupola (RI) 62 Oa95
84070 Valle dell'Angelo (SA) 78 Qc106
32040 Valle di Cadore (BL) 15 Nb70
Valle di Casies (BZ) 5 Nb 68
39030 Valle di Casies = Gsies (BZ) 5 Nb 68
81020 Valle di Maddaloni (CE) 70 Pc102
61010 Valle di Teva (PU) 48 Nc85
67020 Valle d'Ocre (AQ) 62 Oc95
90029 Valledolmo (PA) 92 Oe122
07039 Valledoria (SS) 106 Ie103
25072 Valle Dorizzo (BS) 13 Lc73
88050 Vallefiorita (CZ) 86 Rc116
03040 Vallegrande (FR) 63 Of99
27020 Valle Lomellina (PV) 34 Id78
89821 Vallelonga (VV) 89 Rb117
03049 Valleluce (FR) 70 Of99
70059 Valleluna (BT) 73 Rc101
93010 Vallelunga Pratameno (CL) 92 Oe122
03040 Vallemaio (FR) 70 Oe100
02010 Vallemare (RI) 57 Oa94
67050 Vallemora (AQ) 63 Oe97
13825 Valle Mosso (BI) 19 Ia75
37020 Vallene (VR) 23 Lf75
33170 Vallenoncello (PN) 16 Nd73
16010 Vallenzona (GE) 35 Ka81
00020 Vallepietra (RM) 62 Ob97
29100 Vallera (PC) 35 Kd78
00128 Valleranello (RM) 61 Nc98
01030 Vallerano (VT) 56 Nb94
60044 Valleremita (AN) 52 Nf89
09010 Vallermosa (CA) 112 Ie112
58053 Vallerona (GR) 55 Mc92
03040 Vallerotonda (FR) 70 Of99
39037 Valles = Vals (BZ) 4 Md 68
83050 Vallesaccarda (AV) 72 Qb102
27010 Valle Salimbene (PV) 35 Kb78
46024 Valle San Martino (MN) 37 Lf79
13847 Valle San Nicola (BI) 19 Ia75
13847 Valle San Nicolao (BI) 19 Ia75
39034 Valle San Silvestro = Wahlen (BZ) 5 Nb 68
Valle Sant'Anastásio (PU) 47 Nc85
10028 Valle Sauglio (TO) 33 He79
27044 Valle Scuropasso (PV) 35 Kb78
32040 Vallesella (BL) 5 Nc 70
32040 Vallesina (BL) 15 Nb70
24010 Valleve (BG) 12 Ke72
55020 Vallico (LU) 45 Lc84
36030 Valli del Pasubio (VI) 24 Mb74
00020 Vallinfreda (RM) 62 Oa96
25080 Vallio Terme (BS) 23 Lc75
10010 Vallo (TO) 19 Hf77
84078 Vallo della Lucania (SA) 78 Qb107
06040 Vallo di Nera (PG) 57 Nf92
50066 Vallombrosa (FI) 50 Md86
36063 Vallonara (VI) 24 Md74
Vallone = Pflung (BZ) 5 Na 68
35020 Vallonga (PD) 25 Na77
63100 Vallorano (AP) 58 Od91
26862 Valloria (LO) 36 Kd78
12010 Valloriate (CN) 40 Hc82
10070 Vallo Torinese (TO) 19 Hc77
14048 Vallumida (AT) 34 Ib80
15040 Valmacca (AL) 34 Id78
15100 Valmadonna (AL) 34 Id79
23868 Valmadrera (LC) 11 Kc73
13010 Valmággia (VC) 20 Ib74
24060 Valmaggiore (BG) 22 Kf74
12020 Valmala (CN) 32 Hc81
31050 Valmareno (TV) 15 Na73
23010 Val Másino (SO) 11 Kd71
Valmigna = Vallming (BZ) 4 Mc 67
00038 Valmontone (RM) 62 Nf98
22070 Valmorea (CO) 21 If74
32020 Valmorel (BL) 15 Nb72
43050 Valmózzola (PR) 36 Ke81
24010 Valnegra (BG) 12 Ke73
81037 Valogno (CE) 70 Of101
11010 Valpelline (AO) 8 Hb 74
10087 Valperga (TO) 19 Hd76
14016 Valperosa (AT) 33 Ia79
24017 Valpiana (BG) 12 Ke73
58024 Valpiana (GR) 54 Lf90
Valpicetto (UD) 6 Nf 69
10080 Valprato Soana (TO) 19 Hd75
55041 Valpromaro (LU) 45 Lc85
22010 Val Rezzo (CO) 11 Ka72
23023 Val Rosera (SO) 12 Kf71
35030 Valsanzibio (PD) 24 Me77
11010 Valsavarenche (AO) 18 Hb75
24030 Valsecca (BG) 11 Kd73
75029 Valsinni (MT) 79 Rc108
22010 Valsolda (CO) 11 Ka72
32020 Val Soppera (BL) 15 Mf70
36020 Valstagna (VI) 14 Md73
28897 Valstrona (VB) 10 Ib73
39015 Valtina = Walten (BZ) 4 Mb 68
06030 Valtopina (PG) 52 Ne90
24010 Valtorta (BG) 11 Kd73
11028 Valtournenche (AO) 9 Hd 73
84020 Valva (SA) 78 Qb104
33098 Valvasone (PN) 16 Nf73
95028 Valverde (CT) 94 Qa123
27050 Valverde (PV) 35 Kb79
25080 Valvestino (BS) 23 Ld74
24020 Valzurio (BG) 12 Kf73
36040 Vancimuglio (VI) 24 Md75
39030 Vandòies = Vintl (BZ) 4 Me 68
39030 Vandóies di sopra = Obervintl (BZ) 4 Me 68
Vandóies di sotto = Niedervintl (BZ) 4 Me 68
38040 Vaneze (TN) 13 Ma72
39054 Vanga = Wangen (BZ) 4 Mc 69
20020 Vanzaghello (MI) 20 Ie75
20010 Vanzago (MI) 21 Ka75
73029 Vanze (LE) 82 Tb107
35020 Vanzo (PD) 24 Me77
24033 Vanzone (BG) 21 Kc74
28879 Vanzone (VB) 9 Ia 73
28879 Vanzone con San Carlo (VB) 9 Ia 73
20069 Vaprio d'Adda (MI) 21 Kd75
28010 Vaprio d'Agogna (NO) 20 Id75
31052 Varago (TV) 25 Nb74
13019 Varallo (VC) 20 Ib74
28040 Varallo Pombia (NO) 20 Id74
60044 Varano (AN) 52 Nf89
60021 Varano (AN) 53 Od87
38062 Varano (TN) 13 Lf73
21020 Varano Borghi (VA) 20 Ie74
43040 Varano de'Melegari (PR) 36 La80
89010 Varapodio (RC) 88 Qf119
17019 Varazze (SV) 42 Id82
85040 Varco (PZ) 84 Rb109
02020 Varco Sabino (RI) 62 Oa95
32020 Varda (BL) 4 Mf 69
20039 Varedo (MB) 21 Ka75
38030 Varena (TN) 14 Mc71
15020 Varengo (AL) 34 Ib78
23829 Varenna (LC) 11 Kb72
21100 Varese (VA) 20 Ie74
19028 Varese Ligure (SP) 43 Kd82
15060 Variano (AL) 35 If80
33031 Variano (UD) 16 Oa72
17029 Varigotti (SV) 42 Ic83
10070 Varisella (TO) 19 Hc77
33030 Varmo (UD) 16 Nf73
50050 Varna (FI) 49 Lf87
39040 Varna = Vahrn (BZ) 4 Md 68
43049 Varsi (PR) 36 Kf81
27057 Varzi (PV) 35 Kb80
28868 Varzo (VB) 10 Ib71
32030 Vas (BL) 15 Mf73
01030 Vasanello (VT) 56 Nc94
02010 Vasche (RI) 57 Oa94
12080 Vasco (CN) 41 He82
31050 Vascon (TV) 25 Nb74
18020 Vasia (IM) 41 Hf85
25012 Vaso (BS) 22 Lb76
23865 Vassena (LC) 11 Kb73
73030 Vaste (LE) 82 Tc108
66054 Vasto (CH) 64 Pe96
86089 Vastogirardi (IS) 64 Pb98
84060 Vatolla (SA) 77 Qa107
38049 Vattaro (TN) 14 Mb73
10070 Vauda Canavese (TO) 19 Hd77
02100 Vazia (RI) 57 Nf94
89834 Vazzano (VV) 89 Rb117
31028 Vazzola (TV) 15 Nc73
56019 Vecchiano (PI) 45 Lc86
Vecchio (RC) 88 Qf119
43010 Vecciatica (PR) 44 La82
17034 Vecersio (SV) 41 Ia84
20057 Vedano al Lambro (MB) 21 Kb75
21040 Vedano Olona (VA) 20 If74
21010 Veddasca (VA) 10 Ie72
31050 Vedelago (TV) 25 Na74
24010 Vedeseta (BG) 11 Kd73
43052 Vedole (PR) 36 Lc79
40060 Vedrana (BO) 38 Md81
40024 Vedriano (BO) 46 Md82
42026 Vedriano (RE) 37 Lc81
20050 Vedúggio con Colzano (MB) 21 Kb74
35030 Veggiano (PD) 24 Me76
12062 Veglia (CN) 33 He80
73010 Veglie (LE) 82 Sf106
13824 Veglio (BI) 19 Ia75
22023 Véglio d'Intelvi (CO) 11 Ka73
01010 Vejano (VT) 60 Na95
21100 Velate (VA) 10 Ie73
22020 Veleso (CO) 11 Kb73
27020 Velezzo Lomellina (PV) 34 Ie78
32032 Vellai (BL) 15 Mf72
17033 Vellego (SV) 41 Hf84
00049 Velletri (RM) 61 Ne98
27010 Velezzo Bellini (PV) 21 Ka77
36010 Velo d'Astico (VI) 24 Mc74
37030 Velo Veronese (VR) 23 Ma75
39040 Velturno = Feldthurns (BZ) 4 Md 68
16030 Velva (GE) 43 Kd83
95017 Vena (CT) 94 Qa122
88025 Vena (CZ) 86 Rc115
86079 Venafro (IS) 70 Pa100
63100 Venagrande (AP) 58 Od91
89900 Vena Media (VV) 89 Ra116
10078 Venaria Reale (TO) 33 Hd78
63040 Venarotta (AP) 58 Oc91
12020 Venasca (CN) 32 Hc81
32040 Venas di Cadore (BL) 15 Nb70
89900 Vena Superiore (VV) 89 Ra117
60041 Venatura (AN) 52 Ne88
10050 Venaus (TO) 32 Ha78
33010 Vendoglio (UD) 16 Oa71
17032 Vendone (SV) 41 Ia84

23838 Vendrogno (LC) 11 Kb72
21040 Venegono Inferiore (VA) 20 If74
21040 Venegono Superiore (VA) 20 If74
37058 Venera (VR) 24 Mb77
67057 Vénere (AQ) 63 Od97
98040 Venetico (ME) 88 Qc119
98040 Venético Marina (ME) 88 Qc119
30100* Venezia (VE) 25 Nb76
22070 Veniano (CO) 21 If74
85029 Venosa (PZ) 73 Qe103
83030 Venticano (AV) 71 Pf102
18039 Ventimíglia (IM) 41 Hd86
90020 Ventimiglia di Sicilia (PA) 92 Od121
04020 Ventotene (LT) 69 I
57029 Venturina (LI) 54 Ld90
33010 Venzone (UD) 16 Oa70
39010 Verano = Vöran (BZ) 3 Mb 69
20050 Verano Brianza (MB) 21 Kb74
45030 Veratica (RO) 38 Mc79
52031 Verazzano (AR) 51 Na88
28900* Verbánia (VB) 10 Id73
87020 Verbicaro (CS) 83 Qf110
22013 Vercana (CO) 11 Kb71
23020 Verceia (SO) 11 Kc71
13100 Vercelli (VC) 20 Ic77
06034 Verchiano (PG) 57 Nf91
23808 Vercurago (LC) 21 Kc74
24040 Verdellino (BG) 21 Kd75
24049 Verdello (BG) 21 Kd75
23879 Verderio Inferiore (LC) 21 Kc75
23878 Verderio Superiore (LC) 21 Kc74
38080 Verdesina (TN) 13 Le72
90026 Verdi (PA) 92 Pa122
Verdins (BZ) 3 Mb 68
Verdins (BZ) 4 Mc 67
12060 Verduno (CN) 33 Hf80
17022 Verezzi, Bórgio- (SV) 42 Ib83
18038 Verezzo (IM) 41 He85
40038 Vergato (BO) 46 Ma83
55020 Vergémoli (LU) 45 Lc84
47028 Verghereto (FC) 47 Na86
21029 Vergiate (VA) 20 Ie74
Vergine Maria (PA) 91 Oc119
61030 Vergineto (PU) 52 Nf86
21030 Vergóbbio (VA) 10 Ie73
38030 Verla (TN) 14 Ma72
20080 Vermezzo (MI) 21 If76
88841 Vermica (KR) 87 Sa115
38029 Vermiglio (TN) 13 Le71
38029 Vermiglio Pizzano (TN) 13 Le71
22020 Verna (CO) 11 Ka72
39020 Vernago = Vernagt (BZ) 3 Lf 68
12019 Vernante (CN) 41 Hd83
29010 Vernasca (PC) 36 Kf80
20080 Vernate (MI) 21 Ka77
19018 Vernazza (SP) 44 Ke84
55027 Verni (LU) 45 Lc84
59024 Vernio (PO) 46 Ma84
73029 Vernole (LE) 82 Tb107
Vernone = Vernaun (BZ) 3 Mb 68
25028 Verolanuova (BS) 22 La77
25029 Verolavecchia (BS) 22 La76
10038 Verolengo (TO) 19 Hf77
03029 Véroli (FR) 62 Oc98
37100* Verona (VR) 23 Lf76
37040 Veronella (VR) 24 Mb77
11020 Verrayes (AO) 19 Hd74
67060 Verrecchie (AQ) 62 Ob96
11029 Verrès (AO) 19 He74
27053 Verretto (PV) 35 Ka78
13871 Verrone (BI) 19 Ia75
27040 Verrua Po (PV) 35 Kb78
10020 Verrua Savoia (TO) 33 Ia78
54013 Verrucola (MS) 44 La83
34070 Versa (GO) 17 Oc73
81057 Versano (CE) 70 Pa101
Versciaco di Sopra = Obervierschach (BZ) 5 Nb 68
Versciaco di Sotto = Untervierschach (BZ) 5 Nb 68
22070 Vertemate (CO) 21 Ka74
22070 Vertemate con Minòprio (CO) 21 Ka74
24029 Vertova (BG) 22 Kf74
47826 Verucchio (RN) 47 Nc85
28010 Veruno (NO) 20 Id74
23030 Vervio (SO) 12 Lb71
38010 Vervo (TN) 13 Ma71
29100 Verza (PC) 36 Ke78
27050 Verzate, Torricella- (PV) 35 Kb78
33020 Verzègnis (UD) 16 Nf70
88819 Verzino (KR) 87 Rf113
12039 Verzuolo (CN) 33 Hc81
06034 Vescia (PG) 57 Ne91
43056 Vescovado (PR) 36 Lb79
Vescovado (SI) 50 Mc89
35040 Vescovana (PD) 38 Me78
26039 Vescovato (CR) 22 La77
14059 Vesime (AT) 34 Ib81
29020 Vesimo (PC) 35 Kb81
25010 Vesio (BS) 23 Le74
28079 Vespolate (NO) 20 Ie76
18026 Vessalico (IM) 41 Hf84
65010 Vestea (PE) 59 Of94
37030 Vestenanova (VR) 24 Mb75
62020 Vestignano (MC) 53 Ob90
10030 Vestigne (TO) 19 Hf76
25078 Vestone (BS) 23 Lc74
23822 Vestreno (LC) 11 Kb72
30036 Veternigo (VE) 25 Na75
01019 Vetralla (VT) 60 Na95
Vetriolo Terme (TN) 14 Mb72
84010 Vettica (SA) 77 Pd105
84010 Vettica Maggiore (SA) 76 Pd105
13040 Vettigne (VC) 20 Ib76
42020 Vetto (RE) 36 Lc82
58043 Vetulonia (GR) 55 Lf91
28100 Veveri (NO) 20 Id76
52010 Vezza (AR) 50 Me87
12040 Vezza d'Alba (CN) 33 Hf80
25059 Vezza d'Oglio (BS) 13 Lc71
54020 Vezzanello (MS) 44 La83
38070 Vezzano (TN) 13 Lf72
Vezzano = Vezzan (BZ) 3 Le 69
19020 Vezzano Ligure (SP) 44 Kf84
42030 Vezzano sul Crostolo (RE) 37 Ld81
17028 Vezzi Pórtio (SV) 42 Ib83
28836 Vezzo (VB) 10 Id73
42011 Vezzola (RE) 37 Le80
26034 Vho (CR) 37 Lc78
46019 Viadana (MN) 37 Ld79
24060 Viadánica (BG) 22 Kf74
95029 Viagrande (CT) 94 Qa123
52031 Viaio (AR) 51 Na87
14010 Viale (AT) 33 Ia79
15020 Viale Cerrina (AL) 34 Ib78
10090 Vialfré (TO) 19 He76
27016 Vialone (PV) 21 Kb77
43040 Vianino (PR) 36 Kf80
42030 Viano (RE) 37 Ld81
38057 Viarago (TN) 14 Mb72
55049 Viareggio (LU) 44 Lb85
14030 Viarigi (AT) 34 Ic79
43010 Viarolo (PR) 36 Lb79
33020 Viaso (UD) 16 Nf70
48010 Via Tagliata (RA) 39 Na82
43040 Viazzano (PR) 36 La80
84079 Vibonati (SA) 83 Qd108
89900 Vibo Valentia (VV) 86 Ra116
89811 Vibo Valentia Marina (VV) 86 Ra116
03030 Vicalvi (FR) 63 Oe98
57019 Vicarello (LI) 49 Lc87
90020 Vicari (PA) 92 Od121
50039 Vicchio (FI) 46 Mc85
05014 Viceno (TR) 56 Na92
36100 Vicenza (VI) 24 Md75
52040 Viciomaggio (AR) 50 Me88
25070 Vico (BS) 23 Lc74
29010 Vicobarone (PC) 35 Kc79
26041 Vicoboneghisio (CR) 37 Lc78
10080 Vico Canavese (TO) 19 He75
71018 Vico del Gargano (FG) 66 Qf97
50021 Vico d'Elsa (FI) 49 Ma87
80069 Vico Equense (NA) 76 Pc104
43100 Vicofertile (PR) 36 Lb80
12080 Vicoforte (CN) 41 Hf82
65010 Vicoli (PE) 59 Of94
28060 Vicolungo (NO) 20 Ic76
26040 Vicomoscano (CR) 37 Lc79
27040 Vicomune (PV) 35 Kb78
21031 Viconago (VA) 10 If73
21031 Viconago, Cadegliano- (VA) 10 If73
03010 Vico nel Lazio (FR) 62 Oc98
55021 Vico Pancellorum (LU) 45 Le84
56010 Vicopisano (PI) 49 Ld86
00029 Vicovaro (RM) 62 Nf96
43010 Vidalenzo (PR) 36 La78
Vidali (UD) 6 Ob 70
26866 Vidardo (LO) 21 Kc77
26866 Vidardo, Castiraga- (LO) 21 Kc77
07030 Viddalba (SS) 106 If103
26042 Vidiceto (CR) 36 Lb78
40049 Vidiciatico (BO) 45 Lf83
27018 Vidigulfo (PV) 21 Kb77
26010 Vidolasco, Casale Cremasco- (CR) 22 Ke76
31020 Vidor (TV) 15 Na73
10080 Vidracco (TO) 19 He76
33030 Vidulis (UD) 16 Nf72
02016 Viesci (RI) 57 Oa93
71019 Vieste (FG) 66 Rb97
85058 Vietri di Potenza (PZ) 78 Qd105
84019 Vietri Sul Mare (SA) 77 Pe104
28841 Viganella (VB) 10 Ib72
20083 Vigano (MI) 21 Ka76
23897 Viganò (LC) 21 Kb74
24060 Vigano San Martino (BG) 22 Kf74
44049 Vigarano Mainarda (FE) 38 Mc79
44018 Vigarano Pieve (FE) 38 Md79
37068 Vigasio (VR) 23 Lf77
43010 Vigatto (PR) 36 Lb80
27029 Vigevano (PV) 20 If77
85040 Viggianello (PZ) 84 Ra109
85059 Viggiano (PZ) 79 Qf106
28826 Viggiona (VB) 10 Ie72
28826 Viggiona, Trárego- (VB) 10 Ie72
21059 Viggiu (VA) 11 If73
20019 Vighignolo (MI) 21 Ka75
25018 Vighizzolo (BS) 22 Lc76
22063 Vighizzolo (CO) 21 Ka74
26030 Vighizzolo (CR) 36 Lb78
35040 Vighizzolo d'Este (PD) 24 Md77
28873 Vigino (VB) 10 Ib72
13856 Vigliano Biellese (BI) 19 Ia75
14040 Vigliano d'Asti (AT) 34 Ib79
12013 Vigna (CN) 41 He83
73030 Vignacastrisi (LE) 82 Tc108
28100 Vignale (NO) 20 Id76
84099 Vignale (SA) 77 Pf104
Vignale (TP) 91 Ne122
15049 Vignale Monferrato (AL) 34 Ic78
96011 Vignali (SR) 99 Qa125
01039 Vignanello (VT) 56 Nb94
20060 Vignate (MI) 21 Kc75
81037 Vigne (CE) 70 Of101
05035 Vigne (TR) 57 Nd94
22010 Vignola (CO) 11 Kb72
41058 Vignola (MO) 37 Ma82
07020 Vignola (OT) 104 Ka102
38057 Vignola (TN) 14 Mb72
38057 Vignola-Falésina (TN) 14 Mb72
32100 Vignole (BL) 15 Na72
38062 Vignole (TN) 13 Lf73
15060 Vignole Borbera (AL) 34 If80
12010 Vignolo (CN) 40 Hc82
28819 Vignone (VB) 10 Id73
37045 Vigo (VR) 24 Mb77
38010 Vigo Anaunia (TN) 13 Ma71
35010 Vigodarzere (PD) 25 Mf76
32040 Vigo di Cadore (BL) 5 Nc 69
38039 Vigo di Fassa (TN) 14 Md70
24060 Vigolo (BG) 22 La74
38070 Vigolo Baselga (TN) 13 Ma72
38070 Vigo Lomaso (TN) 13 Lf72
38049 Vigolo-Vattaro (TN) 14 Mb72
29020 Vigolzone (PC) 36 Ke79
38040 Vigo Meano (TN) 13 Ma72
10067 Vigone (TO) 33 Hd79
33070 Vigonovo (PN) 15 Nd73
30030 Vigonovo (VE) 25 Na76
35010 Vigonza (PD) 25 Mf76
27010 Vigonzone (PV) 21 Kb77
38080 Vigo Rendena (TN) 13 Le72
15058 Viguzzolo (AL) 35 If79
Vila di sopra = Oberwielenbach (BZ) 4 Mf 68
32010 Villa (BL) 15 Na70
25064 Villa (BS) 22 La75
25040 Villa (BS) 12 Lb72
25060 Villa (BS) 22 Lb74
25070 Villa (BS) 22 Lc74
25080 Villa (BS) 23 Lc75
84084 Villa (SA) 77 Pe104
33020 Villa (UD) 16 Nf70
37024 Villa (VR) 23 Lf75
42100 Villa, la (RE) 37 Le80
38059 Villa Agnedo (TN) 14 Md72
53019 Villa a Sesta (SI) 50 Mc88
07041 Villa Assunta (SS) 105 Ib104
65021 Villa Badessa (PE) 59 Pa94
73010 Villa Baldassarri (LE) 82 Sf106
38070 Villa Banale (TN) 13 Lf72
37049 Villa Bartolomea (VR) 24 Mc78
55019 Villa Basilica (LU) 45 Ld85
39039 Villabassa = Niederdorf (BZ) 5 Na 68
90039 Villabate (PA) 91 Oc120
15048 Villabella (AL) 34 Id78
Villa Belvedere (TP) 90 Nd120
62035 Villa Bentivoglio (MC) 58 Ob91
96010 Villa Bibbia (SR) 99 Pf126
27035 Villa Biscossi (PV) 34 Ie78
64030 Villa Bozza (TE) 59 Of93
32032 Villabruna (BL) 15 Mf72
33050 Villacaccia (UD) 16 Oa73
89844 Villa Caffaro (VV) 88 Qf117
Villa Calanna (CT) 94 Qb122
66026 Villa Caldari (CH) 59 Pc95
55022 Villa Caldi (LU) 45 Ld84
86081 Villa Canale (IS) 64 Pc98
25069 Villa- Carcina (BS) 22 Lb75
72029 Villa Castelli (BR) 81 Sc105
65010 Villa Celiera (PE) 59 Of94
25030 Villachiara (BS) 22 Kf76
90046 Villa Ciambra (PA) 91 Ob120
09039 Villacidro (MD) 112 Ie112
06021 Villa Col de'Canali (PG) 52 Ne88
55030 Villa Collemandina (LU) 45 Lc84
Villa Coppola (TP) 91 Ne120
Villa Cordopatri (RC) 88 Qf118
20020 Villa Cortese (MI) 20 If75
24030 Villa d'Adda (BG) 21 Kc74
40034 Villa d'Aiano (BO) 45 Lf83
24018 Villa d'Alme (BG) 21 Kd74
15020 Villadeati (AL) 33 Ib78
13868 Villa del Bosco (BI) 20 Ib75
35020 Villa del Bosco (PD) 25 Na77
74023 Villa del Castelletto (TA) 81 Sc105
35010 Villa del Conte (PD) 25 Mf75
89024 Villa De Leonardis (RC) 89 Ra118
36040 Villa del Ferro (VI) 24 Mc76
01010 Villa delle Fontane (VT) 56 Mf93
61030 Villa del Monte (PU) 52 Nf86
51100 Villa di Baggio (PT) 45 Lf85
81030 Villa di Briano (CE) 70 Pa102
23029 Villa di Chiavenna (SO) 11 Kc70
24020 Villa di Serio (BG) 22 Ke74
92019 Villa di Stefano (AG) 96 Oa123
23030 Villa di Tirano (SO) 12 La71
31016 Villa di Villa (TV) 15 Nc73
24020 Villa d'Ogna (BG) 12 Kf73
33074 Villadolt (PN) 15 Nd73
Villa Dorfl (BZ) 5 Na 67
94010 Villadoro (EN) 93 Pb122
09018 Villa d'Orri (CA) 112 Ka114
45010 Villadose (RO) 39 Mf78
21020 Villadosia (VA) 20 Ie74
28844 Villadóssola (VB) 10 Ib72
35040 Villa Estense (PD) 24 Md77
12020 Villafalletto (CN) 33 Hd81
18010 Villa Faraldi (IM) 41 Ia85
Villa Fassini (PA) 91 Oa120
61100 Villa Fastiggi (PU) 48 Nf85
40059 Villa Fontana (BO) 38 Md82
37050 Villafontana (VR) 23 Ma77
45021 Villafora (RO) 38 Md78
20060 Villa Fornaci (MI) 21 Kc75
41036 Villafranca (MO) 37 Ma79
14018 Villafranca d'Asti (AT) 33 Ia79
47010 Villafranca di Forlì (FC) 47 Na83
37069 Villafranca di Verona (VR) 23 Lf76
54028 Villafranca in Lunigiana (MS) 44 Kf83
35010 Villafranca Padovana (PD) 24 Me75
10068 Villafranca Piemonte (TO) 33 Hd80
92020 Villafranca Sicula (AG) 96 Ob123
98049 Villafranca Tirrena (ME) 88 Qc119
90030 Villafrati (PA) 91 Oc121
36021 Villaga (VI) 24 Md76
25030 Villagana (BS) 22 Kf76
36020 Villaganzerla (VI) 24 Md76
46037 Villa Garibaldi (MN) 37 Lf78
71014 Villaggio Amendola (FG) 66 Qe99
Villaggio Bellavista (AG) 97 Oc125
73048 Villaggio Boncore (LE) 81 Sf107
81030 Villaggio Coppola (CE) 70 Of103
89057 Villaggio De Leo (RC) 88 Qe119
00053 Villaggio del Fanciullo (RM) 60 Me96
88841 Villaggio dello Stumio (KR) 87 Sa115
09043 Villaggio Giuriati (CA) 113 Kd112
88055 Villaggio Mancuso (CZ) 86 Rd114
93010 Villaggio Masaniello (CL) 97 Oe123
Villaggio Moschella (FG) 73 Qf102
92100 Villaggio Mose (AG) 97 Od125
88055 Villaggio Racise (CZ) 86 Rd114
Villaggio Roma (UD) 16 Ob73
00121 Villaggio San Francesco (RM) 61 Nb98
89040 Villaggio Ziia (RC) 89 Rc118
57016 Villagio Aniene (LI) 49 Lc88
40049 Villagio Europa (BO) 45 Lf83
07021 Villagio Isuledda (OT) 104 Kc102
95038 Villa Girgenti (CT) 94 Pe123
67049 Villagrande (AQ) 62 Ob95
32020 Villagrande (BL) 15 Na71
66026 Villa Grande (CH) 59 Pc95
61024 Villagrande (PU) 48 Nf86
08049 Villagrande Strisaili (OT) 110 Kd109
Villagrazia (PA) 91 Ob120
90044 Villa Grazia di Carini (PA) 91 C
09024 Villagreca (CA) 112 K
46039 Villagrossa (MN) 37
19020 Villagrossa (SP) 44
22079 Villa Guardia (CO) 21
Villa Impastato (TP) 91
11017 Villair (AO) 18
Villa Italia (RC) 88
38060 Villa Lagarina (TN) 13
67030 Villalago (AQ) 63
03040 Villa Latina (FR) 63
93010 Villalba (CL) 92
66020 Villalfonsina (CH) 64
81039 Villa Literno (CE) 70
47042 Villalta (FC) 47
35010 Villalta (PD) 24
17020 Villalunga (SV) 4
15050 Villalvernia (AL) 3
66010 Villamagna (CH) 59
56040 Villamagna (PI) 4
83050 Villamaina (AV) 71
09020 Villamar (MD) 10
45030 Villamarzana (RO) 38
09010 Villamassargia (CI) 111
42030 Villa Minozzo (RE) 4
15020 Villamiróglio (AL) 3
84079 Villammare (SA) 83
36064 Villa Molvena (VI) 24
39040 Villanders = Villandro (BZ) 4
39040 Villandro = Villanders (BZ) 4
32040 Villanova (BL) 1
26036 Villanova (CR) 3
50053 Villanova (FI) 4
41100 Villanova (MO) 3
29021 Villanova (PC) 3
65010 Villanova (PE) 5
06055 Villanova (PG) 5
27023 Villanova (PV)
48012 Villanova (RA) 3
02011 Villanova (RI) 5
31036 Villanova (TV) 2
33030 Villanova (UD)
30025 Villanova (VE)
37010 Villanova (VR) 2
13877 Villanova Biellese (BI)
10070 Villanova Canavese (TO) 1
17038 Villanova d'Albenga (SV)
27030 Villanova d'Ardenghi (PV) 3
14019 Villanova d'Asti (AT)
83030 Villanova del Battista (AV) 72
45020 Villanova del Ghebbo (RO) 3
33048 Villanova dello Judrio (UD)
26818 Villanova del Sillaro (LO) 2
35010 Villanova di Camposampiero
09020 Villanovaforru (MD) 1
09020 Villanovafranca (MD) 1
46030 Villanova Maiardina (MN)
45030 Villanova Marchesana (RO)
12089 Villanova Mondovi (CN)
15030 Villanova Monferrato (AL)
07019 Villanova Monteleone (SS) 1
12030 Villanova Solaro (CN)
08049 Villanova Strisaili (OG) 11
29010 Villanova sull' Arda (PC)
29010 Villanova sull'Arda (PC)
09084 Villanova Truschedu (OR) 1
08030 Villanova Tulo (NU) 10
08030 Villanovatulo (NU) 10
12039 Villanovetta (CN)
27019 Villanterio (PV)
24050 Villanuova (BG)
25030 Villanuova (BS)
25089 Villanuova sul Clisi (BS)
Villa Ogliastro (CT) 9
65012 Villa Olivéti (PE)
34016 Villa Opicina (TS)
33031 Villaorba (UD)
Villa Ottone = Uttenheim (B
46010 Villa Pasquali (MN)
09010 Villaperuccio (CA) 1
Villapetrosa (TP) 9
20015 Villapia (MI)
87076 Villapiana (CS) 8
87070 Villapiana Lido (CS) 8
87070 Villapiana Scalo (CS) 8
Villapiccola (BL)

Villa Pitignano (PG) 51 Nc90
Villa Poma (MN) 38 Ma78
Villa Pompeiana (LO) 21 Kc76
Villa Potenza (MC) 53 Oc89
Villapriolo (EN) 93 Pb123
Villaputzu (CA) 113 Kd112
Villa Quisisana (AG) 96 Oa123
Villar (CN) 32 Ha81
Villa Ranuzzi (BO) 46 Mb84
Villaraspa (VI) 24 Md74
Villaraspa (VR) 24 Mb77
Villarbasse (TO) 33 Hc78
Villarboit (VC) 20 Ic76
Villar Dora (TO) 32 Hc78
Villareggia (TO) 19 Hf77
Villareggio (PV) 21 Kb77
Villaréia (PE) 59 Pa94
Villa Rendena (TN) 13 Le72
Villaretto (CN) 32 Hb80
Villaretto (TO) 32 Ha78
Villar Focchiardo (TO) 32 Hb78
Villaricca (NA) 70 Pb103
Villarocca (CR) 22 Lb77
Villa Rogatti (CH) 59 Pc95
Villaromagnano (AL) 34 If79
Villa Romagnoli (CH) 64 Pc95
Villa Romana (AQ) 62 Oa96
Villarosa (EN) 98 Pa123
Villa Rosa (TE) 59 Of91
Villarotta (RE) 37 Le79
Villar Pellice (TO) 32 Ha80
Villar Perosa (TO) 32 Hb79
Villar San Costanzo (CN) 32 Hc82
Villa Saletta (PI) 49 Le87
Villasalto (CA) 113 Kc112
Villa San Carlo (LC) 21 Kc74
Villa San Giovanni (RC) .88 Qd119
Villa San Giovanni in Tuscia (VT) 60 Na95
Villa San Giuseppe (RC) 88 Qd119
Villa San Leonardo (CH) .59 Pc95
Villa San Martino (RA) 47 Mf82
Villa San Michele (IS) 64 Pb98
Villa San Pietro (CA) 112 If114
Villa San Sebastiano (AQ) 62 Ob96
Villa San Secondo (AT) ...33 Ia78
Villasanta (MB) 21 Kb75
Villasanta (MD) 112 If111
Villa Santa Caterina = Aufhofen (BZ) .... 4 Mf 68
Villa Santa Croce (CE) ...70 Pb101
Villa Santa Lucia (FR) 69 Oe99
Villa Santa Lucía d'Abruzzo (AQ) 58 Oe95
Villa Santa Lucia degli Abruzzi (AQ) 58 Oe94
Villa Santa Maria (CH) 64 Pc97
Villa Sant'Angelo (AQ) 62 Od95
Villa Sant'Antonio (AP) ...58 Oe91
Villa Sant'Antonio (OR) . 109 If109
Villa Santina (UD) 16 Nf70
Villa Santina (UD) 16 Nf70
Villa Santo Stefano (FR) ..69 Ob99
Villa Saviola (MN) 37 Le78
Villa Serraglio (RA) 38 Me82
Villaseta (AG) 97 Od125
Villasimius (CA) 113 Kd114
Villasmundo (SR) 99 Qa125
Villasor (CA) 112 If112
Villa Speciosa (CA) 112 If113
Villaspeciosa (CA) 112 If113
Villastanza (MI) 21 If75
Villastellone (TO) 33 He79
Villa Stoli (RI) 57 Nf94
Villastrada (MN) 37 Ld79
Villastrada (PG) 56 Na90
Villata (VC) 20 Ic76
Villatico (LC) 11 Kc72
Villaurbana (OR) 109 Ie109
Villavallelonga (AQ) 63 Od97
Villa Vallucci (TE) 58 Od93
Villa Velez (PA) 91 Oa120
Villa Verde (OR) 109 Ie110
Villaverla (VI) 24 Mc75
Villa Verucchio (RN) 47 Nc84
Villavesco (LO) 21 Kc76
Villa Viani (IM) 41 Hf85
Villa Vicentina (UD) 17 Oc74
Villaz (AO) 19 He74
Villecchia (MS) 44 Kf83
Ville di Marmentino (BS) . 22 Lb74
Villefranche (AO) 18 Hc74
Villeneuve (AO) 18 Hb74
Villerose (RI) 62 Ob95
Villesse (GO) 17 Oc73
Ville-sur Nuss (AO) 19 Hc74

Villetta = Dorf (BZ) .... 4 Me 68
67030 Villetta Barrea (AQ) 63 Of98
28856 Villette (VB) 10 Id72
46039 Villimpenta (MN) 37 Ma78
Villino Platania (CT) 94 Pf122
39040 Villnöß = Funès (BZ) .... 4 Md 69
29020 Villò (PC) 36 Kd79
24060 Villongo (BG) 22 Kf74
31020 Villorba (TV) 25 Nb74
50039 Villore (FI) 46 Md85
33081 Villotta (PN) 15 Nd72
33083 Villotta (PN) 16 Ne73
24020 Vilminore di Scalve (BG) .. 12 La72
Vilpiano = Vilpian (BZ) .... 3 Mb 69
20059 Vimercate (MB) 21 Kc75
40030 Vimignano (BO) 46 Ma83
20090 Vimodrone (MI) 21 Kb75
12010 Vinadio (CN) 40 Hb83
54013 Vinca (MS) 44 La84
86019 Vinchiaturo (CB) 71 Pd100
14040 Vinchio (AT) 34 Ib80
50059 Vinci (FI) 45 Lf86
88065 Vinciarello (CZ) 89 Rd118
89100 Vinco (RC) 95 Qe120
88050 Vincolise (CZ) 86 Rd114
02016 Vindoli (RI) 57 Oa93
32040 Vinigo (BL) 15 Nb70
10048 Vinovo (TO) 33 Hd79
39030 Vintl = Vandóies (BZ) .... 4 Me 68
28060 Vinzaglio (NO) 20 Id77
12070 Viola (VR) 41 Hf83
25050 Vione (BS) 13 Lc71
10060 Viotto (TO) 32 Hc79
12078 Viozene (CN) 41 He84
39049 Vipiteno = Sterzing (BZ) .. 4 Mc 67
33032 Virco (UD) 16 Oa73
46030 Virgilio (MN) 37 Le78
54028 Virgoletta (MS) 44 Kf83
Virgonello (SR) 99 Pf125
37010 Virle (VR) 22 Lb75
10060 Virle Piemonte (TO) 33 Hd79
25010 Visano (BS) 22 Lc77
10030 Vische (TO) 19 Hf76
81042 Visciano (CE) 70 Pa101
80030 Visciano (NA) 71 Pd103
33040 Visco (UD) 17 Oc73
33048 Viscone, Chiòpris- (UD) .. 17 Oc73
47811 Viserba (RN) 48 Nd84
47811 Viserbella (RN) 48 Nd84
Visicari (TP) 91 Ne120
56023 Visignano (PI) 49 Lc86
31028 Visna (TV) 15 Nc73
31027 Visnadello (TV) 25 Nb74
32020 Visome (BL) 15 Nb72
15010 Visone (AL) 34 Ic81
33031 Vissandone (UD) 16 Oa72
62039 Visso (MC) 57 Oa91
25050 Vissone (BS) 12 La74
27010 Vistarino (PV) 21 Kb77
10080 Vistrorio (TO) 19 He76
91010 Vita (TP) 91 Ne121
36046 Vitarolo (VI) 24 Md74
01100 Viterbo (VT) 56 Na94
55025 Vitiana (LU) 45 Ld84
03040 Viticuso (FR) 70 Of99
50022 Vitigliano (FI) 50 Mb87
73020 Vitigliano (LE) 82 Tc108
00127 Vitinia (RM) 61 Nc98
89100 Vito (RC) 88 Qd120
33090 Vito d'Asio (PN) 16 Nf71
01030 Vitorchiano (VT) 56 Nb94
41045 Vitriola (MO) 45 Ld82
97019 Vittòria (RG) 100 Pc127
55042 Vittoria Apuana (LU) 44 La85
31029 Vittorio Veneto (TV) 15 Nb73
67030 Vittorito (AQ) 63 Oe96
20010 Vittuone (MI) 21 If76
82038 Vitulano (BN) 71 Pd101
81041 Vitulazio (CE) 70 Pb102
10070 Viu (TO) 18 Hc77
33099 Vivaro (PN) 16 Ne72
36031 Vivaro (VI) 24 Md75
00020 Vivaro Romano (RM) 62 Oa96
27010 Vivente (PV) 21 Kb77
13886 Viverone (BI) 19 Ia76
53020 Vivo d'Orcia (SI) 55 Md91
07100 Vizilu (SS) 105 Id104
51028 Vizzaneta (PT) 45 Le84
95049 Vizzini (CT) 100 Pe125
21010 Vizzola Ticino (VA) 20 Ie75
20070 Vizzolo Predabissi (MI) .. 21 Kc76
35030 Vo (PD) 24 Md77
36040 Vo (VI) 24 Md76
25079 Vobarno (BS) 23 Lc75
16010 Vobbia (GE) 35 Ka81
13020 Vocca (VC) 10 Ib73
32040 Vodo Cadore (BL) 15 Nb70

39050 Völs am Schlern = Fiè allo Sciliar (BZ) .... 4 Mc 69
39010 Vöran = Verano (BZ) .... 3 Mb 69
44019 Voghenza (FE) 38 Me80
27058 Voghera (PV) 35 Ka79
44019 Voghiera (FE) 38 Me80
28805 Vogogna (VB) 10 Ib72
38060 Volano (TN) 13 Ma73
37020 Volargne (VR) 23 Le75
25077 Volciano, Roè- (BS) 23 Lc75
21016 Voldómino (VA) 10 Ie73
80040 Volla (NA) 76 Pc103
42035 Vologno (RE) 45 Lc82
37059 Volon (VR) 24 Ma76
26030 Volongo (CR) 22 Lb77
31040 Volpago del Montello (TV) 25 Na74
15060 Volpara (AL) 35 Ka80
27047 Volpara (PV) 35 Kb79
84069 Volparo (SA) 77 Qa106
15059 Volpedo (AL) 35 If79
15050 Volpeglino (AL) 35 If79
06034 Volperino (PG) 57 Nf91
10088 Volpiano (TO) 19 He77
37040 Volpino (VR) 24 Mb76
15060 Voltaggio (AL) 34 If81
32020 Voltago Agordino (BL) .. 15 Na71
46049 Volta Mantovana (MN) .. 23 Ld77
48028 Voltana (RA) 39 Mf81
56048 Volterra (PI) 49 Lf88
26030 Voltido (CR) 36 Lb78
45010 Volto (RO) 39 Nb78
06023 Voltole (PG) 52 Ne89
47012 Voltre (FC) 47 Na84
16158 Voltri (GE) 42 Ie82
71030 Volturara Áppula (FG) ..71 Qa100
83050 Volturara Irpina (AV) ..71 Pf103
71030 Volturino (FG) 71 Qa100
10040 Volvera (TO) 33 Hd79
85040 Voscari (PZ) 84 Ra109
38063 Vo Sinistro (TN) 23 Lf74
12020 Vottignasco (CN) 33 Hd81

W

39040 Waidbruck = Ponte Gardena (BZ) .... 4 Md 69
Waldinger (BZ) .... 4 Mc 68
39035 Welsberg-Taisten = Monguelfo-Tesido (BZ) .....5 Na 68
39056 Welschnofen = Nova Levante (BZ) 14 Md70
39030 Wengen = la Valle (BZ) .... 4 Mf 69
39049 Wieden (BZ) .... 4 Md 67
39048 Wolkenstein in Gröden = Selva di Val Gardena (BZ) .... 4 Me 69

X

93100 Xirbi (CL) 97 Pa123
91100 Xitta (TP) 90 Nd120

Y

–

Z

89867 Zaccanopoli (VV) 88 Qf116
95019 Zafferana Étnea (CT) 94 Qa122
Zafferia-Inferiore (ME) ..88 Qc120
29028 Zaffignano (PC) 36 Ke79
88050 Zagarise (CZ) 87 Rd115
00039 Zagarolo (RM) 61 Nf97
38010 Zambana (TN) 13 Ma72
24017 Zambla (BG) 12 Ke73
88090 Zambrone (VV) 86 Qf116
89900 Zammaro (VV) 89 Ra117
45030 Zampine (RO) 38 Md79
25060 Zanano (BS) 22 Lb75
15020 Zanco (AL) 33 Ia78
24060 Zandobbio (BG) 22 Kf74
36010 Zane (VI) 24 Mc74
26023 Zanengo (CR) 22 Kf77
13882 Zanga (BI) 19 Ia76
88046 Zangarona (CZ) 86 Rb115
24050 Zanica (BG) 22 Ke75
26010 Zappello (CR) 22 Ke77
71030 Zapponeta (FG) 73 Qf100
27059 Zavattarello (PV) 35 Kb79
27010 Zeccone (PV) 21 Kb77
09070 Zeddiani (OR) 108 Id109
30174 Zelarino (VE) 25 Nb75

22020 Zelbio (CO) 11 Kb73
38079 Zeller (TN) 13 Le72
Zellina (UD) 16 Ob73
45020 Zelo (RO) 38 Mc78
26839 Zelo Buon Persico (LO) .. 21 Kc76
20080 Zelo Surrigone (MI) 21 If76
27030 Zeme (PV) 20 Id77
40065 Zena (BO) 46 Mc82
40017 Zenerigolo (BO) 38 Mb81
27049 Zenevredo (PV) 35 Kb78
31050 Zenson di Piave (TV) .. 25 Nc74
Zeppa (RA) 39 Mf82
09091 Zeppara (OR) 109 Ie110
01027 Zepponami (VT) 56 Na93
29020 Zerba (PC) 35 Kb80
29012 Zerbio (PC) 36 Kf78
27017 Zerbo (PV) 35 Kc78
27020 Zerbolo (PV) 21 Ka77
09070 Zerfaliu (OR) 108 Ie109
54029 Zeri (MS) 44 Ke82
31050 Zeriolo (TV) 25 Na75
36050 Zermeghedo (VI) 24 Mc76
31059 Zero Branco (TV) 25 Na75
37059 Zevio (VR) 24 Ma76
30030 Zianigo (VE) 25 Na75
38030 Ziano di Fiemme (TN) 14 Md71
29010 Ziano Piacentino (PC) .. 35 Kc78
43010 Zibello (PR) 36 La78
27010 Zibido al Lambro (PV) .. 21 Kb77
20080 Zíbido-San Giácomo (MI) 21 Ka76
Zifronte (ME) 94 Qb119
19020 Zignago (SP) 44 Ke83
37040 Zimella (VR) 24 Mc77
13887 Zimone (BI) 19 Ia76
27030 Zinasco (PV) 35 Ka78
27030 Zinasco Nuovo (PV) 35 If78
27030 Zinasco Vecchio (PV) .. 35 Ka78
88822 Zinga (KR) 87 Rf113
24040 Zingonia (BG) 21 Kd75
09010 Zinnigas (CA) 112 Ie113
17100 Zinola Vado Ligure (SV) . 42 Ic83
33047 Ziracco (UD) 16 Oc72
Zisa (PA) 91 Ob120
16030 Zoagli (GE) 43 Kb82
41059 Zocca (MO) 45 Lf82
87010 Zoccalia (CS) 84 Ra110
Zocco (SR) 99 Pf125
25036 Zocco Spina (BS) 22 Kf75
24019 Zogno (BG) 22 Kd74
40069 Zola Predosa (BO) 38 Mb82
32010 Zoldo Alto (BL) 15 Na70
73010 Zollino (LE) 82 Tb107
89010 Zomaro (RC) 89 Ra119
88060 Zombarella (CZ) 89 Rc117
33033 Zompicchia (UD) 16 Oa73
25050 Zone (BS) 22 La74
31020 Zoppe (TV) 15 Nc73
32010 Zoppe di Cadore (BL) .. 15 Nb70
33080 Zoppola (PN) 16 Ne73
92021 Zorba (AG) 97 Od124
26841 Zorlesco (LO) 21 Kd77
24060 Zorzino (BG) 22 La74
32030 Zorzoi (BL) 14 Me72
33020 Zovello (UD) ....6 Nf 69
36020 Zovencedo (VI) 24 Mc76
36076 Zovo (VI) 24 Mb74
13888 Zubiena (BI) 19 Hf76
17039 Zuccarello (SV) 41 Ia84
38079 Zuclo (TN) 13 Le72
32043 Zuel (BL) ....5 Na 69
33030 Zugliano (UD) 16 Ob72
36030 Zugliano (VI) 24 Md74
33020 Zuglio (UD) ....6 Oa 70
13848 Zumaglia (BI) 19 Ia75
25080 Zumie (BS) 23 Ld74
87040 Zumpano (CS) 86 Rb113
83030 Zúngoli (AV) 72 Qb102
89867 Zungri (VV) 88 Qf117
81056 Zuni (CE) 70 Pa101
84029 Zuppino (SA) 78 Qb105
42023 Zurco (RE) 37 Ld80
09080 Zuri (OR) 109 If108
25030 Zurlengo (BS) 22 Kf76

Ogni edizione viene sempre elaborata secondi i documenti più recenti. Nonostante ciò non si poss■ escludere completamente degli errori. Volentieri riceviamo le vostre informazioni. Il nostro indirizzo MAIRDUMONT, 73751 Ostfildern è e-Mail: **korrekturhinweise@mairdumont.com**

Every edition is always revised to take into account the latest data. Nevertheless, despite every effort, e■ still occur. Should you become aware of such an error, we would be very pleased to receive the re■ information from you. You can contact us at any time at our postal address: MAIRDUMONT, 73751 Ostfilde■ e-mail: **korrekturhinweise@mairdumont.com**

Jede Auflage wird stets nach neuesten Unterlagen überarbeitet. Irrtümer können trotzdem nie ganz ausgesc■ werden. Ihre Informationen nehmen wir jederzeit gern entgegen. Sie erreichen uns über unsere Post■ MAIRDUMONT, 73751 Ostfildern oder unter der E-Mail-Adresse: **korrekturhinweise@mairdumont.com**

Chaque édition est remaniée suivant les supports les plus récents. Des erreurs ne peuvent malheure■ jamais être exclues. Aussi vos informations sont les bienvenues. Vous pouvez nous écrire à notre adresse■ MAIRDUMONT, 73751 Ostfildern ou bien envoyez-nous un courrier électronique à l'adresse suivante: **korrekturhinweise@mairdumont.com**

Design: fpm – factor product münchen (Cover) / Stilradar, Stuttgart

© MAIRDUMONT, 73751 Ostfildern · **1e**/(I) (10) · Printed in Germany

01-

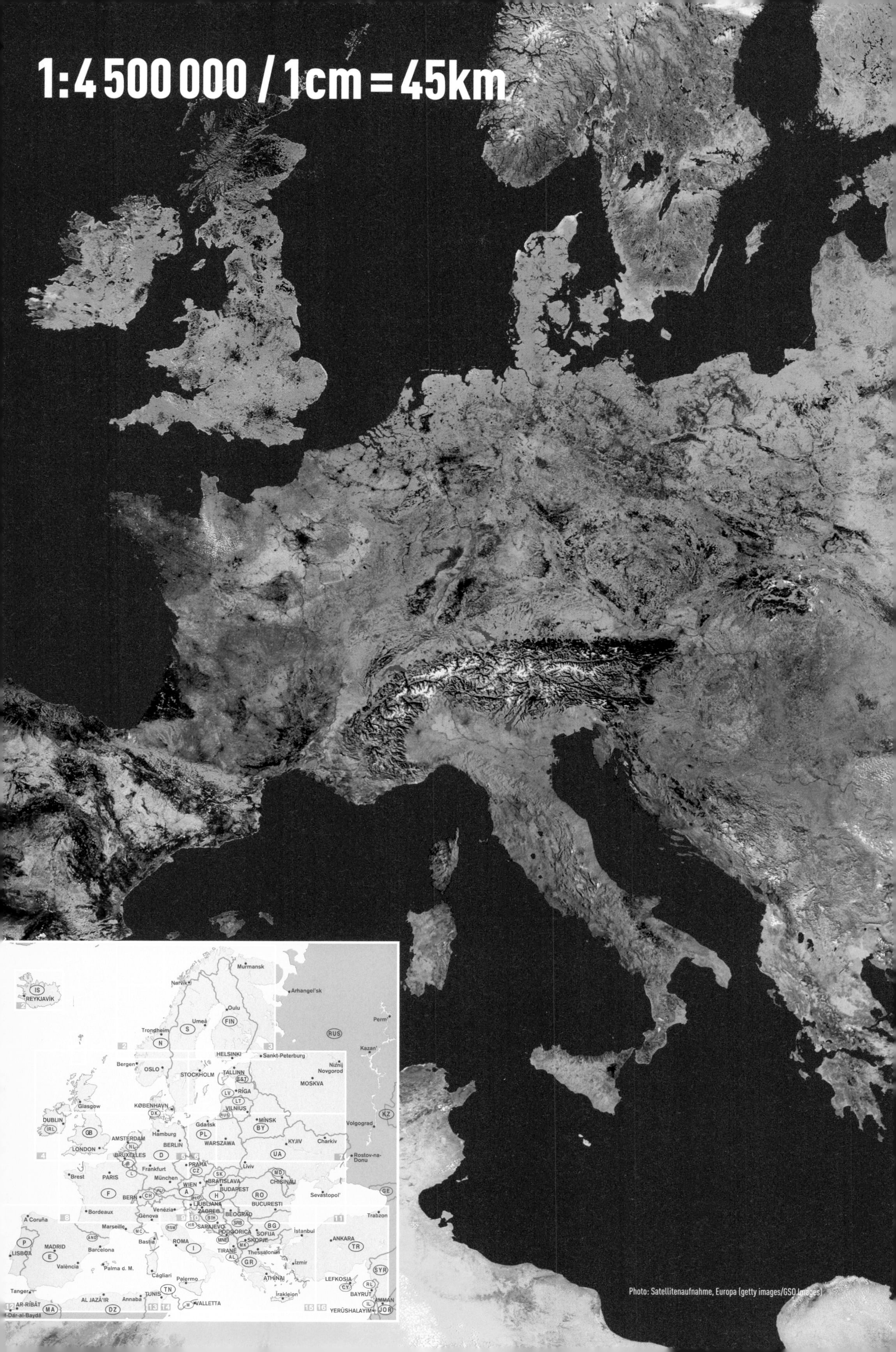

1:4 500 000 / 1cm = 45km

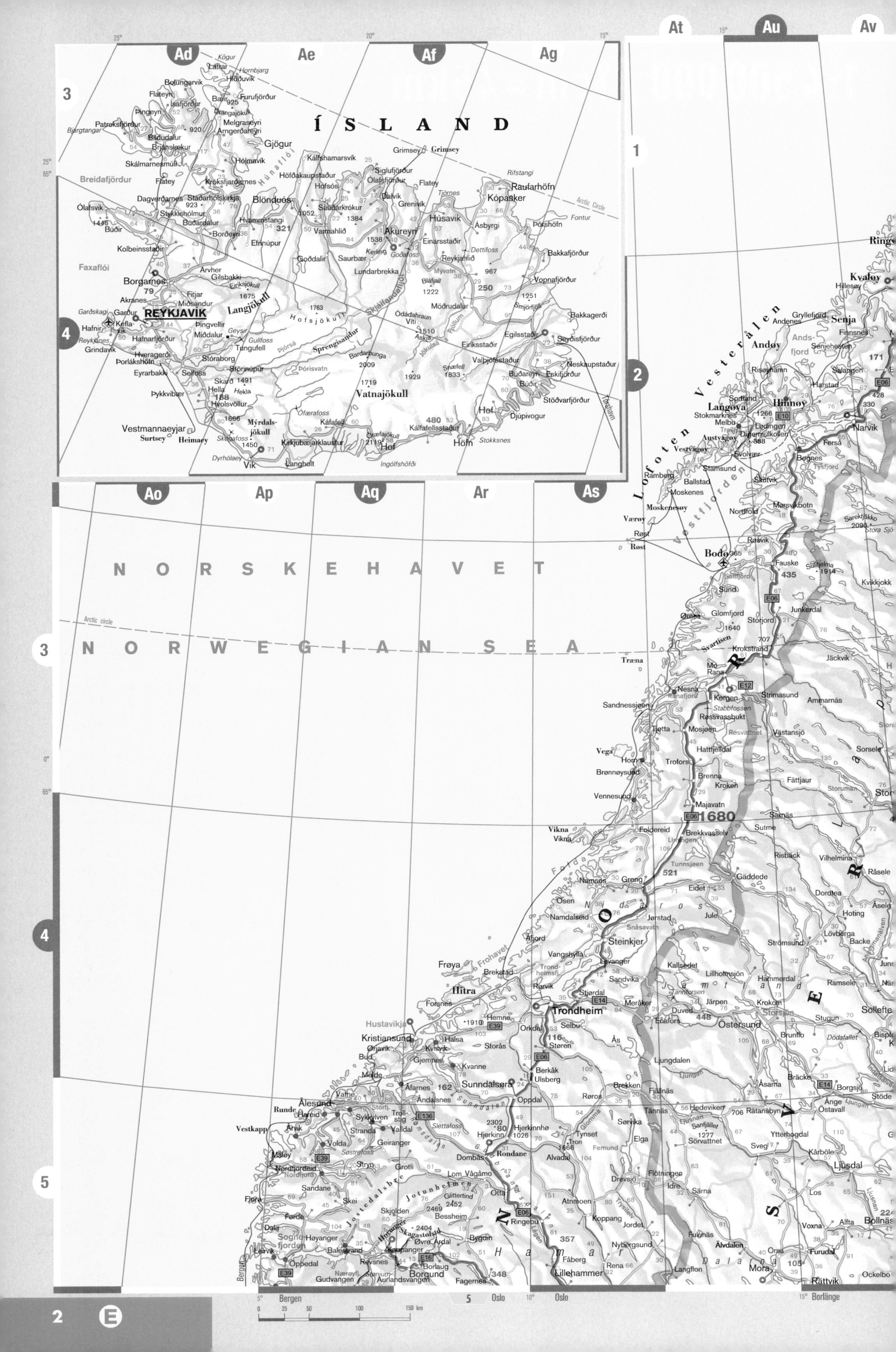
ÍSLAND
REYKJAVÍK
Ad
Ae
Af
Ag
Ao
Ap
Aq
Ar
As
At
Au
Av
NORSKEHAVET
NORWEGIAN SEA
Arctic circle
Vatnajökull
Langjökull
Hofsjökull
Mýrdalsjökull
Akureyri
Ísafjörður
Blönduós
Húsavík
Egilsstaðir
Seyðisfjörður
Borgarnes
Akranes
Keflavík
Selfoss
Hveragerði
Vestmannaeyjar
Surtsey
Heimaey
Vík
Höfn
Grímsey
Raufarhöfn
Kópasker
Breidafjördur
Faxaflói
Lofoten
Vesterålen
Vestfjorden
Bodø
Narvik
Harstad
Andøy
Senja
Kvaløy
Hinnøy
Langøya
Moskenesøy
Vestvågøy
Austvågøy
Værøy
Røst
Fauske
Mo i Rana
Mosjøen
Vega
Brønnøysund
Vikna
Namsos
Steinkjer
Trondheim
Frøya
Hitra
Kristiansund
Molde
Ålesund
Sunndalsøra
Åndalsnes
Dombås
Otta
Lillehammer
Florø
Førde
Sognefjorden
Hemsedal
Borgund
Røros
Tynset
Östersund
Storsjön
Sveg
Ljusdal
Bollnäs
Mora
Rättvik
Svartisen
NORGE
SVERIGE
Bergen
Oslo
Borlänge
E06
E10
E12
E14
E16
E39
E136
0
25
50
100
150 km

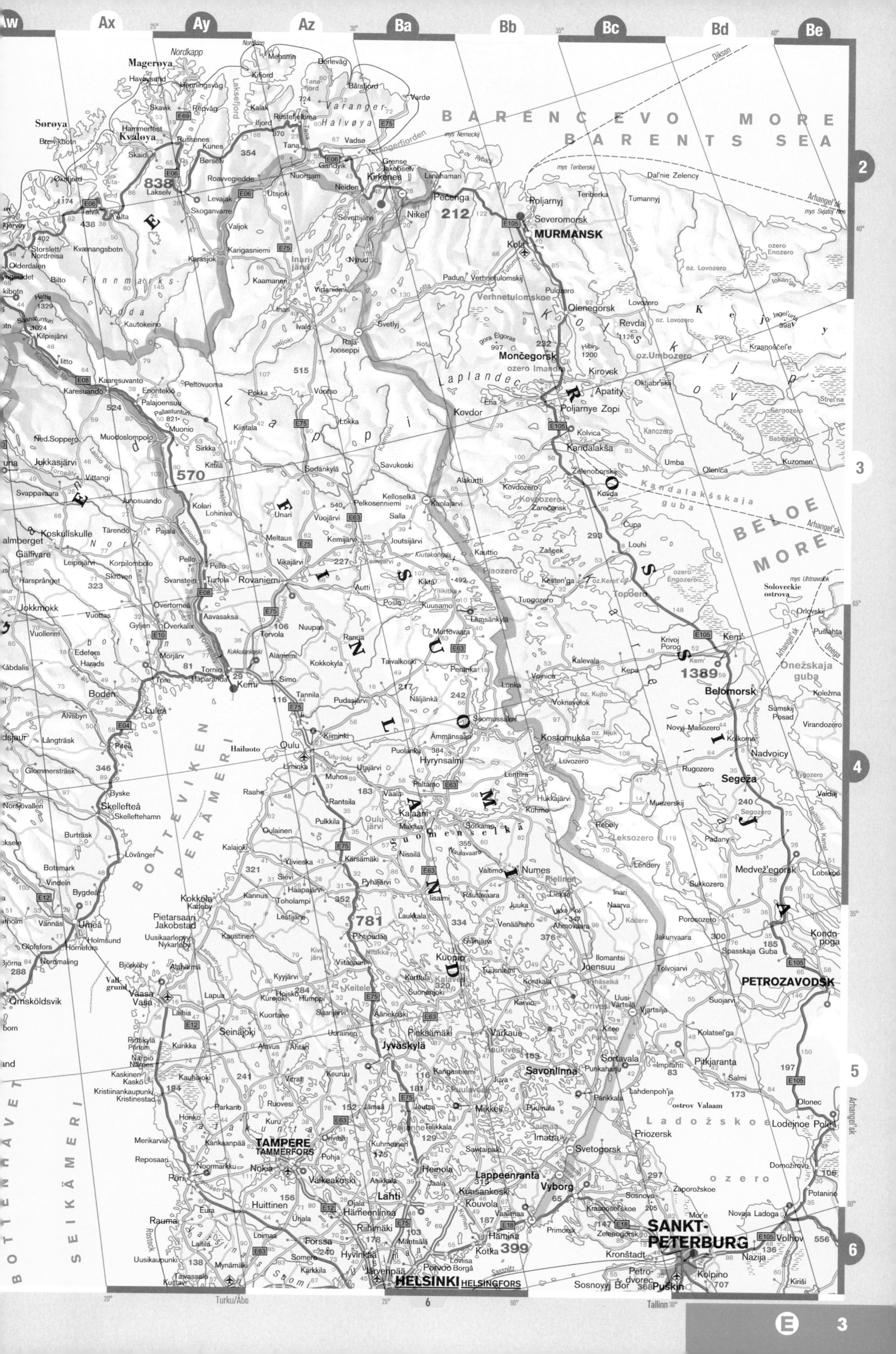
Ax
Ay
Az
Ba
Bb
Bc
Bd
Be
2
3
4
5
6
BARENCEVO MORE
BARENTS SEA
BELOE MORE
Nordkapp
Magerøya
Honningsvåg
Sørøya
Kvaløya
Hammerfest
Lakselv
Varanger Halvøya
Vardø
Vadsø
Kirkenes
Nikel'
Pečenga
Poljarnyj
Severomorsk
MURMANSK
Kola
Olenegorsk
Revda
Lovozero
Mončegorsk
Kirovsk
Apatity
Poljarnye Zori
Kandalakša
Kovdor
Umba
Kem'
Belomorsk
Segeža
Medvež'egorsk
Kondopoga
PETROZAVODSK
Olonec
Lodejnoe Pole
Sortavala
Pitkjaranta
Priozersk
Vyborg
Svetogorsk
Kronštadt
SANKT-PETERBURG
Puškin
Kolpino
Volhov
Sosnovyj Bor
Kiriši
Karasjok
Kautokeino
Alta
Finnmarksvidda
Inari
Ivalo
Utsjoki
Laplandec
Kolskij poluostrov
Sodankylä
Rovaniemi
Kemijärvi
Salla
Kuusamo
Kemi
Tornio
Haparanda
Oulu
Kajaani
Kuhmo
Suomussalmi
Kostomukša
Iisalmi
Kuopio
Joensuu
Varkaus
Jyväskylä
Savonlinna
Mikkeli
Lappeenranta
Imatra
Kouvola
Kotka
Hamina
Lahti
Heinola
Hämeenlinna
Riihimäki
Hyvinkää
Järvenpää
HELSINKI HELSINGFORS
Porvoo Borgå
TAMPERE TAMMERFORS
Pori
Rauma
Uusikaupunki
Seinäjoki
Vaasa Vasa
Kokkola Karleby
Pietarsaari Jakobstad
Raahe
Ylivieska
Kiruna
Jukkasjärvi
Gällivare
Jokkmokk
Boden
Luleå
Piteå
Skellefteå
Umeå
Örnsköldsvik
BOTTENVIKEN
PERÄMERI
BOTTENHAVET
SELKÄMERI
SUOMI
FINLAND
Onežskaja guba
Ladožskoe ozero
E6
E8
E10
E12
E18
E63
E75
E105
Turku/Åbo
Tallinn

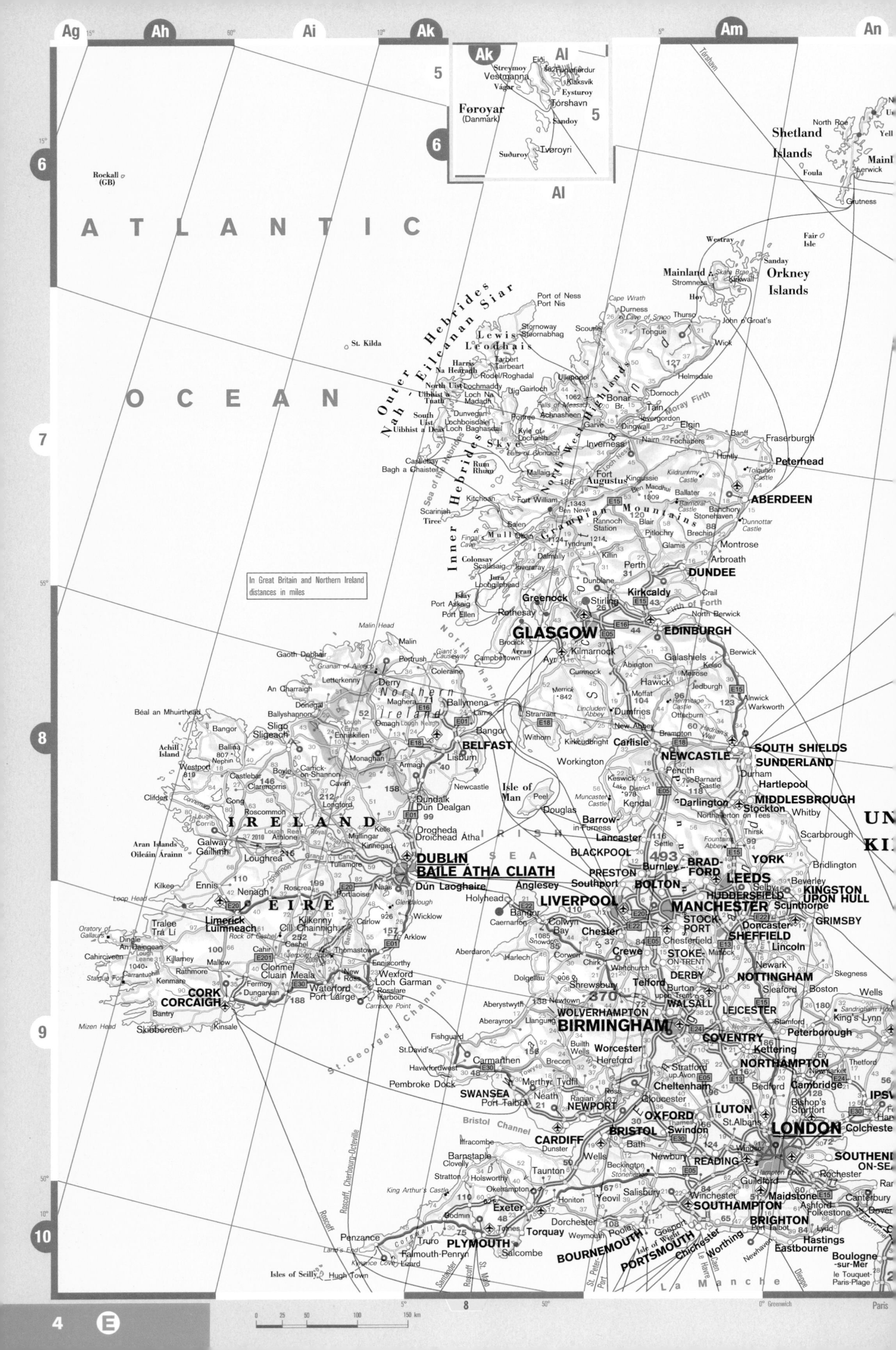
Ag
Ah
Ai
Ak
Am
An
Al
5
6
7
8
9
10
Streymoy
Vestmanna
Vágar
Eiði
Klaksvík
Eysturoy
Tórshavn
Føroyar
(Danmark)
Sandoy
Suðuroy
Tvøroyri
Tórshavn
Shetland
Islands
North Roe
Yell
Mainl
Lerwick
Foula
Grutness
Rockall
(GB)
ATLANTIC
OCEAN
Fair
Isle
Westray
Sanday
Mainland
Orkney
Islands
Stromness
Kirkwall
Hoy
Thurso
John o'Groat's
Wick
Cape Wrath
Durness
Tongue
Scourie
Port of Ness
Port Nis
Stornoway
Steornabhag
St. Kilda
Outer Hebrides
Nah - Eileanan Siar
Lewis
Leòdhais
Harris
Na Hearadh
Tarbert
Tairbeart
Rodel/Roghadal
North Uist
Uibhist a Tuath
Lochmaddy
Loch Na Madadh
South Uist
Uibhist a Deas
Lochboisdale
Loch Baghasdail
Dunvegan
Uig
Skye
Gairloch
Ullapool
Helmsdale
Dornoch
Bonar Br.
Tain
Invergordon
Moray Firth
Achnasheen
Portree
Kyle of Lochalsh
Garve
Dingwall
Inverness
Nairn
Fochabers
Elgin
Banff
Fraserburgh
Peterhead
Huntly
North West Highlands
Castlebay
Bagh a Chaisteil
Rum
Rhum
Mallaig
Fort Augustus
Kingussie
Ben Macdhui
1309
Ballater
ABERDEEN
Banchory
Stonehaven
Dunnottar Castle
Inner Hebrides
Kitchoan
Fort William
Ben Nevis
1343
Grampian Mountains
Rannoch Station
Blair
Pitlochry
Brechin
Montrose
Glamis
Arbroath
Scarinish
Tiree
Mull
Oban
Salen
Fingal's Cave
Tyndrum
Dalmally
Killin
Perth
DUNDEE
Colonsay
Scalasaig
Inveraray
Jura
Lochgilphead
Dunblane
Kirkcaldy
Crail
Islay
Port Askaig
Port Ellen
Greenock
Stirling
Firth of Forth
North Berwick
Rothesay
GLASGOW
EDINBURGH
In Great Britain and Northern Ireland distances in miles
Malin Head
Malin
Brodick
Arran
Kilmarnock
Berwick
Gaoth Dobhair
Portrush
Giant's Causeway
Coleraine
Campbeltown
Ayr
Galashiels
Kelso
Abington
Melrose
Letterkenny
Derry
An Charraigh
Northern Ireland
Maghera
Ballymena
Cumnock
Hawick
Jedburgh
Alnwick
Warkworth
Moffat
Merrick
842
Béal an Mhuirthead
Donegal
Ballyshannon
Larne
Stranraer
Dumfries
Otterburn
Bangor
Sligo
Sligeach
Omagh
Enniskillen
Bangor
BELFAST
New Abbey
Brampton
Kirkcudbright
Carlisle
NEWCASTLE
SOUTH SHIELDS
SUNDERLAND
Achill Island
Ballina
Nephin
807
Monaghan
Lisburn
Withorn
Workington
Durham
Westport
Castlebar
Claremorris
Boyle
Carrick-on-Shannon
Cavan
Armagh
Newcastle
Isle of Man
Peel
Douglas
Penrith
Keswick
Lake District
Barnard Castle
Hartlepool
MIDDLESBROUGH
Stockton on Tees
Whitby
Clifden
Cong
Roscommon
Longford
Dundalk
Dún Dealgan
Muncaster Castle
Kendal
Darlington
Northallerton
IRELAND
Athlone
Mullingar
Kells
Drogheda
Droichead Átha
Barrow-in-Furness
Thirsk
Scarborough
Aran Islands
Oileáin Árainn
Galway
Gaillimh
Loughrea
Kinnegad
IRISH SEA
Lancaster
Settle
BLACKPOOL
YORK
Bridlington
DUBLIN
BAILE ÁTHA CLIATH
Tullamore
Burnley
BRAD-FORD
LEEDS
PRESTON
Southport
BOLTON
Beverley
KINGSTON UPON HULL
Ennis
Nenagh
Roscrea
Portlaoise
Naas
Dún Laoghaire
Anglesey
LIVERPOOL
MANCHESTER
HUDDERSFIELD
Selby
Scunthorpe
GRIMSBY
EIRE
Glendalough
Holyhead
Bangor
STOCKPORT
Doncaster
SHEFFIELD
Lincoln
Tralee
Trá Lí
Limerick
Luimneach
Kilkenny
Cill Chainnigh
Carlow
Wicklow
Caernarfon
Colwyn Bay
Chester
Chesterfield
Dingle
An Daingean
Rock of Cashel
Cashel
Arklow
Snowdon
1085
Crewe
STOKE-ON-TRENT
Matlock
Newark
Skegness
Cahirciveen
Killarney
Mallow
Cahir
Thomastown
Enniscorthy
Aberdaron
Harlech
Corwen
Chirk
Whitchurch
DERBY
NOTTINGHAM
Boston
Wells
Rathmore
Kenmare
Clonmel
Cluain Meala
New Ross
Wexford
Loch Garman
Dolgellau
Shrewsbury
Telford
Burton upon Trent
Sleaford
CORK
CORCAIGH
Fermoy
Dungarvan
Waterford
Port Láirge
Rosslare Harbour
Carnsore Point
Aberystwyth
Newtown
WALSALL
LEICESTER
King's Lynn
Bantry
Skibbereen
Kinsale
Mizen Head
Aberayron
Llangurig
WOLVERHAMPTON
BIRMINGHAM
COVENTRY
Stamford
Peterborough
St. George's Channel
Fishguard
Builth Wells
Worcester
Kettering
St.David's
Carmarthen
Brecon
Hereford
Stratford up.Avon
NORTHAMPTON
Ely
Newmarket
Thetford
Haverfordwest
Merthyr Tydfil
Cheltenham
Bedford
Cambridge
Pembroke Dock
SWANSEA
Port Talbot
Neath
Ross
Gloucester
LUTON
Bishop's Stortford
IPSW
Ragian
NEWPORT
OXFORD
St.Albans
Bristol Channel
CARDIFF
BRISTOL
Swindon
LONDON
Colcheste
Ilfracombe
Dunster
Bath
Barnstaple
Clovelly
Taunton
Wells
Newbury
READING
Windsor
SOUTHEND-ON-SE
Beckington
Stonehenge
Hampton Court
Rochester
Stratton
Holsworthy
Guildford
Maidstone
Canterbury
King Arthur's Castle
Okehampton
Salisbury
Winchester
SOUTHAMPTON
Ashford
Folkestone
Dover
Exeter
Yeovil
Honiton
Bodmin
Dorchester
BRIGHTON
Lydd
Penzance
Truro
Torquay
Totnes
PLYMOUTH
Weymouth
Poole
BOURNEMOUTH
Isle of Wight
PORTSMOUTH
Gosport
Chichester
Worthing
Newhaven
Hastings
Eastbourne
Boulogne-sur-Mer
le Touquet-Paris-Plage
Land's End
Falmouth-Penryn
Kynance Cove
Lizard
Salcombe
Isles of Scilly
Hugh Town
Roscoff
Roscoff, Cherbourg-Octeville
Santander
St. Malo
St. Peter-Port
Le Havre
Caen
Dieppe
La Manche
Loop Head
Oratory of Gallarus
Staigue Fort
Sea of the Hebrides
North Channel
Firth of Clyde
UN
KI
0° Greenwich
Paris
0
25
50
100
150 km
15°
60°
10°
5°
55°
50°

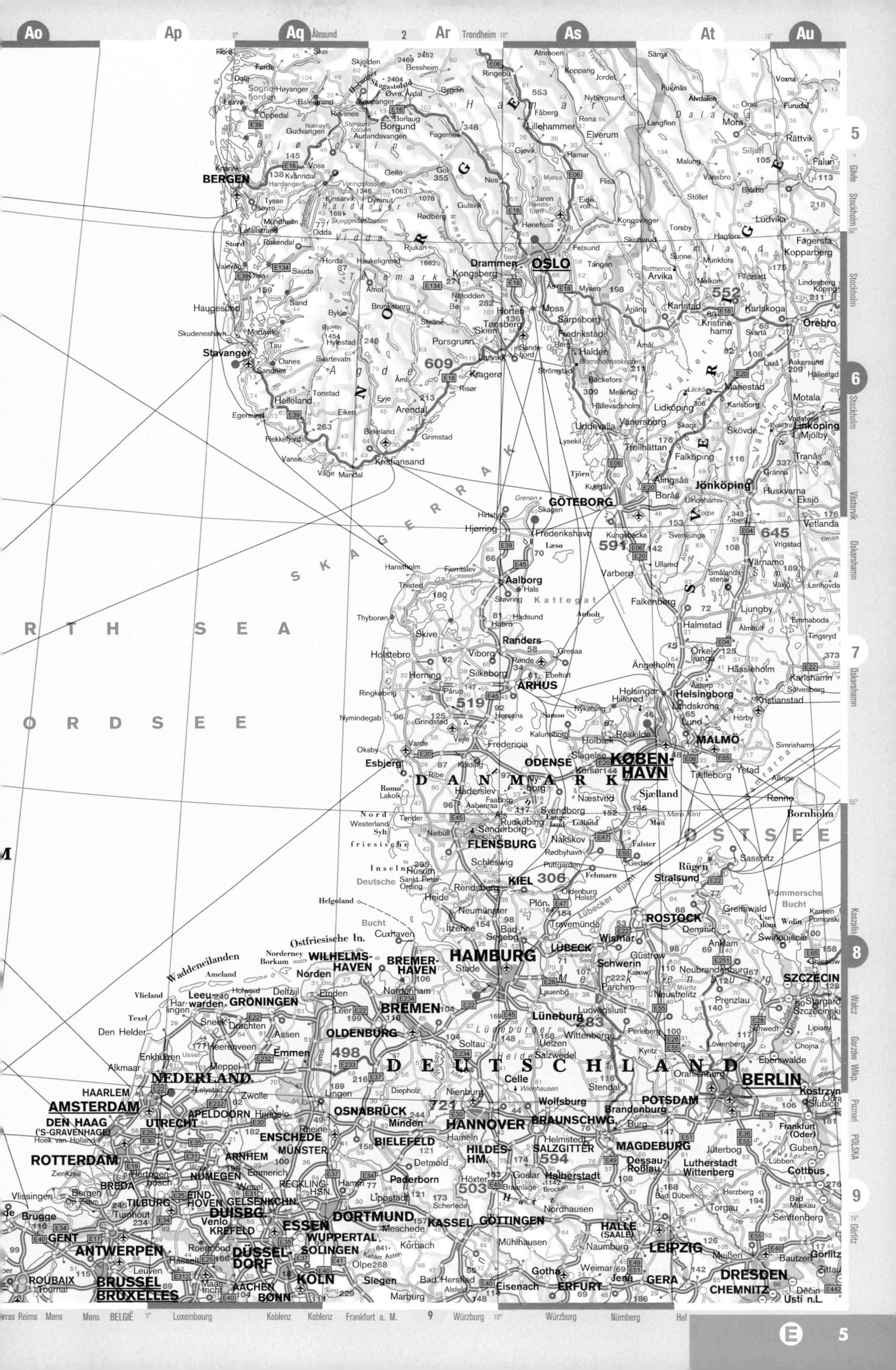

Ao
Ap
Aq
Ålesund
2
Ar
Trondheim
As
At
Au
Flora
Førde
Dale
Sognefjorden
Høyanger
Lærdal
Balestrand
Skjolden
Skagastølstind
Øvre Årdal
Bessheim
Bygdin
Ringebu
Atnmoen
Koppang
Jordet
Nybergsund
Särna
Fulunäs
Älvdalen
Orsa
Furudal
Voxna
Mora
Rättvik
Falun
Gudvangen
Borgund
Aurlandsvangen
Fagernes
Fåberg
Lillehammer
Rena
Elverum
Gjøvik
Hamar
Langflon
Malung
Vansbro
Siljan
Dalarna
Voss
Geilo
Gol
Nes
Bergen
Kvanndal
Hardangerfjorden
Kinsarvik
Dyranut
Tysse
Osøyro
Hardangervidda
Skjeggedalsfossen
Rødberg
Gulsvik
Jaren
Mjøsa
Flisa
Stöllet
Borlänge
Ludvika
Odda
Rjukan
Hønefoss
Kongsvinger
Torsby
Hagfors
Fagersta
Kopparberg
Stord
Rosendal
Sauda
Haukeligrend
Drammen
OSLO
Fetsund
Tangen
Sunne
Munkfors
Valevåg
Ølen
Kongsberg
Telemark
Notodden
Horten
Moss
Mysen
Arvika
Rottneros
Molkom
Filipstad
Lindesberg
Köping
Haugesund
Sand
Bykle
Brunkeberg
Tønsberg
Skien
Sarpsborg
Fredrikstad
Årjäng
Karlstad
Kristinehamn
Karlskoga
Örebro
Skudeneshavn
Stavanger
Hylestad
Porsgrunn
Larvik
Sandefjord
Halden
Åmål
Laxå
Askersund
Hallsberg
Sandnes
Oanes
Svartevatn
Kragerø
Risør
Strömstad
Bäckefors
Mariestad
Mellerud
Lidköping
Motala
Tonstad
Åmli
Arendal
Hällevadsholm
Vänersborg
Skara
Vänern
Karlsborg
Vadstena
Linköping
Mjölby
Egersund
Helleland
Eiken
Evje
Birkeland
Grimstad
Uddevalla
Trollhättan
Lysekil
Sköfde
Falköping
Vättern
Tranås
Flekkefjord
Kristiansand
Vanse
Våge
Mandal
Tjörn
Kungälv
Alingsås
Borås
Jönköping
Gränna
Huskvarna
Eksjö
Grenen
Skagen
GÖTEBORG
Ulricehamn
Hirtshals
Hjørring
Frederikshavn
Læsø
Kungsbacka
Svenljunga
Vetlanda
Vrigstad
Värnamo
Ullared
Varberg
Småland
Smålandsstenar
Vaxjö
Lenhovda
SKAGERRAK
Hanstholm
Fjerritslev
Aalborg
Hals
Thisted
Støvring
Kattegat
Anholt
Falkenberg
Ljungby
Thyborøn
Hobro
Hadsund
Halmstad
Älmhult
Emmaboda
Tingsryd
NORTH SEA
Skive
Randers
Holstebro
Viborg
Grenaa
Rønde
Ebeltoft
Ängelholm
Örkelljunga
Hässleholm
Karlshamn
Sölvesborg
Herning
Silkeborg
ÅRHUS
Ringkøbing
Helsingør
Hillerød
Helsingborg
Landskrona
Kristianstad
NORDSEE
Nymindegab
Grindsted
Horsens
Samsø
Nykøbing
Roskilde
Lund
Hörby
Vejle
Kalundborg
Holbæk
MALMÖ
Simrishamn
Oksby
Varde
Fredericia
Esbjerg
Kolding
ODENSE
Slagelse
Korsør
KØBENHAVN
Trelleborg
Ystad
Ribe
Rømø
Lakolk
DANMARK
Nyborg
Sjælland
Haderslev
Aabenraa
Faaborg
Næstved
Rønne
Bornholm
Nord Westerland
Sylt
Tønder
Niebüll
Als
Rudkøbing
Svendborg
Langeland
Lolland
Møn
Nakskov
Sønderborg
OSTSEE
Nordfriesische Inseln
FLENSBURG
Rødbyhavn
Falster
Gedser
Husum
Sankt Peter-Ording
Schleswig
Puttgarden
Fehmarn
KIEL
Rügen
Sassnitz
Stralsund
Deutsche Bucht
Heide
Rendsburg
Plön
Oldenburg in Holstein
Lübecker Bucht
Helgoland
Neumünster
Travemünde
ROSTOCK
Greifswald
Pommersche Bucht
Usedom
Wolin
Kamien Pomorski
Cuxhaven
Itzehoe
Bad Segeberg
Wismar
Demmin
Anklam
Swinoujscie
Ostfriesische In.
Norderney
Borkum
WILHELMSHAVEN
BREMERHAVEN
HAMBURG
LÜBECK
Güstrow
Waddeneilanden
Ameland
Norden
Stade
Schwerin
Neubrandenburg
SZCZECIN
Vlieland
Leeuwarden
Harlingen
Delfzijl
Emden
Nordenham
Lauenburg
Parchim
Neustrelitz
Stargard Szczecinski
Texel
Sneek
GRONINGEN
Leer
BREMEN
Lüneburg
Ludwigslust
Prenzlau
Den Helder
Drachten
Assen
OLDENBURG
Soltau
Lüneburger Heide
Wittenberge
Perleberg
Schwedt
Heerenveen
Emmen
Uelzen
Salzwedel
Kyritz
Eberswalde
Alkmaar
Meppel
NEDERLAND
DEUTSCHLAND
Celle
Stendal
Oranienburg
BERLIN
Kostrzyn
HAARLEM
Lelystad
Zwolle
Lingen
Diepholz
Nienburg
Wolfsburg
Brandenburg
POTSDAM
Słubice
AMSTERDAM
APELDOORN
Hengelo
OSNABRÜCK
Minden
HANNOVER
BRAUNSCHWG.
Burg
Frankfurt (Oder)
DEN HAAG
('S-GRAVENHAGE)
Hoek van Holland
UTRECHT
ENSCHEDE
Rheine
BIELEFELD
Hameln
Helmstedt
SALZGITTER
MAGDEBURG
Jüterbog
Guben
ROTTERDAM
ARNHEM
MÜNSTER
Detmold
HILDESHM.
Dessau-Roßlau
Lutherstadt Wittenberg
Lübben
Cottbus
Zierikzee
's-Hertogenbosch
NIJMEGEN
Emmerich
Paderborn
Höxter
Goslar
Halberstadt
Vlissingen
Bergen op Zoom
BREDA
TILBURG
EINDHOVEN
Wesel
RECKLINGHSN.
Hamm
Lippstadt
Braunlage
Brocken
Harz
Nordhausen
Bad Düben
Torgau
Herzberg
Bad Muskau
Brugge
Turnhout
Venlo
GELSENKCHN.
DUISBG.
ESSEN
DORTMUND
KASSEL
GÖTTINGEN
HALLE (SAALE)
Senftenberg
GENT
KREFELD
WUPPERTAL
SOLINGEN
Meschede
Mühlhausen
Naumburg
LEIPZIG
Meißen
Bautzen
Görlitz
ANTWERPEN
Roermond
DÜSSELDORF
Kahler Asten
Korbach
Weimar
Jena
DRESDEN
Hasselt
Leuven
Olpe
Gotha
ERFURT
GERA
CHEMNITZ
Zittau
ROUBAIX
Tournai
BRUSSEL
BRUXELLES
Maastricht
AACHEN
BONN
KÖLN
Siegen
Bad Hersfeld
Alsfeld
Eisenach
Marburg
Děčín
Ústí n.L.
Stockholm
Gävle
Västervik
Oskarshamn
Koszalin
Wałcz
Gorzów Wlkp.
Poznań
POLSKA
Görlitz
5
6
7
8
9
Arras
Reims
Mons
BELGIË
Luxembourg
Koblenz
Frankfurt a. M.
Würzburg
Nürnberg
Hof

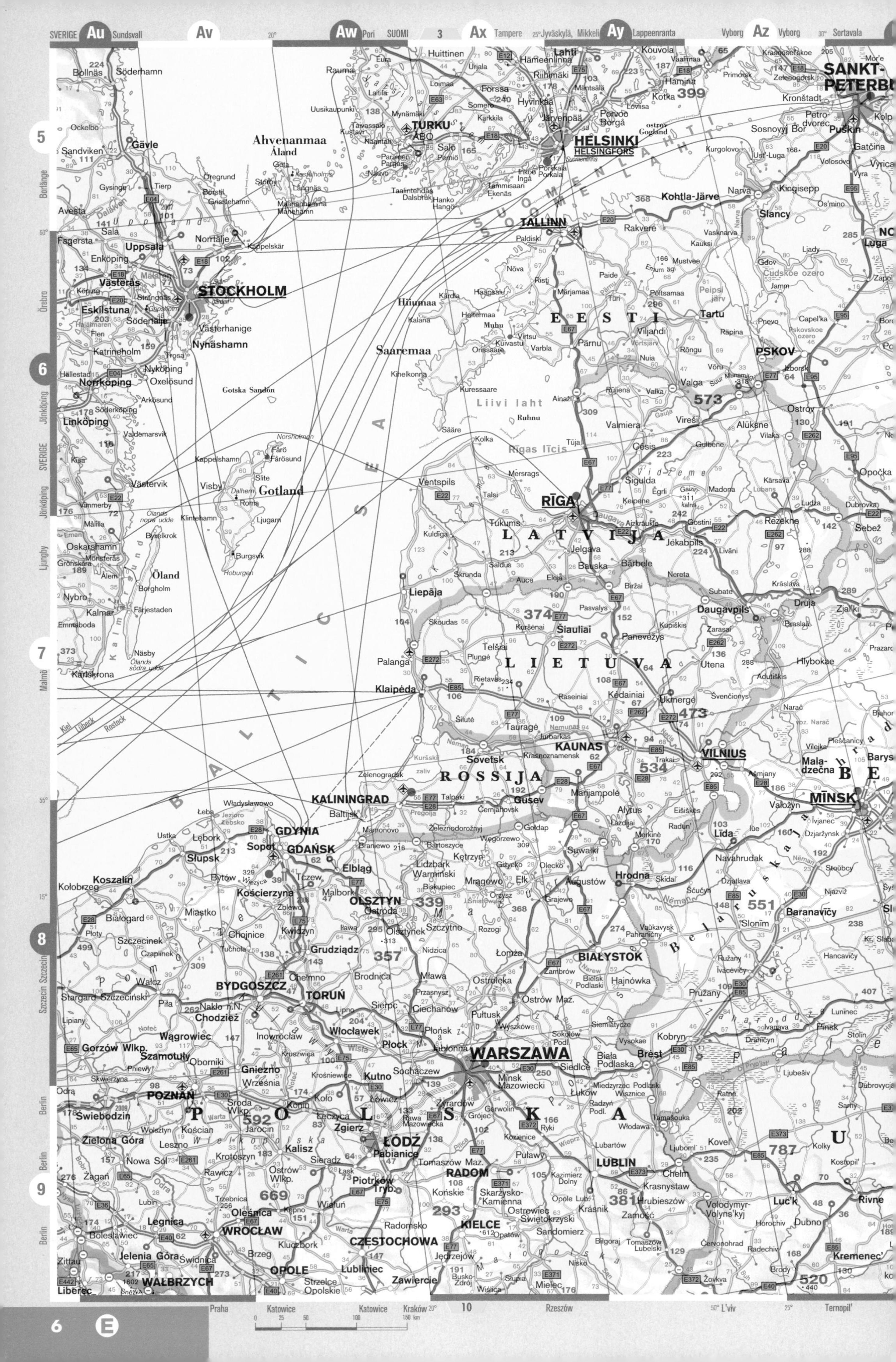
Bollnäs
Söderhamn
Gävle
Sandviken
Avesta
Sala
Uppsala
Norrtälje
Enköping
Västerås
Eskilstuna
STOCKHOLM
Södertälje
Nynäshamn
Katrineholm
Nyköping
Norrköping
Oxelösund
Linköping
Västervik
Kalmar
Karlskrona
Öland
Gotland
Visby
Ahvenanmaa
Åland
Maarianhamina
Mariehamn
Rauma
Uusikaupunki
TURKU
ÅBO
Salo
Hanko
Hangö
Forssa
Hämeenlinna
Riihimäki
Hyvinkää
Järvenpää
Lahti
Kouvola
Hamina
Kotka
Porvoo
Borgå
HELSINKI
HELSINGFORS
SUOMENLAHTI
SANKT-PETERBURG
Kronštadt
Sosnovyj Bor
Kingisepp
Narva
Kohtla-Järve
Rakvere
TALLINN
Paldiski
Hiiumaa
Saaremaa
Kuressaare
Pärnu
Viljandi
Tartu
EESTI
Valga
Valka
PSKOV
Liivi laht
Rīgas līcis
Ventspils
RĪGA
Jūrmala
Tukums
Jelgava
Bauska
Jēkabpils
Daugavpils
Rēzekne
LATVIJA
Liepāja
Palanga
Klaipėda
Šiauliai
Panevėžys
Utena
LIETUVA
KAUNAS
VILNIUS
Marijampolė
Alytus
Sovetsk
ROSSIJA
KALININGRAD
Baltijsk
Gusev
BALTIC SEA
Hrodna
Lida
Maladzečna
MINSK
Baranavičy
Slonim
Brest
Pinsk
Kobryn
Belarus
GDYNIA
Sopot
GDAŃSK
Elbląg
Słupsk
Koszalin
OLSZTYN
Ełk
Suwałki
Augustów
BIAŁYSTOK
Łomża
Grudziądz
BYDGOSZCZ
TORUŃ
Włocławek
Płock
WARSZAWA
Siedlce
Biała Podlaska
Gniezno
POZNAŃ
Kalisz
ŁÓDŹ
Piotrków Tryb.
RADOM
Puławy
LUBLIN
Chełm
Zamość
KIELCE
CZĘSTOCHOWA
OPOLE
WROCŁAW
Legnica
Wałbrzych
Zielona Góra
Gorzów Wlkp.
Szczecinek
POLSKA
Kovel'
Luc'k
Rivne
Volodymyr-Volyns'kyj
Dubno
Kremenec'

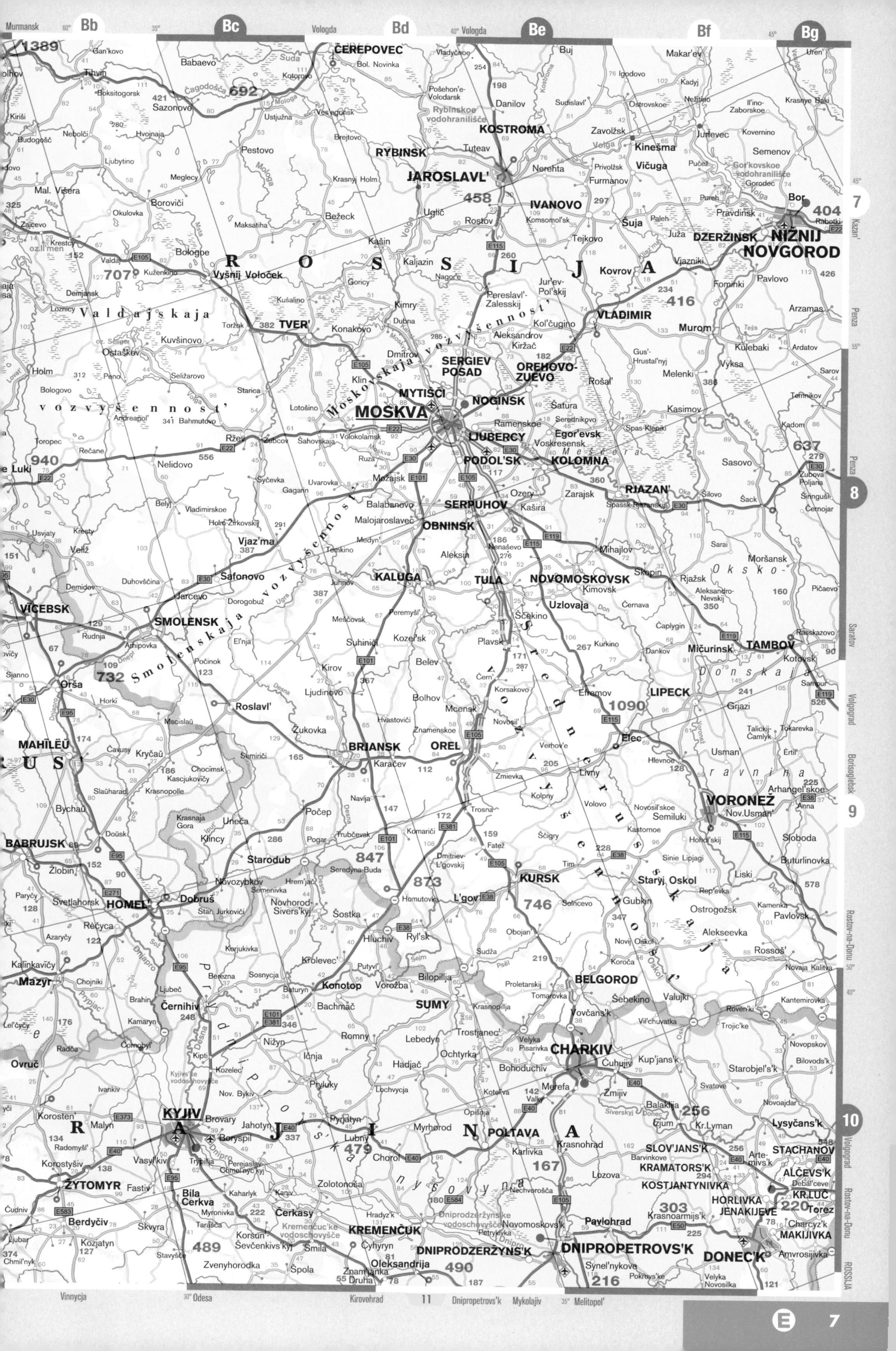

Murmansk
Bb
Bc
Vologda
Bd
Be
Bf
Bg
Kazan'
Penza
Saratov
Volgograd
Borisoglebsk
Rostov-na-Donu
ROSSIJA
Vinnycja
Odesa
Kirovohrad
Dnipropetrovs'k
Mykolajiv
Melitopol'
7
8
9
10
11
R O S S I J A
U K R A J I N A
Valdajskaja vozvyšennost'
Moskovskaja vozvyšennost'
Smolenskaja vozvyšennost'
Srednerusskaja vozvyšennost'
Okskо-Donskaja ravnina
Prydniprovs'ka nyzovyna
ČEREPOVEC
RYBINSK
JAROSLAVL'
KOSTROMA
IVANOVO
NIŽNIJ NOVGOROD
DZERŽINSK
VLADIMIR
TVER'
SERGIEV POSAD
OREHOVO-ZUEVO
MYTIŠČI
NOGINSK
MOSKVA
LJUBERCY
PODOL'SK
KOLOMNA
RJAZAN'
SERPUHOV
OBNINSK
KALUGA
TULA
NOVOMOSKOVSK
SMOLENSK
VIĆEBSK
MAHILËŬ
BABRUJSK
HOMEL'
BRIANSK
OREL
LIPECK
TAMBOV
VORONEŽ
KURSK
BELGOROD
SUMY
CHARKIV
KYJIV
ŽYTOMYR
POLTAVA
KREMENČUK
DNIPRODZERŽYNS'K
DNIPROPETROVS'K
DONEC'K
HORLIVKA
JENAKIJEVE
KRAMATORS'K
SLOV'JANS'K
KOSTJANTYNIVKA
STACHANOV
ALČEVS'K
KR.LUČ
MAKIJIVKA

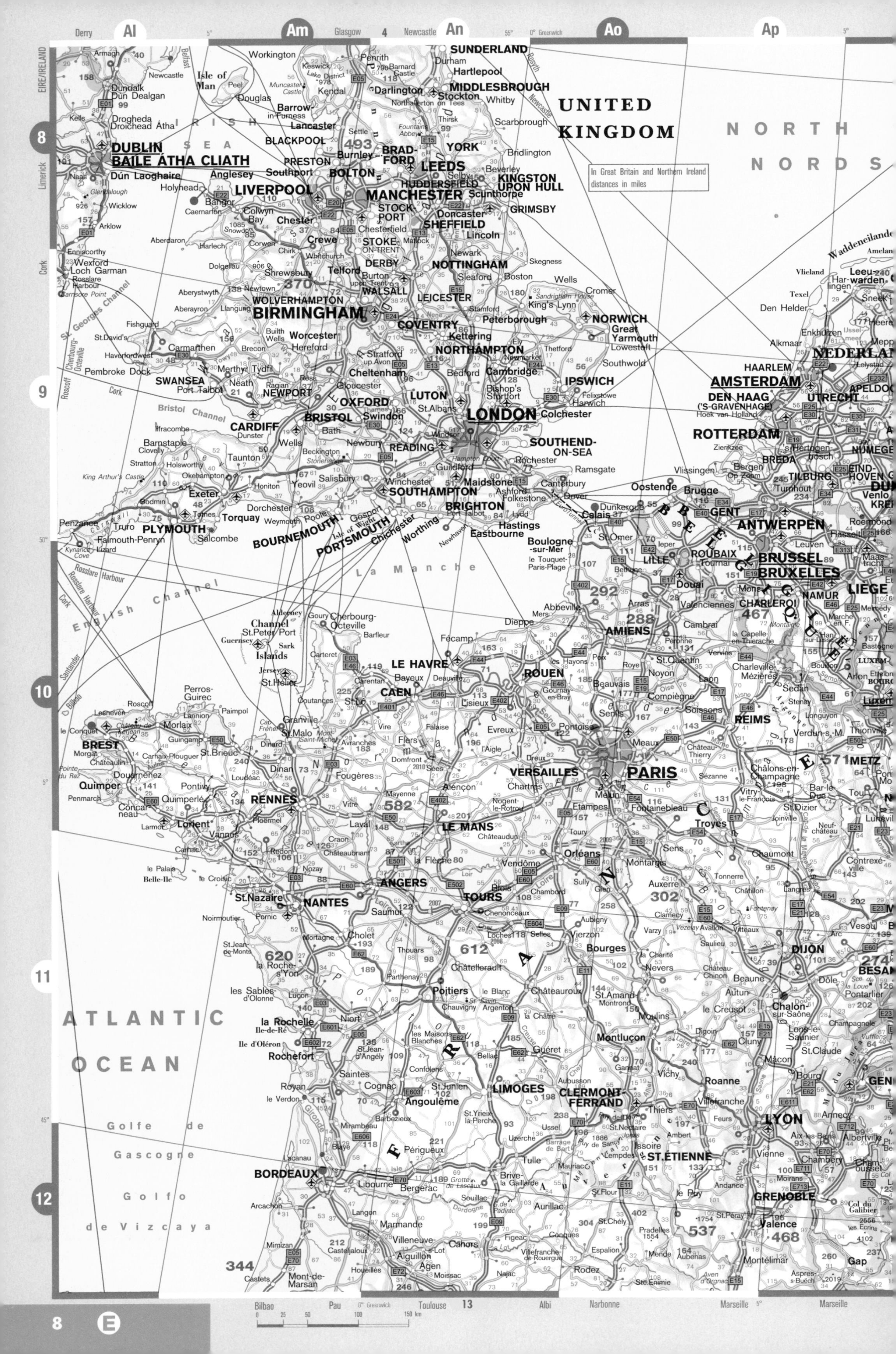

Al
Am
An
Ao
Ap
Derry
Glasgow
4
Newcastle
UNITED KINGDOM
NORTH
NORDS
In Great Britain and Northern Ireland distances in miles
IRISH SEA
DUBLIN
BAILE ÁTHA CLIATH
Dún Laoghaire
Isle of Man
Douglas
Workington
Penrith
Durham
SUNDERLAND
Hartlepool
MIDDLESBROUGH
Darlington
Stockton on Tees
Whitby
Scarborough
Barrow-in-Furness
Lancaster
Kendal
BLACKPOOL
PRESTON
Southport
YORK
Bridlington
BRAD-FORD
LEEDS
Burnley
BOLTON
LIVERPOOL
MANCHESTER
HUDDERSFIELD
KINGSTON UPON HULL
Beverley
Selby
Scunthorpe
GRIMSBY
Doncaster
SHEFFIELD
STOCK-PORT
Anglesey
Holyhead
Bangor
Caernarfon
Colwyn Bay
Chester
Crewe
Chesterfield
Lincoln
STOKE-ON-TRENT
DERBY
NOTTINGHAM
Newark
Skegness
Shrewsbury
Telford
Burton upon Trent
WALSALL
WOLVERHAMPTON
BIRMINGHAM
LEICESTER
Boston
Sleaford
King's Lynn
Wells
Cromer
NORWICH
Great Yarmouth
Lowestoft
COVENTRY
Peterborough
Kettering
NORTHAMPTON
Stamford
Thetford
Southwold
Worcester
Hereford
Stratford up.Avon
Cheltenham
Gloucester
Bedford
Cambridge
Newmarket
Bishop's Stortford
IPSWICH
Felixstowe
Harwich
Colchester
OXFORD
LUTON
St.Albans
Swindon
LONDON
SOUTHEND-ON-SEA
Aberystwyth
Carmarthen
SWANSEA
Port Talbot
Neath
NEWPORT
CARDIFF
BRISTOL
Bath
Wells
Newbury
READING
Windsor
Rochester
Ramsgate
Canterbury
Dover
Maidstone
Ashford
Folkestone
Guildford
Winchester
SOUTHAMPTON
Salisbury
BRIGHTON
Hastings
Eastbourne
Worthing
Chichester
PORTSMOUTH
Isle of Wight
BOURNEMOUTH
Poole
Weymouth
Dorchester
Yeovil
Taunton
Exeter
Torquay
PLYMOUTH
Salcombe
Falmouth-Penryn
Penzance
Barnstaple
Ilfracombe
Bristol Channel
Pembroke Dock
Haverfordwest
Fishguard
St.David's
Wexford
Loch Garman
Rosslare Harbour
Enniscorthy
Arklow
Wicklow
Drogheda
Droichead Átha
Dundalk
Dún Dealgan
Newcastle
Armagh
English Channel
La Manche
Channel Islands
Alderney
Guernsey
St.Peter Port
Sark
Jersey
St.Helier
Cherbourg-Octeville
Barfleur
Carteret
LE HAVRE
Fécamp
Dieppe
Abbeville
Boulogne-sur-Mer
le Touquet-Paris-Plage
Calais
Dunkerque
St.Omer
Oostende
Brugge
GENT
ANTWERPEN
BRUSSEL
BRUXELLES
LILLE
ROUBAIX
Tournai
Douai
Arras
Valenciennes
Mons
CHARLEROI
NAMUR
LIEGE
AMIENS
Cambrai
ROUEN
Lisieux
CAEN
Bayeux
Deauville
Evreux
Beauvais
Compiègne
St.Quentin
Laon
Soissons
REIMS
Senlis
Meaux
PARIS
VERSAILLES
Chartres
Dreux
Melun
Fontainebleau
Etampes
Troyes
Sens
Orléans
Montargis
Auxerre
BREST
Morlaix
Quimper
Lorient
Vannes
St.Brieuc
Dinan
RENNES
St.Malo
Granville
Avranches
Fougères
Laval
Mayenne
Alençon
LE MANS
Vendôme
Tours
Blois
ANGERS
NANTES
St.Nazaire
Saumur
Cholet
Poitiers
Châtellerault
la Roche-s'Yon
les Sables-d'Olonne
la Rochelle
Rochefort
Niort
Royan
Saintes
Cognac
Angoulême
LIMOGES
Périgueux
BORDEAUX
Arcachon
Libourne
Bergerac
Brive-la Gaillarde
Tulle
Aurillac
CLERMONT-FERRAND
Vichy
Montluçon
Moulins
Bourges
Vierzon
Châteauroux
Nevers
ST.ÉTIENNE
LYON
Roanne
Mâcon
Chalon-sur-Saône
DIJON
Beaune
Grenoble
Valence
Montélimar
Chambéry
Annecy
Cahors
Agen
Villeneuve-sur-Lot
Marmande
Rodez
le Puy
Nederland
HAARLEM
AMSTERDAM
DEN HAAG
('S-GRAVENHAGE)
Hoek van Holland
UTRECHT
ROTTERDAM
Vlissingen
BREDA
TILBURG
Den Helder
Texel
Vlieland
Leeuwarden
Alkmaar
Enkhuizen
METZ
Verdun-s.-M.
Châlons-en-Champagne
St.Dizier
Chaumont
Langres
ATLANTIC OCEAN
Golfe de Gascogne
Golfo de Vizcaya
8
9
10
11
12
Bilbao
Pau
Toulouse
13
Albi
Narbonne
Marseille
8
E

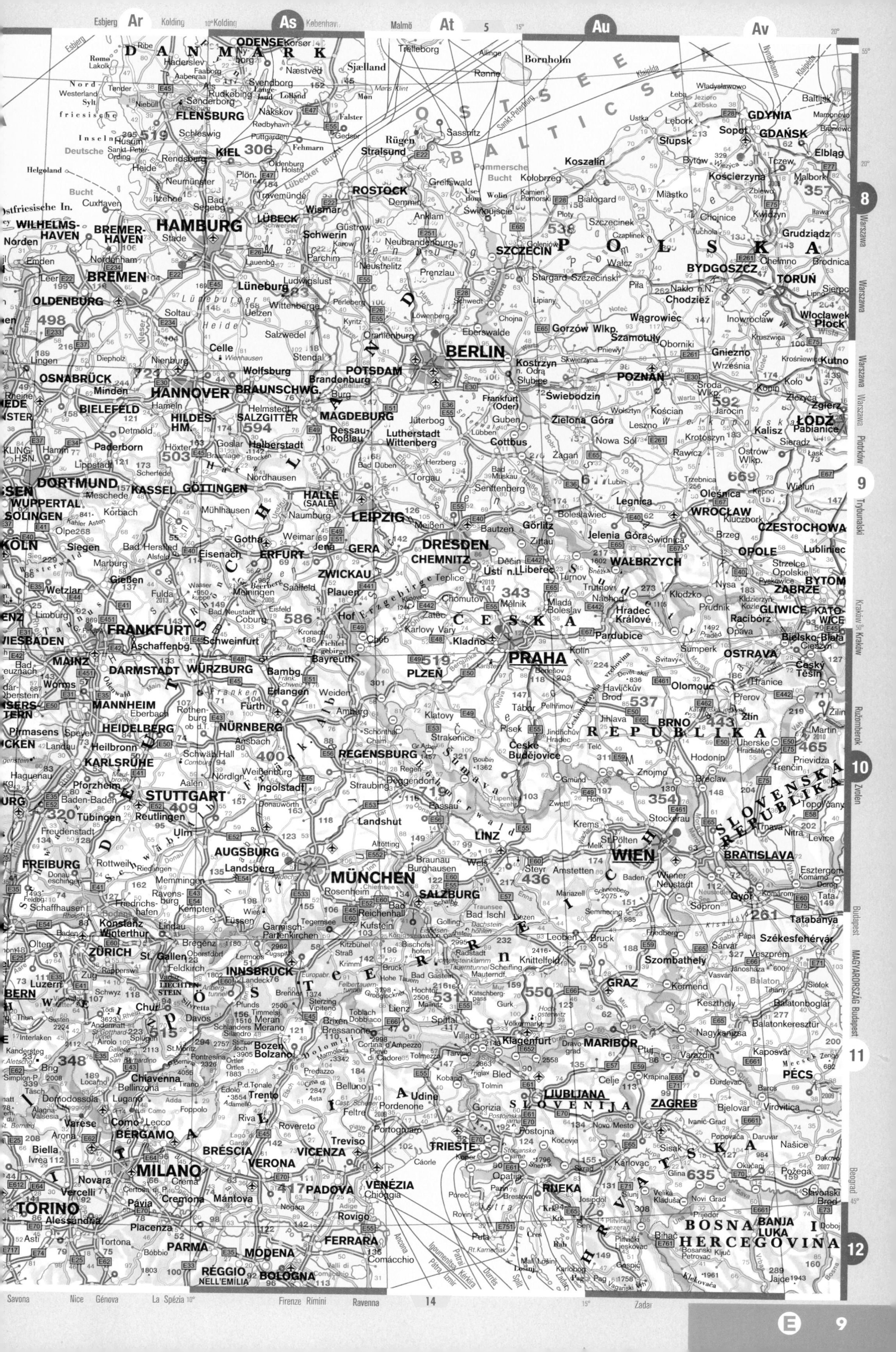

Esbjerg
Ar
Kolding
As
København
Malmö
At
5
Au
Av
DANMARK
ODENSE
Sjælland
Bornholm
Rønne
Trelleborg
Næstved
FLENSBURG
KIEL
Rügen
Stralsund
Sassnitz
Lübecker Bucht
Fehmarn
ROSTOCK
Wismar
Greifswald
Pommersche Bucht
OSTSEE
BALTIC SEA
Koszalin
Słupsk
Lębork
GDYNIA
Sopot
GDAŃSK
Elbląg
Tczew
Kościerzyna
Malbork
Chojnice
Miastko
Kwidzyn
Grudziądz
BYDGOSZCZ
TORUŃ
Włocławek
Płock
Inowrocław
Chełmno
Brodnica
Deutsche Bucht
Helgoland
Husum
Heide
Rendsburg
Neumünster
Itzehoe
Cuxhaven
WILHELMS-HAVEN
BREMER-HAVEN
HAMBURG
LÜBECK
Schwerin
Güstrow
Neubrandenburg
Anklam
Świnoujście
Stade
Parchim
Neustrelitz
Prenzlau
SZCZECIN
Stargard Szczeciński
POLSKA
Piła
Chodzież
Wągrowiec
Gniezno
Emden
Nordenham
BREMEN
OLDENBURG
Lüneburg
Uelzen
Ludwigslust
Wittenberge
Schwedt
Gorzów Wlkp.
Szamotuły
Oborniki
Soltau
Celle
Salzwedel
Stendal
Eberswalde
BERLIN
Kostrzyn
POZNAŃ
Września
Kutno
Lingen
OSNABRÜCK
Minden
HANNOVER
BRAUNSCHWG.
Wolfsburg
Brandenburg
POTSDAM
Frankfurt (Oder)
Słubice
Świebodzin
Konin
ŁÓDŹ
Zgierz
Pabianice
BIELEFELD
Hameln
HILDES-HM.
SALZGITTER
MAGDEBURG
Dessau-Roßlau
Lutherstadt Wittenberg
Jüterbog
Guben
Cottbus
Zielona Góra
Leszno
Kalisz
Sieradz
Detmold
Paderborn
Höxter
Goslar
Halberstadt
Nordhausen
Torgau
Żagań
Nowa Sól
Krotoszyn
Ostrów Wlkp.
DORTMUND
KASSEL
GÖTTINGEN
HALLE (SAALE)
Senftenberg
Legnica
Oleśnica
Wieluń
WUPPERTAL
SOLINGEN
Korbach
Mühlhausen
Naumburg
LEIPZIG
Meißen
DRESDEN
Bautzen
Görlitz
Bolesławiec
WROCŁAW
CZĘSTOCHOWA
KÖLN
Siegen
Eisenach
Gotha
ERFURT
Weimar
Jena
GERA
CHEMNITZ
Zittau
Jelenia Góra
Świdnica
Brzeg
OPOLE
Lubliniec
Marburg
Gießen
WAŁBRZYCH
Wetzlar
Fulda
Meiningen
ZWICKAU
Plauen
Teplice
Děčín
Ústí n.L.
Liberec
Turnov
Kłodzko
Nysa
ZABRZE
BYTOM
GLIWICE
KATO-WICE
Limburg
FRANKFURT
Aschaffenbg.
Schweinfurt
Coburg
Hof
Chomutov
Mělník
Mladá Boleslav
Hradec Králové
Racibórz
Opava
WIESBADEN
MAINZ
DARMSTADT
WÜRZBURG
Bamberg
Bayreuth
Cheb
Karlovy Vary
Kladno
ČESKÁ
PRAHA
Kolín
Pardubice
Šumperk
OSTRAVA
Bielsko-Biała
Český Těšín
Worms
MANNHEIM
HEIDELBERG
Erlangen
Fürth
NÜRNBERG
Amberg
Weiden
PLZEŇ
Havlíčkův Brod
Olomouc
Přerov
Zlín
Pirmasens
Heilbronn
Ansbach
Klatovy
Tábor
Jihlava
BRNO
REPUBLIKA
KARLSRUHE
Pforzheim
Schwäb.Hall
Nördlgn.
REGENSBURG
Straubing
Deggendorf
Strakonice
České Budějovice
Znojmo
Hodonín
Trenčín
Prievidza
Baden-Baden
STUTTGART
Reutlingen
Tübingen
Ulm
Ingolstadt
Landshut
Passau
LINZ
Krems
Břeclav
Stockerau
SLOVENSKÁ REPUBLIKA
Zvolen
Nitra
FREIBURG
AUGSBURG
MÜNCHEN
Altötting
Braunau
Wels
St.Pölten
WIEN
BRATISLAVA
Landsberg
Memmingen
Kempten
Rosenheim
SALZBURG
Steyr
Amstetten
Baden
Wiener Neustadt
Győr
Komárom
Tatabánya
Esztergom
Schaffhausen
Konstanz
Winterthur
Füssen
Garmisch-Partenkirchen
Kufstein
Bad Ischl
Sopron
ZÜRICH
St. Gallen
Bregenz
Feldkirch
INNSBRUCK
Kitzbühel
Leoben
Bruck
Szombathely
Székesfehérvár
Veszprém
Luzern
BERN
Chur
Davos
Lienz
Spittal
Knittelfeld
GRAZ
Körmend
Keszthely
Balaton
Balatonboglár
Bozen Bolzano
Meran
Villach
Klagenfurt
MARIBOR
Ptuj
Nagykanizsa
Kaposvár
PÉCS
Brig
Locarno
Bellinzona
Chiavenna
Tirano
Trento
Belluno
Udine
Bled
Celje
LJUBLJANA
SLOVENIJA
ZAGREB
Varaždin
Barcs
Domodossola
Lugano
Como
Lecco
BERGAMO
BRÉSCIA
VERONA
VICENZA
Treviso
Pordenone
Gorizia
TRIESTE
Koper
Postojna
Novo Mesto
Karlovac
Sisak
Bjelovar
Virovitica
Našice
Biella
Ivrea
MILANO
Novara
Vercelli
Crema
Cremona
Mantova
PADOVA
VENÉZIA
Chióggia
Opatija
RIJEKA
Pula
Rovinj
Poreč
Požega
Slavonski Brod
TORINO
Alessándria
Pávia
Placenza
PARMA
MÓDENA
REGGIO NELL'EMÍLIA
BOLOGNA
FERRARA
Rovigo
Comácchio
Asti
Tortona
Senj
Mali Lošinj
Bihać
BANJA LUKA
BOSNA I HERCEGOVINA
HRVATSKA
ITALIA
Savona
Nice
Génova
La Spézia
Firenze
Rimini
Ravenna
14
Zadar
8
9
10
11
12
Warszawa
Piotrków
Trybunalski
Kraków
Ružomberok
Zvolen
Budapest
MAGYARORSZÁG
Beograd

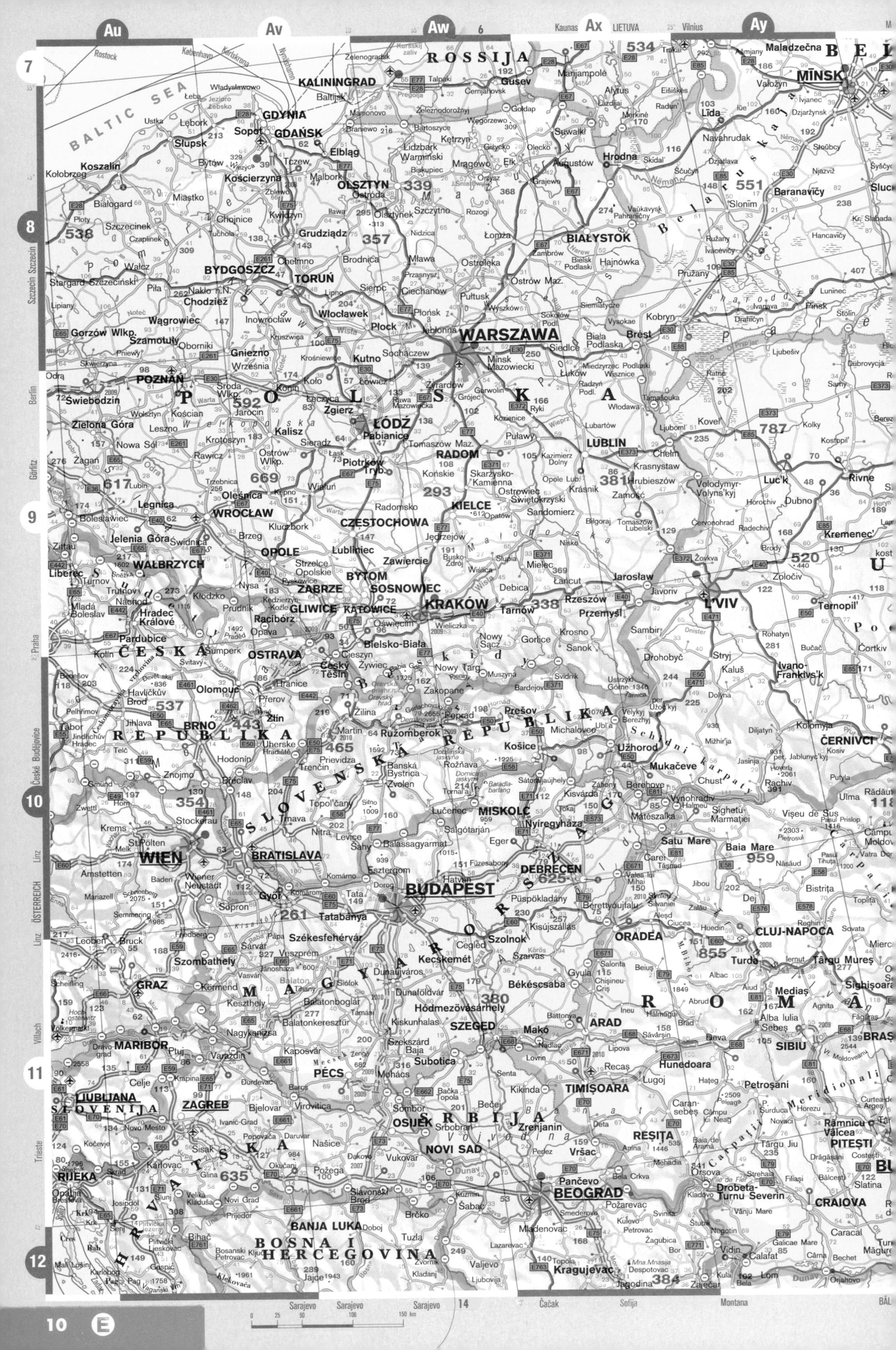
Au
Av
Aw
Ax
Ay
Kaunas
LIETUVA
Vilnius
7
8
9
10
11
12
BALTIC SEA
ROSSIJA
KALININGRAD
MINSK
BE
Belarus
GDYNIA
GDAŃSK
Elbląg
OLSZTYN
Koszalin
Słupsk
Kołobrzeg
Szczecinek
Białystok
BIAŁYSTOK
Hrodna
Lida
Baranavičy
Brest
BYDGOSZCZ
TORUŃ
Grudziądz
Włocławek
Płock
WARSZAWA
Siedlce
Gorzów Wlkp.
POZNAŃ
Gniezno
Kutno
Łódź
ŁÓDŹ
POLSKA
Kalisz
Zielona Góra
RADOM
LUBLIN
Chełm
Kovel'
Luc'k
Rivne
Legnica
WROCŁAW
OPOLE
CZĘSTOCHOWA
KIELCE
WAŁBRZYCH
Jelenia Góra
Liberec
BYTOM
SOSNOWIEC
ZABRZE
GLIWICE
KATOWICE
KRAKÓW
Tarnów
Rzeszów
Przemyśl
L'VIV
Ternopil'
Hradec Králové
Pardubice
ČESKÁ
OSTRAVA
Olomouc
Bielsko-Biała
Zlín
BRNO
REPUBLIKA
Žilina
Poprad
Prešov
Košice
SLOVENSKÁ REPUBLIKA
Užhorod
Mukačeve
Ivano-Frankivs'k
ČERNIVCI
Banská Bystrica
Trnava
Nitra
MISKOLC
Nyíregyháza
Satu Mare
Baia Mare
WIEN
BRATISLAVA
St. Pölten
Győr
BUDAPEST
DEBRECEN
Szolnok
Kecskemét
ORADEA
CLUJ-NAPOCA
Târgu Mureș
Székesfehérvár
Szombathely
GRAZ
MAGYARORSZÁG
Békéscsaba
ARAD
Sibiu
SIBIU
ROMÂNIA
SZEGED
MARIBOR
PÉCS
Subotica
TIMIȘOARA
Hunedoara
LJUBLJANA
SLOVENIJA
ZAGREB
OSIJEK
NOVI SAD
Zrenjanin
REȘIȚA
RIJEKA
HRVATSKA
BEOGRAD
Drobeta-Turnu Severin
CRAIOVA
BANJA LUKA
BOSNA I HERCEGOVINA
Kragujevac
SRBIJA
Szczecin
Berlin
Görlitz
Praha
České Budějovice
Linz
ÖSTERREICH
Villach
Trieste
Sarajevo
Čačak
Sofija
Montana
14
6
0 25 50 100 150 km

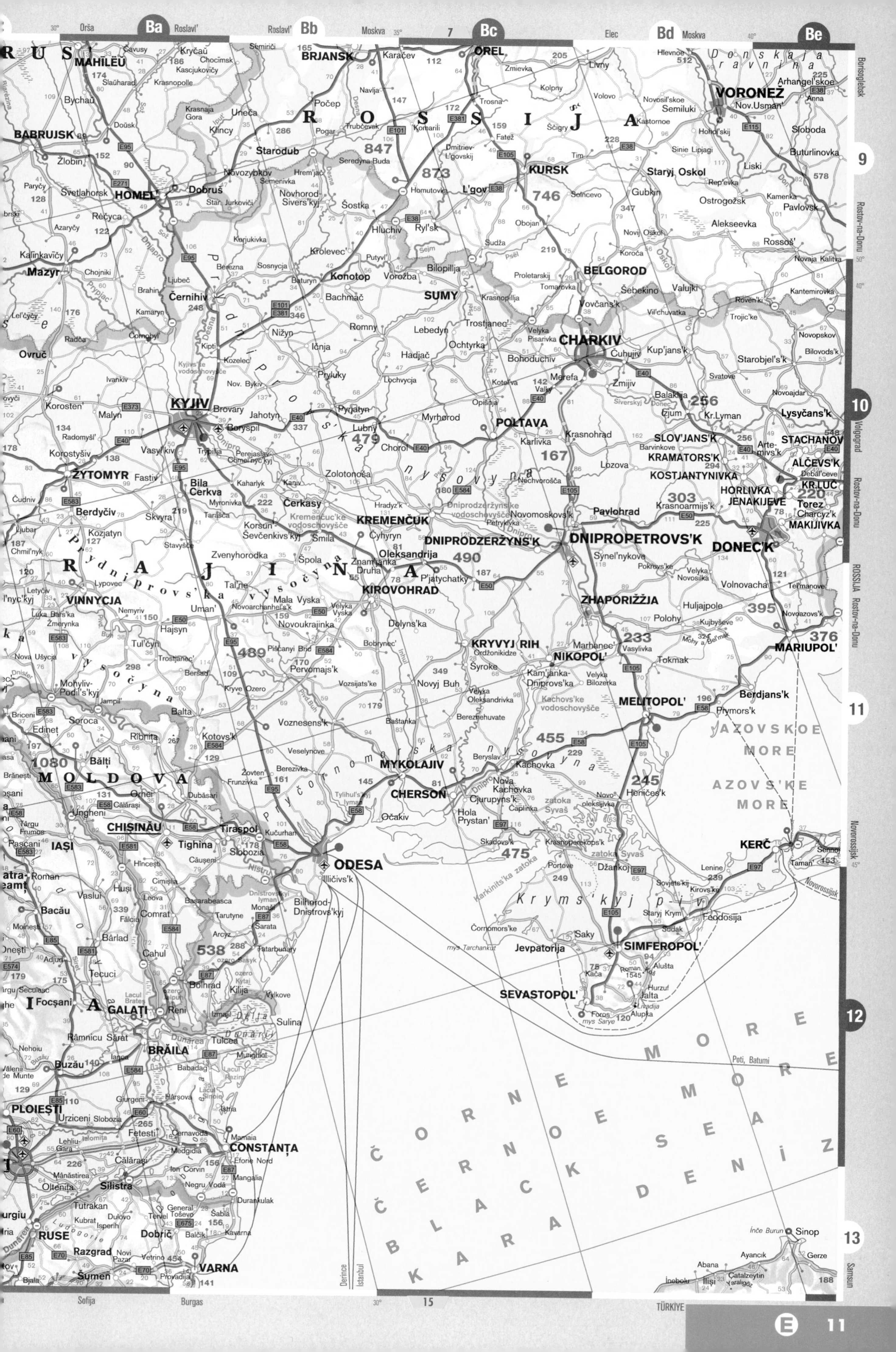

Ba
Bb
Bc
Bd
Be
7
Orša
Roslavl'
Moskva
Elec
ROSSIJA
UKRAJINA
MOLDOVA
MAHILËU
BABRUJSK
HOMEL'
Mazyr
BRJANSK
OREL
VORONEŽ
KURSK
BELGOROD
CHARKIV
SUMY
POLTAVA
KYJIV
ŽYTOMYR
Černihiv
Konotop
KREMENČUK
DNIPRODZERŽYNS'K
DNIPROPETROVS'K
DONEC'K
ZHAPORIŽŽJA
KIROVOHRAD
KRYVYJ RIH
NIKOPOL'
MELITOPOL'
MARIUPOL'
MYKOLAJIV
CHERSON
ODESA
SIMFEROPOL'
SEVASTOPOL'
KERČ
Jevpatorija
Feodosija
Jalta
VINNYCJA
Uman'
Bila Cerkva
Čerkasy
Bălţi
CHIŞINĂU
Tiraspol
Tighina
IAŞI
Bacău
Focşani
GALAŢI
BRĂILA
Tulcea
Sulina
Buzău
PLOIEŞTI
CONSTANŢA
Mangalia
Silistra
RUSE
Razgrad
Šumen
VARNA
Dobrič
Lysyčans'k
SLOV'JANS'K
KRAMATORS'K
KOSTJANTYNIVKA
HORLIVKA
JENAKIJEVE
MAKIJIVKA
Berdjans'k
Pavlohrad
Prydniprovs'ka vysočyna
Prydniprovs'ka nyzovyna
Podil's'ka vysočyna
Pryčornomors'ka nyzovyna
Krymskyj piv
Donskaja ravnina
AZOVSKOE MORE
AZOVS'KE MORE
ČORNE MORE
ČERNOE MORE
BLACK SEA
KARA DENIZ
Sinop
Samsun
TÜRKIYE
Sofija
Burgas
Derince
Istanbul
Poti, Batumi
Novorossijsk
Rostov-na-Donu
Volgograd
Borisoglebsk
ROSSIJA
9
10
11
12
13
15

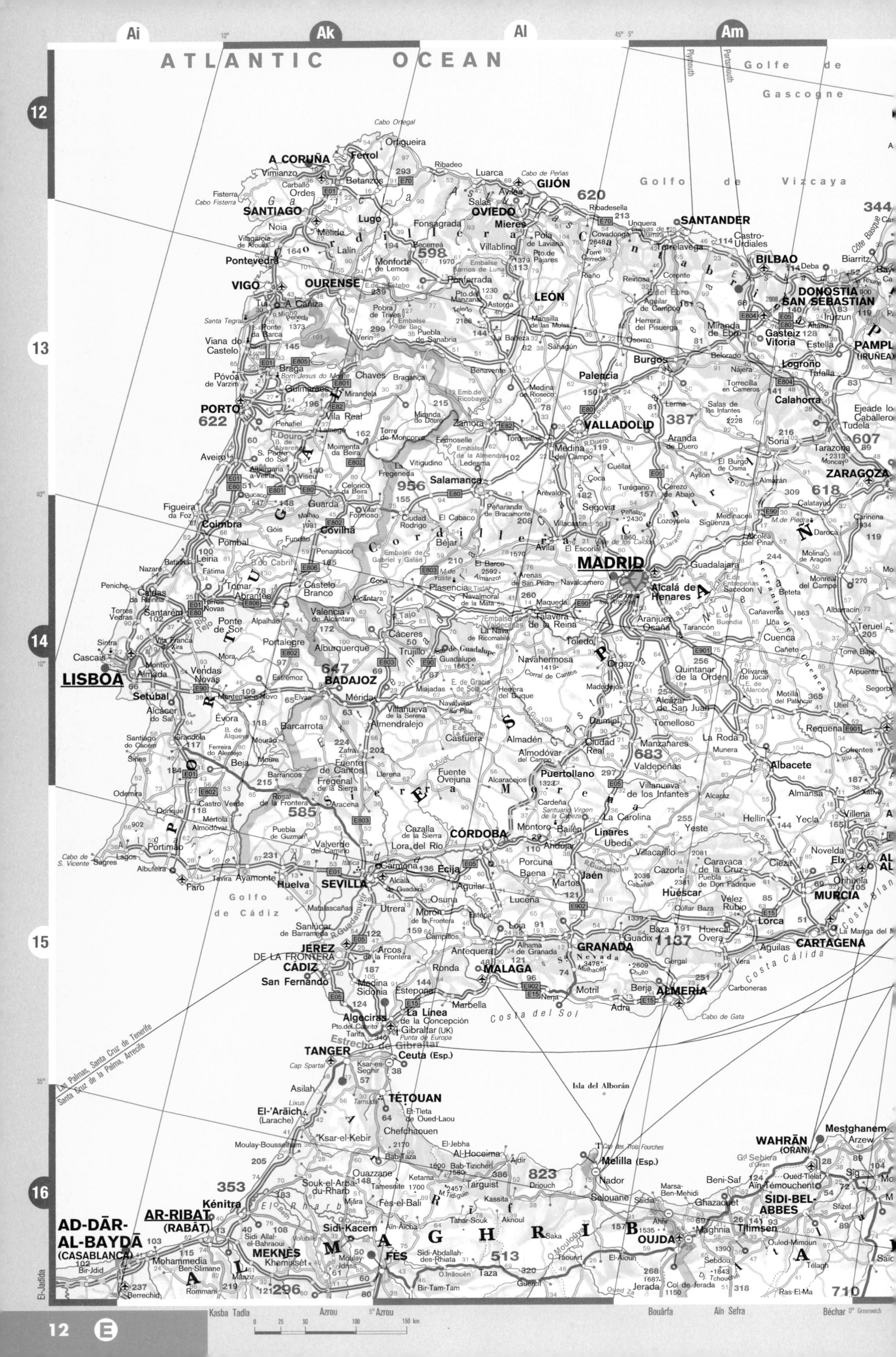
Ai
Ak
Al
Am
12
13
14
15
16
ATLANTIC OCEAN
Golfe de Gascogne
Golfo de Vizcaya
Cabo Ortegal
Ortigueira
A CORUÑA
Ferrol
Vimianzo
Betanzos
Ribadeo
Luarca
Cabo de Peñas
GIJÓN
Avilés
Fisterra
Cabo Fisterra
Ordes
SANTIAGO
Lugo
OVIEDO
Mieres
Fonsagrada
Noia
Melide
Vilagarcia de Arousa
Lalín
Monforte de Lemos
Pontevedra
VIGO
OURENSE
Ponferrada
Villablino
LEÓN
Astorga
Tui
A Cañiza
Santa Tegra
Viana do Castelo
Póvoa de Varzim
Braga
Chaves
Bragança
Guimarães
PORTO
622
Vila Real
Mirandela
Penafiel
Lamego
Aveiro
Viseu
Guarda
Figueira da Foz
Coimbra
Covilhã
Pombal
Leiria
Nazaré
Fátima
Batalha
Peniche
Caldas da Rainha
Tomar
Abrantes
Torres Vedras
Torres Novas
Santarém
Ponte de Sor
Sintra
Cascais
LISBOA
Almada
Setúbal
Montijo
Alcácer do Sal
Évora
Vendas Novas
Elvas
Portalegre
Estremoz
Sines
Santiago do Cacém
Beja
Mértola
Odemira
Castro Verde
Portimão
Lagos
Sagres
Cabo de S. Vicente
Albufeira
Faro
Tavira
Ayamonte
Huelva
SEVILLA
Golfo de Cádiz
JEREZ DE LA FRONTERA
CÁDIZ
San Fernando
Algeciras
La Línea de la Concepción
Gibraltar (UK)
Punta de Europa
Tarifa
Estrecho de Gibraltar
Costa del Sol
Marbella
Estepona
MÁLAGA
Ronda
Antequera
GRANADA
Sierra Nevada
Motril
Nerja
ALMERÍA
Adra
Cabo de Gata
Carboneras
Costa Cálida
CARTAGENA
La Manga del Mar Menor
MURCIA
Lorca
Águilas
Orihuela
Elx
Cieza
Yecla
Hellín
Almansa
Albacete
Villena
Requena
Utiel
Cuenca
Teruel
ZARAGOZA
Calatayud
Tarazona
Tudela
Logroño
PAMPLONA (IRUÑEA)
Estella
Calahorra
Soria
Almazán
Burgos
Miranda de Ebro
Gasteiz Vitoria
BILBAO
SANTANDER
Torrelavega
Castro-Urdiales
Reinosa
DONOSTIA SAN SEBASTIÁN
Irun
Biarritz
Côte Basque
Palencia
VALLADOLID
Medina del Campo
Tordesillas
Zamora
Benavente
Salamanca
Ledesma
Ciudad Rodrigo
Béjar
Ávila
Segovia
El Escorial
MADRID
Alcalá de Henares
Guadalajara
Aranjuez
Toledo
Talavera de la Reina
Plasencia
Cáceres
Trujillo
Mérida
BADAJOZ
Almendralejo
Zafra
Don Benito
Ciudad Real
Puertollano
Valdepeñas
Manzanares
Tomelloso
Alcázar de San Juan
Linares
Úbeda
Jaén
Andújar
Bailén
CÓRDOBA
Écija
Carmona
Osuna
Lucena
Baena
Loja
Guadix
Baza
Huércal-Overa
Vera
Tánger
TANGER
Ceuta (Esp.)
Cap Spartel
Asilah
TÉTOUAN
El-'Araïch (Larache)
Chefchaouen
Ksar-el-Kebir
Al-Hoceima
Isla del Alborán
Melilla (Esp.)
Nador
Cap des Trois Fourches
Kénitra
AR-RIBAT (RABÂT)
AD-DĀR-AL-BAYDĀ (CASABLANCA)
Mohammedia
MEKNÈS
Fès
Taza
Sidi-Kacem
OUJDA
Tlimsen
SIDI-BEL-ABBES
WAHRĀN (ORAN)
Mestghanem
Las Palmas, Santa Cruz de Tenerife
Santa Cruz de la Palma, Arrecife
Kasba Tadla
Azrou
Bouârfa
Aïn Sefra
Béchar
El-Jadida
0 25 50 100 150 km

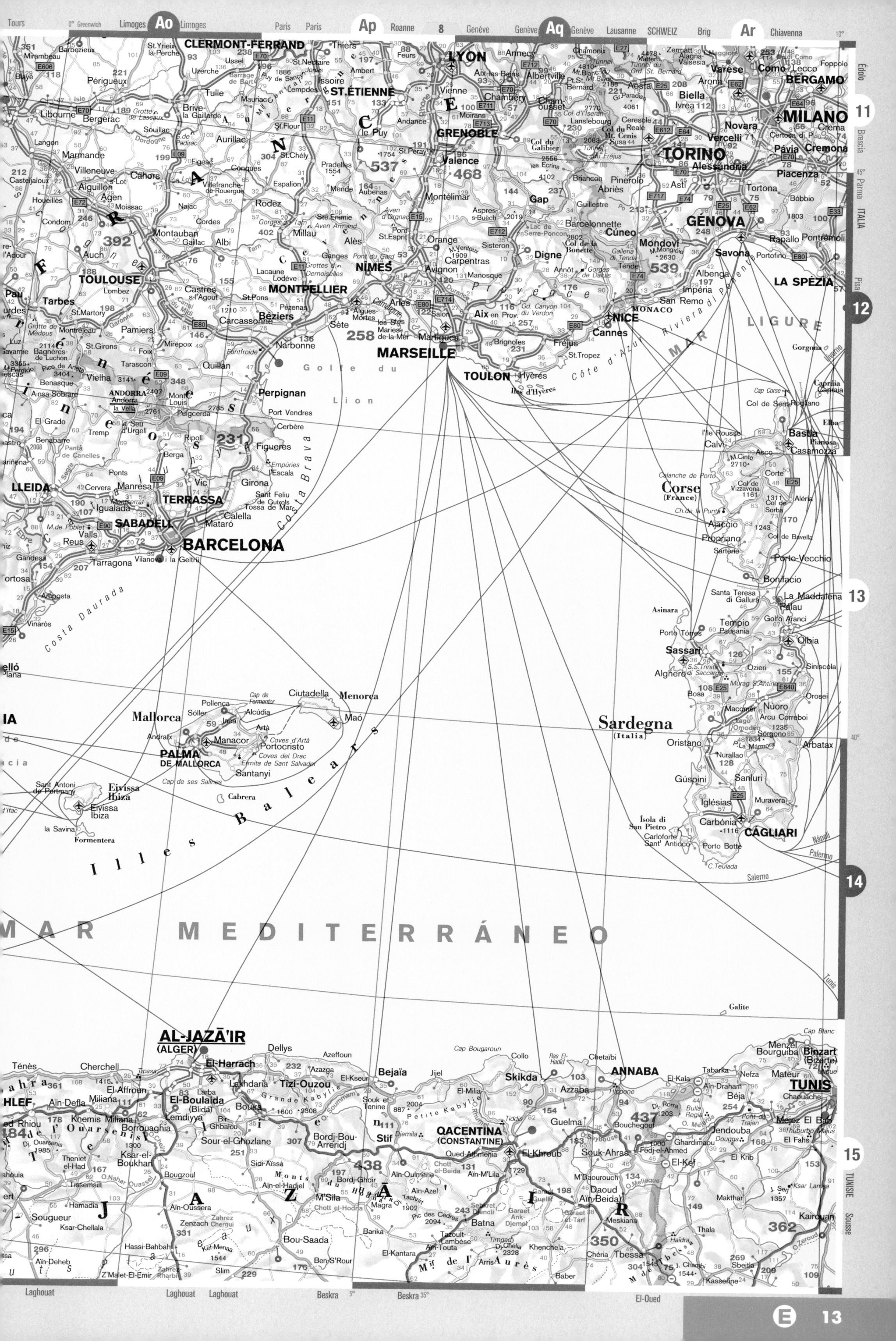

Ao
Ap
Aq
Ar
8
11
12
13
14
15
Tours
Limoges
Paris
Roanne
Genève
Lausanne
SCHWEIZ
Brig
Chiavenna
CLERMONT-FERRAND
LYON
ST.ÉTIENNE
GRENOBLE
Valence
Montélimar
Orange
Avignon
NÎMES
MONTPELLIER
Béziers
Narbonne
Carcassonne
TOULOUSE
Montauban
Albi
Rodez
Aurillac
Brive-la Gaillarde
Périgueux
Libourne
Bergerac
Agen
Auch
Tarbes
Pau
Perpignan
MARSEILLE
TOULON
Hyères
Aix-en Prov.
Arles
Sète
Digne
Gap
Cannes
NICE
MONACO
San Remo
Savona
GENOVA
LA SPÈZIA
TORINO
MILANO
BERGAMO
Novara
Vercelli
Alessandria
Piacenza
Cúneo
Chambéry
Annecy
Golfe du Lion
Côte d'Azur
Riviera di Ponente
MAR LIGURE
Provence
FRANCE
ITALIA
Pyrénées
ANDORRA
Andorra la Vella
LLEIDA
Manresa
TERRASSA
SABADELL
BARCELONA
Girona
Figueres
Tarragona
Reus
Costa Brava
Costa Daurada
Corse (France)
Bastia
Calvi
Ajaccio
Propriano
Porto-Vecchio
Bonifacio
Sardegna (Italia)
Sassari
Alghero
Olbia
Nùoro
Oristano
Iglésias
Carbónia
CAGLIARI
Mallorca
PALMA DE MALLORCA
Menorca
Ciutadella
Maó
Eivissa Ibiza
Formentera
Cabrera
Illes Balears
MAR MEDITERRÁNEO
AL-JAZĀ'IR (ALGER)
El-Harrach
Tizi-Ouzou
Bejaïa
Jijel
Skikda
ANNABA
QACENTINA (CONSTANTINE)
Stif
Bordj-Bou-Arreridj
M'Sila
Batna
Souk-Ahras
Guelma
Tébessa
Bou-Saada
Biskra
El-Boulaïda (Blida)
Médéa
Miliana
Ténès
Cherchell
Dellys
Galite
Bizerte
TUNIS
Béja
Jendouba
El-Kef
Kairouan
Sousse
TUNISIE
Laghouat
El-Oued

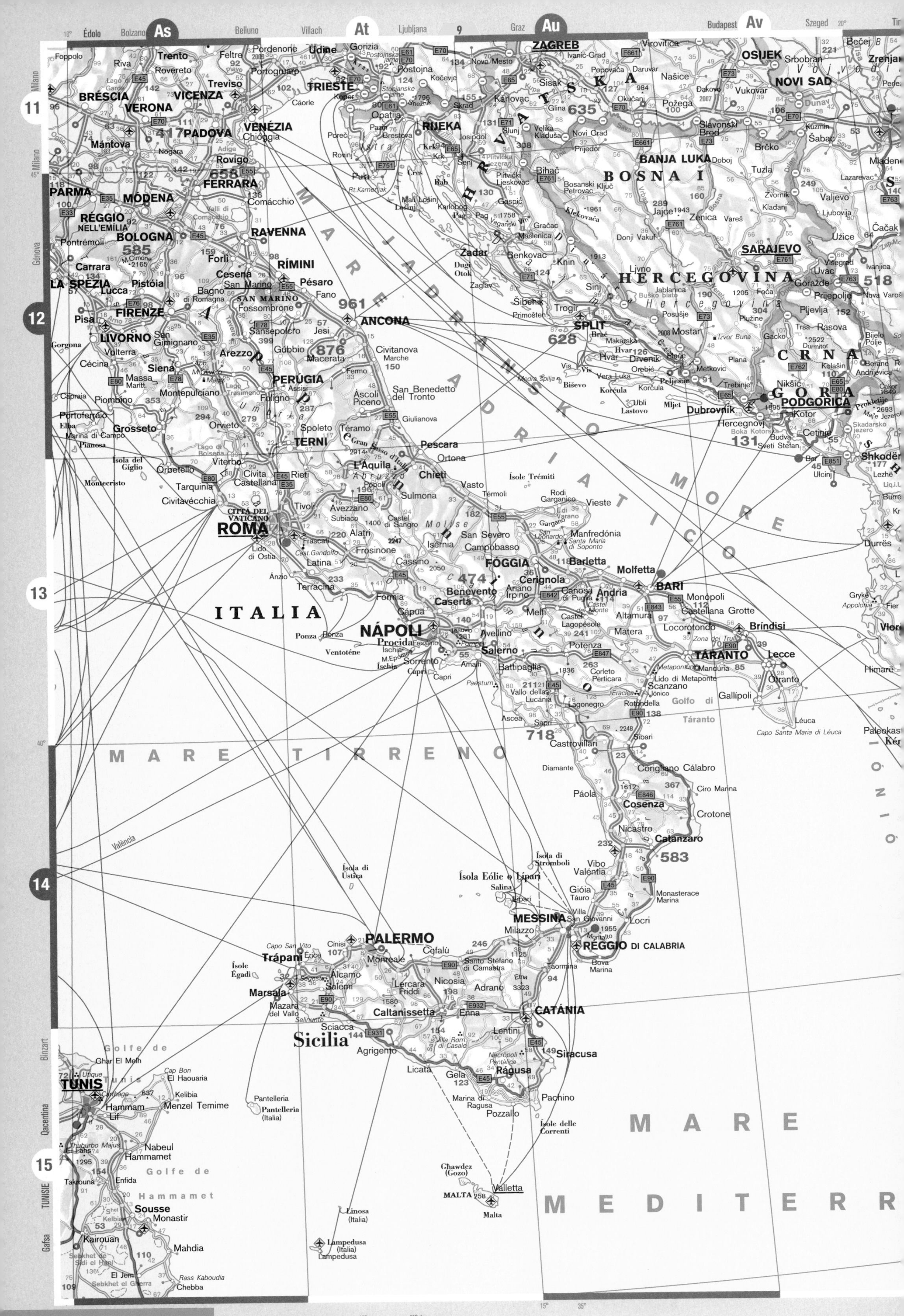

Édolo
Bolzano
As
Belluno
Villach
At
Ljubljana
9
Graz
Au
Budapest
Av
Szeged
11
12
13
14
15
Foppolo
Trento
Feltre
Pordenone
Udine
Gorizia
Postojna
Rovereto
Treviso
Portogruaro
TRIESTE
Koper
Kočevje
Novo Mesto
ZAGREB
Ivanić-Grad
Virovitica
OSIJEK
Srbobran
Zrenjanin
BRÉSCIA
VERONA
VICENZA
Cáorle
Opatija
Sisak
Popovača
Daruvar
Našice
Vukovar
NOVI SAD
Karlovac
Glina
Okučani
Đakovo
Požega
Mántova
PADOVA
VENÉZIA
Chioggia
Poreč
Pazin
RIJEKA
Krk
Senj
Slunj
Velika Kladuša
Novi Grad
Slavonski Brod
Šabac
Rovigo
Rovinj
Pula
Cres
Rab
Prijedor
BANJA LUKA
Doboj
Brčko
FERRARA
Bihać
Bosanski Petrovac
Ključ
Tuzla
Zvornik
Valjevo
PARMA
MÓDENA
Comácchio
Mali Lošinj
Karlobag
Pag
Gospić
BOSNA I
Jajce
Zenica
Vareš
Kladanj
RÉGGIO NELL'EMILIA
BOLOGNA
RAVENNA
Gračac
Donji Vakuf
Užice
Čačak
Pontrémoli
Zadar
Benkovac
Knin
SARAJEVO
Carrara
Forlì
RÍMINI
Cesena
San Marino
Ljvno
HERCEGOVINA
Goražde
LA SPEZIA
Lucca
Pistóia
Bagno di Romagna
Pésaro
Fano
Šibenik
Sinj
Prijepolje
Pisa
FIRENZE
SAN MARINO
Fossombrone
Primošten
Trogir
SPLIT
Posušje
Pljevlja
LIVORNO
San Gimignano
Sansepolcro
Jesi
ANCONA
Mostar
Rasova
Gorgona
Volterra
Arezzo
Gúbbio
Macerata
Civitanova Marche
Makarska
Hvar
Drvenik
Plana
CRNA
Cécina
Siena
Vis
Orebić
Metković
Kolašin
Massa Marittima
PERÚGIA
Assisi
Fermo
Korčula
Trebinje
Nikšić
Piombino
Montepulciano
Foligno
Ascoli Piceno
San Benedetto del Tronto
Lastovo
Mljet
Dubrovnik
GORA
PODGORICA
Portoferraio
Elba
Grosseto
Orvieto
Giulianova
Kotor
Cetinje
Marina di Campo
Pianosa
Spoleto
Téramo
TERNI
Herceg Novi
Budva
Sveti Stefan
Isola del Giglio
Viterbo
Orbetello
Pescara
Ortona
L'Aquila
Bar
Shkodër
Montecristo
Tarquinia
Civita Castellana
Rieti
Chieti
Isole Trémiti
Ulcinj
Lezhë
Civitavécchia
Sulmona
Vasto
Térmoli
Rodi Gargánico
Vieste
CITTÀ DEL VATICANO
ROMA
Tívoli
Avezzano
Subiaco
Castel di Sangro
Molise
Gargano
Manfredónia
Durrës
Frascati
Alatri
Isernia
San Severo
Campobasso
Lido di Ostia
Latina
Frosinone
Cassino
FÓGGIA
Barletta
Molfetta
Ánzio
Terracina
Cerignola
Benevento
Ariano Irpino
Canosa di Puglia
Ándria
BARI
Monópoli
ITALIA
Fórmia
Caserta
Cápua
Castellana Grotte
Gaeta
Melfi
Altamura
Ponza
NÁPOLI
Procida
Ischia
Vesuvio
Pompei
Avellino
Lagopésole
Matera
Locorotondo
Bríndisi
Ventoténe
Sorrento
Capri
Amalfi
Salerno
Potenza
TÁRANTO
Lecce
Battipaglia
Corleto Perticara
Manduria
Paestum
Vallo della Lucánia
Lagonegro
Scanzano Jónico
Lido di Metaponte
Gallípoli
Otranto
Golfo di Táranto
Rotondella
Léuca
Ascea
Sapri
Capo Santa Maria di Léuca
Castrovillari
Sibari
MARE TIRRENO
Diamante
Corigliano Cálabro
Ciro Marina
Páola
Cosenza
Crotone
Nicastro
Catanzaro
Valéncia
Ísola di Strómboli
Vibo Valéntia
Ísola di Ústica
Ísola Eólie o Lípari
Salina
Lipari
Gióia Táuro
Monasterace Marina
MESSINA
Villa San Giovanni
Locri
Milazzo
REGGIO DI CALABRIA
Capo San Vito
Cinisi
PALERMO
Cefalù
Trápani
Érice
Monreale
Santo Stéfano di Camastra
Bova Marina
Ísole Égadi
Segesta
Alcamo
Salemi
Lércara Friddi
Nicosia
Etna
Taormina
Marsala
Mazara del Vallo
Adrano
Selinunte
Caltanissetta
Enna
CATÁNIA
Sciacca
Sicilia
Lentini
Agrigento
Villa Romana del Casale
Siracusa
Golfe de Tunis
Ghar El Melh
Cap Bon
Utique
El Haouaria
TUNIS
Carthage
Kelibia
Licata
Gela
Rágusa
Hammam Lif
Menzel Temime
Pantelleria
Pantelleria (Italia)
Marina di Ragusa
Pachino
Pozzallo
Nabeul
Hammamet
Ísole delle Correnti
MARE
El Fahs
Golfe de Hammamet
Enfida
Takrouna
Ghawdex (Gozo)
Valletta
MALTA
Malta
MEDITERR
Sousse
Monastir
Linosa (Italia)
Kairouan
Mahdia
Lampedusa (Italia)
Lampedusa
El Jem
Sebkhet el Gharra
Rass Kaboudia
Chebba
TUNISIE
Gafsa
Qacentina
Binzart
Génova
Milano
0
25
50
100
150 km

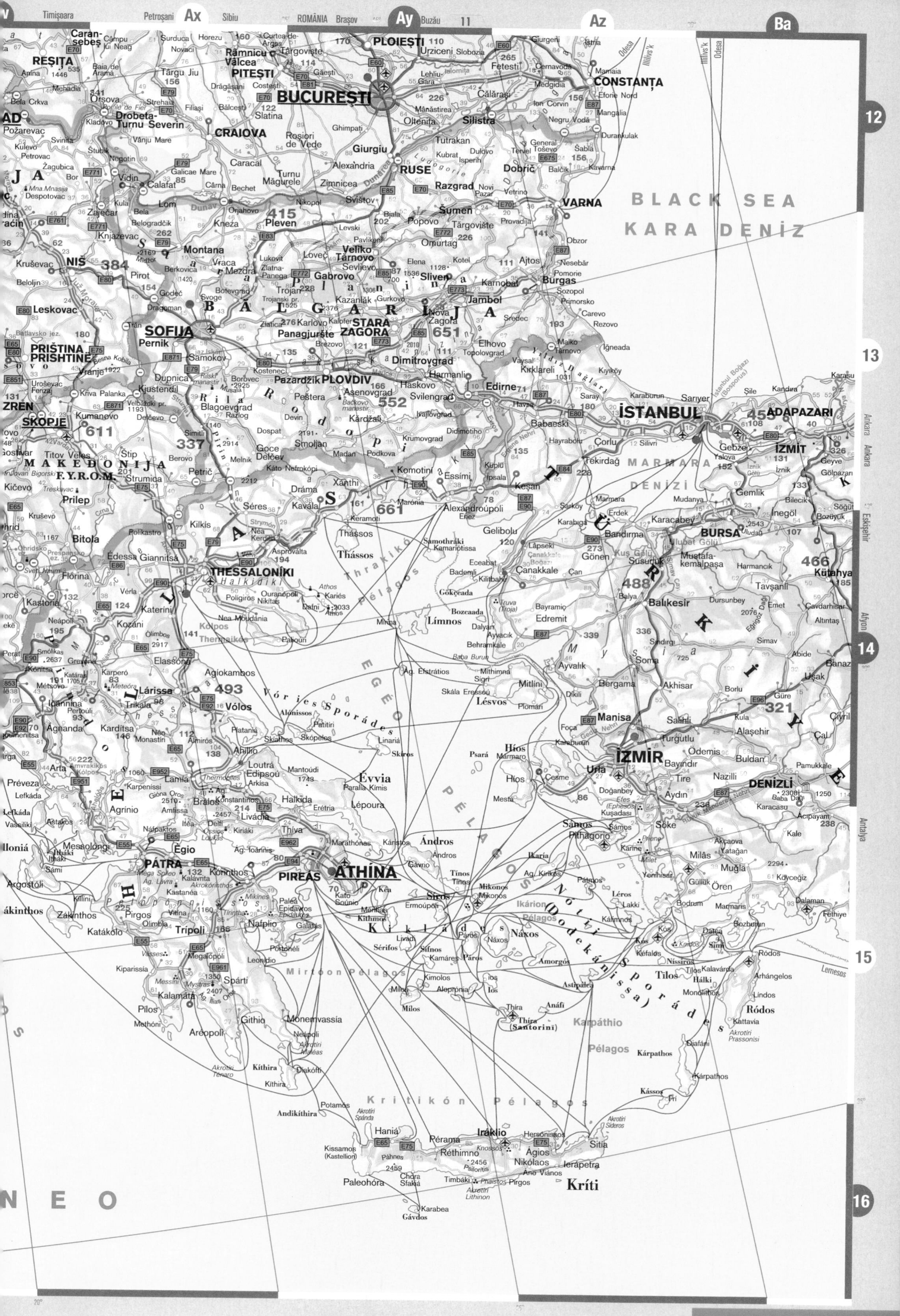
12
13
14
15
16
BUCUREŞTI
PLOIEŞTI
CONSTANŢA
CRAIOVA
PITEŞTI
Rîmnicu Vâlcea
RUSE
VARNA
Silistra
Dobrič
Razgrad
Šumen
Pleven
Veliko Tărnovo
Gabrovo
Sliven
Burgas
Jambol
Stara Zagora
SOFIJA
Pernik
PLOVDIV
Pazardžik
Haskovo
Kărdžali
Smoljan
Blagoevgrad
Montana
Vidin
Niš
Leskovac
PRIŠTINA
PRISHTINË
SKOPJE
MAKEDONIJA
F.Y.R.O.M.
Bitola
Prilep
Strumica
BĂLGARIJA
THESSALONÍKI
Halkidikí
Kavála
Xánthi
Komotiní
Alexandroúpoli
Séres
Dráma
Kilkís
Kateríni
Lárissa
Vólos
Lamía
Tríkala
Kozáni
Ioánnina
PÁTRA
ATHÍNA
PIREÁS
Kórinthos
Trípoli
Kalamáta
Spárti
Náfplio
Evvia
Halkída
Thíva
Lésvos
Mitilíni
Límnos
Thássos
Sámos
Híos
Ándros
Tínos
Míkonos
Síros
Náxos
Páros
Thíra (Santoríni)
Ródos
Kárpathos
Kos
Kríti
Iráklio
Haniá
Réthimno
Ágios Nikólaos
Ierápetra
Sitía
Gávdos
ELLÁS
İSTANBUL
Edirne
Tekirdağ
Çanakkale
BURSA
İZMİT
ADAPAZARI
Balıkesir
İZMİR
Manisa
Aydın
DENİZLİ
Kütahya
Uşak
Muğla
Bodrum
TÜRKİYE
BLACK SEA
KARA DENİZ
MARMARA DENİZİ
EGÉO PÉLAGOS
Thrakikó Pélagos
Kritikón Pélagos
Mirtóon Pélagos
Kikládes
Vóries Sporádes
Nótioi Sporádes (Dodekánissa)
Kárpathio Pélagos
NEO

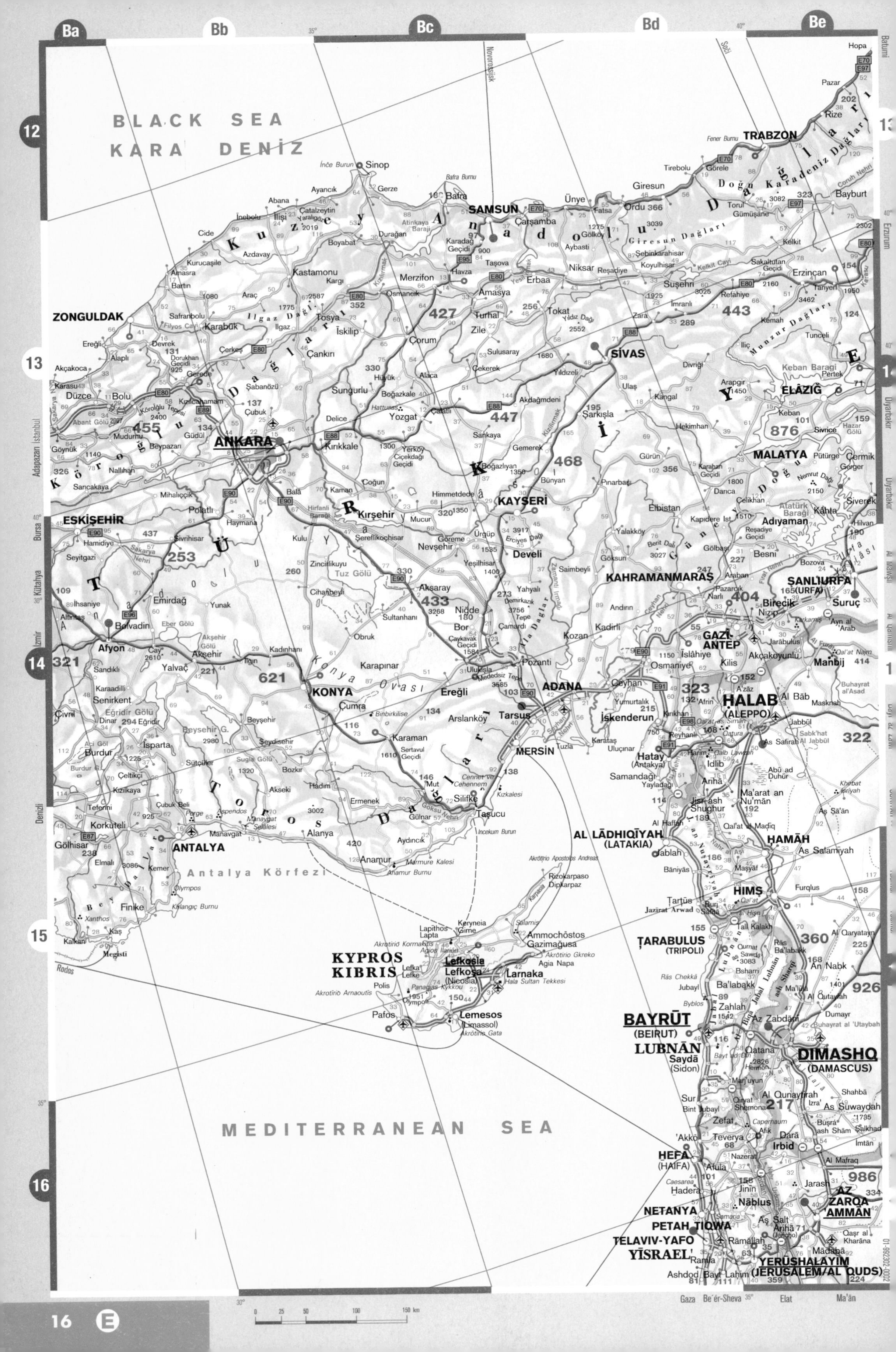

Ba
Bb
Bc
Bd
Be
12
13
14
15
16
BLACK SEA
KARA DENİZ
MEDITERRANEAN SEA
Kuzey Anadolu Dağları
Doğu Karadeniz Dağları
Toros Dağları
Antalya Körfezi
TÜRKİYE
KYPROS
KIBRIS
Sinop
TRABZON
Rize
Hopa
Giresun
Ordu
SAMSUN
Bafra
Çarşamba
Ünye
Kastamonu
Merzifon
Amasya
Tokat
Erbaa
Niksar
Zara
Bayburt
Erzincan
ZONGULDAK
Karabük
Bartın
Ereğli
Bolu
Düzce
Çankırı
Çorum
Yozgat
SİVAS
Divriği
Kangal
ELÂZIĞ
MALATYA
Adıyaman
ANKARA
Kırıkkale
Kırşehir
KAYSERİ
Nevşehir
Aksaray
Niğde
ESKİŞEHİR
Polatlı
Afyon
Akşehir
KONYA
Karaman
Ereğli
ADANA
Tarsus
MERSİN
Silifke
İskenderun
Osmaniye
KAHRAMANMARAŞ
GAZİANTEP
ŞANLIURFA
Birecik
Kilis
Isparta
Burdur
ANTALYA
Manavgat
Alanya
Anamur
Finike
Kaş
Hatay
(Antakya)
HALAB
(ALEPPO)
Idlib
HAMĀH
HIMŞ
AL LĀDHIQĪYAH
(LATAKIA)
Jablah
Ţartūs
ŢARABULUS
(TRIPOLI)
BAYRŪT
(BEIRUT)
LUBNĀN
Saydā
(Sidon)
DIMASHQ
(DAMASCUS)
Lefkosia
Lefkoşa
(Nicosia)
Larnaka
Lemesos
(Limassol)
Pafos
Ammochōstos
Gazimağusa
Keryneia
Girne
HEFA
(HAIFA)
'Akko
NETANYA
PETAH TIQWA
TELAVIV-YAFO
YISRAEL
YERŪSHALAYIM
(JERUSALEM/AL QUDS)
Irbid
ZARQA
'AMMĀN
Gaza
Be'ér-Sheva
Elat
Ma'ān
0 25 50 100 150 km